Hirschberger · Geschichte der Philosophie

II. TEIL

JOHANNES HIRSCHBERGER

GESCHICHTE DER PHILOSOPHIE

Neuzeit und Gegenwart

Zwölfte, verbesserte Auflage

1984

HERDER
FREIBURG · BASEL · WIEN

Imprimatur. – Freiburg im Breisgau, den 26. August 1953

Der Generalvikar: Dr. Föhr

Herstellung: Freiburger Graphische Betriebe 1984

ISBN 3-451-13284-2

AUS DEM VORWORT ZUR ERSTEN AUFLAGE

Für die Grundsätze, nach denen vorliegende Darstellung der Philosophie der Neuzeit und der Gegenwart gestaltet wurde, sei auf das Vorwort zum ersten Band verwiesen. Nur das möchte noch besonders unterstrichen werden, daß eine philosophische Geschichte der Philosophie nicht in der Anhäufung von Einzeldaten hängenbleiben darf, sondern versuchen muß, jeweils das Wesentliche in den großen Prozessen der Geistesgeschichte herauszustellen, in aller historischen Treue zwar, aber doch um gerade damit sich über das nur Historische zu erheben. Eine Philosophiegeschichte ist genausoviel wert, als sie uns hilft, von der Geschichte frei zu werden und uns der Wahrheit selbst zu nähern. Erfreulicherweise hat die Kritik dieses Bestreben des Verfassers gesehen und mehrfach anerkannt, daß seine Geschichte der Philosophie eine unmittelbare Einführung in das Philosophieren selbst ist.
Eine auf das Wesentliche bedachte Methode wirkt aber auch wieder auf die historische Erkenntnis als solche zurück. Sie wird davor bewahren, in dem Gegeneinander der Richtungen und Lager nur das Trennende zu sehen, das Positive aber und Gemeinsame zu verkennen. Zusammen mit der Auswertung der Ergebnisse der philosophiegeschichtlichen Forschung, besonders der Aristotelesforschung der letzten Jahrzehnte, konnte so im ersten Band dieses Werkes gezeigt werden, daß in den beiden großen Systemen der Antike, dem Platonismus und Aristotelismus, die Einheit größer ist als die Verschiedenheit. Dementsprechend ergab sich ein verändertes Bild auch der mittelalterlichen Philosophie. Über den vielfach von Äußerlichkeiten genährten Gegensatz von Augustinismus und Thomismus hinweg tat sich ein neuer und, wie wir glauben, vertiefter Blick auf in die gemeinsame Grundlage der mittelalterlichen Metaphysik. Eine ähnliche Einsicht bildet eines der Hauptergebnisse des vorliegenden zweiten Bandes. Es ist die Einsicht in die Kontinuität der metaphysischen Tradition des Abendlandes. Auf

Grund neuerer Forschungen — wir nennen nur jene über Cusanus, Descartes und die Schulphilosophie des 17. und 18. Jahrhunderts — können wir heute die Verbindung Kants und des Deutschen Idealismus mit dem Mittelalter und der Antike besser sehen, als das früher möglich war. Und vielleicht sollten wir diese Einheit nicht nur um der Philosophiegeschichte willen sehen.

Jedenfalls möchte dieses Buch dafür eintreten, daß der philosophische Gedanke als solcher gesehen und gewürdigt wird. Sein eigenes Leben und seine eigene Geschichte sollen nicht zugedeckt werden von der Fülle von Einzeldaten, die der Historismus — womöglich noch zur größeren Ehre der jeweiligen Schulen — zusammenzutragen pflegt, noch dürfen sie verschwinden hinter den die Geschichte des Geistes zwar begleitenden und auch beeinflussenden, aber doch nicht in Kern und Wesen bestimmenden ökonomischen, sozialen und politischen Verhältnissen der Weltgeschichte. Der Geist ist weder Parasit noch Epiphänomen des Lebens. Wir sind vielmehr mit Aristoteles der Ansicht, daß die Wirklichkeit des Geistes selbst schon Leben ist.

Eichstätt, im Februar 1952 Dr. Johannes Hirschberger

VORWORT ZUR SECHSTEN AUFLAGE

Mit der vorliegenden 6. Auflage hat nunmehr auch der 2. Band meiner Philosophie-Geschichte seine Neubearbeitung erfahren. Die hierfür maßgebenden Gesichtspunkte sind im Vorwort zu der Neubearbeitung des 1. Bandes (4. Aufl. 1960) umrissen.

VORWORT ZUR ELFTEN AUFLAGE

Wie in allen früheren Auflagen wurde auch in dieser elften die nötigste neuere Literatur nachgetragen.
Frankfurt am Main,
Dezember 1980 Johannes Hirschberger

INHALT

I. ABSCHNITT

Die Philosophie der Neuzeit

II. DER EMPIRISMUS

II. ABSCHNITT
Die Philosophie der Gegenwart

1. Kapitel: Vom 19. zum 20. Jahrhundert

ERSTER ABSCHNITT

DIE PHILOSOPHIE DER NEUZEIT

VORBEMERKUNGEN

a) Begriff der Neuzeit

Wir verstehen unter Neuzeit herkömmlicherweise jene Periode unserer abendländischen Geschichte, die mit Renaissance und Reformation anhebt und bis in unsere Gegenwart reicht. Diese aus der allgemeinen Weltgeschichte genommene Einteilung ist zwar reformbedürftig, hat sich aber doch auch für die Philosophiegeschichte bewährt. Aus Gründen der Zweckmäßigkeit begrenzen wir hier die Neuzeit mit dem Tode Hegels, um dann dem 19. und 20. Jahrhundert, als der Philosophie der Gegenwart, noch einen eigenen Abschnitt zu widmen.

b) Geist der Neuzeit

Fragt man nach der charakteristischen Eigenart der neuzeitlichen Philosophie, im Unterschied besonders zum Denken des Mittelalters, so zeigt sich, daß man hierbei leicht der Suggestion des Namens dieser Epoche erliegen kann. Man sieht nämlich gern das Wesentliche der Neuzeit in den „neuen" und angeblich ganz anderen philosophischen Problemen, die nunmehr auftauchen sollen. In den weltanschaulichen und religiösen Auseinandersetzungen zu Beginn unserer Epoche wurde diese Meinung von den „Neuerern" grundgelegt und unterstrichen. Allein wie in allem geistigen Leben die einzelnen Phasen sich nur langsam umschichten und die Wurzeln des Werdens gewöhnlich tiefer hinabreichen, als es einem ersten Blick scheinen möchte, so zeigt die Forschung auch hier, daß sich sehr viel Neuzeitliches schon im Mittelalter findet, besonders in der Spätscholastik, bei Ockham und den Nominalisten, Eckhart und Cusanus, und sogar früher noch, bei Scotus etwa und Abælard. Umgekehrt gehen die wesentlichen Probleme des mittelalterlichen Philosophierens im neuzeitlichen Denken nicht verloren. Eine Untersuchung über die sechs großen Themen der abendländischen Metaphysik konnte nachweisen, daß diese Themen der ganzen abendlän-

α) Das „Neue"

dischen Geistesgeschichte angehören und eine über alle großen Epochen hinweg sich erstreckende philosophische Kontinuität ausmachen. Darum ist die Philosophie der Neuzeit nur relativ neu. Aber auch die andere Ansicht, daß die Philosophie der Neuzeit in ihren Zielen und Wegen ganz frei und autonom sei und eben dadurch vom Mittelalter sich unterscheide, ist schief. Richtig ist nur, daß der neuzeitliche Mensch bewußter nach Freiheit und Mündigkeit strebt und davon mehr redet als der mittelalterliche Mensch. Grundsätzlich war aber auch dieser frei, und wenn man demgegenüber auf tatsächlich bestandene Bindungen hinweist, so kann man das für die Neuzeit auch. Man denke an die Maßnahmen der niederländischen Regierung gegen Descartes, an das Verhalten des Magistrates von Amsterdam gegen Spinoza, an das der Stadtväter von Görlitz gegen Böhme, an die Kabinettsordre Friedrich Wilhelms II. vom 1. 10. 1794 gegen Kant, an Fichtes „Zurückforderung der Denkfreiheit von den Fürsten Europens, die sie bisher unterdrückten", an die Absetzung Moleschotts und Büchners und deren Billigung sogar durch Schopenhauer, an die Hof- und Staatsaffinität der Hegelschen Philosophie, an die überflüssigen Konnivenzen der Philosophen gegenüber politischen Windrichtungen, an die Hausmachtdiplomatie der Personen und Schulen in Berufungsangelegenheiten und ähnliche Dinge. Von den weltanschaulichen Zwangsmaßnahmen der autoritären Politik der Neuzeit wollen wir gar nicht reden. Es ist überhaupt nicht tunlich, die Neuzeit durch irgendwelche Wertbegriffe zu charakterisieren, weil diese der Gefahr der Subjektivierung ausgesetzt sind, schon allein durch ihre mögliche Zeitbedingtheit. Empfehlenswerter dürfte es sein, unsere Epoche rein beschreibend und möglichst neutral zu kennzeichnen, etwa in dem Sinn, daß man auf die Zersplitterung des Denkens in der Neuzeit hinweist. Diese Zersplitterung scheint in der Tat für den Geist der modernen Philosophie eigentümlich zu sein. Sie liegt bei weitem nicht in diesem Ausmaß vor in der Antike und schon gar nicht im Mittelalter. Jetzt aber entsteht und wächst mehr und mehr, was man die Zerrissenheit des modernen Kulturbewußtseins geheißen hat. Die einzelnen Nationen bilden sich aus, und die Völker treten auseinander, und mit ihnen auch der Geist des Abendlandes und seine einheitliche Schau der Welt. Nicht nur theoretische und praktische Vernunft, Wissen und Glau-

β) Freiheit

γ) Zersplitterung

ben, Religion und Metaphysik, Politik und Moral werden getrennt und je auf sich selbst gestellt, sondern der Probleme, Methoden, Theorien werden so viele hervorgebracht, daß man sie fast nicht mehr überschauen kann, daß man sich gegenseitig nicht mehr versteht, daß philosophische Kongresse wie eine babylonische Sprachverwirrung anmuten und schließlich auch das noch geschieht, daß der Geist an sich selbst verzweifelt und zum Selbstmord schreitet, indem er das Unbewußte über die Bewußtheit stellt. Auf viele wirkt diese sich widersprechende Zerrissenheit verwirrend. Sie kennen sich nicht mehr aus, wenden sich von der Philosophie ab und verfallen einem resignierenden Skeptizismus. Das ist nun allerdings oft eine nur oberflächliche Betrachtung und zu rasch geurteilt. Die Verwirrung angesichts einer endlosen Fülle von Meinungen ist ein vorgängiges Stadium des Philosophierens, das überwunden werden muß. Wer nicht zu früh aufgibt, sondern sich tiefer mit der Philosophie befaßt, wird bald merken, wie die verschiedenen einseitigen Theorien und Standpunkte sich gegenseitig wieder korrigieren und die Philosophie als ganze, nicht zwar in ihren einzelnen Teilaussagen, wohl aber im Gesamtgefüge ihrer einander berichtigenden, ergänzenden und fortführenden Lehren, doch der Königsweg zur Wahrheit ist. Was zunächst verwirrend δ) Existenz wirkte oder als der Irrtum selbst erschien, offenbart sich dann als ein Wille zu unbedingter Wahrhaftigkeit: es soll kein mögliches Problem unbeachtet bleiben, nichts ohne Kritik hingenommen werden, kein Standpunkt sich verhärten dürfen; man ist aufgeschlossen für alles — nicht immer der einzelne Philosoph und die einzelne Schulrichtung, wohl aber der philosophische Geist als ganzer. Mit dieser Einstellung wird die Philosophie auch zu sicheren Wahrheiten finden, wenn auch nur zu menschenmöglich sicheren. Aber das ist ja natürlich, und es stellt eine Übertreibung dar, diese Wahrheiten gänzlich in Abrede zu stellen. Jedenfalls aber, wo der einzelne Denker diese alles umspannende Weite zu seiner eigenen Lebensform zu machen weiß, dort wird ihm Philosophie zur Existenz. Die jüngste Entwicklung der Philosophie der Neuzeit zur Existenzphilosophie ist konsequent und ein treffender Ausdruck ihres inneren Wesens. Das Letzte wird ε) Die Aufgabe diese Entwicklung freilich nicht bleiben können, schon deswegen nicht, weil der Wille zur Wahrheit noch nicht die

Wahrheit selbst ist. Aller Wille zum Werk ist wertvoll, aber nur um des Werkes selbst willen. Darum kann man sich nicht begnügen mit dem bloßen Willen zu, nur mit dem Unterwegssein, nur mit lauter Aporetik. Ein Baum muß nicht nur wachsen, er muß auch Früchte bringen. Diese Fortführung der neuzeitlichen Philosophie kann aber nur geschehen, wenn es gelingt, aus einer tieferen Weisheit heraus unvergängliche Wahrheiten als die echten Früchte echten Philosophierens sichtbar werden zu lassen. Nicht wer das Denken der Neuzeit allzu billig als ausweglose Zersplitterung verdammt, vielleicht auch noch alles Menschliche und Irdische überhaupt in diese Verurteilung einbeziehend, wird es überwinden, sondern wer in rückhaltloser Auseinandersetzung Besseres zeigt, tiefer bohrt und weiter schaut. Niemand ist eher bereit, sich belehren zu lassen, als der Geist der Philosophie der Neuzeit.

c) Literatur

G. W. F. Hegel, Vorlesungen über die Geschichte der Philosophie. III. Bd. (= XIX. Bd. der Jubiläumsausgabe von Glockner). F. W. J. v. Schelling, Zur Geschichte der neueren Philosophie (5. Bd. Münchener Jubiläumsdruck. Auch Sonderdruck Darmstadt Wissenschaftl. Buchgesellschaft 1953). F. Ueberweg, Grundriß der Geschichte der Philosophie III ([12]1924) und IV ([12]1923). Nachdruck Darmstadt Wissenschaftl. Buchgesellschaft 1953 bzw. 1951. J. E. Erdmann, Versuch einer wissenschaftlichen Darstellung der Geschichte der neueren Philosophie (1834—53; Faksimileneudruck in 7 Bdn. 1931—34). K. Fischer, Geschichte der neueren Philosophie. 6 Bde. (1852—77; Jubiläumsausgabe 1897 in 10 Bdn.: Descartes, Spinoza, Leibniz, 2 Bde. Kant, Fichte, Schelling, Hegel, Schopenhauer, Bacon). W. Windelband, Geschichte der neueren Philosophie. 2 Bde. (1878, [6]1919). R. Falckenberg, Geschichte der neueren Philosophie (1885, [9]1926). Windelband-Heimsoeth, Lehrbuch der Geschichte der Philosophie (1891, [15]1957). A. D. Sertillanges, Le Christianisme et les philosophies. L'âge moderne (Paris 1941). K. Schilling, Geschichte der Philosophie. 2. Bd. (1944, [2]1953). H. Meyer, Geschichte der abendländischen Weltanschauung. 4. Bd. (1950). W. Ziegenfuß, Philosophen-Lexikon (I 1949; II 1950). F. Copleston, A History of Philosophy. Vol. III: Ockham to Suarez (London 1953); Vol. IV: Descartes to Leibniz (London 1958); Vol. V: Hobbes to Hume (London 1959); Vol. VI: Wolff to Kant (London 1960). K. Vorländer, Geschichte der Philosophie. Bd. 2: Die Philosophie der

Neuzeit bis Kant. Neu bearbeitet und mit Literaturnachweisen versehen von H. Knittermeyer (1955, [2]1966). H. Barth, Philosophie der Erscheinung. Eine Problemgeschichte. II: Neuzeit (Basel 1959). E. Coreth, Einführung in die Philosophie der Neuzeit 1972). — E. Cassirer, Das Erkenntnisproblem in der Philosophie und Wissenschaft der neueren Zeit, 4 Bde. (1922, Nachdruck 1974).

Nützlich für ein eindringendes Studium sind philosophische Wörterbücher, wie z. B.: R. Eisler, Wörterbuch der philosophischen Begriffe. Historisch-quellenmäßig bearbeitet. 3 Bde. ([4]1927). Neubearbeitung: J. Ritter (Hrsg.), Historisches Wörterbuch der Philosophie (1971 ff.). A. Lalande, Vocabulaire technique et critique de la philosophie (Paris [7]1956). W. Brugger, Philosophisches Wörterbuch ([14]1976). J. Hoffmeister, Wörterbuch der philosophischen Begriffe ([2]1955). Enciclopedia Filosofica. Centro di studi filosofici di Gallarate. 4 Bde. (Venezia - Roma [2]1975). M. Müller, Kleines philos. Wörterbuch (Herderbücherei 1958). Schmidt-Schischkoff, Philosophisches Wörterbuch (Kröner 1974). H. Krings u. a., Handbuch philosophischer Grundbegriffe (1973 ff.).

ERSTES KAPITEL

DIE PHILOSOPHIE DER RENAISSANCE

In der Renaissance offenbart sich in nuce der ganze Geist der neuzeitlichen Philosophie in seinem unruhigen Auslangen nach allen Seiten. Wir haben ein junges, emporstrebendes Wollen vor uns, das eine Fülle von neuen Ansätzen entwickelt: die Wiedergeburt der Antike, die Versuche mit der Mystik und Magie, die Grundlegung der modernen Naturwissenschaft, ein neues Bild von Mensch und Staat. Man will überall Erstes und Größtes. Doch sind es nicht mehr die mittelalterlichen Vorstellungen von Größe und Auszeichnung, sondern es erhebt sich ein neues Gefühl für Welt und Mensch. Man könnte es mit einem Goethewort umschreiben: „Willst du ins Unendliche schreiten, geh nur im Endlichen nach allen Seiten.“ Aber während man vom Unendlichen träumt, überfällt diesen Menschen der Alpdruck des allzu Endlichen an Welt und Mensch, man wird mit sich selbst uneins und gerät in die Stimmung der Skepsis und des Relativismus. Und auch das ist ein Zug dieser Zeit und ein neuzeitlicher Zug überhaupt. Andererseits bringt diese Epoche auch noch einen Franz Suarez hervor und den ganzen Kreis von Männern, in dem er steht. In der Philosophiegeschichte häufig nur am Rande vermerkt, hat diese Welt der neuen spanischen Scholastik doch ungeheuer in die Breite gewirkt und ist viel mehr, als man es wahrhaben will, der Nährboden, in dem viele Wurzeln auch des modernen Denkens liegen. Und erinnert man sich noch — Suarez steht am Ende — des Mannes, der den Anfang dieser Epoche überstrahlt: Cusanus, dann schließt sich der Bogen, der zwar viele neue Ansätze umfaßt, aber doch auch Mittelalter und Neuzeit kontinuierlich verbindet.

Literatur

G. Voigt, Die Wiederbelebung des classischen Altertums oder das erste Jahrhundert des Humanismus. 2 Bde. (1859, ³1893, Nachdruck der 3. Aufl. 1960). J. Burckhardt, Die Kultur der Renaissance in Italien (1860 u. ö.). W. Dilthey, Auffassung und

Analyse des Menschen im 15. und 16. Jahrhundert (1892). K. Burdach, Reformation, Renaissance, Humanismus (1918). A. Riekel, Die Philosophie der Renaissance (1925). E. Cassirer, Individuum und Kosmos in der Philosophie der Renaissance (1927). R. Hönigswald, Denker der italienischen Renaissance (Basel 1938). E. Garin, Der italienische Humanismus (Bern 1947). G. Saitta, Il pensiero italiano nell'Umanesimo e nel Rinascimento. 2 Bde. (Bologna 1949/50). E. Cassirer, P. O. Kristeller u. J. H. Randall, The Renaissance Philosophy of Man. Einführungen, Textauswahl und Bibliographien zu Petrarca, Valla, Ficino, Pico, Pomponazzi, Vives (Chicago 1948, [4]1956). E. Garin, Storia della filosofia italiana. 3 Bde. (Torino 1966). P. O. Kristeller, Humanismus und Renaissance (1974). G. Abel, Stoizismus und frühe Neuzeit. Zur Entstehungsgeschichte des modernen Denkens im Felde von Ethik und Politik (1978).

1. WIEDERGEBURT DER ANTIKE

Wie schon der Name anzeigt, erblickt man in der Wiedergeburt der Antike gewöhnlich das Wesentliche an der Renaissance. Diese Rückkehr zu der griechisch-römischen Kultur ist zwar durchaus nicht alles an dieser Epoche, aber sie bildet doch das auffallendste Charakteristikum dieser an Eigentümlichkeiten reichen Zeit. Und daß es kein nebensächliches ist, dafür bürgt schon, daß die Erneuerung der Antike nicht künstliche Fassade war, sondern echte geistige Bewegung. Den Anstoß dazu sieht man häufig in der Begegnung des Westens mit dem Osten auf dem Unionskonzil von Ferrara und Florenz (1438) und vor allem im Einströmen vieler nach dem Fall von Byzanz (1453) nach Italien flüchtender griechischer Gelehrter, die in ihren Bücherschätzen neue Texte aus der Antike beibrachten und zugleich deren Sprache zu erschließen verstanden. Neben diesem äußeren Anstoß war aber auch schon eine innere Nähe und Bereitschaft da, wie man aus Dante, Petrarca und Boccaccio leicht ersehen kann. Und dann drängte, was zu wenig beachtet wird, auch die Kontinuität der philosophischen Problematik selbst zu den Quellen zurück. Das in der Hochscholastik aufblühende Aristotelesstudium hatte im Laufe der Zeit zu immer größeren Disputen über viele seiner Gedanken geführt, weil die Äußerungen des

Philosophen als zu knapp oder zu vieldeutig, oder zu widersprechend erkannt wurden. So wurde es der Deutungen kein Ende. Der Codex B III 22 der Universitätsbibliothek zu Basel z. B. zählt nicht weniger als 17 verschiedene Deutungen der aristotelischen Lehre über den Nous poietikos auf. Es zeigte sich allmählich, daß man mit den bisherigen rein dialektischen Mitteln der Schwierigkeiten nicht Herr werden konnte, daß es vielmehr notwendig wurde, auf die Quellen selbst zurückzugehen. Darum betonen die Aristoteleskommentare der Renaissance immer wieder, daß es ihnen in erster Linie ankäme auf eine Wiedergewinnung der reinen Lehre des Stagiriten gegenüber den Widersprüchen und Mißdeutungen früherer Kommentare: „Aristotelis sententiam enodare" will Antonius Flaminius in seiner Paraphrase zum 12. Buch der Metaphysik (1547); „aus seinen eigenen Worten, rein und wahr, und ohne ihm Gewalt anzutun, nur berichten, was Aristoteles gemeint hat", stellt sich 1543 Franciscus a Vicomerato als Aufgabe; und sogar ein so ausgesprochen systematischer Denker wie Thomas Caietanus gibt als Ziel seines Kommentars zu De anima (1509) an, nicht als Verteidiger der Wahrheit oder Widerspruchsfreiheit oder Wahrscheinlichkeit der Lehre des Aristoteles habe er geschrieben, sondern „nur als Interpret der Meinung jenes Griechen". Man fühlt hier deutlich heraus, wie sehr die alte, nur dialektische Praxis der Scholastiker, mit der ja Cajetan bestens vertraut ist, selbst mit innerer Notwendigkeit über sich hinausdrängte und sich weiterentwickelte zu einem Zurückgreifen zu den Quellen selbst.

a) Die Platoniker

Das Glanzstück der Renaissancephilosophie bildete der neue Platonismus. Es war nicht immer reiner Platonismus, sondern ebensooft auch Plotinismus, was Denken und Fühlen belebte, jedenfalls aber wurde Platon einer der leuchtenden

α) Florenz

Sterne am Himmel der Renaissance. Mittelpunkt dieser Bewegung war das Florenz der Mediceer, vor allem unter Cosimo dem Älteren († 1464) und Lorenzo Magnifico († 1492). Um 1440 entstand dort die berühmte platonische Akademie. Was man hier erstrebte, war eine Synthese von Griechentum und Christentum, eine Synthese jedoch, in der ein schönheitstrunkener Optimismus zur Welt rückhaltloser ja sagte, als das vorsichtigere Christentum es mit seinem Wissen um die von der Begierde geschwächte und der Gnade bedürftige Natur des Menschen wagen möchte. Im Platonismus der Väter hatten wir auch schon eine Synthese. Dort schlug das Christentum durch. In der Synthese der Renaissance schlägt ein neues Heidentum durch. Es war nicht immer gewollt, auch nicht immer bewußt, aber es war da, und die Gegner rechneten es den Männern von Florenz immer wieder vor. Sehr viel verdankte die platonische Akademie den Anregungen des Georgios Gemistos Plethon († 1450), eines Griechen, den Kaiser Johannes Palaiologos zum Konzil von Ferrara mitgenommen hatte und der mit dem Konzil nach Florenz gegangen war. Durch Plethon kam Italien erstmals zu einer lebendigen Berührung mit Platon. Man hatte bislang nur wenig von ihm gewußt. Das Mittelalter kannte nur den Timaios, Phaidon und Menon. Petrarca verehrte Platon und besaß von ihm 16 Werke, konnte aber damit nichts anfangen, da er so wenig Griechisch las wie seine Zeitgenossen. Die Übersetzungen des Palla Strozza und Manuel Chrysoloras sowie des Lionardo Bruni († 1444) erreichten nicht viel, weil das Verständnis fehlte. Plethon aber hatte bereits in Mysithra, dem antiken Sparta, nach platonischem Vorbild eine Akademie um sich gesammelt und den Teilnehmern die Welt Platons erschlossen und tat das gleiche nun auch in Florenz. Mit Begeisterung lauschten ihm die Humanisten, und was er erweckte, war echtes geistiges Leben. Plethon ging ganz in der Antike auf und träumte von einer Wiedererneuerung der griechischen Religion unter Führung des Platonismus. Aristoteles wurde abgelehnt, weil er die Ewigkeit der Welt lehre, die persönliche Unsterblichkeit der Seele leugne und die göttliche Vorsehung. Platon dagegen kenne eine jenseitige Welt und vor allem einen Schöpfergott. Über diesen „Unterschied der aristotelischen und platonischen Philosophie“ hatte Plethon eine eigene Schrift verfaßt. Durch seinen frühen Weggang aus Florenz (1439) geriet seine Sache wieder ins Stocken. Dazu kam der Angriff des Georgios Trapezuntios, der 1455 in einem „Vergleich der Philosophen Platon und Aristoteles“ nun wieder umgekehrt nachwies, daß auf Platon alle Häresien zurückzuführen seien, während Aristoteles der christlichen Lehre voll entspreche; ja man könne ihn auf eine Stufe stellen mit den Heiligen der Kirche.

β) **Plethon**

Niemand war da, der erwidert hätte. So schwach noch war γ) Bessarion die junge Saat. Da griff der spätere Kardinal Bessarion († 1472) ein, auch ein gebürtiger Grieche und schon zu Mysithra Schüler des Gemistos. In seinem Haus zu Rom vereinigte er eine Akademie um sich und verteidigte zunächst mündlich die Sache seines Lehrers und die Sache Platons. Aus diesen Vorträgen erwuchs das ursprünglich griechisch geschriebene, aber zunächst nur lateinisch gedruckte und erst 1927 von L. Mohler griechisch edierte Werk gegen Georgios Trapezuntios In calumniatorem Platonis. Es war die erste eingehende Arbeit über Platon, die sein Leben, seine Schriften und sein Denken dem Abendland erschloß. Der Gegner verschwand hinter der Fülle neuer, großer und belebender Gedanken, die sich jetzt dem Verständnis eröffneten. Er brauchte nicht einmal mehr genannt zu werden. Dabei war Bessarion keineswegs extrem. Er kannte und schätzte auch Aristoteles, hatte er doch dessen Metaphysik übersetzt (so gut, daß man sie vielen Aristotelesausgaben, darunter der Berliner, beidruckte) und war er der Überzeugung, daß die beiden großen Griechen im Grunde übereinstimmten. Hauptsache aber war, Bessarion hatte Platon für die Renaissance und damit für die Neuzeit gerettet. Man nahm seine Schrift begeistert auf. Sie wirkte vor allem dadurch weiter, daß unter dem Einfluß Bessarions nun Mar- δ) Ficinus silius Ficinus († 1499), der Vorstand der Akademie zu Florenz geworden war, jetzt daranging, die Schriften Platons in mustergültiger Weise in das Lateinische zu übersetzen (der Editio Bipontina der Opera Platonis beigedruckt). Damit war der Grund gelegt für die Auferstehung des Platonismus in der Neuzeit. Ficinus hat aber auch Plotin übersetzt, und das Nebeneinander der beiden Übersetzungen ist ein Zeichen für das Ineinander von Platonismus und Plotinismus in der Renaissance im allgemeinen und bei Ficinus im besonderen. Der echte Platonismus vermischt sich hier immer wieder mit mystischer Einheitssehnsucht und religiösem Gefühl im Stile des Neuplatonismus. Wie Proklos nennt auch Ficinus sein Hauptwerk Theologia platonica (Florenz 1492). In einem Brief an Bessarion schreibt Ficinus: das Gold, bei Platon noch mit Schlacken vermischt und schwer zu sichten, erstrahle nach harter Läuterung durch das Feuer erst bei Plotin, Porphyrios, Jamblich und Proklos. Auch Augustinus und

Pseudo-Dionysios wirken nach, wobei aber für Ficinus das spezifisch Christliche sich immer mehr verliert in der allgemeinmenschlichen Weltreligion und Mystik hellenistischer Prägung. In dieser neuplatonischen Mischform hat der Renaissanceplatonismus auf die neuzeitliche Philosophie eingewirkt. Andere Ingredienzien kommen noch dazu, besonders solche aus der Kabbala. Es gibt so etwas wie einen Renaissancesynkretismus. Wenn auch die reinliche Scheidung von Platonismus und Neuplatonismus nicht gelang: es war Leistung genug, daß man nun die Werke Platons selbst lesen konnte, nachdem man ihn bislang nur kannte durch Berichte aus zweiter Hand.

ε) Mirandola

Einen besonderen Ruhm für den Kreis der Akademie zu Florenz bedeutete der Fürst Giovanni Pico della Mirandola († 1494). Mit ihm tritt der Geist der Renaissance besonders markant in Erscheinung, und zwar in einer doppelten Hinsicht. Einerseits zeigt sich, daß das religiöse Gefühl ein betont naturhaftes sein soll, also ein allgemeinmenschliches und nicht mehr spezifisch christliches. Man sagt Christentum, meint aber den Humanismus. Mirandola erstrebt eine Weltreligion allgemeinmenschlicher Art. Griechentum, Christentum und Judentum sollen vereinigt werden, wobei aber immer der griechische Typ angibt, was allgemeinmenschlich ist. Und die Formen, in die man das Ganze gießt, gibt der Platonismus ab, der natürlich auch hier wieder ebensosehr Neuplatonismus ist. Praktisch lief das auf ein neues Heidentum hinaus, und so versteht es sich, daß die Kirche den Plänen des Fürsten — er hatte alle Gelehrten der Welt nach Rom eingeladen, um seine Thesen zu dieser Frage zu diskutieren — entgegentrat. Anderseits entwickelte Mirandola ein neues Menschenbild, das gleichfalls in diese Richtung wies, das Bild vom unendlichen Menschen. In seiner Schrift „Über die Würde des Menschen" sieht er Wesen und Größe des Menschen in dessen Fähigkeit zu unbegrenzter Metamorphose. Immer Neues solle der Mensch schaffen in einem unendlichen Prozeß und dadurch sich selbst verwirklichen. Das wäre der große Mensch. Für Cusanus gibt es noch die Welt der ewigen Urbilder. Der Mensch nähert sich ihnen auch nur in einem endlosen Annäherungsprozeß; aber die Urbilder sind da, und nur weil sie unausschöpfbar reich sind, ist der Weg des Menschen auch ein unendlicher.

αα) Weltreligion

ββ) Der unendliche Mensch

Für Mirandola dagegen verschiebt sich der Wert von den Urbildern auf den Menschen und vom Ziel auf den Weg: das unentwegte Streben des Menschen soll jetzt das Unendliche sein. Nun kommt es weniger mehr auf die ewigen Wesenheiten als auf die unendliche Dynamik an. Eine andere Welt, sei sie ein Jenseits oder eine Wertordnung, wird nicht geleugnet; aber sie wird hineingenommen in den Menschen selbst und bildet ein Moment in seiner Dynamik. Diese aber müsse unendlich sein, wenn sie echt sein soll. So erhebt sich der Mensch über sich und die Welt, wie man noch sagt, aber faktisch ist es immer nur er selbst, wozu er sich erhebt. Die Unendlichkeit, einst etwas Göttliches, wechselt hinüber in den Menschen. Titanismus hat man das geheißen; aber der Mensch ist hier nicht nur ein Titan, er fühlt sich als ein Demiurg, als ein „Deus in terris“, wie es schon bei Ficinus steht. Das ist nicht mehr der Geist des Mittelalters, für das der Mensch Diener war an einer transzendenten Seinsordnung. Das ist auch nicht mehr antik, trotz des Platonismus; denn die Antike sieht, daß es Größeres gibt als den Menschen (Aristoteles, Eth. Nik. Z, 7). Es sind vielmehr typisch moderne Töne, die damit anklingen. Wir werden sie wieder hören, wenn Kant, der deutsche Idealismus und andere erklären, daß der Weg der schöpferischen Synthesis im Erkennen ein unendlicher ist; daß wir die Welt nicht erkennen, sondern sie erschaffen; daß der Weltprozeß die Geschichte des menschlichen Geistes ist; daß das Leben es sei, was die Wahrheiten schaffe und die Werte: daß Gott tot sein müsse, damit der Mensch frei sein und leben könne, daß das Existieren grundlegender sei als das Sein.

Texte und Literatur

A. Della Torre, Storia dell'Accademia Platonica di Firenze (Florenz 1902, Nachdruck 1959). A. Chastel, Art et humanisme à Florence au Temps de Laurent le Magnifique. Étude sur la Renaissance et l'Humanisme platonicien (Paris 1959). — Plethon, Opera: Migne, Patr. gr. 160. F. Masai, Pléthon et le Platonisme de Mistra (Paris 1956). — Bessarion, Opera: Migne, Patr. gr. 161. Ders., Adversus calumniatorem Platonis (Rom 1469), griechisch (1927) in: L. Mohler, Kardinal Bessarion als Theologe, Humanist und Staatsmann. 3 Bde. (1923—42). — M. Ficino, Opera omnia (Basel 1561). Nachdruck 4 Bde. (Torino 1959/61). Supplementum Ficinianum, ed. P. O. Kristeller.

2 Bde. (Firenze 1937). M. Ficin, Commentaire sur le Banquet de Platon. Texte édité et traduit par R. Marcel (Paris 1956). W. Dress, Die Mystik des Marsilio Ficino (1929). G. Saitta, M. Ficino e la filosofia dell'umanesimo (Bologna [3]1954). P. O. Kristeller, Die Philosophie des M. Ficino (1972). R. Marcel, Marsile Ficin. Mit Bibliogr. und Indices (Paris 1958). — G. P. della Mirandola, Opera (Bologna 1496, Basel 1572). Ders., De hominis dignitate, Heptaplus, De ente et uno e scritti vari a cura di E. Garin (Firenze 1942). Ausgewählte Schriften, übers. u. eingel. von A. Liebert (1905). Über die Würde des Menschen, ausgewählt, übertragen, nebst einigen Briefen und der Lebensbeschreibung von H. W. Rüssel (Amsterdam 1940). G. Barone, Umanesimo filosofico di G. P. della Mirandola (Milano 1949). E. Monnerjahn, G. P. della Mirandola. Ein Beitrag zur philosophischen Theologie des italienischen Humanismus (1960).

b) Die Aristoteliker

Die Rivalen der Platoniker waren jene Philosophen, die das Heil in Aristoteles sahen. Die Auseinandersetzungen zwischen den beiden Richtungen werden ziemlich temperamentvoll geführt; aber durchaus nicht immer nur um der Parteinahme willen; sie verraten vielmehr oft ein tiefgehendes Verständnis der Intentionen der beiden großen Griechen, was man allein schon daraus entnehmen kann, daß gelegentlich, z. B. bei Bessarion und Ficinus, auch schon die moderne Erkenntnis geahnt wird, daß der Einklang zwischen den beiden Denkern größer sei als die Verschiedenheit. Schon deswegen verdienten die Platon- und Aristotelesstudien der Renaissance Beachtung und Bearbeitung. Ebenso interessant sind die verschiedenen Aristotelesinterpretationen und deren Hintergründe.

α) Christlicher Aristotelismus

Wir haben da zunächst eine Aristotelesauffassung, die an die Traditionen der christlichen Scholastik anknüpft. Wir beobachten das seltene Phänomen, daß Griechen, die aus dem Osten kamen, jenen Aristoteles lehren, den die Scholastik des Westens seit dem 12. Jahrhundert verkündet hatte, besonders Thomas von Aquin. Seine Gedanken waren nach Byzanz gebracht worden schon von Demetrios Kydones († 1400), der auch dessen Summa contra gentiles und den ersten und zweiten Teil der theologischen Summe ins Griechische übertragen hatte. Ein anderer Kenner und Verehrer

αα) in Byzanz

des Aquinaten ist Georgios Scholarios mit dem Beinamen Gennadios († ca. 1464), der gleichfalls Schriften von Thomas ins Griechische übersetzte, darunter den Kommentar zu De anima. Von dieser aristotelischen Einstellung her ereiferte er sich nun besonders gegen den Platonismus Plethons, dessen „Gesetze" er als Patriarch von Konstantinopel öffentlich verbrennen ließ, weil nur Aristoteles dem Geiste des Christentums entspräche, Plethons Ideen aber einen

ββ) in Italien

Rückfall in das Heidentum bedeuteten. Ebenso heftig verteidigte ein anderer Grieche die Aristotelestradition der Lateiner: der nach Italien emigrierte und zur lateinischen Kirche übergetretene Georgios Trapezuntios († 1484). Es ist der Mann, gegen den Bessarion seine Schrift In calumniatorem Platonis hatte erscheinen lassen. Und schließlich gehört hierher noch Theodorus Gaza († 1473), gleichfalls Emigrant und Konvertit. Seine Kontroversen mit dem ihm befreundeten Bessarion über die Frage der Teleologie und des Determinismus in der aristotelischen Philosophie sind bemerkenswert. Am wertvollsten aber an der ganzen Tätigkeit der Aristoteliker war, daß auch hier wieder die Begeisterung für den antiken Philosophen der Anlaß wurde zu neuen Übersetzungen seiner Werke, beim Trapezuntier, Gaza u. a., und über sie zu einer näheren Beschäftigung mit den

γγ) in Deutschland

Quellen selber. Eine Parallele zum Aristotelismus in Italien haben wir in dem Aristotelismus vor uns, den Philipp Melanchthon († 1560) im Norden begründete. Er wurde in ähnlicher Weise, wenn auch nicht in gleichem Ausmaß, von Bedeutung für die Scholastik der protestantischen Dogmatik und Orthodoxie zu Beginn der Neuzeit wie einst für die katholische Dogmatik der Aristotelismus des Mittelalters. Melanchthon selbst war allerdings, nachdem sich der Zorn Luthers heftig gegen die aristotelische Metaphysik entladen hatte, vorsichtig und beschränkte seinen Aristotelismus auf das Formale, Dialektik und Rhetorik, und auf die praktische Philosophie. Aber in der zweiten Hälfte des 16. Jahrhunderts setzte, teilweise offenbar von Italien her angeregt, an mehreren protestantischen Universitäten eine Welle des Aristotelismus ein, in der nun auch Physik und Metaphysik gepflegt wurden. Die Hauptvertreter sind: Jakob Schegk, seit 1543 Professor in Tübingen († 1587); der Begründer der Altdorfer Schule Philipp Scherb, der in Italien studiert hatte, seit 1586 Professor an der Nünberger Universität zu Altdorf († 1605); Owen Günther, der 1570 nach Jena berufen wurde mit dem besonderen Auftrag, über Aristoteles zu lesen, und seit 1576 bis zu seinem Tode (1615) in Helmstedt wirkte; und der Italiener Julius Pacius, der von 1585—94 in Heidelberg lehrte, darauf nach Sedan und später nach Montpellier, Padua und Valencia ging. Er hat sämtliche Werke des Aristoteles mit lateinischen Übersetzungen herausgegeben, eine Ausgabe, die zu der am meisten benutzten der Zeit wurde. Die Übersetzung der Metaphysik ist jene des Bessarion. Der Kommentar des Pacius zur Physik wurde noch in der neuesten kommentierten Ausgabe dieses Buches durch Ross (1936) verwertet. In Frankreich setzten sich für Aristoteles ein Jacques Lefèvre [Faber Stapulensis] († 1537), der verdiente Herausgeber der Werke des Cusanus (Paris 1514), und Charles Bouillé [Bovillus] († 1553); bei letzterem ist die Deutung offenkundig beeinflußt von der Mentalität des Cusaners.

δδ) in Frankreich

Dem christlichen Aristotelismus stand ein aus nichtchristlichem Geist genährter Aristoteles gegenüber. Seine Anhänger knüpften, wie schon im Mittelalter, an der durch Averroes und Alexander von Aphrodisias geschaffenen Tradition an. Ficinus schreibt darüber in der Einleitung zu seiner Plotinübersetzung: „Fast der ganze Erdkreis ist von den Peripatetikern okkupiert und gewöhnlich in zwei Sekten aufgeteilt worden, in die alexandrinistische und die averroistische. Jene glauben, daß unser Geist sterblich sei, diese aber behaupten, daß es nur einen einzigen allgemeinen Menschengeist überhaupt gebe. Beide aber zerstören von Grund auf die Religion, besonders weil sie die Vorsehung Gottes leugnen. Im übrigen glaube ich, daß sie auch von ihrem Aristoteles selbst abgefallen sind.“ Die Alexandrinisten haben Aristoteles naturalistisch ausgelegt, wie einst schon ihr Meister (vgl. Bd. I, 293). Wie für ihn die Seele mit dem Körper vergeht, so leugnet jetzt auch Pietro Pomponazzi († 1524) wieder die Unsterblichkeit der Seele und macht damit keinen geringen Skandal. Einen Teil der Schuld dafür schiebt der Dominikaner Bartholomaeus de Spina groteskerweise auf seinen Ordensgenossen, den Kardinal Cajetan. Wie schon erwähnt, wollte dieser bedeutende Gelehrte den reinen Aristoteles darstellen und war im Verlaufe dieser Bestrebun-

β) Averroisten und Alexandrinisten

gen zu einer anderen Interpretation der aristotelischen Nous-Lehre gekommen als sein großer Ordensbruder Thomas von Aquin, der sie im Sinne der christlichen Weltanschauung ausgelegt hatte. Cajetan findet, daß Aristoteles sich nicht klar ausspreche, jedenfalls aber eine persönliche Unsterblichkeit nicht annehme, weil der intellectus agens bei ihm eine substantia separata sei und nicht zusammenfalle mit dem intellectus possibilis, eine Deutung, die Thomas ausdrücklich abgelehnt hatte (De an. III, 10). Da aber nach Aristoteles nur der intellectus agens unsterblich sei, hätte er, so meint Cajetan, die individuelle Seele als den intellectus possibilis wohl für sterblich halten müssen (Comment. super libr. Arist. de an. III, 2). Und so schreibt Bartholomaeus de Spina sowohl gegen Cajetan wie gegen Pietro Pomponazzi seine Tutela veritatis de immortalitate animae contra Petrum Pomponatium Mantuanum (1519) und sein Propugnaculum Aristotelis de immortalitate animae contra Thomam Caietanum (1519). Alexandrinisten sind auch noch Jacobus Zabarella († 1589), den Leibniz schon in seiner Jugend lesen wird, Andreas Caesalpinus († 1603) und Lucilio Vanini, der 1619 in Toulouse verbrannt wurde. Die averroistische These des Monopsychismus, gegen die schon Albert und Thomas geschrieben hatten, läuft mit ihrer Behauptung, daß es nur eine unpersönliche Unsterblichkeit gebe, die des allgemeinen Nous, auf dasselbe hinaus und erschien darum ebenfalls als absolut unchristlich. Um sich den daraus ergebenden Schwierigkeiten einigermaßen zu entziehen, bediente man sich der Lehre von der doppelten Wahrheit. Das hat aber die Polemik nicht gemildert. Averroisten waren unter anderen Alexander Achillini († 1518), Marcus Antonius Zimara († 1532), Augustinus Niphus († 1546). Zentrum des Averroismus der Renaissance war noch immer Padua (vgl. Bd. I, 534). Man war hier verschworen auf seinen Aristoteles; so sehr, daß die Treue zum Überkommenen zu einer Sperre wurde gegen jeden Fortschritt, insbesondere gegen die allmählich sich erhebende neue Naturwissenschaft und ihre empirische Methode. Immerhin waren auch unter den Männern von Padua aufgeschlossenere Geister; so Caesalpinus und Achillini, besonders aber die Mediziner und beschreibenden Naturforscher.

γ) Der Gegensatz

Wie überall forderte auch hier der scharf ausgeprägte Standpunkt den Gegensatz heraus, und so treffen wir neben den Aristotelikern betonte Antiaristoteliker. So erklärte der in der Bartholomäusnacht (1572) ermordete Pierre de la Ramée [Petrus Ramus], der eine Zeitlang auch in Heidelberg doziert hatte, schon in seiner Magisterthese: „alles, was Aristoteles gesagt hat, ist erlogen". Von Faber Stapulensis, dem Aristoteliker, zwar abhängig, setzt er doch dessen nominalistisch-terministisch eingestellter Logik eine vom Formalismus der Namen und Begriffe des Aristoteles sich lösende, mehr auf die sachlich-materiale Begründung bedachte (darum die Lehre von der Auffindung der sachlichen Gründe: de inventione) neue Logik gegenüber. Der Gegensatz spaltete auch in Deutschland die Logiker in Fabristen und Ramisten. Als Antiaristoteliker erweist sich auch im Verlauf einer eingehenden allgemeinen Kritik des Betriebes der Philosophie und der Wissenschaften überhaupt der Humanist Ludovico Vives († 1540). Und wie er bilden überhaupt die Humanisten eine geschlossene Front, wenn auch nicht gegen den alten Aristoteles, den sie übersetzen und verehren, einfach deswegen, weil er zur Antike gehört, so doch gegen den scholastischen Aristotelismus, dessen literarisch ungepflegte Form sie abstößt, auch noch bei den Alexandrinisten und Averroisten der Renaissance selbst. Schon Hermolaos Barbaros († 1493) hatte Thomas und Albert „barbari philosophi" genannt. In Deutschland speziell wird dem Aristotelismus kräftiger Widerstand entgegengesetzt von seiten der Reformation, besonders Luthers, weil man hier den Glauben betont über das Wissen stellen möchte. Man sieht es bei Nikolaus Oechslein [Taurellus] († 1606), Professor der Medizin in Altdorf bei Nürnberg. Er will eine christliche Philosophie und purgiert darum den Heiden Aristoteles. Er meldet aber auch noch von einem anderen Gesichtspunkt her Bedenken gegen Aristoteles an. Er ist als Mediziner an der positiven Naturforschung interessiert und fürchtet für eine ersprießliche empirische Methode, wenn dem Bücherwissen und der traditionellen Autorität zu viel Verehrung erwiesen wird. Und damit wird die dritte Front sichtbar, die neue Naturwissenschaft, insbesondere der wiedererwachte Atomismus. Von hier aus fallen die schärfsten Äußerungen gegen Aristoteles; so bei Sebastian Basso in seiner Philosophia naturalis adversus Aristotelem (1621), bei Pierre

Gassend in seinen Exercitationum paradoxicarum adversus Aristotelem libri VII (1624) und vielen anderen.

Werke und Literatur

Viele Arbeiten verschiedener Aristoteliker (Übersetzungen des Aristoteles, Averroes usw., Kommentare, Monographien) sind jetzt leicht zu haben durch den 1962 (Frankfurt a. M. Minerva) erfolgten Nachdruck von Aristoteles, Opera omnia, Averrois in ea opera ... commentarii. 9 Bde. und 3 Ergänzungs-Bde. (Venedig 1562). — Ph. Melanchthon, Opera omnia. Hrsg. von C. G. Bretschneider u. H. L. Bindseil. 28 Bde. (1834—60). (Die Bde. 13 u. 16 enthalten die philosophischen Schriften.) P. Petersen, Geschichte der aristotelischen Philosophie im protestantischen Deutschland (1921). H. Engelland, Melanchthons Glauben und Handeln (1921). M. Wundt, Deutsche Schulmetaphysik des 17. Jahrhunderts (1939). — Petrus Pomponatius, Tractatus de immortalitate animae. Testo e Traduzione a cura di G. Morra (Bologna 1954). Ders., De fato, de libero arbitrio et de praedestinatione (1520). Première édition complète et critique par R. Lemay (Lucani 1957). A. H. Douglas, The Philosophy and Psychology of P. Pomponazzi (London 1910; Nachdruck 1962). W. Betzendörfer, Die Lehre von der zweifachen Wahrheit bei P. Pomponatius (1919). C. Giacon u. a. über Aristotelismus und Averroismus in den Atti del XII. Congresso internazionale di filosofia. Vol. IX (Firenze 1960). J. H. Randall, The School of Padua and the Emergence of Modern Science (Padova 1961). É. Gilson, Autour de Pomponazzi. In: Archives d'histoire doctrinale et littéraire du Moyen Âge 28 (1961) 163—279. B. Nardi, Studi sul Pietro Pomponazzi (Florenz 1965). A. Poppi, Causalità e infinità nell scuola Padovana del 1480—1530 (Padova 1966).

c) Stoiker, Epikureer, Humanisten

α) Stoiker Es wäre verwunderlich, wenn in einer für das Altertum so begeisterten Zeit, wie es die Renaissance war, nicht auch noch die sonstige Philosophie der Antike wieder aufgegriffen worden wäre. Man holt in der Tat noch mehr heraus. Justus Lipsius in Löwen († 1606) schreibt eine „Einführung in die stoische Philosophie". Sie findet unschwer Anklang. Die stoische Sittenlehre war ja immer schon geschätzt seit den Tagen der Kirchenväter. Jetzt nehmen sich ihrer die Humanisten an, und bald zählen die stoischen Ideen zu den oft wiederholten ethischen Maximen des 16. und 17. Jahrhunderts.

Man braucht nur Namen zu nennen wie Montaigne, Charron, Bacon, Descartes, Spinoza.

Auch die Epikureer erheben sich wieder und mit ihnen der antike Atomismus. „Democritus redivivus" heißt eine 1646 in Pavia erscheinende Schrift von Jean Magnien [Magnenus] und „Syntagma philosophiae Epicuri" ein Hauptwerk von Pierre Gassend († 1655). Letzterer ist der eigentliche Erneuerer des Atomismus gewesen. Er steuert damit die naturphilosophische Theorie bei, in der die moderne quantitativ-mechanistische Naturwissenschaft eine ontologische Begründung sehen konnte. β) **Epikureer**

Schließlich sei noch des Wiederauflebens des ästhetizistischen Bildungsideals des „distincte et ornate dicere" der antiken Rhetoren gedacht. Man sah darin ja mehr als nur ein pädagogisches Hilfsmittel neben anderen. Es sollte Lebensformung sein im Sinne eines ethischen Prinzips. Es war das Bildungsideal vom homo liberalis, dem ganz dem Wahren, Schönen und Guten lebenden und deswegen freien Menschen. Daß dieser kultivierte Idealmensch edelster griechischer Prägung mit dem christlichen Menschen zusammenfalle, wurde oft betont. Auch wo man es zu versichern für gut hielt, bedeutete das nicht allzuviel; denn die sachlichen Inhalte wurden über der Begeisterung für die äußeren Formen übersehen. Man blieb wie aller Ästhetizismus an der Oberfläche hängen. Und diesmal war kein Platon da, der wieder einen Phaidros geschrieben und dargetan hätte, was damals schon gegen die Sophistik gesagt wurde, daß die Rede vom Schönen und Großen zunächst nur leere Formen meinen kann und darum vieldeutig bleibt und daß es deshalb in erster Linie notwendig wäre, wenn der Mensch zum Guten geführt werden soll, eindeutige ethische Wertmaterien aufzuzeigen. Wichtiger jedoch als solch prinzipielle Inhaltserfüllung des Bildungsideals war den Humanisten die Bewunderung der Süße und des Wohllauts der Sprache Ciceros, und was es sonst noch an schönen Formen gab. Für diese Ziele redeten und schwärmten ein Laurentius Valla († 1457), Rudolf Agricola († 1485), Erasmus von Rotterdam († 1536), der mit ihm und Thomas Morus befreundete Spanier Ludovico Vives († 1540) und andere. Für die Kulturgeschichte sind die Humanisten jederzeit ein geschätztes Ausstellungsstück gewesen. Für die Fachphilosophie sind sie es weniger. γ) **Rhetoren**

Werke und Literatur

V. d'Agostino, Studi sul neostoicismo (Torino 1950). — L. Valla, Il piacere. Traduzione scelta dal De voluptate a cura di V. Grillo (Napoli 1949). — J. L. Vives, Obras completas, Primera traslación castellana..., comentarios, notas y un ensayo bibliográfico. Por L. Riber. 2 Bde. (Madrid 1948). Th. Carreras y Arau, J. L. Vives: Ce qu'il représente dans la Renaissance et dans la Tradition espagnole. In: Vives, humaniste espagnol (Paris 1941). B. Monsegú, Filosofía del humanismo en J. L. Vives (Madrid 1961). — D. Erasmus, Opera omnia recognovit J. Clericus. 11 Bde. (Leiden 1703, Nachdruck Hildesheim 1961). Ders., Das Lob der Torheit. Deutsch von A. Hartmann. Mit einer Einführung hrsg. von C. Lochning. 2 Bde. (Berlin o. J.). Ders., Vom freien Willen. Deutsch von O. Schuhmacher ([2]1956). Ders., Handbüchlein des christl. Streiters. Übertragen und eingeleitet von H. Schiel (Olten 1952). J. Huizinga, Erasmus (1924). Deutsch von W. Kaegi (Basel 1928) (1958 auch in Rowohlts Deutscher Enzyklopädie). A. Flitner, Erasmus im Urteil seiner Nachwelt (1952). A. Auer, Die vollkommene Frömmigkeit des Christen. Nach dem Enchiridion militis christiani des Erasmus von Rotterdam (1954). J. Étienne, Spiritualisme Erasmien et théologiens Louvanistes. Un changement de problématique au début du XVIe siècle (Louvain 1956). H. Kirsch, Erasmus und die Jurisprudenz seiner Zeit (Basel 1960).

2. MYSTERIEN UND WEISTÜMER

„Das ist Gottes Wille, daß in allen Winkeln Weisheit und Künste seien ..., und sie sollen von den Menschen gebraucht werden, auf der Erde wie im Himmel", sagt Paracelsus einmal. Und wie er ständig auffordert, diese Weisheit zu suchen und in den Geheimnissen der Natur zu studieren, weil dann „die Welt gülden ist und der Mensch zu seinem rechten Verstand kommt", so war die ganze Zeit erfüllt von einer tiefempfundenen Sehnsucht nach dem Verborgenen und Hintergründigen, das die Welt im Innersten zusammenhält. Man muß nur Dürers Melancholie ansehen, um diese Zeitstimmung sofort zu spüren. Und diese Schwäche für alles Mysteriöse ist für die Renaissance ebenso charakteristisch wie die Begeisterung für die Antike. Die Wege, die man einschlägt, um zum Ziel zu kommen, sind verschieden. Paracelsus ist ein Mystiker und Magier der Natur, Agrippa von Nettesheim und Reuchlin setzen auf Kabbala und Astrologie, die Schwarmgeister der lutherischen Sekten haben wieder eine andere

Weisheit, die theosophische, und bei Jakob Böhme wird sie zur allesumspannenden Pansophie. Ob es nun der spiritus mundi ist oder der Archeus oder der Tinkturgeist, was sie alle in Atem hält, immer wollen sie wie Faust den Erdgeist rufen, um in das Innere der Dinge zu schauen und sich verborgener Kräfte zu bemächtigen.

Literatur

A. Koyré, Mystiques, spirituels, alchimistes du XVIe siècle allemand (Paris 1955). D. P. Walker, Spiritual and Demonic Magic from Ficino to Campanella (London 1958).

a) Paracelsus, Mystiker und Magier der Natur

Theophrastus Bombastus von Hohenheim, genannt Paracelsus, stammt aus einem alemannischen Adelsgeschlecht und ist 1493 zu Einsiedeln geboren. Der Vater war Arzt, wanderte nach Villach in Kärnten aus, wo er auch wieder als Arzt tätig war. Ein weitgestecktes geistiges Interesse führte ihn der philosophia adepta zu, worunter man die Lehren von den Geheimnissen der Natur, ihren Mächten und Kräften versteht, die dem fragenden Menschen überall begegnen, aber nur schwer erschließbar dünken, so daß es einer Art esoterischer Weisheit bedarf, wenn man sich ihnen nähern will. In den Kreisen der Adepten zehrte man weithin von einer aus neuplatonischen und neupythagoreischen Schriften gespeisten Tradition, die man nach dem Hermes trismegistos kurz die hermetische heißt (vgl. Bd. I, 296). Viele Gedanken des Plotin, Jamblich und Proklos lebten hier fort, wenn auch oft in krauser Form. Auch Paracelsus wird in diese Welt eingeführt. Noch mehr jedoch bringt ihn der Vater an die Natur selbst heran, an die Pflanzen und Tiere und besonders an die Künste der Alchimie. Paracelsus merkt bald, daß das Buch des Lebens und der Natur bessere Aufschlüsse gewährt als der tote Buchstabe. Und so zieht er in die weite Welt. Er erzählt darüber: „Hab' also die hohen Schulen erfahren lange Jahre bei den Deutschen, bei den Italischen, bei den Frankreichischen und den Grund der Arznei gesucht. Mich nit allein derselben Lehren, Schriften, Büchern ergeben wollen, sondern weitergewandert gen Granaten, gen Lizabon, durch Hispanien, durch England, durch die Mark, durch Preußen, durch Litau, durch Poland, Ungern, Walachei, Siebenbürgen, Krabaten, Windisch Mark, auch sonst andere Länder, nit not zu erzählen, und in allen den Enden und Orten fleißig nachgefragt, Erforschung gehabt gewisser und erfahrener wahrhafter Künste der Arznei. Nicht allein bei den Doktoren, sondern auch bei den Scherern, Badern, gelehrten Ärzten, Weibern, Schwarzkünstlern, so sich des pflegen, bei den Alchimisten, bei den Klöstern, bei Edlen und Unedlen, bei den Gescheiten und Einfältigen." Aber nicht nur der Student, auch der gereifte Paracelsus führt ein Wanderleben. Um 1524 geht er von Salzburg aus wieder in die weite Welt. Über München, Ingolstadt, Neuburg, Ulm, Straßburg kommt er nach Basel. Dort wird er auf Verwendung des Humanisten und Verlegers Frobenius, den er kuriert hatte, Stadtarzt und Professor der Medizin an der Universität (1526/27). Es sieht fast so aus, als ob er eine bleibende Arbeitsstätte gefunden hätte. Allein es kommt zu Differenzen mit anderen Ärzten und mit den Apothekern, und Paracelsus muß die Stadt fluchtartig verlassen. So wandert er weiter. Wir treffen ihn in Kolmar, Nördlingen, Nürnberg, St. Gallen, Innsbruck, St. Moritz, Augsburg, München, Mährisch Kronau, Wien, Villach und 1540 wieder in Salzburg. Ein Jahr darauf ist er dort gestorben.

Werke und Literatur

Zwischen den vielen Stationen liegt ein ungemein reiches Schrifttum. Davon gab 1589 zu Basel in 10 Bdn. der kurfürstliche Rat und Medicus Johann Huser heraus, was er noch finden konnte. Das philosophisch bedeutsamste Werk ist die „Astronomia magna oder die ganze Philosophia sagax" (1537). — Neueste wissenschaftliche Ausgabe: K. Sudhoff, Paracelsus. Sämtliche Werke. I. Abtl. Die medizinischen, naturwissenschaftlichen und naturphilosophischen Schriften. 14 Bde. (1922 ff.). II. Abtl. Die theologischen und religionsphilosophischen Schriften, hrsg. von W. Matthiessen. 1. Bd. (1923). Fortgeführt von K. Goldammer (1955 ff.). Gute Auswahl mit Einführung und Erläuterungen: W. E. Peuckert, Paracelsus. Die Geheimnisse (1941). Ebenso: Paracelsus, Sozialethische und sozialpolitische Schriften. Ausgewählt, eingeleitet und mit erklärenden Anmerkungen hrsg. von K. Goldammer (1952). Eine über den Christen und Deutschen gut orientierende erste Einführung: L. Schreyer, Der gefangene Glanz (1948). F. Strunz, Theophrastus Paracelsus. Idee und Probleme seiner Weltanschauung (Salzburg 1924, ²1937). B. S. v. Waltershausen, Paracelsus am Eingang der deutschen Bildungsgeschichte (1935). E. Metzke, Erfahrung und Natur in der Gedankenwelt des Paracelsus. In: Blätter für deutsche Philosophie 13 (1939). Ders., Mensch, Gestirn und Geschichte. Ebd. 15 (1941). A. Vogt, Theophrastus Paracelsus als Arzt und Philosoph (1956). H. Heimsoeth, Paracelsus als Philosoph. In: Studien zur Philosophiegeschichte (1961) 111—119.

α) Erkennen Der Arzt Paracelsus, dessen bahnbrechende Ideen erst heute voll gewürdigt werden, hat auch der Philosophie nicht geringe Anregungen gegeben. Zuvörderst mag genannt werden sein Hinweis auf die Erfahrung, auf die Dinge selbst statt der Zuflucht zu den Büchern und der spintisierenden Spekulation. „Nicht die Bücher, auf denen der Staub liegt und die die Schaben fressen mögen, auch nit die Bibliotheken, die mit Ketten gebunden ist, sondern die Element in ihrem Wesen seind die Bücher.“ „Am ersten, ehe wir anheben zu deklarieren den nachfolgenden Text, geben wir auch den Grund der Philosophei zu verstehen, daß die Philosophei ihren Ursprung nimmt aus der Erfahrenheit.“ Das ist der zu Beginn der Neuzeit immer wieder ertönende Ruf: Statt des Aristoteles, des Galen, des Avicenna zurück zu den Sachen selbst! Dementsprechend hatte es Paracelsus auch selbst praktiziert. Im einzelnen unterscheidet er im Erkennen drei Stufen: das Erkennen des gewöhnlichen Menschen, das der philosophia adepta und das der philosophia coelestis. Die erste Erkenntnisform bedient sich des „elementischen“ Geistes, ist äußerlich, nur auf das oberflächlich Materielle beschränkt, ungebildet, unphilosophisch. Die letzte, die himmlische Philosophie, braucht das übernatürliche Licht der Offenbarung und Gnade. Paracelsus weiß Herrliches über diese „geistige“ Philosophie zu sagen. Sie beschäftigt sich mit Gott und den göttlichen Wirkungen, dem „Sehen Gottes“ in den irdischen Dingen. Wir leben ja nicht bloß vom Brote, sagt er mit der Bibel, sondern von jedem Wort, das aus dem Munde Gottes kommt, und erklärt dann: Wenn nicht der Segen Gottes im Brote wäre, könnten wir nicht gedeihen, und ohne seinen Segen wäre die Arznei nur ein Kraut oder eine Flüssigkeit, aber nicht Heil und Heilung. Paracelsus war ein tiefreligiöser Mensch und hoffte immer auf den, „der ihn seit seiner Kindheit nie verlassen hat“. Aber er weiß auch, daß man zu dieser himmlischen Philosophie nur durch die Gnade kommt, daß man sie nicht erzwingen kann und daß sich darüber eigentlich erst reden läßt, „da es von ihr die Experienz gibt“, also in einer anderen Welt. Worum wir uns aber in dieser irdischen Welt mühen können, das ist die philosophia adepta, das Erkennen im natürlichen Licht. Sie steht jedem offen, aber nicht jeder wird sie finden, sondern nur, wer ein Mensch des „firmamentischen“ Geistes geworden ist. Dieser siderische, gestirnte Geist, wie er auch heißt, der dem Astralleib des Menschen entspricht, ist der Ort der höheren Erkenntnis.

αα) **Erfahrung**

ββ) **Philosophia coelestis**

γγ) **Philosophia adepta**

Er schaut die Geheimnisse der Natur, die Elemente, die Kräfte und „Geiste", die das Innere der Dinge ausmachen. In der Philosophia sagax wird erklärt, daß die Philosophie die Erkenntnis der natürlichen Geheimnisse sei, Magie ihr Brauchen, Nigromantie die Erkenntnis des siderischen Leibes, Nectromantie das Finden der verborgenen Dinge und der Heimlichkeit des Menschen. Mit schwarzer Magie hat das nichts zu tun, sondern es handelt sich immer um die natürliche Ordnung der Dinge. „Was nicht aus natürlicher Ordnung geht, das ist nachzugrübeln verboten." Ja, die philosophia adepta führt in ihrer Erforschung der Geheimnisse der Natur zu Gott zurück; denn seine Weisheit ist es, die alles gegründet hat, und schließlich ist es auch diese göttliche Weisheit, durch die der Philosoph und Arzt etwas weiß und erkennt: „Das soll nur ein jeglicher natürlicher Schüler wissen, daß er so die Natur erfahren muß; denn das Wort, da er spricht: lernt von mir, das muß erfüllt werden, oder es wird kein Grund der Wahrheit gefunden werden; denn was ohne ihn gefunden wird, das ist alles ein Blindes, ein Finsternis ohne Licht."

β) Natur

Wenn Paracelsus mit dem natürlichen Licht die Welt studiert, dann sieht er zuerst, entsprechend der naturphilosophischen Tradition des Abendlandes, die „Elemente". Und er nimmt auch die üblichen 4 Elemente an: Feuer, Wasser, Luft und Erde, nur daß er gegen das erstgenannte Bedenken hat. Über den Begriff des Elementes meint er: „Das ist ein Element, das eine Mutter ist der Dinge." Zugleich ist es etwas Bleibendes und Unvergängliches. Meer z. B. „ist ein rechtes Element; es verzehrt sich nit und verbleibt allmal sein Element. Und ob es schon in einen Topf getan würde und eingesotten, so geht ihm nicht ein einziger Tropfen ab, daß sein weniger würde oder verzehrt; er kommt in das Chaos, aus dem Chaos wieder in das Wasser und geht diesem Element an seinem Gewicht nit ab." Ebenso sei es mit Luft und Erde.

αα) Elemente

ββ) Prinzipien

Aber die Elemente sind nicht das letzte. Was in ihnen treibt und wirksam wird, das sind die drei „Prinzipien" oder „Ersten": Sal, d. h. das, was an einem Ding zu Asche wird, Sulphur, das, was brennt, und Merkur, das, was verraucht. Man darf bei diesen Begriffen nicht einfach nur an die chemischen Substanzen Salz, Schwefel und Quecksilber denken; ihr Wesen ist etwas Tieferes; sie sind Kräfte, „Geiste". Die

Erde und der Himmel sind groß, aber insofern nur Körper, als das auch der Mensch zunächst nur ist. Was aber den Menschen zum Menschen macht, ist der Geist, und so auch bei Erde und Himmel. „Das Element in ihm ist ein kleiner Geist gegen die Größe, die der Himmel hat.“ „Also sind die vier Elemente körperlich, aber in Wesen und Natur sind sie Geist.“ Paracelsus hat diesen Geist als einen „Macher“ in den Elementen angesehen und insofern von einem Vulcanus oder einem Archeus im Element gesprochen. Und dieser Dämon wieder ist Gottes Handwerksmann. Er selber macht das Werk nicht, „aber er hat einen gesetzt, der es machen soll, formieren, korporieren und ordinieren“. Wie sollen wir diesen Umschlag von der ersten Sichtung einer kommenden Chemie in eine Dämonologie — so könnte man vielleicht das Ganze auffassen — verstehen? Wir werden tiefer schauen, wenn wir das Makrokosmos—Mikrokosmos-Motiv der Renaissance bei Paracelsus beiziehen. Große und kleine Welt, der Kosmos und der Mensch, entsprechen sich gegenseitig, und eines versteht sich aus dem anderen. „Man muß wissen, daß im Menschen der jung Himmel liegt. Das ist: der Mensch ist nach Himmel und Erde gemacht, denn er ist aus ihnen gemacht. Wenn er nun aus ihnen gemacht ist, so muß er seinen Eltern gleich sein, so wie ein Kind, das alle seines Vaters Gliedmaßen hat ... Aus dem folgt, daß im Menschen sind Sonne, Mond, Saturnus, Mars, Mercurius, Venus und alle Zeichen, der Nord- und Südpol, der Wagen und alle Viertel des Tierkreises.“ Näherhin besteht die Gleichheit darin, daß der Mensch einerseits in seiner Stofflichkeit aus einer Quintessenz des Weltstoffes besteht, dem sogenannten limus (das ist der biblische Lehm, aus dem Adam gebildet wurde), wobei die beiden unteren Elemente, Erde und Wasser, den elementischen Leib bilden, die beiden oberen aber, Luft und Feuer, Odem und Geist, wie es im Programm noch hieß, oder, wie später in der Philosophia sagax gesagt wird, den gestirnten, firmamentischen oder Astralleib. Beiden Formen des Leibes entsprechend gibt es auch den elementischen Geist bzw. den gestirnten Geist. Anderseits ist der Mensch auch eingebettet in den Lauf und Rhythmus der Welt, so daß der äußere Gang der Dinge dem inneren gleich ist und umgekehrt. Paracelsus verfolgt diese gegenseitige Entsprechung, besser gesagt: innere Gleichheit, bis herunter in die klein-

γγ) Makrokosmos-Mikrokosmos-Motiv

sten Ursprünge der Dinge. Es ist nicht nur die große (erste) Welt der kleinen (zweiten) Welt im Menschen gleich, sondern auch noch einer dritten Welt, die mit der Frau als Mutter gegeben ist. Da die Frau den Samen, ihn ernährend, zur Entwicklung bringt, der Same aber bereits Mensch ist und der Mensch sich von der großen Welt nährt, muß die matrix selbst schon wie ein Makrokosmos sein, Erde und Wasser und Luft und Himmel. Und nicht nur die matrix, sondern die ganze Frau; denn alles an ihr ist mütterliches Organ: „Es ist also so, daß die ganze Frau matrix ist; denn aus allen ihren Gliedern ist des Menschen Acker genommen." Und darum „ist die Frau der Welt gleich eine Mutter". So steht sie auch dem Kosmos näher als der Mann. Darin liegt ihre Würde. Und das Fazit aus dem Ganzen: das Kleine ist durch das Große und das Große durch das Kleine. Nunmehr können wir die Elementlehre des Paracelsus verstehen. Die Elemente sind ihm auch „Mütter". Sie sind schöpferisch, sind auch eine matrix, wie er einmal sagt. Insofern sind sie aber Macher, Archeus, Kraft und Geist. Was sie tun, ist nicht blind und sinnlos, sondern vom Ganzen her bestimmt, wie dann auch die Teile in ihrem Gesamt keine bloße Summe sind, sondern ein Ganzes. Das Ganze ist auch hier früher als die Teile, wie Aristoteles oder Platon sagen würde; oder wie es hier heißt: „Wenn ihr Zirkel zerschlagen wäre, so müßten die Sonne und der Mond stillstehen; denn die Natur freut sich des Ganzen und grämt sich des Zerbrochenen." Umgekehrt ist aber auch das Ganze nur durch und im Teil; denn „ein jeglicher soll aus dem Kleinen große Ding entnehmen ... eine Blum ist genug, um die ganze Schöpfung zu verstehen; eine gibt alles an." Man hat dieses Denken das organologische geheißen, und es ist in der Tat ein solches. Und auch darauf hat man verwiesen, daß die organologische Seinsbetrachtung — wir stehen in ihr unmittelbar vor der monadologischen — eine spezifisch deutsche Art des Denkens sei. Das ist insofern richtig, als die deutsche Philosophie sich dessen mit besonderer Intensität angenommen hat. Es ist nicht richtig, was den Ursprung dieses Denkens angeht. Und damit kommen wir zu einer noch tieferen und letzten Interpretation der Auffassung der elementaren Prinzipien als Kräfte und Geiste. Man braucht diese zwei Begriffe nur zu hören, um sofort sich der neuplatonischen Dynameis, Intelli-

[Margin: δδ) Organologisches Denken]

[Margin: εε) Deutscher Neuplatonismus]

genzen, Angeloi und „Dämonen" zu erinnern. Nimmt man noch dazu, daß die Geiste Zweitursachen sind, ferner das Makrokosmos—Mikrokosmos-Motiv und die Bezeichnung der geheimen Naturkräfte als Ämter und Ordnungen, die von der einen Weisheit Gottes gesetzt sind, so daß alles seinen Platz hat, gefügt durch den Sinn des vorgängigen großen Ganzen, von dem alle Prozesse ausgehen, dann ist kein Zweifel, daß es das neuplatonisch-hermetische Denken ist, das die Grundstruktur der paracelsischen Philosophie abgegeben hat. Paracelsus wandte sich von den Büchern zu den Menschen, zum Leben und den Dingen der Natur und will sie selbst schauen; aber er schaut sie mit den Augen jener Weisheit, die alles Untere von oben her deutet. Wie für Cusanus ist auch für ihn noch quodlibet in quolibet, weil alles eine Auswirkung göttlicher Kraft ist. Der wandernde Arzt verfügt nicht wie der gelehrte Kardinal über den ganzen Ornat des bibliothekarischen Beiwerkes, das sonst sofort den geistigen Standort anzeigt; ja sein Poltern gegen Bücherwissen und Überlieferung und der ständige Appell an die praktische Experienz lassen zunächst an einen ganz neuen Ansatz denken; trotzdem erweist sich der neuplatonisch-hermetische Strukturplan des Ganzen als das Entscheidende an seinem geistigen Habitus. Die Wege im einzelnen nachzuzeichnen, auf denen das neuplatonische und hermetische Gedankengut in die Renaissance gebracht wurde, ist kaum möglich, weil sie noch zu wenig erforscht sind. Und noch schwieriger ist die Kennzeichnung ihrer Kreuzungen. Es ist das ähnlich wie mit den Überdeckungen des Neuplatonismus mit kabbalistischen und sonstigen okkulten Strömungen. Allein wie das Ganze auch kam, jedenfalls war dieser Zeitgeist Tatsache, und Paracelsus zollte ihm auch seinen Tribut.

b) Kabbalistik und Okkultismus

Mit dem Humanisten Johannes Reuchlin (1455—1522) wird eine Variante des Neuplatonismus von Italien nach Deutschland gebracht, in der das kabbalistische Element überwiegt und den ursprünglichen Sinn des Neuplatonismus fast erstickt. Er hatte diese Ideen in Florenz kennengelernt. Johannes Pico della Mirandola war ja außer an Griechentum und Christentum auch an der jüdischen Kabbala interessiert gewesen, jener betont religiösen Reaktion, mit der sich

α) Reuchlin

das gläubige Judentum seit dem 12. Jahrhundert zur Wehr setzt gegen die Rationalisierung der Religion durch die Philosophie, indem man auf die geheimnisvolle Weisheit der überlieferten heiligen Schriften (kabbala = Überlieferung) mehr gibt als auf menschliches Wissen und Philosophieren. In diesen Kreisen tauchen schon sehr früh pantheistisch-mystische und magische Tendenzen auf. Paracelsus hatte für die Kabbala nichts übrig, wenn er sie auch kennt. Seine mysteria und secreta meinen „eine gabalia, die nicht aus Geistern noch Zauberei entspringt, sondern aus natürlichem Lauf der subtilen Natur“. Jetzt aber, in Reuchlins De arte cabbalistica und De verbo mirifico, tritt an die Stelle der natürlichen Erfahrung ein Spielen mit der Symbolik von Zahlen, Buchstaben und Wörtern, besonders solcher der Heiligen Schrift, bei dem die Mystik der Zeichen die Logik der Sachen und des Denkens überwuchert. Man zieht sich von der Welt zurück und wartet auf die Inspiration von oben, die nun alles wunderbar schenken soll, wo die normale Vernunft mit ihren natürlichen Kräften angeblich nichts zu leisten vermag. Das ganze ist mehr Aberglaube als Glaube. Bei

β) Agrippa von Nettesheim

Agrippa von Nettesheim (1486—1535) wird die Magie noch massiver. Er hat ein abenteuerliches Leben geführt, war Gelehrter, Soldat, Politiker, Alchimist, Kabbalist, Schwarzkünstler — ein echter Renaissance-Mensch. Sein Hauptwerk ist De occulta philosophia (1509). Wieder sucht man nach den Mysterien der Natur und dem geheimnisvollen Erdgeist (spiritus mundi). Aber jetzt mit Zauberworten, heiligen Zahlen, astrologischen Formeln und besonders mit Hilfe der magischen Kräfte, die an die Buchstaben des göttlichen Namens, des Tetragrammatons, gebunden sind. Die Alchimie wird zur Schwarzkunst und die Philosophie zur Geisterbeschwörung. Einen besonderen Einfluß in dieser Richtung hatte der Würz-

γ) Trithemius

burger Abt Johannes Trithemius († 1516) ausgeübt. Er war einer der berühmtesten Adepten der Zeit.

Texte und Literatur

Agrippas Occulta philosophia deutsch von F. Mauthner (1913). Testi umanistici su l'Ermetismo (L. Lazzarelli, F. Giorgio Veneto, Agrippa di Nettesheim). A cura di E. Garin u. a. (Rom 1955). F. Warrain, La théodicée de la Kabbale. Les Sephiroth. Les Noms divins. Suivie de la Nature éternelle d'après J. Boehme (Paris 1949. [2]1952).

c) Die Theosophie der „Schwarmgeister"

Die Religionsgeschichte weiß viel zu erzählen von mystischer Weisheit. Man hatte aus den gegebenen Verhältnissen heraus dabei immer Anlaß, zu unterscheiden zwischen gesunder und ungesunder Mystik. Es ist kranker Rationalismus, wenn man für den Glauben kein Verständnis hat, und es ist umgekehrt ebenso ungesunde Mystik, wenn man auf Vernunft und Natur gar nichts mehr gibt und alles Heil erwartet vom Geheimnis und vom Wunder. Diese exzentrische Religiosität taucht immer wieder einmal auf. Sie muß natürlich auch da sein in der für alles Seltsame und Erregende so empfänglichen Renaissance. Man hat diese Haltung Theosophie geheißen. Es ist kein glücklicher Terminus, weil es viele Formen der Gottesweisheit gibt. Aber es ist nun einmal per conventionem üblich geworden, jenen Weg zu Gott, der alles Rationale ausschließt und das Heil allein von der gnadenhaften und mysteriösen Inspiration erwartet, als Theosophie zu bezeichnen. Schwarmgeisterei sagen dafür die Vertreter einer nüchternen Religiosität, und das ist deutlicher.

Sebastian Franck († 1542) ist von dieser schwärmerischen Art. Er lehnt alles sogenannte Äußere, Historische, Begriffliche, Reglementmäßige in der Religion ab, sogar das Wort der Bibel. Religion sei das Unsagbare. Wenn sie aber etwas Bestimmtes sein soll, dann könne man bestenfalls davon sprechen, daß sie in der inneren Umwandlung bestehe, nicht aber in einem Jasagen zu irgendeinem Glaubensbekenntnis. α) **Franck**

Kaspar Schwenckfeld († 1561) will auch keinen Glauben an historische Tatsachen und auch keine Kirche. Das sei alles schon zu begrifflich. Es komme auf das rein innere Erleben und Fühlen an. Darum ist jeder sein eigener Priester. Luther habe auf diese Innerlichkeit, für die er zunächst gekämpft hatte, schließlich verzichtet und auch wieder eine Pastorenreligion aufgebracht. β) **Schwenckfeld**

Und Valentin Weigel († 1588) behauptet, es gehe überhaupt alles Erkennen von innen nach außen. Insbesondere aber müsse jeder seinen Weg zu Gott ganz allein gehen. Hier sei ihm von außen nicht zu helfen. Alles religiöse Leben sei Sache des Individuums und seines Gefühls. Und wieder wird an die innere Umwendung, an das Aufgeben der Ichheit appelliert. Nur so werde Christus geboren. γ) **Weigel**

Man hat an den Schwarmgeistern stets großes Interesse gehabt; kirchengeschichtlich, weil man in ihnen einen neuen Ansatz sah, nachdem die Sache Luthers ins Stocken geraten war. Ursprünglich selbst der Mystik und dem individualistischen Erleben nahestehend, hatte der Reformator, dem Gewicht der Sache folgend, schließlich für seine Kirche auch Vorschriften gegeben, äußere Institutionen errichtet und den Glauben in allgemeinen Begriffen formuliert. Jetzt wenden ihm die Schwarmgeister das gleiche ein, was er zuerst der Kirche Roms vorgeworfen hatte. Dazu kam, daß durch die Erneuerung des Aristotelismus von Melanchthon her eine protestantische Scholastik im Entstehen war, die ebenfalls die ursprüngliche, von der Mystik inspirierte Bewegtheit der Reformation bedrohte. Religionsphilosophisch aber ist man an diesen Männern interessiert, weil man in ihnen ein Vorspiel zu Kant erblickt, für seine Aufhebung des Wissens, um zum Glauben Platz zu bekommen, und für seine Identifizierung der Religion mit der Moral.

Literatur

W. E. Peuckert, Sebastian Franck (1943). A. Koyré, Mystiques, Spirituels, Alchimistes du XVIe siècle allemand. Schwenckfeld, Franck, Weigel, Paracelsus (Paris 1955).

d) Jakob Böhmes Pansophie

Leben und Werke

Jakob Böhme (1575—1624) war ein Schuster zu Görlitz in Niederschlesien und ein Philosoph dazu. 1612 schreibt er sein Hauptwerk „Die Morgenröte im Aufgang“, später von seinen Freunden einfach Aurora geheißen. Sie trug ihm nicht geringe Schwierigkeiten ein, sowohl seitens seiner lutherischen Kirchenbehörde wie auch seitens des Magistrates von Görlitz. Man wollte weitere Schriften verhindern, und Böhme schwieg tatsächlich eine Zeitlang. Aber dann faßte er sich wieder, und es erschienen in rascher Folge: „De tribus principiis — Von den drei Prinzipien göttlichen Wesens“, „Mysterium magnum“, „De signatura rerum“, „Die 6 theosophischen Punkte“, „Von der Wiedergeburt“, „Gespräche einer erleuchteten und unerleuchteten Seele“ u. a. — Faksimile-Druck der Ausgabe von 1730: J. Böhme. Sämtliche Schriften in 11 Bänden, hrsg. von A. Faust (1942 ff.); neu hrsg. von W. E. Peuckert (1955 ff.).

Literatur

— P. Hankamer, J. Böhme. Gestalt und Gestaltung (1924, ²1961). A. Koyré, La philosophie de J. Boehme (Paris 1929). N. Berdjajew, J. Böhmes Lehre von Ungrund und Freiheit. In: Blätter für deutsche Philosophie 6

(1932/33). W. Struck, Der Einfluß J. Böhmes auf die englische Literatur des 17. Jahrhunderts (1936). W. A. Schulze, J. Böhme und die Kabbala. In: Zeitschrift für philosophische Forschung 9 (1955) 447—460. H. Grunsky, Jakob Böhme (1956). S. Hutin, Les disciples anglais de J. Boehme aux XVIIe et XVIIIe siècles (Paris 1960).

Man sieht schon aus den Titeln, daß es dem philosophus teutonicus auch wieder um die Geheimnisse der Welt geht, wie Paracelsus, von dem er auch beeinflußt ist. Man sieht zugleich, daß er auch wieder die über dem gewöhnlichen Wissen stehenden Wege der Erleuchtung und der unmittelbaren göttlichen Berührung gehen will, die Wege der visionären Theosophie, die hier, wie man richtig gesagt hat, Pansophie ist, weil Böhme mehr noch als Paracelsus oder die Schwarmgeister das Sein in seiner Gesamtheit aus seinen noch über allem Wesenswissen liegenden Urgründen, seinen „Ungründen" sogar, verstehen will. α) Weisheit

Wie es dazu kam, ersehen wir aus einem besonderen Erlebnis, das Böhme nach dem Bericht seines Biographen Frankkenberg einmal gehabt hat und das offenbar den Ausgangspunkt für das Denken des Meisters bildet. Als er einst in seiner Werkstätte arbeitete, sei ein Sonnenstrahl auf ein Zinngefäß gefallen und über seinem „lieben jovialen Schein" habe sein „gestirnter Seelengeist" jäh und plötzlich über den „angebildeten Signaturen oder Figuren, Lineamenten und Farben" in das Innerste der Dinge hineinsehen können. Diesen den Dingen „eingedruckten inneren Grund" habe Böhme dann besonders in dem Büchlein De signatura rerum zu erklären sich bemüht. Da haben wir wieder das Schauen des Mystikers, dem alles Äußere nur Symbol ist und dem es darum geht, hinter den Signaturen einen geheimnisvollen Sinn zu erraten. Böhmes Philosophie ist in der Tat Symbolismus. β) Der Mystiker

Man darf aber bei seinen inneren Gründen nicht etwa an die veritates rerum denken, die der Platonismus des Mittelalters oft zitiert, die auch innere Gründe sind, abgebildet werden und darum in den daran teilhabenden Erscheinungen ihr Symbol besitzen. Diese Wahrheiten der Dinge sind Wesenheiten, logische Konturen, ewige Statik des Seienden. Böhmes innere Gründe meinen den „innersten Grund und das γ) Alleinheit

αα) **Mystischer Pantheismus**

Centrum" des Seins überhaupt. Böhme lebt aus dem mystischen Strom, der einerseits von der deutschen Mystik her über Franck und Weigel auf ihn Einfluß nimmt, andererseits ist er aber auch berührt von neuplatonischen Ausstrahlungen, und zwar über Paracelsus. Er zitiert zwar keine neuplatonischen Autoritäten, scheint sie auch nicht direkt gekannt zu haben, aber Paracelsus allein genügte schon, um das alte Thema auch hier wieder weiterklingen zu lassen. Es ist das Motiv der Alleinheitslehre, das ja aller Mystik im Blute liegt. In seinem Sinne ist auch bei Böhme Gott in der Natur, nicht im Himmel oder über dem Himmel, wie die Sonne über der Erde. Und in der Natur fließt alles zu einer Einheit zusammen; „denn wo die vier Elemente zerbrechen, da bleibt die Wurzel derselben, das ist das heilige Element, und in dem steht der Leib Christi und auch das Paradies, welches steht in der aufsteigenden Freudenqual; und das Element ist die sanfte stille Wonne". Und diese Wonne oder „Freude ist auch der Vater selber". Dem Menschen wird also die urgründige Einheit von Gott und Welt in ihm selbst erlebbar. Und hier haben wir auch wieder, nur in einer ganz persönlichen Sprache, da dem Meister die Terminologie der Bücher mangelt, das Makrokosmos—Mikrokosmos-Motiv; der Mensch ist die ganze Welt: „Ich bin auch nicht in den Himmel gestiegen und habe alle Werke und Geschöpfe Gottes gesehen; sondern derselbe Himmel ist in meinem Geiste offenbart, daß ich im Geiste erkenne die Werke und Ge-

ββ) **Böhme und die Bibel**

schöpfe Gottes." Das sieht nach Pantheismus aus. Damit begegnet aber Böhme Schwierigkeiten von seiten seines lutherischen Glaubens. Nach der Lehre des Evangeliums müssen Gut und Böse sich absolut ausschließen und können auf keinen einheitlichen Nenner gebracht werden; noch weniger können sie, aber auch nicht die übrige Welt, mit Gott iden-

γγ) **Zweiheit oder Einheit?**

tisch sein, wie die Alleinheitslehre das annehmen muß. Aber Böhme grübelt weiter, und schließlich findet er: Gut und Böse bedingen sich gegenseitig wie zwei Pole; überhaupt alles in der Welt bedarf des Gegenteils, soll es sein können. Und so müßte auf dem Grunde des alleinen Seins eigentlich eine Zweiheit angenommen werden, zwei „Qualitäten", zwei „Kräfte", wie er sagt. „Und alle Kreaturen sind aus diesen Kräften gemacht ... und leben darin als in ihren Müttern." Kräfte, Mütter — das ist Paracelsus. Aber nun werden anscheinend die Qualitäten mit den zwei Prinzipien von Gut und Böse identifiziert: „Es ist in allen Kreaturen dieser Welt ein guter und ein böser Wille und Quell, in Menschen, Tieren, Vögeln, Fischen, Würmern sowohl als auch in allem, was da ist in Gold, in Silber, Zinn, Kupfer, Eisen, Stahl, Holz, Kraut, Laub und Gras, sowohl in der Erde, in Steinen, im Wasser und in allem, was man erforschen kann. Es ist nichts in der Natur, da nicht Gutes und Böses innen ist; es wallt und lebt alles in diesem zweifachen Trieb." Damit entsteht die Frage nach dem näheren Verhältnis von Alleinheit, Vater, Mütter, Qualität, Gut und Böse.

Böhme ist hier zu keiner endgültigen Klarheit gekommen. Man hat sich die Unentschiedenheit damit erklären wollen, δ) Deutungen daß man im Meister von Görlitz in erster Linie einen religiös-sittlichen Erwecker sah, dem praktische Beeinflussung des Menschen wichtiger war als theoretische Probleme. Dafür spricht sein Fortleben gerade in Kreisen praktischer Religiosität, im Mystizismus und Pietismus vieler Sekten. Wollen wir ihn doch philosophisch deuten, und er hat auch in der theoretischen Philosophie stark nachgewirkt, so müßte man hier schon das Grundproblem des deutschen Idealismus von der Identität des Identischen und Nichtidentischen spüren. In dieser Richtung bewegt sich der Versuch, die Urgründe noch hinter das Sein zu verlegen, in einen „Ungrund", der nicht mehr zu denken ist mit den intellektuellen Kategorien der von Platon und Aristoteles geschaffenen Wesensontologie, sondern verstanden werden müßte als der Ort der Freiheit, des letzten Lebens und Werdens, wo all das erst entsteht, was wir später in die Statik der Begriffe unserer herkömmlichen Ontologie fassen, einen Ungrund, der dann voluntaristische Metaphysik bedeute, das dunkle Prinzip in sich einschließe und nun Raum gebe zum Verständnis für einen lebendigen Gott, der noch vor die Wahl zwischen Gut und Böse gestellt ist, weil er eben freies Leben ist, ja für einen tragischen Gott, der auch am Kreuze sterben und dann, wie er das Böse aus dem Ungrund in einem Sündenfall entlassen konnte, es auch wieder als erlöstes und begnadetes Sein in sich zurücknehmen kann. Hier läge potentielle Finsternis im Ungrund des Seins, aber auch alles Gute und alle Ordnung. Der Ungrund sei Leben, Dynamik, Freiheit und Schöpfertum und lasse doch auch noch die Ordnungen der statischen Ontologie zu; denn sie entstehen ja im Laufe des aus dem Urgrund sich erhebenden Weltprozesses. Das wäre jetzt eine echte Geschichte des Bewußtseins und des Geistes.

Diese Deutung ist tief. Ob sie historisch ist, wäre eine andere Frage; ob sie sachlich möglich ist, eine weitere. Denn der Einwand gegen die intellektualistischen Ontologien, daß sie das Sein vermenschlichen, weil ihre Wesenheiten subjektiv seien, das nur für uns Menschen Wesentliche meinten, gilt ja für die Beschreibung des Ungrundes ebenso. Können wir überhaupt in einen Ungrund zurückspringen, der früher ist als unsere Denkmittel? Und haben wir damit nicht einfach die ganze Problematik von Gut und Böse nur um eine Stufe zurückgeschoben? Stellt sie sich vor dem Ungrund nicht wieder mit den gleichen Fragen wie vor Gott?

ε) Nachwirkungen

Böhme hat aber gerade mit der zuletzt berührten Deutung in der Philosophie nachgewirkt bei F. v. Baader, Schelling, Scheler; und auch bei Heidegger scheint jener Ungrund in Frage zu stehen. Die andere Seite Böhmes aber, die praktisch-religiöse, können wir weiterverfolgen in den Kreisen des deutschen Pietismus des 17. und 18. Jahrhunderts, darunter Angelus Silesius (1624—77) mit seinem „Cherubinischen Wandersmann", und in vielen englischen Sekten dieser Zeit. Von 1644—62 sind sämtliche Werke Böhmes in englischer Übersetzung erschienen und haben begeisterte Anhänger gefunden, vor allem bei den Quäkern, die sich ausdrücklich „behmists" nannten, dann aber auch bei den Cambridger Platonikern, bei Cudworth, Henry More und anderen. Von England aus wirken dann diese Ideen wieder auf das Festland herüber und schaffen in Holland die Atmosphäre, in der sich Geulincx bewegen wird. Und schließlich werden die Gedanken durch die Quäker noch bis nach Amerika getragen und haben dort, ganz konkret und praktisch auf die sozialen Verhältnisse angewendet, viel Gutes schaffen helfen.

3. NEUE WEGE DER WISSENSCHAFT

Die eigentliche revolutionäre Tat des Renaissance-Zeitalters in der Philosophiegeschichte ist der neue Wissenschaftsbegriff, der jetzt ausgebildet wird, und zwar durch die Begründer der modernen Physik, vor allem durch Galilei. Mit ihm wird die bisherige qualitativ-eidetische Seinsbetrachtung abgelöst durch die quantitativ-mechanistische. Es handelt sich dabei zunächst um eine naturwissenschaftliche Methode; aber sie beeinflußt bald den Wissensbegriff überhaupt und wirkt sich mehr und mehr dahin aus, die ganze Philosophie nach ihrem Muster umzubilden, was schließlich zu weittragenden Konsequenzen führt, nämlich zu einem neuen Bild von Mensch und Kosmos. Die Entstehung des mechanistischen Weltbildes der Neuzeit ergibt sich zwar von verschiedenen Blickrichtungen her, die Vollendung bringt erst Descartes, und die metaphysische und vor allem ethische Auswertung kommt noch etwas später, allein der Aufbruch zum Ganzen vollzog sich in der Renaissance, und insofern bedeutet sie einen Wendepunkt in der abendländischen Geistesgeschichte.

a) Anfänge der italienischen Naturphilosophie

In den Anfängen der italienischen Naturphilosophie, so bei Hieronymus Cardanus († 1576), der von Cusanus beeinflußt ist, bei Bernhardinus Telesius († 1588) und Franciscus Patritius († 1597), überwiegt noch immer die neuplatonische Grundeinstellung mit ihrer Rede von den Elementargeistern und der Allbeseelung. Besonders bei Thomas Campanella († 1639) kann man die neuplatonische Weltbetrachtung, jetzt ohne die hermetische Variante und dafür in der von Ps.-Dionysius und Eriugena ausgebildeten Form, mit Händen greifen.

b) Giordano Bruno

Bei Giordano Bruno (1548—1600) aber kommt ein anderer, ein intransigenter Ton auf. Was er in seine Zeit warf, wirkte geradezu alarmierend. Schon sein Leben war beunruhigend. Ursprünglich Dominikanermönch zu Neapel, bricht er seine Gelübde, kehrt in die Welt zurück und führt nun ein unstetes Wanderleben, bald mit Ehren überhäuft, bald heftig angefeindet und verfolgt. Wir treffen ihn in Genf, Paris, London, nochmals in Paris, in Wittenberg, Marburg, Prag, Helmstedt, Frankfurt, Zürich, Venedig. Hier wird er von der Inquisition verhaftet und 1593 nach Rom gebracht. Anfänglich zum Widerruf geneigt, widersteht er jetzt hartnäckig und ohne Furcht vor der drohenden Verurteilung. Nach 7jähriger Kerkerhaft wird er 1600 auf dem Campo de'Fiori zu Rom auf dem Scheiterhaufen verbrannt — Von seinen Wer- Leben und Werke ken sind die bedeutendsten: De la causa, principio ed uno (1584); De l'infinito, universo e mondi (1584); De gli eroici furori (1585). — Ausgaben: Opera latine conscripta. Hrsg. von F. Fiorentino, Tocco u. a. 4 Bde. in 8 Teilen (Neapel u. Florenz 1879—91, Nachdruck Stuttgart 1961 ff.). Opere italiane. Hrsg. von G. Gentile u. V. Spampanato. 3 Bde. (Bari 1907—09). Dialoghi italiani: dialoghi metafisici e dialoghi morali, novamente ristampati con note da G. Gentile. 3ª edizione a cura di G. Aquilecchia (Firenze o. J. [ca. 1958]). „Von der Ursache, dem Grund und dem Einen" bei Meiner, Philosophische Bibliothek. „Heroische Leidenschaften und individuelles Leben." Auswahl und Interpretationen mit einem Essay zum Verständnis des Werkes und einer Bibliographie von E. Grassi (1957). — Literatur F. H. Jacobi, Über die Lehre des Spinoza in Briefen an M. Mendelssohn (1785, vermehrte Ausg. 1789). F. W. J. v. Schelling, Bruno oder über das göttliche und natürliche Prinzip der Dinge (1802). F. J. Clemens, G. Bruno und Nikolaus von Cues (1847). L. Kuhlenbeck, G. Brunos Einfluß auf Goethe und Schiller (1907). H. Heimsoeth, G. Bruno und die deutsche Philosophie. In: Blätter für deutsche Philosophie 15 (1942). L. Cicuttini, G. Bruno (Milano 1950). N. Badaloni, La filosofia di G. Bruno (Firenze 1955). J. C. Nelson, Renaissance Theory of Love. The Contest of G. Bruno's Eroici furori (London 1958).

α) Unendliche Welt

Bruno ist nicht der exakte Wissenschaftler wie die Begründer der modernen Physik. Bei ihm überwiegen Ahnung, Gefühl und Pathos. Aber sein Ahnen hat etwas Divinatorisches. Vor ihm liegen die Gedanken des Cusaners, den er als göttlich preist, und die des Kopernikus. Letzterer hatte 1543 sein Werk De revolutionibus orbium coelestium erscheinen lassen und darin gezeigt, daß die Erde, anders als es im ptolemäischen Weltsystem seit Jahrhunderten geglaubt wurde, sich um die Sonne bewege und nicht ruhe als vermeintlicher Mittelpunkt der Welt. Wo andere noch nicht ahnten, was mit dieser Einsicht geschehen war, durchschaute Bruno sofort die Situation, und der Entwicklung vorauseilend, legte er auch noch die äußerste Sphäre des Fixsternhimmels nieder, die Kopernikus noch hatte bestehen lassen — die Sonne war für ihn immer noch innerhalb dieser äußersten Schale ein Zentrum —, und sah im Geiste ein unendliches Universum vor sich: unser Sonnensystem ist wieder eingegliedert in ein anderes, umgreifenderes System, dieses auch wieder, und so immerzu, hinein in unendliche Räume, in die das Universum sich ausdehnt. Damit eröffnet Bruno die Bahn für das Weltbild der neuzeitlichen Naturwissenschaft und das dazu gehörige Lebensgefühl. Ohne selbst exakter Forscher zu sein, schaffte er doch den Rahmen, dem die neue Physik ihre Erkenntnisse eingliedern kann.

β) **Pantheismus**

Nun hatte schon Cusanus von einer grenzenlosen Welt gesprochen, deren Mittelpunkte überall und deren Grenzen nirgends seien, und hatte darum auch schon gesehen, daß die Erde nur ein Stern unter anderen wäre. Aber bei ihm war diese „Unendlichkeit" nur der unerfüllbare Annäherungsversuch des Abbildes an das allein im eigentlichen Sinne unendliche Urbild, Gott, und seinen inneren Reichtum, den er sah, wie Platon die unausschöpfbare innere Fülle der Idee des Guten gesehen hatte. Bei Bruno jedoch ist die Welt selbst das Unendliche und das Letztwirkliche. Die Welt ist nicht mehr Abbild Gottes, sondern tritt an die Stelle Gottes. Die Natur selbst wäre der herrlichste Gott, und an einen Gegensatz zwischen einem jenseitigen Gott und einer diesseitigen Welt glaube nur der dumme Pöbel. Dieser sichtbare Gott brauche darum auch nicht mehr, wie das aristotelische Weltbild es noch angenommen hatte, einen ersten unbewegten Beweger. Alle Weltkörper schweben, durch die eigene Schwere im Gleichgewicht gehalten, im unendlichen Kraftfeld des ätherischen Raumes. Die Materie ist selbst Prinzip der Bewegung und entläßt auch aus sich alle Formen dessen, was werden und Gestalt annehmen soll. Bruno spricht wohl von einer „Weltseele" und vom „inneren Künstler"; aber man braucht nur an die Quellen dieser Begriffe zu denken, an Neuplatonismus und Stoa, um zu sehen, daß damit der prinzipielle Standpunkt nicht geändert wird.

γ) **Alleinheit**

Und so erklärt Bruno im 5. Dialog von De la causa, principio ed uno, daß das Universum alles in einem sei: unendlich, unbewegt (die aristotelischen Prädikate Gottes!), möglich, wirklich, Form, Seele, Materie, Ursache, Wesen, Zweck. Nimmt man noch dazu, daß auch das Individuelle nichts Eigenes mehr ist, sondern nur Modifikation dessen, was eines ist und alles, dann sieht man, daß es sich nicht bloß um ein neues Lebensgefühl handelt, sondern um einen monistischen Pantheismus. Für Cusanus war die Grenzenlosigkeit der Welt ein Lobpreis Gottes, für Bruno ist sie der neue Gott, der Gott der Weltgläubigkeit und Weltfrömmigkeit.

δ) Monade Die Alleinheit erstreckt sich jedoch nicht nur auf das Große und Ganze und sozusagen nach außen, sondern auch nach innen. Das Maximum fällt zusammen mit dem Minimum, mit der „Monade“. Das Kleinste nimmt das Größte eingefaltet und antizipierend in sich hinein, das Große aber wiederholt das Kleine und das Ganze sich selbst, aus sich und durch sich seiend, in ewiger Immanenz. Wieder sind es Worte des Cusaners, die verwertet werden: das quodlibet in quolibet und seine Rede vom Maximum und Minimum, sowie auch noch Worte des Paracelsus: seine Mütter und die matrix, wovon Bruno ebenfalls Kunde hat. Aber wieder erhalten diese Gedanken einen anderen Hintergrund. Was sie dort nicht sein wollten, sind sie hier: Kategorien reiner Weltimmanenz.

ε) Nachwirkungen Nachdem es um Bruno infolge der Verurteilung ein Jahrhundert lang still gewesen war, gewinnt er über Spinoza und Leibniz Einfluß auf die deutsche Philosophie, wo Hamann und Goethe sich für ihn interessieren, Jacobi ihm wider Willen Aufmerksamkeit verschafft und Schelling sich von ihm inspirieren läßt. Wertvoller aber als dies war, daß man über ihn zurückfand zu den eigentlichen Ursprüngen des neuzeitlichen deutschen philosophischen Denkens in Cusanus. Dort sind die großen Probleme, die hier in Frage stehen, noch sachgerecht und unverdeckt faßbar, die Probleme des Einen und Vielen, des Identischen und Verschiedenen, des Endlichen und Unendlichen, der Immanenz und Transzendenz, die dann im deutschen Idealismus wieder im Mittelpunkt stehen werden. Bei Bruno aber sind sie über dem schönen dichterischen Pathos nicht recht zur Entwicklung gekommen.

c) Die Begründer der modernen Physik

Bruno war zu phantastisch gewesen. Mit den Begründern der neuzeitlichen Physik aber kommt es zur Geburtsstunde der modernen Naturwissenschaft und ihrer exakten Methoden. Im Gefolge davon wird sich die moderne Technik erheben mit allem, was dazu gehört an Segen und Fluch. Diese Männer sind Kepler, Galilei, Gassend, Boyle und Newton.

α) Kepler Johannes Kepler (1571—1630) hat seinen Namen als Astronom. Er fand die drei Gesetze der Planetenbewegung: 1. Die Bahn eines jeden Planeten ist eine Ellipse, mit der Sonne in einem der Brennpunkte; 2. Bei der Bewegung um die Sonne bestreicht der Radiusvektor eines Planeten in gleichen Zeiten gleiche Flächenräume; 3. Die Quadrate der Umlaufzeiten der Planeten verhalten sich wie die Kuben ihrer mittleren Entfernungen von der Sonne. Kepler kam zu seinen Ergebnissen mit Hilfe eines induktiven rechnerischen Verfahrens, das die Erscheinungen als solche in ihrer Mechanik und Dynamik studiert. Er setzt sich damit betont in Gegensatz zur aristotelischen Philosophie, indem für ihn nicht mehr das Wesen das Erste ist, um daraus dann die Akzidentien zu verstehen nach dem alten Satz: agere sequitur esse. Das Erste und jetzt Wesentliche ist vielmehr das Geschehen selbst und unmittelbar und nur dies. Kepler selbst ist deswegen nicht Phänomenalist und Mechanist. Er spannt vielmehr seine Funde ein in einen übergreifenden Gesamtzusammenhang, den er sich als eine von einem göttlichen Geist geordnete Harmonie vorstellt. Aber man kann, wenn man sich auf seine Methoden exklusiv versteift, daraus den Phänomenalismus und Mechanismus folgern. Aus der Begeisterung geborene Verengungen des Gesichtskreises sind gerne die Ursachen der Ismen. So wird es auch den Begründern der neuen Physik bei ihren Schülern gehen.

β) Galilei

αα) Seine Leistungen

Galileo G a l i l e i (1564—1642) ist zunächst bekannt als der Mann, der die Richtigkeit des kopernikanischen Weltsystems praktisch nachgewiesen hat; außerdem durch sein Trägheitsgesetz (Jeder Körper verharrt in seinem Zustand der Ruhe oder der gleichförmig geradlinigen Bewegung, solange nicht äußere Kräfte auf ihn wirken) und Fallgesetz (Beim freien Fall wächst die Fallstrecke mit dem Quadrat der Fallzeit), womit er die Grundlagen der modernen Mechanik geschaffen hat.

ββ) Seine Methode

Für die Wissenschafts- und Ideengeschichte aber ist wieder wichtiger die Methode, die er dabei anwandte, die Induktion. Damit gerade hat er für den Wissenschaftsbegriff und die Philosophie Schule gemacht.

metodo risolutivo

Das Wesentliche an seinem Verfahren ist folgendes: Man geht aus von einem hypothetisch angenommenen Satz, etwa: Körper fallen nicht nach Maßgabe ihres inneren Wesens, sondern nach Maßgabe einer von außen auf sie wirkenden Kraft. Diese Kraftwirkung kann eine mehrfache sein, denn es wirken auf einen fallenden Körper nicht nur die Gravitation ein, sondern auch die Reibung der Luft oder der Gleitbahn oder des Windes, oder die anziehenden Kräfte der Umgebung. Darum gilt es, dieses Kräftebündel aufzulösen und nur je einen Faktor allein zu studieren (metodo risolutivo). Was man nun studiert, ist seine Beziehung zu einem anderen Faktor, etwa die Fallzeit (t) zur Fallstrecke (s). Über die Beziehung von s und t entscheidet nun aber nicht mehr irgendein vorher angenommener Satz, aus dem man seine These ableitet (Deduktion), sondern die Befragung der Natur, am besten im Experiment. Durch immer neue Versuche werden sich immer neue Zahlenpaare für s und t ergeben. Deren nähere Prüfung zeigte dann Galilei, wie er die beiden Faktoren nunmehr miteinander verknüpfen oder den einen Faktor als Funktion des anderen auffassen soll. So entstand die Formel, daß die Fallstrecke wachse mit dem Quadrat der Zeit (metodo constitutivo). Das Wertvollste daran war die mathematische Formulierung. Seit Galilei datiert die Mathematisierung der modernen Naturwissenschaft. Der letzte Schritt schließlich besteht darin, den gefundenen Satz, der immerhin nur bei einer beschränkten Anzahl von Fällen konstatiert worden war, als allgemein gültiges Gesetz auszusprechen. Die Logik erhebt dagegen Bedenken. A particulari ad universale non valet illatio, lautet eines ihrer Gesetze. Allein für die moderne Naturwissenschaft und Technik hat sich das induktive Verfahren praktisch immer bestätigt, und so bleibt man dabei, wenn es auch theoretisch strenggenommen anfechtbar ist. Galilei war sich der Neuheit seines Wissenschaftsbegriffes gegenüber der herkömmlichen aristotelisch-scholastischen Auffassung voll bewußt. Er sah Aristoteles als den Geist an, der auf die Deduktion erpicht war statt auf die Induktion, auf das Wesenswissen statt auf das Studium der Prozesse und ihrer Dynamik, auf das rein Qualitative statt auf das Quantitative. Er vermißte an ihm vor allem die mathematische Methode, die nach Galilei den einzigen Zugang zur Natur bietet; denn das Buch der Natur sei in mathematischen Lettern geschrieben, und seine Buchstaben seien Dreiecke, Kreise und andere geometrische Figuren. Galilei wollte allerdings das Weltbild nicht schlechthin auf das nur mathematisch Faßbare beschränken, und seine mathematische Methode hatte zunächst nur eine exakte Darstellung der Einzelbeobachtung im Auge. Allein seine subjektivistische Wertung der sekundären Sinnesqualitäten

metodo constitutivo

Generalisierung

γγ) Galilei und der Geist der Neuzeit

und der historisch offenkundige Zusammenhang dieser Anschauung mit dem antiken Atomismus sowie mit Sextus Empiricus bedeutete praktisch den Bruch mit dem qualitativ-eidetischen Denken und führte zu dessen Gegenteil, der quantitativ-mechanistischen Naturbetrachtung. Der Affront mit dem Zeitgeist mußte sich zwangsläufig ergeben, und Galilei hat ihn durch sein Temperament auch noch etwas forciert; nicht weniger haben aber auch seine festgefahrenen Gegner durch ihre Unbeweglichkeit und Einseitigkeit, die gleichfalls eine Teilwahrheit für das Ganze ansah und sich für alles andere verschloß, zum Konflikt beigetragen.

Um das Bild abzurunden sei, der Zeit etwas vorausgreifend, hier schon Isaac Newton (1643—1727) erwähnt, der im Anschluß an das Galileische Fallgesetz seine Gravitationstheorie und seine Lehre von den Planetenbahnen aufbaute und dadurch ein in sich geschlossenes System der Mechanik entwickelte, jenes System, das die Neuzeit als die einzig mögliche Naturbetrachtung ansah und das auch Kant sich zu eigen machte und zum Ausgangspunkt für seine Naturanschauung nahm. Newton selbst hatte ähnlich wie Galilei mit dem quantitativ Faßbaren allerdings nur eine methodische Abstraktion im Auge und wollte dem Rest die Realität nicht bestreiten. Allein schon bald wußte man nicht mehr um die dem Meister noch bewußte Einschränkung, und das quantitativ Mechanische wurde zum Ganzen. γ) **Newton**

Pierre Gassend (1592—1655) hat mit seiner Erneuerung des antiken Atomismus der modernen quantitativ-mechanistischen Naturanschauung die philosophische Hintergrundstheorie geliefert. Auch er ist Gegner des Aristoteles; aber auch Gegner Descartes', der mit seiner Gleichsetzung von Körper und Ausdehnung einen leeren Raum nicht mehr annehmen konnte, wie es der Atomismus doch brauchte. Über Lukrez und Epikur lernte er Demokrits Gedankengänge kennen, und wie dieser nimmt auch er als die drei Prinzipien der Natur an: die Atome, den leeren Raum und die den Atomen von selbst innewohnende ungeschaffene, ewige Bewegung. Die Atome haben Gestalt, Größe, Bewegung und Solidität. Damit haben wir letzte Materiepunkte und Krafteinheiten, die gezählt und gemessen werden können, und der mechanistische Dynamismus findet so seine ontologische Fundierung. δ) **Gassend**

Robert Boyle (1627—91) wird diese erhärten, wenn er, die ε) **Boyle**

Alchimie in die moderne Chemie umwandelnd, nun im Experiment nachweist, daß die zusammengesetzten Stoffe tatsächlich aus letzten Baubestandteilen bestehen, unseren modernen Elementen, den Atomen. Er wird damit gleichfalls einer der Wegbereiter des mechanistischen Denkens.

ζ) „Quantitativ-mechanistische Naturanschauung"

Was ist der Sinn der von den Begründern der modernen Physik entwickelten quantitativ-mechanistischen Naturbetrachtung? Wir meinen damit diesen neuen Gedanken selbst in seinem logisch-sachlichen Gehalt und seinen ideologischen Tendenzen. Die historisch tatsächliche Ausbildung dieser Anschauungen bei den einzelnen Denkern weist ja immer verschiedene Nuancen auf. Über dem Historisch-Tatsächlichen gibt es aber auch das, was man die Logik der Sachen selbst heißen kann und ebenso sehen muß. Das ist der objektive Gedanke, der sich selbständig macht und für sich weiterwirkt.

αα) Ihre Eigentümlichkeiten

Methode

Hier nun können wir als Eigentümlichkeiten festhalten: 1. Eine neue Methode, die Induktion. Sie ist nicht prinzipiell neu, weil der jetzt so getadelte Aristoteles grundsätzlich auch die Erfahrung befragen will. Aber man hat jetzt praktisch neue Mittel, die der alte Aristoteles nicht besaß, den Apparat und das Experiment, und gerade damit kommt es zu den gewaltigen Fortschritten der Naturwissenschaft in der Neuzeit. Der echte Aristoteles wäre der erste gewesen, der sich dieser neuen Mittel bedient hätte. Was sich gegen sie stellte, war der „Aristoteles", der in den Büchern und dem durch die Tradition festgefahrenen Zeitgeist lebte, einem Zeitgeist, der sich teils überschätzte und darum allzufrüh mit sich selbst zufrieden war, teils unterschätzte, indem er sich fürchtete vor dem Neuen. Den genuinen Aristoteles haben weder die Verteidiger noch die Angreifer gekannt.

Feld der Wissenschaft

2. Ein neues Feld der Wissenschaft, das Reich der Erscheinungen und Prozesse. Die Wesenswissenschaft wird abgelöst durch die Geschehniswissenschaft. Man fragt nicht mehr, wie die Akzidentien aus der Substanz hervorgehen und davon her verstanden werden können, sondern sucht nach der in der Erfahrung aufscheinenden Abhängigkeit der einzelnen Faktoren voneinander, die in den Prozessen enthalten sind. Darum wird die neue Zeit den Substanzbegriff ersetzen durch den Funktionsbegriff, das Eidos oder die Essentia durch das Gesetz.

Seinsbegriff

3. Einen neuen Seinsbegriff, den dynamisch-kausalen. Das Masse- oder Kraftquantum wird für fundamen-

taler angesehen als die Soseinsbestimmtheit (das Quale), die mit der Essentia oder dem Eidos gegeben ist; ja es kommt allmählich so weit, daß die in Raum und Zeit gegebene Kausalrelation die ontologische Determination schlechthin wird. Auf diesem Boden entsteht dann das Gesetz von der Erhaltung der Energie. Und nun ist überhaupt kein Raum mehr für eine andere Determination, eine ganzheitliche etwa oder sinnhaft-teleologische. Das wäre ja gegen den Energiesatz und den ganzen Sinn der mechanistischen Naturbetrachtung, wo alles Geschehen nur dem Quantum und seinem Gewicht folgt und damit streng notwendig ist. Die Physik absorbiert jetzt die Metaphysik; und dazu auch noch die Theologik und Ethik; denn die große Weltmaschine geht „von selbst". Es bedarf nicht bloß keiner göttlichen Providenz, sondern es kann auch keine geben, so wenig wie es einen Schöpfer mehr geben kann. Dem ganzen Ansatz nach ist dies unmöglich. Aber auch der Mensch wird von dieser Maschine bedroht, in seiner Freiheit und seiner menschlichen Providenz; denn in der ersten Entdeckerfreude wird auch er unter die „Natur" gerechnet und werden auch alle menschlichen Prozesse als nur kausal determiniert betrachtet. Was zunächst nur Naturwissenschaft war, wird jetzt Philosophie schlechthin und umfaßt das ganze Sein einschließlich des Menschen. Bei den Begründern der neuzeitlichen Physik selbst wird dieser Schritt noch nicht vollzogen. Kepler ist gläubiger Protestant; Galilei gläubiger Katholik, trotz der Inquisition; ebenso der Atomist Gassend, und tiefgläubig ist auch Newton. Erst später wird der neue Seinsbegriff voll im Sinn des atheistischen Mechanismus und Determinismus ausgewertet werden. Immerhin, grundgelegt wurde die neue Wissenschaftsauffassung in der Renaissance, und angesichts der späteren Konsequenzen ist es keine Übertreibung, wenn wir darum in ihrem neuen Wissenschaftsbegriff die revolutionärste Tat dieser ganzen Zeit erblicken.

ββ) Ihre Voraussetzungen

Quantifizierung des Seins

Es wird gut sein, sich neben den Eigentümlichkeiten auch der Voraussetzungen bewußt zu werden, die in die neue Konzeption eingehen. Eine erste Annahme, die nur Annahme ist und nicht mehr, liegt in der These, daß die Quantität die Fundamental-Kategorie des Seins schlechthin und allein ist. Die Erkenntnisse der quantitativen Beziehungen des Seienden haben außerordentlich wichtige Aufschlüsse gebracht; aber diese Beziehungen bilden nur eine Seite am Wirklichen und sind nicht alles schlechthin. Wir wissen heute, daß das Sein mehrschichtig ist und daß wir eine ganze Reihe von Kategorien brauchen, um es zu verstehen; darunter zum Beispiel die Kategorien der Ganzheit und des Sinnzusammenhanges. Und das nicht nur im Reich des Lebendigen, sondern auch in der nur physikalischen Wirklichkeit. Man gelangt auch hier „nur dann zu einer brauchbaren Darstellung der Gesetzmäßigkeit, wenn man die physikalischen Gebilde als Ganzes betrachtet" (Max Planck). Man kann natürlich eine Wissenschaft auf einer per definitionem gesetzten These, wie „Sein = quantitativ gegebener Kausalnexus", aufbauen. Schon Aristoteles hat in solcher Setzung ein mögliches wissenschaftliches Prinzip gesehen. Nur muß man sich der Setzung als solcher bewußt sein und erkennen, daß, wenn es für eine solche Naturwissenschaft keine andere Determination mehr geben „kann", dies nur deswegen nicht sein kann, weil sie durch die Grundannahme von Anfang an per definitionem ausgeschlossen wurde. Es wird darum immer Aufgabe bleiben, der Grundannahme nicht zu verfallen, sondern sie ständig an der ganzen, nicht durch eine vorgefaßte Voraussetzung eingegrenzten Wirklichkeit zu verifizieren.

Stetigkeit des Kausalnexus

Eine zweite Voraussetzung liegt in der Annahme vom kontinuierlich in streng gleichmäßiger Notwendigkeit fließenden Kausalnexus. Gerade darauf basierte der moderne Determinismus, der von der Naturwissenschaft her auch das Menschlich-Sittliche immer wieder überwucherte; denn das war ja gerade der Grundgedanke des modernen mechanistischen Weltbildes überhaupt. Auch hier haben wir inzwischen gelernt, daß es sich anders verhält. Die Energieausgabe geschieht nicht kontinuierlich, sondern gequantelt. Die Natur macht keine Sprünge, hieß es früher; jetzt müssen wir sagen, sie macht vielleicht lauter Sprünge. Ja es taucht nun mit der Heisenbergschen Unsicherheitsrelation so etwas wie eine Vorstufe von Freiheit auf. Wird damit auch nicht das Kausalprinzip aufgehoben, so erhält doch das spezielle Kausalgesetz jetzt einen anderen logischen Charakter. Es verliert seine seit Beginn der Neuzeit trotz der bald erfolgenden Einwände Humes immer wieder behauptete absolute Notwendigkeit. Das ist die Lehre der neuen Quantenphysik, die schon allein damit, daß sie sich als die neue Physik geben kann gegenüber der klassischen, besagt, daß die Blickrichtung der klassischen Physik eben nicht, wie man zu Beginn der Neuzeit meinte, die allein mögliche und alles enthüllende Schauweise ist, sondern nur eine Blickrichtung neben anderen, eine sehr wertvolle, aber immerhin auch begrenzte. Und eine dritte, jetzt einen historischen Irrtum besagende Voraussetzung sei noch berührt, die Meinung nämlich, daß die alte Wesens- und Formphilosophie sich grundsätzlich sperren müßte gegen die Methode der quantitativen Messung der Naturwirklichkeit. Platon sowohl wie Aristoteles kannten die Mitursächlichkeit des Raum-Zeitlichen, die „Werke der Notwendigkeit", trotz ihrer Wesens- und Formphilosophie. Die Metaphysik von den ewigen Formen entstand nämlich nicht, wie Vertreter der modernen metaphysikfeindlichen Ontologie behaupten, aus theologischen Interessen. Das ist historisch und sachlich falsch. Es ist genau umgekehrt, historisch und sachlich ist zuerst die Erkenntnis der „Formen" da, und erst aus der Notwendigkeit ihrer Erhellung ergibt sich ein letzter Grund, den die Theologik dann Gott heißt. Die Lehre von den Formen, Wesenheiten und Substanzen aber wurde ausgebildet, um gerade das Werden, die Sinnlichkeit, den Prozeß und seine Dynamik zu fassen. Das sieht man noch deutlich bei Heraklit, wo der Logos die metra angibt, nach denen sich das Werden entzündet und nach denen es erlischt; bei Platon in der Diskussion des Sophistes über die Frage, ob die Kinesis auch Sein sei; bei Aristoteles, wenn er „den Anfang der Bewegung", also ausgerechnet sein dynamisches Prinzip, wieder mit den statischen Mitteln des Formdenkens analysiert, in dem ihm die Energeia zur Entelecheia wird (vgl. Bd. I, 200 f.). Erst seit Philon, dem Neuplatonismus und besonders seit Augustinus überwiegt die theologische Bestimmung der ewigen Formen als Ideen im Geiste Gottes, und ihr Sinn, die Erscheinungen zu retten, wird nicht mehr so unmittelbar gesehen, wenn er auch nicht verlorengeht. Aber schon Cusanus, der die Scholastik wieder zu sich selbst führt, hat den ursprünglichen Zusammenhang wieder aufgedeckt, wenn er gerade im raumzeitlichen Zählen, Messen und Wägen den Weg sucht zur möglichsten Annäherung an die ewigen Formen, damit Dynamik und Statik, Werden und Wesen, Sinnlichkeit und Idee je in ihrer Eigentümlichkeit sehend und doch in einer Synthese verbindend. Das war von

Weltfremde Form?

Anfang an der Sinn der Ideen. Sie meinen eben nicht einen Chorismos, sondern sie lesen die Welt in der Idee oder die Idee in der Welt, wie man will. Das besagt die in der Akademie für die Idee und ihre Aufgabe geprägte Formel: die Erscheinungen retten.

Texte und Literatur

N. Copernici Thorunensis De revolutionibus orbium caelestium libri sex. Editionem criticam curaverunt F. Zeller et C. Zeller (1949 ff.). Zweisprachige Ausgabe: N. Copernicus, Über die Kreisbewegungen der Weltkörper. Hrsg. und eingeleitet von G. Klaus mit Anmerkungen von A. Birkenmayer (1959). — J. Kepler, Opera omnia. Hrsg. von W. v. Dyck u. M. Caspar (1937 ff.). C. Baumgardt, J. Kepler. Leben u. Briefe. Übersetzt und mit einem Nachbericht hrsg. von H. Minkowski. Eingeleitet von A. Einstein (1953). — G. Galilei, Opere. A cura di F. Flora (Milano 1953). F. Dessauer, Der Fall Galilei und wir (1943). Ders., Mensch und Kosmos (1949). A. Banfi, G. Galilei (Milano 1949). H.-Ch. Freiesleben, G. Galilei. Physik und Glaube an der Wende der Neuzeit (1956). — P. Gassendi, Dissertations en forme de paradoxes contre les aristotéliciens: Exercitationes paradoxicae adversus Aristoteleos. Livres I et II. Texte établi, traduit et annoté par B. Rochat (Paris 1959). Tricentenaire de P. Gassendi 1655—1955. Actes du Congrès 4 à 7 août 1955 (Paris 1957). — P. Duhem, Essor sur la notion de théorie physique de Platon à Galilei (Paris 1908). A. Maier, Die Mechanisierung des Weltbildes im 17. Jahrhundert (1938). E. Whittaker, Von Euklid zu Eddington (1952). H. Blumenberg, Kosmos und System. Aus der Genesis der Kopernikanischen Welt. In: Studium generale 10 (1957) 61—81.

d) Francis Bacon

Leben und Werke

Francis Bacon, Baron von Verulam (1561—1626), steuert zum neuen Wissensbegriff der Renaissance ein Moment bei, das wesentlich dazu gehört und den ganzen Charakter dieses Wissens erst voll enthüllt, den Utilitätsgesichtspunkt. In Bacon zeigt sich insofern nicht nur der englische Empirismus, sondern noch mehr die typisch moderne, im Anschluß an die quantitativ-mechanistische und überhaupt empiristische Naturauffassung auffallend stark erfolgende geistige Umwendung, für die Wissen nicht mehr wie früher Selbstzweck ist, sondern nur noch Mittel zum Zweck. Bacon hat das schon in seinem Leben praktisch vorgeführt. Er war Staatsmann, Jurist, Historiker, Naturforscher; ist hoch gestiegen und tief gefallen; aber wo immer wir ihn treffen, stets scheint die Zweckmäßigkeit eine Maxime gewesen zu sein, die bei ihm selten, vielleicht nie überhöht wurde durch andere Wertmaßstäbe. Bacon ist ein hervorragender Schriftsteller. Seine „Essays“ schreiben einen großen Stil, und ihr klassisches Pathos erinnert an die Vertreter dieser Literaturgattung in der Antike, besonders an Plutarch, den er auch viel benützt; ihr realistisches Sehen und Nennen aber gemahnt an Shakespeare, und ein gewisser Zynismus an Macchiavelli. Bacon war, wie man so sagt, ein Mann ohne Illusionen, und insofern ist sein Leben, über das manche abfällig urteilen, nicht unverständlich. Was Bacon den etwas übertriebenen Ruf verschaffte, der Philosoph der neuzeitlichen, nun empirisch eingestellten Wissenschaft zu sein, die die bisherige rationalistische und dialektische Methode überholt habe, ist sein großes Werk „Instauratio Magna“. Davon erschien jedoch nur der erste Teil „De dignitate et augmentis scientiarum“ vollständig; der zweite Teil, das „Novum organon“ (1620), wurde nur halb fertig; vom dritten Teil existieren bloß Bruchstücke.

Texte und Literatur

F. Bacon, Opera. Hrsg. von R. L. Ellis u. a. 7 Bde. (London 1857—74). Ders., Essays. Deutsch von L. L. Schücking (1940) (Sammlung Dieterich). — W. Frost, Bacon und die Naturphilosophie (1927). E. v. Hippel, Bacon und der Staatsgedanke des Materialismus (1939, [3]1957). F. H. Anderson, The Philosophy of F. Bacon (Chicago 1948). W. Röd, Von Bacon bis Spinoza (1978) (= Geschichte der Philos. Bd. 7).

α) Ziel des Wissens

Wie schon die Titel seiner Werke verraten, betreibt Bacon eine Neuorientierung der Wissenschaft. Bezeichnend dafür ist sein Wort „Wissen ist Macht“. Man lebt im Zeitalter der Erfindungen und Entdeckungen. Bacon will die Wissenschaft für diese Bestrebungen nutzbar machen, die alle darauf hinauslaufen, das Dasein zu verschönern durch den Erwerb von Besitz und Macht. Erfindungen und Entdeckungen sollen nicht mehr dem Zufall oder der Magie überlassen bleiben, sondern Sache wissenschaftlicher Methodik werden. Das Wissen steht also nur im Dienste der technischen Utilität. Seit Aristoteles und seiner Gefolgschaft waren auf Jahrhunderte hinaus das Wissen und die Weisheit um ihrer selbst willen da, waren Schau der Wahrheit und Schau der Werte; bedeuteten darum ein Hauptelement jener Kultur, die dem Menschen seine Würde gab, weil sie ihm seine Freiheit gab, indem sie ihn zu sich selbst brachte und so über der Welt stehen hieß. Von hier erhielten die artes „liberales“ ihren hohen Namen. In der Ankündigung seiner Homer-Vorlesung von 1531 ruft Melanchthon noch jene Studenten, die „liberaliter et virtutis amore“ lernen wollen, und weist die „Banausen“ zurück, die nur die Erwerbskunst (quaestuosas artes) im Auge haben. Bacon aber kennt dieses „liberale“ Wissen schon nicht mehr. Was ihm aber als ein machtbringendes „Wissen“ erscheint, hätte Aristoteles nur als technisch-mechanisches „Können“ angesprochen und hätte das unter das Banausentum eingereiht; denn alle technische Erwerbstätigkeit war ihm von dieser Art, und Melanchthon hatte ganz stilgerecht aristotelisch gesprochen. Doch die utilistische Wissensauffassung wird sich nun immer mehr Bahn brechen. Sie wird die moderne Zivilisation grundlegen. Die Masse ihres Wissens ist überwältigend groß; die Tiefe ihrer Weisheit erstaunlich gering. Der Spezialist von heute verliert, indem er immer mehr den Zwecken seines Faches dient, auch immer mehr von der Überschau auf das Ganze von Welt und Mensch. Er wird damit auch immer mehr zum Knecht der Welt und ihrer Utilität. Um diesem sinnlichen „Materiale“ gegenüber Würde und Freiheit des Menschen zu retten, wird Kant auf den Plan treten. Die Freiheit des Menschen war aber auch schon gesichert mit jener Weisheit, die Aristoteles zu Beginn seiner Metaphysik als den Inhalt der echten Philosophie dargelegt hatte und die ein Schauen der Wahrheit um ihrer selbst willen ist. Sie führt auch den Menschen zu sich selbst. So gesehen diente, was Bacon mit seiner neuen wissenstheoretischen Zielsetzung erstrebte, nicht gerade der Vermenschlichung des Menschen.

β) Methoden des Wissens

Wertvoller als die neue Zielsetzung waren die Methoden, die Bacon dem Wissen und Forschen vorzeichnete. In einer kritischen Betrachtung oft beliebter Methoden sagt er zunächst, wie man es nicht machen darf.

αα) „Vorurteile“

Er spricht da in recht plastischer Weise von den vier Idolen, die man häufig anbete: die idola theatri, idola fori, idola specus und idola tribus. Die Idole des Theaters sind Anschauungen, die man festhält, weil sie Schultradition sind; statt daß die Tatsachen entscheiden, läßt man sich von der Überlieferung etwas vormachen. Die Idole des Marktes bestehen darin, daß der Mensch immer geneigt ist, den Worten zu glauben und nur Worte nachzusagen, statt zu denken, was gemeint ist, Begriffe nämlich und Sachen. Die Idole der Höhle sind die persönlichen Lieblingsmeinungen, in die ein Mensch sich einzukapseln pflegt, um dann die Dinge nur noch durch seine Brille anzuschauen. Die Idole des Stammes aber sind allgemein menschliche Vorurteile, durch die man das Objektive subjektiviert (Anthropomorphismen). Die positiven Rat- ββ) Induktion schläge, die Bacon für eine kommende Restauration der Wissenschaft macht, rücken die Induktion in den Mittelpunkt des Vorgehens. Sie ist zwar nicht das einzige, was zu tun ist; denn immer müssen die Wissenschaften zu allgemeinen, die Einzelerfahrungen zusammenfassenden Sätzen kommen und müßte insofern eine legitime Ehe geschlossen werden zwischen Anschauung und Denken; aber dabei sei die Erfahrung doch das Grundlegende. Es wird deswegen wieder viel gegen Aristoteles gesagt, aber das eigentlich Neue, das die quantitativ-mechanistische Induktion der Kopernikus, Kepler und Galilei gebracht hat, doch nicht recht verstanden; denn Bacon hält wesentliche Züge der qualitativ-eidetischen Seinsbetrachtung aufrecht, und zwar die Formenlehre und die Teleologie, ohne eine erkenntnistheoretische Auseinandersetzung für notwendig zu halten.

4. DAS NEUE BILD VON MENSCH UND STAAT

Wie sehr die Renaissance sich um ein neues Selbstverständnis des Menschen und seiner Vergesellschaftungen bemühte, sieht man allein schon, wenn man nur den Namen Macchiavelli nennt. Das Neue, das jetzt aufkommt, liegt darin, daß der Mensch sich nicht mehr bewertet nach dem Maßstab einer übermenschlichen Ordnung, der er zu dienen hat, sondern beginnt, die Maßstäbe in sich selbst zu suchen. Man spürt es bereits bei den Dichtern, bei Petrarca etwa und Boccaccio. Das Primäre für sie ist die unmittelbare Lebenserfahrung. Sie stellen den Menschen dar, wie er sich selbst erlebt und sieht, unabhängig von metaphysischen und religiösen Deutungen. Daraus entwickelt sich der für die Renaissance so typische Individualismus; im persönlichen Leben, insofern der huomo singolare nun zum Lebensideal wird; im staatlichen, insofern nun das Nationalitätenprinzip auftaucht. Als Konsequenz ergibt sich daraus der Vorrang der Macht vor dem Recht, des „Handelns“ vor den „Wahrheiten“, des Willens vor der Vernunft. Das alles wird nun immer selbstverständlicher. Bei Macchiavelli entsteht daraus eine weittragende staats- und geschichtsphilosophische Konzeption. Nietzsche hat für diesen Lebensstil sich begeistert, und was sich praktisch noch viel stärker auswirkte: die Politiker der Neuzeit haben in ihm die politische Wegweisung schlechthin gesehen und nur zu eifrig danach gehandelt.

Texte und Literatur

Der utopische Staat: Morus, Utopia; Campanella, Sonnenstaat; Bacon, Neuatlantis. Übersetzt, mit einem Essay „Zum Verständnis der Werke", Bibliographie und Kommentar hrsg. von K. J. Heinisch (1960) (Rowohlts Klassiker). E. v. Hippel, Bacon etc. oben S. 49. P. Mesnard, L'essor de la philosophie politique au XVIe siècle. 2e édition revue et augmentée d'un supplément bibliographique (Paris 1951).

a) Macchiavelli

Leben und Werke

Niccoló Macchiavelli (1469—1527) war Sekretär der Staatskanzlei zu Florenz. In dieser Stellung hatte er Gelegenheit genug, die Politik und die Menschen kennenzulernen. Dazu studierte er die antiken Geschichtsschreiber, besonders Livius und Polybius. Über die ersten zehn Bücher des Livius schreibt er seine berühmten Discorsi (1531). Das andere bedeutende Werk ist Il principe (1532). Es ist Lorenzo von Medici gewidmet und ruft ihn auf, Italien von der Fremdherrschaft zu befreien und einen mächtigen Nationalstaat aufzurichten. Wie man aber zur Herrschaft kommt und wie man sie erhält, das eben wollte „Der Fürst" zeigen. Und alle späteren haben davon gelernt.

Texte und Literatur

N. Macchiavelli, Tutte le opere storiche e letterarie. A cura di G. Mazzoni e M. Casella (Firenze 1929). Gesammelte Schriften, deutsch von H. Floerke. 5 Bde. (1925). Der Fürst, deutsch bei Meiner, Philosophische Bibliothek (mit Einleitung, Anmerkungen und Bibliographie). N. Macchiavelli: Auswahl und Einleitung von C. Schmid (1952) (Fischer-Bücherei). — E. W. Mayer, Macchiavellis Geschichtsauffassung und sein Begriff virtù (1912). G. Ritter, Machtstaat und Utopie (1940). L. Russo, Macchiavelli (Bari [3]1949). A. Norsa, Macchiavelli (Milano 1950).

α) Wissenschaft des Politischen

Macchiavelli erblickt den Kern der Staatsweisheit in einem politischen Realismus, der nicht das Seinsollende, sondern das Tatsächliche zur Basis des politischen Handelns macht.

αα) Realismus

Er will darum keinen Idealstaatsentwurf im Stile Platons und anderer schreiben, sondern die Realistik menschlichen

Zusammenlebens in ihren immer wiederkehrenden Grundlinien nachzeichnen. „Es scheint mir angemessener, der wirklichen Wahrheit der Tatsachen nachzugehen als den Wahngebilden jener Leute. Viele haben sich Republiken und Herrschaften erdichtet, die sie in Wahrheit nie gesehen haben und nie kennenlernten. Denn es ist ein so großer Unterschied zwischen dem, wie man tatsächlich lebt, und wie man leben sollte, daß derjenige, der das Wirkliche nicht beachtet gegenüber dem, was geschehen sollte, viel eher seinen Untergang als seine Erhaltung bereitet; denn ein Mensch, der in jeder Beziehung für das Gute einstehen möchte, müßte inmitten so vieler schlechter Menschen zugrunde gehen" (Principe, Kap. 15). Zwei Faktoren nämlich bestimmen den Gang menschlichen und geschichtlichen Lebens, das Schicksal und die persönliche Tüchtigkeit. Hinter die Geheimnisse des Fatums zu schauen ist uns nicht möglich, und darum erscheint es uns in Wirklichkeit als Zufall, als fortuna. Macchiavelli läßt keine Gelegenheit vorübergehen, ohne auf die ungeheure Rolle der fortuna in den Wechselfällen des Lebens hinzuweisen. Immerhin, der Staatsmann kennt eine gewisse Gesetzmäßigkeit und Typik in den geschichtlichen Situationen, und hier kann er nun eingreifen und frei handelnd das Geschick mitgestalten helfen. Im Durchschauen des Kräftespiels und im energischen Zupacken offenbart sich darum der zweite Faktor, die Stärke des Fürsten, seine virtù. Die Grundsätze hierfür sind die folgenden: Der Fürst muß sich erstens klar sein, daß die Menschen schlecht sind. „Von den Menschen kann man im allgemeinen sagen, sie sind undankbar, wankelmütig, heuchlerisch, scheuen die Gefahr und sind gewinnsüchtig. Solang du ihnen Gutes tust, sind sie dein ... Wenn aber die Not da ist, empören sie sich. Der Fürst, der sich ganz auf ihre Worte verlassen und keine anderen Vorkehrungen getroffen hat, geht zugrunde ... Denn die Liebe wird von der Fessel der Dankbarkeit zusammengehalten, die, wie die Menschen nun einmal leider sind, sofort zusammenbricht, wenn der Eigennutz im Spiel ist; aber die Furcht erhält sich durch die Angst, die niemals aufhört" (Principe, Kap. 17). Darum ergibt sich als zweiter Grundsatz: „Der Fürst muß, wenn er sich erhalten will, lernen, schlecht zu sein und davon je nach Bedarf Gebrauch zu machen" (Principe, Kap. 15). Er muß mehr gefürchtet sein als geliebt.

ββ) **Fortuna und virtù**

γγ) **Grundregeln der Politik**

darf vor Grausamkeiten nicht zurückschrecken, darf auch Wort- und Vertragsbruch begehen, wenn das Vorteil bringt. Er soll sich zwar den Anschein der Milde, Treue, Aufrichtigkeit und besonders der Frömmigkeit geben; aber auch nur den Anschein davon. Solche Tugend in Wirklichkeit zu besitzen und stets auszuüben, könnte sogar schädlich werden. Der Fürst muß vielmehr „einen Geist besitzen, der sich nach dem Winde und nach dem Wechsel des Schicksals drehen kann und der, falls es möglich ist, nicht vom Wege des Guten abweicht, aber in Zwangslagen auch das Böse zu tun versteht" (Principe, Kap. 18). Aber das genügt noch nicht einmal. Man müsse, meint Macchiavelli, auch noch auf das Tierische zurückgreifen. Der Fürst müsse verstehen, Löwe und Fuchs zugleich zu sein (a. a. O.). Nichts bezeichnet mehr als diese buchstäblich brutale Einstellung den Wandel der Zeiten. Der mittelalterlichen Staatsphilosophie bedeutete das alles eine Unmöglichkeit. Aber auch Platon warnt (Rep. 493) ausdrücklich davor, vom Tier zu lernen, wie man Menschen behandeln solle; nur die Sophisten würden das tun. Von ihnen aber hatte ja Macchiavelli so vieles abgesehen. Dritter Grundsatz: Das Schlimmste sind die halben Maßnahmen, das Schwanken zwischen Gut und Böse, Recht und Gewalt. Man sehe es an Moses und Savonarola. Ersterer habe seine Neider und Widersacher getötet, letzterer ging zugrunde, weil er keine Waffen hatte. Politisch betrachtet sei darum das Christentum mit seinen Idealen des Friedens, der Milde, des Leidens und der Demut unpraktisch. Gott sei ein Gott der Starken. Eine solche Religion war die römische. Nur sie wäre wünschenswert.

β) „Macchiavellismus"

αα) sein Prinzip

Das Wort von den halben Maßnahmen zeigt genau an, was Macchiavelli geben will, eine Mechanik des Kräftespiels menschlicher Leidenschaften. Gegen eine bestimmte Kraft muß mindestens eine ebenso große stehen, wenn man sie halten will; und überwinden kann man sie nur durch eine noch größere. Mit halben Maßnahmen ist wirklich nichts ausgerichtet. Rund 100 Jahre vor Galilei war somit auch schon eine neue Physik geschaffen worden: die der menschlichen Vergesellschaftungen. Diese politische Physik war bereits das, was die quantitativ-mechanistische Naturbetrachtung sein wird. Daß Macchiavelli damit Neuland betreten hat und einen großen Gedanken aussprach, wird sich nicht

ββ) seine Grenzen

bestreiten lassen. Mit eben dem Hinweis auf den physikalisch-mechanistischen Charakter dieser Staatsphilosophie wurden aber mit den Voraussetzungen auch ihre Grenzen sichtbar. Macchiavellis Glaube, daß der Mensch und der Staat nicht mehr seien als ein mechanisches Kräftespiel von Leidenschaften, ist falsch. Man darf darum den Menschen auch nicht bloß nach diesen Methoden behandeln. Schopenhauer und andere haben zwar gemeint, Macchiavelli hätte sich nur mit der politischen Technik als solcher befaßt, nicht aber mit der ethischen Problematik; er hätte also zwar studiert, wie etwas auszuführen sei, wenn man es wolle; ob man es aber wollen könne oder nicht, diese Frage der Moral hätte er gar nicht erörtert. Allein das ist weder der Sinn des „Fürst", noch hat die Folgezeit das Buch so aufgefaßt. Macchiavelli hat in aller Form dem praktischen politischen Handeln unmoralische Mittel und unmoralische Zwecke anempfohlen. Es handelt sich durchaus nicht um nur hypothetische Urteile, gleich als ob er die Moral nicht antasten wollte. Genau das Gegenteil ist der Fall. Bedenkenlos wird sie von der politischen Utilität absorbiert. Und indem Macchiavelli nun immer nur die politische Zweckmäßigkeit allein ins Auge faßt und als ausschlaggebend hinstellt, suggeriert er jene neuzeitliche Trennung von Politik und Moral, die zu soviel Schandtaten und Greueln Anlaß gab. Man hat sie oft genug als doppelte Buchführung gekennzeichnet; aber sie wurde deswegen nicht weniger praktiziert. Und doch beruht sie nur auf einem ganz gewöhnlichen Sophisma, der Supposition nämlich des Teils für das Ganze. Rein theoretisch könnte man in der Tat das sogenannte nur Politische studieren; die Wissenschaft vollzieht oft genug solche Abstraktionen. Das praktisch politische Handeln jedoch, und dazu spricht Macchiavelli, kann von der Moral nicht absehen, ohne unmenschlich zu werden. Oder sollte vielleicht ein Einbrecher zu seinem Richter sagen dürfen: Ich habe mich nur mit der technischen Seite der Sache befaßt, das juristische Problem interessiert mich nicht? Man könnte leicht fortfahren mit weiteren Beispielen dieser Art, könnte eine Technik der Propaganda, des Geldmachens, des Genießens, des Luxus und ähnlicher Dinge entwickeln. Damit ließe sich schließlich alles der Moral entziehen, sogar das Privatleben, für das allein sie manche ja noch gelten lassen wollen. Aber

Politische Technik?

die Moral ist entweder eine Regel für alles menschliche Handeln schlechthin und in jeder Form, oder sie ist überhaupt nichts. Gegenüber der Allgemeingültigkeit der Moral war Macchiavelli wertblind. Darin besteht eine grundlegende und, wie wir glauben, irrige Voraussetzung des Macchiavellismus. Seine Behauptung „einen Staat und ein Volk behandelt man anders als einen Privatmann" ließe sich nur vertreten, wenn in der Politik das Tierhafte im Menschen zum Durchbruch kommen müßte. Das ist aber weder immer so gewesen, noch darf es so sein, weil der Mensch nicht von sich abfallen darf. Und damit sind wir zur zweiten und ebenso irrigen Voraussetzung vorgestoßen, zu Macchiavellis Behauptung, daß alle Menschen schlecht sind, woraus sich dann alles weitere bei ihm ergibt. Unsere Welt ist unvollkommen; aber sie ist nicht so unvollkommen, daß starke Hände nie rein gewesen wären oder gar nie rein sein könnten. Mag Macchiavelli auch sehr viele schlechte Menschen gefunden haben, so dürfte er von einem solchen Teilsachverhalt zu keiner universalen Behauptung aufsteigen. A particulari ad universale non valet illatio, sagt die Logik. Aber das neuzeitliche Denken ist reich an Versuchen, Teilgesichtspunkte zu verabsolutieren, sie allein zu sehen und zur ganzen Sache zu machen. Einer davon ist der Macchiavellismus. Aber sowenig die quantitativ-mechanistischen Beziehungen die ganze Natur sind, so wenig ist Physik und Mechanismus der menschlichen Leidenschaften die ganze Politik.

Sind alle Menschen schlecht?

γγ) sein Recht

Die Abwehr der Übertreibungen des Macchiavellismus sollte andererseits aber auch wieder nicht dazu führen, alles an den Gedanken Macchiavellis abzulehnen. So wie die quantitative Naturbetrachtung Galileis Wahres gesehen hat und wie später Karl Marx bislang nichtbeobachtete Auswirkungen ökonomisch-materieller Verhältnisse auf den geschichtlichen Prozeß aufdecken wird, hat auch Macchiavelli etwas sichtbar werden lassen, was eine Realität ist und womit man rechnen muß: die Gravitation der menschlichen Schwächen und Leidenschaften. Er hat die Menschen gekannt und etwas aufgezeigt, was man auch die Logik des Allzumenschlichen heißen könnte, wenn er auch dabei maßlos übertrieben hat. Idealisten sehen aber oft überhaupt nichts und gehen darüber zugrunde. Die Anständigen werden auf dieser Welt oft überrumpelt von den Gerissenen und Brutalen. Das brauchte es jedoch nicht; denn Wahrheit und Gerechtigkeit können stark genug gemacht werden, um sich selbst genügend zu verteidigen, und müßten das sogar. Erstes Erfordernis dazu aber ist, daß die Kinder des Lichtes um die Schliche und Rücksichtslosigkeit der Kinder dieser Welt wissen. Das kann eine Lektüre Macchiavellis vermitteln. Es sollten aus ihm zunächst jene lernen, die den Macchiavellismus grundsätzlich ablehnen und seine Voraussetzungen, daß alle Menschen schlecht sind und daß das Böse nur wieder mit dem Bösen bekämpft werden muß, nicht teilen, damit das Gute in der Welt gestärkt und vor den Gefährdungen durch die Gerissenheit und Brutalität gesichert werde.

b) Bodinus

Nach Macchiavelli muß sofort der französische Staatsrechtler Jean Bodin (1530—96) genannt werden, der Klassiker des Souveränitätsgedankens, weil seine Ideologie zu einer Fortführung der Anschauungen des Italieners wurde. Bodinus hat aus dem Sinn und der Natur des Staates erkannt, daß die Staatsgewalt notwendig höchste Gewalt sein müsse und von keiner gleichgeordneten oder gar übergeordneten Macht mehr abhängig sein kann. Diese Befugnis der Staatsgewalt, ihrem Willen einen allseitig rechtlich bindenden Inhalt zu geben und die Unmöglichkeit, durch eine andere Macht gegen den eigenen Willen rechtlich beschränkt zu werden, betrachtet Bodinus als eine absolute, einheitliche und unübertragbare. Und darin besteht nun das ius maiestatis oder die souveraineté. Bodinus selbst spricht noch davon, daß die Staatsgewalt Gott und dem natürlichen Recht verantwortlich sei. Da er aber noch viel mehr davon spricht, daß es für sie keinen Richter auf Erden geben kann, hat sich seine Lehre von der Staatssouveränität dahin ausgewirkt, besonders im Zeitalter der Staatsräson und der Diktaturen, daß die Staaten und Herrscher auf Grund ihrer Souveränität sich an nichts mehr gebunden fühlten und nur noch die Macht als das alles entscheidende Prinzip des staatlichen und rechtlichen Lebens betrachteten, wie das kurz vorher Macchiavelli gelehrt hat und bald darauf Hobbes wieder lehren wird. Bodinus wurde so zum dritten im Bunde der Machtphilosophen.

Texte und Literatur

Œuvres philosophiques de Jean Bodin. Texte établi, traduit et publié par P. Mesnard (Paris 1952 ff.). J. Bodin, Six Books of the Commonwealth. Abridged and Translated with an Introduction by M. J. Tooley (Oxford 1955). — N. Tentler, The Meaning of Prudence in Bodin. In: Traditio 15 (1959) 365—384. P. Mesnard, État présent des études bodiniennes. In: Filosofia 11 (1960) 687—696.

c) Morus

Leben und Werke Daß die Renaissance aber auch noch eine andere als die macchiavellistische Staatsphilosophie kannte, sehen wir an Thomas Morus (1480—1535), dem edlen englischen Lordkanzler, der der Brutalität Heinrichs VIII. zum Opfer fiel. Ein feingebildeter Humanist, Schüler und Freund des Erasmus von Rotterdam, gewiegter Rechtsgelehrter und erfahrener Politiker, schrieb er 1516 einen Staatsroman „Utopia" (aus dem Griechischen ou topos: „Nirgendland"), der zunächst eine Kritik der Zustände seiner englischen Heimat und seiner Zeit sein sollte. Morus bediente sich dazu der Ironie und Karikatur, und aus diesen literarischen Stilmitteln erklären sich eine Reihe von Gedanken, die man sonst als grotesk empfinden würde. Aber über das heimatliche Milieu hinaus ist die Utopie auch Symptom des neu aufkommenden Gefühls für Aufgaben im staatlichen Leben, die wir heute als soziale und freiheitliche bezeichnen.

Texte und Literatur Th. Mori opera omnia latina (Francofurti 1689. Nachdruck Frankfurt a. M. 1963). English Works. 7 Bde. Ed. by W. E. Campbell (London 1931). Utopia. Übersetzt von G. Ritter. Mit Einleitung von H. Oncken (1922). Des Heiligen Th. Morus Utopia, d. i. Nirgendland, oder von der besten Staatsform. Übertragen und eingeleitet von H. Schiel (1947). — R. W. Chambers, Th. More (London 1935, deutsch 1947). W. E. Campbell, Erasmus, Tyndale and More (London 1949). G. Ritter, Machtstaat und Utopie (⁶1948). R. W. Gibson, St. Thomas More: A Preliminary Bibliography of His Works and of Moreana to the Year 1750 (New Haven 1961).

α) Ideale Gesellschaft Ein politisches Hauptübel liegt nach Morus in der Anhäufung ungeheurer Reichtümer in der Hand einiger Müßiggänger, während andere Volksschichten wenig oder nichts besitzen und dauernd arbeiten müssen. Wenn dann Verbrechen gegen das Eigentum geschehen, werden sie hart bestraft. Es wäre richtiger, ihre Ursache zu beseitigen, den ungleichen Besitz.

Darum sollte Gütergemeinschaft herrschen, damit allgemeine Gleichheit herrsche. Die Könige von Europa sollten nicht immer auf neue Eroberungen ausgehen, sondern das Bestehende gerecht und gleich verteilen, und alle werden zufrieden und alle Kriege überflüssig sein. Grundlage der gesamten Volkswirtschaft sollen Ackerbau und Naturalwirtschaft bilden. Geld soll es nicht geben, sondern nur Tauschhandel, um aller Habsucht zuvorzukommen. Die Menschen sollen auch nicht zu Knechten des Besitzes werden, sondern nur sechs Stunden am Tage arbeiten. Die übrige Zeit dient zur Pflege des Geistes und der Wissenschaft. Schwere Arbeit wird von Sklaven und Verbrechern verrichtet. Die Todesstrafe ist abgeschafft. Kriege werden als etwas Barbarisches und Tierisches nicht geführt, außer zum Schutze der eigenen Grenzen oder um überfallenen Freunden zu helfen, oder um ein Volk von Tyrannen zu befreien.

β) Ideale Religion

In religiöser Hinsicht müsse vollkommene Freiheit herrschen. Nur wer die Unsterblichkeit der Seele, die Belohnung und Bestrafung im Jenseits, die Existenz Gottes und das Walten der Vorsehung leugnet, soll als ein Wesen niederer Ordnung betrachtet werden; er mag denken, was er will, kann aber kein Amt bekleiden. Zur Ausübung der Religion stehen große Tempel zur Verfügung, sie lassen wenig Licht ein, weil die Seele im Dunkel sich besser sammeln kann zur Betrachtung des Ewigen. Bilder eines Gottes darf es nicht geben, um die geistige Freiheit nicht zu beeinflussen. Es soll auch die Religion den Menschen durch keine anderen Mittel beigebracht werden als nur durch die in ihren eigenen Wahrheiten und Werten selbst liegende Werbekraft. Die sanfte und bescheidene Art des rein vernünftigen Überzeugens ist der einzige Weg zur Verbreitung der Religion. Die negative und destruktive Kritik an Andersdenkenden, das maßlose Schmähen und jede Gewaltanwendung haben zu unterbleiben. Allzu intolerante Kämpfer auf diesem Gebiet sollte man verbannen oder zu Knechten machen.

γ) Idealität und Realität im Politischen

Die Utopie des Morus weist große Ähnlichkeit auf mit der platonischen Politeia, im einzelnen schon, vor allem aber in der Grundauffassung, insofern nämlich als bei Morus auch das Ideale wieder das Erste und Entscheidende bildet. Bei Macchiavelli liegt aller Nachdruck auf dem nur Tatsächlichen. Macchiavelli ist Empirist und insofern „moderner";

Morus aber verkörpert nicht nur den Humanismus, sondern auch den Idealismus und hat insofern den längeren Atem und ist abendländischer. Für ihn sind Logos und Idee, das Erbe Heraklits und Platons, mächtiger als der Fluß des nur Zeitlichen und Tatsächlichen. Er mußte sterben. Macchiavelli aber ist nichts passiert.

d) Campanella

Auch der italienische Dominikaner Thomas Campanella (1568 bis 1639) hatte es nicht leicht; denn er war ebenfalls ein Idealist und Sozialreformer. Sein „Sonnenstaat" (Civitas solis) ist an Platon orientiert und entwirft noch viel radikaler als dieser ein durch und durch einheitliches Gemeinwesen, in dem alle Individualität ausgeschlossen ist. Es gibt keine eigene Wohnung, keine eigenen Mahlzeiten, keine Familie, kein Eigentum, keinen freien Glauben. Alles hat sich widerspruchslos zu richten nach der einen einzigen und ewigen idealen Ordnung; denn es sei lächerlich, sich zwar um eine ordnungsgemäße und richtige Aufzucht von Hunden und Pferden zu sorgen, um eine solche von Menschen jedoch nicht. Um der idealen Ordnung willen wendet sich Campanella auch gegen Macchiavelli und seinen Individualismus. In solchen Dingen hängt nun immer alles ab von der Frage, wieso man zu einer solchen einzig richtigen Ordnung kommen soll. Wer garantiert uns, daß wir die hier angenommene Betrachtung der Welt sub specie aeterni besitzen? Campanella hofft auf einen Priesterfürsten, so etwas wie einen idealen Papst. Und woraus er seine ideale Ordnung inhaltlich auffüllt, ist sein Glaube an seine christliche und katholische Weltanschauung. Ein protestantischer deutscher Theologe, Johann Andreae, hat in seinem Werk Reipublicae Christianopolitanae descriptio (1619) Campanella im Prinzip recht gegeben, jedoch sein evangelisches Christentum zu Hilfe genommen, um dem Ganzen einen Inhalt zu verleihen. Und 1947 hat die Moskauer Akademie Campanellas Sonnenstaat ins Russische übersetzen lassen. Man braucht also nur an die möglichen Wege zur einen und einzigen Ordnung zu denken, um sofort die Schwierigkeit zu sehen, die mit der Frage nach der Geltung des Ideals gegeben ist. Daß sich sonst auch noch hart im Raum die Sachen stoßen, zeigt das persönliche Schicksal Campanellas. Sein Kommunismus trug ihm seitens der spanischen Regierung von Neapel 27 Jahre Kerker ein und dazu noch eine dreijährige Untersuchungshaft seitens der Inquisition.

Texte und Literatur

T. Campanella, Tutte le opere a cura di L. Firpo (Milano 1954 ff.). Theologica a cura di R. Amerio (Milano 1936, Firenze 1949, 1951, Roma 1955 ff.). Th. Campanella, Der Sonnenstaat. Idee eines philosophischen Gemeinwesens. Ins Deutsche übertragen unter Mitarbeit von G. Braun u.a. (1955). (Einleitung und Anmerkungen aus der sowjetischen Akademie-Ausgabe von 1947). Siehe auch oben S. 52. Der utopische Staat. — L. Firpo, Bibliografie degli scritti di T. Campanella (Torino 1940). R. Amerio, T. Campanella (Brescia 1947). A. M. Isoldi, T. Campanella: La crisi della coscienza (Milano 1953). Enciclopedia Filosofica (Venezia-Roma 1957) s. v. T. Campanella.

e) Grotius

Der Zeit etwas vorausgreifend sei hier auch noch der Holländer Huig de Groot (1583—1645) erwähnt, der Klassiker der modernen Natur- und Völkerrechtslehre, weil auch er ähnlich wie Morus und Campanella ein Korrektiv der Machtideologie der Renaissance bietet und auch wieder sichtbar werden läßt, was dort verkannt wird: die Sphäre des Rechtes und seine ideale Geltung.

α) De iure belli ac pacis

Das Hauptwerk Groots führt den Titel De iure belli ac pacis (1625), faßt aber den Begriff Krieg so weit, daß darunter das ganze Rechtsleben behandelt werden kann. Es gibt nämlich nach Groot vier Arten von Krieg: einmal Krieg zwischen Privatpersonen; dann von den Individuen gegen den Staat; ferner vom Staat gegen die Individuen; und schließlich Krieg zwischen den Staaten. Damit wird alles erfaßt, worüber es in den Ansprüchen der Menschen eine Auseinandersetzung geben und zu einem Rechtsverfahren kommen kann. Das zweite Buch behandelt darum das Eigentum, das Erwerbsrecht, Erbrecht und Testament, Eherecht, Recht der Körperschaften, Herrschaftsrecht, Vertragsrecht, Versprechung und Eid, die Staatsgewalt, die Rechtsauslegung, Verpflichtungen aus ungerechter Schädigung, das Gesandtschaftsrecht, Strafrecht und ähnliches. Das dritte Buch ist dem Kriegsrecht im engeren Sinn gewidmet und fragt zum Beispiel, was im Krieg erlaubt ist auf Grund allgemeiner Regeln aus dem Naturrecht, spricht über List und Lüge im Krieg, über das Recht, das Eigentum der Untertanen für Kriegszwecke in Anspruch zu nehmen, über Repressalien, über Kriegserklärung, über das Recht, den Feind zu töten, und andere Rechte auf Leib und Leben, über Verwüstung und Raub, über das Recht gegenüber den Gefangenen und Besiegten, über die Heimkehr der Gefangenen, über Friedensverträge, Kapitulation, Waffenstillstand, Geiseln, Faustpfänder usw. Das erste Buch bespricht die Frage des gerechten Krieges und bejaht sie für den Fall, daß es um die Erhaltung des Lebens geht oder um die Wiederherstellung der Ordnung und des Rechtes, vorausgesetzt, daß dabei eine Gewaltausübung vermieden wird, die der Idee der Gemeinschaft widerstreitet. Darum gäbe es aus drei Gründen je einen gerechten Krieg: zur Verteidigung gegen Angriffe, zur Wiedererlangung des Weggenommenen, zur Bestrafung. Eine Bestrafung gegen andere Staaten dürfe aber nur durchgeführt werden, wenn diese sich gegen das göttliche und natürliche Recht vergangen hätten. Grotius, der auch Bodinus verwertet, will wie dieser die Souveränität geachtet wissen. In den Prolegomena seines Werkes behandelt Grotius die allgemeinen Rechtsgrundlagen. Er wirft hier die Frage auf, ob es so etwas wie ein Recht überhaupt gebe und ob nicht vielleicht nur der Nutzen hinter dem angeblichen Recht stünde, so daß es statt Recht besser hieße: der Vorteil des Stärkeren? Grotius weist diese Ansicht zurück. Es sei nicht richtig, daß der Nutzen im menschlichen Handeln schlechthin alles motiviere. Der Mensch ist vielmehr von Natur aus gesellig. Aus diesem Trieb zur Gemeinschaft ergäben sich nun eine Reihe von sachlichen Richtlinien, und darauf beruhe das Recht. Erste Quelle des Rechtes ist darum die vernünftige und gesellige Natur des Menschen. Auch wenn es keinen Gott gäbe, wären diese Richtlinien von Natur aus in Geltung, und wenn es einen gibt, kann er sie nicht abschaffen. Die zweite Rechtsquelle ist der Wille Gottes, insofern er als der Urheber der Natur diese Inhalte vorschreibt (De iure belli ac pacis I, 1, §§ 3, 10 u. 12). Das ganze Problem ist jetzt natürlich: Was ist das für eine menschliche Natur, und wie wissen wir um sie? Groot meint, was Naturrecht ist, ließe sich a priori und a posteriori feststellen. A priori, weil die Prinzipien des Naturrechts durch sich selbst offenbar und evident wären, wenn wir nur den Sinn gebührend auf sie richten, so etwa wie die Daten der äußeren Sinneswahrneh-

β) Grundlegung der Rechtsidee

αα) Natur und Gott

ββ) Was für eine Natur?

mung es sind. A posteriori, weil eine Überschau über die Meinungen der Philosophen, Historiker, Dichter und Redner einen consensus communis erkennen ließen (I, 1, § 12; Proleg. Nr. 39 f.). Dementsprechend ist auch sein Verfahren. Er stellt eine ganze Reihe von Sätzen einfach als selbstevident hin, viel unkritischer als Thomas von Aquin, der nur wenig Sätze dieser Art annimmt, von Scotus ganz zu schweigen. Die besondere Fülle seiner Darlegungen aber erstreckt sich auf den aposteriorischen Nachweis, wobei er seine ganze Gelehrsamkeit spielen läßt und Autor über Autor beizieht: von Hesiod und Homer über die antike und christliche Literatur, die schöngeistige, philosophische, theologische und juristische, über Mittelalter und spanische Spätscholastik, bis herauf zu Bodinus. Das zu lesen ist ein Genuß; die philosophisch kritische Prüfung wird weniger zufriedengestellt. Groot wählt nämlich seine Autoren aus (Prol. a. a. O.). Nach welchem Prinzip? Hier liegt die Schwierigkeit. Setzt er nicht eben mit der Auswahl seiner Autoren schon voraus, was erst zu beweisen ist? Er lebt tatsächlich von der christlichen rechtsphilosophischen Tradition, besonders von Suarez und Franz von Vitoria. Die oben angeführte Grundlegung der Rechtsidee dürfte zum Beispiel aus Suarez De leg. III, 1 stammen; für Groot, den Protestanten, etwas inkonsequent, da für ihn die Natur doch verderbt sein muß.

γγ) Rationalistisches Naturrecht

Nun hatten die Alten zur Rechtfertigung dieser Grundlegung den habitus principiorum als eine Teilhabe am ewigen Gesetz. Damit besaßen sie einen echten Zugang zu einer idealen Menschennatur. Gerade diese zwei Gesichtspunkte aber, der habitus principiorum und die lex aeterna, fehlen bei Groot. Sein Naturrecht ist metaphysiklos und säkularisiert. Es besteht nur noch im geistreichen, gelehrten Gebrauch von Termini, die jetzt in der Luft hängen und die sich nur deswegen noch Gehör verschaffen können, weil die Erinnerung an Scholastik und Spätscholastik noch nicht untergegangen ist. Das ist der ganze Gehalt des rationalistischen Naturrechtes. Es ist erborgt und illegitim. Die vernünftige und gesellige Menschennatur Groots ist darum nicht mehr die ideale Menschennatur der rationes aeternae, sondern eine humanistische Erdichtung. Kein Wunder, daß ein paar Jahrhunderte später, als man von jenem Erbe der Alten nichts mehr wußte, das rationalistische Naturrecht von der historischen Rechtsschule als grundlos verworfen wurde. Man hat mit Recht gesagt: „Das sogenannte Naturrecht von Hugo Grotius und seinen Nachfolgern ist nichts weiter als der bloße Abklatsch derjenigen Ideen, welche die Scholastiker im stürmischen Kampf der Geister geschaffen haben; wo bei den Scholastikern Fülle und Leben ist, ist nach der Zeit des Hugo Grotius nichts als Stillstand und seichte Mache" (Kohler).

γ) Ursprung der Staatsgewalt

Ein wichtiges Kapitel in der Staats- und Rechtsphilosophie bildet immer die Lehre vom Ursprung der Staatsgewalt und im Zusammenhang damit die Frage des Widerstandsrechtes. Die Situation, die Groot hier vorfand, war veranlaßt durch die absolutistische Staatstheorie Jakobs I. von England, wonach alle Staatsgewalt ursprünglich von Gott ausgehe und von ihm unmittelbar dem Herrscher übertragen werde. Der Ausdruck „mein Volk" meldete danach genau gesehen einen Eigentumsanspruch an, so wie etwa das Wort mein Acker oder mein Hut. Das Volk hatte sonach auf die Entstehung der Staatsgewalt keinen rechtlichen Einfluß. Höchstens das ließ man gelten, daß es die Person bezeichnen dürfte (designatio personae), die für die unmittelbare Berechtigung von Gott her in Frage käme. Gegen diese Anschauungen hatten die beiden Jesuiten R. Bellarmin (1542—1621) und F. Suarez (1548—1617) die Idee der Volkssouveränität (s. unten S. 77) geltend gemacht: Nicht unmittelbar von Gott, sondern vom Volk erhalte der Herrscher seine Staatsgewalt; denn Staatsgewalt sei ein proprium des Staates; der Staat aber ist als eine Gemeinschaft von Menschen nicht der Herrscher, sondern das Volk. Allerdings habe auch das Volk seine Gewalt empfangen, und zwar von Gott, der Menschen und Staaten schaffe, und es ist insofern genau gesprochen nicht Ursprung, sondern Träger der Staatsgewalt, ein Gesichtspunkt, durch den sich diese gemäßigte Volkssouveränitätstheorie von der radikalen Souveränitätstheorie des späteren französischen und englischen Liberalismus unterscheidet, wo nicht mehr auf Gott zurückgegriffen wird, sondern das Volk selbst letzte Instanz ist. Aber auch so ist seine Stellung gegenüber dem Herrscher eine andere geworden, und der Absolutismus ist gebrochen; denn jetzt überträgt das Volk sein Recht auf die physische oder juristische Person des Herrschers, so daß diese nicht mehr unmittelbar von Gottes, sondern von des Volkes Gnaden ist; nur mittelbar ist der Herrscher noch von Gottes

Gnaden, nicht anders als das Volk auch. Groot hat sich in seiner Lösung des Problems wieder den Spätscholastikern angeschlossen: die oberste Gewalt im Staate stehe an sich bei denen, welche den Staat bilden, also beim Volk; da jedoch das Volk selbst die Gewalt praktisch nicht ausüben kann, übertrage es seine Gewalt auf eine bestimmte physische oder juristische Person, und diese ist nun Subjekt der Staatsgewalt und fungiert als Obrigkeit.

δ) Widerstandsrecht

Aus dem Kreis der Jesuiten war aber eine noch viel schärfere Gegenbewegung gegen den Absolutismus hervorgegangen. Der Spanier Mariana hatte nämlich in seinem Werk De rege et regis institutione (1599) den Tyrannenmord verteidigt: Wenn ein Usurpator oder auch ein legitimer Fürst seine Macht zur Unterdrückung des Volkes mißbrauche, dann kann sich das Volk dieses Tyrannen mit Gewalt entledigen. Eigentlich habe das so zu geschehen, daß das Volk in einer öffentlichen Versammlung dem Herrscher die ihm übertragenen Rechte wieder entzieht und ein förmliches Todesurteil über ihn fällt. Ist dies aber aus äußeren Gründen nicht möglich, dann könne auch ein Privatmann auf eigene Verantwortung hin den Fürsten töten. Gar so exorbitant war das nicht, wie die Jesuitengegner demgegenüber früher zu tun pflegten. Man erinnere sich an Melanchthons Wort: „Wie richtig heißt es doch in der Tragödie: Kein angenehmeres Opfer könne Gott geschlachtet werden als das eines Tyrannen; möchte Gott einem starken Mann diesen Geist eingeben!" (Corp. reform. 3, 1076). In diesem Punkt nun geht Groot andere Wege. Er ist gegen ein Widerstandsrecht und polemisiert ausdrücklich, wenn auch ohne Namensnennen, gegen den Deutschen Joh. Althaus aus dem Kreis der Monarchomachen, wo auch der König als von Volkes Gnaden galt, wieder abgesetzt und notfalls getötet werden konnte, wenn er seine Gewalt zum Schaden des Volkes mißbrauchte. Nach Althaus könne das Volk seine Gewalt überhaupt nicht übertragen; sie sei unveräußerlich; der Herrscher ist nur beauftragter Funktionär und bleibt stets dem Volk verantwortlich. Nach unserem Holländer ist es anders. Das Volk habe das Recht, sich die Herrschaft zu wählen, die es wolle. Es könne dabei auch seine ihm selbst ursprünglich zukommende Staatsgewalt einem Herrscher ganz übertragen. Ist das einmal geschehen, dann wäre sie nicht mehr zurückzunehmen, und das Volk hätte nicht mehr das Recht, die von ihm selbst eingesetzte Obrigkeit zu beseitigen; denn es habe sich seines Rechtes ja begeben. Daß man Befehlen, die gegen die göttlichen oder natürlichen Gesetze gerichtet seien, nicht zu gehorchen brauche und passiven Widerstand üben dürfe, sei außer Zweifel (I, 4, § 1); gegenüber einem ius resistendi (aktiver Widerstand), sei es von seiten Privater oder auch untergeordneter Amtsstellen, trägt aber Groot im Kapitel 4 des ersten Buches von der De iure belli ac pacis ein Argument um das andere vor. Grundgedanke ist immer: Aktiver Widerstand richtet sich gegen den Sinn des Staates, der soviel wie Ordnung heißt (a. a. O. § 2). Nur das gibt er zu, daß eine Herrschaft in dem Augenblick aufhört, wo der Fürst hostili animo in totius populi exitium feratur; denn ein Herrscherwille kann nicht zusammenbestehen mit einem Vernichtungswillen. Doch glaubt er, daß dies nicht leicht geschehen könne, wenigstens dann nicht, wenn der Herrscher geistig normal sei (a. a. O. § 11).

Texte und Literatur

Hugonis Grotii De iure belli ac pacis libri tres, in quibus ius naturae et gentium, item iuris publici praecipua explicantur. Curavit B. J. A. de Kanter - van Hettinga Tromp (Lugduni Batavorum 1939). H. Grotius, Drei Bücher vom Recht des Krieges und des Friedens. Neuer deutscher Text und Einleitung von W. Schätzel (1950). H. Grotius, De iure praedae commentarius. 2 Bde. (New York 1951). — J. Althusius, Politica methodice digesta. With an Introduction by C. J. Friedrich (Cambridge [Mass.] 1932). Ch. M. McIllwain, The Political Works of James I (ebd. 1918). — O. Gierke, J. Althusius und die Entwicklung der naturrechtlichen Staatstheorien (1880, Nachdruck Aalen 1958). E. Wolf, Grotius, Pufendorf, Thomasius (1927). H. Rommen, Die ewige Wiederkehr des Naturrechts (1936). E. Wolf, Große Rechtsdenker (1939). P. Ottenwälder, Zur Naturrechtslehre des H. Grotius (1950). E. Reibstein, J. Althusius als Fortsetzer der Schule von Salamanca (1955).

5. UNGEWISSHEIT UND WAGNIS

Am Eingang zur Renaissance steht ein berühmtes Buch, die Docta ignorantia des Nikolaus von Cues. Das Wort des Cusaners vom Nichtwissen schlägt ein Thema an, das man aus vielen Äußerungen des Geistes der Renaissance heraushören kann. Aber es erklingt mehr und mehr mit einem anderen

Grundton. Beim Cusaner ist es ein Bekenntnis nicht zum Skeptizismus, sondern zur Demut und Bescheidenheit vor der ewigen göttlichen Wahrheit. Es gibt für ihn eine wirkliche Wahrheit; aber wir Menschen können sie nicht ganz fassen und nähern uns ihr nur an mit immer neuen Ansätzen. Das ist eine im Grund fromme Haltung, ist das, was Paulus meint mit seinem Wort vom Erkennen im Spiegel und Rätsel. In der Renaissance wird diese Haltung nun säkularisiert. Jetzt ist die ganze Welt nicht nur für uns, sondern in sich selbst ein Rätsel, ist paradox und voller Geheimnisse. Eben darum gibt es für den Menschen keine vorgeschriebene Rolle mehr zu spielen, wird er hineingedrängt in das Wagnis einer unendlichen Metamorphose und muß zum ewig Strebenden werden. Und damit will der Mensch selbst etwas Unendliches sein. Es ist, als ob das Aufbäumen des Willens ersetzen sollte, was sich dem Denken verschließt. Aber das Auslangen dieser Zeit nach titanischer Größe begleiten die Untertöne des Zweifels an sich und an der Welt, und ein Psychoanalytiker würde wohl sagen: wieder einmal das Zusammen von Unsicherheit und Überkompensation. Die Wendung von der Docta ignorantia zum eigentlichen Skeptizismus zeigt sich besonders in drei französischen Denkern: bei Montaigne, Charron und Sanchez.

a) Montaigne

Michel de Montaigne (1533—92) ist einer der geistreichsten und glänzendsten Schriftsteller Frankreichs. Seine Essays (1552—88) haben ihm literarischen und philosophischen Weltruf verschafft. Sie sind immer wieder neu aufgelegt worden und haben größten Einfluß ausgeübt. Montaigne sieht und zeichnet in ihnen sehr scharf den Menschen und seine Schwächen. Und so kritisiert er denn auch das Wissen. Er hält es für die größte Pest des Menschen, zu glauben, daß es wahres Wissen geben könne. Alle Bemühungen, Gott mit unserem endlichen Verstand zu fassen, seien vergeblich. Die Wissenschaft von der Natur sei nur eine sophistische Dichtkunst. Das Denken selbst ruhe auf unsicheren letzten Fundamenten. Die Sinneserfahrung wäre trügerisch. Dazu seien die Objekte des Erkennens wie die ganze Welt in ständigem Fluß, so daß sie dem begrifflichen Wissen entgleiten. Recht pointiert heiß es: „L'admiration est fondement de toute philosophie; l'inquisition, le progrez; l'ignorance, le bout." Die ganze Argumentation der antiken Skepsis marschiert wieder auf und wird von hier weitergegeben an Hume, um durch ihn zu einem jener Fermente zu werden, die die Erkenntnislehre der Neuzeit reifen lassen. So steht Montaigne vor einer fremden, von dunklen Mächten durchwalteten Welt, die sich nicht durchschauen läßt, und eine dieser Mächte ist der Tod, der sich überall in das Leben mischt, so daß, wer lernen will zu leben, lernen müsse zu sterben. Die Skepsis führt jedoch nicht zu einer müden Resignation, sondern zum Handeln. Das Wissen ist nicht das Entscheidende, sondern die sittliche Tat ist es. Mit Hilfe des Gewissens und der Offenbarung kann der Mensch in sich selbst eine Zuflucht bei aller Heimatlosigkeit in der Welt finden, kann immer neue Möglichkeiten ergreifen und damit sein Leben gestalten, nicht zuletzt dadurch, daß er immer zu sterben weiß und dadurch sich frei macht von aller Knechtschaft an der Welt: „Qui a apprins à mourir, il a dessapprins à servir ... le sçavoir mourir nous affranchit de toute subiection et contraineté." (Vgl. B. Groethuysen, Philosophische Anthropologie. 1931. 194 ff.) Montaigne vertritt eine im ganzen stoische Haltung. Wie die Stoiker stellt er den Menschen in den Mittelpunkt und läßt ihn sich ausrichten an seiner Natur und seiner eben diese Natur aussprechenden „universellen Vernunft", der ratio recta der Stoiker. Durch dieses moralische Bewußtsein kommt der Mensch mitten in der allgemeinen Unsicherheit wieder zu einem unabhängigen und sicheren Dasein. Man wird aber auch stark an die moderne Existenzphilosophie erinnert, für die das Dasein auch nicht mehr auf dem Erkennen ruht, sondern auf dem Ergreifen seiner eigenen Möglichkeiten, besonders der letzten dieser Möglichkeiten, des Todes.

b) Charron

Pierre Charron (1541—1603) führt in seinem Werk De la sagesse (1601) den Skeptizismus seines Freundes Montaigne weiter. Wieder ist alles Wissen, sei es Sinneserfahrung, sei es Denken, unsicher. Und wieder wird der Mensch in den Mittelpunkt der Philosophie gerückt: „La vraye science et le vray estude de l'homme, c'est l'homme." Beim Menschen aber ist der Wille mehr als der Intellekt. Und so kommt auch Charron zu einem Primat des Willens und des sittlichen Gefühls gegenüber aller Dogmatik des Wissens, und das geht so weit, daß ihm „die Tugend früher ist als die Religion“. In der moralischen Rechtschaffenheit (preud’hommie) besteht die wahre Lebensweisheit, das Glück und die Ruhe des Gemütes, die Ataraxie. Also auch hier wieder stoische Haltung und stoische Terminologie und der ethische Grundzug der antiken Skeptiker (vgl. Bd I, 292); ebenso deutlich aber verweist der Primat des Willens gegenüber dem Intellekt und des Sittlichen gegenüber dem Religiösen voraus auf die Einstellung Kants.

c) Sanchez

Franz Sanchez, ein gebürtiger Portugiese, aber von Jugend auf in Frankreich lebend, zeigt seinen Skeptizismus schon im Titel seines Werkes an: „Tractatus de multum nobili et prima universali scientia, quod nihil scitur“ (1581). Er ist von Montaigne und Charron unabhängig, und es fallen an seinem Skeptizismus zwei besondere Momente auf. Einmal richtet sich sein Zweifel in erster Linie gegen die traditionelle scholastische Schulphilosophie, der er vorwirft, daß sie, von Definitionen durch syllogistische Ableitungen zu ihren Lehren voranschreitend, gar keine wahre Wissenschaft sei, weil die Definitionen nur Worterklärungen wären und die syllogistischen Deduktionen Obersätze verwendeten, die nicht bewiesen seien. Und dann will Sanchez seinen Zweifel nur als Ausgangspunkt für eine neue sichere Grundlegung der Wissenschaft betrachtet wissen. Das wäre also dann ähnlich wie bei Descartes ein methodischer Zweifel. Jene sichere Grundlegung ist freilich nicht erfolgt, und im Verlaufe seiner Überlegungen wird schließlich trotzdem das gesamte Wissen überhaupt und radikal in Zweifel gezogen und werden die üblichen skeptischen Klagen ganz allgemein und ohne Einschränkung wiederholt, so daß es eben doch bei der Leugnung der Wahrheitsfindung als solcher verbleibt.
Die Skepsis der Montaigne, Charron und Sanchez offenbart uns etwas von dem inneren Sichfühlen des Renaissance-Menschen und ist insofern höchst bezeichnend für diese Epoche. Sie ist aber darüber hinaus noch mehr. Sie bildet, wie Dilthey mit Recht gesagt hat, den Hintergrund, auf dem sich das Denken des Descartes erheben wird. Wir stehen damit bereits in seinem Horizont; ja auch schon im Horizont der französischen Aufklärung; und wenn wir noch etwas

weiter schauen wollen, sehen wir hier bereits die Blickwelt der praktischen Vernunft Kants heraufziehen.

Texte und Literatur

M. de Montaigne, Essais. Auswahl und Übersetzung von H. Lüthy (Zürich 1953). H. Friedrich, Montaigne (Bern 1950). M. Dreano, La renommée de Montaigne en France au XVIIIe siècle (Angers 1952). P. Moreau, Montaigne. L'homme et l'œuvre (Paris 1953). — P. Charron, De la sagesse (Bordeaux 1601). — F. Sanchez, Opera philosophica (Coimbra 1955). P. Moreau, Doute et savoir chez F. Sanchez. In: Portugiesische Forschungen der Görres-Gesellschaft 1 (1960) 24—50.

6. NEUE SCHOLASTIK

Es wäre ziemlich verkehrt, wollte man das geistige Bild der Renaissance nur in den Ideen erblicken, die sich radikal von der vorausgehenden christlichen und scholastischen Tradition absetzen. Die Scholastik beherrschte im Reich Karls V. tatsächlich immer noch die größere Zahl der Universitäten, vor allem natürlich die hohen Schulen der Orden und der Klerusbildung. Ja sie setzte nach den sie zunächst lähmenden Einbrüchen des Nominalismus zu einer neuen Blüte an. Es waren Spanien und Portugal mit den Universitäten von Salamanca, Alcala und Coimbra, von wo aus die Erneuerung vorgetragen wurde. Die Wurzeln dazu lagen allerdings bereits in den vorausgegangenen Leistungen zweier italienischer Thomisten, der beiden Dominikaner Thomas de Vio Caietanus (1468—1534) und Franciscus de Sylvestris von Ferrara (1468—1528). Beide haben Kommentare zu Thomas geschrieben, ersterer zur theologischen, letzterer zur philosophischen Summe (beide der Editio Leonina beigedruckt), die das Wesentliche im Gedankengut des Aquinaten heraushoben und damit seine Philosophie wieder neu erschließen halfen. Und so stand denn die Erneuerung der Scholastik unter dem Zeichen der Philosophie des Thomas von Aquin. Man spürt das neue Leben äußerlich schon in einer neuen Form des Sprechens und Schreibens, hier offenkundig angeregt von den Humanisten, so zum Beispiel bei einem der Begründer der spanischen Neuscholastik, dem in Italien (?) geborenen Franz von Vitoria († 1546), oder dem Mann, der die neue Bewegung von Spanien nach Deutschland trug, Gregor von Valencia, Professor in Dillingen und

Ingolstadt († 1603); spürt es ferner an einem neuen Blick für das Substantielle an den Problemen gegenüber dem ungesunden Sichverlieren in Spitzfindigkeiten zu Ausgang der Spätscholastik; weiter am Erwachen des historischen Sinnes, worauf oben (S. 9f.) schon hingewiesen wurde, was Cajetan angeht, was ebenso aber auch, wie Grabmann bemerkt hat, zutrifft für Franz von Vitoria, Melchior Cano und Suarez, besonders aber für Sylvester Maurus, dem es in erster Linie darauf ankommt, den genuinen Sinn der aristotelischen Philosophie herauszustellen; und besonders an dem neuzeitlichen Interesse an sozialphilosophischen Fragen wie der Wirtschaftsethik (Cajetan), der Volkssouveränität, des Widerstandsrechtes und des Natur- und Völkerrechtes (Mariana, Vitoria, Suarez). Vor allem aber hat die spanische Scholastik des 16. Jahrhunderts den positiven Ertrag der mittelalterlichen Scholastik gefaßt und an die Neuzeit weitergegeben, und zwar so, daß man darin den Kern einer möglichen katholischen Philosophie besaß, die Antwort geben konnte auf die Fragen einer neuen Zeit. Thomas selbst war ja inzwischen wie Aristoteles zum Klassiker geworden. Aber durch den Lauf der Zeiten, besonders jedoch durch die Kritik der Nominalisten und Scotisten, waren auch neue Probleme entstanden. In der Auseinandersetzung damit kommt es jetzt zu einer eindrucksvollen Synthese, die zur philosophischen Basis wird für das neue geistige Leben, das in der weltumspannenden Monarchie der Habsburger im 16. Jahrhundert einsetzt.

Literatur

M. Grabmann, Die Disputationes metaphysicae des Franz Suarez in ihrer methodischen Eigenart und Fortwirkung (1917); jetzt in: M. Grabmann, Mittelalterliches Geistesleben I (1926). K. Eschweiler, Die Philosophie der spanischen Spätscholastik auf den deutschen Universitäten des 17. Jahrhunderts (1928). M. Wundt, Die deutsche Schulmetaphysik des 17. Jahrhunderts (1939). C. Giacon, La seconda scolastica. I problemi giuridico-politici: Suarez, Bellarmin, Mariana (Milano 1950) (= Archivum philosophicum Aloisianum II, 6). L. Martínez Gómez im Anhang seiner spanischen Übersetzung des vorliegenden Werkes: Historia de la Filosofía Tom. I (Barcelona 1954) 463—484. Ders., Bibliografía filosófica española e hispano-americana 1940—1958 (Barcelona 1961) 81—110.

a) Die führenden Männer

Die Führung der spanischen Neuscholastik des 16. Jahrhunderts liegt in den Händen der Dominikaner und Jesuiten.

α) Dominikaner Unter den ersteren sind die hervorragenden Gestalten: Der von Cajetan inspirierte Gründer der Schule von Salamanca, Franz von Vitoria (1480—1546), der mit seinen Werken De civili potestate und De Indis et iure belli von Einfluß sein wird auf das Natur- und Völkerrechtsdenken von Hugo Grotius; sein Schüler Dominicus Soto (1494—1560), den Grotius gleichfalls zitiert; Melchior Cano (1509—60), ebenfalls ein Schüler Vitorias; Dominicus Bañez (1528—1604), bekannt durch seine radikale Auffassung der Allursächlichkeit Gottes, die nicht nur an eine Bewirkung überhaupt (praemotio physica) denkt, wie das der allgemeine Thomismus annimmt, sondern direkt eine physische Vorausbestimmung menschlichen Handelns durch Gott (praedestinatio physica) lehrt, um die Oberherrlichkeit Gottes sowohl als auch das göttliche Vorauswissen zu retten („strenger Thomismus“, von den Gegnern „Bañezianismus“ genannt); und Johannes a S. Thoma (1589—1644), einer der besten Interpreten des hl. Thomas. Von ihnen überhaupt urteilt Grabmann: „Es läßt sich nicht leugnen, daß die großen Kommentatoren der theologischen Summe, wie etwa Kardinal Cajetan, Dominicus Bañez, Bartholomäus de Medina, Johannes a. S. Thoma, die Salmantizenser, auf Grund ihrer Gesamtschau der thomistischen Lehre in Einzelfragen das, was Thomas gemeint und gewollt hat, klarer und richtiger erkannt haben, als es die älteste noch nicht so geschlossene Thomistenschule vermocht hatte.“

β) Jesuiten Von den Jesuiten sind die maßgebenden Männer: einmal die Schule von Coimbra mit Petrus Fonseca (1548—99), der in Coimbra neue Methoden einführt und mit seinem Kommentar zur Metaphysik des Aristoteles (1577 und öfter) auch auf den protestantischen Aristotelismus in Deutschland stark Einfluß nimmt; Franz Suarez (1548—1617), der Doctor eximius, über den sofort Näheres zu sagen sein wird, und Luis de Molina (1536—1600), der mit seiner Lehre dem strengen Thomismus entgegentritt, um die menschliche Freiheit zu retten: Der Mensch brauche weder einen Antrieb und noch weniger eine Vorausbestimmung zum Handeln, sondern bestimme spontan von sich aus das Sosein seiner Handlungen, während Gott gleichzeitig insofern mitwirke, als er die Ursache des Seins als solchen sei (concursus simultaneus: Molinismus). Daneben stehen die Männer aus dem Ordensstudium zu Rom: Kardinal Franz Toletus (1532—96), der, in Salamanca gebildet, die dortigen Methoden nach Rom übertrug; Gabriel Vasquez (ca. 1551—1604) und besonders Sylvester Maurus (1619—87), dessen Aristoteles-Paraphrase heute noch vorzügliche Dienste leistet, wenn man den ob seiner Brachylogie oft schwierigen Gedankengang des Stagiriten klar herausschälen will.

Unter diesen Männern sei auf Franz Suarez noch eigens eingegangen. Zwei Werke von ihm verdienen besondere Beachtung, seine Disputationes metaphysicae (1597) und sein großes rechts- und staatsphilosophisches Werk De legibus (1612). Die Disputationes metaphysicae sind wohl die ausführlichste systematische Darstellung der Metaphysik, die es überhaupt gibt. Der erste Hauptteil handelt: Vom Gegenstand der Metaphysik, wobei sechs verschiedene Lösungsversuche durchbesprochen werden und Suarez schließlich die Metaphysik definiert als scientia quae ens, inquantum ens seu inquantum a materia abstrahit secundum esse, contemplatur (disp. 1); vom Seinsbegriff (disp. 2); den passiones entis im allgemeinen und im besonderen, nämlich dem unum (dieses individuell, formal und universal genommen, so daß hier Suarez über das Individuationsprinzip sprechen kann, über das Universale und die verschiedenen Arten der Differenzierungen), verum, falsum, bonum, malum (disp. 3—11); den Ursachen im allgemeinen (disp. 12) und im besonderen: der Materialursache (disp. 13—14), Formalursache (disp. 15 bis 16), Wirkursache (disp. 17—19) mit besonderer Berücksichtigung der schöpferischen, erhaltenden und mitwirkenden Tätigkeit der causa prima (disp. 20—22), Finalursache (disp. 23—24) und Exemplarursache (disp. 25). Im zweiten Hauptteil wird zunächst das Sein eingeteilt in unendliches und endliches Sein (disp. 28) und dann das unendliche oder göttliche Sein nach Dasein, Wesen und Eigenschaften behandelt (disp. 29—30). Es folgt die Lehre vom endlichen Sein mit den Kapiteln von Wesenheit und Dasein (disp. 31) und Substanz—Akzidens (disp. 32), worauf dann speziell ge-

γ) Suarez

αα) Metaphysik

Inhalt

handelt wird von der Substanz als solcher (disp. 33—36) und vom Akzidens als solchem und seinen neun Arten (disp. 37—53), also eine Kategorienlehre gegeben wird einschließ-
Eigenart lich der Raum—Zeit-Lehre. Die letzte Disputatio (54) spricht über die entia rationis. Wenn wir nach der Darstellung des Inhalts noch auf die charakteristischen Eigentümlichkeiten dieser Metaphysik hinweisen wollen, müssen folgende drei Momente herausgehoben werden: 1. Suarez gibt erstmals eine geschlossene systematische Gesamtdarstellung der Metaphysik. Bei Aristoteles selbst fiel das Ganze auseinander in Einzelabhandlungen, und in der Scholastik bis auf Suarez hatte man sich eng an Aristoteles angeschlossen und entweder die Darstellungsformen des Kommentars (commentum) gewählt oder die Behandlung in Quaestionen und Thesen. Jetzt aber löst sich Suarez vom Gängelband des Aristoteles und begründet die neue Literaturgattung des systematischen Cursus philosophicus. 2. Suarez hat den klassischen Begriff von Metaphysik an die Neuzeit überliefert, wie ihn Platon und Aristoteles geschaffen haben. In dieser Metaphysik ist die Gotteslehre nicht von der Seinslehre getrennt, sondern bildet deren Fortführung. Es gibt also nicht eine Ontologie hier, die das uns bekannte Sein erhellt, und eine transzendente Welt Gottes und seiner ewigen Wesenheiten und Ideen dort, die uns dann natürlich notwendig unzugänglich bleiben, ja überhaupt sinnlos werden müssen, wenn die Ontologie schon das gesamte, dem Menschen erschließbare Sein umfaßt und sich dabei bescheidet mit einer immanenten Analyse eben dieses Erfahrungsseins. Dann wird freilich die Metaphysik fragwürdig, weil sie die Verbindung mit dem Sein verliert, da ja dies allein von der Ontologie aufgearbeitet wird. Indem aber Suarez wie Platon und Aristoteles eben in der ontologischen Seinsanalyse die Grundfrage stellt, kommt er zu einer Theologik, deren Gegenstandswelt, auch wo für sie eine Transzendenz angenommen werden muß, doch nicht als das Ganz-Andere in der Luft hängt. Jetzt gibt es Metaphysik, nicht jenes Wahngebilde, das in einen leeren Raum vorstößt, sondern Metaphysik als vertiefte Ontologie. Diese systematisch ungemein wichtige Konzeption von Metaphysik als einer nicht zu früh aufhörenden Ontologie ist später nicht mehr verstanden worden. Seit Chr. Wolff wurde die Einteilung der Philosophie in

allgemeine Metaphysik (Ontologie) und spezielle Metaphysik (Kosmologie, Psychologie und Theodizee) üblich und hat mit der damit vollzogenen Loslösung der metaphysischen Gotteslehre zu einer noch heute nachwirkenden Verkennung von Metaphysik geführt. Sie wurde auch von scholastischen Philosophen übernommen, nicht zur Erleichterung ihrer Aufgabe. Erst in jüngster Vergangenheit hat sich nach dem Vorgange von Jos. Gredt die Erkenntnis wieder Bahn gebrochen, daß die natürliche Gotteslehre ein Teil der Lehre von den Seinsprinzipien ist, also zur Ontologie gehört; mit anderen Worten, daß die Ontologie Metaphysik ist und Metaphysik Ontologie. Das war auch die Meinung des Suarez, und darum hat er die rationale Psychologie (De anima) eigens behandelt, weil er sie eben, wie es die Alten auch taten, zur „Physik" rechnete, wohin auch die Kosmologie gehört, so daß auch diese metaphysischen Kapitel aus der Erfahrung des uns bekannten Seienden heraus geschrieben werden. 3. Suarez vertritt einen gesunden, urteilsicheren Ekkletizismus, der das ewig Wahre von überall herholt und stets lernbereit ist. Er kennt in seltener Gelehrsamkeit die Autoren der Antike: Platon, Aristoteles und seine Kommentatoren, Plotin, Plutarch, Proklos, Boëthius, dazu natürlich die Scholastik, Thomisten, Franziskaner und Skotisten, die Araber, die Nominalisten, die lateinischen Averroisten und die Renaissance-Philosophie des Ficinus, Mirandola und anderer. Immer sind seine Berichte wesentlich und objektiv. Für die Scholastik und ihre Lehrmeinungen kann man ihn geradezu als Kompendium benützen. Es zeigt sich hier wieder der neuerwachende historische Sinn, der die Problemsituation zuerst historisch-kritisch klären will, um dann in sachlicher allseitiger Diskussion des gesamten Für und Wider zu einer gerechten Lösung zu kommen. Das ist beste philosophia perennis. In der Substanz kommt Suarez mit Thomas überein, und man sollte die Differenzen, z. B. die Leugnung des realen Unterschieds von Wesenheit und Dasein gegenüber dem Thomismus, nicht übertreiben. Wieso er die Entwicklung weiterführt, ist noch wenig erforscht. Die Untersuchung hätte wohl einzusetzen an seiner Stellung zum Individuellen, zur Wirkursache und zur Abstraktionstheorie. Nicht weniger bedeutsam als die Metaphysik ist die Rechts- und Staatsphilosophie des Suarez in seinem Werk De legibus; ja hier

ββ) Rechts- und Staatsphilosophie

ist der fortschrittliche Charakter dieses Denkers noch mehr fühlbar. Kein Geringerer als Grotius bezeichnet ihn als einen „Theologen und Philosophen von einer Tiefe, die kaum ihresgleichen hat". Suarez stellt auch hier überall die problem-geschichtliche Situation fest und bezieht sich darum ständig auf die einschlägigen Meinungen des Platon, Aristoteles, Cicero, Seneca, Plutarch, Augustinus, Thomas von Aquin, Dominikus Soto, Vinzenz von Beauvais, Gerson, Wilhelm von Paris und anderer. Das Gesetz wird jetzt präziser genommen als früher. Gesetz im eigentlichen Sinn sei nur, was eine regula recta et honesta des speziell menschlichen Tuns ist (I, 1, 6), und die Definition lautet darum: lex est commune praeceptum, iustum ac stabile, sufficienter promulgatum (I, 12, 4). Suarez übt Kritik an seinen Vorgängern, daß sie den Gesetzesbegriff zu weit genommen und auch noch das Welt- und Naturgesetz darunter verstanden hätten, und es kommen bei ihm somit die rein positiv-juristischen Fragen ausführlicher zu Worte als sonst. Das Menschlich-Geschichtliche schiebt sich mehr in den Vordergrund, und schon hier sehen wir die Zeichen der Neuzeit. Immerhin, auch Suarez stellt die Beziehung zum Naturrecht und zum ewigen Gesetz her und macht ganz im Geiste der Scholastiker daraus eine Rechtslehre (Buch 2). Es ist wieder, wie schon seit Augustinus, Prüfstein aller menschlichen Gesetze; was ihm zuwiderläuft, ist nicht Rechtens. Interessant ist nun, wie bei ihm das Naturrecht weniger als eine Summe gewisser fertiger Inhalte im Vordergrund steht denn als lebendige Funktion des menschlichen Geistes. Das Naturgesetz ist nämlich, so heißt es, vis quaedam (II, 5, 9) oder actuale iudicium mentis oder lumen naturale intellectus expeditum de se ad dictandum de agendis (II, 5, 14) oder jenes natürliche Gesetz, durch das wir zwischen Gut und Böse unterscheiden können (I, 3, 10). Insofern ist das Naturgesetz, wie schon Thomas genauso lehrte, dem menschlichen Herzen eingepflanzt und bedeutet eine Teilhabe am ewigen Gesetz; und wieder wird mit ihm das Psalmwort zitiert: Signatum est super nos lumen vultus tui, Domine. Suarez gewinnt mit dieser Auffassung drei, nach ihm für das Naturrecht wesentliche Faktoren: Dieses Recht ist, wenn auch nicht in sich, so doch für uns Menschen, etwas immer noch zu Ergründendes, ist mehr eine Aufgabe als ein Besitz (Funktionscharakter:

„Gesetz"

Naturrecht

vis; actuale iudicium); es ist ein wirkliches Gesetz, etwas Präzeptives (dictamen de); und es trägt idealen, apriorischen Charakter (Teilhabe am ewigen Gesetz). Suarez ist sich nämlich ganz klar, daß die menschliche Natur, rein empirisch genommen, nicht Basis der Rechtsfindung sein kann, weil zur menschlichen Natur auch schon vor dem Sündenfalle Neigungen gehören, die vor dem Antlitz der Gerechtigkeit nicht bestehen können (I, 1, 1 u. 4; vgl. II, 5, 4 f.). Der andere, inhaltliche Sinn des Naturrechtes als eines idealen Geltungszusammenhanges ewiger Normen wird darüber nicht vergessen. Er schlägt wieder durch, wenn Suarez seinen Naturrechtsbegriff gegen das subjektive Gewissen abgrenzt. Die Väter hätten es zu Unrecht damit identifiziert. Es bestünden aber Unterschiede: Das Gewissen sei die praktische Anwendung allgemeiner Regeln auf einen konkreten Fall, das Naturrecht sei selbst eine solche Regel; das Gewissen könne sich manchmal irren, das Naturrecht sei immer wahr; das Gewissen beschaue die Vergangenheit, ein Gesetz aber denke an die Zukunft (II, 5, 15). Mit dem Naturrecht ist, wieder im Sinn der alten Tradition, auch das Völkerrecht gegeben. Es wird auch an gleicher Stelle behandelt. Doch fällt es nicht ganz damit zusammen; denn oft kommt etwas einfach durch allmählich sich verfestigende Gewohnheit zur Rechtsgeltung, wobei eine sachliche Notwendigkeit oder stillschweigende Übereinkunft führend sein mögen; ferner ist das Naturrecht unabänderlich, das Völkerrecht aber nicht; und schließlich wird das Völkerrecht gelegentlich auch auf nicht mit der menschlichen Natur unmittelbar gegebene Gegenstände bezogen. Das Verständnis für das Gewillkürte im Recht, das aus diesen Auffassungen spricht, ist zwar auch schon bei Thomas da (vgl. Bd. I, 523), aber man räumt dem nur Historischen jetzt doch ein weiteres Feld ein. Vor allem aber spürt man die neuzeitliche Wertung des spezifisch Menschlichen in der Lehre von der Volkssouveränität, die wie Bellarmin so auch Suarez vertritt, wenn er die Frage aufwirft nach dem Ursprung der Geltung des positiven Rechtes und dem Ursprung des Staates. Sollen überhaupt Menschen über Menschen herrschen dürfen? heißt es ziemlich pointiert III, 1, 1, aber doch wohl in Erinnerung an Augustinus, De civ. Dei XIX, 15. Suarez antwortet: Wenn der Mensch auch nicht geschaffen oder geboren ist als Untertan eines menschlichen

Völkerrecht

Volkssouveränität

Fürsten und seiner Gewalt, so gilt doch: natus est subiicibilis (III, 1, 11). Das liege in seiner Gemeinschaftsnatur; und das ganz streng genommen; denn daß ein Mensch über einen anderen Gewalt habe, und sei er wer er wolle, Adam nicht ausgenommen, an den man vielleicht denken könnte und wo manche dann meinen, daß seine patriarchalische Gewalt auf andere vererbt worden sei, ist ausgeschlossen, „weil naturgemäß alle Menschen frei geboren werden, so daß keiner über einen anderen eine politische Gewalt oder Herrschaft habe" (III, 2, 3) und eine Unter- oder Überordnung erst mit der Gemeinschaft als solcher entsteht. Damit entsteht sie aber auch notwendig, dem Begriff der Gemeinschaft entsprechend: per modum proprietatis resultantis ex tali corpore mystico iam constituto in tali esse (II, 3, 6). Das hänge nicht mit der Sünde zusammen, wie man auch gemeint habe; denn auch schon vorher hätte es Ordnung geben müssen, wenn immer Gemeinschaft dagewesen wäre; gäbe es doch sogar in den Chören der Engel eine solche Unter- und Überordnung. Der Zwang allerdings, der ausgeübt werden müßte, wenn jemand sich nicht aus vernünftiger Überlegung fügen wolle, hänge mit der Sünde zusammen (III, 1, 12). Wie es zur Bildung der Gemeinschaft komme, stellt Suarez sich so vor wie Aristoteles: Die Einzelnen treten auf Grund freien Entschlusses zusammen, um sich gegenseitig zu helfen und eine politische Gemeinschaft zu bilden. Auch hier also ist der Staat, genetisch gesehen, später als der Einzelne. Aber das ist nicht die Vertragstheorie des Hobbes; denn die Einzelnen schaffen nicht von sich aus, was zu den Rechten und Pflichten der Gemeinschaft gehört; das besteht vielmehr ex natura rei (sc. der Gemeinschaft), ita ut non sit in hominum potestate ita congregari et impedire hanc potestatem (III, 2, 4). Aristoteles hatte dafür gesagt, der Staat sei, metaphysisch gesehen, früher als der Einzelne. Daher versichert auch Suarez ausdrücklich, daß der Ursprung der Rechts- und Staatsgewalt non est in singulis, nec totaliter, nec partialiter (III, 3, 1 u. 6). Es handelt sich bei diesen Gewalten um etwas, was früher ist als die Menschen. Die Menschen können jene ewige Ordnung nur realisieren, nicht aber sie ursprünglich in ihrer Geltung begründen. Sie bestimmen nur das Eintreten der Ordnung, setzen aber nicht die Ordnung selbst. Das Volk ist nur Träger, nicht Ursprung

Letzter Ursprung der Staatsgewalt

der Staatsgewalt. Die Volkssouveränität des Suarez ist darum nicht eine absolute, sondern eine relative. Unter Menschen steht nichts mehr über ihr, und darum ist sie echte Souveränität. Der metaphysischen Ordnung aber gegenüber ist sie relativ. Letzter Ursprung der Staatsgewalt ist eben Gott, der dem menschlichen Recht gegenüber gleichsam die Form ist, während das Volk in seiner Gemeinschaft nur die Materie liefert (III, 3, 2). Für die souveräne Gemeinschaft bleiben damit noch Rechte genug. Es liege ganz am Volk, welche Form der Herrschaft es haben wolle. Es kann seine Gewalt einem Einzelnen gänzlich übertragen (Monarchie), kann sich aber auch vorbehalten, daß die Regierung immer wieder das Volk selbst befragen muß (Demokratie). Ist aber die Herrschaft einmal aufgerichtet, dann bestehen die erlassenen Gesetze zu Recht. Dies jedoch mit einigen Ausnahmen bezüglich des sogenannten schlechten Gesetzgebers. Durch die nur persönliche Schlechtigkeit des Herrschers, die seine gesetzgeberische Tätigkeit nicht in Mitleidenschaft zieht, wird das positive Recht nicht angetastet; wenn aber in den erlassenen Gesetzen selbst Ungerechtigkeit und Schlechtigkeit, besonders eine Verletzung des ewigen Sittengesetzes läge, dann „brauchen und dürfen" die Untertanen nicht gehorchen, doch nur, was diese ungerechten Gesetze allein angeht. Wenn aber der Herrscher durch Usurpation an die Macht gekommen ist, dann braucht man füglich ihm überhaupt nicht zu gehorchen, weil er nicht Herrscher ist, sondern Tyrann und eine Obrigkeit gar nicht besteht (III, 10, 7). An sich gerechte Gesetze verlieren ihre Verbindlichkeit, wenn sie eine allzu schwere Belastung der Untertanen bedeuten und ohne Befragung des Volkes erlassen wurden; ferner wenn sie sich nicht durchsetzen, weil der größere Teil des Volkes sie nicht hält (III, 19).

Widerstandsrecht

Aus dem Rechtsdenken des Suarez spricht ein freiheitlicher moderner Geist. Das ist unverkennbar. Die Lehre von der Volkssouveränität ist ja bereits sententia communis, wie Suarez ausdrücklich feststellt (III, 2, 3). Aber sein Naturrecht und seine Volkssouveränität sind noch nicht inspiriert vom Individualismus eines Hobbes. Suarez erkennt im Staate die Ganzheit — von einer mystischen oder moralischen Einheit des Volkskörpers pflegt er zu reden —, sieht die Priorität einer ewigen Logik der Sachen selbst und stellt Mensch,

Recht und Staat in den Gesamtzusammenhang einer metaphysischen Ordnung. Trotzdem trägt er der Freiheit des Menschen Rechnung. Ja diese geordnete Freiheit ist mehr Freiheit als jene, von der Hobbes und Rousseau sprechen werden, weil sie nicht zügellos ist, abhängig von der Begehrlichkeit des Individuums. Sie kann sich nicht gegen sich selbst wenden, um ihre eigenen Kinder zu verzehren, wie es die absolute Freiheit des Individuums tun wird. Die Freiheit und Volkssouveränität des Suarez ist die Freiheit und Souveränität der Gerechtigkeit. Doch dafür wird die Neuzeit zunächst wenig Verständnis haben — zu ihrem Unheil; sic enim iussisti, Domine, ut sit sibi ipsi sua poena omnis inordinatus animus (Augustinus).

Texte und Literatur

F. Vitoria, Comentarios a la Secunda Secundae de santo Tomás. Ed. V. Beltrán de Heredia (Salamanca 1952). Ders., Comentario al tratado de la ley. Ed. V. Beltrán de Heredia (Madrid 1952). Ders., De Indis recenter inventis et de iure belli Hispanorum in barbaros relectiones. Lateinischer Text nebst deutscher Übersetzung. Hrsg. von W. Schätzel (1952). J. Soder, Die Idee der Völkergemeinschaft. F. de Vitoria und die philosophische Grundlage des Völkerrechts (1955). — Johannes a Sancto Thoma, Cursus philosophicus. 3 Bde. Editio nova (Romae 1929, ²1948). — L. de Molina, Liberi arbitrii cum gratiae donis... concordia. Ed. J. Rabeneck (Madrid 1953). Bibliographie Molinas: Sommervogel V 1167—1179. F. Stegmüller, Filosofia e teologia nas Universidades de Coimbra (Coimbra 1959). Ders., Geschichte des Molinismus (1935). J. Kleinhappl, Die Eigentumslehre L. Molinas. In: Zeitschrift für Katholische Theologie (Innsbruck 1932). W. Weber, Wirtschaftsethik am Vorabend des Liberalismus. Höhepunkt und Abschluß der scholastischen Wirtschaftsbetrachtung durch L. Molina (1959). — R. Bellarmini Opera omnia. 12 Bde. (Paris 1870 bis 1874). Scritti politici, a cura di C. Giacon (Bologna 1950). Bibliographie: Sommervogel I 1151—1254. The Political Theories of Bellarmin, Barclay, Suarez, Molina and Rothmann. Translated by G. A. More (Washington 1949). C. Giacon, La seconda scolastica s. oben S. 71. — F. Suarez, Opera omnia, 28 Bde. (Paris 1856—78). Bibliographie: Sommervogel VII 1661—1684. K. Werner, F. Suarez und die Scholastik der letzten Jahrhunderte. 2 Bde. (1861, Nachdruck 1962). M. Grabmann, Die Disputationes metaphysicae s. oben S. 71. H. Rommen, Die

Staatslehre des F. Suarez (1927). E. Conze, Der Begriff der Metaphysik bei Suarez (1928). J. Seiler, Der Zweck in der Philosophie des Suarez (Innsbruck 1936). J. de Vries, Die Erkenntnislehre des F. Suarez und der Nominalismus. In: Scholastik 20—24 (1949) 321—344. F. Cuevas Caucino, La doctrina de Suárez sobre el derecho natural (Madrid 1952). J. Giers, Die Gerechtigkeitslehre des jungen Suarez: Edition und Untersuchung seiner römischen Vorlesungen De iustitia et iure (1958). R. Specht, Zur Kontroverse von Suarez und Vasquez über den Grund der Verbindlichkeit des Naturrechts. In: Archiv für Rechts- u. Sozialphilosophie 45 (1959) 235—255. W. Hoeres, Bewußtsein und Erkenntnisbild bei Suarez. In: Scholastik 36 (1961) 192—216. S. C. Cubells, Die Anthropologie des Suarez (1962).

b) Die spanische Scholastik und die Philosophie des 17. Jahrhunderts

Infolge mehrerer Vorurteile — einer Art Prädestination unserer Philosophiegeschichte und dessen, was der Erwähnung wert ist, schon durch die frühe Aufklärung (Brucker), die die katholische Scholastik und protestantische Orthodoxie des 16. und 17. Jahrhunderts nicht mehr verstand; des mechanistischen Denkens, das in sich allein das Muster für alle Wissenschaft sah; und des Neukantianismus, der mit Abwertungen nie zu sparen pflegte — wurde die gesamte Bedeutung und besonders die Nachwirkung der spanischen Barockphilosophie im allgemeinen nicht entsprechend beachtet. Man sah nur noch das Neue und Revolutionäre, das die sogenannten großen Systematiker des 17. Jahrhunderts brachten. Daß diese selbst damit in der Luft hingen, hätte zu Bedenken Anlaß geben müssen. Jedenfalls wurde unter der Enge dieses Blickwinkels, was vorher war, zur quantité négligeable. In Wirklichkeit aber bedeutete diese Barockphilosophie sehr viel. Zunächst einmal für die Schule; sie war da „über ganz Europa verbreitet und beherrschte überall den Schulunterricht; beinahe kann man sagen, es war die letzte, wirklich ganz gemeinsame Bildung der europäischen Völker, die dann eben unter der Wirkung der sogenannten neueren Philosophie auseinanderbrach. Ganz besonders bezeichnend aber war sie für Deutschland. Denn hier kam die ‚moderne' Gegenbewegung erst ganz gegen Ende des Jahrhunderts zu größerem Einfluß. Bis dahin war die Herrschaft der Schulphilosophie beinahe unbestritten. Sie gab hier dem ganzen

α) Schulphilosophie

Zeitalter sein Gepräge und übte daher auch auf die Folgezeit eine weit nachhaltigere Wirkung aus als in Westeuropa" (M. Wundt). Man sieht die Erfülltheit der Zeit mit diesen Ideen schon daraus, daß die Disputationes metaphysicae des Suarez allein in Deutschland von 1600—1630 nicht weniger als fünfmal aufgelegt wurden. Die Aristoteles-Kommentare des Fonseca erschienen von 1599—1629 gleichfalls mehrfach, und ebenso wurden seine Institutiones dialecticae, die 1564 herausgekommen waren, bereits von 1567 ab noch öfters in

αα) katholische

Deutschland nachgedruckt. Seitdem erschienen viele systematische Lehrbücher der Philosophie (Cursus philosophicus, Philosophia universa, Summa philosophiae), besonders aber viele Lehrbücher der Metaphysik, nach dem Muster von Suarez. So zum Beispiel von den Jesuiten Cosmus Alamannus († 1634), Petrus Hurtado de Mendoza († 1651), Franz de Orviedo († 1651), Rodriguez de Arriaga († 1667) u. a.; den Dominikanern Johannes a S. Thoma († 1644), Anton Goudin († 1695), Didacus Ortiz († 1640), Nicolaus Arnu († 1692) u. a.; den Benediktinern Augustinus Reding († 1692), Saenz d'Aguirre († 1699), Ludwig Babenstuber († 1726), Alfons Wenzl († 1743) u. a.; dem unbeschuhten Karmeliten Philippus a SS. Trinitate († 1671); und sonstigen Verfassern, wie Raphael Aversa († 1657), Emanuel Meignan († 1697), Johann B. Du Hamel († 1706). Am stärksten gefördert wurde diese Philosophie durch die süddeutschen Kollegien der Jesuiten in Ingolstadt, Eichstätt, Regensburg, Bamberg, Würzburg. Es

ββ) protestantische

gibt in Deutschland aber auch eine weitverbreitete protestantische Schulphilosophie, ebenfalls an Aristoteles ausgerichtet und entstanden aus dem in der zweiten Hälfte des 16. Jahrhunderts wahrscheinlich von Italien her neu inspirierten Aristotelismus, der umfassender ist als jener Melanchthons, und sie ist, was die Ausbildung einer systematischen Metaphysik angeht, vielleicht sogar älter als die katholische; denn mindestens das 1597—99 entstandene Compendium metaphysicae des Cornelius Martini, Professors in Helmstedt, auf das dann oft gedruckte Werke gleichen Inhalts von ihm selbst, von dem Wittenberger Professor Jacob Martini und anderen folgen, liegt schon vor Suarez. Aber auch hier machen sich dann mehr und mehr die Ausstrahlungen der spanischen Neuscholastik geltend. Clemens Timpler z. B. nimmt in seinem 1604 erschienen Metaphysicae systema methodicum bereits vielfach, wenn auch meistens polemisch, auf Suarez Bezug. Mag also auch in Deutschland, bei den Lutheranern sowohl wie bei den Reformierten, die Metaphysik von vornherein in einer eigenen Gestalt entstanden sein, „trotzdem mußte ein so bedeutendes Werk wie das des spanischen Jesuiten, in dem die katholische Metaphysik sich in abgeschlossener Vollendung darstellte, auf die eben sich erst entwickelnde protestantische Metaphysik einen mächtigen Einfluß ausüben“ (M. Wundt). Das läßt sich im einzelnen unschwer nachweisen. So beschäftigt sich z. B. der protestantische Philosoph Joachim Jungius an der Universität Rostock nach 1606 unter Leitung des protestantischen Theologen Johannes Skelerus mit scholastischer Philosophie im Anschluß an die Disputationes des Suarez. In Jena benutzte ihn Valentin Veltheim († 1700) und in Straßburg Joachim Zentgrav. Letzterem wurde sogar vorgeworfen, daß er in der Moral Thomas als Haupt, in der Metaphysik Suarez als Papst und Vasquez, Sanchez, Molina, Valencia und die Conimbrizenser als der Unsterblichkeit würdige Männer ansähe. Aber bereits der protestantische Philosoph Heerebord in Leiden († 1659) hatte Suarez als „Papst und Fürsten aller Metaphysiker“ gefeiert und behauptet, daß alle kürzeren und geordneter geschriebenen Metaphysiken der damaligen Zeit von ihm beeinflußt seien. Einen Beleg dafür bietet kein Geringerer als Spinoza. Er benutzte als Handbücher der Philosophie den soeben erwähnten Heerebord und den Burgersdijk. Beide aber reproduzierten die Scholastik eines Thomas und Suarez. Und als Spinoza selbst ein einführendes Handbüchlein der Schulphilosophie herausgab, stellte er darin die metaphysischen Grundbegriffe in der Schulsprache der Zeit dar, das ist in der scholastischen Sprache, so daß man sich nicht zu wundern braucht, wenn nicht wenig scholastische Begriffe und Axiome auch in seinen späteren Werken sich finden. Es ist nicht zuviel gesagt, wenn der Biograph des Jungius, Guhrauer, meint, „die Lehrbücher des spanischen Jesuiten Suarez setzten sich auf protestantischen Universitäten in dem Ansehen fest, welches sonst Melanchthon einnahm, und das zieht sich bis in die Zeit hinab, als Leibniz auf der Universität seiner Vaterstadt Philosophie studierte“.

β) Die große deutsche Philosophie

Mit dem Namen Leibniz wird nun auch die besondere Erkenntnis sichtbar, die sich aus dem Nachwirken der neuen spanischen Scholastik in der Schulphilosophie des 17. Jahrhunderts ergibt. Es ist die Einsicht in den Zusammenhang auch der großen deutschen Philosophie mit dem Denken des Mittelalters. Leibniz, der die selbständige deutsche Philosophie der Neuzeit eröffnet, kennt die Gedanken der modernen Naturwissenschaft und verwertet sie, bewältigt sie aber auch, indem er die Begriffe der mechanistischen Naturwissenschaft auf letzte Grundlagen zurückführt und nachweist, daß die metaphysischen Begriffe der Scholastik deren notwendige Ergänzung bilden. Was ihm dabei Rahmen und Rüstzeug gab, waren die metaphysischen Grundgedanken der aristotelisch-scholastischen Philosophie, die er auf dem Wege über die deutsche Schulmetaphysik kennengelernt hatte. In seinem Sinn hat dann Chr. Wolff die Aufklärungsphilosophie in feste Formen gegossen und wirkte dadurch auch wieder mit — Wolff kennt über den Thomisten Dominikus von Flandern noch gut den Kommentar des Thomas von Aquin zur aristotelischen Metaphysik —, daß das Band mit der abendländischen Tradition nicht abriß. Aus der Aufklärungsphilosophie aber wieder erhebt sich Kant, „und er war enger mit ihr und damit auch mit der alten Schulphilosophie verbunden, als es die Auffassung des Neukantianismus Wort haben wollte; Kant aber legt die Grundlage für die große Entwicklung bis zu Hegel" (M. Wundt). Darum dürfen wir den Wert der deutschen Schulmetaphysik des 17. Jahrhunderts nicht zu gering anschlagen. Sie ist nicht weniger als die Brücke zwischen der Philosophie Kants und des deutschen Idealismus einerseits und dem Mittelalter andererseits. Daß die Erinnerung an eine Metaphysik im Stile des Platon und Aristoteles nicht erlosch, daß dadurch das mechanistische Denken überwunden werden und der Mensch wieder zu sich selbst finden konnte, zur Selbsterkenntnis des Geistes und seiner Werte, zur Einsicht in die Gründe des Seins und in den Grund aller Gründe, in Gott, das ist ihr spezielles Verdienst. Wir konnten schon auf eine andere in das Mittelalter hinabreichende Wurzel der Metaphysik Kants und des deutschen Idealismus verweisen, auf Cusanus (Bd. I, 570, 584). Ihre Lebenskräfte werden auch wieder über Leibniz lebendig, und diese Verwurzelung dürfte wohl noch wichtiger sein, weil Cusanus das Mittelalter mit besonderem Scharfblick in seinen echten Ursprüngen durchschaut und damit seine beste Substanz wieder entdeckt und weitergegeben hatte. Wie dem auch sei, fest steht jedenfalls, daß das Alte im Neuen und das Neue im Alten sich wieder finden kann, wenn immer man nur guten Willens ist, die Vorurteile abzulegen und zu sehen, was war. Und das wäre nicht nur wichtig für das Selbstverständnis der mittelalterlichen und neuzeitlichen Philosophie, sondern auch für das gegenseitige Verständnis der christlichen Konfessionen sowie der germanischen und romanischen Völker des Abendlandes.

Die spanische Barockphilosophie steht aber auch hinter dem „Vater der neueren Philosophie", hinter Descartes. Er war Zögling der Jesuitenschule zu La Flèche gewesen und hat davon gesagt: „Diese Ehre muß ich meinen Lehrern zuteil werden lassen, es auszusprechen, daß es keinen Ort in der Welt gibt, wo meiner Überzeugung nach die Philosophie besser gelehrt wird als in La Flèche." Und was speziell Suarez angeht, so kann Descartes, wo er sich einmal ausnahmsweise nach dem Sprachgebrauch der Philosophen umsah, von ihm sagen: „Er ist gleich der erste Autor, der mir in die Hände fiel." Descartes hat sich von der Scholastik distanziert und ist sich seines neuen Ansatzes voll bewußt. Trotzdem, wer von der Scholastik herkommt, ist erstaunt, wie sehr in seiner Form, Sprache, seinen Begriffen und Problemstellungen noch das alte Rüstzeug nachwirkt. Er war nicht umsonst in die Jesuitenschule gegangen. Und wenn wir darum meinten, daß die französische Skepsis den Horizont abgibt, auf dem Descartes mit seinem absoluten Zweifel sich abheben wird, so ist auf der anderen Seite das Ideengut der Schule, aus der er kam, der geistige Mutterboden, von dem er zehren wird, und wir glauben darum, daß wir mit einem Kapitel über die neue Scholastik näher an ihn herankommen als mit dem Hintergrund, auf den Dilthey verwiesen hat; denn Descartes' Zweifel war ja nur ein methodischer. Sein ureigenstes Anliegen aber war der Beweis der Existenz Gottes und der Unsterblichkeit der Seele und die Errichtung eines geschlossenen Systems der Philosophie. Das aber sind eben die Tendenzen der klassischen Metaphysik, die Suarez der Neuzeit überliefert hatte. γ) Descartes

Literatur

Grabmann, Eschweiler, Wundt oben S. 71. Die Entfaltung der Wissenschaft. Zum Gedenken an J. Jungius (1958).

ZWEITES KAPITEL

DIE SYSTEME DES 17. UND 18. JAHRHUNDERTS

So charakteristisch für die Renaissance die vielen neuen Ansätze sind, so charakteristisch ist für die folgenden zwei Jahrhunderte die Lust zum System. Ein philosophisches Gebäude nach dem anderen ersteht, kühn und stolz. Die Philosophie ist in dieser Epoche so baufreudig wie das ganze Barock überhaupt. Die Namen Descartes, Spinoza, Leibniz, aber auch Hobbes, Locke, Hume repräsentieren großangelegte Prachtbauten, und geht man in sie hinein, dann ist in ihren weiten Räumen wie in Museen eine Welt auseinandergelegt in Ordnung und Überschau. Der Grundriß ist je etwas Eigenes für sich, und man darf die Einteilungsschemata der Philosophiegeschichte nicht pressen. Immerhin kann man auf das Große und Ganze gesehen zwei Baustile unterscheiden: den Rationalismus und den Empirismus. Davon hat der erstere den längeren Atem, verkörpert mehr Tradition, ja sein Systemwille ist im Grund immer noch der des Mittelalters. Die Verbindungslinie bildet die zuletzt erörterte spanische Scholastik des 16. Jahrhunderts und die ihr folgende Schulmetaphysik. Wer von dieser Seite herkommt, fühlt sich bei den Rationalisten, wenn er nur den Geist der Großen des Mittelalters bewahrt hat, nicht allzu fremd und vermag sich wohnlich einzurichten, wenn auch nach einigen Umbauten. Die Probleme sind ja immer noch die der alten Metaphysik, allerdings, und das ist nun das Neue, Subjekt und Objekt treten jetzt schroff auseinander, die Sphäre des Subjektiven ist das Erstgegebene, einzig Sichere, ja Selbstherrliche; aber auch die Natur bewegt sich nach eigenen, den mechanischen Gesetzen, und es entsteht das große Problem, wie man die res cogitans und die res extensa wieder zusammenbringen solle, und es wird noch den deutschen Idealismus beschäftigen. Wer von der Neuzeit herkommt und in Descartes und seinen Nachfolgern nur das Neue sieht — wir kennen bereits die Vorurteile, die zu dieser Einschätzung führten (vgl. S. 81) —, wird in unserer Auffassung eine Überbewertung der Ausstrahlungen der Vergangenheit vermuten. Allein die ideengeschichtliche Kontinuität ist auch hier wieder größer, als vielfach angenommen wird. Wenn Nietzsche noch Kant einen verkappten Scholastiker heißt, war das nicht bloß ein temperamentvoll hingeworfenes Wort. Nachdem inzwischen die Existenzphilosophie gegenüber Descartes und aller Wesensmetaphysik ganz andere Linien gezogen hat als seinerzeit der Neukantianismus, wird man das ernster nehmen müssen. Den großen Riß in der neuzeitlichen Philosophie brachte in der Tat erst die andere philosophische Stilform, der reine Empirismus und seine Folgen. Er stellt die modernere, revolutionärere Art zu philosophieren dar, ja er ist die eigentliche philosophische Revolution und moderne Philosophie schlechthin; denn nunmehr tritt an die Stelle der notwendigen Vernunftwahrheiten, womit aller Rationalismus noch immer Metaphysik treiben wird, die Geltung des bloß Tatsächlichen und damit der Bruch mit der klassischen Metaphysik. Seine philosophische Systematik hat darum auch gegenüber jener des Rationalismus einen anderen Sinn; sie ist Summe, diese aber Ganzheit. Neben den Bauten der großen Philosophen des 17. und 18. Jahrhunderts haben sich dann noch viele kleine Volkswohnungen angesiedelt. Auch sie dürfen nicht unterschätzt werden. Es ist die Popularphilosophie der Aufklärungszeit. Zeigen sie auch nicht den großen Wurf der ersten Meister dieser Zeit, so haben sie doch vielen Menschen zum Leben gedient, und ihre gesamte Atmosphäre ist zudem die Luft, in der die Gründer einer kommenden größeren Zeit atmen.

I. DER RATIONALISMUS

Wenn wir vom Rationalismus sprechen wollen, müssen wir zuvörderst einem landläufigen Vorurteil entgegentreten, das ihm Unrecht tut und das Verständnis von vornherein verbaut. Wir meinen die Behauptung, daß Rationalismus soviel besage wie reine Begriffsphilosophie. Hier ist zu unterscheiden zwischen dem Rationalismus als einer erkenntnistheoretischen Grundhaltung und dem Rationalismus als einer wissenschaftlichen oder schulischen Methodik. Als erkenntnistheoretische Grundhaltung will der Rationalismus nicht reine Begriffsphilosophie sein oder etwa alle Erkenntnis nur aus der Vernunft entspringen lassen. Schon sein erster neuzeitlicher Vertreter, Descartes, wendet sich gegen die Philosophen, die der Meinung sind, die Wahrheit werde trotz aller Vernachlässigung der Erfahrung aus ihrem eigenen Gehirn wie Minerva aus dem Jupiters hervorgehen, und erklärt darum, daß man Astrologie erst treiben, nachdem man die tatsächliche Bewegung der Gestirne, und Mechanik nur studieren könne, nachdem man die physikalische Bewegung zuvor beobachtet hätte (Regeln zur Leitung des Geistes, 5). Auch hier wird also die Erfahrung studiert, aber wichtiger als das nur Tatsächliche erscheint dem Rationalisten das Notwendige, sei es des Seins, sei es des Geistes oder der Werte. Und ihm sucht er sich zu nähern auf dem Wege über die Vernunft, über die vérités de raison, wie Leibniz sagen wird, bei dem das ganze Anliegen klassisch gesehen ist. Der Rationalismus will immer „erste Philosophie" sein, will regionale und fundamentale Ontologien geben. In der konkreten Arbeit der Wissenschaftler und Schulen passiert es allerdings häufig, daß man sich auf überkommene Begriffe zu früh und zu starr festlegt und über der Anhänglichkeit an Bücher, Überlieferungen und Schulmeinungen die lebendige Wirklichkeit vernachlässigt. Das ist der andere Rationalismus, der sich mit dem ersteren häufig verbindet, sich jedoch überall finden kann. Wir könnten ihn den methodischen oder den Schulrationalismus heißen. Das Grundanliegen der Descartes, Spinoza und Leibniz wird durch seine Schwächen nicht entwertet. Der erkenntnistheoretische Rationalismus sitzt tiefer. Er schneidet ein wichtiges logisches und ontologisches Problem an, das des Apriorismus. Und diese Frage ist es, die dem Rationalismus eigentlich am Herzen liegt.

Literatur

C. Giacon, La causalità nel razionalismo moderno. Cartesio — Spinoza—Malebranche—Leibniz (Milano 1954). H. Busson, Le rationalisme dans la littérature française de la Renaissance (1533 bis 1600) (Paris [2]1957).

1. DESCARTES

Der Vater der neuzeitlichen Philosophie

Mat hat gesagt, daß Descartes der erste und letzte große Philosoph der Franzosen gewesen sei. Selbst wenn das stimmen würde, könnte Frankreich damit zufrieden sein. So groß ist seine Bedeutung. Descartes schuf nämlich nicht weniger als die Problemstellung, die der neuzeitlichen Philosophie das Gesetz des Handelns vorschrieb; auch dort noch, wo man ihn bekämpft. „Die gesamte neuzeitliche Metaphysik, Nietzsche eingeschlossen, hält sich in der von Descartes angebahnten Auslegung des Seienden und der Wahrheit... Die wesentlichen Verwandlungen der Grundstellung Descartes', die seit Leibniz im deutschen Denken erreicht wurden, überwinden diese Grundstellung keineswegs. Sie entfalten erst ihre metaphysische Tragweite und schaffen die Voraussetzungen des 19. Jahrhundert" (Heidegger). Descartes heißt mit vollem Recht der Vater der Philosophie der Neuzeit.

Leben

René Descartes wurde 1596 zu La Haye in der Touraine als Sohn einer adeligen Familie geboren. Bis zum 18. Lebensjahr wurde er in der Jesuitenschule La Flèche erzogen und hat sie zeitlebens hochgeschätzt als „eine der berühmtesten Schulen Europas". Ist auch, sagt er einmal, was man da in der Philosophie lernt, nicht alles so wahr wie das Evangelium, so ist die Philosophie doch der Schlüssel zu den anderen Wissenschaften, und es ist darum empfehlenswert, den ganzen Kurs einmal durchgemacht zu haben, bevor man anfängt, eigene Wege zu gehen. Von 1613—17 studiert er in Paris und erwirbt das Lizenziat der Rechtswissenschaft. Dann gibt er die Wissenschaft vorläufig auf; nicht als ob er sie verachtete, sondern um nun im Buch des Lebens zu studieren. „Entschlossen, kein anderes Wissen fürderhin zu suchen als das, was sich in mir selbst oder im großen Buch der Welt finden möchte, verwandte ich den Rest meiner Jugend darauf, zu reisen, Höfe und Heere zu sehen, mit Menschen von verschiedener Art und Stellung zu verkehren, mannigfache Erfahrungen zu sammeln, mich selbst in den Ereignissen, die das Geschick mir darbot, auf die Probe zu stellen und überall über die mir begegnenden Dinge nachzudenken ... In mir selbst lebte nämlich ein brennend großer Wunsch, das Wahre vom Falschen scheiden zu lernen, um in meinen Handlungen klar zu sehen und in meinem Leben sicher zu gehen" (Discours de la méthode I). Descartes tritt zunächst in holländische Kriegsdienste und dann, 1619, in bayerische. In diesem Jahre befindet sich seine Abteilung zu Neuburg a. d. Donau im Winterquartier, und dort war es, wo ihm in einsamen Stunden das „Licht einer wunderbaren Entdeckung aufging", sein cogito ergo sum. So sehr hatte ihn die philosophische Unruhe nach Klarheit und Wahrheit erfaßt, daß er gelobt hatte, eine Wallfahrt nach Loreto zu machen, wenn die heilige Jungfrau ihm helfe, aus seinen Zweifeln über die Möglichkeit, Wahr und Falsch zu scheiden, herauszukommen. Vier Jahre später hat er diese Wallfahrt ausgeführt. Inzwischen hatte er das Kriegshandwerk aufgegeben und war wieder nach Paris zurückgekehrt, und der früher so bewegliche Weltmann lebt nun ganz zurückgezogen in der Überzeugung: bene qui latuit, bene vixit. Nur mit einigen erlesenen Freunden hält er Kontakt. Der erste darunter ist P. Mersenne, der ihm zeitlebens Freund und Betreuer bleiben wird. Ein anderer Patron ist der Kardinal Bérulle († 1629), der Begründer des Oratoriums Jesu und Schöpfer eines Typs von Frömmigkeit, den man absolut theozentrisch geheißen hat, weil hier der Mensch sich so sehr der Kausalität Gottes überläßt, daß seine eigene Substanzialität förmlich erlischt und er ganz in Gott untergeht, was man schon in Anschlag bringen muß bei der Würdigung der Definition der Substanz durch Descartes und was sich dann voll auswirkte in der Metaphysik des Occasionalismus. Der Geist des Oratoriums war der Augustinismus, und man entdeckt ihn unschwer gerade in den grundlegenden Thesen unseres Philosophen, in seinem cogito und seinem Gottesbeweis aus der Unmöglichkeit, ein Unvollkommenes zu denken ohne die Annahme eines Vollkommenen. Von 1628 ab datiert sein langer Aufenthalt in Holland, wo er wegen seiner Lehre nicht geringe Schwierigkeiten bekam, wo aber trotzdem seine großen Werke entstehen. So wird in das Jahr 1628 die Abfassung der erst posthum erschienenen „Regeln zur Leitung des Geistes“ fallen; 1629/30 datiert auch der erste Entwurf der Meditationes de prima philosophia, der dann verschiedenen Gelehrten zugeschickt und erst später (1641) zusammen mit der Einwänden und den Erwiderungen Descartes' gedruckt wird und so einen ganz hervorragenden Einblick in den Cartesianismus und die Philosophie der Zeit überhaupt gibt. Auf einen Ruf der Königin Christine von Schweden geht der Philosoph 1649 nach Stockholm. Nur ein halbes Jahr darauf ist er dort am 11. Februar 1650 gestorben.

Werke

Die philosophischen Hauptwerke Descartes' sind der Discours de la méthode (1637), besonders geeignet zur Einführung in sein Leben und Denken; die Meditationes de prima philosophia (1641), die Principia philosophiae (1644) und Les passions de l'âme (1649). Seine Meditationes hatte Descartes ursprünglich lateinisch geschrieben. Eine vom Herzog von Luynes besorgte und von Descartes anerkannte Übersetzung ins Französische kam 1647 in Paris heraus. Die Regulae ad directionem ingenii erschienen erst 1701. — Ausgaben: Ch. Adam et P. Tannery, Œuvres de Descartes. 12 Bde. und Suppl. (Indices) (Paris 1897—1913). Discours de la méthode. Texte et commentaire par É. Gilson (Paris 1947). Deutsche Übersetzungen der Hauptwerke in der Meinerschen Philosophischen Bibliothek von A. Buchenau u. a. Die Meditationes und der Discours jetzt dort auch zweisprachig von L. Gäbe (1959 bzw. 1960). (Diese Übersetzungen haben die Absätze des Descartes-Textes beziffert. Danach wurden im folgenden die Zitate näher bestimmt, in den früheren Auflagen nach Buchenau, jetzt nach Gäbe.)

Literatur

Ch. Adam, Vie et œuvres de Descartes (= Tome XII der maßgeblichen wissenschaftlichen Ausgabe von Adam u. Tannery). K. Fischer, Descartes ([5]1912). A. Koyré, Essai sur l'idée de Dieu et les preuves de son existence chez Descartes (Paris 1922). Ders., Descartes und die Scholastik (1923). C. v. Brockdorff, Descartes und die Fortbildung der kartesianischen Lehre (1923). É. Gilson, Études sur le rôle de la pensée médiévale dans la formation du système cartésien (Paris 1930). K. Jaspers, Descartes und die Philosophie (1937). F. Alquié, La découverte métaphysique de l'homme chez Descartes (Paris 1950). Ders., Descartes. L'homme et l'œuvre (Paris 1956). Deutsch von Ch. Schwarze (1962). M. Guéroult, Descartes selon l'ordre des raisons. I: L'âme et Dieu; II: L'âme et corps (Paris 1953). R. Lenoble, Mersenne ou la naissance du mécanisme (Paris 1943). M. Hagmann, Descartes in der Auffassung durch die Historiker der Philosophie (Winterthur 1955). L. Gilen, Über die Beziehungen Descartes' zur zeitgenössischen Scholastik. In: Scholastik 32 (1957) 141—166. L. Oeing-Hanhoff, Descartes und das Problem der Metaphysik. Zu Alquiés Descartes-Interpretation. In: Kant-Studien 51 (1959/60) 196—217. Ders., D.' Lehre von der Freiheit. In: Philos. Jahrb. 78 (1971) 1—16. A. Klemmt, Descartes und die Moral (1971). F. Bader, Der Ursprung der Transzendentalphilos. bei D. (1980). — G. Sebbas, Bibliographia cartesiana. A Critical Guide to the Descartes-Literature 1800—1960 (The Hague 1964).

a) „Cogito..."

Descartes hat in seinem Discours de la méthode selbst „die Wege aufgezeigt, die er verfolgt hat, und darin sein Leben wie in einem Gemälde dargestellt, damit jeder darüber urteilen möge" (Disc. I, 4). Wir erfahren dabei, was seine Ziele waren, sein Ausgangspunkt, seine besondere Methode und seine Grundgedanken.

Das Ziel, das Descartes vorschwebt, ist, der Philosophie einen α) Ein großes Ziel

Weg und einen Aufbau zu geben, der absolut sicher ist. Das System der gesamten Philosophie soll so klar und konsequent entwickelt werden wie die mathematischen und geometrischen Wahrheiten. Der Titel des Discours sollte ursprünglich heißen: „Entwurf einer universalen Wissenschaft, die unsern Geist zu seiner höchsten Vollendung bringt" (Brief an Mersenne vom März 1636). Descartes hatte von Jugend an unter der immer wieder sich zeigenden Unsicherheit angeblicher Wahrheiten viel gelitten. Darum wollte er die Philosophie auf ganz neue Grundlagen stellen. „Ich beschloß nun, wie ein Mensch, der allein im Dunkeln schreitet, so langsam zu gehen und so große Vorsicht in allen Dingen anzuwenden, daß, wenn ich gleich nur wenig vorwärts käme, ich mich doch zum mindesten hütete, zu fallen" (Disc. II, 5).

β) Zweifel als Ausgangspunkt

Der neue Ausgangspunkt, den er legt, ist der absolute Zweifel. Was sollten wir denn als sicher annehmen können? Die Überzeugungen des Alltags? Aber „ich hatte erwogen, wie sehr ein und derselbe Mensch mit demselben Geiste, wenn er von Kindheit an unter Franzosen oder Deutschen aufgezogen ist, verschieden wird von dem, was er sein würde, wenn er unter Chinesen oder Kannibalen gelebt hätte, und wie selbst bei unseren Kleidermoden dieselbe Sache, die uns vor zehn Jahren gefallen hat und uns vielleicht noch vor den nächsten zehn Jahren wieder gefallen wird, uns jetzt übertrieben und lächerlich erscheint, so daß es weit eher Gewohnheit und Beispiel sind, die uns überzeugen, als irgendeine gewisse Erkenntnis". Oder wären es die Lehren der Philosophie? Nun, „ich hatte bereits in der Schule gelernt, daß man sich nichts so Seltsames oder Unglaubliches denken kann, was nicht von einem Philosophen bereits behauptet worden wäre". Aber auch die Sinneserkenntnis ist nicht sicher. Es steht fest, daß sie uns zuweilen täuscht. Wenn dem aber so ist, so sei es Sache der Klugheit, denen niemals mehr voll zu trauen, die uns auch nur einmal getäuscht haben. Ebenso ist es auch mit dem Schließen bestellt und ebenso nochmals mit dem Rechnen. Und selbst wenn jemand meinte, im einzelnen könne man sich da wohl irren, aber daß es überhaupt Ausdehnung gibt, Größe und Zahl, Ort und Zeit, daß $2 + 3 = 5$ ist und das Quadrat vier Seiten habe: könnte es nicht so sein, daß „ein Gott, der alles vermag ... es so bewirkt hat, daß es überhaupt keine Erde, keinen Himmel, kein ausgedehntes Ding, keine Gestalt, keine Größe, keinen Ort gibt und daß dennoch dieses alles genau so wie jetzt mir dazusein scheint"? Es ist ja nicht einmal die Realität der Außenwelt sicher. Denn die Frische und Lebhaftigkeit des Vorstellens, worin man gewöhnlich ein Zeichen echter Realitätswahrnehmung erblickt, begegnet uns gelegentlich auch im Traum, so daß wir Wachen und Träumen niemals nach sicheren Kennzeichen unterscheiden können und wir damit rechnen müssen, daß vielleicht die ganze Wahrnehmungswelt nur eine Welt von Trugbildern ist. Gut denn, sagt sich jetzt Descartes: „So will ich also annehmen, daß nicht der allgütige Gott, die Quelle aller Wahrheit, sondern daß irgendein böser Geist, der zugleich mächtig und verschlagen ist, all seinen Fleiß daran gewendet habe, mich zu täuschen; ich will glauben: Himmel, Luft, Erde, Gestalten, Farben, Töne und alle Außendinge seien nichts als das täuschende Spiel von Träumen, durch die dieser Dämon meiner Leichtgläubigkeit Fallen stellt. Mich selbst will ich so ansehen, als hätte ich keine Hände, keine Augen, kein Fleisch, kein Blut, überhaupt keine Sinne, sondern glaubte nur fälschlich, dieses alles zu besitzen" (Med. I und Disc. II—IV).

γ) Die absolut sichere Wahrheit

Der Zweifel Descartes' ist, wie man sieht, ein absoluter. Er soll nun zu einer absoluten Wahrheit führen. Wenn man sich auch in allem täuschen sollte, zwei Dinge stehen doch unumstößlich fest: die Tatsache des Denkens und mein Ich, das denkt. „Während ich so denken wollte, daß alles falsch sei, bemerkte ich sogleich, daß notwendig erforderlich war, daß ich, der es dachte, etwas sei. Da ich mir nun darüber klar wurde, daß diese Wahrheit: ‚Ich denke, also bin ich', so fest und so sicher war, daß selbst die überspanntesten Annahmen der Skeptiker nicht imstande wären, sie zu erschüttern, so urteilte ich, daß ich sie unbedenklich als erstes Prinzip der von mir gesuchten Philosophie annehmen konnte" (Disc. IV, 1). Damit hat also Descartes, was er wollte.

δ) Eigentümlichkeiten des cogito

Hält man sich die charakteristischen Eigentümlichkeiten des cogito Descartes' vor Augen, so hat man darin bereits die wichtigsten Bestandteile seiner ganzen Philosophie in der Hand. Erstens haben wir es hier mit einer Intuition zu tun. Es liegt nicht ein Schluß vor, wie das ergo in dem cogito ergo sum vielleicht vermuten ließe. Diese Formulierung stammt ja überhaupt nicht von Descartes, sondern aus der lateini-

αα) Intuition

schen Übersetzung seines Discours. Dort hieß es allerdings: „Je pense, donc je suis." Das ist aber eine etwas lockere Fassung. In der ersten Meditation, die im Entwurf älter ist (1629) als der Discours und den ursprünglichen Gedankengang genauer enthält, fehlt das ergo und wird vielmehr so vorgegangen, daß mitten im Zweifel als einem Denken die Existenz des Ich als eines denkenden Etwas sichtbar wird. Denkend schauen wir uns zugleich als existierend. Die richtige Fassung müßte also heißen: cogitans sum. Im übrigen wird auch im Discours (IV, 3) und ebenso in den Regeln zur Leitung des Geistes (Regel III) von Descartes selbst erklärt, daß es sich um eine Intuition handelt. Unter Intuition versteht Descartes „nicht das mannigfach wechselnde Zeugnis der Sinne und das trügerische Urteil, das sich auf die verworrenen Bilder der sinnlichen Anschauung stützt, sondern ein so einfaches und distinktes Begreifen des reinen und aufmerksamen Geistes, daß über das Erkannte weiterhin kein Zweifel übrig bleibt, oder, was dasselbe ist, das über jeden Zweifel erhabene Begreifen eines reinen und aufmerksamen Geistes, das allein dem Lichte der Vernunft entspringt" (Regel III). Als Beispiel führt er an die Intuition der Existenz, des Bewußtseins, daß das Dreieck durch drei Seiten begrenzt wird, die Kugel durch eine einzige Oberfläche und dergleichen mehr, denn es gäbe noch viel mehr Einsichten dieser Art; nur würde man es verschmähen, seinen Geist auf derart Einfaches zu richten. Wir würden heute für diese Intuition Wesensschau sagen. Es ist wichtig, um diesen Charakter des cogito zu wissen, weil er bezeichnend ist für die ganze Philosophie Descartes'; besonders aber weil damit die zwei nächsten Punkte zusammenhängen, das cartesische Wahrheitskriterium und der mathematisch-geometrische Stil seines Wissensbegriffes.

ββ) Perceptio clara et distincta

Auf die alte Frage nach einem Wahrheitskriterium antwortet nämlich Descartes mit seiner Formel von der perceptio clara et distincta. Er glaubt als eine allgemeine Regel aufstellen zu dürfen, daß alles das wahr ist, was ich recht klar und deutlich erfasse: Illud omne esse verum quod valde clare et distincte percipio (Med. III, 2; Disc. IV, 3). Diese Regel sei, wie eben dort versichert wird, mit der ersten fundamentalen Wahrheit vom ego sum, ego existo ... cogitans von selbst gegeben. Descartes definiert gewissenhaft, was er unter klar und deutlich verstehen will.

„Klar nenne ich die Erkenntnis, welche dem aufmerksamen Geist gegenwärtig und offenkundig ist ... Deutlich nenne ich aber die Erkenntnis, welche bei Voraussetzung der Stufe der Klarheit von allen übrigen so getrennt und unterschieden ist, daß sie gar keine anderen als klare Merkmale in sich enthält“ (Principia I, 45). Es geht also darum, daß in der Wesensschau eine Vorstellung nicht nur richtig in ihrem Gehalt erfaßt, sondern auch unvermischt mit anderen nur in ihrer eigenen Identität allein gesehen wird. Aber was noch wichtiger ist, es fällt hier nicht mehr das Wort von der adaequatio intellectus et rei. Wahrheit ist eine Sache der Vernunft; und darin eben zeigt es sich, daß Descartes in seiner Grundwahrheit Wesensschau trieb und es auch weiterhin treiben wird. Oder sollten wir sagen: Wahrheit ist Sache der Vernunft und ihrer Methodik allein, ohne Seinsbeziehung? Dahin wird in der Tat später der Ansatz Descartes' weiterentwickelt. Allein das wird eine Verwandlung sein. Bei Descartes selbst steckt hinter der perceptio clara et distincta die idea clara et distincta. Seine Wesensschau ist Ideenschau und damit Seinsschau, schon weil sie eine Vernunftangelegenheit im Sinne der Alten ist. Das ist die Linie, die von Platon über Plotin und Augustinus zu Anselm führt. Nicht nur in seinem Gottesbeweis ist Descartes diesen Denkern verpflichtet, auch schon in seiner Erkenntnislehre hat der Augustinismus, den er bei Bérulle kennenlernte, sich stärker erwiesen als der Thomismus von La Flèche. Es konnte ja auch für einen so bohrenden und auf das Wesenhafte eingestellten Denker wie Descartes nicht schwer sein, hinter dem Aristotelismus den Platonismus wieder in den Blick zu bekommen. Ohne das wäre seine perceptio clara et distincta eine grundlose Vernünftelei. Das dritte, das mit dem cogito als einer erster fundamentalen Wahrheit gegeben ist, ist der mathematisch-geometrische Charakter des cartesischen Gedankensystems. Der mos geometricus des Spinoza hat in Descartes seinen eigentlichen Ursprung. Das cogito ist nämlich „Prinzip“, ein erstes „Einfaches“, ein „Absolutes“. Auf solche Grundelemente hin kann alles Zusammengesetzte analysiert werden, und von ihnen aus muß man umgekehrt alles Zusammengesetzte aufbauen in logischer Stringenz und Deduktion. Die Deduktion bildet die andere der zwei Tätigkeiten unseres Intellektes (mehr als Intuition und Deduktion

γγ) Ordo geometricus

Einfaches

ist nicht zulässig, wie es in Regel III heißt), und zwar ist Deduktion: „alles, was sich aus bestimmten anderen, sicher erkannten Dingen mit Notwendigkeit ableiten läßt". Wir haben ja nicht nur einfache, sondern auch zusammengesetzte Erkenntnisse. Hier gilt es nun, wenn man ein sicheres Wissen haben will, den Aufbau eines Ganzen jeweils von den ersten wahr und klar erkannten Prinzipien her Schritt für Schritt zu gestalten „in einer kontinuierlichen und nirgendwo unterbrochenen Bewegung des intuitiv jeden einzelnen Schritt hervorbringenden Denkens". Es ist wie bei einer langen Kette, wo wir auch nicht ohne weiteres erschauen können, daß der letzte Ring mit dem ersten zusammenhängt, dies aber vermögen, sobald wir Glied für Glied auf den geschlossenen Zusammenhang hin durchgehen (a. a. O.). Darum lautet die Regel 5: „Die ganze Methode besteht in der Ordnung und Disposition dessen, worauf sich der Blick des Geistes richten muß. Wir werden sie exakt dann befolgen, wenn wir die verwickelten und dunklen Sätze stufenweise auf die einfacheren zurückführen und sodann versuchen, von der Intuition der allereinfachsten aus uns auf denselben Stufen zu der Erkenntnis der übrigen zu erheben." Dieser Aufstieg vom Verwickelten zum weniger Verwickelten, Einfacheren und Allereinfachsten ist das Geheimnis der ganzen Methode. „Es gibt genau genommen nur wenige reine und einfache Naturen ... Es sind dieselben, die wir in jeder Reihe als die einfachsten bezeichnen; alle übrigen aber kann man nicht anders erfassen, als wenn man sie aus jenen ableitet" (Regel VI). Das also ist die für Descartes so bezeichnende geometrisch-analytische Erkenntnismethode. „Die langen Ketten von einfachen und leicht einzusehenden Vernunftgründen, deren sich die Geometer bedienen, um zu ihren schwierigen Beweisen zu gelangen, hatten mich darauf geführt, mir vorzustellen, daß alle Dinge, die unter die Erkenntnis der Menschen fallen können, untereinander in derselben Beziehung stehen" (Disc. II, 11). Descartes hatte von Jugend auf für das mathematische Denken eine Vorliebe. Mit seinem cogito hatte er sich nun den Weg geöffnet für seine neue Auffassung des Erkennens als einer Analysis und Synthesis des Geistes im geometrischen Sinne. Die im cogito gegebene Intuition ist ein Musterbeispiel für alle „Einfache" dieser Art. Die große Errungenschaft dieser Methode war

Zusammengesetztes

Analytische Geometrie

seine Erfindung der analytischen Geometrie. Auch die Figuren der Geometrie werden jetzt auf ihnen zugrunde liegende einfache Größen und deren mathematisch faßbare gegenseitige Verhältnisse zurückgeführt; denn wenn man das Verhältnis aller Punkte einer Kurve zu all denen einer Geraden kennt, kann man das Verhältnis finden, in dem sie zu allen anderen gegebenen Punkten und Linien stehen, kann das in Gleichungen anschreiben und so von dem Einfachen aus alle möglichen Synthesen funktional entstehen lassen. Das ist der Triumph des Rationalismus. Über den markanten Zügen dieser Geisteshaltung darf man um der philosophischen Bewertung willen die ideengeschichtliche Einordnung der cartesischen absoluten und einfachen Anfangsglieder einer Reihe, von denen sich alles deduzieren läßt, nicht übersehen. Sie gehören, wie schon im Zusammenhang mit der perceptio clara et distincta gesagt wurde, in die platonisch-augustinische Erkenntnisbegründung. Wir stehen wieder einmal vor einer Ideenlehre. Descartes erklärt: „Absolut nenne ich alles, was in sich die reine und einfache Natur des in Frage Stehenden enthält", und führt als Beispiel dafür an: „alles, was als unabhängig, als Ursache, Einfaches, Allgemeines, Eines, Gleiches, Ähnliches, Gerades und anderes derart betrachtet wird". Das Relative (respectivum) dagegen ist das, „was zwar dieselbe Natur hat oder wenigstens in bestimmter Weise an ihr teilhat, gemäß der man es auf das Absolute zurückführen und es aus ihm durch eine bestimmte Reihe ableiten kann, das aber außerdem noch etwas anderes in seinem Begriff einschließt, was ich als Beziehungen bezeichne", wie zum Beispiel „alles, was man abhängig, Wirkung, Zusammengesetztes, Besonderes, Vieles, Ungleiches, Unähnliches, Ungerades usw. nennt" (Regel VI). Man braucht das nur zu lesen — reine Natur, Teilhabe, Ableitung des Unteren aus dem Oberen, Eines, Gleiches, Ähnliches, Gerades, Ungerades, Vieles —, um sofort die Grundbegriffe Platons wiederzuerkennen (vgl. Bd. I, 92). Descartes spricht denn auch sogleich davon, daß diese einfachen Naturen sich auf den ersten Blick „entweder aus der Erfahrung selbst oder durch ein gewisses uns eingeborenes Licht intuitiv erfassen lassen". Er unterscheidet an dieser Stelle nicht, was von den genannten Beispielen der Erfahrung, was dem eingeborenen Licht zuzuschreiben ist; es liegt ja bei ihm

δδ) Angeborene Ideen

Ihr Begriff

hier auch kein prinzipieller Unterschied vor. Jedenfalls, unser Philosoph kennt „eingeborene Ideen“ (ideae innatae). Dazu zählen nun vor allem die Idee der unendlichen Substanz oder Gott und die Idee der endlichen Substanz mit ihren zwei großen Gruppen, der res cogitans und der res extensa (Med. III, 7 u. 13; Princ. I, 13 ff.). Daneben gibt es auch noch Ideen, die von außen kommen (ideae adventitiae), und solche, die wir uns selbst bilden (ideae a me ipso factae); aber die sind immer fragwürdig (vgl. Med. III, 8—12), während die angeborenen Ideen klar und deutlich und damit wahr sind. Es ist notwendig, die sogenannten eingeborenen Ideen Descartes' gegen ein häufiges Mißverständnis zu schützen. Idee ist ihm nicht ein Inhalt unseres Geistes, der stets vorhanden und bemerkbar sein müßte; auf diese Weise gäbe es überhaupt keine angeborenen Ideen, wie er gegen den 10. Einwand von Hobbes bemerkt. Idee ist ihm vielmehr, was „unmittelbar vom Geist erfaßt wird“ (Antwort auf den 5. Einwand von Hobbes), was „vermöge der Vernunfterwägung erwiesen wird“ (Antwort auf den 9. Einwand). Und in seinen Bemerkungen zum Programm des Regius sagt er: „Ich habe nie schriftlich oder mündlich etwas davon gesagt, daß der Geist solcher eingeborener Ideen bedürfte, die etwas von seiner Fähigkeit zu denken Verschiedenes wären. Da ich aber bemerkte, daß es in mir gewisse Bewußtseinsinhalte gibt, die nicht von den äußeren Objekten noch auch von der Bestimmtheit meines Willens ausgehen, sondern allein von der in mir vorhandenen Fähigkeit des Denkens, so habe ich die Ideen, die die Formen dieser Bewußtseinsinhalte sind, von den anderen, d. h. von den anderswoher gekommenen und den gemachten, unterschieden und sie als eingeborene bezeichnet.“ Wir sehen, was mit den eingeborenen Ideen gemeint ist, sind die Vernunftwahrheiten von Leibniz, ist das Apriorische in unseren Seinsaussagen, sind die Wesensverhalte der Alten und die Wesensschau der Modernen. Der Einwand der Gegner, wenn es eingeborene Ideen gäbe, müßten sie immer gesehen werden, hat das ganze Problem überhaupt nicht verstanden. Die Erklärung Descartes', daß in unseren geistigen Inhalten etwas ist, was nicht gemacht werden kann und auch nicht von äußeren Objekten, der Welt des rein Faktischen, kommen kann, sondern als etwas Notwendiges Sache des Denkens ist, zeigt genau, was die ein-

Drei Klassen

Ein Mißverständnis

geborenen Ideen darstellen: die ewigen, notwendigen, ontologischen Wahrheiten. Damit zeigt sich aber auch, daß der Zweifel Descartes' nur ein methodischer, nicht aber ein existentieller war. Descartes ist von Anfang an überzeugt von der Möglichkeit absoluter Wahrheit. Nicht um dem Zweifel, sondern um dieser Wahrheit zu dienen, hat er den absoluten Zweifel zum Ausgangspunkt seiner Philosophie genommen. Daher distanziert sich die moderne Existenzphilosophie von ihm mit Recht. Descartes ist der Typ des theoretischen Menschen schlechthin, und sein Glaube an ewige Wesenheiten und Wahrheiten ist unerschüttert. Insofern gehört er in die Reihe der antiken und mittelalterlichen Denker.

εε) Descartes' Glaube an die Wahrheit

Trotzdem ist er der Vater der neuzeitlichen Philosophie, und zwar deswegen, weil an seine Ansätze sich Entwicklungen anschließen, die nun typisch modern werden. Das ist zunächst eine Anzahl von Tendenzen, die man unter dem etwas summarischen Titel Subjektivismus zusammenfassen kann. Seit Descartes haben wir einen Primat des Subjektes gegenüber dem Objekt, des Innen gegenüber dem Außen, des Bewußtseins gegenüber dem Sein, der Immanenz gegenüber der Transzendenz. Für die Antike und das Mittelalter war das Objektive und Reale, besonders die Außenwelt, das zuerst Gegebene. Von jetzt ab ist das umgekehrt, das Objektive wird verdrängt durch das Subjektive. Descartes ermöglicht damit den Psychologismus der Engländer, die Immanenzphilosophie der Deutschen und die allgemeine moderne philosophische Anthropologie. Und eben darin erblickt man immer seine grundlegende Bedeutung für die Neuzeit. Sie ist auch Tatsache. Doch dürfen wir nicht übersehen, daß es sich bei diesen Nachwirkungen mehr um Verwandlungen als um Entwicklungen handelt. Denn Descartes selbst ist trotz des anfänglichen Zweifels überzeugt nicht nur von der Realität der Außenwelt, sondern steht auch ganz auf dem Boden der parmenideischen Voraussetzung, daß Denken und Sein sich decken. Er sieht in der ratio mit Selbstverständlichkeit die ratio rei, wie nur irgendein Scholastiker; und seine Beweise, daß wir das Sein doch nicht träumen, sind, nachdem ursprünglich radikal erklärt worden war: „Ich sehe ganz klar, daß niemals Wachen und Träumen nach sicheren Kennzeichen unterschieden werden können" (Med. I, 5), nicht

ε) Nachwirkungen des cogito

αα) Subjektivismus

überzeugend, wie er selbst weiß. Trotzdem hält er an der Realität der Außenwelt fest (s. unten S. 108), und wenn er sich dabei auf die Wahrhaftigkeit Gottes bezieht, wird sein wirklicher Hintergrund erst recht sichtbar (Disc. IV, 7—8). Im Heraufkommen der philosophischen Anthropologien speziell habe Descartes, so hat man gesagt, seine höchsten Triumphe gefeiert. Was im Vorwort von Recherche de la vérité steht, daß er beabsichtige, die wahren Schätze unserer Seele ans Licht zu bringen, „indem ich einem jeden den Weg eröffne, auf dem er in sich selbst, ohne das geringste von einem anderen zu entlehnen, die Wissenschaft finden kann, die er braucht, um sein Leben in die rechte Bahn zu leiten", war zwar nicht mehr ganz neu, weil das Studium des Ich schon ein Renaissance-Motiv ist und übrigens auch ein augustinisches Motiv, aber er hatte schon recht: durch Descartes' cogitans sum wurde der neuzeitlichen Philosophie eine breite Straße eröffnet, auf der viele einherziehen und auch zu vielen Zielen gelangen; allein wieder handelt es sich mehr um Verwandlungen als um Entwicklungen; denn Humes' „Bündel von Wahrnehmungen", Kants transzendentales Ich, das demiurgische Ich Fichtes, das „übermenschliche" Nietzsches und das ebenso allmächtige Ich der Kollektive entfernen sich weit von der cartesischen res cogitans, die immer noch im Stil der Scholastik eine Substanz ist und ein verbindliches Urbild besitzt. Immerhin, wie verschiedene Wege die neuzeitliche philosophische Anthropologie auch gehen wird, Descartes hat sie eröffnet mit seiner zweiten Meditation: „Über die Natur des menschlichen Geistes, daß er leichter erkennbar ist als der Körper". Eine weitere Nachwirkung aus dem cogito ist die moderne Erkenntnistheorie mit ihren Fragen nach der Bedeutung der Sinneswahrnehmung, dem Ursprung unserer Begriffe, dem Wesen der Wissenschaft und Wahrheit und besonders der Frage nach der richtigen Methode. Seit Descartes das Erkennen in Zweifel gezogen hat, hören in der Philosophie der Neuzeit die Untersuchungen über die Begründung des Wissens nicht mehr auf. Alle Großen schreiben dazu ihre Beiträge und erhalten danach ihre Charakterisierung, ein Locke, Hume, Kant, und im Neukantianismus ist Philosophie fast nur noch Erkenntnis- und Methodenlehre. Von dieser Problematik aus scheiden sich die Geister und entstehen die Schulrichtungen. Was im Mittel-

ββ) Philosophische Anthropologie

γγ) Erkenntnistheorie

alter die Metaphysik war, ist jetzt die Erkenntnistheorie. Eine solche gab es damals auch; doch stand sie mehr am Rande, setzte die Metaphysik voraus und erläuterte von diesem Boden aus Bedingungen und Konsequenzen. Jetzt wird sie zur alles entscheidenden Wissenschaft. Die ganze Philosophie hängt davon ab, besonders die Metaphysik. Man sieht es am deutlichsten in Kants „Kritik der reinen Vernunft“. Doch vollzieht sich auch in diesem Punkt gegenüber Descartes eine Verwandlung. Bei ihm war der Zweifel nur ein methodischer; die Möglichkeit der Metaphysik stand von vornherein fest, und trotz aller neukantianischen Descartes-Auslegung: es ging ihm eben doch um Ontologie. Nach ihm allerdings wird es Ernst mit dem Zweifel, und je nachdem wird die Metaphysik stehen oder fallen. Diese Verwandlungen Descartes', das Anknüpfen an bestimmte Momente seiner Gedanken und dann die Ausbildung von Theorien, Philosophien und Weltanschauungen, die er nie gebilligt hätte, vielleicht gar nie ahnen konnte, sind für ein Studium ideengeschichtlicher Entwicklungen äußerst lehrreich. Besonders hat natürlich das cogito nachgewirkt im Rationalismus. Für ihn bleibt Descartes immer der vorbildliche Ahnherr. Seine idea clara et distincta, seine mathematische Wissensauffassung, seine Methode der Analysis und Synthesis (vgl. die vier Regeln im Discours II, 7—10), seine Vorliebe für das Allgemeine, Begriffliche und seine Vernachlässigung des Individuellen, begrifflich nicht Faßbaren und besonders sein Glaube an die rationale Durchschaubarkeit des ganzen Seins — „es kann keine noch so entfernten Erkenntnisse geben, zu denen man nicht gelangte, noch auch verborgene, die man nicht entdeckte, wenn man nur ... stets die Ordnung beibehält, die erforderlich ist, um die einen von den andern abzuleiten“ (Disc. II, 11) — sind typisch für allen Rationalismus. Aber auch über diese spezielle Denkrichtung hinaus, in einem bereits in die allgemeine Zeitsprache eingegangenen Begriff spüren wir heute noch den cartesischen Rationalismus, nämlich in unserem Bewußtseinsbegriff. Die cogitatio schloß, wie Descartes ausdrücklich erklärte, alles ein: Zweifel, Bejahung, Verneinung, mangelndes Wissen, Nichtwissen, Wille, Ablehnung, Einbildung und auch Empfindung (Med. III, 1), also auch etwas, was nicht Gedanke war. Daß er aber auch das Nichtgedankliche als einen Modus

δδ) Rationalismus

der cogitatio betrachtet, das war echt rationalistisch. Und wenn wir heute das seelische Leben als „Bewußt“-sein bezeichnen, also auch das „Wissen“ durchschlagen lassen, dann sprechen wir immer noch die Sprache Descartes'. Es ist jene Verengung des Seelischen, gegen die die Lebensphilosophie einen so heftigen Kampf führt, besonders unter dem Losungswort: Geist als Widersacher der Seele.

b) Substantia

α) Die Substanz im allgemeinen

Die Philosophie des Descartes ist Substanzmetaphysik, was man über der mit dem cogito gegebenen Erkenntnisproblematik nicht übersehen sollte; denn das Ziel der cogitatio ist immer die „Natur der Dinge“. Die Termini natura, essentia, res, ratio rei begegnen bei Descartes, wie sie uns begegnen in der scholastischen Metaphysik, von den gleichen Problemen ganz zu schweigen, Trotzdem ereignet sich eine anscheinend kleine, in Wirklichkeit aber folgenschwere Änderung, nämlich eine neue Definition der Substanz. Sie lautet nunmehr: res, quae ita existit, ut nulla alia re indigeat ad existendum (Princ. I, 51). Vergleichen wir sie mit der aristotelisch-scholastischen Definition: substantia est res, cuius naturae debetur esse non in alio (sc. tamquam in subiecto), so sehen wir sofort, daß in den Begriff der Substanz jetzt auch die Frage nach dem Daseinsgrund aufgenommen ist und nicht bloß die Frage nach der Existenzform. Da nach Descartes alles Sein von Gott geschaffen ist, erklärt er konsequenterweise, daß es nur eine einzige Substanz geben könne: Gott. Das brächte nun eine Aufhebung aller eigenen Kausalität und aller Selbständigkeit im Reiche des Geschaffenen mit sich, und im Occasionalismus und bei Spinoza werden diese Konsequenzen tatsächlich gezogen, so daß bei letzterem die Definition Descartes' geradenwegs zum Pantheismus führt. Descartes selbst wollte allerdings nirgends Revolution machen, und so bremste er seine erste Entscheidung wieder ab, wollte weiterhin auch im geschaffenen Sein Substanzen annehmen und unterschied darum eine unendliche Substanz, nämlich Gott (substantia infinita sive Deus), und eine endliche Substanz mit den zwei großen Klassen Körper (substantia finita extensa sive corpus) und Geist (substantia finita cogitans sive mens), die, wenn sie auch von Gott abhängig sind, doch sonst von nichts mehr in der Welt abhängen, son-

αα) Definition der Substanz

ββ Eine oder mehrere Substanzen?

dern ganz selbständig je für sich gedacht werden und existieren können, so daß man sie sinnvollerweise als Substanzen bezeichnen dürfe, betonte aber, daß der Name Substanz von Gott und den Geschöpfen nicht univoce ausgesagt werden kann, wie es sonst in der Schule üblich sei (Princ. I, 51 f.). Ohne diese Einschränkung des Substanzbegriffs hätte Descartes die menschliche Person ihres Selbstandes berauben müssen. Was hätte es dann noch für einen Sinn gehabt, die Unsterblichkeit der Seele zu beweisen, die ihm das gleiche Anliegen ist wie der Beweis für das Dasein Gottes! Gegeben waren für Descartes die drei Substanzen entsprechend der von ihm vorausgesetzten Parallelität von Denken und Sein mit den drei eingeborenen Ideen Gott, Geist, Körper, und diese wieder waren gegeben mit dem cogito (Disc. IV, 2 ff.). In seiner theoretischen Reflexion erklärt er, ganz im Geiste der Schultradition (vgl. z. B. seine Antwort auf den 2. Einwand von Hobbes), daß wir die Substanz nicht unmittelbar durch sie selbst erkennen, sondern daraus, daß sie das Subjekt gewisser Tätigkeiten ist. Aus verschiedenen Tätigkeiten erschließen wir darum auch verschiedene Substanzen. Unter diesen Eigenschaften und Tätigkeiten sind nun die einen zufällig, die anderen grundlegend. Die letzeren vermögen ohne die ersteren, die ersteren aber nicht ohne die letzteren gedacht zu werden. Bei den Körpern zum Beispiel ist Lage, Gestalt, Bewegung zufällig, grundlegend aber die räumliche Ausdehnung. Bei den seelischen Erlebnissen sind Lieben, Hassen, Wollen, Urteilen zufällig, grundlegend aber ist das Bewußtsein. Die grundlegenden Eigenschaften heißt Descartes Attribute, die zufälligen aber Modi oder Akzidentien. Mit den Attributen haben wir eigentlich schon die Substanz in der Hand. Zwischen beiden besteht nämlich nur ein begrifflicher, nicht ein sachlicher Unterschied. Es ist nämlich die Substanz dann schon gegenüber einer anderen als eine eigene und verschiedene erkannt, wenn ich sie mit ihren Attributen allein, ohne Hilfe anderer Attribute denken kann. Das ist nun der Fall bei der denkenden Substanz, also Seele oder Geist, sowie bei der ausgedehnten Substanz, dem Körper. Beziehungslos und in strenger Exklusivität stehen darum bei Descartes entsprechend dieser Auffassung von Substanz die Welt der res cogitans und res extensa nebeneinander. Erst recht kann natürlich die unendliche Substanz ohne alles

γγ) Erkennbarkeit der Substanz

Attribut und Modus

Attribut und Substanz

andere gedacht werden, und mit ihr haben wir darum die Substanz im eigentlichen und strengsten Sinn vor uns. Überschaut man die Reflexionen über die Erkennbarkeit der Substanz im ganzen, dann zeigt sich, daß es unserem Philosophen um nicht weniger als um das Anliegen der regionalen Ontologien geht. Das Göttliche und das Geschaffene, das Seelisch-Geistige und das Materiell-Körperliche soll je in seiner wesenhaften einmaligen Typik herausgestellt werden. Nur wenn wir das im Auge behalten, wird verständlich, was Descartes mit der vielberufenen substantia will, wird aber auch zugleich die Größe seiner Leistung sichtbar.

β) Unendliche Substanz

αα) Inhalt der Gottesidee

Was Descartes unter der unendlichen Substanz versteht, hat er mehrfach definiert. Die ausführlichste Begriffsbestimmung lautet: Dei nomine intelligo substantiam quandam infinitam, independentem, summe inelligentem, summe potentem, et a qua tum ego ipse tum aliud omne, si quid aliud extat, quodcumque extat, est creatum; eine andere: Deum ita iudico esse actu infinitum, ut nihil eius perfectioni addi possit; oder kurz: Gott ist das ens summe perfectum (Med. III, 22, 27, 25). Denken wir aber Gott nicht bloß, oder existiert er wirklich? Es finden sich bei Descartes drei verschiedene Beweise für das Dasein Gottes. Ein erster Gedankengang, eingesprengt in andere Überlegungen, ist ein logisch-erkenntnistheoretischer und behauptet, wenn wir Unvollkommenes denken wollen, müssen wir immer das Vollkommene, wenn Endliches, das Unendliche voraussetzen. Das Unendliche darf nicht als eine Negation des Endlichen aufgefaßt werden, sondern ist „eine wahre Idee“, also etwas Positives, und es ist so, daß „der Begriff des Unendlichen dem des Endlichen, das ist der Begriff Gottes dem meiner selbst in gewisser Weise vorhergeht“. Wie sollten wir sonst das Unvollkommene als unvollkommen erkennen und darüber hinausstreben können? (Med. III, 23 f., Disc. IV, 4.) Die Überlegung mag Descartes bei Campanella gefunden haben, der diesen Gedanken kennt, wie auch Augustinus und Bonaventura. Jedenfalls gehört sie in die neuplatonische Tradition und deswegen muß diese seins- und werthierarchische Argumentation grundsätzlich für sich genommen und unterschieden werden von dem folgenden, bei Descartes allerdings damit verknüpften Gedankengang, der eigentlich noch das alte kosmologische Argument darstellt, weil er noch den Begriff der Wirkursache im Sinne des ari-

ββ) Existenz Gottes

Das Unvollkommene und das Vollkommene

stotelisch-thomistischen Denkens mit hereinnimmt. Wir finden in uns die Idee des ens summe perfectum vor. Sie kann nun unmöglich aus dem Nichts noch aus uns selbst als dem weniger Vollkommenen entstanden sein. Warum nicht? Unsere Ideen enthalten die Vorstellung einer Realität als ihren Gegenstand („objektive Realität"). Die eine stellt dabei diese, die andere jene objektive Realität vor. Dafür brauchen wir eine Ursache, sonst entstünden die Ideen ja aus dem Nichts. Und nicht nur eine Ursache überhaupt, sondern eine entsprechende brauchen wir; denn „es ist vermöge der natürlichen Einsicht offenbar", daß mindestens ebensoviel Realität in der wirkenden Ursache vorhanden sein muß wie in der Wirkung dieser Ursache; also mindestens ebensoviel „formale", d. h. wirkliche Realität muß in der Ursache sein wie vorgestellte oder „objektive" in der Idee. Eben darum kann die Idee eines vollkommenen Wesens auch nicht von uns selbst stammen; denn wir sind ja nur unvollkommene Wesen, wären also keine adäquate Ursache für diese Idee. Man darf auch nicht denken, daß man die Idee des ens summe perfectum durch Zusammenstellung und Umbildung anderer Vorstellungen sich selbst bilden könne — Descartes nimmt hier schon die Antwort auf einen Einwand von Hobbes vorweg —, denn „wenngleich etwa eine Idee aus einer anderen entstehen könnte, so kann doch dies nicht ins Unendliche fortgehen, sondern man muß schließlich zu irgendeiner ersten gelangen, deren Ursache gleichsam das Urbild darstellt und in welchem dann die gesamte Realität in formaler Weise enthalten ist, die in der Idee in nur objektiver Weise enthalten ist" (Med. III, 15). Damit aber haben wir Gott selbst gefunden, die omnitudo realitatis, wie Kant dafür sagen wird, offenbar in Erinnerung an diesen Gedanken Descartes'; oder die Idee der Ideen, wie Platon gesagt hat und der Neuplatonismus, dessen Grundsatz, daß die Ursache vornehmer sei und realer als die Wirkung, Descartes hier in der vorsichtigeren Form übernommen hat, daß die Ursache mindestens ebensoviel formale Realität besitzen muß als die Wirkung (die Idee) vorgestellte (vgl. Plotin, Enneaden III, 3, 3, 32 Bréhier; Porphyrios, Sententiae ad intelligibilia ducentes, cap. 13 Mommert; Proklos, Stoich. theol. prop. 7, 14, 31). Von diesem neuplatonischen Hintergrund aus muß das Argument Descartes' verstanden werden; letztlich aber von der plato-

Ens summe perfectum

nischen Dialektik her, wenn es einen Sinn haben soll. Bezeichnenderweise polemisiert Descartes im Discours (IV, 6) sehr deutlich gegen die Leute, die es für schwierig halten, Gott und die Seele zu erkennen. Für Descartes sind Gott und Seele das Bekanntere. Für jene aber sei es deswegen schwierig, das Übersinnliche zu denken, weil sie von den sinnlich wahrnehmbaren Dingen nicht loskommen und nur das begreifen wollen, wovon sie sich ein Vorstellungsbild machen können, was dadurch offenbar werde, daß selbst die Philosophen — die der Schule — den Grundsatz vertreten, daß nichts im Verstand sei, was nicht zuerst in den Sinnen war, wo freilich die Vorstellungen von Gott und der Seele sicherlich niemals gewesen seien. Das dritte Argument Descartes' für das Dasein Gottes ist das Anselmianische, der sogenannte ontologische Gottesbeweis. Er besagt, daß das Dasein zur Idee oder Wesenheit Gottes notwendig gehöre, so wie zur Wesenheit des Dreiecks die Größe seiner Winkel als zweier Rechten oder zur Idee des Berges die Idee des Tales. Einem höchst vollkommenen Wesen das Dasein abzusprechen, hieße ihm eine Vollkommenheit absprechen, was ein Widerspruch in sich wäre (Med. V, 7—12). Kant wird in seiner „Kritik der reinen Vernunft" (B 626 f.) dagegen einwenden, daß das Dasein kein Begriff sei, der zum Begriff eines Dinges hinzukomme; hundert wirkliche Taler enthalten begrifflich nicht mehr als hundert mögliche Taler. Das Dasein liege auf einer anderen Ebene, sei einfach die Position eines Dinges, und das wäre jeweils eine Frage für sich. Man beachte: Descartes redet von der Idee oder Wesenheit Gottes, Kant aber vom Begriffe Gottes. Descartes hat im Anfang zu den zweiten Erwiderungen („Gedanken zum Beweise des Daseins Gottes und der Unterschiedenheit der Seele vom Körper nach geometrischer Methode geordnet") übrigens ausdrücklich definiert, was er gemeint hat: „Wenn wir sagen, etwas sei in der Natur oder im Begriff einer Sache enthalten, so ist dies dasselbe, wie wenn wir sagten, dies sei von der Sache wahr oder dies könne von ihr behauptet werden" (Def. 9). Kant hat also Descartes nicht mehr verstanden; deswegen nicht, weil inzwischen durch den Skeptizismus Humes Denken und Sein auseinandergerissen worden waren. Jetzt war der Begriff „nur" mehr Begriff. Descartes weiß auch um Gedanken, die nur Gedanken sind (Med. V, 10). Aber eine Idee ist ihm nicht

Ontologischer Gottesbeweis

bloß Gedanke, sondern schon Wirklichkeit. So will es der Ideal-Realismus platonisch-augustinischen Philosophierens. Für ihn muß die Idee nicht erst wie der Begriff Kants „gesetzt“ werden, um damit die Ebene des Daseins zu treffen; wo sie ergriffen wird, ist eo ipso auch die Wirklichkeit da, „patet enim illud omne quod verum est esse aliquid“ (Med. V, 6); sie ist ja, um die Sprache Platons zu sprechen, die hier gesprochen werden muß, das ὄντως ὄν. Hier gehört die Realität „zur Sache“, wie Descartes eigens bemerkt (Med. V, 7, 10), und ist nicht wie bei Kant die Frage einer eigenen Operation. Das Geheimnis des Ideal-Realismus liegt eben darin, daß es für ihn überhaupt nicht ein leerlaufendes Denken geben kann. Im einzelnen Fall gibt es den Irrtum oder die Imagination, worauf schon Thomas und Gaunilo in Sachen des Anselmianischen Argumentes verwiesen; aber der Geist als solcher ist eo ipso mit dem Sein verbunden. Es bedarf keines Überschreitens des subjektiven Bereichs; der Geist ist immer schon Seinserfassung. Doch das sah man von dem Augenblick an nicht mehr, wo mit dem englischen Psychologismus der Begriff „nur“ mehr Begriff war. Es ist bezeichnend, daß in einer französischen Übersetzung der Meditationes von 1661 im Anschluß an das soeben aus Med. V, 6 angeführte Zitat der Zusatz steht: „la vérité étant une même chose avec l'être“. Das war noch exakt die Meinung Descartes'. Kant hat um diesen Zusammenhang nicht mehr gewußt und das Ganze nur aus seiner Situation heraus gesehen. — Das Wesen Gottes sieht Descartes entsprechend der Tradition in der Aseität. Er hat aber in seiner Erwiderung auf die ersten Einwände zu den Meditationes Gott auch die causa sui genannt. Er ist sich klar, daß nichts Ursache seiner selbst sein kann, wenn Ursache ein Vorangehen bedeuten soll oder eine Verschiedenheit von der Wirkung. Gott aber ist so groß, daß er keiner Beihilfe zu seiner Existenz bedarf, er braucht nichts, was ihm vorausginge oder was von ihm verschieden wäre. Und dafür möchte Descartes sagen: „er ist gewissermaßen Ursache seiner selbst“ (causa sui). Vielleicht verbirgt sich dahinter aber doch eine mehr dynamische Fassung des Gottesbegriffes. Man könnte daran denken, weil Descartes in verschiedenen Briefen einen betont voluntaristischen Gottesbegriff voraussetzt: Gott bestimmt aus sich in absoluter Freiheit die ewigen Wahrheiten und mit ihnen das Sittengesetz.

γγ) Die Natur Gottes und das Gute

Man hat deswegen Descartes gern unter die theologischen Moralpositivisten gezählt. Aber es wäre zu prüfen, ob dieses

δδ) Transzendenz

Setzen nicht ein zeitloses ist, und dann wäre diese Beurteilung nichtig. Mit dem Gottesgedanken überwindet Descartes nun den solipsistischen Subjektivismus, bei dem man mit dem cogito möglicherweise stehen bleiben könnte. Er sagt sich, wenn die Gottesidee nicht durch mich selbst gebildet werden kann, sondern eine Ursache außer mir verlangt, so folgt daraus, „daß ich nicht allein auf der Welt bin, sondern

Gottes

daß auch irgendeine andere Sache, welche die Ursache dieser Idee ist, existiert" (Med. III, 16; Disc. IV, 4). Damit ist der Schritt über das Subjekt hinaus getan und wenigstens die Transzendenz gegeben, die wir Gott heißen. Und die Trans-

der Außenwelt

subjektivität der Körperwelt? Es besteht für sie wenigstens eine moralische Gewißheit, „die derart ist, daß man, wie es scheint, ohne überspannt zu sein, daran nicht wohl zweifeln kann" (Disc. IV, 7). Man kann aber auch Vernunftgründe dafür ins Feld führen, Überlegungen nämlich, die auf das Gesamt unserer Erfahrungen und Berechnungen gehen und uns damit in die Lage versetzen, Wirklichkeit und Traum zu scheiden. Immerhin, eine metaphysische Gewißheit bietet weder das eine noch das andere. In der 6. Meditatio, in der Descartes das Dasein der materiellen Dinge betrachtet, schaut er zurück auf seinen Zweifel, der die Realität der Außenwelt in Frage gestellt hatte (5—14). Den später so genannten sekundären Qualitäten (s. unten S. 111) mißtraut er immer noch. Anders ist es aber jetzt mit den primären Qualitäten bestellt, also jenen Wahrnehmungen, die man mathematisch fassen kann, wie Ausdehnung, Gestalt, Bewegung. Aber auch da gibt es nur Wahrheit, wenn es sich um klare und deutliche Wahrnehmungen handelt (10); dann allerdings bilden wir Dinge an sich adäquat ab. Allerletzte Grundlage der Sicherheit ist aber der Gottesgedanke. Erst im Gedanken an die Existenz und Wahrhaftigkeit Gottes können wir der Realität der Körperwelt sicher sein (Disc. IV, 7; Med. V, 15; VI, 10).

γ) Res cogitans

Im Bereich des endlichen Seins ist für Descartes das zuerst und unmittelbar Gegebene die seelische Substanz. Diese Einsicht ergibt sich ihm klar und deutlich aus dem cogito: „Aus

αα) Existenz der Seele

all dem erkannte ich, daß ich eine Substanz war, deren ganze Wesenheit oder Natur nur im Denken besteht und die, um zu sein, keines Ortes bedarf noch auch von irgendeinem materiellen Ding abhängt. Es ist demnach dieses Ich, d. h. die Seele, durch die ich bin, was ich bin, von meinem Körper gänzlich verschieden und selbst leichter zu erklären als er; und wenn es gleich keinen Körper gäbe, so würde sie doch genau so bleiben, was sie ist“ (Disc. IV, 2). An der Existenz der Seele (wie auch Gottes) können nur jene zweifeln, die ihren Geist nie über die Sinne erheben und ganz daran gewöhnt sind, nichts zu betrachten, ohne es gleich der Einbildungskraft zu unterwerfen, die doch nur eine besondere Bewußtseinsart zur Betrachtung nur der materiellen Dinge ist (Disc. IV, 6). Nachdem im cogito die Existenz des Nichtmateriellen unmittelbar gegeben ist, sei darum an der Existenz der Seele festzuhalten. Ihre Natur besteht in nichts anderem als im Denken (De pass. an. I, 17). Wie wir bereits sahen, gehört aber zur cogitatio alles, was wir Bewußtsein heißen, also nicht bloß reines Denken. Jedenfalls aber ist Seele nicht mehr wie in der alten Philosophie Lebensprinzip. Die Bewegung des Körpers kommt nicht von ihr, und der Körper stirbt nicht, weil die Seele entweicht, sondern weil unsere körperliche Bewegung aufhört, hört auch das Bewußtsein auf (De pass. an. I, 5). Mit der Fassung der Seele nur als Bewußtsein hat Descartes den modernen Begriff der Psychologie geformt, womit er wieder einen Wendepunkt geschaffen hat. Wenn er aber in der cogitatio ohne weiteres die res cogitans findet = substantia = Seele = Ich, wie es in dem Zitat aus Disc. IV, 2 so typisch ausgesprochen wird, ohne etwa wie Hume nur an einen Strom von Akten zu denken, so bewegt er sich damit wieder in den Geleisen der alten Metaphysik. Das Ich ist ihm trotz allem noch nicht zum Problem geworden. Das kommt erst mit Kant und später. Descartes teilt die Bewußtseinsinhalte ein in tätige und leidende Zustände der Seele. Tätige Zustände sind die Formen des Willens, leidende alles, was sich an Empfindungen und Kenntnissen in uns zeigt, also die Vorstellungen. Diese selbst können wieder von der Seele als solcher veranlaßt sein, wie z. B. Vorstellungen einer Chimäre; oder sie können durch besondere Bewegungen der Lebensgeister durch den Körper entstehen, wie z. B. Traum- oder Wahnvorstellungen; oder aber sie können vermittels der Nerven entstehen, die mit dem Gehirn verbunden sind. Von diesen wieder, so heißt es

ββ) Natur der Seele

recht vorsichtig und kritisch, „beziehen" wir die einen auf äußere Gegenstände, die unsere Sinne erregen und „die wir als ihre Ursachen ansehen" (De pass. an. I, 23), worunter auch der Körper fällt (Vorstellungen des Hungers, Durstes, niederes natürliches Begehren, auch Wärme, Schmerz), die anderen beziehen wir auf die Seele. Es sind die Vorstellungen, „die man als die alleinige Wirkung der Seele annimmt und von denen man in der Regel keine nächste Ursache kennt". Sie hängen aber zusammen mit der Bewegung der Lebensgeister und stehen darum nicht voll in unserer Macht. Es sind die Gefühle der Freude, des Zornes und ähnlicher Dinge. Obwohl eigentlich alle Vorstellungen der Seele Erleidungen sind, heißen doch nur die letztgenannten „Leidenschaften der Seele" im engeren Sinne. Sie bilden den Gegen-

γγ) Passiones animae

stand des Werkes De passionibus animae. Die sechs urspünglichen und einfachen Leidenschaften sind: Verwundern, Liebe, Haß, Begehren, Freude und Traurigkeit. Alle anderen Affekte sind daraus zusammengesetzt oder bilden Unterarten davon. Descartes hat das alte Thema ausführlich behandelt. Wir sollen, meint er, die Leidenschaften kennen, dann brauchen wir sie weniger zu fürchten. Sie sind von Natur aus alle gut; nur müsse man sie beherrschen: man dürfe keinen schlechten Gebrauch von ihnen machen und sie nicht übermäßig werden lassen. Das für Descartes Charakteristische, seinen Rationalismus, sehen wir darin, daß auch Gefühl und Affekt für ihn Vorstellungen sind und daß er des Glaubens ist, daß die Kraft der Leidenschaft immer darin liege, daß sie die Seele täuscht durch Vorspiegelung unzutreffender Gründe und daß darum das Universalmittel gegen sie in der Einsicht in die wahren Sachverhalte besteht und in der Bereitstellung der richtigen Gründe und Gegengründe (De pass. an. III, 211). „Lösche die Vorstellung aus", hatten die Stoiker gesagt. Sachlich das gleiche empfiehlt auch Descartes. Die Kritik, die Spinoza im Vorwort zum 5. Teil der Ethik an Descartes übt, betrifft mit Recht dessen Wechselwirkungslehre, nicht aber seine Methode zur Beherrschung der Leidenschaften. Hier gehen beide praktisch einig in dem Vorschlag, die Leidenschaften zu regeln durch richtiges Denken. Nur in der Theorie über die Auswirkung der klaren Ideen — Wechselwirkungs- bzw. Identitätstheorie — unterscheiden sie sich.

Das andere große Reich der endlichen Substanzen neben und außer der Seele ist die Körperwelt, die Welt der res extensa. Bestand die Seele im Bewußtsein, so besteht der Körper in der Ausdehnung. In der zweiten Meditation heißt es noch: „Unter Körper verstehe ich alles, was durch irgendeine Figur begrenzt, was örtlich umschrieben werden kann und einen Raum so erfüllt, daß es aus ihm jeden anderen Körper ausschließt; was durch Gefühl, Gesicht, Gehör, Geruch oder Geschmack wahrgenommen oder auch auf mannigfache Weise bewegt werden kann, zwar nicht durch sich selbst, aber durch irgend etwas anderes, wodurch es berührt wird" (Med. II, 5). Man erkennt hier schon die Mathematisierung des Körpers. Immerhin heißt es noch: Körper ist erfüllter Raum. In den Prinzipien aber ist die Mathematisierung eine vollständige: „Wir werden erkennen, daß die Natur der Materie oder des Körpers überhaupt nicht in Härte, Gewicht, Farbe oder irgendeiner anderen sinnlichen Eigenschaft besteht, sondern nur in seiner Ausdehnung in Länge, Breite und Tiefe" (Princ. II, 4). Der Unterschied zwischen mathematischem und erfülltem Raum ist ihm nur noch ein begrifflicher, nicht ein sachlicher. Und so stellt er für die Frage nach dem Wesen des Körpers die Gleichung auf: corpus sive extensio. Damit haben wir wieder etwas ganz Selbständiges, aus sich allein Begreifbares vor uns wie im Denken. Und eben deswegen tut sich mit dem Körper ein neues Reich des Seins auf, das vom seelischen Sein absolut verschieden ist. Das Ausgedehnte ist es auch, was wir in der Körperwelt klar und deutlich wahrnehmen; dazu die Gestalt, die sich aus der Ausdehnung und deren Begrenzung ergibt, und die Lage, welche die verschiedenen Gestalten zueinander einnehmen, sowie die Veränderung dieser Lage, worin die Bewegung besteht. Außerdem könne man noch die Substanz (sc. die Einzelsubstanz: dieser bestimmte Körper), die Dauer und die Zahl hinzunehmen. Wir sehen, Descartes traut nur dem mathematisch Faßbaren in der Körperwahrnehmung. Was Locke sekundäre Sinnesqualitäten heißen wird, also Licht, Farbe, Ton, Geruch, Geschmack, Wärme und Kälte und sonstige Berührungsqualitäten, ist für Descartes auch verdächtig; es ist ihm dunkel und verworren, und wir wüßten nicht, ob es wahr oder falsch ist, d. h. ob die Vorstellungen, die wir davon haben, Vorstellungen von Dingen oder Nichtdingen sind (Med. III, 19; VI, 10). Körper ist

δ) **Res extensa**

αα) **corpus sive extensio**

ββ) **Sinneswahrnehmung**

mathematisch faßbare Ausdehnung. Damit geht es nun konsequent weiter. Die Körperbewegung ist „Überführung eines Körpers aus der Nachbarschaft der ihn unmittelbar berührenden und als ruhend betrachteten Körper in diejenige anderer". Es gibt keinen leeren Raum, wie der Atomismus Gassends es wollte. Es gibt nur mathematische Grenzen und deren Verschiebung. Bewegung ist auch keine Tätigkeit, denn der Widerstand ist so groß wie die ihm entgegengesetzte Kraft. Das hebt sich auf. Aber die Grenzen sind faßbar, klar und deutlich. Es sind die Grenzen, die in den Raum des Universums eingezeichnet sind und in immer neuen Verhältnissen zueinander stehen, was eben die Bewegung ausmacht. Man muß hier an die analytische Geometrie Descartes' denken. Ihre mathematischen Funktionen sind das Mittel der Bewegungserkenntnis. Die ganze Körperwelt ist für Descartes in ein Koordinatensystem eingespannt und kann darin gemessen werden. „Um alle in der Natur vorhandenen Kurven miteinander zu umfassen und sie der Ordnung nach in bestimmte Gattungen zu scheiden, wüßte ich nichts Besseres, als zu sagen, daß alle Punkte der Kurve, die man als geometrisch bezeichnen kann ..., notwendig eine Beziehung zu allen Punkten einer Geraden haben, die durch eine Gleichung ausgedrückt werden kann, und zwar ist diese Punkt für Punkt dieselbe." Damit ist nun der für Descartes' Philosophie so bezeichnende Mechanismus gegeben. Er ist ein geometrischer und unterscheidet sich insofern etwa von dem Mechanismus der Masse, wie ihn der Atomismus vorträgt, wenn dieser Unterschied auch, was den Mechanismus-Begriff selbst angeht, nicht ein prinzipieller ist. Jedenfalls bedeutet er den schärfsten und exaktesten Sinn vom Mechanismus überhaupt. Bei ihm absorbiert von vornherein das geometrische Denken die Sinnesqualitäten, einschließlich der Solidität; aber nicht nur die Sinnesqualitäten, sondern auch das teleologische Eidos der Alten, mit dem bisher die Naturphilosophie, besonders die Bewegungslehre, bestritten wurde. In der Bewegungslehre der aristotelischen Philosophie haben wir einen Dualismus von Potenz und Akt, Materie und Form vor uns; eigentlich sogar drei Faktoren, wenn man die στέρησις noch dazunimmt; und als Grundsatz für alles Werden gilt hier der Satz des Aristoteles: „Die Materie sehnt sich nach der Form." Die Form ist ein teleologischer Faktor, der

γγ) Körperliche Bewegung

δδ) Mechanismus

das Werden steuert, fast so etwas wie eine Providenz. Bei Descartes jedoch haben wir nur den Monismus der Raumgrenzen vor uns, wo mit der einen Grenzverschiebung eo ipso — und in diesem eo ipso liegt letztlich der ganze Mechanismus — der benachbarte Körper betroffen ist, von diesem wieder und so immerzu, bis das letzte Glied des Kreises dort wieder einrückt, wo das erste Platz gemacht hat. Handgreiflicher, wenn auch philosophisch weniger scharf, sieht man den Mechanismus in der Lehre Descartes' vom „Leben" der Pflanzen und Tiere. Er denkt hier absolut physizistisch und erkennt im Lebendigen nicht mehr eine eigene Schicht des Seins mit eigenen Kategorien. Er hat das alles der Konsequenz seines Systems, näherhin seiner Substanzauffassung, geopfert. Tiere sind Automaten und von den üblichen künstlichen Automaten nur graduell unterschieden, d. h., sie sind bessere Automaten, weil eben die Maschinen, die der göttliche Werkmeister schuf, besser gehen. Und weil die Tiere Automaten sind, sind sie ohne Seele. Ihre vermeintliche Bewegung ist nur eine Weiterwirkung der universalen Bewegung. Sie besitzen nicht jene Selbstbewegung, die nach Aristoteles die Eigentümlichkeit seelischen Lebens ist. Alles, was sie tun, ist bloß mechanische Reizreaktion. Sie sehen nicht, sondern machen nur Sehbewegungen; hören nicht, sondern machen nur Hörbewegungen; und so überall. Natürlich, sie sind ja nur res extensa und besitzen keine cogitatio; darum auch keine Empfindung. Nur wir Menschen legen ihre Bewegungen so aus, als ob es Empfindungen wären. Der einzige Punkt, wo das mechanistische Denken aussetzt, ist der Anfang der Bewegung. Der stammt nach Descartes von Gott. Er hat sie geschaffen und erhält ihre Summe konstant. Bald aber wird diese für den strengen Mechanisten unerträgliche Inkonsequenz beseitigt werden, und dann läuft die Weltmaschine von Ewigkeit her und läuft in ihrer eigenen Kraft, ohne Gott oder selbst ein Gott.

ε) Wechselwirkung

αα) Der Leib des Menschen

Auch der Mensch (De pass. an. I, 1—17) ist, was seinen Leib als solchen anlangt, eine Maschine. Wieder ist es nicht die Seele, was den Leib lebendig macht — die Selbstbewegung der Alten —, sondern die Lebensbewegung im ganzen ist ein Teil der kosmischen Bewegung und kommt somit von außen. Der lebendige Körper sei wie eine Uhr, die aufgezogen wurde. Damit hat der Körper seine Bewegung. Der Tod kommt immer nur dadurch, daß ein Hauptorgan zerbrochen ist, nicht aber davon, daß die Seele den Leib verläßt. Die einzelnen Bewegungen des lebendigen Körpers aber werden verursacht durch die sogenannten Lebensgeister. Das sind aber auch wieder Körper; nur haben sie die Eigentümlichkeit, daß sie sehr klein sind und wie die Teile der Flamme einer Fackel sich sehr schnell bewegen. Sie werden erzeugt durch das Blut und seine Wärme, in den verschiedenen Teilen des Körpers verschieden, und vom Herzen aus — Harvey hatte 1628 seine umwälzende Schrift erscheinen lassen: De motu cordis et sanguinis in animalibus — über das Gehirn zu den verschiedenen Muskeln geleitet, und erzeugen damit die Bewegung, genauer: geben sie weiter. Und weil es Wärme und Beweglichkeit der Teile auch in toten Körpern gibt, zum Beispiel in der Flamme, glaubt Descartes keine Veranlassung zu haben, für die Bewegung des lebendigen Körpers andere Ursachen suchen zu sollen als jene der res extensa (De pass. an. I, 4). Und damit bleibt es beim Mechanismus auch für den lebendigen Körper: die Einzelbewegungen des Leibes „werden von der Hitze des Herzens erweckt und erfolgen im Gehirn, den Nerven und Muskeln ebenso natürlich wie die Bewegungen einer Uhr durch die bloße Kraft einer Feder und die Gestalt ihrer Räder“ (De pass. an. I, 16). Daß nun die Lebensgeister bald diese bald jene Bewegung auslösen, hat drei Ursachen: eine äußere, in den Gegenständen liegende, die unsere Sinnesorgane in verschiedener Weise reizen und damit das Gehirn, über das die Lebensgeister strömen, beeinflussen; eine innere, in den Lebensgeistern selbst liegende, in ihrer ungleichen Bewegung und in der Verschiedenheit ihrer Teilchen nämlich, was wieder zurückzuführen ist auf die Verschiedenheit der Stoffe, aus denen sie sich bilden, „wie sich bei Personen zeigt, die viel Wein getrunken haben: die Dünste dieses Weines dringen schnell in das Blut, steigen vom Herzen in das Gehirn, verwandeln sich da in Lebensgeister, die stärker sind und zahlreicher als die gewöhnlichen und deshalb den Körper auf mancherlei Weise bewegen“ (De pass. an. I, 15). Eine dritte Ursache endlich ist die Seele selbst.

ββ) Leib und Seele

Bis jetzt ging es ganz mechanistisch zu. Nach Descartes müßte man prinzipiell einen Homunculus ganz natürlich fabrizieren können. Allein der echte Mensch unterscheide sich von einem Roboter trotzdem, und zwar durch Denken, Sprechen und die von der Vernunft verursachten Bewegungen. Damit ist jetzt der Mechanismus durchbrochen. Es gibt auch für Descartes eine Verbindung von Leib und Seele. Sie ist zwar nicht so eng wie in der aristotelischen unio substantialis, aber auch nicht so locker wie das Verhältnis des Bootsmannes zu seinem Kahn, sondern ist eine unio compositionis, eine summistische Einheit, bei der grundsätzlich die Summanden als eigene Größen immer noch wesenhaft verschieden bleiben. Aber es findet eine Wechselwirkung statt, und zwar über eine Stelle im Gehirn, die Zirbeldrüse, wo die Seele, die an sich mit allen Teilen des Körpers verbunden ist, doch besonders wirksam werde. Sie kann von hier aus die Bewegungsrichtung der Lebensgeister beeinflussen und so über den Körper Macht gewinnen, was wichtig ist für die Beherrschung der Leidenschaften, wie auch umgekehrt über die Zirbeldrüse die Veränderungen, die der Lauf der Lebensgeister durch äußere Sinnesreize empfangen hat, wieder der Seele mitgeteilt werden (De pass. an. I, 31—41). Obwohl Descartes zu Beginn seiner Abhandlung über die Leidenschaften der Seele entschlossen war, auch beim Menschen Leib und Seele auseinanderzuhalten, und dort Seele und Geist so schroff einander gegenüberstehen, daß Klages daran seine Freude haben kann, muß er jetzt doch eine Wechselwirkung annehmen, trotz seiner Substanzdefinition, die an sich so etwas ausschließt, weil sie auf der Voraussetzung beruht, daß Substanz eben gerade das ist, was aus sich selbst existiert und begriffen werden kann. Die Tatsachen waren stärker als die zunächst aufgestellten Begriffe. Seine Schülerin, die Prinzessin Liselotte von der Pfalz, hat Descartes auf den Widerspruch der Wechselwirkungslehre zu seiner Substanzauffassung schon früh hingewiesen. Descartes mußte erwidern, daß es darüber eine klare und deutliche Einsicht nicht gibt, daß die Wechselwirkung überhaupt rätselhaft sei, aber immerhin Tatsache wäre. Trotz der damit offenkundigen Aporie hat Descartes mit seiner Substanzlehre ebenso in die Zukunft gewirkt wie mit seinem cogito. Aus der Substanzdefinition entwickeln sich der Occasionalismus und die Lehre Spinozas. Und aus der scharfen Trennung ziehen bald der Materialismus und Mechanismus, bald der Psychologismus und Idealismus Nutzen, indem sie je nur die eine Seite gelten lassen und die andere streichen. Dann wieder bemühen sich die Parallelismus- und

γγ) Die Aporie

δδ) Nachwirkungen

Identitätstheorien um eine Überbrückung der aufgerissenen Kluft. Keiner von den kommenden Großen, Leibniz, Kant und die deutschen Idealisten, wäre zu verstehen ohne das Material, das Descartes mit seinem Substanzdenken zur weiteren Bearbeitung überliefert hat.

c) Descartes' Größe und Grenzen

Für die philosophische Würdigung des Rationalismus ist das eben erwähnte Geständnis der Aporie der Wechselwirkungslehre von besonderem Wert. Es läßt sich die Frage aufwerfen, wieweit die idea clara et distincta wirkliche Schau von Sachverhalten war und wieweit vielleicht nur Schau subjektiver Bewußtseinsinhalte, die man aber für Sachverhalte hielt, weil vielleicht die Tradition oder andere Gründe sie dafür ausgaben. Es ist das die Frage nach dem Verhältnis Descartes' zu den Tatsachen der Erfahrung und zum Konkreten, vom Historischen gar nicht zu reden. Obwohl er sich prinzipiell für die Auswertung der Erfahrung entscheidet, besteht doch kein Zweifel, daß diese Seiten der Wirklichkeit bei ihm zu kurz gekommen sind. Die Begriffe, Definitionen und das System breiten sich eigenmächtig und übermächtig aus. Descartes war ungemein geistreich, aber sein Esprit war gewalttätig und höchst einseitig, aber noch in der Einseitigkeit ist er bewundernswert. Es ist begreiflich, daß die Existenzphilosophie mit ihrer Würdigung des Zeitlichen und Geschichtlichen ihn immer wieder angreifen muß. Descartes nur unter nationalen Gesichtswinkeln zu sehen und ihn deswegen vielleicht abzulehnen ist Torheit. Er ist eine abendländische Gestalt. Wer sich mit ihm auseinandersetzen will, muß sich mit der platonisch-aristotelischen Philosophie überhaupt auseinandersetzen, und zwar mit dem, was vor Descartes schon war und worauf er fußte, und dann mit dem, was nach ihm und aus ihm wurde in der Wesensmetaphysik bei Leibniz und im deutschen Idealismus, aber auch im Psychologismus der Engländer und seinem Überwindungsversuch durch Kant.

d) Freunde und Gegner Descartes'

Es ist für das Verständnis und die philosophische Würdigung Descartes' ertragreich, wenn man überschaut, wer sich für ihn begeistert und wer ihn bekämpft, und sich dabei fragt, aus welchen Grundhaltungen heraus man wohl dieses oder jenes tun zu müssen glaubte. Bald redete ja alles von Descartes und kam durch ihn in Aufregung. In Holland, seiner zweiten Heimat, wird seine Philosophie in Utrecht schon früh vertreten durch den Philosophen Reneri († 1639) und den Mediziner Regius († 1679), in Leyden durch Jean de Raey, Geulincx u. a., und in Amsterdam schreibt 1666 in seinem Sinn der Arzt L. Meyer. In Frankreich sind Cartesianer: Claude de Clerselier († 1686), der später nachgelassene Schriften Descartes' herausgeben wird, der Physiker Jacques Rohault († 1675), der empirisch eingestellte Sylvain Régis (†1707) sowie weite geistliche Kreise, besonders die Oratorianer (ihren Gründer Kardinal Bérulle lernten wir schon als Patron Descartes' kennen) und die Jansenisten von Port Royal. Die Logik von Port Royal, bearbeitet von Antoine Arnauld († 1694) und Pierre Nicole († 1695) unter Verwertung von Entwürfen Pascals, ist in der Hauptsache cartesianische Philosophie. Aber auch die beiden berühmten Bischöfe Bossuet und Fénelon entscheiden sich für den Cartesianismus. Nach Deutschland kam die Lehre durch Johannes Clauberg († 1665); nach England durch den Franziskaner Antoine Le Grand († 1699); nach Italien durch Michelangelo Fardella († 1718), der den Augustinismus mit dem Cartesianismus und den Anschauungen von Malebranche verband. Unter den Gegnern befinden sich der Atomist Gassend, der Materialist und Nominalist Hobbes, der aristotelisch ausgerichtete protestantische Theologieprofessor von Utrecht Voëtius († 1676), viele Jesuiten, der Bischof Daniel Huët († 1721), der englische Neuplatoniker Henry More († 1687). Es kam sogar zu Verboten der cartesianischen Philosophie, 1642 in Utrecht, 1648 in Leyden, 1656 erfolgt ein Verbot der Staaten von Holland, und 1663 wurden in Rom die Schriften Descartes' auf den Index gesetzt. Vergleichen wir, so zeigt sich: Naturwissenschaftler, wie Ärzte und Physiker, sind für und sind gegen Descartes; ebenso sind aristotelisch orientierte Philosophen teils für (Raey will aristotelische und cartesianische Philosophie verbinden) teils gegen (Voëtius, die Jesuiten), aber auch ein platonisch denkender Philosoph (More) ist gegen Descartes, und zwar gegen seinen einseitigen Mechanismus, während allerdings sonst die Mehrheit, die augustinisch orientierten Oratorianer und die Jan-

α) Freunde

β) Gegner

γ) Descartes-Interpretation

senisten sowie Fardella, für ihn ist; immerhin, Arnauld ist der Verfasser der 4 Einwände gegen die Meditationes. Wie kommt es, daß Descartes so verschieden beurteilt wird? Es bildet wohl wieder, wie gewöhnlich bei den Großen, die Offenheit nach vielen Seiten den Grund hierfür. In Descartes sind zahlreiche Fäden einer reichen geschichtlichen Entwicklung verknüpft, und sein Denken wußte, sich befreiend von der Enge der Schulrichtungen, in eigenständiger Sachbetrachtung überall das Wahre zu ergreifen, während weniger agile Geister sich immer in der einmal beschrittenen Bahn bewegen und darum nur die Fäden wieder aufnehmen können, die ihnen bekannt sind.

δ) Pascal Besonders aufschlußreich für die philosophische Würdigung Descartes' ist das Denken eines Mannes, der auch früh von Descartes angeregt wird, sich dann aber selbständig mit ihm auseinandersetzt und weiterentwickelt: Blaise Pascal (1623 bis 1662), der Wortführer von Port-Royal und berühmte Verfasser der Lettres provinciales. Auch er steht dem Zweifel gegenüber und müht sich um die Wahrheit, näherhin um die christliche Wahrheit; denn Pascal ist ein typisch religiöser Mensch, wenn nicht schon seit einer frühen Hinwendung zur Religion, so jedenfalls seit seiner sogenannten „zweiten" und endgültigen Bekehrung (1654). Der Zweifel hat es ihm aber schwerer gemacht als Descartes; er verfolgt ihn zeitlebens, so daß manche geglaubt haben, in Pascal einen Skeptiker sehen zu müssen. Allein das ist er nicht. Hier hat man etwas verwechselt. Er war ein existentieller Geist, der immer wieder alles neu und von Grund auf erlebte und so ständig um die Wahrheit rang. In seiner Frühzeit, etwa bis zum 23. Lebensjahr, bewegt er sich im Freundeskreis von Descartes und erhofft die Rettung durch die Vernunft und das mathematische Wissenschaftsideal, das auf alle Gebiete angewendet werden sollte. Aber dann durchschaut er die Grenzen dieser Methode und bringt drei Faktoren zur Geltung, die bei Descartes wenig oder nicht gesehen worden waren, deren Bedeutung wir aber heute wieder besonders schätzen:

αα) Das Einzelne das Einzelne, den Einzelnen und den Glauben. Gleich zu Beginn der Pensées (in der Ordnung Brunschvicgs) steht jener bekannte Paragraph über den Unterschied zwischen dem mathematischen Geist und dem Geist des Scharfsinns oder der Feinheit, womit sofort das ersichtlich wird, was für Pascal typisch ist, Descartes aber zu wenig beachtet hatte, das Einzelne und Konkrete. Der Geist des Scharfsinns und der Feinheit geht nämlich auf die konkreten Dinge der täglichen Erfahrung. Er braucht nicht lange über die Prinzipien nachzudenken, sondern nur einen guten Blick für die konkrete Wirklichkeit zu haben. Diesen Blick allerdings muß man haben; denn wer nur wie die Mathematiker an seine allgemeinen Prinzipien gewöhnt ist, übersieht die feinen und verwickelten Fäden der Wirklichkeit. Man kann diese nämlich nicht beweisen, sondern muß durch einen Blick auf die Totalität verstehen, alle Einzelheiten und in ihnen wieder die Tendenzen und Konvergenzen zu sehen, „oder besser, man fühlt sie mehr, als man sie sieht; denn es sind bloß Beziehungen, so fein und weit verzweigt, daß nur ein scharfer Beobachter sie zu erkennen und nur ein sensibler Geist sie richtig zu beurteilen vermag“ (Pensées I, 1 Brunschvicg). Wenn das geschehen ist, mag das abstrakte Denken einsetzen, und das beste wäre, wenn die Mathematiker diesen Scharfblick für die reale Welt und ihre Einzelheiten hätten und die Geister der guten Beobachtung das logische Vermögen der Mathematiker. In der Berührung mit dem Einzelnen geht Pascal das auf, was er Glaube, Herz, Gefühl, Instinkt heißt und was Descartes überhaupt nicht in Anschlag gebracht hatte. Für Pascal ist es eine Form des Erkennens, die gleichwertig neben dem Verstande steht, wenn nicht über ihm; denn die Prinzipien sind Sache des Herzens. „Wir erkennen die Wahrheit nicht bloß mit der Vernunft, sondern auch mit dem Herzen. Auf die letztere Art erkennen wir die obersten Prinzipien. . . . Die Prinzipien werden gefühlt, die Folgerungen erschlossen, beides mit Gewißheit, wenn auch auf verschiedenem Wege“ (Pensées IV, 282 Brunschvicg). Solche Prinzipien sind Realität, Raum, Zeit, Bewegung, Zahl. So wissen wir z. B., daß wir nicht träumen, wenn wir auch völlig außerstande sind, es mit der Vernunft zu beweisen. Die Realität ist eben gefühltes Prinzip. Kein Argument der Skeptiker vermag etwas gegen diese Prinzipien auszurichten. „Das Herz hat seine Gründe, die der Verstand nicht kennt; das kann man bei tausend Gelegenheiten sehen. Das Herz liebt von Natur sowohl das unendliche Wesen als auch sich selbst, je nachdem es sich hingibt, wie es sich auch je nach seiner Wahl dem einen oder anderen verschließen kann. Sie

ββ) **Der Glaube**

haben das eine verworfen und das andere erwählt. Kennen Sie die Gründe dieser Selbstliebe?" (Pensées IV, 277 Brunschvicg). „Der Verstand hat sein Gesetz ..., das Herz hat ein anderes. Man beweist nicht, daß man geliebt werden muß, indem man die Ursachen dieser Liebe der Reihe nach entwickelt. Das wäre lächerlich" (Pensées IV, 283 Brunschvicg). Selbst ein mathematisches Genie, weiß Pascal um die Vorzüge des rationalistischen Denkens und will es nicht missen. Er weiß aber auch um den Wert und die Notwendigkeit des Glaubens. Vor allem aber ist ihm der Glaube als der Weg des Herzens ein Weg zu Gott, ja der Weg zu Gott schlechthin. „Das Herz fühlt Gott, nicht der Verstand. Darin besteht der Glaube, daß Gott dem Herzen fühlbar sei, nicht dem Verstande" (Pensées IV, 278 Brunschvicg). Pascal reiht sich mit dieser logique du cœur oder diesem ordre du cœur ein in die Linie, die von Augustinus bis zu Scheler führt. Bei ersterem ist das Herz auf Grund seiner Ordnung unruhig, bis es ruht in Gott; bei letzterem gibt es ein ebenso geordnetes Wertfühlen, und es beruhen für Scheler wie für Pascal sogar die obersten Prinzipien der Logik in einer Wertordnung des Herzens. Pascal redet also nicht einem Irrationalismus das Wort. Auch der Glaube, das Herz, das Gefühl, der Instinkt führen zu wahrer und wirklicher Erkenntnis, und sie haben ihre „Logik"; nur die Operationsbasis ist eine andere, nämlich das Ich in seiner Totalität als erkennender, wollender, fühlender Geist. Indem das ganze Ich in Kontakt tritt mit Welt und Gott, wird dieses Erkennen ein existentielles, wie wir heute sagen. Darum ist Pascal auch nicht mehr zufrieden mit einem Gottesbegriff, der nur abstrakter Gedanke ist, wie etwa die Begriffe des ens perfectissimum oder des ipsum esse, wie sie in der Philosophie üblich sind. Sein Mémorial, ein kleiner Zettel, den man nach seinem Tod in seinem Kleid eingenäht fand, hielt den Tag seiner endgültigen Bekehrung genau fest (23. 11. 1654) und fixierte mit den seither vielzitierten Worten „Gott Abrahams, Gott Isaaks, Gott Jakobs, nicht der Gott der Philosophen und Gelehrten", was er sich unter Gott vorstellte: eine einmalige Person, die in je einmaliger Weise das einmalige Individuum anruft. Und damit stößt Pascal auf den Einzelnen, womit er wiederum uns Heutigen so nahe kommt, weil er bereits auf das verweist, was Kierkegaard bringen und in das religiöse

Bewußtsein der Gegenwart heben wird. Der existentielle Mensch ist in seiner Entscheidung immer allein, er selbst muß verantworten, muß wagen und glauben, gleichgültig, ob er der Welt oder einem Menschen oder Gott gegenübertritt; denn das unmittelbare Schauen der Tatsachen, das Erspüren und Erfühlen ist je etwas Einmaliges und durch kein zeitloses und allgemeingültiges Schema im Stile einer syllogistischen oder mathematischen Formel abnehmbar. So ruft Pascal zum Alleinsein auf. Er will darum auch nicht, daß man sich ihm einfach anschließt, gläubig vertrauend und ihm das Denken und die Verantwortung überlassend. „Es ist nicht richtig, daß man sich an mich anschließt, wenn es auch freiwillig und mit Freuden geschähe. Ich würde diejenigen täuschen, bei denen ich den Wunsch danach weckte, denn ich bin weder das Ziel jemandes noch dessen Erfüllung. Kann ich nicht jeden Augenblick sterben? Und mit mir fiele der Halt ihres Lebens dahin“ (Pensées VII, 471 Brunschvicg). Daß Pascals Individualismus nicht die verzweifelte Existenz der Modernen ist, bedarf nicht vieler Erwähnung. Es ist wie bei Augustinus, wo auch die Unruhe da ist, die Liebe, das Wagen, Hoffen und Entscheiden, immer in der Verbindung von Leben und Geist und im unmittelbaren Stehen vor den Ursprüngen und vor Gott, wo aber der Mensch in Gott sein Ziel hat und seine Größe und nicht sich selbst und sein Verzweifeln zum Göttlichen macht.

γγ) Der Einzelne

Die für das Verständnis und die philosophische Verarbeitung Descartes' so wichtige Verbindung von Cartesianismus und Augustinismus, der idea clara et distincta mit dem Weg des Herzens und des Glaubens, des Rationalismus und der Mystik, die wir bei ihm und in seinem Kreis immer wieder beobachten, treffen wir nun nochmals an im Occasionalismus.

Texte und Literatur

B. Pascal, Œuvres complètes. Hrsg. von L. Brunschvicg u. a. 14 Bde. (Paris 1908—23). Ders., Pensées et opuscules. Texte d'après l'édition Brunschvicg avec introduction et notes par G. Lewis (Paris 1947); M. Guersant, Les Pensées de B. Pascal, présentées dans un ordre nouveau, suivies des opuscules religieux et philosophiques et un choix de correspondance (Paris 1954, [2]1957). Gedanken. Nach der endgültigen Ausgabe (von F. Strowski [Paris 1923—31]) übertragen von W. Rüttenauer. Einführung von R. Guardini (1937 u. ö.). Über die

Religion und über einige andere Gegenstände. Übertragen und hrsg. von E. Wasmuth (1937, [5]1954). — R. Guardini, Christliches Bewußtsein. Versuche über Pascal (1935, [3]1956). E. Wasmuth, Die Philosophie Pascals (1949). J. Mesnard, Pascal. L'homme et l'œuvre (Paris 1951). J. Steinmann, Pascal (Paris 1954). E. Wasmuth, Der unbekannte Pascal. Versuch einer Deutung seines Lebens und seiner Lehre (1962). H. Meyer, Pascals „Pensées" als dialogische Verkündigung (1962). M. F. Sciacca, P. (Mailand [3]1962).

2. OCCASIONALISMUS
Die Folgen einer Definition

Am Occasionalismus kann man schön studieren, wie das Denken ein eigenes Leben führen kann. An sich ist der Begriff nur Mittel zum Zweck; er soll die Sache selbst wiedergeben. Insofern ist er, von wenigen Fällen, wie z. B. den mathematischen Begriffen, abgesehen, sozusagen ein Provisorium und muß immer wieder ergänzt werden aus der Fülle der Sachen selbst heraus. Aber es kommt in der Philosophiegeschichte — doch nicht nur in ihr, sondern ebensooft im Leben — häufig genug vor, daß der Begriff nur noch sich selbst expliziert, sich bloß nach seinem vorläufigen Gehalt weiterentwickelt und so ein verzeichnetes Bild der Wirklichkeit entwirft. Der Occasionalismus ist ein Beispiel dafür, denn jetzt ist es die Substanzdefinition Descartes', die das ganze Denken über Sein und Wirken in ihren Bann zwingt, konsequent zwar, aber nicht sachgetreu. Eines kann man dabei lernen: das Philosophieren. Was scheint uns geläufiger zu sein und klarer als die Rede über Seiendes, über ein Dies oder Das, oder die Rede über Ursache und Wirkung: der hat dies oder das geschaffen, dies ist eine Wirkung von jenem usw.? Nun werden wir hören: Dieses Seiende ist gar nichts Selbständiges, und die Ursache ist keine Ursache, sondern hinter all dem steht etwas anderes, das allein Sein hat und wirken kann. Wenn wir glauben, daß der Occasionalismus dabei einer vorgängigen Annahme erlegen ist, kann es uns nicht auch geschehen, daß wir in vorgefaßte Begriffe oder Anschauungen pressen, was an sich vielleicht ganz anders ist?

a) Die Anfänge

Die Anfänge des Occasionalismus liegen bei Clauberg, de la Forge und Cordemoy. Sie fühlen den Monismus, der mit der Substanz-Definition Descartes' angelegt ist, und bewegen sich nun in dieser Richtung. Johannes Clauberg (1622—65), ein treuer Anhänger Descartes' und ein Mann, der besonders auf Christian Wolff und Leibniz wirken wird, möchte nur Gott als die Ursache (causa universalis) ansprechen. Wenn einzelnes Seiendes auf anderes wirkt, ist das nicht ein freies, schöpferisches Neusetzen, sondern nur ein „Übertragen" einer Tätigkeit, die als solche von der causa universalis vorher schon begonnen und jetzt nur im Anstoß weitergegeben wird; ist also nur eine causa procatarctica, wie Clauberg mit einem stoischen Terminus sagt (vgl. Bd. I, 271). Und die Wechselwirkung zwischen Leib und Seele löst Clauberg auch wieder in dieser Richtung auf. Es sei aus dem Begriff der denkenden und der ausgedehnten Substanz nicht ersichtlich, wie sie aufeinander wirken können. Wenn zwischen beiden ein Verhältnis besteht wie zwischen Steuermann und Schiff — nur das nimmt er noch an —, dann nur, weil Gott es so gefügt hat. Ein anderer Anhänger Descartes', Gérauld de Cordemoy (1620—1684), sieht wieder nicht nur nicht ein, wie Seele und Leib aufeinander wirken können, wenn schon die Substanz das ist, was Descartes in seiner Definition darüber gesagt hatte, sondern auch nicht, wie Körper auf Körper wirken können. Wir nehmen nur eine Ortsveränderung wahr, nicht mehr. Und so sei es das Richtige, Gott, die Substanz schlechthin, auch als die Ursache schlechthin anzusprechen. Und der Freund und Anhänger Descartes' Louis de la Forge lehnt 1666 in seiner „Abhandlung über den Geist des Menschen" auch noch das Bild vom Steuermann und Schiff ab; denn der Steuermann wisse, wie er sein Schiff dirigieren könne, unsere Seele aber weiß nicht, wie sie auf den Körper Einfluß nimmt. Wovon wir aber nichts wissen, davon können wir auch nicht sagen, daß wir es tun. Bleibt somit nur wieder Gott als Ursache übrig. Und weil wir ebenso nicht wissen, wie ein Körper auf den anderen eine Wirkung „übertragen" kann, will er auch das nicht mehr wahrhaben und selbst das, was Clauberg mit dieser Übertragung noch als ein Minimum von Kausalität hatte gelten lassen wollen, als Sache Gottes ansehen. Damit stehen wir schon vor der Entwicklung, die man Occasionalismus heißt.

b) Geulincx

Sein Hauptvertreter ist aber der Holländer Arnold Geulincx (1624—69), der zuerst in Löwen und dann, nach seiner Entfernung, in Leyden cartesianische Philosophie dozierte. Bei ihm hat der Begriff der causa occasionalis die herkömmliche causa efficiens endgültig verdrängt. Geulincx ist ein Mann von ganz selbständigem Urteil, hervorragender Beobachtungsgabe und einem Blick für das Eigentümliche speziell der sittlichen Werte, ihrer Details und Nuancen, wie wir ihm sonst nur in der phänomenologischen Beschreibung der Wertethik begegnen. Allein schon durch das wunderbare Büchlein De virtute et primis eius proprietatibus, quæ vulgo virtutes cardinales vocantur (1665), das seine Ethik enthält, aber auch das Wesentliche seiner Metaphysik, verdient er einen Ehrenplatz in der Philosophiegeschichte (1948 erstmals von Georg Schmitz ins Deutsche übersetzt).

α) Ethik Die vier Kardinaltugenden, mit denen nach Geulincx die Sittlichkeit gegeben ist, sind ihm nicht die üblichen, sondern
αα) Demut Fleiß, Gehorsam, Gerechtigkeit und Demut. Davon ist die wichtigste die Demut. Sie verlangt, daß man sich um seiner selbst willen nicht zuviel abmüht, sich keine Sorgen macht und aus Liebe zur Vernunft an sich selbst überhaupt nicht denkt. Nicht daß der gute Mensch sich gar nichts verschaffen dürfte, was dem Körper bequem und dem Geist angenehm ist, aber er darf es nicht um seiner selbst willen und aus eigenem Ermessen sich verschaffen, sondern ganz allein im Hinblick auf die Vernunft, welche zuweilen befiehlt, den Körper zu erfrischen und den Geist zu entspannen. Die Selbstsucht sei die Ursünde überhaupt, ipsissimum peccatum. Und alle bisherigen Ethiker mit ihrer ewigen Rede von der Glückseligkeit seien davon in die Irre geführt worden, sagt Geulincx in der Vorrede zu seiner Ethik: „Niemanden nehme ich davon aus, selbst nicht den großen Platon, den man vielleicht, wenn überhaupt einen von ihnen, noch am ehesten ausnehmen müßte.“ Die Christen allein hätten durch ihren heiligen Glauben etwas davon erfahren; aber wie wenige unter ihnen! Aber was hier durch die Offenbarung sichtbar wurde, will Geulincx nicht mehr aus dem Auge verlieren. Er

will zwar nur mit dem Scharfsinn der reinen und unverfälschten natürlichen Vernunft zu Werke gehen, denn nur das heiße philosophieren. Allein so wie derjenige, der einmal durch das Mikroskop geschaut und damit erstmals neue Gestalten sah, sie später dann auch mit bloßem Auge wieder sehen kann, weil er eben jetzt den Blick dafür erhalten hat, wird auch hellsichtig werden, wer das Wort Gottes gehört hat, und zwar mit dem Licht der natürlichen Vernunft hellsichtig. Eine interessante Begründung einer christlichen Philosophie! Positiv gesagt besteht die Demut in der Liebe zur Vernunft, „denn die Liebe zu Gott und zur Vernunft bewirkt im Liebenden, daß er sich selbst verläßt, weit von sich abrückt und an sich selbst nicht denkt". Liebe zur Vernunft ist auch Liebe zu Gott, weil die Vernunft Gesetz und Bild Gottes in unserem Geiste ist (ratio autem est lex et imago Dei in mentibus nostris). Darum sind wir durch die Vernunft nicht in der Welt, sondern über der Welt und sind bei Gott. Und so variiert Geulincx ein Wort Augustins: „Unsere Seele ist unruhig, bis sie Ruhe gefunden hat in der Vernunft." Hier liegen die großen Möglichkeiten des Menschen, seine sittliche Freiheit: mit der Vernunft wird er gut, gegen sie schlecht.

ββ) Liebe zu Gott und Vernunft

Diese Ethik der Demut, der Liebe zur Vernunft und zu Gott, ist zugleich strenge Gesetzes- und Pflichtethik. „Nur der wahrhaft demütige Mensch, der in seine Pflichten vertieft ist, durch welche er mit dem göttlichen Gesetz verbunden bleibt . . . ein solcher Mensch allein, der so in seinen Pflichten aufgeht, ist der Glückseligkeit fähig" (Ethik, S. 60 Schmitz). Auch wenn der Name Augustins nicht gefallen wäre, ersähe man, daß diese Ethik auf dem Boden der Lex-aeterna-Lehre steht. Von dorther hat sie ihren objektivistischen Charakter, der gebietet, ad felicitatem nihil, ad obligationem omnia referre (a. a. O. XII), sowie auch ihren religiös-mystischen Hintergrund.

γγ) Gesetz und Pflicht

Dazu kommt noch die große Zeitbewegung des Pur amour, die von Franz von Sales ausgeht, was zunächst auch wieder Mystik ist und darum geneigt, in Gott alles, im Menschen aber nichts zu sehen, zugleich aber auch wieder eine objektivistische Ethik bedeutet (honnête-homme-Ideal!); und vielleicht noch Einflüsse seitens des Pietismus Francks, der damals in den Niederlanden eine Auferstehung erlebte, sowie ein Herüberwirken der englischen behmists.

δδ) Pur amour

β) Metaphysik Mit seiner Metaphysik hat Geulincx zu dieser ethischen Haltung den ideellen Überbau gegeben; denn in ihr ist Geulincx darauf und daran, allen Dingen ihre Substanzialität und Kausalität zu nehmen, und dies fast auch beim Menschen. αα) causa Der Mensch macht Körperbewegungen, „aber diese Bewegung verursache ich nicht; denn ich weiß ja nicht, auf welche Weise sie zustande kommt". Wie wird der Willensentschluß als Bewußtseinserscheinung über Gehirn und Nerven zur Muskelbewegung, zu etwas Materiellem also? Und wie wird der materielle Reiz der körperlichen Sinnesorgane zur bewußten Sinneswahrnehmung? Das könne niemand sagen, meint Geulincx. Wenn wir aber am eigenen Körper schon die Bewegungen nicht verursachen, um wieviel weniger außerhalb unseres Körpers. Was da als unser Werk erscheint, ist nicht unser Werk, sondern ein anderer gibt „meiner" Handlung jenseits meines Bewußtseins Leben, Kraft und Gewicht. Und das ist nicht anders, wenn er meinen Fingern Kraft gibt, Steine zu bewegen, oder wenn er die Gestirne auf- und untergehen und das Meer sich in seinen Gezeiten bewegen läßt. „Ich bin lediglich ein Zuschauer dieses Getriebes (sum nudus spectator huius machinae); ich kann ihm nichts hinzufügen noch ββ) occasio wegnehmen." Nur eines bleibt uns noch (neben der schon erwähnten sittlichen Freiheit vor dem Vernunftgesetz), das Handeln innerhalb unseres Geistes: „in dieser Welt kann ich nur auf mich selbst wirken". Aber der Körper ist schon nicht mehr unser Selbst. Auf ihn wirkt bereits Gott, allerdings „bei Gelegenheit" (occasione) unseres Willensaktes; nicht immer von Fall zu Fall, sondern weil dieser göttliche Werkmeister Seele und Leib wie zwei Uhren aufeinander abgestellt hat. Das ist alles, was wir vermögen. Und schon die von außen schöpfende Sinneswahrnehmung ist nicht mehr unser, sondern „die Welt bringt das Bild an meinen Körper heran und legt es dort ab, die Kraft aber, welche es von dort weiter nach innen in mein Selbst, in meinen Geist hineingelangen läßt, ist die Gottheit" (a. a. O. 29 ff.).

γ) Ideengeschichtliche Zusammenhänge Unser Selbst nur unser Geist, die exklusive Trennung der körperlichen und geistigen Substanz, die Weltmaschine, die Tendenz zum Monismus der unendlichen Substanz und ihrer Kausalität, das alles ist radikalisierter Cartesianismus. Daß das Ich Gott gegenüber immerhin noch occasio sein darf und so vor der gänzlichen Resorption durch die unendliche Substanz bewahrt wird, ist der Occasionalismus. Er hat die Substanzdefinition Descartes' bis zur äußersten Grenze des Monismus angespannt, aber doch davor haltgemacht, ganz im Sinne Descartes' persönlich, wenn auch nicht ganz im Sinn seiner Definition. So ist Geulincx ein retardierendes Moment in der Entwicklung. Bei Spinoza werden die Grenzen fallen. Aber bei Kant und seinem intelligiblen Ich taucht die Freiheit des Ich wieder auf, die bei Geulincx neben dem Wirken auf uns selbst die noch größere Freiheit des Menschen ist, die sittliche Freiheit; denn sonst müssen wir überall tun, was Gott will; aber dem Vernunftgesetz gegenüber können wir gehorchen oder nicht gehorchen (a. a. O. 11). Und ebenso wird für Kant alles außerhalb des Ich Weltmaschine sein mit ewig gleicher Energiesumme, wie bei Geulincx und Descartes, doch ohne deren Gott. Das Wissen um den transzendenten Gott ist hier trotz des Mechanismus ein wesentlicher und das Ganze von den späteren Entwicklungen unterscheidender Gesichtspunkt. Man hat sogar gemeint, daß die religiös-mystische Sehnsucht, in einer unio mystica in Gott aufzugehen, der eigentliche Untergrund der Metaphysik von Geulincx gewesen wäre. Noch das Uhrengleichnis faßt Gg. Schmitz (a. a. O. XIV) auf als Ausdruck für das mystische Urbewußtsein, welches Paulus mit dem Satz formuliert habe: „Nicht ich lebe, sondern Christus lebt in mir", und wofür Franck sagt: „Es steht glatt nichts bei uns, zu wirken, Gott ist allein ein Beweger und Wirker..., die Kreatur tut nichts, sondern wird getan. Der Vogel singt und fleugt eigentlich nit, sondern wird gesungen und in den Lüften dahergetragen. Gott ist es, der in ihm singt, lebt, webt und fleugt." Wenn man sich erinnert, daß es bei Descartes, der von Bérulle, dem Hauptvertreter einer ganz theozentrischen Frömmigkeit, schon früh starke Anregungen empfangen hat, ähnlich sein könnte, gibt das zu denken. Aber vielleicht sind Mystik und der Rationalismus in seinem Uranliegen um das Apriorische, Notwendige, Überzeitliche und Ewige überhaupt kein solcher Gegensatz, wie eine alltägliche Meinung glauben möchte. Es gibt eine wilde, schwärmerische Mystik. Damit ist nichts anzufangen. Es gibt aber auch eine Mystik Pascals, Augustins, der Neuplatoniker und Platons selbst, wo ratio und caritas, Phronesis und Eros nur noch zwei Seiten ein und derselben Sache sind.

Texte und Literatur

A. Geulincx, Opera philosophica, hrsg. von J. P. N. Land. 3 Bde. (Den Haag 1891—93). Ders., Ethik oder über die Kardinaltugenden. Übersetzt und eingeleitet von G. Schmitz (1948). — Ders., Geulincx und die Bewegung des pur amour. In: Zeitschrift für Religions- und Geistesgeschichte 3 (1951) 209—220. H. J. Vleeschauwer, Three Centuries of Geulincx-Researches (Pretoria 1957). Ders., Occasionalisme et conditio humana chez Geulincx. In: Kant-Studien 50 (1958/59) 109—124.

c) Malebranche

Ein Beispiel hierfür ist auch Nicole Malebranche (1638—1715), Mitglied des von Bérulle gegründeten Oratoriums Jesu zu Paris. Er vollendet die Verschmelzung von Cartesianismus und Augustinismus. Malebranche will nämlich die cartesische

α) Schauen Gottes

Substanz-Problematik mit Hilfe Augustins lösen. Seine These lautet: „Nous voyons toutes choses en Dieu." Mit seinem Geist partizipiert der Mensch am göttlichen Geist; ja er lebt in ihm und schaut in Gott die Ideen aller geschaffenen Dinge und erkennt so die Welt, auch die Körperdinge, über ihre Urgründe im Geiste Gottes. Die cogitatio sei in ihrem Kern und Grund Geist, das Ersterkannte ist das Unendliche, das Endliche ist nur dessen Einschränkung und die Sinneserkenntnis seine Trübung. Wo also der Mensch Geist ist, lebt er in Gott. Ebenso ist es mit seinem sittlichen Handeln. Wo der Mensch das sittlich Gute, die Werte ergreift, ergreift er etwas von der ewigen unendlichen Güte, und darum lebt er mit seiner Liebe, wenn er nur das Richtige liebt, ebenso in Gott wie mit seinem Denken, wenn er das Wahre denkt.

β) Ontologismus

Mit dem Schauen aller Dinge in Gott erübrigt sich die Wechselwirkungslehre. Die Körperwelt wird nicht weggedeutet. Sie ist etwas Eigenes, von Gott Verschiedenes und außerhalb seiner. Aber es gibt nicht mehr die Schwierigkeit, wie der Geist als die unausgedehnte Substanz in Verbindung mit der ausgedehnten Substanz kommen soll, denn unser Geist erkennt wieder nur Geistiges, die Ideen der Körper. Der Occasionalismus mit seinem komplizierten Mechanismus (Uhrengleichnis) erübrigt sich auch; er hält sich aber insofern, als das Ich ein Ich bleibt. Wenn es auch aus Gott lebt, so muß die göttliche Kausalität doch auf die mit dem Ich gegebenen „Gelegenheiten" sich beziehen. Dadurch unterscheidet sich Malebranche auch von Spinoza, dessen Identitätsphilosophie er bekämpft, weil sie den Unterschied von geschaffenem und ungeschaffenem Sein und dazu noch das persönliche Ich einebnet. Daß bei Malebranche der Geist des Menschen, obwohl er im mundus intelligibilis Gottes lebt, doch nicht untergeht in einem überindividuellen Nous, einer unitas intellectus, oder zur Modifikation des unendlichen Denkens wird, ist einfach das Erbe des Christentums, wo die Seele von Anfang an individueller gesehen wurde als irgendwo in der antiken Philosophie, selbst bei Aristoteles (vgl. Bd. I, 342). Immerhin, nimmt man, was dasteht, streng wörtlich nur nach seinem objektiven Sinn, dann ergibt sich bei Malebranche, was man den Ontologismus geheißen hat: Gott, das primum esse ontologicum, wird als solches unmittelbar erkannt und damit auch alles andere, eine Ansicht, die mindestens die Gefahr einer Grenzaufhebung zwischen dem geschaffenen und dem ungeschaffenen Sein bedeutet. Malebranche hat aber persönlich einen Pantheismus so wenig gewollt wie etwa Cusanus oder Campanella; denn sie wollen Gott nicht ersetzen durch die Welt, sondern gerade in der Welt ihn finden und verehren. Abgesehen von dem persönlichen Wollen wird diese Gefahr aber auch objektiv in dem Augenblick behoben, wo der Sinn des Teilhabegedankens beachtet wird, der die Identität immer verneint und nur die Ähnlichkeit behauptet oder die Analogie, wenn man mit Aristoteles sprechen will.

γ) Der historische Koeffizient

Für die ideengeschichtliche Kritik ist besonders wichtig, daß wir beachten, wie das ganze Denken von Malebranche und der Ontologismus überhaupt mehr als von der Sache selbst vorwärts getrieben wird von dem innerlogischen Sinn der durch Descartes aufgestellten Begriffe, besonders seiner Substanzdefinition. Wir wollen dies den historischen Koeffizienten in der Philosophie heißen und besonders verfolgen, wo er sich geltend macht; denn Philosophie sollte kein Schachspiel mit Begriffen sein.

Texte und Literatur

P. Malebranche, De inquirenda veritate libri VI. Ex ultima editione Gallica pluribus illustrationibus ab ipso authore latine versi (Genevae 1685). Œuvres complètes, publiées par A. Robinet (Paris 1958 ff.). — G. Stieler, Malebranche (1925). A. Robinet, Malebranche et Leibniz (Paris 1955). M. Guéroult,

Malebranche. 3 Bde. (Paris 1955—59). J. Reiter, System und Praxis. Zur kritischen Analyse der Denkformen neuzeitlicher Metaphysik im Werk von M. (1972).

3. SPINOZA

Identitätsphilosophie

„Die Philosophie Spinozas ist die eindrucksvollste Zusammenfassung der Gedanken des 17. Jahrhunderts zu einer Welt- und Lebensanschauung“ (O. Baensch). Sie ist nicht, wie man aus dem ordine geometrico im Titel seines Hauptwerkes vielleicht vermuten könnte, nur ein rein theoretisches Begriffssystem, sondern eine ursprünglich religiös-ethisch gemeinte Konzeption des Gesamtmenschlichen in Logos, Ethos, Eros und Mythos, durchgeführt auf dem Grunde des alleinen Seins nach der Formel: Deus sive substantia sive natura. Spinoza beginnt mit der metaphysischen Einsicht, die diese Formel ausdrückt, und endet mit dem ethischen Abschluß der geistigen Liebe zu Gott. Diese seine Intentionen hat der sonst so verschlossene Philosoph einmal, und zwar zu Beginn der Abhandlung über die Verbesserung des Verstandes, ganz klar ausgesprochen: „Nachdem die Erfahrung mich gelehrt hatte, daß alles, was den gewöhnlichen Inhalt des Lebens ausmacht, eitel und nichtig ist . . ., entschloß ich mich endlich zu untersuchen, ob es irgend etwas gäbe, das ein wahres und mitteilhaftiges Gut sei.“ Spinoza setzt dann auseinander, wie Reichtum, Ehre, Sinnenlust kein Mittel sind zur Erhaltung unseres Seins, es vielmehr verderben; daß dagegen andererseits der Mensch eingebettet ist in eine ewige Ordnung der Natur und ihrer Gesetze, daß er eine bestimmte Menschennatur hat und daß darum alles ein wahres Gut ist, was zu dieser menschlichen Natur hinführt; „das höchste Gut aber ist, dahin zu gelangen, daß man mit anderen Individuen einer solchen Natur teilhaftig wird. Was das aber für eine Natur sei, werden wir seines Ortes zeigen, nämlich, daß es die Erkenntnis der Einheit des Geistes mit der ganzen Natur ist.“ Nicht umsonst heißt also das metaphysische Hauptwerk Spinozas Ethik. Diese Metaphysik bewegt sich aber, wie wir aus den letzten Worten schon sehen, in einer Richtung, auf die man gerne einen an sich fragwürdigen, jedenfalls aber höchst markanten Begriff anwendet, den der Identitätsphilosophie. Das ist das Neue und in die Zukunft Weisende bei unserem Philosophen. Um eines tiefer schauenden Verstehens willen dürfen darüber die Wurzeln im Vergangenen nicht unbeachtet bleiben.

Leben und Werke

Benedictus de Spinoza (1632—77) entstammt einer jüdischen Kaufmannsfamilie, die von Portugal in die Niederlande eingewandert war. Er gerät früh in Konflikt mit seiner Kultusgemeinde und wird von ihr „wegen schrecklicher Irrlehren" ausgestoßen, bekommt aber auch Schwierigkeiten mit dem Magistrat von Amsterdam. Sein Philosophieren schafft ihm eine neue weltanschauliche Basis. Er lebt still und in Verbindung mit nur wenigen, aber erlesenen Freunden. Eine angebotene Professur in Heidelberg schlägt er aus, weil ihm an Ehrenstellen nichts liegt und er nicht ganz sicher ist, wie weit die zugesicherte Lehrfreiheit wohl gehen würde. Seinen Lebensunterhalt verdient er sich zum Teil selbst durch Linsenschleifen. Sein Hauptwerk ist die „Ethica ordine geometrico demonstrata" (1677). Sie handelt in fünf Teilen von Gott, von Wesen und Ursprung der Seele, von Wesen und Ursprung der Affekte, von der menschlichen Knechtschaft oder von der Macht der Leidenschaften und von der Macht des Verstandes oder von der menschlichen Freiheit. Zur Einführung in Spinoza eignet sich besonders das etwa 1658—60 entstandene, aber erst 1852 wieder aufgefundenen Frühwerk „Kurze Abhandlung von Gott, dem Menschen und seinem Glück", weil es als die Urethik gestattet, in das Werden Spinozas Einblick zu bekommen und insbesondere seine Verbindung mit der Scholastik und Renaissance sichtbar werden läßt. Seine Erkenntnistheorie bietet die „Abhandlung über die Verbesserung des Verstandes" (1677), seine Staatsphilosophie die „Abhandlung vom Staat" (1677), seine Religionsphilosophie sowie Wichtiges zu den Grundfragen von Recht und Staat der „Theologisch-politische Traktat" (1670). Als erstes Werk hatte Spinoza 1663 eine Darstellung der cartesischen Philosophie erscheinen lassen: Renati des Cartes principia philosophiae. Auch wieder more geometrico demonstrata. — Neueste Ausgabe: Spinoza, Opera. Hrsg. von C. Gebhardt. 4 Bde. (1925). Ältere Editionen: Vloten-Land und Bruder. (In letzterer ist die Abhandlung über die Verbesserung des Verstandes in Paragraphen unterteilt, was die Meinersche Übersetzung übernommen hat. Danach wird hier zitiert.) — Die Hauptwerke in deutscher Übersetzung mit Einleitungen und Anmerkungen von C. Gebhardt u. a. in der Meinerschen Philos. Bibliothek. Studienausg. lat. u. dt. in 4 Bdn. von K. Blumenstock in der Wiss. Buchges. (1967 ff.).

Literatur

F. H. Jacobi, Über die Lehre des Spinoza s. oben S. 38. Die Hauptschriften zum Pantheismusstreit zwischen Jacobi und Mendelssohn. Hrsg. und mit einer historisch-kritischen Einleitung versehen von H. Scholz (1916). Bibliotheca Spinozana. 5 Bde. (Amsterdam 1922—29) (davon in Bd. 3 die Dialoghi d'amore von Leone Ebreo, hrsg. von C. Gebhardt). B. Alexander, Spinoza (1923). J. Freudenthal, Spinoza. Leben und Lehre. 2 Bde. (1927). St. v. Dunin-Borkowski, Spinoza. 4 Bde. (1933 bis 1936). Ders., Spinoza nach 300 Jahren (1932). C. Gebhardt, Spinoza und der Platonismus. In: Chronicon Spinozanum I (1921). H. A. Wolfson, The philosophy of Spinoza (New York 1934, [3]1958). P. Siwek, Spinoza et le panthéisme religieux (Paris 1950). P. Cosenza, Acosmismo e platonismo in Spinoza. In: Annali della Facoltà di lettere e filosofia Università di Napoli 3 (1953) 169—194. H. M. Wolff, Spinozas Ethik. Eine kritische Einführung (Bern 1958). H. Lindner, Das Problem des Spinozismus im Schaffen Goethes und Herders (1960). W. Cramer, Spinozas Philosophie des Absoluten (1966). N. Altwicker (Hrsg.), Texte zur Geschichte des Spinozismus (1971). K. Hecker, S.s allgemeine Ontologie (1978) (= Erträge der Forschung Bd. 101).

a) Das Sein und das Denken

Spinoza hat seine Substanzmetaphysik nicht, wie oft behauptet wurde und eine flüchtige Beobachtung seiner Methode in der Ethik es auch nahelegen könnte, so konstruiert, daß er — ein typischer Fall von „Rationalismus" — seine Alleinheitsanschauung per definitionem an den Anfang gesetzt und dann, von oben nach unten voranschreitend, mit Hilfe rein logischer Folgerungen alles Weitere dekretiert hätte, im Widerspruch natürlich mit der vielberufenen Erfahrung. Tatsächlich ging sein Weg genau umgekehrt. Er sah die Erfahrung und ihre Konkretheit so gut wie jeder Empiriker. Aber er sah noch mehr, nämlich die Bedingungen der Erfahrung und alles Einzelnen, und diese ontologischen Gründe herauszustellen ist das Unternehmen seiner Metaphysik. Man sieht das, wenn man sich seine Rechenschaftsablage über unser Erkennen vor Augen führt.

α) Arten des Erkennens

Spinoza unterscheidet vier Arten des Erkennens (modi percipiendi). Es gibt ein Wissen, das wir nur durch Hörensagen erhalten haben, z. B. den Tag unserer Geburt. Ein anderes

Wissen ist, was durch unbestimmte Erfahrung (experientia vaga) zustande kommt, z. B. daß wir sterben werden oder daß der Mensch ein vernunftbegabtes Wesen ist, oder was man im täglichen Lebensgebrauch so weiß. Wieder ein anderes Wissen ist jenes, bei dem das Wesen einer Sache aus einer anderen Sache erschlossen wird, aber nicht auf adäquate Weise, z. B. wenn wir von der Wirkung auf die Ursache schließen, vom Körper etwa auf die damit verbundene Seele, wobei wir aber keine klare Vorstellung haben, von welcher Art diese Verbindung sei (Geulincx!). Endlich gibt es ein Wissen, bei dem die Sache bloß aus ihrem Wesen oder durch die Erkenntnis ihrer nächsten Ursache begriffen wird, z. B. 2 + 3 = 5 oder: wenn zwei Linien zu einer dritten parallel sind, sind sie auch unter sich parallel. Bloß diese vierte Art des Erkennens ist die vollkommene und sichere (Abhandl. über die Verb. des Verst. §§ 19 ff. Bruder = Werke II 10 ff. Gebhardt). Sie ist zu erstreben, denn nur sie liefert die „wahren Ideen" und mit ihnen die adäquate Wesenserkenntnis. Erste Aufgabe ist darum, sich über den Unterschied von wahren und falschen Ideen klarzuwerden. Er ist folgender: „Die falschen Ideen haben ihren Ursprung im Vorstellungsvermögen, der Imagination, d. h. in gewissen zufälligen und losen Empfindungen, die nicht aus dem Vermögen des Geistes selbst hervorgegangen sind, sondern aus äußeren Ursachen, je nach den verschiedenen Anregungen, die der Körper im Wachen oder Träumen empfängt" (a. a. O. § 84 Bruder = Werke II 32 Gebhardt). Das ist also sicher keine Wesenserkenntnis. Eine solche gibt allein die „intellectio". Sie ist eine reine Verstandestätigkeit. Ihr eigentlicher Gegensatz zur Imagination besteht darin, daß der Geist nicht mehr ein leidendes, sondern ein tätiges Vermögen ist. Die Ideen werden nicht von den Gegenständen der Sinneswahrnehmung erzeugt. Der Verstand handelt vielmehr spontan, ist ein „automa spirituale" (a. a. O. § 85 Bruder = Werke II 32 Gebhardt). Dieser Verstand ist aber nicht das schließende, diskursive Denken der ratiocinatio, sondern Intuition, Wesensschau. Die intellectio betrachtet die Welt nicht mehr nach zeitlichen und zufälligen Gesichtspunkten, sondern sub specie aeterni: zeitlos-wesentlich und damit in ihrer unabänderlichen Notwendigkeit. Und so will die Philosophie Spinozas das Sein nun anschauen: „Die Reihenfolge der ver-

αα) **Erkenntnisstufen**

ββ) **Imaginatio und intellectio**

änderlichen Einzeldinge vollständig zu verfolgen dürfte für die menschliche Schwachheit unmöglich sein, sowohl wegen ihrer jede Zahl übersteigenden Menge als wegen der unendlichen Umstände bei einer und derselben Sache. ... Es ist aber auch gar nicht nötig, daß wir ihre Reihenfolge kennen, denn das Wesen der veränderlichen Einzeldinge ist doch nicht herzuleiten aus der Reihenfolge der Ordnung, in der sie existieren, denn diese bietet uns ja nichts anderes als äußerliche Bezeichnungen, Beziehungen oder höchstens Nebenumstände, was alles weit entfernt ist vom inneren Wesen der Sache. Das ist vielmehr nur aus den festen und ewigen Dingen herzuleiten und zugleich aus den Gesetzen, die in jenen Dingen als in ihren wahren Gesetzbüchern eingeschrieben sind und nach welchen alles einzelne sowohl geschieht als auch geordnet wird. Ja diese veränderlichen Einzeldinge hängen so innig und wesentlich von jenen festen ab, daß sie ohne dieselben weder sein noch begriffen werden können" (a. a. O. § 100 f. Bruder = Werke II 36 f. Gebhardt).

β) Metapyhsik der Erkenntnis

Schon die letzten Worte sagen alles. Spinoza will eine Metaphysik der Erkenntnis geben, die zu gleicher Zeit die ewigen

αα) Die Gründe des Seins und der Wahrheit

Wahrheiten als die apriorischen Elemente unseres Erkennens aufdeckt und die ewigen Wesenheiten als die alles begründenden Seinsgesetze. Beides fällt zusammen, denn „Gewißheit und objektives Sein sind ja dasselbe" (a. a. O. § 35 Bruder = Werke II 15 Gebhardt). Und so fährt er fort: „Daher werden diese festen und ewigen Dinge, obwohl sie einzelne sind, dennoch wegen ihrer Allgegenwart und ihrer weitestgehenden Macht für uns wie Allgemeinheiten oder wie Gattungen der Definitionen der veränderlichen Einzeldinge und die nächsten Ursachen aller Dinge sein." Die Lehre von der intellectio ist also Fundamentalontologie und erkenntnistheoretischer Apriorismus. Nur so glaubt Spinoza, daß das

ββ) Spinozas Weg

Einzelne und die Erfahrung möglich ist. Der Weg, der Spinoza dazu führte, war eine Intuition, die ihm wie in einer Offenbarung das Ganzheitliche, Wesenhafte, Notwendige, Zeitlose im Teil, im Akzidentellen, Zufälligen und nur Zeitlichen in den Blick brachte. „Von dieser Intuition ging Spinoza tatsächlich aus" (Dunin-Borkowski). Man kann ihn also nicht einer dilettantischen Voraussetzung bezichtigen. Er beruft sich auf die gleiche Tatsache, die Platon gesehen hat, wenn er erklärt, daß alles Erkennen und Sein von der Teilhabe an der Idee lebe; die Aristoteles meint, wenn er das Akzidens bestehen läßt durch die Ousia und wenn die Erkenntnisse seines Nous für ihn nicht erzeugt werden können aus der Sinneswahrnehmung, sondern „unvermischt und leidenslos“ sind (vgl. Bd. I, 181); und die auch die Scholastik veranlaßte, an einer Substanzmetaphysik festzuhalten, die alles Tun ableitet von einem Sein (agere sequitur esse) und analog dazu auch im Erkennen Wahrheiten besitzt, die die Erfahrung übersteigen, weil es sich um die ewigen Formen handelt, nach denen vom Geiste Gottes alles geschaffen wurde (vgl. Bd. I, 471 f.). Seit der Auffindung des Kurzen Traktates von Gott, dem Menschen und seinem Glück ist der Zusammenhang Spinozas mit dem Platonismus — über den Renaissanceplatonismus des Leone Ebreo —, der aristotelisch-averroistischen Lehre vom intellectus agens und der Scholastik leicht nachweisbar. (Vgl. die oben zitierte Abhandlung von C. Gebhardt und die Einleitung zu seiner Übersetzung des Kurzen Traktates.) Man fragt natürlich nach der Begründung Spinozas für seine Intuition. Der Philosoph antwortet immer wieder: Die Wahrheit offenbart sich selbst, wie das Licht sich und die Finsternis offenbart. Man brauche darum nicht noch nach Kennzeichen der Wahrheit zu suchen; die wahre Methode ist vielmehr die, „die Wahrheit selbst oder das objektive Sein der Dinge oder ihre Ideen (denn all das bezeichnet ja ein und dasselbe) in gehöriger Ordnung aufzusuchen“ (Abhandl. über die Verb. des Verst. § 36 Bruder = Werke II 15 Gebhardt). Man wird das wohl am besten verstehen, wenn man an die moderne Wesensschau oder besonders an die Wertschau denkt, wo auch dem schauenden Blick, wenn er nur nicht erblindet ist, wie man sagt, sich eo ipso Gehalt und Wirklichkeit des Wertes unmittelbar offenbaren. Bei Spinoza ist ja auch mit der wahren, wesenhaften Idee schon deren Wirklichkeit gegeben. Eine weitere Begründung darf man in der Definition der ewigen Wahrheiten sehen: „Unter ewiger Wahrheit verstehe ich eine solche, die, wenn sie bejahend ist, niemals verneint werden kann.“ So sei es eine erste ewige Wahrheit, daß Gott ist; aber keine, daß Adam denkt. Ebenso wäre eine ewige Wahrheit, daß es keine Chimäre gibt; aber daß Adam nicht denkt, wäre keine (a. a. O. § 54 Bruder = Werke II 20 Gebhardt). Was man gegen Spinoza einwenden kann, ist, daß es nur wenige Er-

γγ) Seine Rechtfertigung

kenntnisse dieser Art gibt. Spinoza hat das selbst auch gesehen (a. a. O. § 22 Bruder = Werke II 11 Gebhardt). Trotzdem hält er an seinem Erkenntnisideal der Ideenschau fest, und wir verstehen nunmehr ohne weiteres die von ihm in der Ethik angewandte Methode des ordo geometricus, der Seinserklärung also von oben nach unten. Wenn er hier mit Definitionen beginnt, die Axiome anschließt und dann die Propositionen und schließlich die Beweise folgen läßt, so ist das nur die Konsequenz seiner Erkenntnismetaphysik, die immer „das der Natur nach Frühere" als Grund aufzeigt, wenn es ein „Späteres" zu erklären gibt, wie schon Grundsatz 7 im Anhang zum Kurzen Traktat sagt. Das der Natur nach Frühere aber sind die Ideen und ihre Definitionen; und diese wieder sind enthalten in der Idee der Ideen, so daß „unser Geist, um völlig ein Abbild der Natur zu sein, alle seine Ideen aus der Idee herleiten muß, die den Ursprung und die Quelle der gesamten Natur darstellt, so daß diese auch die Quelle der übrigen Ideen ist" (Abhandl. über die Verb. des Verst. § 42 Bruder = Werke II 17 Gebhardt). So brauchen wir die Idee des vollkommensten Wesens. Mit ihm ist alles andere zugleich gegeben (a. a. O. § 49 Bruder = Werke II 19 Gebhardt). Der Folgesatz im Anhang zum Kurzen Traktat lautet darum: „Die Natur wird durch sich selbst erkannt und nicht durch irgendein anderes Ding. Sie besteht aus unendlichen Attributen, deren jedes unendlich und vollkommen in seiner Gattung ist und zu dessen Wesenheit die Existenz gehört, so daß außer ihr keine Wesenheit oder Sein mehr ist und sie genau übereinkommt mit der Wesenheit des allein herrlichen und hochgelobten Gottes." Mit dem der Natur nach Früheren hat auch die platonisch-aristotelische Philosophie das Sein erklärt (vgl. Bd. I, 173, 223), und insofern knüpft Spinoza an die Tradition an. Aber mit dem zuletzt zitierten Gedanken taucht auch schon das Neue auf, das er bringt, seine Identitätsphilosophie: Alles ist eines und dasselbe. Sie wird greifbar in seiner Lehre von der Substanz; denn sie ist Gott und ist alles.

δδ) Seine Methode

γ) Substanz

αα) Substanz — Attribut — Modus

„Unter Substanz verstehe ich das, was in sich ist und durch sich begriffen wird, d. h. das, dessen Begriff, um gebildet werden zu können, den Begriff eines anderen Dinges nicht braucht", heißt es gleich zu Beginn der Ethik (3. Definition). Diese Bedingung erfüllt nur Gott. Also gibt es nur eine einzige Substanz, die göttliche. Sie ist dann natürlich auch das Unendliche, Notwendige, Unbedingte, alles Bedingende. Nimmt man dazu den Grundsatz 1: „Alles, was ist, ist entweder in sich oder in einem anderen", dann zeigt sich sofort, daß angesichts des einzigen, was in sich ist, nämlich der Substanz, es sonst keinen Selbstand mehr gibt, d. h., daß alles Sein herabgedrückt wird zum reinen Modus oder Akzidens. „Unter Modus verstehe ich die Affektionen der Substanz, oder das, was in einem anderen ist, durch das es auch begriffen werden kann" (5. Definition). Zwischen Modus und Substanz steht noch das Attribut: „was der Verstand an der Substanz als deren Wesenheit ausmachend wahrnimmt". Damit wird nun das ganze Sein in seiner Fülle und Verschiedenheit zurückgeführt auf die Substanz. Alles ist in ihr, und sie ist in allem, ist selbst alles. Spinoza teilt das Sein ein in Körper und Geist, wie üblich. In der Körperwelt wird nun jedes einzelne endliche Geschehen nach ihm wieder von einer endlichen Ursache bedingt, diese auch wieder und so immerzu. Wir haben hinter allem eine endlose Kausalreihe. Diese selbst hat ihre Wirklichkeit in einem relativ unendlichen Bewegungs-Ruhe-Kosmos. Und diese Welt der unendlichen Modi wiederum ist grundgelegt durch das unendliche Attribut der Ausdehnung innerhalb der einen absolut unendlichen Substanz Gottes. Parallel dazu sind auch alle endlichen Akte des Denkens fundiert durch einen relativ unendlichen Verstand, und dieser wieder in dem unendlichen Attribut des Denkens in derselben allumfassenden Substanz Gottes, die auch das Attribut der Ausdehnung in sich enthält und dazu noch unendlich viele andere, uns allerdings unbekannte Attribute. Und da die Substanz nichts anderes ist als Gott, ist jetzt natürlich alles Sein auf Gott zurückgeführt. Alles ist in ihm, er ist in allem. „Die besonderen Dinge sind nur Affektionen von Attributen Gottes oder Modi, durch die Gottes Attribute in gewisser und bestimmter Weise ausgedrückt werden" (Ethik I, Lehrsatz 25). Die Gesamtheit dieser Modi ist darum, insofern sie als Dinge betrachtet werden, die in Gott sind, die natura naturata, und Gott ist die natura naturans. Darum die stehende Redewendung Spinozas: Deus sive substantia sive natura. Das hat Goethe zeitlebens begeistert. Als Fr. Jacobi in seiner Schrift über die Lehre des Spinoza diesen einen Atheisten nannte, stellte sich Goethe auf dessen

ββ) **Gott — Substanz — Natur**

Seite und nannte ihn den theissimus. Goethe hatte den Pantheismus schon in seiner Straßburger Zeit kennengelernt, und zwar über G. Bruno, für den Gott „der innere Künstler" der Welt war. Ganz in diesem Sinn meint auch Goethe: „Was wär' ein Gott, der nur von außen stieße; das All im Kreis am Finger laufen ließe! Ihm ziemt's, die Welt im Innern zu bewegen; Natur in sich, sich in Natur zu hegen; so daß, was in ihm lebt und webt und ist, nie seine Kraft, nie seinen Geist vermißt" (Sämtliche Werke. Propyläen-Ausgabe. Bd. 27, S. 21). Daß wir in Gott leben, uns bewegen und sind, hat nun auch Paulus schon gesagt; daß die Welt aus Gott hervorgehe, hat der Ps.-Areopagite gelehrt; daß sie eine explicatio Gottes sei, hat Cusanus geschrieben; und daß alle Dinge in Gott seien, ist überhaupt scholastisches Gemeingut. Warum hat dann die christliche Philosophie Spinoza so einhellig abgelehnt?

γγ) Identitätsphilosophie

Das liegt daran, daß Spinoza das In-Sein als echte Identität auffaßt, was dort nicht der Fall ist. Alle Dinge sind für Spinoza in Gott und erfließen aus ihm in der gleichen Notwendigkeit und in derselben Weise, „wie aus der Natur des Dreiecks von Ewigkeit und in Ewigkeit folgt, daß seine Winkel gleich zwei Rechten sind" (Ethik I, Lehrsatz 17, Anmerkung). Damit ist die alte Zweiheit von Gott und Welt gefallen, und wir haben den modernen Pantheismus vor uns, der für das theistische Denken Atheismus ist. Der Monismus wird besonders evident, wenn auch die menschliche Individualität noch aufgehoben wird und Spinoza erklärt, „daß die menschliche Seele ein Teil des unendlichen Verstandes Gottes ist; wenn wir daher sagen, die menschliche Seele nehme dieses oder jenes wahr, so sagen wir nichts anderes, als daß Gott . . ., sofern er die Wesenheit der Menschenseele ausmacht, diese oder jene Idee habe" (Ethik II, Lehrsatz 11). Sehr deutlich dafür wieder Goethe schon in dem Prometheus-Fragment (1773): „Und eine Gottheit sprach, wenn ich zu reden wähnte, und wähnt' ich, eine Gottheit spreche, sprach ich selbst" (Sämtliche Werke. Propyläen-Ausgabe. Bd. 2, S. 67 f.). Spinoza fühlt genau: „Hier werden meine Leser ohne Zweifel stocken, und es wird ihnen gar mancherlei einfallen, was dem im Wege steht." Das ist natürlich die Individualität der Person, die Willensfreiheit und die persönliche Unsterblichkeit. Diese müssen mit der Lehre Spinozas fallen. Schon im Kurzen Traktat sagt er sehr bestimmt: „Das, was der

Mensch vom Denken hat und was wir Seele nennen, ist notwendigerweise eine Modifikation des Attributs, das wir Denken nennen, ohne daß zu seinem Wesen irgendein anderes Ding als diese Modifikation gehörte, und zwar so sehr, daß, wenn diese Modifikation zunichte wird, auch die Seele vernichtet wird" (Anhang: Von der menschlichen Seele). Zu dieser Identifizierung von Gott und Welt, Ich und All kommt nun drittens noch jene von Leib und Seele, Körper und Geist. Die Seele ist als Denken eine Modifikation Gottes, der Leib und jeder Körper ist aber auch wieder ein Modus Gottes, wie es gleich in der ersten Definition im zweiten Teil der Ethik heißt. Seele und Leib, einem Dritten gleich, sind auch unter sich gleich. Darum sagt die Anmerkung zum Lehrsatz 7 des zweiten Teils der Ethik: „Wir müssen uns erinnern ..., daß die denkende Substanz und die ausgedehnte Substanz eine und dieselbe Substanz sind, die bald unter diesem bald unter jenem Attribut gefaßt wird." Die Erscheinungen des Denkens laufen darum parallel den Erscheinungen der Ausdehnung: Ordo et connexio idearum idem est ac ordo et connexio rerum. Damit war das alte, seit Descartes brennende Problem von dem Verhältnis von Leib und Seele einer radikalen Lösung zugeführt worden. An die Stelle der Wechselwirkungstheorie und des Occasionalismus tritt jetzt der psychophysische Parallelismus, der in Wirklichkeit Monismus ist. Das war auch wieder dem christlichen Denken stracks zuwider. Noch schockierender war allerdings die Auslöschung der freien selbständigen Persönlichkeit und die Leugnung einer unsterblichen Seele. Und am allermeisten war es die Identifizierung von Welt und Gott. Sie war heidnisch. Die Behauptung, daß die Seele ein Teil des unendlichen Verstandes sei, weist die Spur: das ist wieder der allgemeine göttliche Nous, den man im aristotelischen intellectus agens finden kann, den Averroes darin gefunden hat, den auch der Neuplatonismus suggerierte und den besonders die Renaissance erneuert hatte. Dort hatte Leone Ebreo in seinen Dialoghi d'amore den aristotelischen intellectus agens verschmolzen mit der platonischen Ideenlehre und deren neuplatonischen Variationen von Ideen im Geiste Gottes. Spinoza übernimmt das schon im Kurzen Traktat und bezeichnet mit Leone Ebreo den tätigen Verstand als Sohn Gottes. In der Ethik wird daraus die Identität von Einzelseele und All, und

δδ) Die Heraufkunft des Pantheismus

so erscheint unser Geist als Tätigkeit des göttlichen Geistes. Man kann in der Tat den Pantheismus kaum besser ausdrücken als mit dem averroistisch gefaßten intellectus agens; denn dieser tätige Verstand, der spontan all die Ideen erzeugt, die eben die Wirklichkeit sind, und von dem auch der Mensch nur ein Modus ist, ist alles: Gott, Welt und Mensch. Das weltanschauliche Pathos dieses Pantheismus hat ebenfalls die Renaissance geliefert, in G. Bruno nämlich. Von ihm ist Spinoza ebenso beeinflußt wie von Leone Ebreo, wenn er auch jetzt das Ganze in eine nüchterne philosophische Formel gießt, in seine Substanzdefinition, die in nuce seine ganze Identitätsphilosophie enthält. Und damit kommen wir nun zu der letzten Vorstufe dieses Identitätsdenkens, zu Descartes. Die spinozistische Substanzauffassung führt den Pantheismus durch, der in der Substanzdefinition Descartes' angelegt, aber wieder abgebremst worden war, da Descartes seiner ganzen Verwurzelung nach sich als ein christlicher Denker geben wollte. Spinoza kannte keine solchen Hemmungen. Und dazu war er viel mehr als Descartes mit der Renaissance verbunden. Allein es bedurfte keines allzu großen Anstoßes von dieser Seite. Die durch die Begriffe Descartes' geschaffene Problemsituation drängte mit innerer Logik in die Richtung des Substanz-Pantheismus und der Identitätsphilosophie Spinozas. Schon Descartes selbst hatte die Realdistinktion von Substanz und Akzidens bestritten (Antwort auf die 4. Einwände: Zu den Punkten, an denen die Theologen Anstoß nehmen können). Bei Geulincx sind die Akzidentien auch nur Modi, und es fällt bereits das Wort: si auferas modum, remanet ipse Deus. Bei Spinoza kam das Ganze dann zum Ausbruch. Und nun wird es gewaltig weiterwirken; zunächst im deutschen Idealismus und seiner Problematik um Subjekt—Objekt, Geist und Natur, Welt und Gott, bei Fichte, Schelling, Hegel, aber auch in der Romantik und besonders bei Schleiermacher — den unfreiwilligen äußeren Anstoß gaben die Briefe Jacobis an Mendelssohn über die Lehre des Spinoza — und schließlich in den verschiedenen Formen des psychophysischen Parallelismus bis in die Gegenwart herein. Das alles wäre ohne Spinoza und damit ohne Descartes nicht zu denken. Man kann bei solch markanten, um nicht zu sagen eigenwilligen Begriffs- und Problembildungen die Macht des historischen Koeffizienten geradezu mit Händen greifen. Das sachlich-systematische Problem wäre die Frage nach dem rechten Gebrauch der Begriffe des Selbigen, Einen, Verschiedenen. Es stellt sich immer wieder in dem doppelten Fragenkreis: 1) Soll man mit dem Substanzbegriff nur die Selbständigkeit im Bestehen meinen, wie Aristoteles es tat und noch Descartes, so daß die Substanzen nur eine relative Selbständigkeit besagen, weil sie eben in Hinsicht auf ihren Daseinsgrund immer noch von der ersten Ursache abhängen, oder soll Substanz die absolute Selbständigkeit bedeuten, wie es Spinoza will? 2) Wie unterscheiden sich dann die Akzidentien von der Substanz? Liegt eine Realdistinktion vor oder nur eine begriffliche, und ist diese vielleicht nur willkürlich gesetzt durch Eigenarten des menschlichen Sprechens und ohne fundamentum in re? Diese Frage wird natürlich besonders brennend, wenn es nur die eine Substanz Spinozas gäbe. Wieso sind dann die Modi etwas Verschiedenes und doch wieder nichts Verschiedenes? Man kann nicht sagen, daß die ganze Problematik vor Spinoza philosophisch bewältigt gewesen wäre. Die Unterscheidung des geschaffenen und ungeschaffenen Seins ist zwar als philosophischer und noch mehr als weltanschaulicher Dualismus schon früh und immer da — das ἐπέκεινα Platons, das ἀκίνητον des Aristoteles, das ἕν Plotins, der Gott der Bibel —, anderseits wird aber auch eine gewisse Einheit innerhalb des gesamten Seins gesehen von dem Teilhabegedanken des Platonismus über die aristotelische Analogie des Seins bis zur Lehre von der Univokation bei Scotus. Die über diese ganze umfangreiche Problematik entscheidende logische und metaphysische Klärung des Selbigen, Verschiedenen und Einen, angefangen vom alten Platon über die Isagoge des Porphyrios, einige Opuscula des Thomas von Aquin bis herauf zu Suarez, war zerstreut über eine Reihe von Einzeluntersuchungen, wie etwa über die Natur des Genus, der spezifischen Differenz, des Akzidens, der Individuation, des Einen als des Allgemeinen und des Konkreten, der Wesenheit und des Daseins, und entbehrte einer festen und klaren Linie. Immerhin hatte man bisher neben dem Allgemeinen, das mit den bald so bald so gefaßten Ideen oder Formen als dem Substantielleren am Sein gegeben war, das konkret Sinnliche in Raum und Zeit immer irgendwie noch als bedeutsam gewertet. Sogar im Platonismus geht die Ideenbewegung der

εε) Das Problem

Anamnesis nicht vor sich, ohne daß wenigstens ein Anstoß aus der ideenfremden Welt von Raum und Zeit her erfolgte. Spinoza aber versichert gerade an der Stelle, wo er in seiner Erkenntnislehre an den Platonismus und seinen Weg vom allgemeinen zum besonderen und von der Ursache zur Wirkung anzuknüpfen scheint, die Alten hätten übersehen, daß die Seele sozusagen ein geistiges Automa sei (s. oben S. 133). Damit zeigt sich eine extreme Haltung: die Ideenbewegung des Geistes — der Substanz — des Alleinen ist automatische Spontaneität. Sie braucht nichts mehr außer sich selbst. Nichts auch außer ihr vermag etwas. Bei aller Beziehung zur Tradition liegt hier etwas ganz Neues vor: die absolute Vereinheitlichung des Seins in seiner Gesamtheit. Ob dann später dieses Alleine im idealistischen oder materialistischen Sinn interpretiert werden wird, immer wird es das spinozistische Identitätsdenken sein, was den modernen Monismus beherrscht. Was dazu kritisch zu sagen ist, hat Leibniz oft genug herausgestellt, z. B. Theodizee I § 32, III § 393.

δ) Die Notwendigkeit

Gute Kenner sehen die Seele der Philosophie Spinozas in seiner Lehre von der absoluten Notwendigkeit. Die Notwendigkeit ist bei ihm in der Tat eine alles beherrschende Idee. Ob sie ein prinzipiell Erstes ist, wird man trotzdem

αα) Ihr Charakter

kaum sagen können. Sie ergibt sich vielmehr aus der Logik der Ideenrelationen und ist überhaupt nichts anderes als diese Logik. So wie in der Geometrie alles auf Grund ideeller Zusammenhänge notwendig ist, so auch in der Seinsmetaphysik Spinozas. Er betrachtet das Sein ja ordine geometrico, und seine causae sind rationes. Das sieht man aus seinen Lehrsätzen über den Kausalnexus, die ein geometrisches Hervorgehen der Welt aus Gott im Auge haben (Ethik I,

ββ) Kausalnexus

Lehrsatz 15 ff.). Jedes Einzelne und jedes endliche Ding, das eine bestimmte Existenz hat, kann nur existieren und zum Wirken bestimmt werden, wenn eine andere Ursache es zum Existieren und Wirken bringt, die gleichfalls endlich ist und eine bestimmte Dauer hat; aber diese Ursache muß in derselben Weise wieder determiniert sein durch eine andere, und so zu ins Unendliche. Dieser ganze unendliche Kausalnexus aber ist wieder notwendig determiniert durch die „Natur Gottes", wie immer betont wird. Aus der Wesenheit der göttlichen Natur erfolgt der Weltprozeß mit sachlogischer

Notwendigkeit, so daß nichts anders geschehen konnte, als es geschehen ist. Die Dinge gehen ja so aus Gott hervor, hörten wir, wie die Winkelsumme aus der Natur des Dreiecks. Es gibt darum keine Zwecke in der Natur Spinozas. „Alle Zweckursachen sind nichts weiter als menschliche Einbildungen"; weil man den nur mathematisch zu verstehenden Mechanismus in der notwendigen, ausschließlich kausal bedingten Abfolge nicht durchschaute, verfiel man auf einen übernatürlichen Künstler (Ethik I, Anhang). Allein eine solche freie Providenz gibt es für Spinoza eben nicht. Weder ist der menschliche Wille ein freier — er ist determiniert durch den unendlichen Kausalnexus — noch auch ist der göttliche Wille frei. „Der Wille ist nur ein gewisser Modus des Denkens wie der Verstand; und daher kann jede einzelne Wollung nur dann existieren und zum Wirken bestimmt werden, wenn sie von einer anderen Ursache bestimmt wird, und diese wieder von einer anderen, und so weiter ins Unendliche.... Folglich kann der Wille nicht eine freie Ursache genannt werden, sondern eine notwendige und gezwungene.... Wille und Verstand verhalten sich zur Natur Gottes ebenso wie Bewegung und Ruhe und überhaupt alle Naturdinge.... Demnach gehört der Wille nicht mehr zu Gottes Natur wie die übrigen Naturdinge, sondern verhält sich zu ihr genau so wie Bewegung und Ruhe und alles übrige, was aus der Notwendigkeit der göttlichen Natur folgt" (Ethik I, Lehrsatz 32). Der „Gott" Spinozas ist eben kein persönlicher, sondern die Allsubstanz in ihrer ideellen Dialektik. Alles, was in Gottes Macht steht, ist mit Notwendigkeit. Auch diese Lehre von der Naturnotwendigkeit hat wieder ungeheuer in die Zukunft gewirkt. Besonders war es die Leugnung der Zweckursächlichkeit und der Mechanismusgedanke, was weiterwirkte. Der ganze Determinismus des 19. Jahrhunderts ruht darauf. Genau wie Spinoza in dem zuletzt angeführten Zitat hat auch er göttliches, menschliches, lebendiges und rein physikalisches Sein buchstäblich über einen Kamm geschoren, den der Notwendigkeit. Dabei hätte er das eigentlich nicht mehr gedurft; denn inzwischen hatte man sich unter dem Einfluß des Empirismus und Positivismus einer phänomenalistischen Seinsauffassung zugekehrt, der Welt der Imagination, wo nach Spinoza die Notwendigkeit wenigstens nicht einsichtig war und wofür Hume speziell gezeigt

γγ) **Determinismus**

hatte, daß es dort keine „demonstration" gäbe. Die spinozistische Notwendigkeit aber wollte gerade eine demonstrative, wollte Ideendialektik sein, sozusagen ein extremer Platonismus. Aber das sah man nicht mehr. Inzwischen nämlich hatte Spinoza in Kants Kategorienlehre neue Hilfe bekommen. Wie alle Kategorien so bedeutete auch die Kausalkategorie trotz Humes Erkenntnis des Wahrscheinlichkeitscharakters der Naturgesetze jetzt wieder streng notwendige Gesetzlichkeit. So war das nie bewiesene Wort vom streng notwendigen Kausalnexus wieder sanktioniert worden. Die philosophiegeschichtliche Entwicklung lebt eben manchmal auch nur von Worten. Erst das Aufkommen eines neuen Verständnisses für das Geschichtliche, dann der Kampf Kierkegaards für Individualität und Freiheit, die neue Ontologie unseres Jahrhunderts mit ihrer Erkenntnis von der Mehrschichtigkeit des Seins, die Relativitätstheorie, die Philosophie der Freiheit und die Existenzphilosophie haben jene Nachwirkungen Spinozas langsam wieder abzubauen vermocht.

b) Die Affekte und das Gute

α) Die Affekte Die Lehre vom Ursprung und der Natur der Affekte, von ihren Kräften und ihrer Überwindung durch die Macht des Verstandes bildet den 3., 4. und 5. Teil der Ethik Spinozas. Die Affekte sind etwas ganz Natürliches und genau so zu erklären wie alles Seiende auch, heißt es ganz grundsätzlich. Auch hier geschieht wieder alles notwendig, und Spinoza will die Untersuchung über die Affekte durchführen, wie wenn wir es mit Linien, Flächen und Körpern zu tun hätten. Im ganzen gesehen ist seine Lehre von den Affekten und ihrer Überwindung in der Tugend eine Parallele zu seiner Erkenntnislehre. Der Imagination entsprechen die Affekte, dem tätigen Verstande die Tugenden. Als endliches Wesen ist der Mensch verflochten in den Naturzusammenhang und empfängt von seiten der Einzeldinge, besonders aber von seiten seines Leibes, wenn er nur auf das Einzelne schaut, inadäquate Vorstellungen. Darin liegt ja die Eigenart der Imagination, daß sie das Geschehen nur in seiner Vereinzelung in Raum und Zeit betrachtet. So geht der innere Zusammenhang verloren; die Dinge fallen uns nur zu, und wir befinden uns im Zustande des Erleidens. Und darin bestehen die Affekte, die passiones animae. Spinoza hatte auch hier wieder die Vorarbeit Descartes' vor sich. Er nimmt aber nicht mehr sechs, sondern nur noch drei Grundaffekte an: Begierde, Freude und Trauer. Unter ihnen ist nur die Begierde (cupiditas) etwas Primäres; die beiden anderen sind sekundär. Was es an Affekten sonst gibt, ist immer eine Kombination dieser drei Grundaffekte. Liebe ist z. B. Freude, verbunden mit der Vorstellung ihrer äußeren Ursache. Haß ist Trauer, begleitet von der Idee ihrer Ursache. Da das Primäre in den Grundaffekten aber die Begierde ist, sind sämtliche Affekte im Grunde auch immer Begierde. Das ist die Anschauung schon von Hobbes und wird wieder die von Kant sein. Es war aber auch die Anschauung der Stoiker, von denen Spinoza in seiner Ethik überhaupt stark abhängt. Auch sie ist abgestimmt auf den Ton des stoischen „Lösche die Vorstellung aus!"

Spinoza nimmt nämlich neben den leidenden Affekten noch tätige Affekte an und bestreitet damit seine Tugendlehre. Die tätigen Affekte sind insgesamt freudiger Art und erscheinen als Tapferkeit. Sie gliedern sich in zwei Hauptgruppen, in die Seelenstärke (animositas) und den Edelmut (generositas). Mit ihnen kommt im Menschen wieder die intellectio zur Geltung. Wir schauen da die Welt sub specie aeterni, in ihrer Ganzheit und Notwendigkeit. Wenn wir zur Tugend kommen wollen, müssen wir also trachten, aus den verworrenen, inadäquaten Vorstellungen der Imagination klare und adäquate Vernunfteinsichten zu machen, die uns die Allsubstanz in ihrer inneren Gesetzmäßigkeit und Notwendigkeit enthüllen. Affekte sind nur verworrene Vorstellungen. Machen wir daraus klare Ideen, so ist damit das Erleiden beendet, und mit der Aufhebung der Ursache hört auch die Wirkung auf. Nicht durch eine willensmäßige Beeinflussung des Körpers geschieht das, wie Spinoza, gegen Descartes und die Stoiker polemisierend, bemerkt, sondern dadurch, daß die Ordnung und Verknüpfung der Ideen auch die der Dinge ist (Ethik V, Vorwort und erste Lehrsätze). Es kommt also nur darauf an, die rechte Gedankenverbindung zu haben. Darum ist der Weise auch der Tugendhafte, der gute Mensch. Er will nichts anderes als das Wahre und Rechte. β) Tugend

Das Richtige sehen heißt es auch schon erstreben und lieben. γ) Amor Dei intellectualis

Das ist der berühmte amor dei intellectualis. In ihm fallen Denken und Wollen zusammen; aber auch Freiheit und Notwendigkeit. Der Weise erfüllt, was die Definition der Freiheit sagt: „Das Ding soll frei heißen, das nur kraft der Notwendigkeit seiner Natur existiert“ (Ethik I, 7. Definition). Aber auch mit dem Wesen der Allsubstanz fällt das Leben des Weisen zusammen; denn der amor dei intellectualis ist auch die Liebe, in der Gott, die Substanz, die Natur, sich selbst liebt und bejaht. Und so hat Spinoza erreicht, was er zu Eingang seiner Abhandlung über die Verbesserung des Verstandes sich als Ziel gesetzt hatte, zu zeigen, was den Menschen wahrhaft glücklich macht und was das höchste Gut ist: Einheit des Geistes mit der ganzen Natur (Ethik IV, Lehrsatz 73 und Anhang; V, Lehrsatz 23 ff.).

δ) Der Widerspruch

Aber hat Ethik für Spinoza überhaupt einen Sinn? Die Wissenschaft vom Sollen setzt ein Können voraus. Gibt es aber bei Spinoza Freiheit? Jene Freiheit nämlich, die mit der Notwendigkeit zusammenfällt, ist nicht die menschliche. Menschen sind keine Dreiecke. Nachdem Spinoza in seiner Ontologie die Kausaldetermination zur exklusiv einzigen Seinsbestimmung gemacht und den Zweck ausgeschaltet hatte, führt er ihn in der Ethik mit der Sollensforderung doch wieder ein und setzt damit die Freiheit voraus, für die in seinem System kein Raum mehr ist. Das Ganze ist ein Widerspruch. Nach Spinoza sollte es überhaupt keine Ethik, sondern nur eine Physik der menschlichen Leidenschaften geben. Aber selbst das stößt auf Widerspruch. Warum sollen wir korrigierend in den Gang der Dinge eingreifen, wenn doch alles kommt, wie es kommen muß? Und wie kann es, wenn alles aus der Allsubstanz mit geometrischer Notwendigkeit hervorgeht, überhaupt etwas geben, was man korrigieren soll? Das Kranke und Böse bildet für ihn und für allen Pantheismus eine unüberwindliche Schwierigkeit.

c) Individuum und Gemeinschaft

α) Naturalismus

Daß es für Spinoza eigentlich nur eine Physik der menschlichen Leidenschaften gibt, zeigt sich besonders in seiner Staatslehre. Hier tritt das ethische Moment wieder ganz zurück, und das Feld wird beherrscht von den Ideen der Begierde und der Macht. In seinem Jugendwerk, dem Kurzen Traktat, hatte er noch unter dem Einfluß von Leone Ebreo im Sinne des platonischen Symposions gemeint, daß die Liebe wesentlich zu uns gehöre und überhaupt das Gesetz des Seins wäre. In der Ethik aber sieht er unter dem Einfluß des Naturalismus von Hobbes, der sich seit den 60er Jahren geltend macht, das Gesetz des menschlichen Handelns im Selbsterhaltungstrieb. Dazu kommt der Geist Macchiavellis, den man schon gleich im ersten Paragraphen der Abhandlung vom Staate spürt, wenn Spinoza ebenso wie jener erklärt, daß er keine Utopie schreiben und die Menschen nicht nehmen wolle, wie sie sein sollen, sondern wie sie wirklich sind. Von Hobbes wird die ganze Lehre vom Naturrecht und vom Staatsvertrag übernommen. Der Naturrechtsbegriff ist der naturalistische. „Unter Naturrecht verstehe ich die Naturgesetze selbst oder die Regeln, nach denen alles geschieht, d. h. eben die Macht der Natur“ (Abhandlung vom Staat, Kap. 2, § 4). Darum erstreckt sich das natürliche Recht der gesamten Natur und jedes einzelnen Individuums so weit wie seine Macht. Naturrecht und Macht decken sich. Dabei wird kein Unterschied gemacht zwischen Begierden, die aus der Vernunft, und solchen, die aus anderen Quellen entspringen; „denn der Mensch, ob Weiser oder Tor, ist ein Teil der Natur, und alles, was den Einzelnen zum Handeln treibt, muß zur Macht der Natur gerechnet werden“ (a. a. O. § 5). Was wir Gesetz, Recht und Gerechtigkeit, Sitte und Sittlichkeit heißen, entsteht erst mit dem Staate. Hier auch nur gibt es Sünde und Gehorsam (a. a. O. § 19f., 23). Dieser Staat aber beruht auf Konvention. Die einzelnen Individuen beschränken sich in ihrer Willkür und bestimmen, was gefällt. Im Unterschied zu Hobbes hält aber Spinoza nicht dafür, daß der Einzelne seine Naturrechte endgültig der Gemeinschaft übertragen habe. Er könne wieder zurückfordern, was er den andern eingeräumt hat, wenn sein Selbsterhaltungstrieb das verlangt. Auch Staaten brauchen darum geschlossene Verträge nur so lange zu halten, als es ihnen dienlich ist. Der Individualismus ist hier noch größer als bei Hobbes. Gott schafft nur Individuen, sagt Spinoza, keine Nationen. Natur ist also jetzt nicht mehr die ideale, die die antike und mittelalterliche Naturrechtslehre im Auge hat.

β) Widerspruch und Amphibolie

Der Einbruch dieses Naturalismus bei Spinoza ist erstaunlich. Vieles, besonders in seiner Erkenntnislehre, ist Idealismus, ja geradezu extremer Platonismus. Dort ist ihm die

Natur die ideale und Gott die Idee der Ideen. Jetzt ist sie die brutale. Diese Zweideutigkeit im Terminus ist symptomatisch. Auch sonst nämlich gebraucht Spinoza seine Begriffe oft mehrdeutig. Ein landläufiges Urteil spricht gern von der strengen Logik in der Philosophie Spinozas. In Wirklichkeit ist für sie die Amphibolie der Begriffe geradezu ein Charakteristikum. Leibniz hat das nach der Lektüre der Ethik sofort niedergeschrieben. In seinen Notizen „Zu Spinozas Ethik" von 1678 spricht er etwa zehnmal von den dunklen, zweideutigen und widerspruchsvollen Begriffen ihres Verfassers. „Die Denkweise Spinozas war, wie es scheint, seltsam gekünstelt. ... Seine Beweise sind zumeist mehr bestechend als überzeugend." Nach Kants Kritik der reinen Vernunft wäre wohl auch Spinoza nicht mehr so begriffs- und definitionsgläubig gewesen. Heute wissen wir wiederum um den Wert des Details und der differenzierenden Beschreibung und sind skeptisch gegenüber Begriffen, die die Vielgestaltigkeit der Welt für so einfach und sicher durchschaubar halten wie eine geometrische Figur.

4. LEIBNIZ
Philosophia perennis

„Ich habe von jeher versucht, die Wahrheit, die unter den Ansichten der verschiedenen philosophischen Sekten begraben und verstreut liegt, aufzudecken und mit sich selbst zu vereinigen", schreibt Leibniz am 10. Januar 1774 an Remond und zeichnet sich damit ziemlich genau so, wie ihn die Philosophiegeschichte sehen muß: als den Denker, der über den Zeiten und Parteien steht und in klassischer Schlichtheit das ewig Wahre in den Blick nimmt. Leibniz war ein universaler Geist, der sich auf allen möglichen Gebieten auskannte und zudem überall schöpferisch tätig war. In der Mathematik erfindet er die Differentialrechnung, in der Physik spricht er als erster das Gesetz von der Erhaltung der Energie aus, in der Logik zählt man ihn heute zu den Begründern der Logistik, in der Psychologie entdeckt er das Unbewußte, in der Geschichtswissenschaft gibt er seiner Zeit das Beispiel gediegenen quellenmäßigen Studiums, in der Theologie schreibt er eine bessere Rechtfertigung Gottes als irgendein Fachtheologe, in der Volkswirtschaftslehre entwickelt er eine

Fülle von praktischen Vorschlägen für den Bergbau, die Wasserversorgung, die Landkultivierung und ähnliche Dinge, dazu ist er ein versierter Jurist, der gleichzeitig auch noch immer interessiert ist an einer philosophischen Vertiefung des Rechtsdenkens; und um die Wissenschaftspflege überhaupt zu organisieren, beschäftigt er sich mit großzügigen Bildungsplänen und Akademiegründungen. So ist die Preußische Akademie der Wissenschaften sein Werk und er ihr erster Präsident. Dazu steht er in einem intensiven Briefwechsel mit den bedeutendsten Geistern der Zeit, mit Diplomaten, Ministern und Höfen, befruchtet auch das politische Leben mit seinen Ideen und verficht wie kein anderer die Einheit des Abendlandes, nicht zuletzt durch seine Bestrebungen um eine Union der beiden großen christlichen Konfessionen. Der wahre Leibniz ist jedoch weder der Polyhistor noch der weltgewandte Hofmann, sondern der Philosoph. Philosophie aber ist für ihn noch genau das, was einst Aristoteles zu Beginn seiner Metaphysik darüber schrieb, Liebe zur Weisheit, jener Weisheit, die nach dem Ersten und Ursprünglichen fragt, um der Wahrheit und um des Guten willen, wie es der metaphysischen und ethischen Tradition des Abendlandes seit Thales und Platon entspricht. Dies an Leibniz übersehen hieße das Wesentliche verkennen. Gerade damit bildet er eines der stärksten Bindeglieder in der geistigen Kontinuität von der Antike über das Mittelalter zur großen deutschen Philosophie. Was Cusanus einbrachte, kann über Leibniz aufgehen. Und die wertbeständigen Erkenntnisse der Schulmetaphysik gibt er an die Modernen weiter und bindet damit auch diese an Mittelalter und Antike. Eben darum bezeichnen wir seine Philosophie als philosophia perennis.

Leben

Gottfried Wilhelm Leibniz ist 1646 zu Leipzig geboren. Auf der Universität seiner Vaterstadt wird er, erst 15 Jahre alt, vertraut mit der Schulmetaphysik scholastischer Provenienz (vgl. oben S. 84); in Jena lernt er bei E. Weigel die moderne, mechanistisch denkende Naturwissenschaft kennen. Mit 17 Jahren schreibt er De principio individui und verrät schon mit dem Titel ein Leitmotiv seines ganzen späteren Philosophierens, das Interesse am Individuellen, das bei Spinoza so sehr vergessen worden war. Mit 20 Jahren wird er in Altdorf bei Nürnberg zum Doctor juris promoviert und erhält zugleich eine Professur angetragen. Er verzichtet darauf und tritt, veranlaßt durch den Minister J. Ch. von Boineburg, mit dem er zeitlebens befreundet bleibt, in die Dienste des geistlichen Kurfürsten von Mainz, Johann Philipp Schönborn, der im politischen Leben der Zeit eine führende Stellung einnahm. Dafür hatte Leibniz von Anfang an Interesse, und über seinen Kurfürsten kommt er auch sofort in das ganze Leben der Kultur und Politik hinein. 1672 geht er auf Anraten Boineburgs nach Paris und versucht dort, Ludwig XIV. zu einem Unternehmen in Ägypten zu überreden, um ihn von seinen deutschen Plänen abzubringen. Leibniz konnte diese seine Absicht allerdings nicht durchsetzen. Dafür lernte er in dieser Zeit, während der er auch nach England kam, eine Reihe bedeutender Wissenschaftler kennen, Mathematiker und Physiker wie Huyghens und Mariotte, die Philosophen des Cartesianismus und Augustinismus Malebranche und Arnauld, und verschiedene Vertreter des mechanistischen Atomismus und Materialismus im Stile des Gassend und Hobbes. In England hatte er in den Kreisen der Royal Society verkehrt und war mit der Naturwissenschaft im Geiste eines Boyle und Newton bekanntgeworden. Als er von seinem Aufenthalt in Frankreich 1676 nach Deutschland zurückkehrte, reiste er über Holland und besuchte dort auch noch Spinoza. Das alles hatte ihn mächtig angeregt. In Paris war es auch, wo Leibniz die Infinitesimalrechnung erfand. Sie war zuvor schon von Newton entdeckt worden. Leibniz hatte davon keine Kenntnis. Jedenfalls veröffentlichte er seine Arbeit 1684, Newton die seine erst 1687. Über die Priorität kam es zu einem unerquicklichen Streit. Von 1676 an steht Leibniz als Bibliothekar und Rat in Diensten des Hofes von Hannover. Er arbeitet an einer Geschichte des Welfenhauses, kann sich auch seinen philosophischen Studien widmen, publiziert viel in den Acta eruditorum und im Journal des savants und schreibt noch mehr, was er wieder liegen läßt, steht in Verbindung mit aller Welt, besonders auch mit Berlin, Wien und Petersburg, führt eine ungeheure Korrespondenz, macht Pläne über Pläne; aber mehr und mehr erkalten die Beziehungen zum Hof, und als Leibniz 1716 stirbt, war er vereinsamt und sein Lebenswerk in allen Stücken unvollendet. Außer den frühesten Dissertationen ist nur die Theodizee zu seinen Lebzeiten herausgekommen. Die anderen philosophisch bedeutsamen Werke erschienen posthum, die Nouveaux essais sur l'entendement humain 1765, der Discours de métaphysique erst 1846. Noch heute haben wir keine Gesamtausgabe seiner Werke und seines Nachlasses.

Werke

Von den Werken sind die philosophisch wichtigsten die „Metaphysische Abhandlung“ (1686), das „Neue System der Natur“ (1695), die „Neuen Abhandlungen über den menschlichen Verstand“ (1704), mit denen er auf Lockes Essay antwortet, die auf Bitten der preußischen Königin erschienene „Theodizee“ (1710), die „Monadologie“ (1714), die dem Prinzen Eugen gewidmeten „Vernunftprinzipien der Natur und der Gnade“ (1714) und die Streitschriften zwischen Leibniz und Clarke, die Wichtiges enthalten zu Gott, Seele, Raum, Zeit, Kraft usw. (1715—16). — Ausgaben: Deutsche Schriften. Hrsg. von G. E. Guhrauer (1838—40). J. E. Erdmann, Opera philosophica G. G. Leibnitii (1839/40, Nachdruck 1959). Die philosophischen Schriften von G. W. Leibniz. Hrsg. von C. J. Gerhardt. 7 Bde. (1875—90, Nachdruck 1960). L. Couturat, Opuscules et fragments inédits de Leibniz (Paris 1903, Nachdruck 1961). Eine Leibniz-Gesamtausgabe wurde unternommen von der Preußischen Akademie der Wissenschaften: G. W. Leibniz, Sämtliche Schriften und Briefe (1924 ff.). G. W. Leibniz, Textes inédits ... publiés et annotés par G. Grua (Paris 1948). Discours de Métaphysique et Correspondance avec Arnauld, par G. Le Roy (Paris 1957). Correspondance Leibniz—Clarke, par A. Robinet (Paris 1957). Confessio philosophi. Kritische Ausgabe mit Einl., Übers. u. Komment. von O. Saame (1967). — Übersetzungen: In der Philosophischen Bibliothek von Meiner in fünf Bänden: G. W. Leibniz. Philosophische Werke. Hrsg. von Buchenau und Cassirer (1904 ff.). Ebendort die Vernunftprinzipien der Natur und der Gnade und die Monadologie, jetzt zweisprachig von H. Herring (1956). In der Wissenschaftlichen Buchgesellschaft Darmstadt erscheint seit 1959 eine zweisprachige Studienausgabe in 6 Bdn. F. Schmidt, Fragmente der Logik. Ausgewählt, übersetzt und erläutert (1960). — Kleinere deutsche Auswahl: G. Krüger, Leibniz. Die Hauptwerke (1933). G. W. Leibniz, Schöpferische Vernunft. Schriften aus den Jahren 1668—86. Zusammengestellt, übersetzt und erläutert von W. v. Engelhardt (1951, ²1955). — L.-Bibliographie von K. Müller (1966).

Literatur

G. E. Guhrauer, G. W. Frh. v. Leibniz (1846). K. Fischer, Leibniz, s. oben S. 6. L. Couturat, La logique de Leibniz (Paris 1901, Nachdruck 1961). W. Kabitz, Die Philosophie des jungen Leibniz (1909). H. Schmalenbach, Leibniz (1921). D. Mahnke, Leibnizens Universalmathematik und Individualmetaphysik (1925). G. Stammler, Leibniz (1930). D. Mahnke, Unendliche Sphäre und Allmittelpunkt (1937). B. Russell, A Critical Ex-

(London 1937). K. Huber, Leibniz (1951). K. Hildebrandt, Leibniz und das Reich der Gnade (1953). G. Grua, La justice humaine selon Leibniz (Paris 1956). K. Hildebrandt, Leibniz und Kant. Kritizismus und Metaphysik (1955). J. O. Fleckenstein, G. W. Leibniz (1958). P. Burgelin, Commentaire du Discours de Métaphysique de Leibniz (Paris 1959). J. Jalabert, Le Dieu de Leibniz (Paris 1960). G. Martin, Leibniz, Logik und Metaphysik (1960). Y. Belaval, Leibniz: Initiation à sa philosophie (Paris 1962). W. Janke, L. Die Emendation der Metaphysik (1963). Hochstetter-Schischkoff, Gedenkschrift für L. (= Zeitschr. f. philos. Forschung, 20, 1966). H.-P. Schneider, Justitia universalis. Quellenstudien zur Gesch. des christl. Naturrechtes bis G. W. L. (1966). H. Schiedermair, Das Phänomen der Macht u. die Idee des Rechtes bei L. (1970). A. Gurwitsch, L. Philos. des Panlogismus (1974). — Müller-Totok, Studia Leibnitiana (1968 ff.). — K. Müller, L.-Bibliographie (1967).

a) Monadologie als Metaphysik

α) Der Weg zur Monaden-Metaphysik

Wenn man von Leibniz spricht, denkt man sofort an den Begriff der Monade. Mit ihm greift Leibniz in die Problematik ein, die durch die Substanzdefinition Descartes' geschaffen worden war. Und wieder spüren wir hier die Macht des historischen Koeffizienten. Mit seiner Monadologie bestreitet Leibniz seine Lehre vom Sein wie auch die vom Geist. Wir wollen die Monade zunächst als den Zentralbegriff seiner Metaphysik betrachten.

In seinem Brief an Remond vom 10. Januar 1714 gibt der Philosoph selbst die philosophiegeschichtliche Situation an, die ihn zu seiner Monadenmetaphysik geführt hat. Er schreibt da: „Noch als Kind lernte ich den Aristoteles kennen, und selbst die Scholastiker schreckten mich nicht ab, was ich auch heute noch nicht bedauere. Sodann las ich Platon und Plotin mit Befriedigung, ganz zu schweigen von den anderen Alten, die ich späterhin zu Rate zog. Als ich mich nun von der trivialen Schulphilosophie befreit hatte, verfiel ich auf die Modernen, und ich erinnere mich noch, daß ich im Alter von 15 Jahren allein in einem Wäldchen nahe bei Leipzig, dem sogenannten Rosental, spazieren ging und bei mir erwog, ob ich die substantiellen Formen beibehalten sollte. Schließlich trug der Mechanismus den Sieg davon und veranlaßte mich,

mich der Mathematik zu widmen, in deren Tiefen ich allerdings erst durch meinen Verkehr mit H. Huyghens in Paris eindrang. Als ich aber den letzten Gründen des Mechanismus und der Gesetze der Bewegung selbst nachforschte, war ich ganz überrascht zu sehen, daß es unmöglich war, sie in der Mathematik zu finden, und daß ich zu diesem Zwecke zur Metaphysik zurückkehren mußte. Das führte mich zu den Entelechien, d.h. vom Materiellen zum Formellen zurück und brachte mich schließlich, nachdem ich meine Begriffe verschiedentlich verbessert und weitergeführt hatte, zu der Erkenntnis, daß die Monaden oder die einfachen Substanzen die einzigen wahrhaften Substanzen sind, während die materiellen Dinge nichts als Erscheinungen sind, die allerdings wohl begründet und untereinander verknüpft sind. Hiervon haben Platon, ja selbst die späteren Akademiker und Skeptiker etwas geahnt... Ich habe gefunden, daß die meisten Sekten in einem guten Teil dessen, was sie positiv behaupten, recht haben, weniger in dem, was sie leugnen. Die Formalisten, wie die Platoniker und Aristoteliker, haben recht darin, die Quelle der Dinge in formalen Zweckursachen zu suchen. Unrecht haben sie nur darin, die wirkenden und die materiellen Ursachen zu vernachlässigen und daraus, wie Henry More und andere Platoniker, den Schluß zu ziehen, daß es Phänomene gibt, die nicht auf mechanische Weise erklärt werden können. Andererseits aber tun die Materialisten oder diejenigen, welche sich einzig und allein der mechanischen Philosophie hingeben, unrecht daran, alle metaphysischen Erwägungen zurückzuweisen und alles aus bloß sinnlichen Prinzipien erklären zu wollen. Ich schmeichle mir, in die Harmonie der verschiedenen Reiche eingedrungen zu sein und erkannt zu haben, daß die beiden Parteien recht haben, vorausgesetzt, daß sie gegenseitig ihre Kreise nicht stören, daß also alles in den Naturerscheinungen gleichzeitig auf mechanische und auf metaphysische Weise geschieht, daß aber die Quelle der Mechanik in der Metaphysik liegt" (Philosophische Werke III, 606f. Gerhardt = II, 459 Buchenau-Cassirer).

Vergleicht man damit zur Ergänzung noch ähnliche Übersichten zu Beginn des Neuen Systems der Natur und in der Metaphysischen Abhandlung § 10, dann sieht man in einer recht lehrreichen Weise, wie Leibniz Altes und Neues zum β) Neue Substanz-Definition

Ausgleich bringt, und insbesondere, wie er die Substanzauffassung des Descartes, des Occasionalismus und Spinozas überwindet, aber eben darin dem Überwundenen doch noch verpflichtet bleibt. Der Gedanke, der ihn unmittelbar zu seiner Monade führte, war folgende Überlegung: Der Körper — von dieser Seite her faßt Leibniz das Substanzproblem an — ist Ausdehnung, hatte Descartes gesagt. Locke hatte, um den physischen und nicht nur den mathematischen Körper zu treffen, noch die Undurchdringlichkeit (Solidität) hinzugefügt. Leibniz sagt sich nun, Wirklichkeit ist noch mehr; sie ist Wirken, ist Kraft. Darum definiert er die Substanz als un être capable d'action (Vernunftprinzipien der Natur und der Gnade § 1).

γ) Monade

αα) Die wahren Atome

Von hier aus schließt er nun weiter: Eine Wirkeinheit ist immer eine Summe von Kräften. Soll die Summe real sein, müssen es auch die Summanden sein, die in ihr enthalten sind. Fassen wir nun die letzten Summanden als etwas Ausgedehntes im Sinne des Descartes, dann haben wir gar keine letzten wirklichen Summanden; denn alles Ausgedehnte ist wieder weiter teilbar und darum nichts wirklich Letztes (Vernunftprinzipien der Natur und der Gnade § 1; Monadologie § 1). Und da es nun entsprechend der ganzen Tradition nach dem Ausscheiden der res extensa nur noch die res cogitans gibt, müssen die letzten Baubestandteile der Wirklichkeit seelische Elemente sein. Das Seelische ist etwas Wirkliches — man erinnert sich an das cogitans sum — und etwas Unteilbares und Letztes zugleich, denn es ist ausdehnungslos. Damit ist Leibniz bei dem angelangt, was er seine Monade heißt. „Die Monaden sind also die wahrhaften Atome der Natur und mit einem Worte die Elemente der Dinge." Man könnte sie auch Seelen heißen; aber nachdem wir gewohnt sind, den Seele-Begriff in einem engeren Sinn zu verwenden, nämlich für jenes Seiende, das bewußte Vorstellungen hat, bei den Monaden aber das nicht immer zutrifft, will Leibniz lieber von Monaden oder Entelechien oder noch besser von „ursprünglichen Kräften" (forces primitives) sprechen. Daraus, daß die Monade ein ausdehnungsloser, aber nicht mathematischer Punkt ist, sondern Seele, folgt alles Weitere. Die Monade kann nicht vergehen; denn sie kann als absolut einfach sich nicht in Teile auflösen; ebensowenig kann sie durch Zusammentreten bestimmter Teile entstehen. Die Mo-

ββ) „Substanzen"

naden wurden darum von Gott unmittelbar geschaffen und könnten nur durch ihn vernichtet werden. Die Monaden können aber auch von außen keinerlei Einwirkung erfahren; wieder nicht wegen der Einfachheit, in die nichts einströmen kann, Bildchen oder Species oder Anstöße oder Sinnesreize, oder wie man sich das sonst früher gedacht hatte. „Die Monaden haben keine Fenster, durch die etwas hinein- oder heraustreten könnte“ (Monadol. § 7). Ihre ganze Tätigkeit erfolgt spontan. Das ist möglich, weil sie eben Substanzen sind, und Substanz sein heißt Selbstand haben, wie es schon das Axiom der Alten: actiones sunt suppositorum, meinte, das Leibniz in der Metaphysischen Abhandlung ausdrücklich zitiert (§ 8), und wie es besonders seit Descartes und noch mehr seit Spinoza von der Substanz immer angenommen wurde. Die Monade ist somit etwas Formales oder Aktives, ein esse, aus dem das agere erfließt, entsprechend seiner forma oder essentia. „Ich sah mich also gezwungen, die heute so verschrienen substantiellen Formen zurückzurufen“ (Neues System der Natur. Philosophische Werke IV, 478f. Gerhardt = II, 260 Buchenau-Cassirer). Da die Wirklichkeit der Monade seelisches Sein ist, besteht ihre Wirksamkeit in seelischem Tun, also „in den Perzeptionen, d. h. in den Darstellungen des Zusammengesetzten und außer uns Befindlichen durch das Einfache, und in ihren Begehrungen, d. h. in ihrem Streben, von einer Perzeption zur anderen überzugehen“ (Vernunftprinzipien der Natur und der Gnade § 2). Weil aber dieses Vorstellen nicht von außen angeregt wird — die Monade ist Substanz und hat darum keine Fenster —, muß die Monade die ganze Welt in ihren Vorstellungen umfassen. Sie ist un miroir vivant de l'univers. Diese Vorstellung muß jedoch nicht eine bewußte Vorstellung sein (apperception), sondern ist weithin unbewußte oder „bloße“ Vorstellung (perception). Weil die Cartesianer diesen Unterschied nicht kannten und Seele einfach mit dem Bewußtsein gleichsetzten, konnten sie dem Tiere, das ja in der Tat ohne Geist ist, kein seelisches Leben mehr zuschreiben, ganz zu schweigen von der sich damit ergebenden Unmöglichkeit der Annahme seelischer Lebensprinzipien. Leibniz setzt sich (a. a. O. § 4) ausdrücklich davon ab, schon wegen seiner lex continui (vgl. darüber die Vorrede zu seinen Neuen Abhandlungen über den menschlichen Verstand), und unterscheidet Gradabstufun-

γγ) Vorstellung

gen des Vorstellens. Zuunterst stehen die Monaden, die ganz unbewußt dahindämmern. Ihre Vorstellungen sind dunkel. Sie sind „bloße Monaden". An zweiter Stelle stehen die Monaden, deren Vorstellungen mit Bewußtsein geschehen, wo Empfindung und Gedächtnis vorhanden ist. Sie sind schon Seele im engeren Sinn, z. B. bei Pflanzen und Tieren. An dritter Stelle steht das Vorstellen mit Selbstbewußtsein. Es ist bereits Geist, das spezifisch menschliche Vorstellen. Dabei gibt es wieder Gradunterschiede. Geistmonaden können verworren oder deutlich vorstellen. Verworrene Vorstellung ist noch gehemmte Tätigkeit. Deutliche Vorstellung ist ungehemmte Tätigkeit. Ganz deutliche Vorstellungen hat nur die

δδ) Individuen

göttliche Monade. Sie ist reine Tätigkeit, actus purus. Durch den Grad des Vorstellens — es gibt hier ein kontinuierliches Voranschreiten, vom unendlich Kleinen als der Grenze des Nichts bis zum unendlich Großen in der Intensität der Energeia — unterscheiden sich nun die einzelnen Monaden voneinander, so daß jede ein Individuum ist — „Entelechie" meint die substantia prima im Sinne der Alten —, obwohl in ihrem potentiellen Gehalt jede einzelne das ganze Universum umfaßt. Damit aber, daß jede Monade ein lebendiger Spiegel des Universums ist, in dieser Einheit ihres Vorstellungsgehaltes, stehen alle Monaden trotz der Individualität ihrer Vorstellungsgrade wieder miteinander von vornherein in

εε) Harmonia praestabilita

Einklang. Wir haben so eine harmonia praestabilita. Das Uhrengleichnis, das Leibniz zur Verdeutlichung dieses Gedankens von Geulincx übernimmt, drückt, was er sagen will, etwas populär aus: Gott habe, als er die Monaden schuf, alle aufeinander abgestimmt wie der Uhrmacher zwei Uhren; wie diese immer die gleiche Zeit zeigen, jetzt nur noch ihrem inneren Mechanismus folgend und ohne einer weiteren Beeinflussung zu bedürfen, so geben die Geistmonaden genau wieder, was sich am Körper ereigne und umgekehrt. Der eigentliche Grund der Harmonie liegt jedoch in der Gleichheit ihres Vorstellungsinhaltes. Man könnte auch sagen, Leibniz läßt jede seiner Monaden das sein, was für Spinoza das Alleine ist. Dieses Alleine tritt bei Leibniz unendlich oft auf, nur jeweils anders vorgestellt, womit das Individuelle gerettet wird und doch das Alleine nicht verlorengeht.

δ) Charakter der Monadenmetaphysik

Leibnizens Monaden-Metaphysik ist das Muster spekulativen Weiterphilosophierens auf dem Boden der vorgefundenen ideengeschichtlichen Situation. Sie spiegelt darin den Charakter seiner eigenen Persönlichkeit wider, die auch nach überallhin Fühlung hielt und überall das Wahre und Rechte suchte, um jedem das Seine werden zu lassen. Es empfiehlt sich, die wesentlichen Züge dieser Synthese herauszustellen. Was zunächst ins Auge fällt, ist eine fast allzu kühn scheinende Seinsmetaphysik. Alles Sein, auch das materielle der Körperwelt, wird gedeutet als Wirklichkeit und Wirksamkeit seelischer Art (psychistischer Dynamismus). Damit haben wir nach den occasionalistischen und spinozistischen Versuchen wieder einen neuen Vorschlag zur Bereinigung der mit der Substanzlehre Descartes' und ihrem Dualismus aufgerisssenen ontologischen Aporie. Der neue Vorschlag ist nicht verwegener als die anderen Thesen; ja er ist nach der Erklärung Descartes', daß das seelische Sein uns leichter verständlich sei als das materielle Sein, durchaus begreiflich; und jedenfalls hat er mehr für sich als die populäre, unkritische Anschauung von der Evidenz des Materiellen. Aber trotz des Panpsychismus bleibt es bei der Realität der Körperwelt. Die materiellen Dinge sind zwar „nichts als Erscheinungen, aber doch wohlbegründet und untereinander verknüpft". Der Körper ist ein phaenomenon bene fundatum. Er ist nicht eine Setzung nur des Bewußtseins, wie man Leibniz auf Kant hin auslegen wollte. Es wird nicht die Realität des Körpers geleugnet, sondern nur seine Natur als psychisches Sein und Wirken interpretiert. Der Dynamismus gestattet es nun Leibniz, den Errungenschaften der neuzeitlichen Naturwissenschaft Rechnung zu tragen. Es bleibt bei den Atomen; denn wo Zusammengesetztes ist, müßte man auch letzte Teile annehmen. Und es bleibt auch bei der so fruchtbaren Methode der quantitativ-mathematischen Beschreibung der Erscheinungswelt. Gerade wegen des Dynamismus; denn die Wirkungsgrößen sind es, die gemessen werden. Leibniz stellt in der Auseinandersetzung mit den Bewegungsgesetzen Descartes' auch eine eigene, wenn auch zunächst falsche Formel dafür auf ($m \cdot v^2$). So werden die mechanisch wirkenden materiellen Ursachen nicht vernachlässigt; denn man dürfe mit der Rede von den Formen keinen Mißbrauch treiben, indem man etwa den inneren Bau des tierischen Körpers einfach mit dem Wort Seele zu erklären versuche. Die besonderen Probleme der Natur müssen auch entsprechend gelöst wer-

αα) Psychistischer Dynamismus

ββ) Mechanismus und Organismus

Mechanische Größen

den (Neues System der Natur. Philosophische Werke IV, 479 Gerhardt = II, 260 Buchenau-Cassirer). Aber es sei falsch, zu glauben, daß mit mechanischen Gesichtspunkten schon die ganze Natur erklärt wäre. Die sinnlichen Prinzipien allein reichen nicht aus, sondern wir müssen auf weitere Prinzipien zurückgreifen; und diese metaphysischen Prinzipien sind die früheren (Brief an Remond 10. 1. 1714. Philosophische Werke III, 606 Gerhardt = II, 459—461 Buchenau-Cassirer). Es gibt nicht nur Teile, sondern auch Ganzheiten, und die Monade ist nicht nur letzter Teil, Atom, sondern auch Substanz und Ganzheit. Und zwar taucht der Substanz- und Ganzheitsgedanke in einem doppelten Sinn auf. Einmal ist jede Monade in ihrer Substanzhaftigkeit Spiegel des Ganzen der Welt; und dann gibt es besondere Monaden, die über Gruppen anderer „herrschen" als Zentralmonaden, wie z. B. die sogenannten Seelen der lebendigen Körper, vor allem aber die menschliche Geistseele. Diese ausgezeichneten Monaden stellen die Masse unendlicher Monaden, die sie umgeben und die ihren „Körper" ausmachen, in besonderer Weise vor und bilden eben dadurch deren Einheit und Substanzialität. Daß andererseits die subsumierten Teilmonaden sich in das Ganze der herrschenden Monade fügen, versteht sich von selbst, weil ja jede Monade, indem sie das Universum spiegelt, auch auf diese Ganzheiten eo ipso hingeordnet ist (Vernunftprinzipien der Natur und der Gnade § 3f.; Metaphysische Abhandlung § 33). Die Ganzheit zeigt sich also besonders im Reiche des Lebendigen (Monadol. § 64, 70). Doch nicht nur hier; sondern in jedem Teil der Materie bis in den unendlich kleinsten Teil (Monadol. § 65). Die ganze Natur ohne jede Ausnahme ist ein unendlich wunderbares Kunstwerk, weil alles sich in die Harmonie des Ganzen fügt.

Ganzheiten

Leibniz hat sich für diese Wertung der Ganzheitsidee des aristotelisch-scholastischen Entelechie-Begriffes bedient und sich ausdrücklich darauf bezogen. Und man darf hinzufügen, daß er diesen Begriff in seinem ursprünglichen Sinn gesehen hat. Man hat mit Recht bemerkt (Philosophische Werke II, 22f. Buchenau-Cassirer), daß bei Leibniz die Entelechie keine moderne „Dominante" bedeutet; denn er wolle die Naturerscheinungen im Geiste des neuen mathematischen Denkens mechanisch erklären. Es hat in der Tat bei ihm „jeder Teil seine bestimmte Eigenbewegung" (Monadol. § 65), ganz ab-

Entelechie

gesehen davon, daß Leibniz diese seine Absicht ausdrücklich erklärt hat (Brief an Remond 10. 1. 1714. Philosophische Werke III, 607 Gerhardt = II, 461 Buchenau-Cassirer). Trotzdem verbindet er damit das organologische Denken, weil er die Ganzheit und Ordnung bewußt sieht. Und auf diese metaphysische Betrachtungsweise legt er sich ebenso ausdrücklich fest (a. a. O.). Für uns Heutige bedeutet Mechanismus—Organismus einen Gegensatz, weil unter dem Einfluß des Neovitalismus der antike Entelechiebegriff umgebildet wurde. Leibniz sieht ihn in seinem ursprünglichen Sinn, wo er einfach Ordnung, Sinneinheit, Ganzheit, kurz: Form überhaupt besagt. Das Organische ist hier, was als ein Mittel auf einen Zweck, als ein Teil auf ein Ganzes bezogen ist. Wer nur die Teile sieht, kennt nur künstliche Automaten wie Descartes und die Mechanisten. Wer aber auch den das Ganze bis ins unendlich Kleinste herab durchwaltenden Sinn sieht, hat „natürliche Automaten oder göttliche Maschinen vor sich", und er wird auch noch metaphysisch denken (Monadol. § 64). Hier gibt es nicht mehr etwas Sinn- oder Geistfreies. Hier ist alles in allem. Das ἀπὸ ταὐτομάτου ist zugleich das ἐντελεχές, weil es nichts logisch Amorphes mehr gibt; denn noch der letzte denkbare Teil versteht sich vom Ganzen her, und zwar in allem, nicht nur im lebendigen Seienden. Darum kann Leibniz sagen: „Der Körper ist organisch, wenn er eine Art von Automat oder natürlicher Maschine bildet. . . . Da nun infolge der Erfüllung der Welt alles miteinander in Verbindung steht und jeder Körper, je nach der Entfernung mehr oder weniger, auf jeden anderen einwirkt, so folgt daraus, daß jede Monade ein lebendiger, der inneren Tätigkeit fähiger Spiegel ist, der das Universum aus seinem Gesichtspunkt darstellt und der ebenso geregelt ist wie dieses selbst" (Vernunftprinzipien der Natur und der Gnade § 3). Das Ganze braucht also auch das Individuelle und seine Kausalität. Leibniz vertritt keinen einseitigen Holismus. Und daß er auch wieder über dem einen das andere nicht übersieht, diese Wertung der individuellen Kausalität bildet ein weiteres Charakteristikum seiner Monadenmetaphysik. Die Monaden sind ursprüngliche Kräfte, haben ein eigenes Sein und eine eigene Wirksamkeit und sind nicht bloß Momente an der einen, allein wirkenden Substanz, wie das Spinoza behauptet hatte, nachdem schon durch den

Organismus

γγ) Kausalität — Individualität — Personalität

Occasionalismus alle Wirksamkeit auf Gott übertragen worden war. So etwas anzunehmen hieße für Leibniz, die Natur „der besonderen und eigentümlichen Vollkommenheiten berauben, womit man in der Tat eine zu kleine Meinung von der Ordnung und Harmonie des Universums bekunden würde“. Die Natur werde bei Spinoza zu einem öden Einerlei, da das Einzelne bei ihm nur auf der Vorspiegelung der Imagination beruhe, in Wahrheit aber keine Wirklichkeit besitze. Bei Leibniz dagegen gibt es im „Universum nichts Ödes, nichts Unfruchtbares, nichts Totes“; „jedes Stück Materie kann als ein Garten voller Pflanzen oder als ein Teich voller Fische aufgefaßt werden; aber jeder Zweig der Pflanze, jedes Glied des Tieres, jeder Tropfen seiner Feuchtigkeit ist wiederum ein derartiger Garten und ein derartiger Teich“ (Monadol. §§ 69, 67). Die Annahme des Individuellen und der echten Vielheit ist überhaupt ein Grundprinzip des Leibnizischen Denkens und von Anfang an bei ihm da. Nicht umsonst beschäftigt er sich schon in seiner ersten Schrift mit diesem Problem. Sie ergibt sich nicht nur aus seiner Naturphilosophie und Körperlehre, sondern ist für ihn ein metaphysisches Axiom, so wie für Aristoteles die erste Substanz grundlegende Voraussetzung seiner Ontologie war. Die Rechtfertigung erblickt Leibniz in seinem principium indiscernibilium: „Darum ist jede Monade verschieden, und es muß so sein, weil es niemals in der Natur zwei Wesen gibt, die vollkommen identisch wären und in denen sich nicht ein innerer oder auf eine innere Bestimmung gegründeter Unterschied aufzeigen ließe“ (Monadol. § 9). Damit rettet Leibniz das Individuelle gegenüber der allgemeinen Gleichmacherei Spinozas. Besonders lag ihm dabei die Individualität des Menschen am Herzen. Leugne man die substantielle Personalität und damit die Unsterblichkeit der Seele, dann hieße dies den Menschen entwerten. Er würde, wenn er keinen Selbstand und keine eigene Kausalität mehr besäße, zur Nutzlosigkeit und zum Nichtstun verurteilt und müßte einem eintönigen, quietistischen Zustand zutreiben, für den Aufhören aller besonderen Tätigkeiten widersinnigerweise als Vollkommenheit erschiene. Spinoza habe diese seine These nur behauptet, aber nicht bewiesen. Er werde durch die Erfahrung widerlegt, „die uns lehrt, daß wir etwas Besonderes für uns sind, das denkt, Selbstbewußtsein hat und will, und

Das Viele

Principium indiscernibilium

Mensch als Person

daß wir von einem anderen, der etwas anderes denkt und etwas anderes will, verschieden sind" (Betrachtungen über die Lehre von einem einigen, allumfassenden Geist. Philosophische Werke VI, 537 Gerhardt = II, 60 Buchenau-Cassirer. Dazu noch Metaphysische Abhandlung § 34 f.). Mit der Monade als individueller Substanz ist nun auch die Freiheit gegeben. Auch das ist noch ein Charakteristikum der Monadenmetaphysik. Indem das Individuelle als etwas Eigenständiges sich vom universalen Kausalnexus Spinozas löst, soll eben die freie Eigenständigkeit gerettet werden. Die Rede von der „vorherbestimmten" Harmonie hat aber gerade den Einwurf herausgefordert, daß in diesem System für Freiheit kein Platz mehr sei. Speziell war es der von Leibniz gegenüber Arnauld ausgesprochene Satz, daß ein allwissender Geist aus dem Begriff des menschlichen Subjektes mit Sicherheit ablesen könne, welche Akzidentien, welche Geschehnisse also „notwendig" damit verknüpft sein werden. Das schien wieder der mos geometricus zu sein, der die Welt in einen Logikkalkül verwandelt. Und man hat sogar behauptet, Leibniz habe diesen logistischen Determinismus als seine eigentliche, seine esoterische Philosophie betrachtet und nur für den populären Gebrauch, sozusagen à l'usage du Dauphin, von Freiheit gesprochen, wenn er z. B. in der Theodizee (I, § 63) ausdrücklich darauf besteht, daß die praestabilierte Harmonie die Freiheit nicht aufhebe. Allein ein solches Versteckspiel war nicht nötig. Freiheit und Notwendigkeit sind bei ihm tatsächlich so vereint, daß kein Widerspruch besteht. Es wiederholt sich hier seine Stellungnahme zur mechanistischen und metaphysischen Betrachtung der Welt. Wie er dort erklärt hatte, daß alles in den Naturerscheinungen gleichzeitig auf mechanische und metaphysische Weise geschehe, so jetzt: „Die Seelen handeln durch Begehrungen, Endzwecke und Mittel nach den Gesetzen der Endursachen; die Körper handeln nach den Gesetzen der Wirkursachen oder der Bewegungen"; „und die beiden Reiche, das der Wirkursachen und das der Endursachen, sind harmonisch untereinander". Mit anderen Worten: Jede einzelne Monade ist wirklich eine force primitive, handelt immer spontan; sie erfährt nie einen fremden Zwang, sondern lebt ihre eigene Substanzialität „ursprünglich" aus. Immer ist sie darum frei. Wenn dennoch Gesetz und Harmonie

δδ) Gesetz und Freiheit

Vorausbestimmung?

Freiheit in der Harmonie

herrschen, so deswegen, weil jede Monade alles ist, und alles jede Monade ist. Damit verschwindet der Gegensatz zwischen dem einen und dem anderen. Leibniz kann darum auch sagen, „daß die Körper so handeln, als ob es (was unmöglich ist) keine Seelen gäbe, und daß die Seelen so handeln, als ob es keine Körper gäbe, und daß alle beide doch so handeln, als ob das eine auf das andere Einfluß ausübte".

Leibniz und Boëthius

Wir haben hier eine Variante eines Gedankens von Boëthius vor uns. Er empfand eine ähnliche Schwierigkeit angesichts des göttlichen Vorauswissens. Muß die Freiheit sich nicht selbst aufheben, wenn das Vorauswissen Gottes rechtbehalten soll? Er löste die Schwierigkeit mit dem Hinweise darauf, daß Gott nicht eigentlich „voraus"-weiß, weil es für ihn eben keine Zeit gibt, sondern alles ewiges Jetzt ist. Er legt also mit dem sogenannten Vorauswissen nichts vorgängig fest. Und Leibniz legt das eine nicht durch das andere fest, weil das andere dem einen gegenüber in seinem System nichts Fremdes ist. Mit diesem Hinweis auf Boëthius können wir aber auch sehen, wie Leibniz auch hier wieder die Kontinuität der abendländischen metaphysischen Überlieferung repräsentiert. Über den neuen Termini möge man die antik-

Leibniz und Cusanus

scholastische Überlieferung nicht verkennen! Kein Zweifel, unmittelbar ist er in seinem Monadendenken beeinflußt gewesen von Bruno. Über den Italiener war es aber das Denken des Cusaners, das er wieder aufgriff, seine Rede nämlich vom quodlibet in quolibet, vom Zusammenfallen der Gegensätze und der Welt als einer explicatio Gottes. In diesem Sinn ist jede Monade ein Spiegel des Universums, ein unum in multis. Und wie Cusanus die Erkenntnisse einer voranschreitenden Zeit dem Erbe der Vergangenheit, aber einer erneuerten und besser verstandenen Vergangenheit, einzugliedern wußte, so steht auch Leibniz mitten in den Errungenschaften der modernen Naturwissenschaft, ja ist einer ihrer ersten Förderer, sieht aber zugleich, wie das Neue sich der alten Metaphysik nicht nur eingliedern kann, sondern wie es dieser geradezu bedarf. Ein wahrer Vertreter der philosophia perennis!

ε) Gott

Die Eingliederung Leibnizens in die Kontinuität der abendländischen Metaphysik wird besonders ersichtlich in seiner

αα) Gottesbeweise

Gotteslehre. Die kurze Zusammenfassung seines „Beweises für einen einzigen Gott, für seine Vollkommenheit und für die Entstehung der Dinge“ in der Theodizee (I, § 7) könnte ebenso auch bei Thomas von Aquin stehen. Leibniz übernimmt denn auch die herkömmlichen Gottesbeweise. So hält er das ontologische Argument für prinzipiell richtig; nur müßte Descartes' Gedankengang ergänzt werden durch den Nachweis, daß der Begriff des ens summe perfectum in sich widerspruchsfrei ist; könne er gedacht werden, ist also der Begriff logisch möglich, dann ist Gott auch wirklich. Eine für Leibniz ungemein bezeichnende Anschauung! Sie setzt die platonische Überzeugung von der Identität von Denken und Sein voraus, die wir sogleich als eine der Grundhaltungen unseres Philosophen kennenlernen werden. Bezeichnenderweise wird in der Metaphysischen Abhandlung (§ 23) die „Möglichkeit“ ohne weiteres gleichgesetzt mit der „Wesenheit“: „Es ist in der Tat ein ausgezeichnetes Vorrecht der göttlichen Natur, zur wirklichen Existenz nur ihre eigene Möglichkeit oder Wesenheit nötig zu haben, und ebendies ist es, was man als ens a se bezeichnet.“ Man vergleiche dazu noch Monadol. § 45 und die kleine Abhandlung De la démonstration Cartésienne de l'existence de Dieu du R. P. Lami (Opera philosophica, S. 177 f. Erdmann). Neben dem ontologischen Argument begegnen wir erwartungsgemäß dem kosmologischen, aber in einer etwas abgewandelten Form. Leibniz spricht von einer kontingenten Welt. Alles Seiende kann sein, d. h., es ist möglich im Sinn von logisch denkbar, muß aber nicht sein. Soll das Mögliche wirklich werden, so bedarf es einer dem Möglichen Wirklichkeit verleihenden Wirkursache, sagten die Alten, eines zureichenden Grundes, sagt Leibniz. Sind diese Ursachen und Gründe nun auch wieder verursacht und gegründet, so kann man doch in einer solchen Ursachenreihe nicht ins Unendliche zurückgehen und muß schließlich ein Seiendes annehmen, das den Grund seines Seins in sich selbst trägt und damit auch der hinreichende Grund der Welt, also Gott ist. Leibniz denkt in der Ablehnung eines regressus in infinitum wie Platon, Aristoteles und Thomas (man vergleiche besonders die Vernunftprinzipien der Natur und der Gnade § 8). Eine Parallele zu diesem Gedankengang ist der Beweis aus den ewigen Wahrheiten. Platon und Augustinus hatten damit einst sowohl die Unsterblichkeit der Seele wie die Existenz Gottes begründet, weil sie sich sagten, daß unsere menschlichen wahren Erkenntnisse insgesamt, insofern sie eben etwas Wahres enthalten, teilhaben an dem an sich Wahren und so das Ewige und Vollkommene anzeigen. Auch Leibniz will die Wahrheit unserer Tatsachenurteile zurückführen auf notwendige Sätze, die immer wahr sind und als solche den zureichenden Grund für unsere Erfahrungsurteile bilden. Diese Wahrheit an sich aber ist für ihn, wie für Platon und Augustinus, Gott. Und schließlich kennt Leibniz den teleologischen Beweis: Das Sein ist geordnet, wir haben Ziele, Zwecke, Ganzheiten, was besonders in seiner Lehre von der prästabilierten Harmonie zum Ausdruck kommt. All das aber sei nicht denkbar ohne einen das ganze All wissenden und beherrschenden Geist. In diesen Gottesbeweisen kehrt ständig, besonders sichtbar im kosmologischen Gedankengang, das principium rationis sufficientis wieder. In der Sache alt, ist es durch Leibniz in dieser Formulierung zu einem Bestandstück der neueren Philosophie geworden, vor allem in der Logik. Seine Auslegung ist umstritten. Schon die Formulierungen scheinen nicht eindeutig zu sein. In der Theodizee (I, § 44) heißt der Satz vom zureichenden Grund: „Daß niemals etwas ohne eine Ursache (cause) oder wenigstens ohne einen bestimmenden Grund (raison determinante) geschieht, d. h. ohne einen gewissen Grund a priori, warum etwas existiert und nicht lieber nicht existiert, und warum es lieber auf diese als auf jede andere Weise existiert"; in der Monadologie heißt es: „Unsere Schlüsse gründen sich auf zwei große Prinzipien; das erste ist das Prinzip des Widerspruchs ..., das zweite ist das Prinzip des zureichenden Grundes, in kraft dessen wir der Ansicht sind, daß keine Tatsache existierend oder wirklich und auch keine Aussage wahr sein könne, ohne daß es einen zureichenden Grund dafür gibt, daß jene so und nicht anders seien, wenn uns auch diese Gründe meist nicht bekannt sein können" (§ 31 f.). Man will darum in unserem Prinzip Verschiedenes sehen. Einmal wird es als ein logisches Prinzip betrachtet, das besagt: für jede nicht durch sich selbst bekannte, also nur tatsächliche Wahrheit muß es einen Grund geben, der sie eben „gründet", weil nichts durch nichts wird; d. h., jedes Prädikat kann, wenn nur die Analyse weit genug getrieben wird, was allerdings nur einem unendlichen Geist möglich ist, als mit dem Subjekt identisch nachgewiesen werden. In dieser Identität besteht der zureichende

ββ) Leibnizische Prinzipien

Ratio sufficiens

Verschiedene Bedeutung

Grund, so daß hier das Prinzip der ratio sufficiens mit dem Widerspruchsprinzip zusammenfällt. Ferner sieht man darin ein realontologisches Prinzip, mit dem Leibniz sagen wolle, daß jede Wesenheit Seinsgrund in dem Sinne wäre, daß sie zur Existenz tendiere: omne possible exigit sua natura existentiam pro ratione possibilitatis seu pro essentiae gradu; auch ohne Gott, und wenn es nur die Monaden gäbe, wäre dem so; denn „was existieren und mit anderen zusammen bestehen kann (compatibile est), das existiert auch, weil der Daseinsgrund des einen vor allem anderen auch Möglichen durch nichts anderes beschränkt werden darf als nur durch die Nichtkompatibilität“ (Couturat, Opuscules, S. 530). Drittens bedeute der Satz vom Grunde ein theologisch-teleologisches Prinzip, das einfach sagen will: Für die tatsächlich existierende Welt ist Gott der zureichende Grund; nicht als ob Leibniz seine Frage nach dem Grunde mit dem anderweitig schon bekannten Gottesbegriff beantwortete, sondern gerade umgekehrt: weil sich ihm die Frage nach dem Grunde stellt, kommt er zu Gott; so besonders in der Monadologie §§ 36—39. Und schließlich soll unser Satz ein empiriologisches Prinzip sein, das die Welt der bloßen Faktizität betrifft, die Existenzialurteile als solche also durch Gründe erklären soll, etwa durch den Zweck, jedoch den nur a posteriori nachweisbaren. Man hat gezweifelt, ob diese verschiedenen Bedeutungen des Satzes vom Grunde noch von einem einheitlichen Prinzip sprechen lassen. Bedenkt man jedoch, daß Leibniz Ideal-Realist ist, dann beheben sich die Schwierigkeiten. Sie entstehen für ein Denken, das rein empiristisch eingestellt ist, weil dann Essenz und Existenz vollständig auseinandertreten, die Teleologie ganz entfällt oder doch nur beschränkt gilt, die „Wesenheiten“ nur noch Gedankendinge und darum kraftlos und keine echten Gründe mehr sind und insbesondere der Grund aller Gründe nichts mehr bedeutet. Jetzt weiß man nicht mehr, wohin mit unserem Prinzip, und bezieht es bald auf die logische, bald auf die existentielle Sphäre, bald nur auf Wesenheiten, bald auf das Dasein. Für den Ideal-Realismus aber besteht, obwohl auch er Essenz und Existenz auseinanderhält, doch eine andere Situation; und zwar deswegen, weil die Wesenheiten hier nicht bloße „Begriffe“ sind, die auf Grund der Existenz sozusagen post festum gebildet werden, und dies nur als Gedankendinge,

Einheitlicher Sinn

sondern echte Gründe, die der Existenz vorausgehen und gerade sie allererst ermöglichen. Man sieht es deutlich bei allen großen Vertretern dieses Denkens: Platon betrachtet die Idee als ὑπόθεσις für jedes Seiende; Aristoteles erblickt in der Form zugleich die Energeia; ebenso Thomas von Aquin; für Cusanus gilt noch immer das Wort des Neuplatonismus: bonum est diffusivum sui, wobei bonum wieder wie für Platon die Idee des an sich Guten ist; und für Descartes ist das Wahre identisch mit dem Realen (vgl. oben S. 107). Der Satz des Leibniz von der Tendenz des Essentiellen zum Existentiellen drückt diesen Ideal-Realismus in einer besonders prägnanten Weise aus. Das principium rationis sufficientis hat darum einen durchaus einheitlichen Sinn, weil eben für Leibniz das Ideal-Wesenhafte den Kern des Existentiell-Realen ausmacht. Ob man darum das Prinzip mit Couturat rein logisch auffaßt, in dem Sinn, daß im Inhalt des Subjektsbegriffes alle möglichen Prädikate als damit identisch enthalten sind, oder ob man mit Erdmann und anderen ihm noch einen realen Gehalt zuerkennt, es ist für Leibniz dasselbe, eben der real-ontologische Sinn. Und ebenso ist damit zugleich seine teleologische und theologische Bedeutung gegeben. Der Wesensbegriff der platonisch-aristotelischen Philosophie ist jederzeit in einem teleologischen Verstand gebraucht worden; jede φύσις ist ein πεφυκέναι τινί (vgl. Bd. I, 207 f.), so daß schließlich alle Wesenheiten in ein Ziel einmünden, von ihm her ihren Sinn, ihr Eidos erhalten, so daß sie von ihm als der uranfänglichen ὑπόθεσις ausgehen, in ihm als dem Ersten und Urgrund von allem gegründet sind. Dieses ἱκανόν, mag man es als Idee des an sich Guten oder als actus purus oder als ens a se bezeichnen, ist eben als die Spitze der Ideenpyramide (vgl. Bd. I, 105), an der alle Wesenheiten teilhaben, um dadurch zum Sein zu kommen, zugleich das Göttliche, womit sich zeigt, daß die real-ontologische Deutung von der theologischen gar nicht verschieden ist; denn in der klassischen Metaphysik ist die Theologik die Verlängerung der Ontologie: Wissenschaft vom Urgrund des
lex melioris Seins. Aus dieser Gesamtsituation heraus wird nun zugleich ersichtlich, daß mit dem Prinzip vom Grund ein zweites, für die Gotteslehre Leibnizens wichtiges Prinzip, die lex melio-
γγ) Beste Welt ris, sachlich, wenn auch nicht begrifflich zusammenfällt. Aus unendlich vielen an sich möglichen Welten habe Gott die

beste ausgesucht und realisiert. Das Beste war es, was seinen Willen bestimmte, „sonst hätte Gott keinen Grund gehabt, überhaupt eine zu erschaffen“ (Theodizee III, § 416). Gott konnte gar nicht anders wählen; seine Weisheit und die Idee des Vollkommenen, die zu seiner Natur gehören, erfordern dies. Man hat an diesem sogenannten Optimismus dann doch eine Schmälerung der göttlichen Vollkommenheit gesehen, nämlich die Negation seiner Freiheit. Für den Standpunkt, von dem aus dieser Einwand gegen Leibniz vorgetragen wurde, mit Recht. Wenn schon die Freiheit ein Wert ist, der um so mehr gegeben ist, je höher im Stufenreich des Seins wir emporsteigen, dann darf sie Gott nicht fehlen. Das hätte aber Leibniz auch nicht geleugnet. Er versichert ausdrücklich, daß er von Gott die blinde oder geometrische Notwendigkeit fernhalten wolle, die Straton von Lampsakos und Spinoza in ihn hineingetragen hätten. Gott ist frei, wie alle Substanzen frei sind; ist er doch die erste Substanz und darum die force primitive schlechthin. Aber gerade weil er das metaphysisch erste Sein ist, ist er auch das vollkommenste, und daraus ergibt sich die lex melioris. Man muß in ihr „das Nachwirken der ersten Substanz erkennen, deren Hervorbringungen eine höchste Weisheit bekunden und die vollkommenste aller Harmonien ausmachen“ und von reiner Willkür ebenso weit entfernt sind wie von blinder Notwendigkeit. Wenn Gott keine andere als die beste Welt wählen „kann“, so liegt hier das gleiche „Nichtkönnen“ vor wie beim vollkommenen Mathematiker, der nicht anders rechnen „kann“, als wie es richtig ist, oder wie beim vollkommenen Weisen, der nichts anderes will als nur das Beste. Dieses „Nicht-anders-Können“ ist nicht Ohnmacht oder Unfreiheit, sondern gerade höchste Macht und Freiheit. Die Wahl Gottes stempelt das von ihr Unterlassene nicht zur Unmöglichkeit; aber „der Weise will nur das Gute: Ist es also eine Fessel, wenn der Wille entsprechend der Weisheit handelt?“ (Theodizee, Vorrede u. II, § 227ff.). Man muß den ideengeschichtlichen Zusammenhang sehen, in dem dieses Denken steht, wenn man ihm gerecht werden will, das hier vorausgesetzte Axiom nämlich: omne ens est verum et bonum (a. a. O. I, § 7). Die Leibnizische Ontologie ist eine eidetisch-teleologische nach dem Vorbild des platonisch-aristotelischen Denkens, wo alles Sein und Wirken nur ist und tätig wird kraft einer

Um die Freiheit Gottes

Das „Können“ Gottes

idealen Ordnung, in seiner Hinordnung nämlich zur ἰδέα τοῦ ἀγαθοῦ (Platon), zum Zweck aller Zwecke (Aristoteles). Das steht hinter dem Satz Leibnizens, daß alle mechanischen Erscheinungen und Kräfte in der Naturerklärung ihr Prinzip in einer metaphysischen Ordnung haben. Sein Mechanismus ist darum, anders als jener von Hobbes, aber ähnlich wie der von Descartes, ein metaphysischer. Man könnte allerdings auf den Gedanken kommen, der Natur Gottes wäre schon Genüge getan, wenn man sagte, Gott muß einfach etwas Gutes schaffen; daß er aber unter den vielen guten Möglichkeiten die beste wählen müsse, das wäre eine Übertreibung und doch eine Einschränkung seiner Freiheit. Leibniz würde erwidern, daß es der vollkommenen Weisheit sinngemäß zukomme, bei einer Wahlmöglichkeit immer das Bessere zu wählen; eine nicht ganz vollkommene Weisheit könnte sich mit einem Guten überhaupt begnügen, der vollkommenen Weisheit aber entspricht nur das Bessere und damit das Beste. Es ist wahrscheinlich, daß Leibniz damit dem alten Axiom omne ens est bonum eine Deutung gegeben hat, die es in seinem tiefsten Sinne trifft. Man erkennt den klassischen Charakter der Leibnizischen Metaphysik unschwer schon aus seinen Formulierungen, in denen noch die traditionelle Terminologie mitspricht; so, wenn er sagt, daß Gott der letzte Grund des Seins ist und „ce Dieu suffit" (Monadol. § 39), wo wir noch das Platonische ἱκανόν heraushören; oder wenn er unmittelbar zuvor erklärt: „Der letzte Grund der Dinge muß in einer notwendigen Substanz liegen, in der die besondere Eigenart der Veränderungen in eminenter Weise als in ihrem Quell vorhanden ist, und das nennen wir Gott" (a.a.O. § 38), wo wir die platonische Dialektik des ἕν wiedererkennen, die zum Vielen führt, die aristotelische Auffassung von Gott als der Form der Formen, die neuplatonische, auch von Thomas (S. theol. I, 4, 2 ad 1) aufgenommene These von der Präexistenz der Dinge in Gott und die cusanische Lehre von Gott als der coincidentia und implicatio alles Seienden; oder wenn Leibniz seine Lehre von der besten Welt in der Theodizee (III, § 414ff.) mit dem Bild vom Palast der Schicksalsbestimmungen zu verdeutlichen sucht, dessen Gemächer in eine Pyramide auslaufen, so zwar, daß sie auf die Spitze hin immer schöner werden, während die Spitze selbst die beste der Welten bedeutet. Hier kehrt sogar

Gutes oder Bestes?

Omne ens est bonum

das platonische Bild der Ideenpyramide wieder. Und wenn am Schluß Leibniz versichert, daß die eigentliche Schönheit erst nach diesem sterblichen Leben in einem anderen, besseren Zustand aufgehe, dann haben wir auch noch das ἐπέκεινα vor uns. Ganz konsequent zu dieser Ontologie teilt Leibniz dem Übel kein eigentliches Sein zu. Die Alten erklärten es für eine στέρησις, er sagt dafür, daß es nicht auf einem antizipierenden Willen beruhe. Daß es Wirklichkeit ist, sowohl als malum physicum wie auch als malum morale, hat er natürlich auch gesehen, und die Auseinandersetzung damit bildet das eigentliche Thema seiner Theodizee. Sie ist eine Rechtfertigung Gottes angesichts des Übels in der Welt. Leibniz unterscheidet ein dreifaches Übel, das malum metaphysicum, physicum, morale (Theodizee I, § 21). Ersteres besteht einfach in der Unvollkommenheit aller Kreatur. Sie ist schon vor aller Sünde da; aber nicht mit der Materie als solcher, wie die Alten manchmal dachten, sondern einfach mit der Endlichkeit alles Geschöpflichen. Gott kann nicht wieder Götter schaffen; also ist Kreatur kraft ihres Seins etwas Unvollkommenes, bei dem man immer wieder auf Grenzen stößt. Platon schon hatte so gedacht, hatte auch eine Idee des Häßlichen angenommen, und wir fragten uns, ob er nicht auch so etwas wie eine Idee des Satans haben sollte (Bd. I, 101). Leibniz verlegt in der Tat das metaphysische Übel in die ewigen Wahrheiten im Geiste Gottes; dort ist die Quelle aller Dinge zu suchen, der guten und der bösen. „Diese Region ist, um uns so auszudrücken, der Idealgrund des Bösen wie des Guten.“ Aber er fährt sogleich fort: „Die Formalursache des Bösen ist nicht als wirkende Ursache aufzufassen; denn wir werden sehen, daß es in der Beraubung, d. h. in dem von der wirkenden Ursache nicht Getanen besteht, weshalb die Scholastiker die Ursache des Bösen deficiens zu nennen pflegten“ (Theodizee I, § 20). Man sieht deutlich, daß es sich beim malum metaphysicum nur um die Endlichkeit der Geschöpfe handelt, eine Endlichkeit, die in ihrer Natur oder ihrer Idee liegt, womit Leibniz etwas ausspricht, was auch Platon hätte sagen können, tatsächlich aber nicht in dieser Klarheit gesagt hat. Das malum physicum besteht im Leiden. Es ist jene Form des Übels, die vielen Menschen am meisten wehe tut und weshalb sie Gott besonders anklagen. Hier gibt Leibniz auf die Frage: Si deus est,

δδ) Das Übel in der Welt

malum metaphysicum

malum physicum

unde malum? ein doppelte Antwort. Einmal sagt er, Gott will das physische Übel nicht unbedingt; aber er will es „des öfteren als Strafe für eine Verschuldung, des öfteren auch als geeignetes Mittel zur Erreichung eines bestimmten Zweckes, nämlich um größere Übel zu verhindern oder größere Güter herbeizuführen; die Strafe dient auch zur Besserung und Abschreckung, und das Übel dient häufig dazu, das Gute stärker hervortreten zu lassen; mitunter verschafft es auch dem, der es erleidet, eine Vollkommenheit, wie der Same vor der Keimung einer Art Verderbnis ausgesetzt ist: dieses treffenden Vergleiches hat sich Jesus Christus selbst bedient" (a. a. O. I, § 23). Dann aber sagt er auch noch, daß es von Gott nur „zugelassen" wird, weil der Reichtum und besonders die Harmonie des Universums das so erfordere. „Da die ungeheure Region der ewigen Wahrheiten alle Möglichkeiten umschließt, so muß es unendlich viele mögliche Welten geben, muß das Übel in mehrere von ihnen Eingang finden und muß die beste von allen Welten es enthalten" (a. a. O. I, § 21). Er bestreitet ausdrücklich den Satz, daß derjenige nicht den besten Entschluß faßt, der etwas erschafft, worin Übel enthalten sind, obwohl er seine Kreatur auch ohne Übel hätte erschaffen und auch seine Hervorbringung hätte unterlassen können, weil dieser Satz erstens nicht bewiesen ist und weil zweitens ein Übel von einem größeren Gut begleitet sein kann, die Unvollkommenheit eines Teiles also um der größeren Vollkommenheit des Ganzen willen verständlich wird. Dabei beruft er sich besonders auf Augustinus, der hundertmal versichert habe, daß Gott das Übel zugelassen hätte, um ein Gut daraus zu gewinnen; ferner auf Thomas von Aquin, der betonte, daß die Zulassung des Übels auf das Beste des Universums gerichtet sei; und schließlich auf das altchristliche Wort von der felix culpa, quae talem ac tantum meruit habere redemptorem (a. a. O. Anhänge, 1. Einwand und II, § 214; I, § 10; III, § 241).

malum morale

Das moralische Übel endlich besteht in der Sünde. Sie wird von Gott nur zugelassen als conditio sine qua non des Guten, aber nicht gemäß dem Grundsatz des Notwendigen, sondern der lex melioris: Gott ist an die Wahl des Besten gebunden, schafft darum den Menschen als ein freies Wesen, weil er sonst nicht sittlich handeln könnte, und muß jetzt das Böse sozusagen als Kaufpreis der Freiheit zulassen (a. a. O. I, § 25

u. Vorrede). Darum ist nicht Gott schuld am Bösen, sondern der Wählende, der seine Freiheit, die er zum Guten bekommen hat, mißbraucht. Ein Grundgedanke in der ganzen Auseinandersetzung ist immer, daß es in der Welt mehr des Guten als des Bösen gäbe. Leibniz macht hier sehr treffende psychologische Beobachtungen. So sagt er, das Böse werde nur immer übertrieben, weil man auf das Gute weniger achtet, weil man undankbar ist und es erst wieder schätzt, wenn man dazwischen vom Unglück getroffen wird, und weil man leicht durch schlechte Erfahrungen sich verbittern läßt und dann schwarz in schwarz malt; es gibt ja Leute, „die überall Bosheit wittern und die besten Handlungen durch die Auslegung, die sie ihnen geben, vergiften“; und daneben gibt es auch solche, die mit dem angeblichen Entlarven der Schlechtigkeit der Menschen und der Welt nur ihren eigenen Scharfsinn zeigen möchten; einer davon ist Thomas Hobbes (a. a. O. II, § 220; I, § 12 ff.). Die Hauptantwort aber auf die Frage, ob es mehr Gutes oder mehr Böses auf der Welt gibt, liefert erst eine spezifisch ethische Bewertung, die Einsicht nämlich, daß das Gute das Böse seiner Qualität nach unter allen Umständen übersteigt, selbst wenn die Zahl der Bösen jene der Guten übertreffen sollte, denn „die Vortrefflichkeit des gesamten Guten der kleinsten Zahl von Menschen überwiegt das gesamte Böse der größten Zahl ... Gott ist unendlich, der Dämon ist beschränkt; das Gute kann bis ins Unendliche wachsen, während das Böse seine Grenzen hat“ (a. a. O. Anhang, 2. Einwand). Das ist die Sprache des Weisen. Will man sie verstehen, setzt sie seinen Wertblick voraus.

b) Monadologie als Geistlehre

Die Monade ist force primitive auch im Bereich des Geistigen. Monadologie wird damit auch zur Erkenntnislehre. Nachdem die Monade seelisches Sein ist, könnte das „auch“ als unlogisch erscheinen, ist es aber nicht, weil die erkenntnistheoretische Betrachtung neben der ontologisch-metaphysischen aus methodischen Gründen einen eigenen Gesichtspunkt bildet und weil Seele nicht immer auch Geist sein muß.

Leibniz sieht im Geist nur das Erkennen; das Begehren ist ihm „Streben, von einer Vorstellung zur anderen überzugehen“, und das Gefühl bildet kein eigentliches Thema seiner α) Erkennen

Philosophie. Wir leben im Zeitalter des Rationalismus. In dem so verstandenen Geist unterscheidet Leibniz nun drei αα) Äußere Sinne Klassen von Inhalten. Einmal solche, die lediglich sinnlich sind und die die Gegenstände und Affektionen jedes Sinnes im besonderen bilden. Sie sind klar, denn sie dienen dazu, von etwas Bestimmtem Kenntnis zu geben; aber sie sind „verworren" und nicht „distinkt", denn man kann sie nicht mit Begriffen entwickeln und jemand verdeutlichen, der diese Inhalte noch nicht gesehen hat. Man kann nur auf sie hinführen und sie selbst perzipieren lassen. Und vor allem sind die sinnlichen Qualitäten in der Tat verborgene Qualitäten, ein „ich weiß nicht was", dessen man sich bewußt wird, ohne davon Rechenschaft geben zu können; denn „wenn z. B. das Rote die drehende Bewegung gewisser kleiner Kugeln ist, die, wie man behauptet, das Licht ausmachen, wenn die Wärme ein Wirbel eines äußerst feinen Staubes ist, wenn der Ton sich in der Luft in derselben Weise bildet, wie die Kreise im Wasser durch einen hineingeworfenen Stein entstehen, wie das einige Philosophen behaupten, so sehen wir das alles doch nicht, und es bleibt uns unbegreiflich, wie diese Drehung, dieser Wirbel und diese Kreise, wenn sie wahrhaft beständen, gerade die Perzeptionen des Roten, der Wärme und des Geräusches zustandebringen sollten" (Von dem, was jenseits der Sinne und der Materie liegt. Philosophische Werke VI, 499 f. Gerhardt = II, 410 f. Buchenau-Cassirer). Darum „gebrauchen wir die äußeren Sinne, wie ein Blinder seinen Stock gebraucht". „Weit entfernt also, daß wir, wie manche sich einbilden, einzig und allein die sinnlichen Dinge verständen, sind sie es gerade, die wir am allerwenigsten verstehen" (a. a. O. 500 Gerhardt = 411 Buchenau-Cassirer). Leibniz nimmt trotzdem an, „daß uns in unserem gegenwärtigen Zustand die äußeren Sinne zum Denken notwendig sind und daß wir, wenn wir keine hätten, auch nicht denken würden" (a. a. O. ββ) Gemeinsinn und Einbildungskraft 506 Gerhardt = 419 Buchenau-Cassirer). Über den Qualitäten der einzelnen äußeren Sinne steht als eine zweite Schicht des menschlichen Geistes der Gemeinsinn mit seinen Inhalten. Sie gehören keinem einzelnen Sinn besonders an. Die besonderen Sinnes-Data vereinigen sich vielmehr im Gemeinsinn zu einem gemeinsamen Gehalt. Dieser Gemeinsinn bildet zusammen mit den äußeren Sinnen die sogenannte

Einbildungskraft. Hier besitzen wir nun nicht nur klare, sondern auch deutliche (distinkte) Inhalte, und jetzt kann man dafür Begriffe anwenden, nämlich die Idee der Zahl und der Figur (Ausdehnung). was für die Daten sowohl der Gesichts- wie der Tastempfindung möglich sei, wenn auch nicht für die Gehörsempfindung. Es ist nun sehr bezeichnend, daß Leibniz jetzt sofort versichert, „daß, wenn man die Zahlen und Figuren deutlich erfassen und daraus Wissenschaft gestalten will, man zu etwas greifen muß, was die Sinne nicht zu liefern vermögen, was vielmehr der Verstand zu ihnen hinzufügt" (a. a. O. 501 Gerhardt = 412 Buchenau-Cassirer). Die Inhalte des Gemeinsinnes sind also sinnlich und intelligibel zugleich. Hatte Leibniz bisher in der Bewertung der Sinnesqualitäten die von der neuen Philosophie, besonders von Locke, bestrittene Kritik der Sinneserkenntnis mit der bekannten Unterscheidung von primären und sekundären Qualitäten sich zunutze gemacht, so spricht er mit dem zuletzt angeführten Wort wieder ganz seine eigene Sprache.

γγ) Verstand

Wir kommen damit zur dritten Klasse von Inhalten des Geistes, den „rein intelligiblen". Was Leibniz über diese reinen Verstandesbegriffe und ihr Verhältnis zur Sinnlichkeit sagt, verdient als Vorspiel zur Erkenntnislehre Kants höchstes Interesse. Als erstes Beispiel nennt er Zahl und Figur. „Diese klaren und distinkten Ideen" machen den Gegenstand der Einbildungskraft aus. Sie bilden zugleich „die Objekte der mathematischen Wissenschaften, nämlich der Arithmetik und der Geometrie, als der reinen mathematischen Wissenschaften, und ihrer Übertragung auf die Natur, aus der die angewandte Mathematik entsteht". Sobald man versuche, sinnliche Qualitäten zu erklären und Vernunftschlüssen zugänglich zu machen, müsse man immer zu diesen mathematischen Ideen greifen. Aber, und hier haben wir die spezifische Anschauung Leibnizens in dieser Frage: „Die mathematischen Wissenschaften selbst wären nicht streng beweiskräftig, beständen vielmehr in einer einfachen Induktion oder Beobachtung, die uns niemals der vollkommenen Allgemeinheit der aus ihr gewonnenen Wahrheiten versicherte, wenn nicht etwas Höheres, was einzig und allein der Verstand zu liefern vermag, der Einbildungskraft und den Sinnen zu Hilfe käme" (a. a. O. 501 Gerhardt = 413 Buchenau-Cassirer). Wir haben es also in den mathematischen und geometrischen Anschauungen nach Leibniz, anders als nach Kant, mit reinen Verstandesbegriffen zu tun. Als weitere Beispiele führt er auf: den „Gedanken meiner selbst" (Ich-Begriff), die Begriffe der Substanz und die weiteren Begriffe der Metaphysik, wie Ursache, Wirkung, Tätigkeit, Ähnlichkeit, ferner die Grundbegriffe der Logik und Moral (a. a. O. 502 Gerhardt = 413 f. Buchenau-Cassirer). In der Vorrede zu den Neuen Abhandlungen über den menschlichen Verstand zählt er auf: Sein, Einheit, Substanz, Dauer, Veränderung, Tätigkeit, Vorstellung, Lust und „tausend andere Gegenstände"; endlich intellectus ipse: „Wir sind uns sozusagen selbst angeboren". Es ist wie bei Platon, der auch mit ein paar Beispielen beginnt und schließlich Ideen alles Seienden überhaupt annimmt. Bezeichnenderweise sehen beide Denker die intelligiblen Verstandesbegriffe speziell in der Mathematik wie im Prototyp gegeben. Leibniz beruft sich auf das bekannte Beispiel in Platons Menon (82 c ff.), ebenso wie vor ihm schon Cusanus. Leibniz hat die Transparenz des Intelligiblen mitten im Sinnlichen außer in der bereits mehrfach zitierten Abhandlung von dem, was jenseits der Sinne und der Materie liegt, noch dargelegt in dem Dialog vom August 1677 (Philosophische Werke VII, 190 bis 193 Gerhardt = I, 15—21 Buchenau-Cassirer), wo er daran erinnert, daß der Kreis auf dem Papier niemals der wirkliche Kreis ist, sondern nur Symbol für den mathematischen Kreis, der in seiner intelligiblen Idealität allein den wahren Kreis darstellt, so daß ich in Wirklichkeit von ihm her erst den sinnlichen Kreis auf dem Papier verstehen kann.

δδ) Sinnlichkeit und Denken

Ergebnis hier wie dort: Nur weil es intelligible Verstandesbegriffe gibt, können wir die Data der Sinneserkenntniss wissenschaftlich verwerten. Wir brauchen die Sinne und könnten ohne sie nicht denken. „Aber was für eine Sache notwendig ist, das macht deshalb noch nicht ihr Wesen aus. Die Luft ist uns zum Leben notwendig, unser Leben aber ist etwas anderes als die Luft. Die Sinne liefern uns die Materie für die Vernunfterwägung, und auch in unsere abstraktesten Gedanken mischen sich stets sinnliche Bestandteile, aber die Vernunfterwägung verlangt noch etwas anderes als das Sinnliche" (Was jenseits der Sinne und der Materie liegt). Oder, wie es in der Vorrede zu den Neuen Abhandlungen heißt: „Die Sinne sind uns zwar für unsere wirklichen Erkenntnisse notwendig, aber doch nicht hinreichend, um uns diese Erkenntnis in ihrer Gesamtheit zu geben.“ Man denkt natürlich sofort an Kants Wort: „Wenngleich all unsere Erkenntnis mit der Erfahrung anhebt, so entspringt sie darum doch nicht eben alle aus der Erfahrung.“

β) Das Intelligible

αα) Angeborene Ideen

Wir müssen aber noch genauer zusehen, was mit den intelligiblen Inhalten des Geistes gemeint ist. Man kann in ihnen sogenannte angeborene Ideen erblicken. Dieser Begriff schiebt sich in der Auseinandersetzung mit Locke in den Neuen Untersuchungen in den Vordergrund, besonders in der Formulierung, daß die Seele keine tabula rasa sei, wie der Engländer und auch Aristoteles das behaupteten. Leibniz entscheidet sich für eine vorgängige Beschriftung der Seele durch „ursprüngliche Anfangsgründe verschiedener Begriffe und Lehrsätze, welche die äußeren Gegenstände nur bei Gelegenheit in ihr wieder erwecken“ (Neue Abhandlungen, 1. Buch und Vorrede). Er denkt also an die platonischen Ideen, wie sich besonders klar aus einem Fragment zur Characteristica universalis (Philosophische Werke VII, 148 Gerhardt = II, 460 Buchenau-Cassirer) ergibt, wo es heißt: „Daher hat Platon mit Recht das Denken von diesen verworrenen Vorstellungen fort zu den reinen Begriffen hingelenkt und behauptet, daß alles Wissen es mit dem Ewigen zu tun habe und daß die universalen Begriffe oder die ewigen Wesenheiten höhere Realität besitzen als die Einzeldinge, die am Zufall und an der Materie teilhaben und die in einem ewigen Fluß bestehen. Der Sinn gibt uns mehr Irrtum als Wahrheit; der Geist wird ... erst in der reinen Erkenntnis der ewigen Wahrheiten von der Materie abgezogen und dadurch vollendet. Es gibt in unserem Geist angeborene Ideen, die uns die allgemeinen Wesenheiten der Dinge darstellen; unser Wissen sei daher eine Wiedererinnerung, und unsere Vollkommenheit sei zuletzt auf eine Gemeinschaft mit den Göttern zurückzuführen. Das alles ist, wenn man es richtig auslegt, völlig wahr und von höchster Bedeutung.“ Im Zusammenhang mit dem Begriff der Wiedererinnerung geschieht es denn auch, daß Leibniz sich auf Platons Menon bezieht (Metaphysische Abhandlung § 26).

ββ) intellectus ipse

Und wie bei einem Denker, der so ganz in der abendländischen metaphysischen Tradition wurzelt, nicht anders zu erwarten, wird auch noch Augustinus zitiert, und zwar mit seiner Lehre, daß die Ideen im Geiste Gottes sind und darum eine représentation de Dieu bilden (Neue Abhandlungen über den menschlichen Verstand IV, Kap. 11, § 13; II, Kap. 1, § 1). In der Auseinandersetzung mit Locke entwickelt Leibniz aber auch eine etwas andere Bedeutung für die intelligiblen Inhalte. Diese Wahrheiten stünden nicht „unabhängig nebeneinander in unserem Verstand, wie die Edikte des Prätors in seinem Anschlag verzeichnet waren", sondern es handle sich um Neigungen, Anlagen, Fertigkeiten oder natürliche Kräfte. Freilich nicht um die „bloßen Vermögen" ohne jegliche Betätigung, von denen in den Schulbüchern immer die Rede sei, die aber keine Wirklichkeit bedeuten, sondern nur auf abstraktivem Wege gebildete Fiktionen sind; denn die Seele könne als Substanz nie ganz ohne Tätigkeit sein, wenn es auch unmerkliche Tätigkeiten seien. Leibniz will mit der Rede von den natürlichen Kräften dem Einwand begegnen, den Aristoteles und Locke gemeinsam gegen die angeborenen Ideen erheben, wenn sie sagen, daß wir doch davon etwas merken müßten. Selbst von bewußt erworbenen Fertigkeiten und geistigen Inhalten, erwidert Leibniz, merken wir oft nichts mehr, und doch sind sie da und tauchen plötzlich wieder auf. Diese Anlagen, Fertigkeiten und natürlichen Kräfte sind nun nichts anderes als der „Verstand selbst", der eben die Substanz denkt, das Eine, das Selbige, die Ursache, die Perzeption und „eine Menge anderer Dinge, die die Sinne nicht verleihen können". Man könnte Locke gegenüber den alten Grundsatz ruhig zugeben, daß nichts in der Seele sei, was nicht von den Sinnen kommt (nihil est in intellectu, quod non fuerit in sensu). „Aber man muß die Seele selbst und ihre Zustände hievon ausnehmen: excipe, nisi ipse intellectus" (Neue Abhandlungen II, Kap. 1, § 2). Nicht das also ist der Streit, ob wir die Sinne brauchen oder nicht — denn Leibniz verwirft sie sowenig wie Platon, und eine Apriorität auf Grund eines Erwerbs in einer Präexistenz wird sowieso abgelehnt (a. a. O. I, Kap. 1, § 5) —, sondern die Frage ist, wie wir sie brauchen und was unser Verstand dazutut und was er aus ihren Daten macht. Dieser Verstand selbst mit seinen Anlagen und natürlichen Kräften ist darum das Problem. Was Leibniz damit im Auge hat, ersehen wir aus der dritten und entscheidenden Bedeutung der intelligiblen Inhalte, seiner Rede nämlich von den Vernunftwahrheiten (vé-

γγ) Vernunftwahrheiten und Tatsachenwahrheiten

rités de raison), die er von den Tatsachenwahrheiten (vérités de fait) unterscheidet. Wenn er von den angeborenen Ideen redet, kommt er immer wieder sogleich auf die Vernunftwahrheiten zu sprechen, und man sieht daraus, daß hier sein eigentliches Anliegen in der ganzen Frage zu suchen ist. Der Streit um den Ursprung unserer Begriffe, ob angeboren oder ganz aus der Sinneserfahrung erworben, ist also in Wirklichkeit ein Streit um den Wissenschaftsbegriff: Sollen unsere wissenschaftlichen Sätze nur Wahrscheinlichkeiten oder sollen sie Gewißheiten einschließen? Das ist der tiefere Sinn der Problematik um den Empirismus und den sogenannten Rationalismus. Der Empirismus kommt mit seiner Induktion, so führt Leibniz aus, immer nur zu einer Summe von Beispielen; mag diese Summe aber noch so groß sein, sie liefert niemals allgemeine, ewige und streng notwendige Wahrheiten; denn daraus, daß etwas mehrmals so oder so gewesen ist, die Nacht zum Beispiel auf den Tag und der Tag auf die Nacht folgte, ergibt sich nicht, daß es auch das nächstemal wieder so sein muß. Leibniz nimmt hier den bekannten Zweifel Humes an der Konstanz des Naturverlaufes und seine Lehre über den Wahrscheinlichkeitscharakter der Naturgesetze vorweg. Die Tiere allerdings haben solche Vorstellungsverknüpfungen. Für Leibniz stehen darum „die Folgerungen, welche die Tiere ziehen, auf derselben Stufe wie die von reinen Empirikern“ (Vorrede zu den Neuen Abhandlungen). Erst in den Vernunftwahrheiten haben wir sichere, ewige und notwendige Wahrheiten vor uns. Leibniz findet sie in erster Linie in der reinen Mathematik und bemerkt sofort, daß man hier auch gleich sehen könne, daß es sich gerade um Vernunftwahrheiten handle; denn Euklid habe seine Sätze, die man aus der Erfahrung hinlänglich kennt, trotzdem noch durch die Vernunft bewiesen. Ohne die sinnlichen Data wäre man nie auf die mathematischen Sätze gekommen; aber der eigentliche Beweis vollziehe sich in der vernünftigen Einsicht in die „inneren oder, wie man zu sagen pflegt, eingeborenen Prinzipien“. Die Sinne bieten nur die Gelegenheit dar zur eigentlichen Tätigkeit des Geistes. Diese aber ist Einsicht in die ewigen Wahrheiten, und damit steht der Geist über der sinnlichen Erfahrung. Das sind nun die Anlagen, Fertigkeiten, natürlichen Kräfte, der intellectus ipse. Wie in der reinen Mathematik sei es auch in der Logik, der Metaphysik, der Moral, der natürlichen Theologie und natürlichen Rechtswissenschaft. Überall handle es sich um Vernunftwahrheiten. Und so sei es in aller echten Wissenschaft überhaupt. Damit erst erhebt sich der Mensch über das Tier und wird zum Geistwesen. Darin liegt seine Gott-

δδ) Mit den Augen Gottes ...

ähnlichkeit. Und besäße unsere Seele eine ungehemmte Tätigkeit wie der göttliche Geist, so würden alle Tatsachenwahrheiten zu Notwendigkeitseinsichten werden, so daß wir in dem Urteilssubjekt auch schon alle ihm zukommenden Prädikate oder, was dasselbe meint, in der Substanz alle ihr zukommenden Akzidentien ersehen könnten. Die Erklärung liegt im folgenden: „Alles, was der Seele und allgemein jeder Substanz zustößt, ist eine Folge ihres Begriffes. Also bringt die Idee selbst oder das Wesen der Seele es mit sich, daß alle ihre Erscheinungen oder Perzeptionen ihr lediglich spontan aus der eigenen Natur entstehen müssen" (Metaphysische Abhandlung § 33). Diese Ableitung des Prädikats aus dem Subjekt oder des Akzidens aus der Substanz überrascht dann nicht, wenn man an das Axiom agere sequiter esse denkt, mit dem Leibniz hier ganz Ernst macht. Dieses Axiom gibt die ontologische Begründung für die Identität der Akzidentien mit der Substanz und damit für ihre Notwendigkeit. Die logische Begründung entwickelt Leibniz in der kleinen Abhandlung „Über die Freiheit" (Lettres et opuscules inédits de Leibniz. Publiés par Foucher de Careil [Paris 1857], S. 178ff. = Philosophische Werke II, 497ff. Buchenau-Cassirer). Er führt dort aus, daß jede Wahrheit entweder ursprünglich oder abgeleitet ist. Ursprüngliche Wahrheiten sind solche, über die sich keine Rechenschaft mehr geben läßt; es sind die identischen oder unmittelbaren Sätze, bei denen von einem Subjekt ein damit identisches Prädikat ausgesagt oder ein widersprechendes verneint wird. Die abgeleiteten Wahrheiten sind zweierlei, einmal solche, die sich völlig in die ursprünglichen Sätze auflösen lassen, also rein analytische Sätze, und das sind die notwendigen oder metaphysischen und mathematischen Vernunftwahrheiten, die eigentlich identische Sätze darstellen; und dann solche, die bei ihrer Auflösung einen Fortschritt ins Unendliche zulassen, also das, was Kant später die synthetischen Urteile, Leibniz aber die tatsächlichen oder zufälligen Wahrheiten heißt. Hier ist das Prädikat auch im Subjekt enthalten, kann aber für uns

Menschen nicht als ihm zugehörig erwiesen werden, so daß diese Urteile nicht auf eine Gleichheit zurückgeführt werden können. Nur Gott vermag die unendliche Reihe von Gründen zu durchschauen, von denen diese Tatsachenwahrheiten abhängen; er erkennt die Art der Verknüpfung des Prädikats mit dem Subjekt, und eben darum sind für ihn auch diese Tatsachenwahrheiten notwendige Wahrheiten, die er a priori erkennt. Für uns Menschen gäbe es auch einen Weg, um das Gesamt der Gründe für bestimmte Geschehnisse zu durchschauen und so eine Tatsachenwahrheit als einen Wesensverhalt zu erkennen. Er führte über die „kleinen Perzeptionen" (petites perceptions), die in jedem Augenblick in unserer Seele in unendlicher Menge vorhanden sind — Leibniz nimmt entsprechend seiner Substanzdefinition an, daß es niemals eine Substanz ohne Tätigkeit und auch nie einen Körper ohne Bewegung geben kann, so daß also die vermeintliche Ruhe nur eine unendlich kleine Bewegung ist —, die aber nicht von Apperzeptionen und Reflexionen begleitet sind, sondern lediglich eine Veränderung in der Seele selbst darstellen, deren wir uns nicht bewußt werden, weil sie entweder zu schwach sind oder zu zahlreich oder zu gleichförmig, so daß sie im einzelnen nicht unterschieden werden, im Verein mit anderen aber doch ihre Wirkung tun können. Diese kleinen Perzeptionen seien von größerer Wirksamkeit als man vielleicht glaubt. „Auf ihnen beruhen unsere unbestimmten Eindrücke, unser Geschmack, unsere Wahrnehmungsbilder der sinnlichen Qualitäten, welche alle in ihrem Zusammensein klar, jedoch ihren einzelnen Teilen nach verworren sind; auf ihnen beruhen die ins Unendliche gehenden Eindrücke, die die uns umgebenden Körper auf uns machen, und somit die Verknüpfung, in der jedes Wesen mit dem übrigen Universum steht. Ja man kann sagen, daß vermöge dieser kleinen Perzeptionen die Gegenwart mit der Zukunft schwanger geht und mit der Vergangenheit erfüllt ist, daß alles miteinander zusammenstimmt und daß Augen, die so durchdringend wären wie die Gottes, in der geringsten Substanz die ganze Reihenfolge der Bewegungen des Universums lesen könnten" (Vorrede zu den Neuen Abhandlungen über den menschlichen Verstand). Das ist in kurzen Worten nebenbei auch eine ganze Theorie des Unbewußten. Was uns aber hier interessiert, ist einmal der Weg, den Leibniz uns zeigt, um

εε) Petites perceptions

ζζ) Rationalismus und Empirismus

alles Tatsächliche als etwas Wesenhaftes erkennen zu können, wenn wir nur die Augen hätten, die weit genug zu schauen vermöchten, und dann seine dem Ganzen zugrunde liegende Meinung, daß die in den Tatsachenwahrheiten gegebene Beschränkung unserer Erkenntnis nur einen praktischen Grund habe, prinzipiell aber und an sich jede Wahrheit eine Wesensnotwendigkeit darstelle. In dieser seiner These wird man den eigentlichen Gegensatz zum Empirismus Lockes sehen dürfen. Es ist der Gegensatz zwischen einer Auffassung der Wissenschaft als eines Ganzen notwendiger, ewiger Wesensverhalte oder als einer Summe bloßer Wahrscheinlichkeiten. Leibniz spricht zwar in der Vorrede zu den Neuen Abhandlungen einmal davon, daß Locke sich von seiner Ansicht vielleicht nicht ganz entfernen möchte, weil er auch Ideen kenne, die aus der Reflexion über das, was in uns ist, stammen. Allein das ist mehr eine höfliche Wendung; denn die reflexiven Vorstellungen Lockes sind nur Relationen zwischen verschiedenen Vorstellungen und insofern natürlich analytisch. Da aber die Relata selbst nach Locke aus der Erfahrung stammen und somit in ihrer Geltung bloße Wahrscheinlichkeit sind, sind es die daraus entnommenen Relationen auch. Sie sind nur relativ notwendige Vorstellungsinhalte, aber keine absolut notwendigen und wirklich apriorischen Wahrheiten, wie sie Leibniz vorschweben. Alles

ηη) Ars combinatoria

Wissen ist also schließlich nichts anderes als die Entdeckung aller möglichen Kombinationen erster Elemente und ihrer Bezüge in diesem Reich der Wesenswahrheiten. Schon mit 20 Jahren schrieb Leibniz über eine Ars combinatoria. Es müßte sich, so meinte er, „eine Art Alphabet der menschlichen Gedanken erfinden und durch die Verknüpfung seiner Buchstaben und die Analysis seiner Worte, die sich aus ihnen zusammensetzen, alles andere entdecken und beurteilen lassen“. Im Verfolg dieser Pläne entwickelte er die Idee einer Characteristica universalis. Wir sollten für alle Begriffe charakteristische Zahlen feststellen und dann versuchen, nach dem Vorbild des mathematischen Kalküls einen logischen Kalkül auszubilden, eine Art Algebra der Begriffe. Mit dieser Reduktion aller wissenschaftlichen Fragen auf Zahlen ergäbe sich eine Art Statik, vermöge derer die Vernunftgründe gewissermaßen gewogen werden könnten. Denn auch die Wahrscheinlichkeiten unterliegen der Berechnung und dem Beweis, da man immer die größere Wahrscheinlichkeit, die aus den gegebenen Umständen zu erwarten ist, angeben könne. Der Vergleich der Characteristica universalis mit der Spätform der platonischen Ideendialektik, der Lehre nämlich von den Ideen als Zahlen, drängt sich auf. Leibniz erhoffte sich von seiner Erfindung eine endgültige Bereinigung aller Streitigkeiten, weil jetzt alles auf Vernunft zurückgeführt werde, die „allein unbedingt heilsam" sei. Aber auch zur Ausbreitung des Glaubens wäre eine solche Characteristica universalis ein vortreffliches Mittel; „denn wenn einmal die Missionare diese Sprache werden einführen können, dann wird auch die wahre Religion, die mit der Vernunft in genauer Übereinstimmung steht, festgestellt sein, und einen Abfall von ihr wird man in Zukunft ebensowenig zu fürchten haben, als man eine Abkehr der Menschen von der Arithmetik und Geometrie, die sie einmal gelernt haben, befürchtet". Teilen wir auch nicht mehr diesen typischen Optimismus der Aufklärungszeit und des Rationalismus, die Grundidee Leibnizens ist geblieben, und er wurde damit zum Vater der modernen Logistik. (Man vergleiche dazu die zwei kurzen Abhandlungen zur allgemeinen Charakteristik bzw. zu den Methoden der universalen Synthesis und Analysis: Philosophische Werke VII, 184—189 bzw. 292—298 Gerhardt = I, 30—50 Buchenau-Cassirer.)

γ) Wesenswissen von Platon bis Husserl

Zum tieferen Verständnis der Lehre von den intelligiblen Inhalten unseres Geistes ist es zweckdienlich, die ideengeschichtliche Linie festzulegen, in die Leibniz sich einreiht. Er gibt selbst als die Hauptpunkte an: Platon mit seiner Lehre vom mundus intelligiblis und der Wiedererinnerung, Paulus mit seinem Wort vom Gesetz Gottes, das in die Herzen geschrieben ist, aus Röm. 2, 15, die Stoiker mit ihrem Begriff von den notiones communes, Augustins Ideen im Geiste Gottes und neuere Philosophen, darunter Justus Scaliger, die derselben Sache „andere schöne Namen geben", wie Samenkörner der Ewigkeit oder Zopyra, also „lebendiges Feuer, leuchtende, in unserem Inneren verborgene Züge, die bei der Berührung mit der sinnlichen Erfahrung herausspringen"; es ist die scintilla animae der Mystik und Scholastik, der Seelengrund Eckharts. Interessanterweise beruft sich Leibniz auch auf die Scholastik (Neue Abhandlungen über den menschlichen Verstand. Vorrede. Philosophische

Werke III, 3 Buchenau-Cassirer). Er tut es mit Recht; denn die Ideen gehören zu ihren metaphysischen und erkenntnistheoretischen Prinzipien. Thomas kann nur deshalb, weil sie im intellectus agens aufleuchten, die Sinneserfahrung überschreiten (vgl. Bd. I, 471). Eine der Hauptstationen auf diesem Wege ist ferner Cusanus, bei dem Gott als das metaphysische unum und die menschliche Vernunft als das logische unum je in einer coincidentia oppositorum alles in sich begreift (vgl. Bd. I, 577) wie bei Leibniz die Monade; die Vermittlungsstelle bildet Giordano Bruno. Vor allem aber ist Spinoza zu erwähnen mit seiner Lehre vom unendlichen Verstand — jede Leibnizische Monade ist ein solcher unendlicher Verstand —, weil von ihm aus, über den im Hintergrund stehenden averroistischen universalen intellectus agens die aristotelische Nous-Lehre sichtbar wird, die auch in diese Abstammungslinie gehört, obwohl Leibniz selbst den Aristoteles wegen des Wortes von der tabula rasa auf die Seite von Locke stellt; aber der wahre Zusammenhang wird sofort ersichtlich, wenn man beachtet, daß der aristotelische Nous unvermischt ist und leidenslos (vgl. Bd. I, 181) und daß ihm darum die Spontaneität ebenso zukommt wie der fensterlosen Monade; denn der Nous ist aktiv, nicht die Sinnlichkeit; sie spielt hier wie dort nur die Rolle der occasio, ist nur Material, weshalb Cassirer in seiner Übersetzung damals schon mit Recht angemerkt hat, daß Aristoteles näher bei Leibniz steht als bei Locke. Der Begriff der Spontaneität legt nun auch sofort den Verlauf dieser von der Antike heraufkommenden Linie für die Zeit nach Leibniz fest, für Kant und den deutschen Idealismus. Die Spontaneität scheint hier allerdings radikaler zu sein; sie erzeugt auch noch den Gegenstand der Erkenntnis; die Ideen und die ewigen Wahrheiten Leibnizens aber sind ebenso noch wie auch bei Cusanus vorgefundene Gegenstände (vgl. Bd. I, 579), so etwa, wie das auch die Wesensschau der phänomenologischen Methode Husserls wieder annehmen wird. Wie man aber auch das Wesenswissen im einzelnen bestimmen mag, über den vielen Varianten bleibt doch von Platon bis Husserl ein gewaltiges, großes, einheitliches Thema, die Philosophie der Wesenheiten und ihre Dialektik. Leibniz bildet einen der

δ) Leibniz und Kant

Hauptvertreter dieser großen Linie. Und bedenkt man nun, daß diese Philosophie zum Ausgangspunkt wird für die klassische Philosophie Kants und des deutschen Idealismus, dann wird man unschwer einsehen, daß über ihn auch diese Philosophie sich in die Kontinuität des metaphysischen Bewußtseins schickt, das von der Antike und dem Mittelalter heraufkommt, und man nicht versuchen sollte, sie bloß aus der Isolierung heraus zu verstehen. Den vierzigjährigen Kant darf man einen Leibnizianer heißen. Dann allerdings löst sich Kant von Leibniz und will mit seinem transzendentalphilosophischen Ansatz eine ganz eigene Metaphysik gründen. Man kann aber, wie K. Hildebrandt gezeigt hat, bei ihm immer noch die Fragen der Wesenserkenntnis im Sinne Leibnizens stellen, z. B. in der Antinomienproblematik, in der Kritik der Urteilskraft und im Opus posthumum. Über dem Glauben an den Kantischen Kritizismus ist es im Neukantianismus nicht zu einer genügenden kritischen Untersuchung des Verhältnisses von Kant und Leibniz gekommen. Hier klafft eine offenkundige Lücke der sonst unübersehbaren Kantliteratur.

c) Vom Reich der Geister

α) Gottähnlicher, unsterblicher Mensch

Für Leibniz ist wie in der ganzen bisherigen abendländischen Tradition der Mensch ein animal rationale. Das geht aus dem Bisherigen schon hervor. In der Monadologie (§ 82 ff.) entwickelt er seine Gedanken über den Menschen als Geistwesen in extenso (vgl. auch die dort vermerkten Parallelstellen der Theodizee und Metaphysische Abhandlung § 35 ff.). An sich ist der Mensch als Geist- oder Vernunftwesen auch Seele, und insofern besteht kein Unterschied gegenüber den Tieren. Lebewesen und Tiere überhaupt entstehen mit der Welt und können wohl nicht anders als mit ihr wieder vergehen. „Dennoch haben die vernünftigen Tiere das besondere Vorrecht, daß ihre kleinen Samentiere, solange sie nichts als dies sind, nur gewöhnliche oder sensitive Seelen haben, daß jedoch, sobald die auserwählten, wenn ich so sagen darf, durch eine wirkliche Empfängnis zur menschlichen Natur gelangen, ihre sensitiven Seelen auf die Stufe der Vernunft und zum Vorrang der Geister erhoben werden.“ Alle Seelen sind lebendige Spiegel des Universums, die Geister aber stehen über ihnen wie das Auge über dem Spiegel. Sie stellen das Universum bewußt und vernunftgemäß vor. Insofern sind sie Abbilder der Gottheit oder des

Urhebers der Natur, und da jeder Geist das Universum durch architektonische Proben wenigstens in etwa nachzuahmen vermag, ist er in seinem Bereich wie eine kleine Gottheit. „Die Geister können daher in eine Art Gemeinschaft mit Gott treten, der sich zu ihnen nicht nur wie der Erfinder zu seiner Maschine verhält — wie dies von der Beziehung Gottes zu den anderen Geschöpfen gilt —, sondern auch wie ein Fürst zu seinen Untertanen, ja wie ein Vater zu seinen Kindern." Dieses Reich der Geister ist der vollkommenste Staat unter dem vollkommensten Monarchen, der Gottesstaat, eine moralische Welt in der natürlichen Welt. In Hinsicht auf den Menschen darf man Gott nicht nur wie sonst als Prinzip oder Ursache aller Substanzen betrachten, sondern zugleich als Oberhaupt aller Personen oder verstandesbegabten Substanzen; nicht nur als das größte aller Wesen, sondern zugleich als den vollkommensten aller Geister. Hier müssen Metaphysik und Moral zusammengenommen werden. Der Mensch hat eine besondere Beziehung zu Gott als dem Inbegriff aller Vollkommenheit der Geistpersonen. Während die anderen Wesen mehr die Welt spiegeln, stellen die menschlichen Personen mehr Gott dar und sind geeignet, seine Güte ausstrahlen zu lassen. Die Geister sind die Substanzen, die der höchsten Vollkommenheit fähig sind, einer Vervollkommnung, die nicht nur ein Diesseits, sondern auch noch ein Jenseits verlangt. Gerade deswegen dürfen wir annehmen, daß Gott unsere Person nie vernichten, sondern dauernd erhalten wird (Metaphysische Abhandlung § 35 f.). Man denkt an Kants Bewertung der menschlichen Person, sein Reich der Zwecke und seine Idee der Unsterblichkeit als eines Postulates der praktischen Vernunft.

β) Vollkommenheit und Tugend

Aber man denkt auch sofort an Platons Begriff der Sittlichkeit als einer Verähnlichung mit Gott. So faßt auch Leibniz die Moral auf. Sittliches Prinzip ist für ihn zunächst die ideale Menschennatur: „Vollkommenheit nenne ich alle Erhöhung des Wesens; denn wie die Krankheit gleichsam eine Erniedrigung ist und ein Abfall von der Gesundheit, also ist die Vollkommenheit etwas, so über die Gesundheit steiget; die Gesundheit aber selbst bestehet in Mittel und in der Waage und leget den Grund zur Vollkommenheit" (Von der Weisheit. Deutsche Schriften I, 422 Guhrauer = Opera philosophica, S. 672 Erdmann). Zuletzt aber ist es Gott, auf den wir uns hinbewegen in Zeit und Ewigkeit, ihn darstellend und ausstrahlend in Sein und Handeln. Der Weg dazu ist Steigerung dessen, was wir sind: der Tätigkeit und Kraft als Substanzen, der Weisheit und Güte als Geistwesen. Die Vollkommenheit zeigt sich in der Kraft zu wirken. Je größer die Kraft, desto höher und freier ist das Wesen und desto ausgeprägter die ideale Ordnung. „Ferner bei aller Kraft, je größer sie ist, je mehr zeigt sich dabei Viel aus einem und in einem, indem Eines viele außer sich regieret und in sich vorbildet. Nun, die Einigkeit in der Vielheit ist nichts anderes als die Übereinstimmung, und weil eines zu diesem näher stimmt als zu jenem, so fließt daraus die Ordnung, von welcher alle Schönheit herkommt, und die Schönheit erwecket Liebe." „Daraus siehet man nun, wie Glückseligkeit, Lust, Liebe, Vollkommenheit, Wesen, Kraft, Freiheit, Übereinstimmung, Ordnung und Schönheit an einander verbunden, welches von wenigen recht angesehen wird" (a. a. O.). So hält also Leibniz auch bei seiner Lösung der alten Probleme um das Gute, um die Tugend und das Glück, um Gesetz und Freiheit, wieder die klassische Linie ein, die von der platonisch-aristotelischen Philosophie herkommt. Man beachte besonders, daß Metaphysik und Moral, Sein und Wert noch nicht auseinanderfallen; denn von Kant ab wird das anders werden. Und auch das sei besonders erwähnt, daß für Leibniz ebenso wie für Cusanus auf dem Weg zur Tugend Christus ein besserer Wegweiser ist als die Philosophen (Metaphysische Abhandlung § 37).

γ) Recht, Staat und Religion

αα) Recht und Macht

Auf der klassischen Linie bewegt sich Leibniz auch noch in den Fragen um Recht und Religion. Das Recht darf nicht mit der Summe der Gesetze verwechselt werden, will man nicht auf den Fehler verfallen, das Recht der Macht gleichzusetzen. Gesetze können nämlich ungerecht sein, das Recht aber nicht (Méditation sur la notion commune de la justice. In: G. Mollat, Mitteilungen aus Leibnizens ungedruckten Schriften. Neue Bearbeitung [Leipzig 1893], S. 41 ff. = Philosophische Werke II, 511 Buchenau-Cassirer). Recht ist für Leibniz eine Frage idealer Geltungen; es hängt so wenig von der Erfahrung ab wie die Verhältnisse der Zahlen. Die Wissenschaft vom Recht nimmt darum auch nicht von den Sinnen ihren Ausgang, sondern hat es mit ewigen Wahrheiten von der Art der platonischen Ideen zu tun (Juris et aequi elementa. Mollat, a. a. O. 22 = Philosophische Werke II, 504 Buchenau-Cassirer). Man könnte auch sagen, alles, was Gott will, ist gerecht. Leibniz will aber diesen Satz nicht im Sinne des theologischen Moralpositivismus verstanden wissen: weil Gott etwas will, darum ist es recht und gut, sondern: weil etwas gerecht und gut ist, darum will es Gott. Nicht die göttliche Macht, sondern die göttliche Weisheit und Güte seien Prinzip der Sittlichkeit und Gerechtigkeit. „Die Güte geht darauf aus, das größtmögliche Gute zu erreichen; um dies jedoch zu erkennen, bedarf sie der Weisheit, die nichts anderes ist als die Erkenntnis des Guten, so wie die Güte nichts anderes ist als die Neigung, allen Gutes zu erweisen und das Böse zu verhindern, wofern es nicht für ein größeres Gutes oder zur Verhinderung eines größeren Übels notwendig ist. Es wohnt demnach die Weisheit dem Verstande und die Güte dem Willen, die Gerechtigkeit somit ihnen beiden inne. Die Macht ist etwas ganz anderes" (Méditation sur la notion commune de la justice: Mollat, S. 48 = Philosophische Werke II, 511 Buchenau-Cassirer). Wollte man die Gerechtigkeit nur von der Macht Gottes abhängen lassen, so hielte man Gott für einen Tyrannen, der nach dem Grundsatz handelt: stat pro ratione voluntas. Es wäre dann sinnlos, Gott wegen seiner Gerechtigkeit zu loben, denn diese würde dann nichts mehr zum Begriff der Handlung hinzufügen, weil ja alles recht wäre, was geschieht, einfach deswegen, weil es geschieht. Ja es wäre kein Unterschied mehr zwischen Gott und Teufel; denn wäre dieser Herr der Welt, so müßte man ihn, obgleich er die Welt teuflisch regiert, doch verehren, weil er ja dann göttliche Macht hätte (Méditation sur la notion commune de la justice: Mollat, S. 41 f. = Philosophische Werke II, 507 Buchenau-Cassirer). Leibniz hat in dieser Sache immer sehr entschieden gegen Hobbes Stellung ge-

ββ) Leibniz und Hobbes

nommen. Der englische Philosoph trage ungefähr dasselbe vor wie Thrasymachos in der platonischen Politeia: gerecht ist, was dem Mächtigsten zusagt oder gefällt. Hätte Thrasymachos die Wahrheit getroffen, dann wäre niemals der Urteilsspruch eines obersten Gerichtshofes ungerecht und niemals ein böser, aber mächtiger Mensch tadelnswert. Ja es könnte dieselbe Handlung für gerecht und ungerecht befunden werden, je nach den Richtern, die sie fände, was lächerlich sei. Ganz in diesem Sinne meine auch Hobbes, daß Gott das Recht habe, alles zu tun, weil er allmächtig ist. Die Antwort, die Leibniz darauf gibt, ist typisch. Wie er gegen Locke sagt, daß er die Natur der Wahrheit und des Geistes verkenne, so schreibt er gegen Hobbes, daß er die rechtliche und die tatsächliche Frage nicht unterscheide; „denn zwischen dem, was sein kann, und dem, was sein soll, besteht ein Unterschied. Eben derselbe Hobbes glaubt — ungefähr aus demselben Grund —, daß die wahre Religion die des Staates ist. Und wenn demnach der Kaiser Claudius — der durch ein Edikt verkünden ließ: ‚in libera republica crepitus atque ructus liberos esse debere' (Sueton, cap. 32) — den Gott ‚crepitus' unter die geltenden Götter gesetzt hätte, so wäre dieser ein wahrer und verehrungswürdiger Gott gewesen. Darin liegt die versteckte Behauptung, daß es keine wahre Religion gibt und daß die Religion überhaupt eine bloß menschliche Erfindung ist; ebenso wie der Satz, daß das gerecht ist, was den Mächtigen gefällt, nichts anderes besagt, als daß es überhaupt keine sichere und bestimmte Regel der Gerechtigkeit gibt, die uns verbietet, das, was wir tun wollen und können, ungestraft zu tun. Verrat, Mord, Gift und grausame Qualen, die man einen Unschuldigen erleiden läßt, all diese Dinge werden demnach gerecht sein — wenn sie nur gelingen. Das heißt doch wirklich die Bedeutung der Ausdrücke verkehren" (a. a. O. 508). Eine Gesellschaft, in der das sogenannte Recht nichts anderes ist als Ausfluß der Macht, des Bedürfnisses und der angeblichen Lebensnotwendigkeiten, vergleicht Leibniz wie einst schon Augustinus in De civ. Dei IV, 4 mit einer Gesellschaft von Banditen (Neue Abhandlung über den menschlichen Verstand I, Kap. 2, § 2). Ebenso betont Leibniz gegenüber Pufendorf, der in diesem Punkte Hobbes beigetreten war, „die Gerechtigkeit hängt durchaus nicht von den willkürlichen Gesetzen der Regierenden, sondern von den ewigen Gesetzen der Weisheit und Güte ab; das gilt für die Menschen ebenso wie für Gott" (Reflexionen zu dem von Herrn Hobbes englisch veröffentlichten Werk über Freiheit, Notwendigkeit und Zufall § 12 = Opera philosophica, S. 634 Erdmann). Beachten wir die dieser ganzen Polemik zugrunde liegende Unterscheidung zwischen der quaestio iuris und der quaestio facti, des Wesensmäßigen und des Zufälligen, des Sollens

γγ) Staat und Religion

und des Wollens, des Idealen und Tatsächlichen, dann sehen wir noch einmal den tiefsten Grund, der den Rationalismus vom Empirismus trennt.

II. DER EMPIRISMUS

Mit dem Empirismus wird, so könnte man sagen, die Philosophie der Neuzeit erst neuzeitlich. In ihm nämlich vollzieht sich ein radikaler Bruch mit der Tradition der platonisch-aristotelischen Metaphysik, die bis Leibniz einschließlich das Bild der abendländischen Geistesgeschichte im ganzen beherrschte. Jetzt aber gibt es keine Metaphysik mehr, keine Transzendenz und vor allem keine ewigen Wahrheiten. Darin liegt, wie bereits bemerkt, der entscheidende Unterschied gegenüber dem Rationalismus. Es ist richtig, daß letzterer die Erfahrung weniger, jener mehr zu Rate zieht. Aber das ist nur eine praktische Frage, die ohne weiteres bereinigt werden kann. Ein prinzipieller Unterschied besteht in der Bewertung der Erfahrung. Gemeint ist immer die Sinneserfahrung. Für den Rationalismus ist sie nur Material, Gelegenheit, Einleitung. Wissenschaft und Wahrheit selbst vollendet sich im Geist und seinen notwendigen Wesenseinsichten. Für den Empirismus ist die Sinneserfahrung selbst schon alles, ist die Vollendung und das Ganze. Sie allein bestimmt, was Wahrheit ist, Wert, Ideal, Recht, Religion. Da sie aber niemals abgeschlossen ist, weil der Weltprozeß weitergeht, kann es hier keine ewigen, notwendigen, das Partikulare transzendierenden allgemeingültigen Wahrheiten, Werte und Ideale geben. Alles wird relativiert auf das Räumliche, Zeitliche, Menschliche, manchmal auch Allzumenschliche. Über die Intelligibilität siegt die Sensualität, über die Idealität die Utilität, über die Universalität die Individualität, über die Ewigkeit die Zeit, über das Sollen das Wollen, über das Ganze der Teil, über das Recht die Macht. Der Empirismus erhebt sich mit seinen ersten Ansätzen in der Naturphilosophie der Renaissance, in der quantitativ-mechanistischen Naturbetrachtung und in England besonders mit der Philosophie Bacons. Die englischen Inseln werden immer seine Heimat bleiben. Mit Hobbes, Locke und Hume erhält er seine Vollendung. Dann wirkt er herüber auf das Festland und zeitigt auch hier nachhaltige Folgen.

1. HOBBES

Der moderne Naturalismus

„Das System des Thomas Hobbes ist das erste geschlossene System der Erfahrungsphilosophie, das unter Anerkennung der Methoden des kontinentalen Rationalismus, aber unter grundsätzlicher Ablehnung ihrer idealistischen Interpretation und mit radikalem Verzicht auf irgendwelche Anknüpfung an religiöse oder transzendente Werte die neue Wirklichkeit, die das 17. Jahrhundert entdeckt hatte, methodisch erobern und beherrschen will“ (Frischeisen-Köhler). Hobbes war tief beeindruckt von den Leistungen Galileis und Descartes', speziell von ihrer wissenschaftlichen Exaktheit. Das will er übernehmen. Aber er gibt dem Ganzen einen neuen Sinn. Während Descartes neben die res extensa noch die res cogitans stellt, leugnet Hobbes diesen Dualismus, führt auch das Denken auf die res extensa zurück und entscheidet sich so für einen monistischen Materialismus. Die mit der Qualität der res cogitans und res extensa gegebene Substanzproblematik Descartes' war damit einer neuen Lösung zugeführt. Sie war radikal genug: Hobbes streicht die eine Seite, die der res cogitans, gänzlich. Nun war natürlich alles viel einfacher, wohl zu einfach.

Leben und Werke

Thomas Hobbes (1588—1679) ist der Sohn eines englischen Landgeistlichen. Er studiert in Oxford, lernt dort die scholastische Philosophie kennen, wird aber davon nicht gerührt. Dann findet er eine Existenz als Hauslehrer in adeligen Familien. In Begleitung seiner Zöglinge kommt er mehrfach nach Frankreich, wo er die neu aufsteigende weltliche Kultur sieht und von ihr eingenommen wird. Wieder in der Heimat, vertieft er sich in die antike Literatur, besonders in Thukydides. Der Erfolg ist der gleiche wie bei Macchiavelli und Nietzsche: Begeisterung für das Naturrechtsdenken und die Machtphilosophie der Sophisten (vgl. Bd. I, 56 f.). Während seines dritten Aufenthaltes zu Paris verkehrt er in dem Kreis um P. Mersenne, wo Descartes als das aufgehende Licht erkannt und viel diskutiert wird. Er liest die ersten Entwürfe der Meditationes mit, erhebt seine Einwände, und Descartes erwidert darauf (an dritter Stelle). Als Hobbes 1636 Paris nach diesem dritten Aufenthalt verläßt, ist sein enzyklopädisches System gedanklich in der Hauptsache entworfen, die Lehre nämlich vom Körper, vom Menschen und vom Staat.

Auch seine philosophische Haltung steht da schon fest, sein Materialismus, Nominalismus, seine naturalistische Anthropologie und seine Lehre von der absoluten Staatssouveränität. Von 1640 bis 1651 weilt er wieder in Paris, diesmal als Emigrant. In den politischen Wirren, die in England und Schottland ausgebrochen waren, hatte er zu den Royalisten gehalten und die Prinzipien des Natur- und Staatsrechtes in ihrem Sinne ausgelegt. In Paris entfremdete er sich aber der königlichen Sache; er hielt zwar noch an der absoluten Souveränität und Einheit der Staatsgewalt fest, glaubte sie aber auch in einem demokratischen Staat für erreichbar. Sein Leviathan von 1651 war die Absage an die königliche Partei. Seitdem galt er als Verräter und war nun in der Emigration weniger sicher als in der Heimat. Nach der Amnestie von 1651 kehrte er zurück. Als der Thronanwärter, der in Paris sein Zögling gewesen war, als Karl II. König wurde, fand Hobbes aber auch wieder Zugang zum Hof. — Hobbes' Hauptwerk sind die Elementa philosophiae. Davon erschien der 3. Teil, De cive, zuerst (1642); der 1. Teil, De corpore, kam 1655 heraus; der zweite, De homine, 1658. Für seine rechts- und staatsphilosophischen Anschauungen sind noch wichtig das 1640 erschienene Erstlingswerk, die Elements of Law, Natural and Politic, das zunächst nur handschriftlich und in Fremddrucken zirkulierte und erst 1889 durch F. Tönnies im Originaltext ediert wurde, sowie der auch für kirchenpolitische Fragen besonders aufschlußreiche Leviathan or the Matter, Form and Power of a Commonwealth Ecclesiastical and Civil (englisch 1651, in lateinischer Fassung 1668). — Ausgaben: Thomae Hobbes opera philosophica quae latine scripsit omnia. Studio et labore G. Molesworth. 5 Bde. (London 1839—45, Nachdruck Aalen 1961). The English Works of Th. Hobbes. Ed. by W. Molesworth. 11 Bde. (London 1839, Nachdruck Aalen 1962). Leviathan. Reprinted from the Edition of 1651. With an Essay by W. G. Pogson Smith (Oxford 1909 u. ö.). — Übersetzungen von Frischeisen-Köhler in Meiners Philosophischer Bibliothek (1915—18); Vom Menschen, Vom Bürger jetzt von G. Gawlick (1959). Leviathan von J. P. Mayer (Zürich 1936) (nur Buch I u. II).

Literatur

F. Tönnies, Th. Hobbes. Leben und Lehre (1896 [3]1925). R. Hönigswald, Hobbes und die Staatsphilosophie (1924). J. Laird, Hobbes (London 1934). R. Lenoble, Mersenne ou la naissance du mécanisme (Paris 1943). R. Polin, Politique et philosophie chez Th. Hobbes (Paris 1953). H. Warrender, The Political Philosophy of Hobbes (Oxford 1957). F. O. Wolf, Die neue Wissenschaft des Th. H. (1966). W. Röd, Geometrischer Geist u. Naturrecht (1970).

a) Vom Körper

α) Materialismus

Daß Hobbes seine Elemente der Philosophie mit der Lehre vom Körper eröffnet, in diesem Abschnitt die Logik unterbringt und die erste Philosophie, läßt uns schon ahnen, daß wir es mit einem Materialisten zu tun haben werden. Dazu bekennt er sich denn auch sogleich: „Philosophie ist die rationelle Erkenntnis der Wirkungen oder Erscheinungen aus ihren bekannten Ursachen oder erzeugenden Gründen und umgekehrt der möglichen erzeugenden Gründe aus den bekannten Wirkungen ... Wirkungen aber und Erscheinungen sind Fähigkeiten oder Vermögen der Körper." Da es also die Philosophie nur zu tun hat mit den Eigenschaften der Körper und ihrer Entstehung, gibt es keine Philosophie, wo es diese körperlichen Daten nicht gibt. Darum schließt die Philosophie die Theologie aus, die Lehre von Gott, vom Ewigen, Unerschaffenen, nicht zu Erfassenden, weil hier „nichts zusammengesetzt, nichts geteilt und nichts von Entstehung erkannt werden kann"; ebenso auch „die Lehre von den Engeln und allen jenen Dingen, die man weder für Körper noch für Affektionen von Körpern hält" (De corpore, cap. 1). Konsequenterweise bringt Teil II der Lehre vom Körper, den er Grundlegung oder erste Philosophie heißt, nur Kategorien der Körperwelt: Ort und Zeit, Körper und Akzidens, Ursache und Wirkung, Möglichkeit und Wirklichkeit, Gleichheit und Verschiedenheit, Quantität, Proportion, Gerade und Gekrümmte, Winkel und Figur. Ebenso auch seine Tafel der Prädikamente (De corpore, cap. 2, § 15). Was Hobbes damit will, steht in der Vorrede zu De corpore: Durch genaue Begriffsbestimmung sollen die Vorstellungen der allgemeinsten Dinge voneinander gesondert werden, um Zweifelhaftes und Dunkles zu beseitigen. Also wieder eine Kategorienlehre, die die Grundstrukturen des Wirklichen bloßlegt, und zwar in derselben wissenschaftlichen Sicherheit und systematischen Totalität wie bei Descartes. Auch Hobbes mathematisiert die Naturerkenntnis wie Galilei und Descartes. Es ist beachtlich, daß Leibniz dagegen nichts einwendet. Die mathematischen Prinzipien, sagt er in Bezug auf Demokrit, Epikur und Hobbes, seien den Materialisten nicht entgegengesetzt, und die körperlichen Vorgänge geschehen in der Tat so, als ob die schlechte Lehre des Epikur und Hobbes wahr wäre. Sie geschehen eben mechanisch. Aber: auch mechanisch, nicht nur mechanisch. Und das ist es, was Leibniz nun dagegen vorbringt: man darf nicht bloß die materialistischen Prinzipien der mathematisierten Mechanik anwenden, sondern muß auch noch metaphysische beiziehen, wie Pythagoras, Platon und Aristoteles das taten (Leibniz, Philosophische Werke VII, 355 und IV, 559 Gerhardt = I, 124 bzw. II, 388 Buchenau-Cassirer). (Über die näheren Gründe, die Leibniz hierfür geltend macht, vgl. oben S. 158 f.) Wie kam Hobbes zu seiner einseitigen materialistischen Auffassung? Er glaubte diese Deutung dem Mechanismus schuldig zu sein. Der sprach immer von der Bewegung, und diese Bewegung glaubt Hobbes als einen exklusiv körperlichen Vorgang auffassen zu müssen. Das war weder die Meinung Galileis noch die Descartes'. Für Hobbes scheint auch der Materialismus schon festgestanden zu sein, noch bevor er sich dem Studium der Mathematik zuwandte, und es wird darum gut sein, seinen Mechanismus von dem seiner Lehrmeister zu unterscheiden. Dieser ist ein ideell fundierter, der des Hobbes aber ist der antike Materialismus des blinden Druckes und Stoßes nach dem Satz der alten Atomisten: Natur = Atome, die im leeren

β) Sensualismus

Raum umhergeschleudert werden. Ein weiterer Grund liegt in seiner sensualistischen Auffassung der Sinneserfahrung. In der Art und Weise, wie er De corpore, cap. 1, § 3 den Erkenntnisvorgang rein psychologistisch beschreibt — man spürt hier schon den kommenden späteren englischen Psychologismus —, sieht man deutlich seine materialistische Grundhaltung: das ganze Denken des Geistes geschieht durch das Addieren und Subtrahieren von Vorstellungen. Das Zusammensetzen, Abziehen und Teilen aber, so hörten wir schon zu Beginn, ist etwas spezifisch Körperliches. Bezeichnend für diesen Sensualismus ist sein Einwand gegen Descartes, aus dem cogito folge zwar das „Ich bin ein Denkender“, aber nicht das „Ich bin Geist, Seele, Verstand, Vernunft“; denn das Denken sei nur ein Akt; daß dieser Akt eine mit seiner Natur identische Substanz verlange, könne nicht behauptet werden; es wäre vielmehr möglich, daß auch ein Körper denken könne. Auch J. Locke überlegt wieder so, und nun wirkt diese materialistische Konzeption weiter bis in den dialektischen Materialismus hinein. Bei Stalin steht ganz in diesem Sinn gleich zu Beginn seiner Darstellung des

dialektischen und historischen Materialismus: Denken ist ein Produkt der Materie, des Gehirns (s. u. Stalin). Descartes erwidert: Die Erfahrung gibt uns Kunde von zwei grundverschiedenen Modi, denen der Ausdehung und des Denkens; wenn nun diese Akzidentien von ganz anderer kategorialer Art sind, können wir sie nicht ein und derselben Substanz zuschreiben; denn was wir über eine Substanz aussagen, erschließen wir, wollen wir nicht unbegründet daherreden, aus den Akzidentien. Leibniz pflichtet Descartes in dieser Annahme zweier grundverschiedener Substanzen bei. Etwas spitzig bemerkt er gegen Hobbes, daß dieser die Empfindung vermittels einer Reaktion erkläre, wie sie bei einem aufgeblasenen Ballon stattfindet. Der Engländer scheine zu glauben, daß die Materie das Bewußtsein ebenso annehmen könne, wie sie etwa eine bestimmte Figur annehme. Allein der Gedanke sei doch von ganz anderer Art. „Selbst wenn man Augen hätte, die so durchdringend wären, um die winzigsten Teile des Gefüges der Körper zu sehen, so wüßte ich nicht, inwiefern man damit weitergebracht wäre. Den Ursprung der Perzeption würde man damit ebensowenig finden, als man ihn jetzt in einer Uhr findet, in der alle Teile, die die Maschine zusammensetzen, sichtbar sind, oder als man ihn in einer Mühle entdecken könnte, selbst wenn man zwischen den Rädern umherspazieren könnte. Denn zwischen einer Mühle und anderen, feineren Maschinen besteht doch nur ein Gradunterschied. Man kann es wohl verstehen, daß die Maschine die schönsten Dinge der Welt hervorbringt, niemals aber, daß sie dieselben zum Bewußtsein bringt" (Philosophische Werke III, 68 f. Gerhardt = II, 408 f. Buchenau-Cassirer). Der Sensualismus führt dann bei Hobbes zum γ) Nominalismus
Nominalismus. Sensualismus besagt monistische Bindung nur an die Erscheinung und bedeutet damit einen Gegensatz zur Metaphysik, zu den inneren Wesenheiten der Dinge, zu den Ideen und ewigen Wahrheiten. Wir haben bloß die Erscheinungen; was hinter ihnen steht, wissen wir nicht. Darum sind Begriffe nicht Erhellungen des inneren Wesens der Dinge, sondern nur Namen (nomina) für die in der Sinnesempfindung gegebene Erscheinung. Diese Namen beruhen im Grunde auf Willkür; aber man wählt sie vernünftigerweise so, daß sie einigermaßen zweckmäßig sind und eine gewisse Ordnung darstellen. Das und nicht mehr beschreibt die Lo-

gik. Sie hat es nicht mit ewigen Gesetzen zu tun. Ihre Sätze sind darum bei Hobbes nicht mehr wert als Papiergeld, das, was es gilt, auch nur deswegen gilt, weil es eben so festgesetzt wurde. Dieser Nominalismus ist einer der Hintergründe der modernen Metaphysikfeindlichkeit, des Psychologismus und des Skeptizismus, wie ihn Hume entwickeln und auch Kant suggerieren wird. Leibniz hat wieder schärfer gesehen, wenn er gegen Hobbes bemerkt, daß es zwar Nominaldefinitionen gibt, aber auch Realdefinitionen; diese letzteren stehen nicht in unserer Wahl, und es lassen sich darum nicht alle beliebigen Begriffe miteinander verbinden (Philosophische Werke IV, 424 f. Gerhardt = I, 26 Buchenau-Cassirer).

b) Vom Menschen

α) Das Sinnenwesen

Der Materialismus beherrscht bei Hobbes auch die Anthropologie. Der Mensch ist Körper; Verstand und Vernunft sind Sensualität und vom Tier darum nur graduell verschieden; sein Handeln ist ein Spiel von Kräften der Sinnesreize und Sinnesreaktionen. Der Mensch ist nicht frei. Er ist ein Gefangener des Mechanismus seiner Sinne, wie es das Tier auch ist.

β) Moral

Was uns in den Sinnesempfindungen angenehm erscheint, bejahen wir, was unangenehm ist, werten wir ab und lehnen wir ab. Das Handeln des Menschen, das die Moral betrachtet, ist darum eigentlich physisches Geschehen. Soweit wir es mit Namen bezeichnen, sind Utilität und Egoismus die Stichworte für die jeweilige Bewertung.

γ) Wissenschaft

Auch die Wissenschaft hat ihren größten Wert darin, daß wir die Wirkungen vorausschauen, berechnen, zu unserem Vorteil und zur Förderung des Lebens benutzen können. Schon Fr. Bacon hatte gesagt: „Wissen ist Macht". Diese utilitaristische Auffassung teilt auch Hobbes. Mit der Schau der Wahrheit um der Wahrheit willen, die Aristoteles als das Kennzeichen des freien Mannes betrachtet hatte, ist es vorbei.

δ) Religion

Die Lehre vom Menschen erörtert im Kapitel 14 auch die Religion. Hobbes spricht darüber, wie ein Engländer, der auf Tradition und Form sieht, zu sprechen pflegt, auch wenn er nichts glaubt, und gebraucht die herkömmlichen Worte von der Existenz und Verehrung Gottes, von Frömmigkeit, Glaube, Hoffnung und Liebe, Gebet und Kult, und schon in Kapitel 1 hatte er gesagt, daß wir über Erschaffung der Welt und des Menschen glauben wollen, „was wir im heiligen Gesetz von Moses gelernt haben". Das alles verträgt sich nicht mit seinem Materialismus. Seine eigentliche Meinung zeigt sich, wenn er in dieser Frage den Menschen schlankweg der Staatsmacht überantwortet: „Religion ist nicht Philosophie, sondern Staatsgesetz" (De homine, cap. 14, § 4), d. h., es gibt keine wahre Religion, wie Leibniz ihm entgegenhält. Hier schon und nicht erst bei Kant fällt das Wort: „Wäre das Wissen erreicht, so würde damit der Glaube aufgehoben" (a. a. O.). Und hier ersehen wir auch schon die Konsequenz der These, daß Religion „nur" Glaube ist. Auch in der Zeit nach Kant wirkte diese These sich in einem destruktiven Sinne aus.

c) Vom Bürger

Was Hobbes über den Menschen denkt, kommt erst voll heraus in seiner Lehre vom Staat. Wir meinen seine berühmte Theorie vom Naturzustand und Staatsvertrag, durch die, mag man diese Begriffe historisch oder als Fiktion verstehen, eine Interpretation dessen gegeben werden soll, was wir Staat heißen.

α) Naturzustand

Im Naturzustand (De cive, cap. 1) waren die Menschen zueinander wie Tiere. Hier herrscht die natürliche Begierde (cupiditas naturalis). „Die Natur hat jedem ein Recht auf alles gegeben, d. h., in dem reinen Naturzustand, oder ehe die Menschen durch irgendwelche Verträge sich gegenseitig gebunden hatten, war es jedem erlaubt, zu tun, was er wollte und gegen wen er es wollte, und alles in Besitz zu nehmen, zu gebrauchen und zu genießen, was er wollte und konnte ... Das ist der Sinn des Satzes: ‚Die Natur hat allen alles gegeben.' Daraus erhellt, daß im Naturzustand der Nutzen der Maßstab des Rechtes ist." „Deshalb sind alle Menschen von Natur einander gleich." Da jeder dieser Gleichen gelüsten konnte, wie er wollte, mußte auch jeder stets den anderen fürchten. Es ist ersichtlich, daß ein solcher Zustand weder erquicklich noch praktisch war; „denn die Wirkungen eines solchen Rechtes sind so ziemlich dieselben, als wenn überhaupt kein Recht bestünde". Jeder ist ja hier sein eigener Richter. Der Naturzustand war somit faktisch der Krieg aller gegen alle (bellum omnium contra omnes). Das ist genau die Machtideologie und der Individualismus der Sophistik (vgl. Bd. I, 57). Hobbes hatte nicht umsonst sich mit dem von der sophistischen Staatsphilosophie begeisterten Thukydides befaßt. Hobbes spricht zwar von einer „Sünde gegen Gott oder einer Verletzung der natürlichen Gesetze" auch im Naturzustand (De cive, cap. 1, § 10 Anm.). Aus seiner Definition der „rechten Vernunft" (ebd. cap. 2, § 1 Anm.) ergibt sich jedoch, daß es dabei immer nur um die rechten Schlußfolgerungen im Dienst der individuellen Selbstsucht geht. Hobbes zählt zwar in den Kapiteln 2 und 3 eine Anzahl „natürlicher Gesetze" auf, wie z. B. Friede, Vertragstreue, Rechtlichkeit, Dankbarkeit, Menschlichkeit usw., aber bei diesen „Pflichten gegen andere" handelt es sich letztlich darum, einzusehen, daß dies alles nötig ist „zur Erhaltung des eigenen Lebens" (cap. 2, § 1 Anm.), also um Selbstsucht auf Umwegen. Das Nichteinsehen dieser Beziehung wäre dann die Sünde gegen Gott oder die natürlichen Gesetze. Kant unterscheidet zwischen einer natürlichen und einer vernunftgemäßen Selbstliebe. Erstere ist nur Befriedigung der Neigungen, letztere sieht auf die Übereinstimmung mit dem moralischen Gesetz, das von grundsätzlich anderer Art ist als die Welt der Naturtriebe (Religion innerhalb der Grenzen der bloßen Vernunft, S. 50f. Originalausgabe). Hobbes ist wertblind gegenüber dieser Unterscheidung. Er kennt nur Naturliebe und führt alle Ethik und alles Recht darauf zurück.

β) Staatsvertrag Bei den unmöglichen Verhältnissen des Naturzustandes schreiten darum die Menschen zur Bereinigung seiner Nachteile. Sie schließen den sogenannten Staatsvertrag: Man gibt die persönlichen Naturrechte preis und schafft durch freie Konvention der Individuen Ordnung, Recht, Sitte und Sittlichkeit. Das ist nun die Gemeinschaft oder der Staat. Jetzt ist der Friede gewährleistet. Jeder beschränkt seine Willkür, damit für alle ein Spielraum von Freiheit bleibe. Noch bei Kant ruht die Rechts- und Staatsauffassung auf dieser Theorie. Wenn die Operation sinnvoll und erfolgreich sein soll, dann dürfen die Naturrechte nie mehr zurückgenommen werden. Der Staat muß allmächtig sein und schlechthin alles von sich aus bestimmen dürfen. Die Inhaber der höchsten Staatsgewalt sind niemandem durch Vertrag verpflichtet, „und daraus folgt, daß sie keinem Bürger Unrecht tun können" (De cive, cap. 7, § 14). Der Staat steht souverän, ja absolut über seinen Untertanen. Und nicht nur das. Er ist einzige Quelle von Recht und Moral und auch der Religion. Es gibt keine Gewissensfreiheit. Hobbes hat sich mit betonter Schärfe besonders gegen die Kirchen gewendet. Die Berufung auf die Glaubensfreiheit und die religiösen Interessen führe immer wieder zu Uneinigkeit im Staate. Es handle sich hier gar nicht um Wahrheit, Recht und Religion, sondern nur um die Machtsucht der Menschen. „Deshalb erteile ich hier der höchsten Staatsgewalt das Recht, zu entscheiden, ob gewisse Lehren unverträglich sind mit dem Gehorsam der Bürger oder nicht, und im bejahenden Falle ihre Verbreitung zu verbieten“ (De cive, cap. 6, § 11). Man sieht, Hobbes nimmt das Maß von den eigenen Schuhen und kann darum auch bei seinen Mitmenschen nichts anderes finden als Motive des Vorteils und der Macht.

γ) Sinn des Staates

αα) Totale Willkür

Und so ist sein Staat nichts anderes als die Machtballung des kollektiven Egoismus. Für die Staaten herrscht immer noch der Naturzustand, nur heißt er jetzt Souveränität. Von Frankreich, das Bodinus, den Vater des Souveränitätsgedankens, hervorgebracht hatte und das in der Zeit, in der Hobbes dort weilte, in der neuen Renaissancekultur führend war, konnte Hobbes eine unmittelbare Anschauung des autonomen weltlichen Staates mit nach Hause nehmen. Sein kalter, nüchterner Sinn sah sofort: für diese souveränen Staaten geht der Krieg aller gegen alle weiter. Und dieser Krieg wird ewig sein; denn für das Verhältnis der Staaten untereinander gelte immer das Wort: Homo homini lupus. Hobbes führt seinen Materialismus und Mechanismus auch in der Staatsphilosophie konsequent durch. Nur Nutzen und Macht bestimmen das Wesen der Gemeinschaft. In der Naturphilosophie waren das Druck und Stoß. Und wie es dort keine ewigen Wahrheiten gab, so hier keine ewigen Normen. Wenn der Naturalismus von einem Natur-„Recht“ spricht, so ist das Sophistik; er müßte von Natur-Brutalität reden. Bezeichnenderweise taucht denn auch das Tier auf zur Illustration staatlicher Verhältnisse; bei Hobbes der Wolf, bei Macchiavelli Löwe und Fuchs, bei Nietzsche das Führertier, bei Spengler der einsam horstende Raubvogel und bei Theodor Lessing der Raubaffe. Im Leviathan (cap. 20) erklärt Hobbes, daß ein Eroberungsstaat sich von einem auf Grund eines Vertrages entstandenen Staat nur dadurch unterscheidet, daß „die Bürger sich in diesem aus gegenseitiger Furcht, in jenem aus Furcht vor einem einzigen unterworfen haben. Bei beiden also liegt Furcht zugrunde." Dabei bleibt es. Die Worte Recht und Staat überdecken nur den Grundzustand, freilich nur für den, der nicht mitdenkt und auf den Laut der Sprachregelung hereinfällt. Die Vertragstheorie ist nicht so harmlos, wie sie aussieht. Sie bedeutet eine Interpretation von Sinn und Wesen des Staates, die den zügellosen Individualismus der cupiditas naturalis voraussetzt und anerkennt. Nachdem er im kleinen, für den Einzelnen nämlich, verboten wurde, wird er für die Gemeinschaft und den Staat wieder erlaubt und jetzt sogar im großen organisiert. Nun darf der Staat bzw. seine Majorität tun, wonach man gelüstet und was man vermag. Alles darf der kollektive Mensch richten und schlichten, wie es ihm gefällt. Wieder ist der Mensch das

ββ) Das φύσει des Aristoteles

Maß aller Dinge. Nichts findet er vor. Nichts mehr ist in der Vergemeinschaftung „von Natur", wie Aristoteles einst sagte. Man merkt Unordnung und Unrecht erst wieder und spricht davon, dann allerdings sehr lebhaft, wenn andere nun auch tun, was man bisher selbst getan hat. Das alles kommt davon, daß man keine natürliche Ordnung kennt und nur die Willkür gelten läßt. Auch der antike Denker sieht sehr wohl das Gewillkürte am Staat; aber in seinem Wesensgefüge ist ihm der Staat φύσει, d. h., schon vor aller individuellen Willkür und ihren Konventionen besteht eine dem Menschen vorgegebene ideelle Ordnung, die bestimmt, was die Wesenszüge aller Gemeinschaft sein sollen und was von der Willkür, die noch Raum genug hat, nicht angetastet werden darf. Und vor allem: der Staat ist etwas Sittliches. Obgleich auch hier das Wohl der Bürger Aufgabe des Staates ist, wird es doch nicht wahrgenommen auf der Grundlage der Begierde und Gewalt, sondern des sachlich Richtigen. Darin besteht das Recht. Es ist bezeichnend, daß Hobbes auch sofort in De cive gegen Aristoteles polemisiert (cap. 1, § 2). Dabei zeigt sich wieder, daß er nur Nutzen und Macht als die einzigen Triebkräfte der Vergemeinschaftung zu sehen vermag; denn, so meint er, nur um des Nutzens und des Ehrgeizes willen vereinigen sich die Menschen, niemals aber sei der Mensch von Natur aus ein geselliges Wesen. Hobbes sieht nur Teile und Summen, aber keine Ganzheiten. Er denkt atomistisch auch in der Staatsphilosophie. Gott schafft nur Individuen, aber keine Nationen, sagt Spinoza, der Hobbes in diesem

Punkte gefolgt ist. Wie den Aristoteles hätte Hobbes auch Leibniz nicht verstanden, wenn dieser darauf verweist, daß es mehr gibt als die Macht des Stärkeren, nämlich „das Recht der vernunftbegabten Seelen, die von Natur aus und unveräußerlich frei sind, d. h. das Recht Gottes, der der oberste Herr der Körper und Seelen ist und unter dem die Herren die Mitbürger ihrer Sklaven sind und diese im Reich Gottes ebensogut wie jene Bürgerrecht genießen" (Leibniz, Méditation sur la notion commune de la justice: Mollat, S. 68 = Philosophische Werke II, 516 Buchenau-Cassirer). Diese Wertblindheit für das eigentlich Menschliche ist charakteristisch für Hobbes. Aber er mußte so sein, nachdem er sich einmal dem Materialismus und Mechanismus verschrieben hatte und im Materiellen und Mechanischen nicht mehr bloß eine Teilwahrheit sah, sondern alles. Man muß zur Würdigung Hobbes' auch noch Kant beiziehen, der sich im 2. Abschnitt seiner Schrift „Über den Gemeinspruch: Das mag in der Theorie richtig sein, taugt aber nicht für die Praxis" eigens gegen Hobbes gewendet hat („Vom Verhältnis von Theorie und Praxis im Staatsrecht"). Obwohl Kant dort die Staatssouveränität auch uneingeschränkt gelten läßt, jedes Widerstandsrecht auf Grund des Naturrechtes ablehnt und auf die Frage, was zu tun sei, wenn ein Volk angesichts einer bestimmten Gesetzgebung mit größter Wahrscheinlichkeit sein Glück zu verlieren in Gefahr sei, lakonisch gemeint hat: „Die Antwort kann nur sein: es ist für dasselbe nichts zu tun als zu gehorchen", hat er doch zu der Behauptung von Hobbes, daß das Staatsoberhaupt — allgemein gesprochen also der Staat — dem Volk durch Vertrag zu nichts verbunden sei und dem Bürger kein Unrecht tun könne, möge er über ihn verfügen, was er wolle, erklärt: „So im allgemeinen ist dieser Satz erschrecklich." Der nichtwiderspenstige Untertan sollte wenigstens „annehmen können, sein Oberherr *wolle* ihm nicht Unrecht tun" (Werke VIII 303 f. Akad.). Dieses Als-ob ist dürftig genug, sieht aber wenigstens das Prinzip des Rechtes und der Freiheit.

γγ) Leibnizens Reich Gottes

δδ) Kant über Staatsrecht

d) Hobbes' Gegner: Die Platoniker von Cambridge

Die extreme Einseitigkeit, der Hobbes verfallen war, forderte den Gegensatz heraus. Es bildete sich gegen ihn in England eine betont idealistische Front, die sogenannte Cambridger Schule (Cambridge Platonists), die einen neuen Platonismus vortrug, der zugleich stark durchsetzt war von mystischen und cartesianischen Einflüssen. Der Bedeutendste unter diesen Platonikern war Ralph Cudworth (1617—88). Mit seiner vis plastica, einem formhaften Faktor, der das teleologische Moment der platonischen Idee, der aristotelischen Entelechie und der stoischen Keimkräfte in die moderne Naturwissenschaft einführt, um so den Mechanismus zu überwinden, hat sich Leibniz mehrfach beschäftigt. Was Cudworth besonders bekämpft, ist der Atheismus von Hobbes. In der Ethik verteidigt er, um die Eigenart und Würde des Sittlichen gegenüber der Erniedrigung durch den Eudämonismus der naturhaften Begierde zu retten, eine apriorische Wertbegründung: die Sittlichkeit kann nicht auf die naturalistisch verstandene Natur zurückgeführt werden, sondern wird begründet durch die Ideen im Geiste Gottes. Der menschliche Geist hat daran teil durch eine ursprüngliche, apriorische Anlage. Die sittlichen Wahrheiten hätten darum dieselbe Allgemeingültigkeit wie die Sätze der Mathematik. Andere Mitglieder der Cambridger Schule waren Samuel Parker (1640—88), Henry More (1641—87) und John Smith (1618—52).

Literatur

G. v. Hertling s. S. 202. E. Cassirer, Die platonische Renaissance in England und die Schule von Cambridge (1932). A. Lichtenstein, Henry More. The Rational Theology of a Cambridge Platonist (Cambridge, Mass. 1962).

2. LOCKE

Englische Philosophie

Wenn wir Locke *den* englischen Philosophen nennen, so deswegen, weil er mit seiner Abhandlung über den menschlichen Verstand das Textbuch des englischen Empirismus geschrieben hat und weil die Charakterzüge seiner Philosophie auch die Züge des englischen Nationalcharakters sind. Wir meinen sein kluges, abgewogenes, allen Extremen abholdes Urteil, seine nüchterne, materialbeladene Sachlichkeit, seine glückliche Verbindung von Konservativität und Fortschrittlichkeit, seinen Liberalismus, seine Toleranz und seinen Sinn für das praktische Leben. Hobbes hatte schockierend gewirkt; Locke kritisiert auch, aber er will nicht verletzen. Man kann sein Werk auf die Formel bringen: Konsolidierung durch Kritik und Vorbereitung für weiteren Fortschritt.

Leben und Werke

John Locke (1632—1704) weist in seinem Lebenslauf mit dem von Hobbes mancherlei Ähnlichkeit auf. Wie dieser studierte er in Oxford, lernt dort die Scholastik kennen, ist ebensowenig damit zufrieden, betätigt sich auch als Erzieher in adeligen Häusern, kommt auf diese Weise ebenfalls nach Frankreich (1671), verkehrt dort in den gelehrten Kreisen und ist auch wieder von Descartes' Klarheit und sicherem Gang der Wissenschaft begeistert, wenn er auch dessen Philosophie mit ihren angeborenen Ideen und ihrer Auffassung vom Körper ablehnen wird. Was auf Locke von besonders bestimmendem Einfluß wurde, waren Gassend und sein Schülerkreis. Locke hat die Werke Gassends selbst studiert; vor allem aber wurde er mit seiner Philosophie bekannt durch François Bernier, den Hauptvertreter des Gassendismus nach dem Tode des Meisters. Wie Aaron gezeigt hat, stand Locke während eines längeren Pariser Aufenthaltes mit Bernier in Fühlung. Von 1675—79 lebte er nämlich ganz in Frankreich. Von 1683—89 weilt er als Emigrant in Holland. Als Wilhelm von Oranien 1689 den englischen Thron besteigt, kann auch Locke wieder zurückkehren. — Lockes bedeutendstes Werk ist sein Essay concerning human understanding von 1690. Andere wichtige Werke Lockes sind die schon früh (ca. 1660) entstandenen 8 Essays über das Naturrecht, in denen ihr Entdecker, W. Leyden, das gemeinsame Fundament sowohl der theoretischen wie politischen Philosophie Lockes sehen möchte, sein erster „Brief über Toleranz" (1689), die „Zwei Abhandlungen über Regierungskunst" (1690), die „Gedanken über Erziehung" (1693) und „Die Vernünftigkeit des Christentums, wie es in der Schrift überliefert ist" (1695). — Ausgaben: The Works of J. Locke, A New Edition, Corrected. 10 Bde. (London 1823. Nachdruck Aalen 1963). An Essay Concerning Human Understanding. Collated and Annotated, with Prolegomena by A. C. Fraser 2 Bde. (Oxford 1894, New Edition New York 1959). Essays on the Law of Nature. The Latin Text with Translation, Introduction and Notes ed. by W. van Leyden (Oxford 1954). Two Treatises of Government. A Critical Edition with an Introduction by P. Laslett (Cambridge 1960). — Übersetzungen in der Meinerschen Bibliothek: Versuch über den menschlichen Verstand von C. Winckler; Über den richtigen

Gebrauch des Verstandes von O. Martin; Brief über Toleranz (englisch und deutsch) von J. Ebbinghaus.

Literatur

G. v. Hertling, J. Locke und die Schule von Cambridge (1892). R. Reininger, Locke, Berkeley, Hume (1922). A. Tellkamp, Verhältnis J. Lockes zur Scholastik (1927). A. Klemmt, J. Locke. Theoretische Philosophie (1952). J. W. Gough, J. Locke's Political Philosophy (Oxford 1950). W. van Leyden, Locke and Natural Law. In: Philosophy 31 (London 1956) 23—35. R. Polin, La Politique Morale de J. Locke (Paris 1960).

a) Versuch über den menschlichen Verstand

Mit seinem Essay über den menschlichen Verstand greift Locke ex professo die erkenntnistheoretische Problematik auf, die Descartes mit seinem Zweifel ausgelöst hatte und bringt nun die große Diskussion in Fluß über die Grundlagen, den Wahrheitswert und die Reichweite menschlicher Erkenntnis, die dem 17. und 18. Jahrhundert die charakteristische Note gibt. Leibniz antwortet 1704 mit seinen Neuen Abhandlungen, Berkeley schreibt 1709 seinen Treatise concerning the principles of human knowledge, 1748 erscheint Humes Enquiry concerning human understanding, und 1781 versucht Kant mit seiner Kritik der reinen Vernunft das ganze Problem endgültig zu bereinigen.

α) Ursprung der Erkenntnis

Das erste Problem, das sich Locke stellt, ist die Frage nach dem Ursprung unserer Erkenntnis. Und da lautet nun seine

αα) Angeborene Ideen?

These: Es gibt keine angeborenen Grundsätze unseres Geistes, weder theoretische noch praktische (sittliche). Dem Nachweis dieser Behauptung widmet er das ganze erste Buch und noch Kapitel 1 des zweiten Buches seines Essay. Gäbe es angeborene Ideen, müßten auch die Kinder sie schon haben; das ist nicht der Fall, sondern man muß sie ihnen erst beibringen. Das aber ist eine Arbeit, die gar nicht einmal ganz glückt; denn es gibt viele Erwachsene, die zum Beispiel mit den logischen Prinzipien des Widerspruchs und der Identität nicht vertraut sind. Ja nicht einmal der Gottesbegriff sei überall anzutreffen; es gebe Völker, die keine Gottesvorstellung hätten, und ebenso sei es mit den sittlichen Grundsätzen bestellt. Sie weisen die größten Verschiedenheiten auf. Wo wirklich eine allgemeine Übereinstimmung besteht, könnte sie auch so erklärt werden, daß gewisse Überzeugungen sich eben durchgesetzt hätten. Wir hörten bereits, was Leibniz darauf antworten wird (S. 175 f.). Locke aber entscheidet sich für die gegenteilige Ansicht: „Laßt uns annehmen, das Bewußtsein sei sozusagen ein weißes Blatt Papier, frei von irgendwelchen Schriftzügen, ohne alle Vorstellungen; wie wird es damit versehen?“ (II, 1, 2). Und er antwortet: ausschließlich durch die Erfahrung. Diese Erfahrung ist eine doppelte, die des äußeren und die des inneren Sinnes. Die äußere geht über die Sinnesorgane des Körpers und heißt sensation (Sinnesempfindung); die innere ist Selbstwahrnehmung und heißt reflection, Wahrnehmung z. B. des Sehaktes, des Fühlens, der Leidenschaft usw. Die reflection setzt die sensation voraus, wodurch nochmals gesagt wird, daß, was immer im Geist ist, zuerst ihm durch die Sinne zukommen müsse. Was unter der Angabe, daß alle Inhalte des Geistes aus der Erfahrung stammen, genauer zu verstehen ist, wird sich sogleich zeigen, wenn Locke das Zustandekommen unserer „Ideen“ erklärt.

ββ) Für die Erfahrung

Die idea bildet den Gegenstand des zweiten Buches des Essay; aber auch sonst muß Locke immer wieder über die ideas unseres Geistes sprechen, und er entschuldigt sich selbst (I, 1, 8) für den häufigen Gebrauch dieses Wortes; aber es sei am meisten geeignet zur Bezeichnung dessen, „was bei unserem Denken den Gegenstand des Verstandes bildet“, und fasse somit alles zusammen, „was immer man unter Einbildung, Vorstellung, Begriff, oder womit sonst sich der Geist beim Denken beschäftigen mag, versteht“. Man sieht daraus zwar sogleich, daß die englische idea nicht mehr die platonische idea ist; aber nicht viel mehr. Genaueres steht II, 8, 7 f., wo die idea als Bewußtseinsinhalt unterschieden wird von dem davon gemeinten Gegenstand und dessen Qualitäten, die die Kraft haben, jene Bewußtseinsinhalte in uns hervorzubringen: „Alles, was der Geist in sich selber wahrnimmt und was den unmittelbaren Inhalt der Wahrnehmung des Denkens oder des Verstandes ausmacht, nenne ich idea; die Kraft aber, eine idea in unserem Bewußtsein hervorzubringen, nenne ich eine Eigenschaft (quality) des Gegenstandes, dem jene Kraft innewohnt.“ Locke sagt auch für diese objektive Qualität selbst gelegentlich idea, so daß man meinen könnte, er wolle sagen, die idea sei in den Dingen selbst, aber er wünscht ausdrücklich dahin verstanden zu werden, daß er

β) „Idea“

αα) Ihr Begriff

damit nur per metonymiam die Ursache nach der Wirkung benennt; in Wirklichkeit sind ihm ideas nur Sinnesempfindungen und Wahrnehmungen in unserem Verstande und finden sich nur dort. Und man solle insbesondere nicht denken, was häufig geschehe, daß die ideas als Bewußtseinsinhalte „die genauen Abdrücke oder Ebenbilder von etwas dem Gegenstande Inhärierenden wären, wo doch die meisten der Sinneswahrnehmungen unseres Geistes nicht mehr Ähnlichkeit mit etwas außer uns Existierendem haben wie die Namen, die wir unseren Vorstellungen geben, mit dem Vorstellungsinhalt selbst“. Wir werden bald noch Näheres über die Übereinstimmung und Nichtübereinstimmung unserer ideas mit ihrem Gegenstand, über Objektivität also und Subjektivität des menschlichen Geistes hören, wenn Locke darangeht, den Wahrheitswert unserer Vorstellungen zu sichten. Eines dürfte aber bereits ersichtlich geworden sein, daß es sich bei Inhalten des menschlichen Geistes nach Locke um lauter sensualistische Elemente handelt. Verstand und Sinnlichkeit werden zwar unterschieden, aber nur graduell, nicht wesenhaft. Es gibt keine „reine“ Verstandestätigkeit mit eigenem Ursprung. Dies zeigt sich vollends, wenn wir uns vergegenwärtigen, wie Locke die Inhalte des Geistes

ββ) Einfache und zusammengesetzte Vorstellungen

einteilt und wie er sich ihre Entstehung denkt. Unser Philosoph versucht sich dabei in einer möglichst umfassenden psychologischen Anatomie und Physiologie des menschlichen Geistes (II, 2 ff.). Zwei Grundarten von Vorstellungen werden unterschieden, einfache Vorstellungen (simple ideas) und zusammengesetzte Vorstellungen (complex ideas). Die einfachen gliedern sich wieder in vier Gruppen: 1. Vorstellungen, die nur durch einen einzigen Sinn zum Bewußtsein kommen, wie Farben, Töne, Gerüche, Geschmäcke, Tastempfindungen (Hitze, Kälte und besonders Solidität, was für die Körperwahrnehmung unerläßlich sei und Descartes nicht gesehen hätte); 2. Vorstellungen auf Grund der Tätigkeit mehr als eines Sinnes, wie solche der körperlichen Ausdehnung, Gestalt, Bewegung und Ruhe, wo Gesicht und Getast zusammenwirken; 3. Vorstellungen auf Grund der Selbstbeobachtung, wie Denken, Wollen, Erinnern, Unterscheiden, Schlußfolgern, Urteilen, Wissen, Glauben; 4. Vorstellungen auf Grund der Sinneswahrnehmung und Selbstbeobachtung zugleich, wie Freude oder Lust, Schmerz oder

Unlust, Kraft, Dasein, Einheit, zeitliche Aufeinanderfolge (succession). Diese einfachen Vorstellungen sind das ganze Material unseres Wissens. Mag der Menschengeist auch über die Sterne hinausfliegen und noch soviel ersinnen, es wird sich dabei immer nur um neue Kombinationen des elementaren Materials der einfachen Vorstellungen handeln. Wer glaubt, sie würden nicht ausreichen, möge bedenken, wie zahllose Wörter durch abwechselnde Zusammenstellung der 24 Buchstaben gebildet werden können oder welche unendlichen Möglichkeiten allein schon für die verschiedenen Kombinationen der Zahl- und Raumvorstellung gegeben sind (II, 7, 10). So stehen also neben den einfachen nun die zusammengesetzten Vorstellungen. Die complex idea ist nichts schöpferisch Neues. Der Verstand hat nicht die Kraft auch nur e i n e neue Idee zu erfinden, er kann immer nur umgestalten (II, 2, 2). Es gibt hier keinen Nous poietikos mit seiner „unvermischten" Spontaneität. Wir sehen, die erste These, daß alles aus der Erfahrung stammt, soll unbedingt aufrechterhalten werden. Die Bildung zusammengesetzter Vorstellungen geschieht durch Wiederholung und Vergleichung des schon vorhandenen bzw. neu zuströmenden Materials (a. a. O.). Hierfür spielt natürlich die Erinnerung eine große Rolle, und Locke spricht ausführlich über Gedächtnis und Aufmerksamkeit (II, 10). Das Wichtigste aber bei der Bildung neuer Vorstellungen ist die Abstraktion, weil durch diese Tätigkeit die Allgemeinvorstellungen (general ideas) zustande kommen. Diese Abstraktion besteht „in der Absonderung (der Vorstellung eines bestimmten Merkmalskomplexes) von allen anderen Vorstellungen, die sie in ihrer wirklichen Existenz begleiten" (II, 12, 1). Wir könnten doch nicht, meint Locke, alle möglichen Kombinationen mit eigenen Namen bezeichnen; das wäre unüberschaubar. So wird verallgemeinert, indem man „von einzelnen Dingen entnommene Vorstellungen (ideas) zu allgemeinen Repräsentanten für alle von derselben Art und ihre Namen zu allgemeinen Namen macht, die auf alles Existierende anwendbar sind, was solchen abstrakten Vorstellungen entspricht". Mit diesen „genau bestimmten, bloßen Erscheinungen im Bewußtsein" (precise naked appearances in the mind) und ihren Namen lassen sich nun die Dinge in Klassen einordnen und benennen, je nachdem sie mit diesen Mustern übereinstimmen

γγ) Abstraktion

oder nicht. „Wird z. B. dieselbe Farbe an der Kreide oder im Schnee beobachtet, die der Geist gestern von der Milch empfangen hatte, so betrachtet er nur diese Erscheinung allein, macht sie zum Repräsentanten aller von derselben Art, gibt ihr den Namen ‚Weiße' und bezeichnet mit demselben Laut dieselbe Eigenschaft überall, wo sie vorgestellt oder gefunden wird, und so werden Allgemeinbegriffe, seien es nun Vorstellungen oder Ausdrücke, gebildet" (II, 11, 9). Es ist wichtig, die Abstraktion des modernen Empirismus und jene der aristotelisch-scholastischen Philosophie auseinanderzuhalten. Letztere ist echte Wesenserfassung, überschreitet darum jederzeit die nur auf Induktion beruhende Sinneserfahrung und will allgemeine metaphysische Einsichten erschließen. Die Abstraktion Lockes dagegen beschränkt sich bewußt auf die „bloßen Erscheinungen" und ist lediglich eine Frage der Vorstellungs- und Benennungsvereinfachung, ist nur eine psychologistisch zu verstehende Tätigkeit und hat keine Wesens-Metaphysik hinter sich. Es ist bezeichnend, daß Locke für die Bildung des Allgemeinbegriffes kein objektives Kriterium anzugeben weiß, das uns sagte, was nun als wesentlich herausgehoben und was unbeachtet bleiben soll. Die Bemerkung, daß wir „von allen anderen Existenzen und den Umständen des realen Daseins, wie Zeit, Ort und sonstige begleitende Vorstellungen", absehen sollen (II, 11, 9), leistet für eine Wesensbestimmung nichts. Locke sieht überhaupt nur das psychologisch-ökonomische Moment der Vereinfachung. Darin liegt eine deutliche Absage an die Metaphysik. Wir werden bei ihm zwar mit den Fragen der Koexistenz der Substanz und des realen Daseins, die er in Zusammenhang mit unserer Vorstellungswelt aufwirft, noch metaphysische Probleme antreffen, aber seine Abstraktionstheorie bereitet evident schon den Boden für den Humeschen Psychologismus und die Assoziationspsychologie, wo man nur noch die subjektiven Vorstellungsinhalte und ihre Bewegungen studiert, das Vorgestellte aber, die objektiven Inhalte also, als transzendent links liegen läßt und sich mit einem Nominalismus begnügt. Und es ist auch klar, woher diese neue Einstellung kommt. Sie ist eine erkenntnistheoretische Parallele zum naturphilosophischen Atomismus der Neuzeit, speziell Gassends. Locke hat hier in Paris deutliche Einflüsse erfahren. Er vergleicht nämlich die Verarbeitung der simple ideas durch unseren Geist ausdrücklich mit der Atombewegung: „Mit der Herrschaft des Menschen über diese kleine Welt seines eigenen Verstandes ist es beinahe ebenso bestellt wie mit der über die große Welt der sichtbaren Dinge, worin seine Macht, mit wieviel Kunst und Geschicklichkeit sie auch gehandhabt werden möge, nicht weiter reicht als bis zur Zusammensetzung und Teilung der ihm in die Hände gelieferten Stoffe, dagegen unfähig ist, auch nur die kleinste Partikel von neuem Stoff hervorzubringen oder ein Atom des schon Vorhandenen zu zerstören“ (II, 2, 2; ebenso II, 12, 1). Mit Recht bezeichnet darum J. St. Mill das Verfahren der Assoziationspsychologie als mental chemistry. Für die Atomisten war die Natur: Atome, die im leeren Raum umhergeschleudert werden. Für die Assoziationspsychologie ist der Geist: einfache Vorstellungen (simple ideas), die im Hirn umhergeschleudert werden. Hier kann es keine Ganzheiten mehr geben, keine ewigen Formen und notwendigen Sätze. So verstehen wir, warum Leibniz dem Engländer vorhält, daß er die Natur des Geistes und der Wahrheit verkenne.

δδ) **Kategorien**

Immerhin, wir entdeckten noch Reminiszenzen aus der logisch-ontologischen Tradition in den drei Klassen, in die er die zusammengesetzten Vorstellungen einteilt, in den Modi, Substanzen und Relationen. Sie sind bei ihm, was einst die Kategorien waren. Aber sehen wir zu, was davon bleibt! Die Modi sind wie immer Zustände, Beschaffenheiten, die sich an **Modi** einem Träger finden, also die alten Akzidentien. Sie setzen Substanzen voraus, Dinge, die für sich selbst existieren, nicht mehr einem anderen inhärieren, sondern Träger von anderem sind. Locke spricht noch von Substanzen; bei diesem **Substanzen** typisch metaphysischen Faktor setzt aber prompt die Kritik ein. „Die Ausdrücke Substanz und Akzidens sind in der Philosophie von geringem Nutzen ... Wir haben von Substanz keine Vorstellung, was sie sei, sondern nur eine verworrene und dunkle Vorstellung, was sie leiste“ (II, 13, 19). Als man einen Inder fragte, wovon die Erde getragen werde, hätte er gesagt: von einem Elefanten; dieser wiederum würde von einer großen Schildkröte getragen werden; und als man weiter wissen wollte, was der Schildkröte zur Stütze diene, hätte er geantwortet: irgend etwas, ich weiß nicht was. Locke meint, es wäre genauso gewesen, wenn er Substanz gesagt hätte (a. a. O.; II, 23, 2); d. h., wir wissen über die Substanz soviel wie nichts (perfectly ignorant of it: II, 23, 2). In der ganzen Frage handle es sich eigentlich nur um die Koexistenz mehrerer simple ideas, die wir in dieser bestimmten Verknüpfung bei den sogenannten Dingen, einem Pferd z. B. oder einem Stein, anzutreffen gewohnt sind und für die wir dann einen im übrigen uns unbekannten Träger supponieren (II, 23, 4). Das wäre nun das Problem. Locke wird darüber sprechen bei der Frage der Koexistenz, und wir werden sehen, daß nicht viel bleibt. Als dritte Klasse von complex ideas stellt Locke die Relation auf: Beziehungen der Vorstellungen untereinander. Diese Kategorie ist „nicht enthalten in der realen Existenz der Dinge, sondern bildet etwas außer dem Ding Liegendes und Hinzugefügtes“ (II, 25, 8); denn die Relation kann sich ändern, ohne daß das zugrundeliegende Subjekt, das Relatum, sich änderte. Derselbe Caius, der heute noch als Vater bezeichnet werden kann, ist es morgen nicht mehr, wenn sein Sohn stirbt, und darum ist die Relation eine Weise des Betrachtens und Benennens, ein ens rationis, wie die Scholastiker sagten. Aber sie habe ein fundamentum in re (a. a. O.). Auch das ist scholastische Lehre gewesen.

Relation

γ) Wesen des Erkennens

In der Beschäftigung mit unseren ideas besteht nun unser Erkennen (IV, 1). Das Erkennen hat kein anderes unmittelbares Objekt als diese seine eigene Vorstellung. „Die Erkenntnis scheint mir deshalb nichts anderes zu sein als die Wahrnehmung des Zusammenhangs und der Übereinstimmung oder Nichtübereinstimmung und des Widerstreites zwischen irgendwelchen von unseren Vorstellungen: perception of the connection and agreement, or disagreement and repugnancy, of any of our ideas. In this alone it consists“ (IV, 1, 2). Das agreement (die Übersetzung mit Übereinstimmung ist, wie man sofort sehen wird, zu eng) kann ein vierfaches sein, nämlich ein solches der Identität oder Verschiedenheit, der Relation, der Koexistenz oder des notwendigen Zusammenhangs, und schließlich des realen Daseins. Die Identitätswahrnehmung ist die erste Tätigkeit unseres Geistes. Ohne das gäbe es überhaupt kein Erkennen. Die Vorstellung „weiß“ meint „weiß“ und nicht „schwarz“, Dreieck meint Dreieck und nicht Kreis, und so überall. Die Relationswahrnehmung führt weiter. Jetzt erst kommt es zu einem positiven Wissen, indem wir die weiteren Beziehungen der Vor-

αα) Identität

ββ) Relation

stellungen untereinander aufgreifen und darstellen. Das hic Rhodus hic salta des Erkenntnisprozesses taucht aber erst auf bei der dritten möglichen Form des agreement, der Koexistenz. Jetzt erhebt sich das Substanzproblem und sachlich damit auch das Problem der Gesetzesbildung; denn mit der Dingvorstellung, z. B. Gold, ist ja nichts anderes gemeint als das Gesamt einer Reihe von Vorstellungen, wie Körper von bestimmter Schwere, Feuerbeständigkeit, gelber Farbe, Hämmerbarkeit, Auflösbarkeit in aqua regia (IV, 1, 6). Hier betont nun Locke sofort, daß es nur sehr beschränkt möglich ist, eine solche Zusammengehörigkeit festzustellen. „Der Grund liegt darin, daß die einfachen Vorstellungen, woraus unsere komplexen Vorstellungen von Substanzen bestehen, größtenteils derart sind, daß sie ihrer eigenen Natur nach in keiner sichtbaren notwendigen Verbindung oder Unvereinbarkeit mit anderen einfachen Vorstellungen stehen, über deren Koexistenz mit ihnen wir uns unterrichten möchten" (IV, 3, 10). Hier haben wir die ganze moderne Substanzproblematik vor uns. Die Alten hatten mit Selbstverständlichkeit geglaubt, die Gestalt der Dinge in einer Wesensschau erfassen zu können, und sie hielten diese Gestalten für ewige Formen. Um diese notwendigen Zusammenhänge kämpft auch noch der Rationalismus der Neuzeit. Locke aber fragt sich: Muß das so sein, daß wir gerade die Merkmale zusammen denken, die wir unter einem bestimmten Namen zusammen zu denken gewohnt sind? Es wird ihm schwer, solche Notwendigkeiten aufzufinden und einsichtig zu machen. Locke schiebt das Problem schließlich auf die psychologische Ebene und meint, wir seien eben gewohnt, die Dinge so zu sehen (we are used to find). Das schafft den Anknüpfungspunkt für Hume. Es ist die Situation, die dann Kant seine Kritik der reinen Vernunft eröffnen läßt mit der Frage: Wie sind synthetische Urteile a priori möglich? Eine vierte und nicht weniger wichtige Form des agreement unserer Vorstellungen liegt vor in ihrer Deckung mit der realen Existenz (IV, 1, 7). Obwohl Locke die idea zunächst rein psychologisch-subjektiv ins Auge faßt, legt er doch größten Wert darauf, daß unsere Vorstellungen nicht bloß als Bewußtseinsinhalte, nur nach ihrer Immanenz verstanden werden. „Wenn unser Wissen von unseren Vorstellungen mit diesen abschlösse und nicht weiter reichte, wo etwas weiteres be-

γγ) Koexistenz

δδ) Reale Existenz

absichtigt ist, wären unsere ernsthaftesten Gedanken wenig besser als die Träumereien eines verrückten Gehirns, und die darauf gebauten Wahrheiten hätten wenig mehr Gewicht als die Rede eines Menschen, der im Traum deutlich Dinge sieht und sich mit großer Zuversicht darüber äußert" (IV, 4, 2). Locke setzt somit offenkundig eine gnoseologische Transzendenz voraus; und er spricht ihr gegenüber sogar von einem Abbilden (picture), das unsere Vorstellungen gegenüber ihren Objekten sein sollen (II, 25, 6; II, 8, 15 und öfter). Das ist klarer Realismus. Was für sichere, die Realität treffenden Urteile haben wir nun? Er antwortet: Von dem realen Dasein unserer selbst haben wir ein intuitives, von dem Gottes, ein demonstratives, von dem einiger weniger andere Dinge ein sensitives Wissen (IV, 3, 21). Näheres werden wir sofort erfahren im Zusammenhang mit der Frage nach dem Wahrheitswert unserer Vorstellungen.

δ) Wahrheitswert unserer Vorstellungen

αα) Intuition

Diese Frage nach dem Wahrheitswert taucht auf in Lockes Lehre von den Graden des Erkennens (IV, 2). Zuoberst steht die Intuition. Sie ist die sicherste und klarste Erkenntnis und ist unwiderstehlich. Sie geschieht auch ohne Mühe, einfach dadurch, daß der Geist sich der Wahrheit zuwendet wie das Auge dem Licht. Die „Wahrheit" ist dabei die Übereinstimmung oder Nichtübereinstimmung zweier Vorstellungen nach dem Grundsatz der Identität. Daher verbleibt diese Wahrheitserkenntnis, abgesehen von der intuitiven Erkenntnis unseres eigenen Daseins, innerhalb unseres Bewußtseins, ist aber hier grundlegend für alles weitere.

ββ) Demonstration

Insbesondere auch für den zweiten Grad der Wahrheitserkenntnis, der Demonstration. Hier erkennt der Geist auch die Übereinstimmung und Nichtübereinstimmung zweier Vorstellungen, aber nicht mehr unmittelbar, sondern er braucht vermittelnde Vorstellungen, oft sogar eine ganze Reihe, muß sie je und je miteinander vergleichen und kommt erst auf diesem diskursiven Weg zu der Erkenntnis des gesuchten Verhältnisses. Die vermittelnden Vorstellungen dienen hier als Beweise, und daher der Name dieser Erkenntnisart. Weil aber diese vermittelnden Vorstellungen oft nur schwer überschaubar sind, ist das demonstrative Erkennen nicht immer klar. Wenn jedoch Schritt für Schritt durch intuitive Erfassung von Identität und Unterschied gesichert wurde, ist auch das Verfahren im ganzen absolut sicher (IV, 2, 2—13). Ein

Beispiel ist der Gottesbeweis, den Locke für möglich hält und, nach Ablehnung der Descartesschen angeborenen Ideen, im Stile des herkömmlichen kosmologischen und teleologischen Gedankenganges durchführt (IV, 10). An dritter Stelle in der Wahrheitsgewißheit steht die sinnliche Erkenntnis einzelner endlicher Wesen. Kommt sie auch zuletzt und erreicht sie nicht den Grad des Wahrheitswertes von Intuition und Demonstration, so steht sie doch über der gewöhnlichen Wahrscheinlichkeit und kann auch noch als Wissen angesprochen werden. Hier fallen nun die für die Erkenntnistheorie Lockes so bezeichnenden Bemerkungen. Ganz allgemein muß zunächst festgestellt werden, daß Locke den Realismus vertritt. Wie wir bereits bei der Behandlung des Wesens des Erkennens hörten, daß er eine gnoseologische Transzendenz voraussetzt, so versichert er uns auch in dem Kapitel über die Grade unseres Wissens wieder, daß er das Erkennen nicht auf die Bewußtseinsimmanenz beschränken wolle (IV, 2, 14). Ob es außer unseren Bewußtseinsinhalten noch etwas mehr gibt, ob wir von unseren Vorstellungen aus auf etwas schließen dürfen, was ihnen entspricht, das hätten einige Leute bezweifelt, weil man solche Vorstellungen auch im Traume haben könne. Die Bemerkung richtet sich gegen die Cartesianer. Der allen extremen Ansichten abholde Locke denkt konservativer. Er glaubt Beweise zu haben, die uns über jeden Zweifel hinausheben. „Den Unterschied zwischen einer durch unser Gedächtnis uns ins Bewußtsein zurückgerufenen Vorstellung und einer, die durch unsere Sinne tatsächlich in dasselbe eintritt, erkennen wir ebenso deutlich wie den Unterschied zwischen irgendwelchen zwei verschiedenen Vorstellungen“ (a. a. O.). Es sei ein unverkennbarer Unterschied, ob ich die Sonne wirklich sehe oder des Nachts an sie denke, ob ich wirklich im Feuer stehe oder nur davon träume, ob unser Bemühen um Wissen und Wahrheit echt ist oder nur Einbildung. Wenn nun aber Locke nach diesen allgemeinen und prinzipiellen Feststellungen ins Detail geht und im einzelnen zeigt, in welcher Beziehung bestimmte Klassen unserer Bewußtseinsinhalte zum transsubjektiven Sein stehen, ergibt sich, daß er kein naiver, sondern ein kritischer Realist ist. Wieder vermeidet er eine extreme Einseitigkeit. Wenn unser Geist immer nur mittels seiner Vorstellungen erkennen kann, unser Wissen aber nur dann real

γγ) Sensitive Erkenntnis

Realismus

Kritischer Realismus

ist, wenn es mit der Realität der Dinge übereinstimmt, wie sollen wir dann dieser Übereinstimmung gewiß werden, fragt er sich (IV, 4, 3). Wie schwierig dieses Problem auch sei, so könne doch zweierlei behauptet werden: Erstens stimmen alle einfachen Vorstellungen mit der Wirklichkeit überein und zweitens auch alle komplexen, allerdings mit Ausnahme derer von Substanzen. Daß alle simple ideas mit den Dingen übereinstimmen, folgert Locke daraus, daß der Geist sie nicht aus sich selbst hervorbringen kann. Darum darf man sie nicht als Phantasieprodukte betrachten, sondern muß in ihnen „natürliche und regelmäßige Erzeugnisse der Dinge außer uns" sehen, die „die für unseren Zustand erforderliche Ähnlichkeit an sich tragen" (IV, 4, 4). Genauer spricht er sich darüber in dem Kapitel über die primären und sekundären Sinneseigenschaften aus (II, 8, 9 ff.). Locke unterscheidet dort erstens an Körpern wahrgenommene Eigenschaften, die völlig unabtrennbar damit verbunden sind, in welchem Zustand sich der Körper auch befinden mag, und sei es der kleinste wahrnehmbare Teil, wie Solidität (was bei Descartes fehlt), Ausdehnung, Gestalt, Bewegung, Ruhe und Anzahl; und zweitens Eigenschaften, die in Wahrheit an den Gegenständen nur eine Kraft sind, in uns bestimmte Sinneswahrnehmungen hervorzurufen, wie z. B. Farben, Töne, Geschmacksempfindungen und dergleichen, alles Sinneswahrnehmungen, die nicht unbedingt mit dem Körper verbunden sein müssen; ihre Ursachen (die Kräfte und Qualitäten der Körper) bleiben zwar, aber die Bewußtseinsinhalte als solche können auch fehlen (II, 8, 17). Von den primären Eigenschaften nun nimmt Locke an, daß sie Ebenbilder (resemblances) wären, deren Musterbilder (patterns) in den Körpern selbst wirklich existieren. Hinsichtlich der sekundären Qualitäten dagegen existiert in den Körpern nichts, was unseren Vorstellungen gleich wäre. „Sie sind in den Körpern, die wir nach ihnen benennen, nur eine Kraft, gewisse Sinneswahrnehmungen in uns hervorzubringen, und was süß, blau oder warm in unserer Vorstellung ist, das ist in den Körpern selbst nur eine gewisse Größe, Gestalt und Bewegung ihrer unsichtbaren Teilchen, die wir so nennen" (II, 8, 15). Ganz subjektiv sind also nach Locke auch diese sekundären Qualitäten nicht; denn es steht hinter ihnen eine Wirklichkeit; nur wird sie, wenn wir so sagen dürfen, in die Sprache unserer Sinne übersetzt.

Primäre und sekundäre Sinnesqualitäten

Schwieriger liegen die Dinge für die complex ideas (IV, 4, 5 ff.). Soweit sie von uns selbst gebildete Urbilder sind, wie zum Beispiel die mathematischen und geometrischen Vorstellungen, hat es keine Not; denn da brauchen sie nicht mit einer außerhalb ihrer selbst existierenden Realität übereinzustimmen, sondern müssen nur überhaupt logisch möglich sein. Aber bei der Ding- oder Substanzvorstellung ist es schon anders. Hier müssen, wenn diese Vorstellungen einen Sinn haben sollen, die Inhalte so verbunden werden, wie sie in der Wirklichkeit auch verbunden sind. Aber da tauchen nun die Schwierigkeiten auf, die wir schon bei der Erörterung der Koexistenzfrage besprechen mußten (oben S. 209), und darum erklärt Locke hier sehr zurückhaltend, daß das Wissen um die Einzeldinge oder Substanzen ein „nicht sehr weitreichendes" ist und daß dabei unsere Vorstellungen die Übereinstimmung mit den Dingen verfehlen können und oft verfehlen (IV, 4, 11). Immerhin, sehen wir auch keine echte Notwendigkeit in den Ding oder Substanz geheißenen Koexistenzen von gewissen Vorstellungen, so ist Locke doch wieder nicht so extrem, die Möglichkeit der Naturwissenschaft zu leugnen. Es gibt Naturwissenschaft, wenn auch die Sinneserkenntnis gegenüber Intuition und Demonstration stark eingeschränkt wird, einmal, weil wir nur „von einigen wenigen Dingen" eine sensitive Erkenntnis haben, und dann, weil die Erkenntnis der Koexistenz keine Notwendigkeit mit sich führt. Damit ist aber nicht nur der Ding- oder Substanzbegriff, sondern auch der Gesetzesbegriff getroffen, so daß für Locke die Naturwissenschaft eben doch nicht mehr eigentliche Wissenschaft, sondern Glaube ist. Zwar Glaube von hoher Wahrscheinlichkeit, aber doch Glaube. Man fühlt wieder die Nähe Humes.

ε) Vom Objekt zum Subjekt

Man könnte überhaupt die Erkenntnislehre von Locke als einen Übergang vom Objektivismus zum Subjektivismus bezeichnen. Locke vollzieht keinen gewaltsamen Bruch mit der Tradition. Er bekennt sich zum Realismus, spricht noch von der Substanz, kennt noch den Abbildbegriff, zum Teil sogar für die Sinneserkenntnis; aber die allmähliche Loslösung vom transzendenten Objektivismus wird überall spürbar: von der metaphysischen Substanz bleibt nicht mehr als der Name, die Dingvorstellung ist ein hilfloses, wenn auch notdürftig gebilligtes Probieren, die Sinneserkenntnis wird zur

Hälfte entwertet; vor allem aber: immer stehen im Vordergrund der Betrachtung nur unsere subjektiven Vorstellungen. Das Psychologische überwiegt bei weitem das Ontologische. Humes Psychologismus bildet die geradlinige Konsequenz aus Lockes Lehre über den menschlichen Verstand.

b) Das menschliche Handeln

α) Ethik

Die ethischen Fragen hat Locke innerhalb seiner Untersuchung über den menschlichen Verstand nebenbei auch noch mitbehandelt (II, 21 u. 28). Seine Grundhaltung ist die sogenannte eudämonistisch-utilitaristische, wie so häufig in der englischen Philosophie. „Die Dinge sind gut oder übel nur in Hinsicht auf Freude oder Schmerz. Wir heißen darum gut, was geeignet ist, uns Lust zu bringen oder sie zu steigern bzw. Unlust zu vermindern" (II, 20, 2); oder: „Wenn gefragt wird, was das Verlangen anregt, so antworte ich: das Glück (happiness), und dies allein" (II, 21, 41). Das ist bereits Bentham; sogar das für ihn wie auch für den antiken Hedoniker so bezeichnende Wort vom „gegenwärtigen Gefühl", das allein überzeugend sei, während man über die spekulativen Fragen um Gesetz und Richtigkeit ewig streiten könne (vgl. Bd. I, 71), findet sich schon bei Locke (II, 21, 37). Aber wie immer will er nichts überstürzen, und so schaltet er auch wieder traditionelle Faktoren ein, nämlich den Gesetzesbegriff. Und jetzt treten sogar Gut und Übel nur noch als Begleiterscheinungen dieses dann offenbar tieferen Prinzips auf, obwohl vorher der Eudämonismus ohne Einschränkung ausgesprochen worden war (II, 28, 5). Locke kennt dreierlei Gesetze, das göttliche, das bürgerliche und das Gesetz der öffentlichen Meinung. Das erste bestimmt, was Sünde ist und Pflicht; das zweite dient als Maßstab für Verbrechen und Schuldlosigkeit; das dritte als Maßstab für Tugend und Laster (II, 28, 6—9). Der letzte Gedanke macht uns stutzig. Soll über Tugend und Laster, wenn es doch ein ewiges Gesetz gibt, wirklich die öffentliche Meinung entscheiden? Locke erklärt zwar nochmals, was man so Tugend und Laster heißt, sollte eigentlich Handlungen bezeichnen, die ihrer Natur nach recht oder unrecht sind und insofern mit dem göttlichen Gesetz zusammen- bzw. nicht zusammenfallen. Allein dann fährt er unmittelbar darauf fort: „Gleichwohl ist, was auch behauptet werden mag, soviel ersichtlich,

αα) Eudämonismus

ββ) Ewiges Gesetz

γγ) Soziologie als Ethik

daß die Namen Tugend und Laster in den einzelnen Beispielen ihrer Anwendung durch die verschiedenen Nationen und menschlichen Gesellschaften in der Welt beständig nur solchen Handlungen beigelegt werden, wie sie in jedem Land und in jeder Gesellschaft in gutem Rufe stehen ... Das Maß dessen, was allerorten Tugend und Laster genannt und dafür gehalten wird, ist somit diese Billigung oder Mißbilligung, Lob oder Tadel, die sich nach einem geheimen und stillschweigenden Übereinkommen in den verschiedenen menschlichen Gesellschaften, Klassen und Vereinen der Welt herausbilden, wodurch allerhand Handlungen, dem Urteil, den Grundsätzen oder der Mode jenes Ortes entsprechend, Gunst oder Untugend zuteil wird" (II, 28, 10). Damit ist der Empiriker wieder zum Durchbruch gekommen. Es bleibt bei dem für alle Eudämonisten und Utilitaristen charakteristischen Relativismus, der die Moral zu einem Teil der Soziologie werden läßt. Locke wäre nicht der Vater des modernen englischen Empirismus, hätte er anders gedacht. Aber seine konziliante Art gebot ihm, das göttliche Gesetz auch noch mittun zu lassen. In den frühen Essays on the Law of Nature tritt es sogar mit dem ganzen Ornat der gelehrten Tradition auf. Auch Thomas von Aquin wird noch zitiert.

β) Staat

αα) Gegen die Patriarchaltheorie

Seine Lehre vom Staat hat Locke in den beiden Abhandlungen über Regierungskunst niedergelegt. Davon ist die erste Abhandlung eine Polemik gegen Sir Robert Filmers Patriarchaltheorie, wonach die königliche Gewalt so zu verstehen wäre wie die Gewalt eines Patriarchen über seine Familie und sein Land, der das alles als Eigentum im strengen Sinn besäße. Menschen, so erwiderte Locke, sind nicht Eigentum wie eine Sache; und schließlich, soweit eine väterliche Gewalt über die Kinder besteht, ist sie zeitlich beschränkt, denn jeder Mensch muß einmal mündig werden. Und diese Freiheit und Mündigkeit ist nun das eigentliche Anliegen, das Locke gegen die Patriarchaltheorie verficht.

ββ) Naturzustand

Der Freiheitsidee dienen auch die positiven Darlegungen seiner eigenen Ansicht in der zweiten Abhandlung über Regierungskunst. Hier taucht wieder die Fiktion vom Naturzustand auf, durch die damals und später immer wieder versucht wurde, Wesen, Ursprung und Zweck des Staates klarzustellen. Locke scheint allerdings den Naturzustand für historisch gehalten zu haben. Aber sein Naturzustand ist nicht mehr der von Hobbes. Auch hier sind die Menschen frei und gleich. Es gibt keine Über- und keine Unterordnung. Jeder ist sein eigener Herr und Richter, und jeder sucht sein Glück. Aber trotzdem gibt es ein „Naturgesetz", das jeden verpflichtet, die rechte Vernunft nämlich, die jedem sagt, daß er seinen Nebenmenschen als frei und unabhängig zu betrachten habe und ihm kein Leid zufügen dürfe an Leben, Gesundheit, Freiheit und Besitz. Das Naturgesetz, das Locke hier im Auge hat, ist, obwohl Hobbes diese Auffassung von „rechter Vernunft" ausdrücklich abgelehnt hatte (s. oben S. 196), doch wieder die lex naturalis der Scholastiker, deren Wurzeln zurückreichen über Augustinus, die Stoa, Aristoteles und Platon bis auf Heraklit. Es muß an sich weder theonom sein noch von der Bibel her inspiriert, wie man an dem Abschnitt seiner Geschichte, der vor Augustinus liegt, ohne weiteres ersehen kann, wenngleich Locke es, ebenso wie die Scholastik, mit einem Seitenblick auf die Bibel zu interpretieren pflegt. Jedenfalls unterscheidet er sich damit grundlegend von dem Naturzustand, den Hobbes im Auge hatte. Dieser hatte zu weit zurückgegriffen, als er versuchte, die Moral aus dem Nichts zu begründen. Soll ein Vertrag möglich sein, dann muß es Moral schon geben, weil sonst der erste Grundsatz des Vertragsrechtes „pacta sunt servanda" nicht zur Verfügung steht. Hier befindet sich Locke in einer besseren Situation, indem er ein allem menschlichen Tun vorgängiges Naturrecht ansetzt. Für das Zustandekommen des Staates und seinen Sinn wertet er diesen Faktor freilich so wenig aus wie in der Ethik den Gesetzesbegriff. Man ist ohnehin etwas erstaunt, diesen Begriff bei einem Empiristen, Eudämonisten und Utilitaristen zu finden. Mit der Lehre vom Staatsvertrag, die sich auch hier an die Naturzustandstheorie anschließt, steht er in der Tat auf einem anderen Boden, dem nämlich des Individualismus. Es setzen sich bei Locke in der Staatsphilosophie die atomistischen Einflüsse aus dem Gassend-Kreis ebenso durch wie in seiner Erkenntnislehre und seiner Psychologie. Der Staat ist nämlich für ihn nicht „von Natur" (φύσει), sondern entspringt ausschließlich aus dem Willen der Individuen und ihrem freien persönlichen Gutdünken. Er ist die Summe davon und insofern der Faktizität überantwortet wie in der Natur die Ko-

γγ) Staatsvertrag

existenz materieller Erscheinungen oder in der Seele die Bündel von Wahrnehmungen, um den Ausdruck Humes vorwegzunehmen. Man sieht den staatsphilosophischen Individualismus Lockes besonders an drei Umständen: Die Staatsgewalt kann, anders als bei Hobbes, jederzeit wieder von den Individuen an sich genommen werden, denn die natürlichen Menschenrechte sind unveräußerlich; der Staat hat ferner ausschließlich die Aufgabe, den Individuen und ihrem gemeinsamen Wohl zu dienen, besonders aber ihrem Eigentum, das er niemals ohne deren Zustimmung enteignen darf; und schließlich muß die Staatsgewalt, um jedes Überhandnehmen gegenüber den Interessen der Individuen zu unterbinden, geteilt werden in eine legislative und eine exekutive Gewalt; beide sollen sich gegenseitig die Waage halten, damit beide sich gegenseitig zügeln. Wenn man die Staatsgewalt so fürchten muß, warum gründet man dann einen Staat, kann man fragen. Locke antwortet: weil im Naturzustand jeder sein eigener Richter ist. Das bringt die Gefahr des Krieges aller gegen alle mit sich. Um dieser Gefahr zu steuern, sorgt man für das gemeinsame Gesetz. Und um der Staatsgewalt wieder die Spitze zu nehmen, erklärt man den Staat für einen Vertrag auf Grund des Willens der Einzelnen und bindet ihn wesenhaft an diesen Individualwillen. Locke wird damit zum klassischen Vertreter des Liberalismus. Um der Freiheit der menschlichen Person willen hat er gegen Filmers Patriarchaltheorie geschrieben und seine Theorie vom Staatsvertrag entworfen. Immer bleibt hier der Staat abhängig von den Abstimmungen seiner Bürger, und immer hat er ihrem Nutzen und ihrer Sicherheit zu dienen. Die Gegner heißen das den „Nachtwächterstaat“. Lockes Gedanken wurden durch Montesquieu, der die Zweiteilung der Gewalten zu einer Dreiteilung — legislative, exekutive und judikative Gewalt — weiterentwickelte, auf das Festland übertragen und haben von da an das ganze moderne Staatsdenken ungeheuer beeinflußt, vor allem in den Anschauungen über die sogenannten natürlichen Grund- oder Menschenrechte, die in vielen Verfassungen verankert sind. Es ist kein Zweifel, daß Locke mit seinen Ideen der Menschheit einen großen Dienst erwiesen hat.

δδ) Liberalismus

γ) Religion

Lockes ausgleichende, besonnene Art zeigt sich besonders deutlich auch in seiner Religionsphilosophie. Religion beruht

αα) Begriff des Glaubens

im wesentlichen im Glauben. Hauptaufgabe sei hier die rechte Abgrenzung gegenüber der Vernunft. In dieser Gegenüberstellung versteht Locke unter Vernunft „die Entdeckung der Gewißheit oder Wahrscheinlichkeit solcher Sätze oder Wahrheiten, wozu der Geist durch Ableitung aus Vorstellungen gelangt, die er durch den Gebrauch seiner natürlichen Fähigkeiten erworben hat", und unter Glaube „die Zustimmung zu irgendeinem Satz, der nicht so durch Deduktionen der Vernunft ermittelt worden ist, sondern im Vertrauen auf den, der ihn aufstellt, angenommen wurde, weil er auf einem ordentlichen Wege der Mitteilung von Gott komme" (Essay IV, 18, 2). Da Gott nicht irren und nicht lügen

ββ) Gegenstand des Glaubens

kann, sei auch der Glaube sicheres Wissen. Was kann nun Gegenstand des Glaubens sein? Keine neuen einfachen Vorstellungen können durch die überlieferte Offenbarung mitgeteilt werden; denn wir könnten sie nicht verstehen, da alle Inhalte unseres Geistes Zusammensetzungen aus den in der Erfahrung gewonnenen einfachen Vorstellungen sind. Wohl aber kann die überlieferte Offenbarung Sätze lehren, die sich auch durch die Vernunft erkennen lassen, obwohl hier der indirekte Weg weniger nützlich ist, weil die direkte Vernunfteinsicht größere Gewißheit gewährt (§ 4). Was gegen einen klaren Vernunftbeweis steht, kann nicht Gegenstand geoffenbarten Glaubens sein; denn etwas annehmen, was der klaren intuitiven Erkenntnis widerspricht, hieße die Grundlagen alles Erkennens überhaupt umstürzen, weil dann die Sicherheit der Maßstäbe für Wahr und Falsch erschüttert wäre (§ 5). Was dagegen „über der Vernunft" steht oder doch der Vernunft „nicht zuwider ist", kann, wenn es geoffenbart ist, Gegenstand des Glaubens sein, wobei es aber der Vernunft noch zukommt, zu entscheiden, ob solche Sätze wirklich geoffenbart wurden und was der Sinn der Worte ist, in denen sie überliefert sind (§ 7 f.). Darum hält Locke sowohl das Wunder wie die Offenbarung für möglich, weil sie übervernünftig, aber nicht widervernünftig sind. „Die Vernunft muß unser höchster Richter und Führer in allen Dingen sein" (IV, 19, 14), meint er; aber er will damit nicht sagen, „daß wir die Vernunft zu Rate ziehen sollen, um zu prüfen, ob ein von Gott geoffenbarter Satz aus natürlichen Prinzipien dargetan werden könne, und daß wir ihn, wenn das nicht möglich ist, verwerfen dürfen"(IV, 19, 14). Locke ist darum nicht geneigt, das Christentum wie Toland in lauter Vernunft aufzulösen und seines übernatürlichen Charakters zu entkleiden. Da er die Grenzen des natürlichen Wissens selbst ziemlich eng gesteckt hatte, begrüßt Locke den Zuwachs des Erkennens, den der Glaube bedeutet. Wogegen er sich wendet, ist ein blinder, schwärmerischer, fanatischer Glaube, der mehr Aberglaube ist als Glaube. (Man vergleiche besonders die energischen Worte im Essay IV, 18, 11 und das folgende 19. Kapitel!) Locke bewegt sich mit seiner Unterscheidung von Glaube und Vernunft, den Begriffen übervernünftig und widervernünftig, der These über die Möglichkeit von Wunder und Offenbarung und insbesondere mit seiner Forderung einer vernünftigen Glaubensbegründung im Rahmen der scholastischen Gedankengänge, die man sonst unter dem Stichwort des rationabile obsequium zusammenzufassen pflegt. Insoweit ist er in seiner Religionsphilosophie ganz konservativ. Immerhin, zwischen den Zeilen und im Unterton spürt man eine Stimmung, die ein weniger umsichtiges Denken leicht dahin weiterentwickeln kann, daß der Glaube der Vernunft geopfert wird.

Ein ganz fortschrittlicher Geist weht in der Erziehungslehre Lockes, und sie verdient schon deshalb eine eigene Erwähnung. Man soll dem Zögling kein Schema aufpressen, sondern ihm helfen, sich selbst zu entfalten; soll ihn nicht schulmeistern, sondern anleiten zum eigenen Schauen und Denken; soll ihn nicht vergewaltigen, sondern ihm beistehen, die eigene Initiative zu entwickeln, um zur freien, mündigen Individualität zu kommen. Darum muß man auf die Anlagen des Einzelnen je und je eingehen. Das Ideal wäre, daß der Zögling spielend lernt. Locke gibt um der Freiheit und Persönlichkeit des Zöglings willen der Privaterziehung den Vorzug vor den öffentlichen Staatsschulen mit ihren allgemeinen Schablonen und ihrem Zwang. Wie überall ist Locke auch hier wieder der Mann des Liberalismus und des Fortschritts. Gerade deswegen hat ihn die Aufklärung zu ihrem Heros gemacht. Wie Montesquieu und Voltaire seine staatsphilosophischen Ideen, so hat Rousseau seine pädagogischen Gedanken auf das Festland herübergeholt. Sie sind hier gelegentlich radikalisiert worden. Der kontinentale Liberalismus konnte paradoxerweise chauvinistisch denken und das meiste von dem vergessen, was Locke über Toleranz ge- δ) Erziehung schrieben hatte. Der „liberale“ Staat neigte hier dazu, sich zu einem uniformen Etatismus zu entwickeln, so z. B. wenn er versuchte, seinen Bürgern Schul- und Bildungsformen aufzuzwingen, die sie nicht wünschten. So wurde der Liberalismus wieder anrüchig und erschien vielen als ein zweifelhaftes Geschenk.

c) Lockes Zeitgenossen und Nachfahren

Das Denken eines Philosophen wird oft gut erhellt durch einen Blick auf das, was seine Freunde waren und was man später aus ihm gemacht hat. So werden auch Lockes Voraussetzungen und innere Tendenzen noch deutlicher durch einen Hinweis auf das Wesentliche im Denken seiner beiden Freunde Newton und Boyle.

α) Boyle Robert Boyle (1627—91), der Begründer der modernen Chemie (vgl. oben S. 43 f.), zeigt, wie man im chemischen Experiment die Körper aus letzten Baubestandteilen entstehen lassen und wie man sie wieder in ihre Elemente zurückverwandeln kann, erhärtet damit den Atomismus und scheint den Beweis zu liefern, daß Substanzen und aristotelische Formen ein leeres Wort sind, alles am Körper dagegen die Teile ausmachen und deren Summen, also Masse, Energie, Situation, Ortsbewegung, und deren mechanisches Kräftespiel. Das verstärkte das atomistische Denken, das Locke aus dem Kreis der Anhänger Gassends mitgenommen hatte. Und nochmals verstärkend wirkte in dieser Richtung:

β) Newton Isaac Newton (1643—1727), der große Mathematiker und Physiker (vgl. oben S. 43). Er macht den Mechanismus, der den Atomismus seit den Tagen Demokrits zu begleiten pflegt, zu einem universalen System und liefert damit für die Assoziationspsychologie und ihre Erkenntnistheorie eine Art naturphilosophischer Rechtfertigung. Und nicht nur für ihren Mechanismus tut er das, sondern auch für ihren Phänomenalismus. Er verwertet nämlich nur die in die Erscheinung tretenden und meßbaren Data der Sinneswahrnehmung; alles andere ist Hypothese, und in Hinsicht darauf müsse man zurückhaltend sein: hypotheses non fingo. So gesehen, versteht man ohne weiteres, warum auch Locke sagen kann, daß die Rede von den Substanzen für die Philosophie ohne großen Nutzen ist und daß wir von dem, was sie sei, keine Vorstellung hätten. Hume aber beruft sich in seinem Enquiry für die Idee seiner Assoziationsgesetze ausdrücklich auf die Gravitationsgesetze Newtons.

George Berkeley (1685—1753), seit 1734 Bischof von Cloyne, hat — wenigstens in seiner Jugendphilosophie, denn in seinen späteren Werken denkt er anders — die Philosophie Lockes konsequent weiterentwickelt, und in dem, was jetzt herauskommt, sieht man erst ganz, was die bei Locke selbst oft noch überdeckten, aber in Wirklichkeit doch treibenden Anlagen seines Denkens waren. Locke hatte die sekundären Sinnesqualitäten für subjektiv erklärt, Berkeley fährt auf dieser Linie fort und erklärt auch die primären für subjektiv. Es gibt für ihn überhaupt keine transsubjektive Realität mehr, sondern nur noch Bewußtseinsinhalte, nur „Vorstellungen" (ideas). Das Sein, bei Locke noch ein transcendens, fällt zusammen mit dem Vorgestelltwerden. Esse est percipi lautet die Formel dafür. Wenn man das Idealismus heißen will, muß man bedenken, daß das englische idea Vorstellung besagt, also nicht etwa der Idealismus Platons oder Hegels gemeint ist, sondern etwas, was man besser Konszientialismus hieße. Jedenfalls ist das Ganze Immanenzphilosophie, und zwar im psychologistischen Sinn, und hierin bricht eben die Tendenz durch, die bei Locke angelegt war, die Wendung vom Objekt zum Subjekt. Es ist bemerkenswert, daß Kant sich von diesem sogenannten Idealismus Berkeleys ausdrücklich distanzierte. Die Gleichung esse est percipi wollte ihm nicht so glatt aufgehen. Es blieb als nichtimmanenter Rest das Ding an sich. „Das bloße, aber empirisch bestimmte Bewußtsein meines eigenen Daseins beweist das Dasein der Gegenstände im Raum außer mir", bemerkt er in der Kritik der reinen Vernunft gegen Berkeley (B 275).

γ) Berkeley

αα) Immanenzphilosophie

Die erwähnte Abkehr vom Objekt zeigt sich aber vielleicht noch deutlicher in dem Nominalismus Berkeleys, zu dem er in einer ebenso scharfsinnigen wie konsequenten Kritik Lockes Grundposition weiterführte. Er fragt Locke: wie sieht eigentlich eine Allgemeinvorstellung (general idea), die bei ihm eine so bedeutende Rolle spielt, aus? Die Allgemeinvorstellung Dreieck zum Beispiel soll alle Dreiecke vorstellen, darf aber weder rechtwinkelig sein, weil sie dann nicht mehr für die schiefwinkeligen paßt, noch schiefwinkelig, weil sie sonst nicht mehr zu den rechtwinkeligen paßt. Ist sie dann überhaupt noch ein Dreieck? Sie ist es nicht,

ββ) Nominalismus

antwortet Berkeley. Was alles sein soll, ist gar nichts. Sie ist nur ein Name, nicht mehr; jedenfalls keine Wirklichkeit. Alle Vorstellungen sind individuell, und wir müssen sie nehmen, wie sie uns zufallen. Und sie sind etwas rein Faktisches und nicht etwa Sinnbilder metaphysischer Wesenszusammenhänge. In dieser Anschauung erkennen wir den echt empiristischen Denktypus. Immerhin, ganz ohne Metaphysik scheint auch Berkeley nicht auskommen zu können. In der Frage nach dem Woher unserer Bewußtseinsinhalte meint er, es gibt Vorstellungen, die wir willkürlich behandeln können, z. B. Phantasiegebilde. Wir haben aber auch solche, die uns zwingend gegenübertreten, die Ordnung und inneren Zusammenhang aufweisen und an denen wir nichts zu ändern vermögen. Sie müssen, weil sie unserer Willkür entzogen sind, von einer dem Menschen gegenüber äußeren Ursache stammen. Diese Ursache in Körperdingen zu suchen erscheint Berkeley als Materialismus; denn nur Vorstellungen können auf Vorstellungen wirken. Also müssen sie von einem Geist stammen; denn nur denkende Geister können Vorstellungen haben. Und weil wir Menschen über die Vorstellungszusammenhänge nicht verfügen können, muß es ein höherer Geist sein, von dem sie stammen. Das Gesamt dieser Vorstellungen heißt Natur; ihr Grund ist Gott. Er wirkt, wenn wir denken. Das ist eine Lösung, die an den Occasionalismus und an Malebranche erinnert. Noch mehr ist das beim alten Berkeley der Fall, wo die idea von der Vorstellung tatsächlich zur „Idee" wird, und zwar im Sinn des Neuplatonismus. Berkeley war selbst auch ein ausgesprochen religiöser Mensch. Eine Metaphysik Gottes auf psychologistischer Grundlage mag allerdings für viele ein Paradoxon sein. Bei Berkeley war der Glaube daran immerhin eine Tatsache. Ebenso ist es auch bei zwei weiteren Nachfahren Lockes, bei Hartley und Priestley.

γγ) Metaphysik der Erkenntnis?

δ) Hartley

Der Arzt David H a r t l e y (1705—57) bildet die bei Locke in der Sache schon angelegte Assoziationspsychologie erstmals zu einem fertigen System aus. Die Vorstellungsbewegung wird so sehr in Abhängigkeit zur physiologischen Mechanik gebracht, daß der Psychologismus fast zum Materialismus wird, was Hartley selbst wegen seiner prinzipiell religiösen Einstellung zwar unerwünscht, aber trotzdem konsequent war; denn wo in der idea immer nur der psychische Prozeß gesehen wird, wie es praktisch bei Locke schon der Fall war, spricht der Sensualismus zu uns, und der ist Kind oder Ahne, wie man will, des Materialismus. Nur auf Grund anderweitiger Umstände brach diese Anlage bei Locke selbst noch nicht auf.

Bei dem Theologen Josef Priestley (1733—1804) steht der Materialismus aber fertig vor uns. Vorstellungsassoziationen sowohl wie Willensentschlüsse sind nur noch Gehirnschwingungen. Alles folgt rein physischen Gesetzen, und wie überall herrscht darum auch im Psychischen das Naturgesetz der strengen Kausaldetermination. Und die Psychologie ist darum eigentlich ein Teil der Physiologie. In weltanschaulich-metaphysischer Hinsicht lehnt Priestley allerdings den Materialismus ebenso ab wie Hartley. Hier hält er dafür, daß der vollkommene Mechanismus des Weltgeschehens auf eine höchste Intelligenz hinweise, auf Gott. Ebenso spricht er sich aus für eine Unsterblichkeit der Seele. Der sich an Priestley anschließende Materialismusstreit, mit vielen Schriften für und wider, leuchtet aus der hier kurz umrissenen coincidentia oppositorum unschwer ein. Bei den französischen Schülern von Hartley und Priestley wird die Problematik erheblich einfacher werden (vgl. unten S. 249 f.). ε) Priestley

Werke und Literatur

G. Berkeley, The Works. Including his Posthumous Works, with Prefaces, Annotations, Appendices, and Account of his Life by A. C. Fraser. 4 Bde. (Oxford 1901). The Works of G. Berkeley. Ed. by A. A. Luce and T. E. Jessop (Edinburgh 1948 ff.). — Übersetzungen bei Meiner, Philosophische Bibliothek. Die Abhandlung über die Prinzipien der menschlichen Erkenntnis nach der Übersetzung von F. Ueberweg jetzt hrsg. von A. Klemmt (1957). — R. Reininger, s. oben S. 202. R. Metz, Berkeley (1925). M. Guéroult, Berkeley (Paris 1956). A.-L. Leroy, G. Berkeley (Paris 1959).

3. HUME
Psychologismus und Skeptizismus

Mit David Hume findet der englische Empirismus seine Vollendung und empfängt die revolutionierende Stoßkraft, die nun von ihm ausgehen wird. Locke hatte eine große Arbeit geleistet, und er ist der eigentliche Gründer gewesen; aber er nahm nach zu vielen Seiten hin Rücksicht und entbehrt so der Konsequenz wie auch des Angriffsgeistes. Beides ist bei Hume voll gegeben. Seine Kritik ist schneidend, sein Systemwille vollkommen. Er bricht endgültig mit der abendländischen metaphysischen Tradition, die von Heraklit bis Leibniz reicht, und leitet die Entwicklung ein, die zu den vielen Formen der modernen metaphysikfeindlichen Philosophie führt. Nicht Kant, sondern Hume ist der Schöpfer der sogenannten modernen Philosophie; denn er war es, der Kant aus seinem dogmatischen Schlummer erweckte, und er ist es, der, anders als Kant, von seinem Positivismus nichts mehr zurückgenommen hat, sondern ohne alle Einschränkung nur noch die reine Faktizität gelten läßt: die Sinneswahrnehmung, die Lust, den Nutzen, kurz, den Menschen allein, und den Menschen nur unter dem Aspekt der Raum-Zeitlichkeit. Man halte gegenüber: für die Stoiker ist Philosophie noch die Wissenschaft von den göttlichen und menschlichen Dingen, wie immer in der Antike; für das Mittelalter ist sie erst recht die Wissenschaft vom Transzendenten; für Hume aber wird von vornherein und ohne weitere Erklärung die Philosophie auf den Menschen beschränkt: „Die Philosophie des Geistes oder die Wissenschaft von der menschlichen Natur ..." lautet der erste Satz in der Untersuchung über den menschlichen Verstand. Kant wird wieder ein transzendentales Gesetz einführen und dazu seine Postulate. Hume aber und seine Gefolgschaft werden der Erde treu bleiben, und auf einem Ausläufer dieser neuen Linie ist es, wo der Mensch das Wort wagen wird: Wenn es Götter gäbe, wie hielte ich es aus, kein Gott zu sein!

Leben und Werke

David Hume (1711—76), ein Schotte, führt ein Hobbes und Locke in vieler Hinsicht ähnliches Leben an der Seite hochgestellter Persönlichkeiten, ist weit gereist, insbesondere auch wieder in Frankreich, wo er mit den Enzyklopädisten und Rousseau verkehrt. Zuletzt ist er in London Unterstaatssekretär im Auswärtigen Amt. Von 1769 an lebt er zurückgezogen als Privatmann. Hume war auch stark historisch interessiert und hat eine Geschichte Englands geschrieben. Seine erste philosophische Abhandlung, den Treatise on human nature, schreibt er mit 23 Jahren. Das Werk setzte sich nicht durch. Hume arbeitete es um, und so entstanden seine zwei reifen und berühmten Schriften: Enquiry concerning human understanding (1748) und Enquiry concerning the principles of morals (1751). Posthum erschienen die

Dialogues concerning natural religion (1779). — Ausgaben: Essays, Moral, Political and Literary. Ed. with Preliminary Dissertations and Notes by T. H. Green and T. H. Grose. 2 Bde. (London 1907). A Treatise of Human Nature and Dialogues Concerning Natural Religion. Ed. with Preliminary Dissertations and Notes by T. H. Green and T. H. Grose. 2 Bde. (London 1898). (Danach wird hier zitiert unter Ess. bzw. Tr., Band und Seite.) Handausgaben der beiden Enquiries bzw. des Treatise von L. A. Selby-Bigge in der Clarendon Press, Oxford. Natural History of Religion. Ed. by H. E. Root (London 1956). — Übersetzungen in der Philosophischen Bibliothek von Meiner: Untersuchung über den menschlichen Verstand. Hrsg. von R. Richter (^{9}1928) (hier neben Green-Grose zitiert unter UmV. und Seite); Untersuchung über die Prinzipien der Moral. Übersetzt von C. Winckler (1929) (hier neben Green-Grose zitiert unter PrM. und Seite); Dialoge über natürliche Religion, Selbstmord und Unsterblichkeit der Seele. Übersetzt und eingeleitet von F. Paulsen (^{3}1905).

Literatur

R. Reininger s. oben S. 202. R. Metz, D. Hume (1929). H. Pfeil, Der Psychologismus im englischen Empirismus (1934, ^{2}1974). N. K. Smith, The Philosophy of D. Hume (London 1941). A.-L. Leroy, D. Hume (Paris 1953). F. Zabeeh, Hume — Precursor of Modern Empiricism (The Hague 1960). R. A. Mall, Der Induktionsbegriff. Hume u. Husserl. In: Ztschr. f. philos. Forschung 29 (1975) 34—62.

Hume unterscheidet, wie schon die Titel seiner beiden großen Untersuchungen verraten, zwei Philosophien: „Die eine betrachtet den Menschen hauptsächlich als zum Handeln geboren“, die andere „betrachtet den Menschen mehr im Lichte eines vernünftigen als eines tätigen Wesens“; also die praktische und die theoretische Philosophie. Dementsprechend studieren wir auch seine philosophischen Anschauungen.

a) Untersuchung über den menschlichen Verstand

Humes Untersuchung über den menschlichen Verstand setzt sich bezeichnenderweise gleich im ersten Abschnitt „Über die verschiedenen Arten der Philosophie“ in Gegensatz zu der herkömmlichen Metaphysik. Diese sei eigentlich keine Wissenschaft, sondern entweder das Ergebnis fruchtloser Anstrengung der menschlichen Eitelkeit, welche in Gegenstände eindringen möchte, die dem Verstand durchaus unzugänglich sind, oder aber das listige Werk des Volksaberglaubens, welcher hinter diesem verstrickenden Gestrüpp Deckung suche, immer bereit, auf dem Wege über religiöse Ängste und Vorurteile den Geist des Menschen zu überfallen. Oft genug getäuscht durch diese „luftigen Wissenschaften", sollte man endlich darangehen, die unzugänglichen metaphysischen Fragen ein für allemal zu erledigen. Und dies geschähe „durch eine ernstliche Untersuchung der Natur des menschlichen Verstandes und durch den aus genauer Zergliederung seiner Kräfte und Fähigkeiten gewonnenen Nachweis, daß er keineswegs für solch entlegene und dunkle Gegenstände geeignet ist. Wir müssen uns dieser Mühe unterziehen, um nachher für alle Zeiten in Ruhe leben zu können. Wir müssen die echte Metaphysik mit einer gewissen Sorgfalt pflegen, um die unechte und verfälschte zu zerstören" (Ess. II, 9 = UmV. 10 f.). Drei Dinge wollen wir aus diesen Bemerkungen sofort festhalten, weil sie für Kant wichtig werden: die Forderung einer Vernunftkritik im Sinne einer Grenzziehung für die Reichweite des Erkennens, die Auffassung der alten Metaphysik als einer Mischung von wissenschaftlicher Unmöglichkeit und Aberglauben und die Versicherung, eine echte Metaphysik pflegen zu wollen.

α) Ursprung der Vorstellungen

Hume beginnt seine Arbeit mit der üblichen Frage nach dem Ursprung der Vorstellungen (Ess. II, 13 ff. = UmV. 2. Abschn.). Als erstes wird wieder versichert, wie schon bei Locke, daß es keine angeborenen Begriffe und Prinzipien gebe, daß vielmehr alle Bewußtseinsinhalte aus der Sinneserfahrung stammen. Den frischen, unmittelbaren Sinneseindruck, sei es der äußeren, sei es der inneren Sinneswahrnehmung (external-internal sensations, feelings, sentiments), heißt Hume Sinnesempfindung (impression); die mittelbaren, reproduzierten Inhalte nennt er Vorstellungen (ideas). Der Vorstellungsbegriff ist also gegenüber Locke enger gefaßt. Der Sammelname für Bewußtseinsinhalte überhaupt, was dort die idea war, ist jetzt perception. Die genauere Unterscheidung, die Hume einhält, dient zur Kennzeichnung der Realität. Nachdem diese nicht mehr als Transzendenz, d. h. in objektiven Faktoren, gesehen werden kann, bleibt nur die Möglichkeit, durch psychische Merkmale eine Anzahl von Bewußtseinsinhalten auszuzeichnen und in ihnen das Wirkliche zu sehen. Es sind die ersten, frischen, lebhaften Sinnesempfindungen.

αα) Impression und idea

Die Vorstellungen sind ihnen gegenüber schwächer, blasser, nur Reproduktion. Sie bilden jetzt die Welt des nur Gedanklichen. Tatsächlich ist ja alles gedanklich und nur Bewußtsein; durch die Unterscheidung von impression und idea entstehen aber doch wieder zwei Schichten, die dem entsprechen, was für die Realisten, auch noch für Locke, einerseits die Welt der Dinge an sich und andererseits die Welt der sie abbildenden Bewußtseinsinhalte ist. Für Hume spielt diese Unterscheidung aber weiter keine Rolle. Sie ist nur ein stehengebliebener Rest der Rede von der transzendenten Realität. Mit dem Hinweis auf die Sinnesempfindungen und Vorstellungen ist die Frage nach dem Ursprung unserer Vorstellungen noch nicht ganz erledigt. Wir können nämlich mit dem ββ) Assoziation aus der Erfahrung gewonnenen Material Kombinationen vornehmen, die zu einer weiteren Bereicherung führen. Dies geschieht durch Vorstellungsassoziationen. Dieser Begriff begegnet bereits bei Locke; was dort sich aber nicht findet, sind die Assoziationsgesetze. Locke hatte die Vorstellungen klassifiziert, hatte auch gesehen, daß mit ihrer Verbindung ein besonderes Problem auftaucht, das der Koexistenz, war aber dieser Frage nicht Herr geworden, was zum Teil daran lag, daß er zwischen Realismus und Psychologismus sich noch nicht endgültig entscheiden konnte. Hume löst die ganze Frage durch einen vollkommenen Psychologismus. Nicht mehr der objektive Seinsgehalt der Dinge, ihre Gestalt, ihr Wesen, ihr Sinngefüge entscheidet über die Zusammengehörigkeit der Merkmale, die wir zusammendenken, wenn wir einen Gegenstand definieren, sondern die psychischen Verhaltungsweisen des vorstellenden Subjekts. Hume will so etwas wie eine Gravitation der Bewußtseinsinhalte aufstellen. Er nimmt auf Newton, zwar ohne Namensnennung, aber doch unzweideutig Bezug (Ess. II, 11 = UmV. 14), und gerade diese Bezugnahme ist ungemein bezeichnend für seine erkenntnistheoretische Einstellung: wie die Bewegungen der Himmelskörper einzig von der Anziehungskraft ihrer körperlichen Massen abhängen, so müssen die Vorstellungsbewegungen, meint er, auch auf ein ähnliches Gesetz zurückgeführt werden können, auf ein Gesetz ihrer psychischen Masse, wenn man so sagen darf. Letzterer Ausdruck steht nicht bei ihm, aber das ist es, was er meint, so daß wir kurz sagen können: was bei Newton die Gravitation ist, ist bei Hume die Assoziation. Es ist das psychische Grundgesetz schlechthin. Hume erkennt dann an ihm drei Formen (Ess. II, 17 ff. = UmV. 3. Abschn.). Unsere Bewußtseinsinhalte verknüpfen sich, so sagt er, nach dem Gesetz der Ähnlichkeit, der Berührung in Raum und Zeit und der Verursachung. Der Vorgang ist dabei immer ein rein mechanischer. Die Sache dürfte wenig Zweifel begegnen, glaubt Hume; denn man sehe doch ohne weiteres ein, daß ein Gemälde unsere Gedanken mit dem dargestellten Gegenstand verbindet (Ähnlichkeitsassoziation), die Erwähnung eines bestimmten Gemachs in einem Gebäude rufe die Vorstellung der angrenzenden Gemächer hervor (Berührungsassoziation), und wenn wir an die Wunde denken, denken wir auch an den Schmerz (Kausalitätsassoziation). Da Hume im Verlauf der weiteren Untersuchung die Kausalvorstellung auf die regelmäßige Abfolge zweier Ereignisse in Raum und Zeit zurückführt, bleiben nur die zwei erstgenannten Vorstellungsverknüpfungen übrig, Ähnlichkeit und raum-zeitliche Berührung. Von diesen wieder besitzt die Ähnlichkeitsassoziation ihr eigentliches Feld im ideellen Vorstellungsvergleich, also in den mathematisch-geometrischen Wissenschaften (bei Locke Identität und Relation), so daß für die ganze Welt der Tatsachenwissenschaften die raum-zeitliche Berührungsassoziation übrigbleibt als das Gesetz, wonach sich hier alles erklärt, besonders natürlich die Ding- oder Substanz-Vorstellung und der Kausalzusammenhang. Der Erfolg der Berührungsassoziation ist eine Frage von Erfahrung, was bei Hume soviel heißt wie Gewöhnung und immer ein mechanischer Vorgang bleibt. Auf diesen rein psychischen Faktor führt nun Hume alle Ordnung von Welt und Wissenschaft zurück. Das Psychische verdrängt das Ontische, und an die Stelle der alten Metaphysik tritt die Psychologie, und zwar eine mechanistisch verstandene Psychologie.

γγ) Assoziationsgesetze

β) Wissenschaft

Damit ergibt sich eine neue Wissenschaftsauffassung, die empiristisch-psychologistische. Hume hat sie in klassischer Reinheit entwickelt. Zu Beginn des 4. Abschnittes seines Enquiry unterscheidet er Vernunftwahrheiten und Tatsachenwahrheiten. Die Vernunftwahrheiten drücken Vorstellungsbeziehungen aus. Hierher gehören die Wahrheiten der Geometrie, Algebra und Arithmetik, kurz jede Behauptung mit intuitiver oder demonstrativer Gewißheit. Daß das

αα) Vernunftwahrheiten

Quadrat der Hypotenuse gleich ist den Quadraten der beiden Katheten oder 3 × 5 gleich der Hälfte von 30 ist, sind Sätze, die zwischen diesen Figuren und Zahlen gelten und durch die reine Tätigkeit des Denkens entdeckt werden, ohne Rücksicht auf ein reales Dasein in der Welt. „Wenn es auch niemals einen Kreis oder ein Dreieck in der Natur gegeben hätte, so würden doch die von Euklid demonstrierten Wahrheiten für immer ihre Gewißheit und Evidenz behalten" (Ess. II, 22 = UmV. 35). Anders jedoch als bei den Wesensanalysen Leibnizens oder bei Bolzanos Sätzen von Gott deckt das „Denken" Humes nicht zeitlose ontologische Zusammenhänge auf, sondern nur, wie auch wieder schon bei Locke, Vorstellungsvergleiche, und es bleibt so im Psychologismus stecken. Hume vergleicht nicht die Noëmata, sondern die Noëseis. Hume besitzt ja keine andere Wirklichkeit mehr als die psychologistisch verstandene. Das wird besonders evident bei seiner Lehre von den Tatsachenwahrheiten, also seiner Theorie von der Naturwissenschaft. Tatsachenwahrheiten führen nach Hume keine sogenannte Denknotwendigkeit mit sich wie die Vernunftwahrheiten. „Das Gegenteil jeder Tatsache bleibt immer möglich; denn es kann niemals einen Widerspruch in sich schließen... Daß die Sonne morgen nicht aufgehen wird, ist ein nicht minder verständlicher Satz und nicht widerspruchsvoller als die Behauptung, daß sie aufgehen wird" (Ess. II, 23 = UmV. 35). Adam hätte auch bei vollkommenster Verstandesorganisation aus der Flüssigkeit und Durchsichtigkeit des Wassers nicht herleiten können, daß es ihn notwendig ersticken, noch aus der Helligkeit und Wärme des Feuers, daß es ihn verzehren würde. Ebenso könnte die Adhäsion zweier glatter Marmorstücke, die Explosion des Schießpulvers, die Anziehungskraft des Magneten, die Tatsache, daß Milch und Brot eine Nahrung sind für Menschen, aber nicht für Löwen, niemals aus den Begriffen dieser Dinge wesensmäßig und a priori abgeleitet werden. Bei all diesen Geschehnissen handle es sich gewöhnlich um Ursache-Wirkungs-Verhältnisse. Darauf scheinen sich überhaupt alle Denkakte, die Tatsachen betreffen, zu stützen (Ess. II, 24 = UmV. 36). Nun ist aber die Wirkung von der Ursache nach Hume — und hier liegt eine der großen Voraussetzungen seiner Philosophie, bei der er ebenso vom Atomismus beeinflußt ist wie Locke — „ganz und gar verschieden

ββ) Tatsachenwahrheiten

und kann folglich niemals in dieser entdeckt werden; die Bewegung der zweiten Billardkugel ist ein völlig verschiedenes Ereignis von der Bewegung der ersten; auch ist in der einen nichts enthalten, das die leiseste Andeutung der anderen lieferte“ (Ess. II, 26 = UmV. 39). So bleibt uns gar nichts anderes übrig, als auf die Erfahrung zu warten. Was aber ist diese Erfahrung selbst? Sie ist für Hume nichts anderes als Vorstellungsassoziation auf Grund der raum-zeitlichen Berührung. Ein bestimmtes Ereignis folgt immer wieder auf ein bestimmtes anderes, und so assoziieren sich die beiden Vorstellungen. Trifft darum, nachdem wir diese Erfahrung gemacht haben, das erste wieder ein, so erwarten wir auch wieder das zweite. „Wird uns ein Körper von gleicher Farbe und Beschaffenheit wie des früher gegessenen Brotes vorgelegt, so ... erwarten wir mit Gewißheit gleiche Nahrung und Kräftigung“ (Ess. II, 29 = UmV. 44). Und so ist für Hume Erfahrung nichts anderes als Gewöhnung oder Übung. In der Erfahrung handelt es sich nicht um Denkakte oder sonstige Verstandesvorgänge (Ess. II, 29 = UmV. 43), sondern um ein Gewohnheitsgefühl, das uns erwarten und glauben läßt, daß das gleiche geschieht, was wir früher erlebten, und also auf das erste auch wieder das zweite folge. Diese Erkenntnis ist für Hume eine prinzipielle, wie er ausdrücklich versichert (Ess. II, 37 u. 62 = UmV. 55 u. 91). Zweierlei ist es, was damit für den Wissenschaftsbegriff charakteristisch wird, der Psychologismus und der Skeptizismus. Sie machen den modernen Empirismus zu dem, was er eigentlich ist. Der Psychologismus liegt in der Reduktion der Wahrheit von den objektiven Sachzusammenhängen auf den Menschen und seine subjektiven Gefühle, am schärfsten ausgedrückt in der Anmerkung zum ersten Teil des 8. Abschnittes „Über Freiheit und Notwendigkeit“: „Die Notwendigkeit einer Handlung in der Körper- und Geisteswelt ist strenggenommen keine Eigenschaft an dem wirkenden Element, sondern in irgendeinem denkenden oder vernünftigen Wesen, das etwa die Handlung betrachtet; und sie besteht hauptsächlich in der gedanklichen Nötigung dieses Wesens“ (Ess. II, 77 = UmV. 111). Empirie besagt hier nicht bloß, man solle die Fülle der Tatsachen in der Welt aufsuchen, statt ewige Begriffsanalyse zu treiben, was ein berechtigter Gedanke wäre, sondern meint letztlich jene Versubjektivierung und Psycho-

γγ) „Erfahrung“

δδ) Reiner Empirismus

Psychologismus

logisierung der Wissenschaft, die die Wahrheit von menschlichen Gefühlen abhängig sein läßt; denn die sind jetzt das Kriterium für das, was für wahr und falsch gelten soll. Vergleichen wir diese Anschauungen mit der Rede der Alten von der veritas rerum oder einem mundus intelligibilis, dann durchschauen wir unschwer, welch revolutionäre Tat Hume getan hat. Noch Locke hat die idea an ein Gegenüber gebunden, wenn er auch nicht fertig wurde mit der Frage, wie man die Übereinstimmung mit der Realität sichern sollte. Für Hume gibt es nur noch den Menschen, und sein Erkennen ist so etwas wie eine absolute Malerei. Die Brücken zur Transzendenz sind abgebrochen. Der Skeptizismus aber liegt darin, daß unsere Erwartungsgefühle die früheren Erfahrungen zwar wieder erwarten, aber nicht mit Sicherheit wissen lassen. Darum sind für Hume alle Tatsachen-Wissenschaften und insbesondere die Naturwissenschaft nur ein Glaube (belief). Es gibt hier keine demonstration wie bei den Vernunfteinsichten, sondern höchstens Begründungen (proofs), die aber nur Wahrscheinlichkeitswert haben. Daß die Sonne morgen wieder aufgehen wird und daß alle Menschen sterben werden, ist nur wahrscheinlich (Ess. II, 47 ff. = UmV. 70: Über die Wahrscheinlichkeit). Je umfassender unsere Erfahrungen sind, um so größer wird zwar die Wahrscheinlichkeit, aber auch bei der ausgedehntesten Induktion bleiben die Ergebnisse immer nur Wahrscheinlichkeiten. Die moderne Lehre vom statistischen Charakter der Naturgesetze ist darum keine neue Erfindung, und man kann etwas erstaunt sein, daß man sie überhaupt als eine solche empfunden hat oder sie von seiten derer glaubte ablehnen zu müssen, die sonst erklären, auf dem Boden der Erfahrung zu stehen. Wenn dem so ist, bleibt in der Tat nur die These Humes. Aber die Lehre Kants von der absoluten Geltung der Kategorien, darunter der Kausal- und Substanzkategorie, scheint die Erinnerung an Hume ausgelöscht zu haben. Hume aber muß seine Wahrscheinlichkeitsthese vertreten; einmal aus seinem Psychologismus heraus: der Glaube ist nur ein „festeres und stärkeres Vorstellungsbild“ als dasjenige, welches bloße Erdichtungen der Phantasie begleitet, ist lebendigere und frischere Vorstellung, wirkt fühlbarer auf Affekte und Gemütsbewegungen und kommt so zu der Zuversicht, die für ihn typisch ist (Ess. II, 48 = UmV. 71), aber er bleibt

Wissenschaft als Wahrscheinlichkeit

immer Glaube; und dann aus logischen Gründen: die Erfahrung, die unseren Erwartungen zugrunde liegt, ist niemals eine vollständige. Sich aber zu helfen mit dem Rückgriff auf die Konstanz des Naturverlaufs ist nicht möglich, weil dieses sogenannte Gesetz ja auch nicht auf einer vollständigen Induktion beruht und so stets eine unbewiesene Voraussetzung sein wird. Und darum bleibt es dabei, daß die Tatsachenwissenschaft es nicht weiter bringt als bis zu einem Glauben. Hume ist Skeptiker. „Die vollkommenste Naturwissenschaft schiebt nur unsere Unkenntnis ein wenig weiter zurück, wie vielleicht die vollkommenste Geisteswissenschaft nur dazu dient, weitere Gebiete unserer Unwissenheit aufzudecken. So ist die Betrachtung der menschlichen Blindheit und Schwäche das Ergebnis aller Philosophie und begegnet uns bei jeder Wendung, trotz aller unserer Versuche, sie zu umgehen oder zu vermeiden" (Ess. II, 27 = UmV. 41). Die Idealwissenschaften läßt Hume allerdings gelten, wenn er auch, wie wir schon sahen, über den Psychologismus nicht hinauskommt. Aber es war Destruktion genug, daß er alle Realwissenschaften der Sicherheit beraubte. Darin erblickte Kant die Gefahr der Philosophie Humes, und deswegen trat er auf den Plan, um Wissenschaft und Wahrheit neu zu begründen. Es ist nicht das letzte in der Bedeutung Humes, daß es ohne ihn keinen Kantischen Kritizismus gäbe.

γ) Gegen die Metaphysik

Die destruktive Wirkung der Humeschen Philosophie zeigt sich besonders in seiner Stellung zur alten Metaphysik, speziell in seiner Kritik des Kausal- und Substanzbegriffes. Das gerade war es, was Kant aus seinem dogmatischen Schlummer erweckte und fragen ließ, ob dieser Zweifel nicht auf alle Begriffe überhaupt ausgedehnt werden könnte. Man fühlt die aufwühlende Wirkung Humes auf Kant noch lebendig aus den Worten heraus, die er in der Vorrede zu den Prolegomena geschrieben hat: „Seit Lockes und Leibnizens Versuchen oder vielmehr seit dem Entstehen der Metaphysik, soweit die Geschichte derselben reicht, hat sich keine Begebenheit zugetragen, die in Ansehung des Schicksals dieser Wissenschaft hätte entscheidender werden können, als der Angriff, den David Hume auf dieselbe gemacht hat."

αα) Kritik der Kausalidee

Die Metaphysik hat in der Tat mit dem Kausalbegriff mindestens ebensosehr gearbeitet wie die Physik. Man denke nur an den kosmologischen Gottesbeweis oder überhaupt an die sogenannten Prinzipien, die aus den Erscheinungen als deren Ursache erschlossen wurden. Hume stellt zunächst nun fest: „Es wird hier ständig vorausgesetzt, daß zwischen der gegenwärtigen Tatsache und der aus ihr abgeleiteten eine Verknüpfung besteht“ (Ess. II, 24 = UmV. 37). Was er meint, wird sofort ersichtlich, wenn man an herkömmliche Grundsätze erinnert wie agere sequitur esse, omne ens agit sibi simile, nihil agit ultra suam speciem, die Ursache enthält in sich die Wirkung, die Ursache ist vornehmer und hat mehr Sein als die Wirkung, und dergleichen mehr. Besonders denkt Hume an die Anschauung, daß bei der causa efficiens eine Kraft, ein Schaffen oder Seinverleihen gegeben wäre, eine Art Überströmen des Seins von der Ursache auf das Bewirkte. In all dem erblickte er dunkle, unbewiesene Voraussetzungen: „In der Metaphysik werden keine dunkleren und ungewisseren Vorstellungen angetroffen als die der Macht, Kraft, Energie oder der notwendigen Verknüpfung“ (Ess. II, 51 = UmV. 76), und er hält nun entgegen: 1) daß, wie schon kurz erwähnt, die Wirkung aus der Ursache nicht deduziert werden kann, denn niemand sähe es dem Wesen eines Dinges an, welche Wirkungen es haben werde: eine Analysis der Begriffe gibt es nur für Vernunftwahrheiten, wo wir Vorstellungen mit Vorstellungen vergleichen, nicht aber auf dem Felde der Wirklichkeit; 2) in der Erfahrung eben dieser Wirklichkeit aber nehmen wir niemals eine überströmende Kraft der causa efficiens oder irgendein sonstiges Band zwischen Ursache und Wirkung wahr, nicht einmal im Willenserlebnis werde uns so etwas sichtbar, „so daß im ganzen genommen überall in der ganzen Natur sich nicht ein einziges Beispiel von Verknüpfung darbietet, das uns vorstellbar wäre; alle Ereignisse erscheinen durchaus unzusammenhängend und vereinzelt“; 3) in Wirklichkeit beobachten wir nur das Nacheinander, und wenn es regelmäßig erfahren wird, stellt sich eine gewohnheitsmäßige Erwartung des zweiten Ereignisses ein, sobald wir das erste wieder beobachtet haben. Das ist die ganze Kausalität, „weiter steckt nichts dahinter“, so daß die herkömmlichen Kausalvorstellungen „gänzlich ohne jeden Sinn sind“ (Ess. II, 61 ff. = UmV. 7. Abschn.: Von der Vorstellung der notwendigen Verknüpfung, 2. Teil, S. 89 ff.). Damit ist auch der Substanzbegriff für Hume erledigt. Er trägt im Treatise dagegen die gleichen

ββ) Kritik der Substanzidee

Gedanken vor wie im Enquiry gegen die Kausalidee. Die Substanzvorstellung ist auch nur eine psychologische, nicht eine ontologische Angelegenheit. „Die Vorstellung einer Substanz und ebenso die eines Modus ist nichts als ein Zusammen einfacher Vorstellungen, die durch die Einbildungskraft verknüpft worden sind und einen besonderen Namen erhalten haben" (Tr. I, 324). Wieder sei es die Gewohnheit, die das einigende Band ausmache. Etwas Ontisches dahinter zu suchen sei müßig. Hume erblickt in dem metaphysischen Seinsbestand der Substanz, wie Locke, und sogar mit dessen Beispielen, ein unbekanntes Etwas, und radikaler als dieser, eliminiert er diesen Faktor gänzlich, rechnet nur noch mit den Erscheinungen allein, läßt sie sich bündelweise zusammenfinden, so daß zum Beispiel die Seele nur noch a bundle of perceptions in a perpetual flux and movement (Tr. I, 534) ist — die Psychologie ohne Seele der Aktualitätspsychologen —, und setzt das ganze auf das Konto rein psychischer Gesetzmäßigkeiten, derjenigen nämlich, die die Erfahrung zustandekommen lassen, genauer gesagt, die sie eigentlich

γγ) Die Folgen

ausmachen. Hume hat geglaubt, mit seiner Kritik der alten Metaphysik das Rückgrat gebrochen zu haben. Der Schlußsatz der Untersuchungen über den menschlichen Verstand lautet: „Sehen wir, von diesen Prinzipien durchdrungen, die Bibliotheken durch, welche Verwüstungen müssen wir da nicht anrichten! Greifen wir irgendeinen Band heraus, etwa über Gotteslehre oder Schulmetaphysik, so sollten wir fragen: Enthält er irgendeinen abstrakten Gedankengang über Größe oder Zahl? Nein. Enthält er irgendeinen auf Erfahrung gestützten Gedankengang über Tatsachen und Dasein? Nein. Nun, so werft ihn ins Feuer, denn er kann nichts als Blendwerk und Täuschung enthalten" (Ess. II, 135 = UmV. 193). Diese Beschränkung auf die Erfahrung, diese Ablehnung der alten Metaphysik als Blendwerk und Täuschung oder als eines Märchenlandes, wie es am Schluß des 1. Teiles des 7. Abschnittes heißt, wo unsere Vernunft nichts zu suchen habe und nichts gewinnen könne, das ist schon ganz der Ton und das Pathos der Kantischen Verdikte gegen die Metaphysik. Hätte Hume die Kausalität nur als regelmäßige Abfolge erklärt, so wäre das noch nicht eine Leugnung dieses fundamentalen metaphysischen Axioms gewesen, sondern nur eine besondere Interpretation, wenn auch eine mangelhafte; denn die regelmäßige Abfolge zweier Ereignisse ist, wie Schopenhauer an der regelmäßigen Abfolge von Tag und Nacht zeigte, immer noch nicht identisch mit Ursächlichkeit. Aber daß Hume die Kausalität ihres ontischen Inhaltes beraubte und sie vollständig psychologisierte, darin eigentlich lag die Gefahr seines Angriffs. Und zunächst hatte Hume damit Erfolg, besonders bei Kant.

Heute denken wir etwas anders. 1) ist der Psychologismus durch Husserl und die Phänomenologie überwunden. Wir wissen heute wieder, daß das Psychische nur ein Weg zum Sein ist, aber nicht das Sein und seine Gesetzlichkeit selbst. Das über Wahrheit und Wissenschaft Entscheidende sind nicht psychische Verhaltensweisen des Subjektes, sondern die objektiven Sachverhalte des Seins. 2) hat die Denkpsychologie gezeigt, daß der Sensualismus nicht genügt, um das Denken zu erklären. Selbst wenn wir den Tieren Intellekt zusprechen, sprechen wir ihnen doch keinen Geist zu (vgl. Scheler, Stellung des Menschen im Kosmos). Hume hat den Unterschied zwischen Mensch und Tier in seinem Enquiry durchaus unzureichend gekennzeichnet (9. Abschn.: Über die Vernunft der Tiere. Ess. II, 85 ff. = UmV 122 ff.). Was schon Leibniz gegen den Empirismus überhaupt gesagt hatte, daß es für seine Erkenntnislehre keinen wesenhaften Unterschied zwischen Mensch und Tier mehr gibt (vgl. oben S. 177), trifft bei Hume in der Tat genau zu. Er kann nur einen graduellen Unterschied annehmen, wie er etwa auch besteht zwischen mehr oder weniger begabten Menschen. Mit diesem Sensualismus wurde de facto der Materialismus subventioniert. 3) Eben diese allzu große Vereinheitlichung mit dem ewigen „ist nichts anderes als ..." machen wir, nachdem durch die Phänomenologie und die neue Ontologie unser Blick für Formen und Wesenheiten wieder geschärft wurde, nicht mehr mit. Doch zunächst mußte das 19. Jahrhundert die von Hume gewiesenen Wege durchlaufen. Vor allem aber ist 4) heute die Grundvoraussetzung Humes: alle Dinge und alle perceptions liegen ursprünglich zusammenhanglos wie Atome nebeneinander, so daß es nur Teile gibt und eventuell noch Summen, aber keine Ganzheiten, unhaltbar geworden. In der Psychologie sowohl wie in der Ontologie sehen wir neben den Teilen auch wieder das „geistige Band", mag man nun von Kategorien oder Ganzheiten oder Wesenheiten

δ) Hume heute

sprechen. Von seiten der Befürworter der Kausalidee war man allerdings, selbst im Kampf gegen Hume, lange Zeit auch seiner atomistischen These verfallen und bemühte sich dann natürlich vergeblich um synthetische Urteile a priori. Wenn man Humes Kausalkritik überwinden will, muß man sich klar werden, daß seine Grundvoraussetzung falsch war. Man braucht sich nicht zuerst zu fragen: Wie bringe ich eine in lauter Teile zerfallene Welt wieder zusammen?, sondern Hume soll zuerst beweisen, daß alle Ereignisse „durchaus unzusammenhängend und vereinzelt" sind.

b) Untersuchung über die Prinzipien der Moral

Hume ist auch in seiner Ethik Empiriker. „In der Naturwissenschaft ist man jetzt von der Leidenschaft für Systeme und Hypothesen geheilt und will nur noch auf Beweisgründe hören, die aus der Erfahrung genommen sind. Es ist hohe Zeit, bei allen moralischen Untersuchungen die gleiche Reform anzustreben und jedes nicht auf Tatsachen und Beobachtungen beruhende ethische System abzulehnen, wie geistreich und scharfsinnig es auch sein mag", heißt es gleich zu Beginn der Untersuchung über die Prinzipien der Moral. Der erste Abschnitt über „Die allgemeinen Prinzipien der Moral" schneidet zwar sofort die ethische Prinzipienlehre an, aber Hume entscheidet sich dann dafür, zunächst den Komplex geistiger Eigenschaften zu zergliedern, die das ausmachen, was man im gewöhnlichen Leben als persönliche Schätzbarkeit bezeichnet, was man also früher Tugendlehre, heute Wertlehre heißt. Durch eine vergleichende Beobachtung will er dann herausbringen, worin alle schätzenswerten bzw. hassenswerten Eigenschaften übereinstimmen, um von da aus dann die Grundlagen der Ethik zu gewinnen und die allgemeinen Prinzipien festzustellen, von denen letztlich alle Billigung und Mißbilligung herstammt (Ess. II, 173 f. = PrM. 8 f.).

α) Wertlehre Die Wertlehre, die Hume dabei entwickelt, verrät in ihren Details und Nuancen einen außerordentlichen Scharfblick in der Beobachtung der Menschen und ist auch heute noch, wo wir durch die Phänomenologie doch viele und schöne Darstellungen des Wertreiches erhalten haben, eine förderliche Lektüre. Hume unterscheidet vier Klassen schätzenswerter Eigenschaften: 1) solche, die der Gemeinschaft nützlich sind:

Wohlwollen und Gerechtigkeit (2. und 3. Abschn.); 2) solche, die uns selbst nützlich sind: Willenskraft, Fleiß, Sparsamkeit, Körperkraft, Verstand und andere Geistesgaben (6. Abschn.); 3) solche, die uns selbst unmittelbar angenehm sind: Frohsinn, Seelengröße, Charakterwürde, Mut, Ruhe und Güte (7. Abschn.); 4) solche, die anderen unmittelbar angenehm sind: Bescheidenheit, gute Sitten, Höflichkeit, Witz (8. Abschn.).

Worin diese Werte insgesamt übereinstimmen, sind Lust und Nutzen. Damit hätten wir also den Grund der Billigung bzw. Mißbilligung gefunden. Hume ist Eudämonist, richtiger Hedonist (vgl. Bd. I, 67) und Utilitarist: „Die Nützlichkeit ist erfreulich und gewinnt unsere Billigung; das ist eine durch alltägliche Beobachtung bestätigte Tatsache. Doch nützlich wofür? Sicherlich für jemandes Wohl“ (Ess. II, 206 = PrM. 60). Allein Hume stimmt nicht dem individualistischen Egoismus des Hobbes zu. Die persönliche Selbstsucht gehört zwar auch nach ihm zum Prinzip der Sittlichkeit, wie aus der Werttafel ohne weiteres hervorgeht. Der Begriff der Eudämonie und Utilität setzt das voraus. Allein es gibt auch ein Gemeinwohl, und dieser Zweck muß nach Hume in die beiden Begriffe ebenso mit aufgenommen werden. Auch das ist bereits wieder in seiner Werttafel ersichtlich. Auf die Feststellung hin, daß alle Nützlichkeit sich auf das Wohl jemandes beziehe, fragt er darum weiter: für wessen Wohl dann? und antwortet: „nicht nur für unser eigenes, denn unsere Billigung erstreckt sich häufig weiter“ (Ess. II, 206 = PrM. 60). Die persönliche Selbstsucht werde vielfach übertrieben; wie ferne uns oft auch Menschen stehen, es lassen sich, meint er, in der tatsächlichen sittlichen Wirklichkeit immer wieder Fälle von Billigung aufzählen, wo das sittliche Gefühl nur das Wohl der anderen im Auge hat; solche Fälle seien z. B. das billigende Gefühl für Gerechtigkeit oder selbstloses Wohlwollen, das sich doch nicht bestreiten lasse. Dahinter steht die Ansicht, daß der Mensch eben doch ein Gemeinschaftswesen sei. Das sittliche Gefühl für die Tugenden des Gemeinwohles ist die dieser Wesensart entsprechende Naturanlage. Hobbes und seine Lehre vom Naturzustand, dem rechtlosen Naturrecht und dem Staatsvertrag werden darum abgelehnt als eine Theorie, die dem sittlichen Befund der tatsächlichen Wirklichkeit nicht entspricht. Worin man wie-

β) Das ethische Prinzip

αα) Egoismus

ββ) Gemeinwohl

der den Scharfblick Humes für die sittliche Wertwelt ersehen kann; denn an sich paßt das Ganze nicht zu dem sonst seine Erkenntnislehre beherrschenden Atomismus; in der Gemeinschaft wenigstens stehen die Individuen bei ihm nicht „unzusammenhängend und vereinzelt“ nebeneinander.

γ) Vernunft oder Neigung?

Durch welche Tätigkeit des Geistes kommt die moralische Billigung zustande? In dieser Frage wird bei Hume das Problem schon so gestellt, wie es noch bei Kant stehen wird: entweder Vernunft oder Neigung. Und Hume zeichnet auch wieder phänomenologisch gut die Eigentümlichkeit jeder der beiden Funktionen: Über die Wahrheit ist ein Streit möglich, über die Neigung nicht; was in der Welt der Dinge existiert, ist der Maßstab für unser theoretisches Urteil, was jeder im eigenen Busen empfindet, ist der Maßstab für das Gefühl; geometrische Lehrsätze lassen sich beweisen, physikalische Systeme sich widerlegen, aber dichterischer Wohllaut, innige Empfindung und funkelnder Witz müssen unmittelbares Vergnügen bereiten; niemand erbringt philosophische Gründe für die Schönheit eines anderen Menschen, oft aber für die Gerechtigkeit oder Ungerechtigkeit seiner Taten; wer alle moralischen Entscheidungen auf das Gefühl zurückführen will, kann aber den Nachweis versuchen, daß die Vernunft außerstande ist, jemals Schlußfolgerungen dieser Art zu ziehen; der Tugend ist es eigentümlich, liebenswürdig, dem Laster, hassenswert zu sein; die Vernunft kann über diese Prädikate überhaupt nichts ausmachen; es sind vielmehr Affekte, und dafür gibt es nur eine besondere Anlage des Menschengeistes, der sie „empfindet“, nicht aber denkt (Ess. II, 171 = PrM. 5 f.). Hume meint nun, die Alten hätten zwar oft behauptet, daß die Tugend das Vernunftgemäße sei. Tatsächlich scheinen sie ihm aber doch der Ansicht zu huldigen, „die Moral leite ihre Existenz aus Neigung und Gefühl her“ (Ess. II, 170 = PrM. 4). Hume gibt zu, daß für beide Standpunkte bestechende Argumente beizubringen seien, und nimmt an, daß vielleicht bei allen moralischen Entscheidungen und Schlußfolgerungen ein Zusammenwirken von Vernunft und Gefühl statthabe. Praktisch legt er aber doch den größeren Nachdruck auf die Neigung: „Was ehrenhaft, schicklich, billig, edel, hochherzig ist, nimmt unser Herz gefangen und treibt uns dazu, es uns anzueignen und

(Randnotizen: αα) Der Unterschied; ββ) Primat der Neigung)

festzuhalten. Was begreiflich, einleuchtend, wahrscheinlich, wahr ist, weckt nur die kühle Zustimmung des Verstandes und bringt, indem es einen spekulativen Wissenstrieb befriedigt, unser Forschen zu einem Abschluß. Unterdrückt man alle warmen Gefühle ..., so hört die Moral auf, ein praktisches Anliegen zu sein, hat auch keinerlei Tendenz mehr, unser Leben und Handeln zu bestimmen." (Ess. II, 171 f. = PrM. 6 f.) Davon wird später Schopenhauer beeinflußt sein. Aber die Neigung ist auch das prinzipiell letztlich Entscheidende: „Es ist wahrscheinlich, daß das endgültige Urteil, das Charaktere oder Handlungen für liebens- oder hassenswert erklärt ..., ihnen den Stempel der Billigung oder Mißbilligung aufdrückt ..., auf irgendeinem inneren Sinn oder Gefühl beruht, das die Natur uns Menschen ganz allgemein mitgegeben hat" (Ess. II, 172 = PrM. 7). Und noch deutlicher spricht er es aus, wenn er den Utilitätsgedanken zu Ende denkt (Anhang I). Er sieht dort, daß alles Nützliche ein Gerichtetsein auf einen bestimmten Zweck besage. Wo nun die Zwecke uns gleichgültig wären, wären es auch die Mittel. Kommt also alles auf die Zwecke an. Was entscheidet darüber? Hume antwortet: „An dieser Stelle muß sich ein Gefühl geltend machen. ... Dieses Gefühl kann nun nichts anderes sein als Sympathie mit dem Glück der Menschheit und Unwille über ihr Unglück" (Ess. II, 259 = PrM. 137). Das heißt, Neigung und Gefühl sind die letzten Kriterien der sittlichen Wertschätzung, und wir sehen somit nochmals, daß Hume Eudämonist ist, wie man gewöhnlich sagt, Hedonist, wie es genauer heißen müßte.

δ) Die sittliche Handlung

Aus dem Bisherigen kann jedoch nicht gefolgert werden, daß nach Hume die sittliche Handlung so zustande käme, daß wir zuerst unsere Neigung befragen und dann in freier Wahl entsprechend dem von Neigung und Gefühl aufgezeigten Ziel handeln. Es gibt für Hume keine sittliche Wahlfreiheit. Unser Handeln ist vielmehr, und hier macht sich jetzt wieder das neuzeitliche mechanistische Weltbild geltend, in den unausweichlichen Kausalzusammenhang eingespannt. Der Mensch empfängt äußere Reize, sie wirken auf seine Affekte, und dann erfolgt die entsprechende Reaktion. Die moralische Billigung ist nur eine nachträgliche Feststellung und Benennung, und zwar auf Grund einer Reflexion über die Frage, ob, was sich ereignete, unserer Neigung und unserem Nutzen entsprach oder nicht. Auf den Einwand, daß „doch nur jene schätzenswerten Eigenschaften, die willkürlich sind, die Bezeichnung Tugend verdienten", antwortet er, daß uns „bald die Eigenschaften der Tapferkeit, des Gleichmutes, der Geduld und der Selbstbeherrschung in den Sinn kommen, nebst vielen anderen, die wohl in jeder Sprache unter diese Bezeichnung fallen, obgleich sie wenig oder gar nicht von unserer Wahl abhängen" (Anhang IV). Diese und andere Bemerkungen gerade in diesem Anhang IV zeigen nun doch, daß Hume nicht zu unterscheiden weiß zwischen echten sittlichen Werten und anderen Werten und Gütern und bloßen Wertfundamenten. Schuld daran ist aber nur seine Theorie, sein allgemeiner Utilitarismus und Eudämonismus.

ε) Englische Ethik

Das nun ist es, was Kant immer im Auge hat, wenn er von der englischen Ethik spricht und gegen sie polemisiert. Die Neigungen, die Gefühle und Empfindungen, die pathologischen Affektionen, die Naturanlage, die Zwecke, die Interessen, alles Materielle überhaupt im Gegensatz zur Vernunft, all das ist hier bei Hume zu Hause. Allerdings auch noch bei einer großen Reihe anderer Denker der englischen Inseln. Vor ihm schon hat R. Cumberland († 1718) das Gesamtwohl als Prinzip der Sittlichkeit erklärt. „Alles, was zu diesem Zweck hinführt, ist sittlich." Und es sei ein Gefühl für die Gemeinschaft, was uns hier das Richtige sage. Cumberland ist überhaupt der erste Vertreter der Gefühlsmoral gewesen. Weiterhin hat A. Shaftesbury († 1713) nach dem herkömmlichen Urteil eine Neigungs- und Gefühlsmoral (moral sense) vertreten, allerdings nicht zusammen mit dem Utilitätsprinzip, sondern mit der antiken, von ihm stark ästhetisch empfundenen Idee von der allgemeinen Menschennatur. Ein genaueres Zusehen entdeckt allerdings, daß Shaftesbury um eine objektive Begründung des sittlichen Urteils mindestens bemüht war, so daß Kants Urteil über die englische Ethik auf ihn nicht ganz zutrifft. Für die affektive Natur der sittlichen Werturteile treten jedoch zweifellos ein C. Butler († 1752), von dem Hume die Argumente für die dem Gemeinwohl nützlichen Triebe und Tugenden übernimmt, und F. Hutcheson († 1746), der den moral sense Shaftesburys von seinen ästhetischen Elementen befreit und ihn ganz im Sinne des selbstlosen Gefühls für das Gemeinwohl verstehen möchte. Nach Hume sind es J. Bentham

(† 1832), James Mill († 1836) und J. St. Mill († 1873), die die Sittlichkeit wieder zu einer Lust-Unlust-Bilanz machen — „die größtmögliche Lust für die größtmögliche Zahl“ lautet der Grundsatz — und das entscheidende Kriterium hierfür gleichfalls in dem unmittelbaren Gefühl für Wohl und Wehe suchen. Was Glück ist, weiß jedermann, sagt Bentham, weil jedermann weiß, was Lust ist; wo man aber auf die Vernunft als sittliches Wertmaß zurückgreife, um damit über Recht und Gerechtigkeit zu entscheiden, da hörten die Streitigkeiten nicht auf. Es ist bemerkenswert, daß diese englischen Ethiker, besonders die letztgenannten, für das soziale Leben sehr konkrete und praktische Ideen entwickelt haben, so daß jeder, der seinem Volk und seiner Zeit helfen will, sich an ihnen ein Vorbild nehmen kann. Da die Deutschen aber Prinzipienreiter sind, um diesen Begriff Humes zu Beginn seiner Untersuchung über die Prinzipien der Moral zu gebrauchen, sahen sie in der englischen Ethik zuerst die unberechtigte utilitaristisch-eudämonistische Interpretation des Wesens des Sittlichen und übten daran einschneidende, prinzipielle Kritik. Ein Beispiel dafür ist Kant (die Worte „es ist überall nichts in der Welt...“ zu Beginn des ersten Abschnittes der Grundlegung zur Metaphysik der Sitten scheinen unmittelbar gegen den 4. Anhang des PrM. Humes gerichtet zu sein), ein anderes die materiale Wertethik (man vergleiche z. B. die Ausführungen über die Glückstäuschung des sozialen Eudämonismus in der Ethik von N. Hartmann). Der frühe Kant hatte allerdings von der Ethik Hutchesons bedeutende Anregungen empfangen.

Literatur

L. Stephan, The English Utilitarians. 3 Bde. (London 1900). L. Zani, L'etica di Lord Shaftesbury (Milano 1954). D. Henrich, Hutcheson und Kant. In: Kant-Studien 49 (1957) 49—69. J. Schmucker, Die Ursprünge der Ethik Kants (1961). S. George, Der Naturbegriff bei Shaftesbury (Diss. Frankfurt 1962).

c) Natürliche Religion

Der Psychologismus beherrscht auch die Auffassung Humes von der Religion. In seinen Dialogen über natürliche Religion (Tr. II, 377 ff.) kehren alle grundlegenden erkenntnistheoretischen Gedanken aus der Untersuchung über den

menschlichen Verstand wieder, vor allem die kategorische
α) Gegen eine Metaphysik der Religion
Ablehnung der traditionellen Metaphysik. Hume lehnt sie auf Grund seines allgemeinen Empirismus überhaupt ab, hier aber speziell noch in der Form, in der sie als philosophische Begründung der Religion auftritt. Eine solche versuchte nach antikem Vorbild der herkömmliche scholastische Theismus ebenso wie der moderne englische Deismus. In beiden Fällen ergründete man mit Hilfe des Kausalsatzes den transzendenten Schöpfer. Im Timaios Platons ist es der Demiurg, der die Welt nach seinen Ideen gestaltet, und in der Scholastik ist es immer wieder der Begriff des artifex und der ars, womit die Stellung Gottes zur Welt in Schöpfung, Erhaltung und Vorsehung erläutert wird. Auf diesen weltjenseitigen Gott, der Himmel und Erde erschaffen hat, mag er sie nun weiter in seiner Hand behalten, indem er durch Vorsehung und Wunder in ihren Gang eingreift, wie der Theismus annimmt, oder mag er sie zwar als vollkommene Maschine erschaffen, dann aber diese gänzlich sich selbst überlassen haben, wie der Deismus glaubt, bezieht sich Humes Kritik. Ihre Basis ist immer, ob er den kosmologischen Beweis (2. Teil) oder den teleologischen (4.—8. Teil) angreift, seine atomistische Grundeinstellung, die überall nur Teile und nirgends Ganzheiten sieht, und sein psychologistischer Empirismus, der alle Kausalbeziehungen, Wesensverhalte und Sinnzusammenhänge sich nur als Gewohnheiten der menschlichen Psyche vorstellen kann. Wenn wir, meint Hume im 2. Teil des Dialogs (Tr. II, 398 = S. 55 f. Übersetzung Paulsen), Häuser und Schiffe sehen, so können wir da auf einen Baumeister schließen, weil wir erfahren haben, wie so etwas gemacht wird. Beim Universum aber vermöchten wir das nicht; denn es ist etwas Einmaliges, und wir können hier nicht auf Grund eines Vergleichs mit etwas anderem sagen: es hat Sinn, Zweck und ist gemacht worden. Wir könnten das nur, wenn wir diese Begriffe vorgängig zu unserem Denken der Welt irgendwie erfahren hätten. Eine so geforderte „Erfahrung“ litte natürlich unter demselben Gebrechen. Sie brauchte auch wieder einen vorgängigen Vergleichsmaßstab. Der Empirist Hume gerät somit notwendig in einen regressus in infinitum. Und so gibt es für ihn hinsichtlich des Weltganzen keine Möglichkeit, den Sinn-, Zweck- und Kausalgedanken anzuwenden. Daß aber

der Geist diese Begriffe vielleicht gar nicht von außen erfahren muß, weil er Welt auf Grund seiner eigenen Konstitution denkt und in ihm selbst aufgeht, was Sinn und Zweck ist, das zu fassen ist dem Empiristen aber nicht möglich, weil sein Ansatz es nicht zuläßt. Was er besonders gegen den transzendenten Gott ins Feld führt, ist der Einwand, daß wir auf einen solchen Gott unsere in der sinnlichen Wirklichkeit gebildeten Begriffe nicht anwenden könnten, so daß alle Bezeichnungen für das Wesen und die Eigenschaften Gottes sinnlos wären (Schluß des 3. und Anfang des 4. Teils). Damit rennt er allerdings offene Türen ein, denn dieses Problem ist längst vor ihm gesehen, und besser als bei ihm, und hat durch den Analogie- oder Teilhabegedanken eine Lösung erfahren, auf die seine Einwände nicht mehr zutreffen. Hume meint aber, gegenüber dem Kirchenglauben zur Skepsis aufrufen zu müssen; allerdings ebenso gegen den Atheismus, wenn er wie dieser auch dogmatisch aufzutreten beliebt.

Dies und sein ständiger Mahnruf: kein Überschreiten der Grenzen möglicher Erkenntnis, wie die Metaphysiker das tun, hat auf Kant unmittelbar abgefärbt. Kant hatte ja die Dialoge mit Eifer gelesen, wie Hamann in einem Brief an Hartknoch vom 16. 12. 1780 bemerkt. Speziell ist es eine nuancierte Auffassung von Metaphysik, die von Hume suggeriert wird, die Anschauung nämlich, als ob Metaphysik ursprünglich eine Art Hinterwelt anzielte, fast so etwas wie eine von unserer Welt und ihrem Sein total getrennte Geisterwelt, vielleicht ähnlich einem primitiv verstandenen Jenseits der Religionen. Darin scheint Hume die eigentliche Transzendenz gesucht zu haben. Von einem „Hinausgehen" oder „Hinaussehen" über unsere Welt redete er gerne, z. B.: „Wenn ihr einen Schritt über das Weltsystem hinausgeht, so erregt ihr bloß einen Trieb zur Nachforschung, dem zu genügen stets unmöglich ist" (4. Teil der Dialoge über natürliche Religion: Tr. II, 408 f. = S. 69 Übersetzung Paulsen). Das ist ein ziemlich populärer Metaphysikbegriff, aber wie bei Hume spukt er auch bei den französischen Aufklärern und auch bei Kant und verleiht dem Ganzen eine Note, die der klassische Metaphysikbegriff: Wissenschaft vom Sein als solchem und seinen Gründen, nicht kennt. Dort ist das Transzendenzproblem durch den Analogiebegriff längst in einer Weise gestellt, der Hume überhaupt nicht gerecht wird. Der

β) Hume und Kant

Empirismus hatte sich schon so sehr eingebürgert, daß die alte Metaphysik nicht mehr verstanden wird. Man sieht das Ganze verzerrt und schafft sich so einen Gegner, den man leicht bekämpfen kann.

γ) Religion als Glaube

Die positive Antwort auf die Frage nach dem Wesen der Religion lautet bei Hume: Religion ist Glaube, ist etwas Irrationales. Der Philosoph Hume ist Atheist, so sicher, wie er auch die Unsterblichkeit der Seele leugnet; aber der Bürger Hume, der als guter Engländer etwas auf Konvention und Tradition hält, läßt die Religion wenigstens als Glaube noch gelten. Sie ist dann nicht Wissen, sondern ein bestimmtes Gefühl. Was für ein Gefühl? Wir hören: Die Wechselfälle des Lebens, das Dunkel des Schicksals, die bange Erwartung und Besorgnis um die Zukunft, besonders nach dem Tode, erzeugen im Menschen ein Gefühl des Glaubens an übermenschliche Mächte. Der Polytheismus sei die älteste Form dieses Glaubens; einer von diesen vielen Göttern sei schließlich Vater der Götter geworden oder auch Nationalgott; durch Furcht, Schmeichelei und nationalen Eigendünkel habe man ihn noch mehr hinaufgelobt, und so sei daraus der Weltgott entstanden, der Gott des Monotheismus. So stellt sich Hume die „Naturgeschichte" der Religion vor, und in dieser Faktizität allein sieht der Empirist auch schon das eigentliche Wesen der Religion.

d) Hume und die Folgezeit

Aber Hume ist nicht nur der Mann, der Kant aus dem dogmatischen Schlummer erweckt hat, ihm den materiellen Untergrund seines Wissenbegriffes suggerierte und die Auffassung der Religion bloß mehr als Glaube, von Hume her datiert sich alle Philosophie, die, auf das Seinsollende verzichtend, nur noch das rein Faktische in Anschlag bringt. Hume ist der Antipode der Weisheit der Antike und des Mittelalters, die dieses unser Leben aus einer Welt von zeitlosen Wahrheiten heraus leben und gestalten wollte. Für ihn gibt es nur die sinnliche Welt, die Zeit und den Menschen. Diese Philosophie wurde auch kulturgeschichtlich, sozial und politisch von größter Bedeutung. Der autonome Mensch der Neuzeit macht anders Geschichte als der noch das Übermenschliche scheuende Mensch des Mittelalters und der Antike. Man hat die Autokratisierung des Menschen lange als Errungenschaft empfunden. Nach den politischen Geschehnissen unseres Jahrhunderts erschrickt heute der Mensch über seine „Fortschritte“, sieht, daß aus der Entfesselung des allzu Menschlichen sich geradezu entmenschte Brutalismen herausentwickelt haben, und fühlt nun das Ganze als eine tödliche Bedrohung. Es ist erwähnenswert, daß es nicht die deutsche Philosophie war, die erstmals die Macht zum Prinzip erhob, die cupiditas naturalis verherrlichte, den Menschen zum Herren der Welt erklärte und den Grundsatz ausgab: Recht und gut ist, was dem individuellen oder kollektiven Egoismus nützt. Die Autoren hievon sind vielmehr Macchiavelli, Spinoza, Hobbes und Hume. Nietzsche ist nur ein Nachfahre gewesen.

III. DIE AUFKLÄRUNG

Das Aufklärungszeitalter, das nach den Taten der Großen im Reiche des Geistes nunmehr anbricht, glaubt an die Errungenschaften der Neuzeit und will sie auf das Leben anwenden. Dieser Glaube und Wille sind charakteristisch für die Aufklärung. Man treibt nicht mehr Grundlagenforschung, sondern fühlt sich sicher und will jetzt möglichst weite Kreise mit dem Fortschritt beglücken. Insofern ist die Aufklärung typische Popularphilosophie. Gegenüber dem Tiefgang der Systemgründer des 16. und 17. Jahrhunderts bedeutet das ein Minus, und die Unzufriedenheit über diese Verflachung war es auch, was schließlich wieder zur Überwindung der Aufklärung führte. Zunächst aber schlug die neue geistige Bewegung, und um eine solche handelt es sich, nicht nur um die Ideen einiger weniger, hohe Wellen. Die Breitenwirkung an Stelle des Tiefganges bringt aber auch wieder ein Plus mit sich, den Bildungsidealismus nämlich, der darin liegt, daß weiteste Kreise ein geistiges Leben führen und zu einem wissenschaftlichen Selbst- und Weltverständnis kommen wollen. Der Glaube an die Errungenschaften der Neuzeit und der Wille zu einem davon inspirierten Fortschritt erzeugte notwendig den Gegensatz zur Tradition, und das in vieler Hinsicht. Besonders spürbar war der Gegensatz zu den überlieferten weltanschaulichen, kirchlichen und sozialen Verhältnissen. Natur, Mensch und Menschenrechte, Vernunft und Wissenschaft, Humanität und Freiheit sind die neuen Schlagworte, und gewöhnlich bedeuten sie eine Absage an die alten herrschenden Mächte. Das Aufklärungszeitalter ist ungeschichtlich und träumt ähnlich wie die Stoa von einem Ideal- und Universalmenschen, bei dem Natur und Vernunft das Beste machen, was sich aus dem Menschen machen läßt. Verbreitet das Licht der Vernunft, und Tugend und Glück werden sich die Hände reichen, das ist der allgemeine Glaube der Aufklärer. Je nach den einzelnen Nationen ergeben sich aber nicht unbeträchtliche Varianten.

Literatur

E. Cassirer, Die Philosophie der Aufklärung (1932). P. Hazard, Die Herrschaft der Vernunft. Das europäische Denken im 18. Jahrhundert. Übersetzt von H. Wegener u. K. Linnebach (1949). F. Valjavec, Geschichte der abendländischen Aufklärung (1961). J. Kopper, Einführung in d. Philos. der Aufklärung (1979).

1. DIE ENGLISCHE AUFKLÄRUNG

Zwei große Ideenkomplexe sind für die englische Aufklärung bezeichnend: der Deismus und der Liberalismus.

α) Deismus Der Terminus Deismus besagt Gottesglaube. Das ist aber nur die Hälfte von dem, was er wirklich meint. Er hat nämlich einen besonderen Gott im Auge. Die seit der Begründung der klassischen Physik immer wieder gehörte Rede von der Weltmaschine, vom Kausalnexus und seiner absolut notwendigen Gesetzmäßigkeit im Ablauf der Geschehnisse im gesamten Weltprozeß färbte auf den Gottesgedanken dahin ab, daß viele sich Gott nur noch vorstellen konnten als den Gott des Mechanismus. Er habe die Weltmaschine geschaffen, das gab man noch zu; aber dann lief sie von selbst, ohne Unterbrechung und ohne jede Unregelmäßigkeit. Das glaubte man ihrem Begriff, wie ihn die moderne Wissenschaft herausgearbeitet hatte, schuldig zu sein. Etwas anderes wäre auch ihres Urhebers unwürdig. Und so ist Gott nicht mehr frei für das Außerordentliche, das Übernatürliche, wie es Wunder und Offenbarung zu sein beanspruchen. Es gilt nur noch das Natürliche. Die neuzeitliche Wissenschaft fühlt sich so sicher, daß sie glaubt, es könne etwas anderes, als was sie für möglich hält, nicht geben. Daß man dabei selbst auf Voraussetzungen fußte, dem eigenen Maß nämlich, mit dem man die Welt mißt, wurde nicht durchschaut. Und so rechnet man nur noch mit dem dem natürlichen Wissen Zugänglichen. Spricht die Religion, besonders natürlich das Christentum, von „übernatürlichen" Dingen, so müßte eine solche Rede symbolisch verstanden werden. Sie könnte in Wirklichkeit nichts anderes als Natürliches meinen. Die echte Religion läge eben in der Vernunft und in ihr allein. Darum sei das Christentum so alt wie die Menschheit, sei nichts Besonderes, sondern etwas allgemein Menschliches, und die Bibel darum nur die nochmalige Verkündigung der Vernunftreligion. Schon bei Herbert von Cherbury († 1648) gibt es diese Vernunftreligion. Jetzt aber, in der Aufklärungszeit, bildet sie geradezu den Zeitgeist. Das zeigen bereits die Buchtitel der englischen Deisten. John Toland schreibt 1696 sein Christianity not mysterious, und Matthews Tindal 1730 sein Christianity as old as creation, or the gospel a republication of the religion of nature. Die detaillierte Ausführung der Vernunftreligion gestaltet sich bald mehr rationalistisch, bald mehr glaubens- und gefühlsmäßig. Sehr früh, schon 1697, heißen diese Männer sich Freidenker, und vor allem nennen die Freimaurer sich so. Daß man irreligiös sei, wie kirchlich orientierte Stimmen immer wieder entgegenhielten, wollte man nicht gelten lassen. Im Gegenteil, man erblickte in der Vernunftreligion die wahre Religion; alles andere wäre Aberglaube. Gelegentlich allerdings wurde die Vernunftreligion auf die höheren Schichten eingeschränkt. Lord Bolingbroke († 1715) z. B. will dem Volk seine herkömmliche Religion erhalten wissen; nur feinere Geister dürften Freidenker sein; sonst wäre die Freidenkerei eine Pest.

Eine zweite charakteristische Idee der englischen Aufklärung ist der Liberalismus, und zwar Liberalismus in einem typisch individualistischen Sinn. Man hatte von Locke gelernt. Seine Theorien über die Naturrechte des Individuums, die durch nichts, auch durch keinen Staatsvertrag aufgehoben werden könnten, sondern unveräußerliche Urrechte jedes Menschen seien, seine Forderung der Teilung der Staatsgewalt, um ja allen Auswüchsen vorzubeugen, und seine pädagogischen Ideen von der freien Entwicklung der Persönlichkeit ohne Zwang und Schema fielen auf den englischen Inseln auf ein fruchtbares Erdreich. Seit der Magna Charta libertatum (1215) war England das Land des Kampfes für die Freiheit geworden. Durch Locke wurde es vollends zum Lehrmeister der westlichen Welt in Sachen der Freiheitsidee. Die staats- β) Liberalismus philosophischen Gedanken Lockes werden nämlich durch Montesquieu und Voltaire und seine pädagogischen durch Rousseau auf das Festland herüberverpflanzt und nun mit einem Temperament propagiert, das ihren Autor in Schatten stellt. Sie erobern sich Europa, greifen über auf Amerika, und hier ist es, wo der Liberalismus Lockes heute am reinsten verkörpert wird. Freilich nicht nur hier; denn der Freiheitsgedanke der Aufklärung und ihre Rede von den Menschenrechten sind Ideen geworden, die so ziemlich in allen Verfassungen der Neuzeit, in den sogenannten Grundrechten, verankert wurden.

Literatur

H. Scholz, Die Religionsphilosophie des H. von Cherbury (1914). F. H. Heinemann, J. Toland and the Age of Reason. In: Archiv für Philosophie 4 (1952) 35—66. A. Voigt, Geschichte der Grundrechte (1948).

2. DIE FRANZÖSISCHE AUFKLÄRUNG

Die französische Aufklärung ist radikaler als die englische. In weltanschaulicher Hinsicht schlägt mit schneidender Schärfe der Atheismus und Materialismus durch; in Sachen der Religion tritt an die Stelle einer ruhigen Kritik eine bissige Frivolität, die das Christentum weniger verbessern als beseitigen will; und in der Politik wartet man nicht auf die Evolution, sondern schreit nach der Revolution und führt sie so durch, daß nur die davon Begünstigten nicht über die Fragwürdigkeit ihrer Parolen aufgeklärt werden. Alles um der Vernunft, der Freiheit und des Fortschrittes willen.

α) Bayle Bahnbrechender Vorläufer der französischen Aufklärung ist Pierre Bayle (1647—1705), der Verfasser des vielgelesenen Dictionnaire historique et critique, das Gottsched (1741—44) ins Deutsche übersetzt hat. Er liefert der ganzen Zeit das Waffenarsenal, vor allem den Geist der Skepsis und Kritik gegenüber der Metaphysik, und gibt das Stichwort aus von der Unvereinbarkeit der Vernunft mit der Religion. Gegen ihn hat Leibniz seine Theodizee geschrieben, deren Einleitung eigens den Titel trägt: Discours de la conformité de la foi avec la raison. In Frankreich aber zündet Bayles Parole vom Licht der Vernunft. Und er wird zum Vorbild für die große Enzyklopädie, das für die französische Aufklärung so typische Werk, das d'Alembert und Diderot herausgegeben haben. Man fühlt sich auf der Höhe der Wissenschaft und will nun in einem Standardwerk ein für allemal die geistigen Errungenschaften festhalten.

β) D'Alembert

Jean Lerond d'Alembert († 1783) ist kein Atheist; er sagt von sich selbst, daß ihm die Gottlosigkeit stets lächerlich erschienen sei. Wohl aber ist er Deist und lehnt als solcher den sogenannten Fanatismus der Orthodoxen — gemeint sind die Jesuiten und Jansenisten — ebenso ab wie den Fanatismus der Atheisten. Der Fanatismus der ersteren, meint er, „stellt sich im Verein mit der Metaphysik der Vernunft entgegen" (man erinnere sich der Erklärungen seines Freundes Hume über die Metaphysik!); der Glaube der letzteren aber sei ohne Grund und Gegenstand. Was d'Alembert will, ist Toleranz und Gewissensfreiheit. In einem Brief an Friedrich d. Gr. vom 30. 11. 1770 schildert er als das Ideal seiner Religion ein von allen Dogmen des Paulus, der Kirchenväter und der Konzilien gereinigtes Christentum der Menschenliebe und der geistigen Gottesverehrung, wie das Jesus gelehrt habe. Die Religion sollte auf eine soziale Grundlage gestellt werden, um durch einen freiwilligen Güterausgleich die Linderung der Not und der Armut und die Hebung der arbeitenden Klassen herbeizuführen. Und in einem Brief vom 1. 2. 1771 bittet er den gleichen Fürsten, er möge einen einfachen Tempel bauen für den „Gottes allein würdigen Kultus der Menschlichkeit und Gerechtigkeit".

γ) Diderot und die Materialisten

Denis Diderot († 1784), der stark von Hume und den zum Materialismus neigenden englischen Assoziationspsychologen beeinflußt ist, war erklärter Atheist. Er wurde zum Führer der materialistischen Schule der französischen Aufklärung. Die Schriften dieser Männer haben damals die gebildete Welt in Aufruhr versetzt. Heute bemüht sich um ihre Erneuerung der dialektische Materialismus. Es gehören hierher Julien de La Mettrie († 1751) mit seinem Buch L'homme machine (1748), Paul-Henri Holbach († 1789) mit seinem Système de la nature (1770), Claude-Adrien Helvetius († 1771) mit seinem Entrüstung hervorrufenden Buch Sur l'esprit (1758), der Sensualist Etienne Bonnot de Condillac († 1780) mit seinem Traité des sensations (1754) und der radikalste dieser materialistischen Psychologen Georges Cabanis († 1808), der schlankweg erklärte: Körper und

Geist sind unbedingt ein und dasselbe; es gibt nur eine Wissenschaft vom Menschen, und Physiologie, Psychologie und Ethik sind nur die drei Zweige dieser einzigen Wissenschaft. „Les nerfs: voilà tout l'homme." Die Seele ist darum eine Fähigkeit, aber nicht ein Wesen. Cabanis hat dem gesamten Denken der folgenden Zeit einen mächtigen Anstoß gegeben. Er ist der unmittelbare Vorläufer der Psychophysik wie des modernen Monismus. Die ganz auf ihn folgende sensualistische Schule Frankreichs mit ihrem bedeutendsten Vertreter Antoine-Louis-Claude Destutt de Tracy († 1836) befindet sich in seinem Fahrwasser.

δ) Voltaire Die Verkörperung der französischen Aufklärung schlechthin aber ist François-Marie Voltaire (1694—1778), das größte schriftstellerische Genie der Franzosen und ihr großer Vorkämpfer für Vernunft, Toleranz und Menschenrechte. „Er verlieh dem Menschengeist starke Impulse, er bereitete uns auf die Freiheit vor", stand auf seinem Sarge, und man fühlt in diesen Worten noch den ganzen Elan der geistigen Bewegung, deren Seele er während zweier Menschenalter gewesen ist. Voltaire war weder ein schöpferischer noch ein exakter Denker, aber er verstand es, die Menschen zu fesseln. Er hat nicht wenig dazu beigetragen, die Strenge wissenschaftlichen Philosophierens zu ruinieren, weil er durch seine von Geist und Witz funkelnden Formulierungen das Gefühl suggerierte, daß Literatur Wissenschaft sei. Sein Kampf galt dem autoritären Regime Ludwigs XV. und der angeblichen Intoleranz der katholischen Kirche und ihrer Dogmen. Hier suchte er die Wurzeln des Aberglaubens und der Verfolgungssucht, die dem aufgeklärten Vernunftzeitalter im Wege stünden. Wieder waren es besonders die Jesuiten und Jansenisten, gegen die sich die Angriffe richteten. Freilich nicht nur gegen sie. Die Schlußformel vieler seiner Briefe lautet: Aimez moi et écrlinf (= écrasez l'infâme, nämlich die Kirche). Schon aus diesem einen Wort erkennt man die Maßlosigkeit seines Temperaments, die ihn hinderte, sachlich zu urteilen und zu unterscheiden, etwa zwischen dogmatischer und bürgerlicher Toleranz oder zwischen Einzelerscheinungen und dem Geist des Ganzen. Andererseits setzte sich auch die Gegenseite ins Unrecht, wenn sie Voltaire ohne weiteres einen Atheisten schalt. Theoretisch war er nämlich Deist und vertrat im Stil der englischen Freidenker eine Vernunftreligion, die einen lebendigen und außerweltlichen Gott annimmt, und das auf Grund der üblichen kosmologischen, teleologischen und moralischen Gottesbeweise. „Die ganze Natur ruft uns zu, daß er existiert", sagt er einmal von Gott. Wenn er aber im gleichen Satz meint, „wenn Gott nicht existierte, müßte man ihn erfinden", so wird damit die ganze geistesgeschichtliche Situation durchsichtig: Religion ist nur Glaube, ist ein Bedürfen, ein Als-ob oder was man sonst an pragmatischen Motiven aufgreifen will. Jedenfalls, die Metaphysik des Deismus war schon keine Metaphysik mehr, und seine Rede vom Glauben wirkte sich nicht für, sondern gegen die Religion aus, weil sie ihr die Sicherheit des Beweises nahm, wie man besonders wieder in der Entwicklung nach Kant feststellen kann. All das sind Ausstrahlungen des englischen Empirismus. In England war es auch (1726—29), wo Voltaire zu sich selbst gefunden hatte. Hier lernte er die englische Dichtung, Wissenschaft und politische Aufklärung kennen, und durch seine Eléments de la philosophie de Newton (1738) machte er nun die Gedanken Lockes und Newtons zur Grundlage der französischen Philosophie des 18. Jahrhunderts. Seine Verehrung aber für den freiheitlichen Geist in den politischen Verhältnissen Englands hatte er schon vorher (1734) in seinen Lettres sur les Anglais niedergelegt.

In letzterer Hinsicht wirkte auch Joseph-François de M o n t e s q u i e u (1689—1755) mit seinem berühmten Werk Esprit des lois (1748). Das vorurteilslose, freie Denken des Verfassers läßt in diesem Buch eine neue, sachlich ungemein aufschlußreiche Betrachtung des Rechtslebens entstehen. In einer vergleichenden Darstellung wird die Gesetzgebung zurückgeführt auf die örtlichen, klimatischen, sozialen und religiösen Bedingtheiten der einzelnen Völker. Und immer sei dabei das Wohl des Volkes und die Freiheit der Bürger höchstes Prinzip des staatlichen Lebens. Als beste Staatsform erscheint ihm die konstitutionelle Monarchie. Um der Freiheit willen sei die Staatsgewalt zu teilen in die gesetzgebende, vollziehende und richterliche Gewalt. Auch Montesquieu war in England gewesen und hatte dort gelernt, speziell von der Philosophie Lockes. Der Esprit des lois wurde in alle Kultursprachen der Welt übersetzt und hat mehr für die Verbreitung der Ideen Lockes getan als dieser selbst. Für das französische Volk aber bedeutet Montesquieu den

ε) Montesquieu

Beginn seiner politischen Erziehung und eine vollständige Wandlung in der Auffassung der Staatsgewalt.

Werke und Literatur

W. Kraus u. H. Mayer, Grundpositionen der französischen Aufklärung (1955). — J.-L. d'Alembert, Discours préliminaire de l'Encyclopédie. Französisch und deutsch. Hrsg. in der Philosophischen Bibliothek bei Meiner von E. Köhler (1955). — D. Diderot, Pensées philosophiques. Éd. par R. Niklaus (Paris 1957). Philosophische Schriften. 2 Bde. Hrsg. von Th. Lücke (1961). R. Mortier, Diderot en Allemagne 1750—1850 (Paris 1955). — J. Cumming, Helvetius (London 1955). Ch. N. Momdshjan, Die Philosophie des Helvetius (Moskau 1955). — La Mettrie's L'homme machine. A Study in the Origin of an Idea. Critical Edition by A. Vartanian (Princeton 1960). — G. W. Plechanow, Beiträge zur Geschichte des Materialismus: Holbach, Helvetius, Marx (1896). Voltaire, Dictionnaire philosophique. Éd. par J. Benda (Paris 1961). Ch. de Montesquieu, Œuvres complètes. Publiées par A. Masson (Paris 1950 ff.). IIe Centenaire de „L'Esprit des lois" de Montesquieu 1748—1948. Conférences organisées par la Ville de Bordeaux (Bordeaux 1949).

ζ) Rousseau

Einer der Größten der französischen Aufklärung, eigentlich aber ihr Überwinder, ist Jean-Jacques Rousseau (1712 bis 1778), der Rivale Voltaires und Streiter gegen die Enzyklopädisten. Auch er will den Fortschritt, die Freiheit und das Glück der Menschheit, aber er will es mit anderen Mitteln. Voltaire ist der Rationalist und Intellektualist, Rousseau ist der Mann des Gefühls und des Herzens. Sein leidenschaftlicher Roman Julie ou la nouvelle Héloïse (1761) ist ein Vorläufer von Goethes Werther; aber auch in allen anderen Schriften spricht das Herz zum Herzen. Man hat ihn den Propheten einer Sturm-und-Drang-Periode in der Kulturgeschichte der Menschheit genannt und gesagt, daß er „das unbestimmte Sehnen der ganzen Menschheit aussprach", das weder von den gemütsleeren Theorien des Rationalismus noch des Materialismus seiner Zeit gestillt werden konnte. So wurde er der eigentliche Herold der Französischen Revolution und ihrer Verkündigung der Menschenrechte. Das Wort, mit dem man Rousseaus Wollen zusammenfaßte, lautet: Retournons à la nature! An sich erdacht, um das Wesen des Staates zu interpretieren, wurde der Begriff des Naturzustandes unter der Hand zu einem schlechthin verstandenen Ideal.

Die Natur ist darum für Rousseau zunächst das Schlagwort in seiner Kultur- und Sozialphilosophie. Er wendet sich gegen eine durch Überbildung und übertriebene Verfeinerung entartete Kultur, gegen Verweichlichung und Luxus. Die Menschheit solle zur Einfachheit der Natur zurückkehren, zur schlichten Bürgertugend, zur Versenkung in das Glück des Hauses und der Familie. Besonders stünden dem allgemeinen Glück der Menschheit entgegen die herrschenden Standes- und Klassengegensätze sowie alle überkommenen Formen der staatlichen und kirchlichen Machtinstitutionen. All diese Kulturschöpfungen verdeckten den echten, ursprünglichen Menschen und die Entfaltung seiner immer guten, natürlichen Gefühlsanlagen im Dienste der werktätigen Menschenliebe. Aber nicht nur die entartete Kultur wird bekämpft, sondern die Kultur überhaupt und ebenso allgemein die Gesellschaft als Trägerin der Kultur. Das sei alles schlecht. Darum zurück zur Natur! Hier sind alle Menschen gleich und frei und sind nur Menschen, sind darum gute Menschen und sind Brüder. Das sind die Ideale, auf die die Führer der großen Revolution, namentlich Robespierre, immer wieder zurückgriffen. Rousseau hatte sie vor allem im „Contrat social ou principes du droit politique" (1762) entwickelt. Um der Freiheit und Gleichheit willen redet er hier im Gegensatz zur absolutistischen Staatslehre des Hobbes und der konstitutionellen Monarchie englischen Musters bei Montesquieu der radikalen Demokratie und Volkssouveränität das Wort. Es soll keine Volksvertretung geben; wenn wirklich alle Gewalt beim Volke liegt, muß dieses Volk jeweils in einem Referendum nach Genfer Vorbild (Rousseau ist gebürtiger Genfer) sein Votum abgeben. Sonst wären es ja wieder nicht die natürlichen Menschen und lebendigen ursprünglichen Persönlichkeiten, die den Staat ausmachen, sondern erstarrte Kultureinrichtungen, Parteien, Stände, Körperschaften, die erfahrungsgemäß dem Volke über den Kopf wachsen und ihm seine Freiheit nehmen. Der Staat ist also das Volk selbst. Man darf in ihm nichts anderes sehen als eine freie gesellschaftliche Vereinigung (contrat social), die getragen ist vom Willen seiner Bürger, die eben als Bürger (citoyens) wieder nichts anderes sind als gleiche, freie und

αα) **Kultur und Gesellschaft**

gute Menschen. Dieser ideale Gemeinschaftswille der Idealmenschen (volonté générale) ist der eigentliche Staatswille, nicht der Wille einer Mehrheit, und wenn noch so viele, vielleicht alle, hinter ihr stünden (volonté des tous). Die volonté générale soll offenbar so etwas wie reine, praktische Vernunft sein. Man hat den Naturzustand aber, wie die zeitgenössische Literatur und Kunst zeigen, immer wieder als eine historisch mögliche Realität verstanden. Für Rousseau aber war der Naturzustand ein ideales Bild vom Menschen. Man vergleiche den Naturzustand und den Staatsvertrag der Raubtiermenschen des Hobbes mit dem paradiesischen Volke des französischen Denkers, und man hat den ganzen Idealisten und Romantiker Rousseau vor sich.

ββ) Erziehung

Die Paradiesesunschuld der Natur ist dann ebenso auch die Grundlage der Pädagogik Rousseaus. Noch mehr als Locke, von dem er das Gros seiner Ideen bezieht, setzt er sich dafür ein, daß der Zögling frei wachse ohne allen Zwang von außen, nur seinen Anlagen folgend, immer echt in seinem Gefühl und immer ganz „Natur". Um der Natur willen wird alle Unnatur der kulturellen Mächte, Sitte also und Gesetz, abgelehnt. Ebenso aber auch die christliche Erbsündelehre. „Alles ist gut, wie es aus den Händen des Schöpfers der Dinge hervorgeht, alles entartet unter den Händen des Menschen", lautet der erste Satz seines pädagogischen Hauptwerkes Émile ou de l'éducation (1762). Es ist halb Roman, halb Lehrbuch. Sein Erfolg war sensationell. Goethe nannte es das Naturevangelium der Erziehung, für Pestalozzi bildet es eine seiner wichtigsten Quellen, und „heute noch stehen wir inmitten der von ihm ausgehenden Bewegung" (Th. Ziegler), die uns gelehrt hat, das Kind aus sich selbst, aus seiner Natur heraus zu verstehen und zu erziehen.

γγ) Religion

Im Émile entwickelt Rousseau auch seine religionsphilosophischen Ansichten. Wieder ist die Natur das Prinzip, das die Entscheidungen bestimmt. In der Erziehung gehört zunächst auch die Religion zur Unnatur. Im 15. Lebensjahr weiß Émile noch nicht, ob er eine Seele hat, und vielleicht sei es im 18. Jahr noch zu früh, mit ihm darüber zu reden. „Wenn ich die Dummheit symbolisch darzustellen hätte, die unsere Galle erregen kann, so würde ich einen Pedanten malen, der die Kinder aus dem Katechismus unterrichtet." Der Glaube der meisten Menschen sei Sache der Geographie; er hänge nämlich davon ab, ob wir in Mekka oder in Rom geboren sind. Mit Entschiedenheit wendet er sich dagegen, daß man den Kindern Wahrheiten mitteilt, die sie noch nicht fassen können. Noch im Alter wirkten solche unverdaute Vorstellungen schädlich nach. Émile soll darum keiner religiösen Partei angehören, sondern nur befähigt werden, selbst auf Grund seiner eigenen Vernunft zu wählen. Und nun wird nochmals ein Angriff im Namen der Natur vorgetragen: das Glaubensbekenntnis des Savoyardischen Vikars. Es wendet sich gegen den Atheismus und Materialismus Diderots und seiner Schule, ebenso aber auch gegen die Metaphysik der Gottesbeweise der kirchlichen Theologie. Gott sei nicht Gegenstand des Wissens und des Verstandes, sondern des Gefühls und des Herzens. Es seien überhaupt nicht der Wissensdrang und der Intellekt, sondern die aus dem Glauben geborene Überzeugung das Elementare im Leben. Ein solcher gefühlsmäßiger Glaube an Gott ohne den Umweg über die Künsteleien des Verstandes, dazu noch der Glaube an Tugend und Unsterblichkeit, seien darum die wahre und auch genügende Religion. Rousseau stieß dabei bei den nun einmal bestehenden Verhältnissen nach allen Seiten an, und so ist es nicht verwunderlich, daß sein Buch auf Anordnung des Parlamentes vom Henker öffentlich verbrannt wurde. Seine leidenschaftliche Sprache hatte naturgemäß auch die andere Seite zu temperamentvollen Reaktionen veranlaßt.

δδ) Zur Würdigung Rousseaus

Und will man zu dem Ganzen Stellung nehmen, dann wird man hier bei dem Fanatismus und der Einseitigkeit des Rousseauschen Temperaments einsetzen und seine vielgebrauchten Worte Natur, Kultur, Gleichheit, Menschlichkeit näher ansehen müssen, um sie in ihrer schwankenden Bedeutung und Berechtigung zu analysieren. Man wird bald erkennen, wie vieldeutig sie sind. Der schriftstellerische Elan war hier nämlich stärker als die philosophische Kritik und denkerische Exaktheit. Der Naturbegriff bei Rousseau ist verschwommen von Anfang an und wird immer unklarer, je mehr er darüber schreibt. Und damit zeigt sich wieder, was schon erwähnt wurde, daß dieser Zeit die Grundlagenforschung nicht liegt. Im Ganzen der Aufklärung gesehen, bedeutet jedoch Rousseau eine Programmwidrigkeit, ja man kann ihn als eine Überwindung der Aufklärung bezeichnen. Nicht eigentlich insofern, als er neben dem Rationalen auch das Irrationale zur Geltung brachte, besonders in seiner Religionsbegründung. Das haben vor ihm schon Hume und auch Locke getan, und in der deutschen Aufklärung haben wir die große und starke Strömung des Pietismus. Aber er hat die ganze Zeitstimmung in Frage gestellt. Sonst spricht man stets von dem Fortschritt, den das Licht der Vernunft schon gebracht habe und noch bringen soll, und vertritt einen Kulturoptimismus. Gerade den wendet Rousseau in sein Gegenteil. Alle Leistungen der Geschichte und Kultur werden von ihm bestritten, und dafür wird wieder die Rückkehr zur Natur gefordert. Ist an diesem Pessimismus auch vieles mehr aus den Ressentiments und Zerrissenheiten der Persönlichkeit Rousseaus denn aus sachlichen Gründen zu verstehen, so hat er damit doch seiner Zeit zu denken gegeben.

εε) Nachwirkungen

Vor allem aber bleibt es bei allen Fragezeichen, die man neben seine Anschauungen setzen kann, Tatsache, daß seine Wirkung gewaltig war, nicht zuletzt für das deutsche Denken. Wie Goethe ihn einschätzte, wurde schon erwähnt. Der junge Schiller tritt angesichts der Widerstände, die Rousseau wegen seiner „natürlichen" Religionsauffassung erfährt, auf seine Seite mit der scharfen Zeitkritik seiner Worte: „Sokrates ging unter durch Sophisten; Rousseau leidet, Rousseau fällt durch Christen; Rousseau, der aus Christen Menschen wirbt." Aber auch Lessing, Mendelssohn und Tieck haben sich mit ihm eingehend auseinandergesetzt, und viel verdankt ihm die Romantik. Vor allem aber hat er, ähnlich wie Hume, auf Kant gewirkt, auf dessen Religionsbegründung durch Glauben statt Wissen sowie auf seinen Primat der praktischen Vernunft vor der theoretischen.

Werke und Literatur

J. J. Rousseau, Œuvres complètes. Publiées par B. Gagnebin u. a. (Paris 1959 ff.). — Übersetzungen: Emil oder Über die Erziehung. Von E. Sckommodau u. M. Rang (1963). In der Philosophischen Bibliothek bei Meiner: Schriften zur Kulturkritik (die zwei Diskurse von 1750 und 1755: Hat der Wiederaufstieg der Wissenschaften und Künste zur Läuterung der Sitten beigetragen? Über den Ursprung der Ungleichheit unter den Menschen). Zweisprachig, mit Beigaben, Einleitung, Anmerkungen und Registern. Hrsg. von K. Weigand (1955).

F. Ch. Green, J. J. Rousseau. A Critical Study of his Life and Writings (Cambridge 1955). M. Rang, R.s Lehre vom Menschen

(1959). W. Ritzel, J. J. Rousseau (1959). H. Barth, Über die Idee der Selbstentfremdung des Menschen. In: Zeitschrift für philosophische Forschung 13 (1959) 16—35. I. Fetscher, Rousseaus politische Philosophie. Zur Geschichte des demokratischen Freiheitsbegriffs (1960). O. Vossler, Rousseaus Freiheitslehre (1963).

3. DIE DEUTSCHE AUFKLÄRUNG

Wie die ganze Aufklärungsphilosophie ist auch die deutsche Aufklärung nicht einfach als Rationalismus zu deklarieren, abgesehen davon, daß dieses Wort unbestimmt genug ist. Es handelt sich vielmehr um ein ziemlich komplexes Gebilde.

a) Die Frühphase der deutschen Aufklärung (1690 bis 1720)

Die Grundhaltung dieser geistigen Bewegung besteht in einem säkularisierten Ich-Bewußtsein im Stile der Renaissance, für das der Mensch wichtiger ist als der Kosmos und wofür die Psychologie alles, die Metaphysik aber nichts mehr bedeutet. Daher der immer bezeichnende Gegensatz zu Aristoteles und seiner Metaphysik, die den Menschen vom Seinsganzen her verstehen will, weil ihr dieses hintergründiger erscheint als der Mensch, sowie die Frontstellung gegen die an Aristoteles und der Scholastik sich orientierende kirchliche Theologie mit ihrer Dogmatik.

α) Thomasius

Der neue Ton klingt erstmals ganz rein an bei Christian Thomasius (1655—1728), einem für das deutsche Rechtsdenken besonders bedeutsamen Mann. Er hat zwar „nichts gestaltet, was ihn nicht zuvor selber geformt hat" (E. Wolf), aber er hat den kühnen Mut der Neuerer, will den Verstand von Vorurteilen säubern, besonders von Aristotelismus und Scholastizismus, und erhofft alles von dem Licht der Vernunft, das die Welt erhellen und das allgemeine Wohl bringen soll. Während aber S. Pufendorf (1632—94), der schöpferischere und noch größere Rechtsdenker, von dem Thomasius abhängig ist, das Recht noch ganz ethisiert und hineingestellt hatte in das Ganze der Metaphysik des Menschen, des Staates und der Sittlichkeit und schließlich auch Gottes — der Wille Gottes, der die Natur des Menschen schuf, habe eben damit das Naturrecht in seinem Grunde festgelegt und mit ihm die Leitlinien auch für alles positive Recht —, schiebt Thomasius all diese Bindungen beiseite. Er kennt nur noch den Menschen und sein Lebensgefühl. Dieser Mensch wird psychologisch beobachtet und beschrieben, und es zeigt sich dabei, daß er ein Sinnenwesen ist, das stets seinen Vorteil im Auge habe. Dementsprechend denkt Thomasius sich auch die Rechtsordnung als eine Ordnung des Trieb- und Affektlebens unter dem Gesichtspunkt des Nützlichkeitsgedankens. Sie wird notwendig, weil die menschlichen Grundtriebe, Ehrgeiz, Habsucht und Genußsucht, den einzelnen nur an sich denken lassen. Deswegen muß sie auch von außen als eine Zwangsmaßnahme erfolgen, die von einer über die Natur des Menschen und seine Leidenschaften aufgeklärten Vernunfteinsicht diktiert wird. Recht besage darum keine innere sittliche Verpflichtung, mit irgendwelchen transzendenten Hintergründen, sondern die klug ausbalancierte und mit staatlichen Machtmitteln erzwungene Utilität der Summe aller Individuen. Das ist das bürgerliche Lebensideal der Aufklärungszeit. Es ist die Hedonik des homo sapiens, der mit Vernunft das Leben meistert und sein Glück fördert, wenn er dabei auch in die Gefahr kommt, ein Spießbürger zu werden. Dieser vollkommene Verzicht auf die Ideale eines mundus intelligibilis platonisch-aristotelischer oder auch nur humanistischer Provenienz kommt aus dem Sensualismus und Utilitarismus der Hobbes und Locke. Mit Thomasius beginnt der Einfluß des englischen Empirismus und Psychologismus auf die deutsche Philosophie. Das entsprechend „aufgeklärte" und säkularisierte bürgerliche Lebensgefühl bildet die erste Phase der deutschen Aufklärungszeit. Thomasius ist sein Repräsentant. Der erste deutsche Aufklärer ist aber nicht irreligiös, wie man vielleicht vermuten möchte. Im Gegenteil, er besitzt warmes religiöses Gefühl. Aber das ist es nun: Religion ist auch nur Gefühl. Sie verschließt sich vor der Welt und steht sozusagen auf einem eigenen Blatt. Sie ist Glaube, aber nicht Wissen um die Welt. Diese Welt geht ihre eigenen Wege. Und so trifft man zwei Fliegen auf einen Schlag: man ist der Erde treu und doch auch „fromm".

β) Pietismus Die Aufklärung fand hierbei unerwartete Hilfe von seiten des Pietismus. Seit Luther sein Verdikt gegen die Metaphysik geschleudert hat, mißtraut man bei den ganz Religiösen dem Wissen und setzt dafür auf das Herz, das Gemüt, den inneren Menschen, die Gnade und sieht nur darin die echte

Religion. Die Metaphysik der Gottesbeweise brauchten sie nicht. Und so ist nicht nur der Empirismus, sondern auch der Pietismus voller Skepsis gegen die alte Metaphysik und die auf ihr aufbauende Theologie und ihre Dogmatik. Bei den Schülern des Christian Thomasius, in Joach. Lange, Franz Budde, Andr. Rüdiger und anderen, haut der Pietismus in dieselbe Kerbe wie die metaphysikfeindliche Aufklärung ihres Meisters.

Dazu fügte sich gut der Geist der Sokratik. Man nimmt sich sein Vorbild an Sokrates und will auch wieder wissen, daß man nichts weiß, dafür aber, geführt von einem inneren Daimonion, sich um das Gute und Göttliche mühen. Und wie er schenkt man auch jetzt wieder der Lehrbarkeit der Tugend sein Interesse. Die pädagogischen Leistungen der Aufklärung sind übrigens beachtlich und ähnlich der Verbesserung der Rechtspflege etwas vom guten Geist dieser Zeit. γ) Sokratik

Literatur

E. Wolf, Idee und Wirklichkeit des Reiches im deutschen Rechtsdenken des 16. und 17. Jahrhunderts. In: Reich und Recht in der deutschen Philosophie. Hrsg. von K. Larenz I (1943). K. Larenz, Untersuchungen zur Geschichte des deutschen Rechtsdenkens und zur Sittenlehre (ebd.). H. Welzel, Die Naturrechtslehre S. Pufendorfs. Ein Beitrag zur Ideengeschichte des 17. und 18. Jahrhunderts (1958).

b) Wolff und seine Schule

Anders ist es in der zweiten Generation der Aufklärung (1720—50), bei Christian Wolff (1679—1754) und der großen Gefolgschaft, die er gefunden hat.

Wolff gehört zwar auch in die Aufklärung, weil der Vernunftglaube und die sonstigen Parolen der Aufklärung: Tugend, Glück, Fortschritt, für ihn typisch sind. „Vernünftige Gedanken von ...", beginnen die Titel einer Reihe seiner Schriften, und in der Vorrede zur ersten Auflage seiner „Vernünftigen Gedanken von Gott, der Welt und der Seele des Menschen, auch allen Dingen überhaupt" schreibt er: „Da ich von Jugend auf eine große Neigung gegen das menschliche Geschlecht bei mir gespürt habe, so daß ich alle glückselig machen wollte, wenn es bei mir stünde, habe ich auch mir niemals etwas angelegener sein lassen, als alle meine α) Wolff und die Aufklärung

Kräfte dahin anzuwenden, daß Verstand und Tugend unter den Menschen zunehmen möchten.“ Aber Wissen und Glauben, Metaphysik und Religion, und zwar christliche Religion, fallen bei ihm nicht mehr auseinander wie in der ersten Phase der deutschen Aufklärung. Im Gegenteil, bei ihm lebt die alte Schulmetaphysik, von der wir oben (S. 83 f.) schon sprachen, wieder auf.

β) Erneuerung der Metaphysik

Wolff läßt trotz Thomasius und englisch-französischer Aufklärung die Kontinuität der abendländischen philosophia perennis nicht abreißen. Das ist im einzelnen leicht zu zeigen. In der Vorrede zur dritten Auflage der „Vernünftigen Gedanken von Gott, der Welt und der Seele des Menschen“ z. B. verteidigt er sich gegen den Vorwurf der Atheisterei und versichert: „Ich bin zu meiner eigenen Befriedigung, nachdem ich alles, was in diesem Buch geschrieben, nochmals reichlich erwogen hatte, die Lehren der christlichen Religion nacheinander durchgegangen, und indem ich denselben nachgedacht, habe ich nicht allein gefunden, daß für sie aus meinen Lehren kein Anstoß zu besorgen, sondern sogar mit ersehen, daß sie gute Dienste leisten, die geoffenbarte Wahrheit wider die Feinde des Evangeliums zu verteidigen und die unterweilen aufsteigenden Skrupel gründlich zu benehmen.“ Hier bereitet also wie immer in der alten Tradition die Metaphysik die Wege zu Gott. Und im Vorwort zur 4. Auflage spricht er sogar von einer „demonstrativischen“ Gewißheit seiner Beweise für Seele und Gott, wie sie in der Mathematik anzutreffen sei (§ 4—7). Soviel hatte nicht einmal die Scholastik behauptet. Der Vorwurf des Atheismus war von seiten der Pietisten erhoben worden. Sie hatten es auch durchgesetzt, daß Wolff in Halle seines Amtes enthoben wurde und bei Strafe des Stranges das Land verlassen mußte. Erst nach dem Regierungsantritt Friedrichs II. wurde er wieder nach Halle zurückgerufen. Der Grund für den Vorwurf der Gottlosigkeit war eigentlich nur der, daß seine Religion nicht „Glaube“, sondern rationale Metaphysik war. Wolff war hier Leibniz gefolgt, für den ja auch zwischen Vernunft und Glaube kein Widerspruch bestand, wie ein solcher für die ganze philosophia perennis nicht bestand bis zurück auf Platon. Wolff wurde mit seiner Schule der große Popularisator der Leibnizischen Philosophie, und seine Wirkungsbreite war eine ungeheuer große, wie überhaupt seine schriftstellerische Fruchtbarkeit erstaunlich ist.

γ) Wolff und Kant

Die Leibnizische Philosophie wurde dabei allerdings verflacht, und daß in dieser philosophia certa et utilis die Probleme etwas zu rasch für „demonstrativisch" gelöst angesehen wurden, führte zum Widerspruch Kants gegen diese Art von Metaphysik, und man muß deshalb, wenn man Kant ganz verstehen will, häufig auf die Wolffschen Formulierungen zurückgreifen. Wenn Kant von Metaphysik redet, von rationaler Psychologie, Kosmologie und natürlicher Gotteslehre, besonders von den Gottesbeweisen, so ist es gewöhnlich die Schulphilosophie Wolffscher Prägung, die er vor Augen hat. Daß z. B. Kant die Theologik als die natürliche Wissenschaft von Gott auf sich selbst stellt und nicht mehr als eine Verlängerung der Ontologie betrachtet hat, war ihm von Wolff suggeriert worden, der Ontologie und Metaphysik getrennt hatte. Dabei wurde aber Kant noch im Widerspruch trotzdem oft genug das Gesetz des Handelns von eben der Schulmetaphysik aufgezwungen, mit der er sich auseinandersetzte, so daß er über Wolff ihr und damit der Kontinuität der abendländischen Metaphysik überhaupt verbunden bleibt. Ihr Schema ist auch noch das seine, wenn er es auch anders ausfüllt. Aber nicht nur für ihn, sondern auch für die Männer des deutschen Idealismus gilt das. Es sind immer noch die gleichen Probleme, die man aufwirft. Daß Wolff die Brücke zu einer großen Tradition bildet, darin liegt eine seiner wesentlichsten Bedeutungen für die deutsche Philosophie. Die wichtigsten unter seinen vielen Anhängern sind M. Knutzen († 1751), der Lehrer Kants, und A. Baumgarten († 1762), der Begründer der deutschen Ästhetik.

Texte und Literatur

Chr. Wolff, Philosophia prima sive ontologia. 2. Aufl. 1736. Photomechanischer Nachdruck. Edidit et curavit J. Ercole (1962). M. v. Geismar, Bibliothek der deutschen Aufklärer des 18. Jhrhs. 2 Bde. (1846/47, Nachdr. 1963). — C. v. Brockdorff, Die deutsche Aufklärungsphilosophie (1926). M. Wundt, Ch. Wolff und die deutsche Aufklärung (1941). Ders., Die deutsche Schulphilosophie im Zeitalter der Aufklärung (1945). H. M. Wolff, Die Weltanschauung der deutschen Aufklärung (1949). R. Haaß, Die geistige Haltung der katholischen Universitäten Deutschlands im 18. Jahrhundert. Ein Beitrag zur Geschichte der Aufklärung (1952).

c) Höhepunkt der deutschen Aufklärung

In der dritten Phase der deutschen Aufklärung (ca. 1750 bis 1780), die ihre eigentliche Vollendung bringt, überwiegt eine betont antikirchlich und antitheologisch eingestellte Haltung. Hier spürt man ganz besonders den Einfluß der englisch-französischen Aufklärung. Toland, der Führer des englischen Deismus, weilte ja schon 1701/02 an den Höfen von Hannover und Berlin, und bereits 1741 war das Werk Tindals „Das Christentum so alt wie die Schöpfung" ins Deutsche über-
α) Friedrich II. tragen worden. Friedrich II. (1712—86), in seinen Schriften und seiner Regierung selbst ein typischer Freigeist, holt jetzt Helvetius, nachdem dessen Werk „Über den Geist" in Frankreich verbrannt worden war, nach Potsdam, befreundet sich mit Voltaire, nimmt sich Rousseaus an und französisiert Hof und Akademie von Berlin. Seitdem herrscht auch in der deutschen Aufklärung der Deismus. Der Hamburger Profes-
β) Reimarus sor für Orientalistik Samuel Reimarus (1694—1768) ist sein Führer. Seine „Schutzschrift für die vernünftigen Verehrer Gottes" hält Wunder und Offenbarung für eine Gottes unwürdige Annahme, denn Gott müsse seine Zwecke erreichen durch eine rational durchschaubare Weltordnung. So sehr hat sich die mechanistische Seinsbetrachtung mit ihrer Lehre vom Kausalnexus und der absoluten Notwendigkeit der Naturgeschehnisse schon verfestigt, daß man an etwas anderes nicht mehr denkt. Religion und Offenbarung müssen sich in diesen Rahmen fügen und müssen Vernunftreligion sein. Daß es vielleicht noch mehr Dinge im Himmel und auf Erden gibt, als diese Schulweisheit sich träumen läßt, kommt nicht in den Sinn. Der Mechanismus ist die große Errungenschaft des neuzeitlichen Wissens. Aber wir haben inzwischen gesehen, daß der Kausalnexus nur eine Teilbeziehung am Sein ist und daß es daneben noch viele mögliche andere gibt. In der ersten Entdeckerfreude sah man in der einen Seite das Ganze. Faktisch hatte man per definitionem Natur und Sein überhaupt in ein Prokrustesbett gespannt. Aber man durchschaute diese seine Voraussetzung nicht und konnte darum alles „Übernatürliche" nicht mehr gebrauchen. Hätte man wenigstens gesehen, daß es an dem Nicht-brauchen-Können liegt, dann wäre die Voraussetzung noch als solche der Selbstkritik zugänglich geworden. So aber meinte man: Der

Glaube mag davon reden, für den Wissenschaftler aber kann es Wunder, Offenbarung und sonstige Daten der Übernatur nicht geben. Das Weltbild des aufgeklärten Menschen ist eben das der sogenannten Vernunft, will heißen des mechanistisch denkenden Verstandes. Trotz der Rede vom Glauben wird die übernatürliche Offenbarung praktisch entwertet, weil man sie ohne Einschränkung dem menschlichen Denken und dem menschlichen Moralgefühl unterwirft; denn der Mensch beantwortet hier nicht nur die Frage, ob Offenbarung überhaupt möglich ist oder nicht, was sinnvoll wäre, sondern auch die ganz andere Frage, was geoffenbart werden kann und was nicht. Auf diesem Standpunkt steht mit Reimarus γ) Mendelssohn auch der von Kant besonders geschätzte Moses Mendelssohn (1729—86) sowie sein Freund Gotthold Ephraim δ) Lessing Lessing (1729—81), der literarische Mittelpunkt der Aufklärung. In seinen Wolfenbütteler Fragmenten hatte er Teile aus der Schutzschrift des Reimarus anonym veröffentlicht und damit viel Staub aufgewirbelt. Lessing besitzt je- αα) Religion doch größeren historischen Sinn als der typische Rationalist Reimarus und wird insofern der geschichtlichen Stellung des Christentums eher gerecht. Immerhin ist auch er der Anschauung, daß letztlich die Vernunft des Menschen entscheidet, was Inhalt der Religion sein kann und was nicht. Wo darum die geoffenbarte christliche Religion oder andere heilige Bücher der Vernunftreligion nicht entsprechen, müßten sie symbolisch verstanden werden. Lessing, der der Kritiker schlechthin ist, hat auch eine sehr scharfe rationalistische Bibelkritik geübt und wurde damit zum Vorbild der rationalistischen Bibelkritiker des 19. Jahrhunderts, die gerne ihr eigenes Maß und das ihrer Zeit zum Richtmaß für das Buch der Bücher machten. Religionen sind nach Lessing nie etwas Endgültiges, sondern Stadien auf dem Lebensweg der Menschheit. Sie stünden in der Entwicklung, wie alles in der Entwicklung stehe und zu immer Besserem und Größerem voranschreiten solle. In den großen religiösen Gestalten erziehe Gott die Menschheit; richtiger, die Menschheit erzieht sich selbst, denn einzig ihr Geist ist es ja, der diesen langen Weg geht, auf dem alles Gewordene sich immer wieder überholt. Dahinter steht die ganz allgemeine Überzeugung ββ) Wahrheit Lessings, daß es eine ewige, unveränderliche Wahrheit überhaupt nicht gibt, sondern nur das Streben nach der Wahrheit. Nicht der Wahrheitsbesitz als solcher, sondern die Mühe um die Wahrheit mache den Wert des Menschen aus. „Wenn Gott in seiner Rechten alle Wahrheit und in seiner Linken den einzigen immer regen Trieb nach Wahrheit, obschon mit dem Zusatz, mich immer und ewig zu irren, verschlossen hielte und spräche zu mir: ‚Wähle!', ich fiele ihm mit Demut in seine Linke und sagte: ‚Vater, gib! Die reine Wahrheit ist ja doch nur für dich allein.'" In diesem ewigen Streben nach Wahrheit liege die eigentliche Unsterblichkeit der Menschheit und auch des einzelnen Menschen, der in immer neuer Wiedergeburt (Palingenese) an diesem unendlichen Vervollkommnungsprozeß teilhabe. Daß Lessing Spinozist und Atheist gewesen sei, hat Jacobi auf Grund von Gesprächen mit Lessing kurz vor dessen Tode in einer 1785 erschienenen Schrift behauptet; Mendelssohn hat es bestritten. Es wird sich aber nicht leugnen lassen, daß Lessing zuletzt einer monistisch-pantheistischen Denkweise zuneigte, nachdem er ursprünglich deistisch gedacht hatte. Wir haben in seiner Entscheidurng für das unendliche Suchen wieder das Bild vom unendlichen Menschen vor uns, das in der Renaissance entsteht und für die Aufklärung so bezeichnend wird. Lessing ist hierfür ein Prototyp. Alles ist relativ, nur die Vernunft selbst ist unendlich. Dabei beachte man den besonderen Sinn dieser Unendlichkeit. Auch Leibniz und Cusanus kennen einen unendlichen Weg der Erkenntnis. Die Unendlichkeit aber, die sie meinen, ergibt sich daraus, daß unser Erkennen immer nur Annäherungswerte an seinen Gegenstand erzielt und ihn nicht voll ausschöpft, weil der menschliche Geist an den ewigen Ideen eben nur teilhat. Hier wird also eine metaphysische Gegenstandswelt vorausgesetzt. Wo jedoch unter dem Einfluß des Empirismus und Skeptizismus die Metaphysik abgelehnt wird, wie das die Aufklärung mit Ausnahme der wieder sach- und seinsbezogenen Philosophie Wolffs und seiner Schule gewöhnlich tut, dort bleibt nur noch der Mensch und sein Geist. In einem schrankenlosen Optimismus läßt man ihn ins Unendliche schweifen; aber es ist eine unendliche Leere, in die er sich ausdehnt, weil mit dem aufklärerischen Gegensatz zur klassischen Metaphysik der alte mundus intelligibilis geschwunden ist, so daß der Mensch nur noch mit sich selbst sprechen kann, mit seinen Empfindungen, Strebungen und ihren Kombinationen. Darum nimmt man auch dem Christentum seinen Absolutheitscharakter und bemüht sich, zu zeigen, daß es nur Glückseligkeitslehre sei, weil ja alle Weisheit darin bestehe, die Wohlfahrt des Menschen zu fördern. In dieser philosophischen Anthropozentrik mit ihrer monistischen Grundtendenz kommen alle Ausstrahlungen der Aufklärung überein. Es sind ihrer sehr viele: die Entwicklung der gesamten Philosophie vom Menschen her bei Kant und im deutschen Idealismus, die Psychologisierung der Erziehung, der Sittlichkeit, des Rechtes und der Religion, der Intellektualismus und der darauf basierende Fortschrittsglaube, der dem 19. Jahrhundert sein Gepräge gibt, der Glaube ferner an die voraussetzungslose Wissenschaft mit seiner Meinung, daß er selbst keine Voraussetzung sei, so daß der „voraussetzungslose" Wissenschaftler sozusagen den Normal- und Idealmenschen vorstelle, der über den Standpunktmenschen stehe und sie zur Räson zu bringen habe und noch vieles andere. Ein Spezialfall der „Voraussetzungslosigkeit" ist die Ansicht, daß der religionslose Staat, der in seinen Schulen nur „allgemeine" Moral lehre, das Ideal der Überparteilichkeit und Toleranz bedeute, während er doch auch nur einen Standpunkt neben vielen anderen ausmacht, so daß echte Toleranz dann erst gegeben ist, wenn niemand, auch der Staat nicht, sich überordnet, niemand einen Zwang ausübt, sondern alle gleichstehen und sich gleichachten in uneingeschränkter Kommunikations-, Diskussions- und Lernbereitschaft.

ε) Nachwirkungen der Aufklärung

Texte und Literatur

F. Mauthner, Jacobis Spinoza-Büchlein, nebst Replik und Duplik (1912). H. Scholz, Die Hauptschriften zum Pantheismusstreit zwischen Jacobi und Mendelssohn. Mit historisch-kritischer Einleitung (1916). H. Leisegang, Lessings Weltanschauung (1936). H. Thielicke, Offenbarung, Vernunft und Existenz. Studien zur Religionsphilosophie Lessings (1936, [4]1959).

d) Überwindung der deutschen Aufklärung

Zur Überwindung der Aufklärung tragen das Wesentliche bei: Joh. Georg Hamann (1730—88), Joh. Gottfried Herder (1744—1803) und Fr. Heinrich Jacobi (1743—1819). Durch diese Männer werden jene Seiten der Wirklichkeit wieder in den Vordergrund gerückt, die die generalisierende Verstandeskultur der Aufklärung vernachlässigt hatte: das

Irrationale, das Historische und Individuelle und die Sinnhaftigkeit des religiösen Glaubens als einer eigenen spezifischen Erscheinung des geistigen Lebens. Vor allem aber wurde der Aufklärungszeit eine Grenze gesetzt durch die neue große Epoche, die mit Kant und dem deutschen Idealismus anbricht.

Texte und Literatur

J. G. Hamann, Sämtliche Werke. Historisch-kritische Ausgabe von J. Nadler. 6 Bde. (1949—57). J. G. Herder, Gesammelte Werke. Hrsg. von F. Schultz (1939 ff.). F. H. Jacobi, Werke. 6 Bde. (1812—25). Neue Gesamtausgabe in Vorbereitung. — R. Haym, Herder nach seinem Leben und seinen Werken, 2 Bde. (1880—85, Nachdruck 1954). Th. Litt, Kant und Herder als Deuter der geistigen Welt (1930). G. Schmidt, Der Begriff des Menschen in der Geschichts- und Sprachphilosophie Herders. In: Zeitschrift für philosophische Forschung 8 (1954) 499—534. H. Stolpe, Die Auffassung des jungen Herder vom Mittelalter (1955). G. Fischer, J. M. Sailer u. F. H. Jacobi (1955). A. Hebeisen, F. H. Jacobi. Seine Auseinandersetzung mit Spinoza (Bern 1960). R. Knoll, J. G. Hamann und F. H. Jacobi (1963). O. F. Bollnow, Die Lebensphilosophie F. H. Jacobis (^{2}1966). G. Baum, Vernunft und Erkenntnis. Die Philosophie F. H. Jacobis (1968).

DRITTES KAPITEL

KANT UND DER DEUTSCHE IDEALISMUS

Mit Kant und dem deutschen Idealismus beginnt eine Erneuerung der Philosophie. Sie steigt wieder in die Tiefe, wird wieder Grundlagenforschung und versucht von einem letzten, einheitlichen Grund aus das Gesamt des Seins in einer geschlossenen philosophischen Systematik zu verstehen. Bei Kant treffen wir auf ein nach allen Seiten hin vollständig durchkonstruiertes philosophisches Bauwerk. Es überwiegt bei ihm aber noch die Kritik. Bei den deutschen Idealisten jedoch, bei Fichte, Schelling und Hegel, entstehen gewaltige, ganz positiv gehaltene philosophische Systeme, die an spekulativer Kraft die großen Systeme des 17. und 18. Jahrhunderts noch übertreffen. Sie begründen, was man mit dem Begriff „deutsche Philosophie" zu bezeichnen pflegt: typische Geistphilosophie, abstrakte Spekulation, kühne Konstruktion bis zur Begriffsdichtung, schwierige Gedankengänge und oft unverständliche Sprache, aber ein Philosophieren, das immer getragen ist von einem hohen ethischen und metaphysischen Idealismus. Unsere Periode knüpft damit wieder an bei der großen metaphysischen Tradition des Abendlandes, die von Heraklit und Platon heraufkommt und über Cusanus und Leibniz zuletzt von der Schulmetaphysik des 17. und 18. Jahrhunderts an sie herangeführt worden war. Kant und die Männer des deutschen Idealismus kennen die Errungenschaften der neuzeitlichen Wissenschaft und verarbeiten sie; aber sie wissen auch um den Wert der metaphysischen und ethischen Weisheit aus der Kontinuität des abendländischen Geistes. Und insofern sind sie konservativ und rückwärtsgewandt. Ihr Anliegen ist die Rettung der altererbten Werte der Wahrheit, der Sittlichkeit und der Religion. Sie waren gefährdet worden durch den mit dem Empirismus sich erhebenden Skeptizismus, Utilitarismus und Materialismus. Kant stellt die Wahrheit, die Sittlichkeit und die Religion auf eine neue, eigenartige Grundlage, und die Idealisten verfahren noch energischer und eigenwilliger; so sehr, daß manche gar nicht mehr glauben, daß es ihnen um das alte Anliegen geht, und geneigt sind, jene zu verwerfen, um dieses zu retten. Über die Durchführung mag man in der Tat streiten; aber das Wichtigste ist zunächst wohl, daß man die historische Situation durchschaut, in die Kant und der deutsche Idealismus eingespannt sind: „Es ist die alte, seit dem Ausgang des Altertums immer wiederholte Frage, ob es gelingen würde, die Lehre von der sinnlichen Erfahrung als dienendes Glied wieder in den Aufbau einer Geistlehre einzufügen. Den westeuropäischen Denkern erschien, mochten sie auch noch so stark von den Nachwirkungen des Platonismus der Renaissance beeinflußt sein, doch immer die Natur als der wahre Inhalt aller Erkenntnis und ihr eigentliches Ziel; und sie verhärteten sich in dieser Einseitigkeit mit der fortschreitenden Zeit immer mehr. Bei solcher Entwicklung ist schließlich der Materialismus das unausbleibliche Ergebnis ... Dieser Entwicklung haben sich die deutschen Denker entgegengeworfen, Leibniz mehr durch sein tatsächliches Wirken, Kant besonders in seiner späteren Zeit mit vollem Bewußtsein. Sie haben demgegenüber den alten Gedanken der neueren Philosophie überhaupt, der nunmehr vornehmlich den Deutschen anvertraut war, zur Geltung gebracht. Nicht die Welt bloß in ihrem außergöttlichen Dasein zu begreifen genügt ihnen; vielmehr ist die Versöhnung Gottes mit der Welt oder die Offenbarung Gottes in ihr der wahre Gegenstand, um den es sich für sie handelt" (M. Wundt).

Literatur

O. Willmann, Geschichte des Idealismus. 3. Bd. ([2]1907) 383 bis 992. M. Kronenberg, Geschichte des deutschen Idealismus. 2 Bde. (1909—12).

1. KANT

Kritischer Idealismus

Man hat Kant den größten deutschen Philosophen geheißen, den größten Philosophen der Neuzeit überhaupt, den Philosophen der modernen Kultur und noch verschiedenes anderes. Wie man aber seine Philosophie schließlich auch bewerten mag, fest steht, daß mit Kant mindestens für die deutsche Philosophie eine neue Epoche anhebt. Sein Ruhm stellt hier alles Bisherige in Schatten und überstrahlt alles Kommende. Woran lag das? Was ist das Neue, das Kant gebracht hat? Seine Philosophie ist reich an großen Gedanken. Seine Idee der Pflicht, seine Freiheitsidee, seine von tiefer Wahrheitsliebe getragene Kritik alles menschlichen Denkens überhaupt machten einen unvergänglichen Eindruck. Dazu war seine Philosophie umfassend, allseitig ausgebaut und wollte den „sicheren Gang der Wissenschaft" gehen. Vor allem aber erschien sie ihrer Zeit als die „moderne" Philosophie, weil sie die Neuerungen des englischen und französischen Denkens nun auch in Deutschland einführte. In Westeuropa hatte sich das von Descartes begründete kritische Denken allmählich alle Gebiete der Philosophie erobert: Psychologie, Ethik, Rechts- und Staatsphilosophie, Gesellschaftslehre und Religionsphilosophie. In Deutschland war trotz Thomasius und seiner Gefolgschaft die Aufklärung zurückgestanden. Wolff und seine Schule bildeten sogar ein retardierendes Moment. Kant vollzog nun den Anschluß in voller Breite. Humes und Rousseaus Gedanken werden erweitert und zum System gemacht. Damit kommt es in der deutschen Philosophie zu einem neuen Abschnitt. Das Eigenartige aber war nun, daß Kant dabei die Tendenzen und Motive der alten Tradition: Gott, Seele, Unsterblichkeit, sittliche Welt und mundus intelligibilis, doch nicht einfach über Bord warf, so daß die von Leibniz überlieferte Entwicklung der deutschen Philosophie durch ihn unterbrochen worden wäre. Sie kehren verwandelt wieder, und trotz des Anschlusses an den Empirismus muß man Kant unter die großen Vertreter der abendländischen Metaphysik zählen und damit zu den Gegenpolen des Empirismus und seiner Tendenzen. Es hängt mit dieser Zwiegesichtigkeit der Kantischen Philosophie zusammen, daß bei ihm, wie man tadelnd bemerkt hat, immer wieder alte Schemata, Termini und Problemstellungen noch der scholastischen Tradition festgehalten werden, obwohl dem seine eigene Theorie gar nicht mehr entspreche, so daß es immer wieder zu Begriffsverschiebungen komme. Man mag nun, wenn man das Ganze überdenkt, darin eine große Weisheit finden oder ein großes Mißverständnis (B. Russell), eine Synthese auf neuer Ebene oder ein künstliches Kompromiß, sachliches Fragen oder herrschsüchtige Selbstbehauptung, mag Kant bald nach der einen, bald nach der anderen Seite hin interpretieren, Tatsache ist, daß sich bei ihm Altes und Neues in seltsamer Weise verschlingt, und zunächst haben wir hier nur schlicht und nüchtern herauszuanalysieren, was an Komponenten in die Kantische Philosophie eingeht und sie entstehen läßt. Das systematische Weiterdenken wird darin nicht die schlechteste Hilfe finden, wenn immer es sachlich bleiben und nicht bloß sich selbst produzieren will.

Leben

Immanuel Kant ist 1724 zu Königsberg als Sohn eines Sattlermeisters geboren. Auf seine Lebensform wurde die Umgebung, in der er aufwuchs, mit ihrem strenggläubigen Luthertum und einem deutlich spürbaren pietistischen Einschlag von Bedeutung, wenn auch später, besonders gegen Ende seines Lebens, für Kant die Distanz zu seiner Kirche immer größer wurde. Und auch die Zähigkeit des Willens, die es brauchte, bis er hochkam, hat deutliche Spuren in seiner Weltanschauung hinterlassen. 1740 bezieht er die Universität seiner Vaterstadt; 1755 wird er zum Doctor der Philosophie promoviert, und zugleich habilitiert er sich mit einer Schrift über die ersten Prinzipien der Metaphysik. Schon die Zeit vorher hatte er sich als Hauslehrer fortbringen müssen, und auch als Privatdozent — er ist es 15 Jahre lang gewesen — konnte er nur mühsam sein Brot verdienen. Erst 1770, als er schon 45 Jahre alt war, erhielt er in Königsberg eine ordentliche Professur für Logik und Metaphysik. Man hat sich um ihn erst bemüht, als zwei andere Universitäten, Erlangen und Jena, ihm einen Ruf erteilt hatten. Nun war sein Leben endlich gesichert. Kant hat die Stadt Königsberg nur selten, die Provinz Königsberg nie verlassen. Man hat sogar gezweifelt, ob er je bis an den Meeresstrand gekommen sei. Und doch war er der erste Professor, der in Deutschland über physische Geographie gelesen hat. Er schöpfte seine Kenntnisse aus einer umfassenden Lektüre und einer ungemein scharfen Beobachtungsgabe über Inhalt und Hintergründe des Gelesenen. Kritisches Quellenstudium war nicht seine Stärke. Er knüpfte an die unmittelbar gegebenen Begriffe an. Nachdem 1781 seine Kritik der reinen Vernunft erschienen war, ist er rasch berühmt geworden. 1793 gibt es bereits über 200 Schriften zur Kantischen Philosophie. Sie wird jetzt fast zur Mode. 1790 wird schon bemerkt, daß Kants Schriften sich in Damenboudoirs fänden und daß die Friseure sich ihrer Terminologie bedienten. Auch der Widerstand blieb nicht aus. Friedrich Wilhelm II. beanstandete durch königliche Kabinettsordre vom 1. 10. 1794 seine Religionsphilosophie. In Hessen kam es zu einem

Verbot, über Kants Lehre öffentliche Vorträge zu halten. In Heidelberg wurde ein Professor abgesetzt, weil er es gewagt hatte, über Kant zu lesen, der doch nur ridicula et ineptias lehre und dazu reiner Spinozist und Atheist sei. Doch das waren nur die Hemmschuhe des Unverstandes, die den Lebensweg der Großen zu behindern pflegen. Die Sache Kants setzte sich durch. Als der Philosoph am 12. 2. 1804 starb, hatte er ein Werk hinterlassen, das ihn unter die ersten Denker der Menschheit einzureihen gebietet.

Werke

Die Werke Kants teilen sich in solche der vorkritischen und der kritischen Periode. Der Wendepunkt liegt etwa um 1769/70.

α) Vorkritische Periode

In seiner vorkritischen Periode partizipiert Kant an der Wissenschaft und Philosophie der Aufklärung. In naturwissenschaftlich-mathematischen Dingen ist ihm Newton anerkannte Größe und vorbildlicher Lehrmeister. Leibniz und Wolff, besonders aber der erstere, bieten die Philosophie, der er zunächst folgt. Es ist die rationalistische Denkrichtung der Aufklärung. Die andere Richtung, die irrationalistische Gefühlsphilosophie, lernt er durch Rousseau kennen und schätzen. In dieser vorkritischen Zeit wird trotz gelegentlicher Ausstellungen die Metaphysik, wie sie Leibniz und Wolff pflegten, im ganzen von Kant noch für möglich gehalten und in diesem herkömmlichen Sinn vertreten. So trägt er z. B. in der bedeutendsten Schrift dieser Periode, der „Allgemeinen Naturgeschichte und Theorie des Himmels“ (1755) noch den in der Schulphilosophie der Aufklärung so beliebten teleologischen Gottesbeweis vor. Und 1763 versucht er in seiner Schrift „Der einzig mögliche Beweisgrund zu einer Demonstration des Daseins Gottes“ sogar einen vollkommen a priori geführten Beweis. Kant wußte aus der philosophischen Diskussion vor ihm sehr wohl, was er mit dem Terminus einer demonstratio behauptete. Trotzdem sprach er sich für dieses Verfahren aus. In dieser Zeit war ihm der Kausalbegriff noch nicht zweifelhaft und eine auf ihm aufbauende Metaphysik ohne weiters möglich. So schließt auch Kant von einem Existierenden, das nur zufällig ist, auf ein notwendig Existierendes, wie das der kosmologische Gottesbeweis der alten Metaphysik immer gemacht hatte. Auch den teleologischen Beweisgang bringt die Demonstration von 1763 wieder vor, allerdings mit einer Einschränkung: „Man wird jederzeit auf einen unbegreiflich großen Urheber desjenigen Ganzen, was sich unsern Sinnen darbietet, schließen können“, heißt es; nicht also auf ein allervollkommenstes Wesen. Immerhin, das Kausalprinzip wird vorausgesetzt und der Schritt von der Sinnlichkeit zur Transzendenz im Sinne der herkömmlichen

Metaphysik vollzogen. Hier denkt also Kant noch unkritisch. In der gleichen Schrift von 1763 stoßen wir aber auch auf die Gegenströmung zum Rationalismus der Aufklärungszeit, auf die irrationalistische Gefühlsphilosophie. Es ist bezeichnend, daß Kant, obwohl er die Demonstration für das Dasein Gottes vorträgt, gleichzeitig versichert, daß man sie eigentlich gar nicht brauche: „Es ist durchaus nötig, daß man sich vom Dasein Gottes überzeuge; es ist aber nicht ebenso nötig, daß man es demonstriere." Die Überzeugung denkt er sich im Geiste Rousseaus als eine Art Instinkt. „Die Vorsehung hat nicht gewollt, daß unsere zur Glückseligkeit höchst nötigen Einsichten auf der Spitzfindigkeit feiner Schlüsse beruhen sollten, sondern sie dem natürlichen Verstande überliefert, der, wenn man ihn nicht durch falsche Kunst verwirrt, nicht ermangelt, uns zum Wahren und Nützlichen zu führen." Das ist die Meinung des Savoyardischen Vikars, daß das Gefühl mächtiger sei als der Verstand und dem Menschen absolute Sicherheit verleihe, daß es einen Gott gibt, daß wir frei sind und die menschliche Seele unsterblich ist. Rousseau hat Kant „zurechtgebracht", wie er selbst gesteht. Neben der Annahme einer glaubensmäßigen Überzeugung vom Dasein Gottes gehört dazu vor allem seine weltanschauliche These, daß der Wert des Menschen nicht im Wissen bestehe, sondern im Handeln. Trotz des irrationalen Weges zu Gott hält Kant in dieser vorkritischen Periode auch an den rationalen Beweisgängen der Metaphysik fest, und beide Wege laufen nebeneinander her.

β) Kritische Periode

Während aber nun die Wertung des Irrationalen im Menschen auch in der kritischen Periode anhält — Kant vertritt zeitlebens einen Vorrang der praktischen Vernunft vor der theoretischen —, werden in der kritischen Periode die bisherigen Anschauungen über die Möglichkeit der Metaphysik fallengelassen. Von 1769/70 an mehren sich die die Metaphysik bezweifelnden Äußerungen. In diese Zeit fällt die Einsicht, daß die Erinnerung des David Hume über den Kausalsatz berechtigt ist. Dadurch wird Kant, wie er sagt, aus seinem dogmatischen Schlummer erweckt und seine Philosophie in eine neue Richtung gedrängt. Gemeint ist der Gedanke Humes: Wenn wir zwei Geschehnisse miteinander durch die Relation Ursache—Wirkung verbinden, dann sei hier keine Notwendigkeit der Verknüpfung einzusehen, wie das die bisherige Metaphysik mit ihrem Kausalprinzip immer angenommen hatte; denn a priori, d. h. rein aus dem Begriff einer bestimmten Ursache, könne die zugehörige Wirkung nicht abgeleitet werden, weil die Dinge grundsätzlich zusammenhanglos nebeneinander lägen; und aus der Erfahrung könne auch kein „Band" festgestellt werden, denn wir sähen immer nur das Nebeneinander (s. oben S. 233). Also war es eine Täuschung, wenn die alte Metaphysik von der Notwendigkeit sprach, daß alles verursacht sein müsse, und wenn sie auf Grund dieser Überlegung eine erste Ursache, Gott, annahm. Kant sieht nun, daß der Zweifel Humes noch weiter ausgedehnt werden müsse. Wir haben ja noch mehr Begriffsverbindungen als nur die Kausalrelation. Bei allen Gegenständen, die wir denken, verbinden wir mehrere Vorstellungen zu einer Einheit. Wieder können wir fragen: Sehen wir das Band an den Dingen selbst, in der unmittelbaren Wahrnehmung, oder können wir die Verknüpfung deduzieren? Wenn nicht, woher stammt die Verknüpfung? Allgemeiner gesprochen: Worauf beruht Erfahrung und Wissenschaft, sofern hier in Begriffen, Urteilen und Gesetzen Vorstellungsverknüpfungen hinsichtlich von „Gegenständen" vorgenommen werden? „Was gibt unseren Vorstellungen die Beziehung auf den Gegenstand?" schreibt Kant in diesem Jahr in seinen Briefen an Marcus Herz. Es ist das kritische Problem. Die Formulierung lautet bereits ganz allgemein. Hume habe, sagt Kant, seine Aufgabe sich nicht im ganzen vorgestellt, sondern war nur auf einen Teil derselben verfallen. Immerhin, der scharfsinnige Mann habe einen Funken geschlagen, der zum Lichte werden konnte. Das mußte in dem Augenblick geschehen, wo das Erkenntnisproblem in seinem ganzen Umfang aufgeworfen wurde. Es war nach dem Gesagten zugleich das Problem einer möglichen Metaphysik. Dieser Aufgabe unterzog sich Kant in seinem Hauptwerk „Kritik der reinen Vernunft", dessen erste Auflage 1781 erschien, die zweite 1787. Wie schon der Titel sagt, ist Kant jetzt der kritische Kant geworden, der Philosoph, dem es um die Sicherung der Grundlagen und der Grenzen der menschlichen Vernunft geht, und das wird er nun bleiben. Kant verfolgt seine Linie weiter. Die Kritik der reinen Vernunft hatte sich mit der theoretischen Seite des menschlichen Geistes beschäftigt. Neben dem Erkennen haben wir aber auch noch ein Wollen, ein Handeln (πράττειν). Damit befaßt sich Kant in seiner „Kritik der praktischen Vernunft" (1788). Es ist das ethische Hauptwerk Kants. Die dritte Kritik Kants behandelt die Grundfragen der menschlichen Gefühlsbeurteilungen. Sie führt den Titel „Kritik der Urteilskraft" (1790) und bringt Kants Ästhetik und kritische Teleologie. Von den verschiedenen anderen Werken sei besonders hingewiesen auf die „Prolegomena zu einer jeden künftigen Metaphysik" (1783), die eine Nachschrift zur Kritik der reinen Vernunft sind und das gleiche Problem faßlicher darstellen wollen. Eine Hinführung sollte auch sein die „Grundlegung zur Metaphysik der Sitten" (1785), die Kant seiner Kritik der praktischen Vernunft vorausschickt. Wie die neuere Forschung gezeigt hat, hat Kant die Grundgedanken seiner Ethik von 1785 schon 20 Jahre vorher konzipiert. Um die genauere Fassung und Begründung hat er aber noch zwei Jahrzehnte gerungen. Für die Religionsphilosophie sind wichtig „Religion innerhalb der Grenzen der bloßen Vernunft" (1793) und „Der Streit der Fakultäten" (1798); für die Rechts- und Sittenlehre die „Metaphysik der Sitten" (1797); für die letzte Phase in der Entwicklung Kants und speziell für den Übergang von Kant zum deutschen Idealismus das 1936—38 im Rahmen der Akademieausgabe von A. Buchenau in 2 Bänden edierte Opus postumum. Zu einer ersten Einführung eignen sich die zwischen der unkritischen und der kritischen Periode stehende Dissertatio de mundi sensibilis atque intelligibilis forma et principiis (übersetzt in der Philosophischen Bibliothek bei Meiner: „Form und Prinzipien der sinnlichen und übersinnlichen Welt") oder kleinere Schriften, wie etwa die Preisschrift „Über die Deutlichkeit der Grundsätze der natürlichen Theologie und Moral" (1762), die „Ideen zu einer allgemeinen Geschichte in weltgeschichtlicher Absicht" (1784), „Mutmaßlicher Anfang der Menschengeschichte" (1786). „Über den Gemeinspruch: Das mag in der Theorie richtig sein, taugt aber nicht für die Praxis" (1793), „Vom ewigen Frieden" (1795). — Ausgaben: Eine vollständige kritische Ausgabe mit Briefwechsel, Nachlaß u. Vorlesungen ist die der Berliner bzw. Göttinger Akademie der Wissenschaften: I. Kants Gesammelte Schriften. 29 Bde. (1902 ff., ²1910—1980). Für den Handgebrauch: I. Kant, Sämtliche Werke. 10 Bde. Hrsg. von K. Vorländer in der Philos. Bibl. bei Meiner (Bd. 10 enthält die Kant-Biographie von Vorländer und das „Systematische Handlexikon zur Kritik der reinen Vernunft" von H. Ratke). I. Kant, Werke. 6 Bde. Hrsg. von W. Weischedel in der Darmstädter Buchges. (1956 ff.). (Zitiert wird im folgenden nach der Akademie-Ausgabe unter „Werke" mit Band und Seite. Die Kritik der reinen Vernunft wird, wie üblich, nur zitiert mit A bzw. B nach der Originalpaginierung der 1. bzw. 2. Auflage.)

Literatur

K. Fischer s. oben S. 6. F. Paulsen, I. Kant. Sein Leben und seine Lehre (1898). B. Bauch, I. Kant (1917). R. Reininger, Kant. Seine Anhänger und seine Gegner (1923). M. Wundt, Kant als Metaphysiker (1924). M. Heidegger, Kant und das Problem der Metaphysik (1929). G. Martin, I. Kant. Ontologie und Wissenschaftstheorie (1951, ⁴1968). K. Hildebrandt, Kant und Leibniz (1955). Dazu G. Martin in: Kant-Studien 47 (1955/56) 409—416. H. Heimsoeth, Studien zur Philosophie Kants (1956 ff.). R. Zocher, Kants Grundlehre. Ihr Sinn, ihre Problematik, ihre Aktualität (1959). F. Delekat, I. Kant. Historisch-kritische Interpretation der Hauptschriften (1963). V. Gerhardt-F. Kaulbach, Kant (1979) (= Erträge d. Forschung Bd. 105). — W. Ritzel, Studien zum Wandel der Kantauffassung (1952). G. Lehmann, Beiträge zur Geschichte u. Interpretation der Philos. Kants (1969). — H. Rickert, Kant als Philosoph der modernen Kultur (1924). — J. B. Lotz, Kant und die Scholastik heute (1955). W. Schultz, Kant als Philosoph des Protestantismus (1960). — Lexika: Ratke s. o. R. Eisler, Kantlexikon (1930, Nachdruck 1961). G. Martin (Hrsg.), Allgemeiner Kantindex (1967 ff.). — Zeitschrift: Kant-Studien (1896 ff.) mit vielen Ergänzungsheften.

Entsprechend der Kantischen Einteilung der Seelenvermögen in Erkennen, Begehren und Fühlen und entsprechend seinen drei Kritiken studieren wir die Philosophie Kants durch eine Analyse seiner Kritik der theoretischen Vernunft, der praktischen Vernunft und der Kritik der Urteilskraft.

A. KRITIK DER REINEN VERNUNFT

Kants Kritik der reinen Vernunft ist durchaus nicht eindeutig. Immer wieder muß man sich fragen, wie man sie zu interpretieren hat. Ist sie ein Unternehmen, das nur wissenschaftstheoretisches Interesse verfolgt, oder bilden auch hier die Interessen der praktischen Vernunft das letztlich entscheidende Anliegen? Ist sie Erkenntniskritik und Vernichtung der Metaphysik oder die Grundlegung einer neuen Metaphysik? Ist sie eine Philosophie der Zeit oder des Seins? Eine Variante des Psychologismus und Empirismus oder eine transzendentallogische Neuauflage des alten Rationalismus? Um einer wissenschaftlichen Urteilsbildung nichts zu verbauen, haben wir zunächst schlicht und rein quellenmäßig zu zeigen, was dasteht, dabei aber die Entstehung des Kantischen Gedankengebäudes doch so zu verfolgen, daß jene Hintergründe, Veranlassungen, Motive und Tendenzen seiner Gesamtanlage sichtbar werden, die es verständlich machen, daß man dieses Gebäude bald so und bald so auffaßt. Erst aus solchen Bedingtheiten und Begrenzungen heraus, vermögen wir auch Kant besser zu verstehen. Zugleich bahnen wir uns damit einen Weg zu seiner Würdigung.

a) Die Problemsituation

Grundlegend für ein Verstehen Kants ist zunächst die Einsicht in die gegebene Problemsituation. Kant hat sich darüber in der Vorrede und in der Einleitung zu seiner Kritik ausgesprochen. Die Gesamtsituation, der er gegenübersteht, ist danach der alte Gegensatz zwischen Rationalismus und Empirismus. Er ist zugleich der Gegensatz zwischen Dogmatismus und Skeptizismus sowie zwischen Bejahung und Verneinung der Metaphysik.

α) Die Aufgabe

Letzteres greift Kant besonders auf, und damit scheint sich seine Aufgabe zu verdichten auf die Frage nach der Möglich-

αα) Zwei Zielangaben

keit oder Unmöglichkeit der Metaphysik. Und zwar haben wir zwei Angaben über das Ziel, das Kant in der Kritik verfolgen möchte. In der Vorrede zur 1. Auflage sagt er, man solle nicht einfach wie die Dogmatiker „despotisch" an der Metaphysik festhalten, noch wie die Skeptiker, ihrer Mißerfolge überdrüssig, sich ebenso einfach und ohne weiteres dem Indifferentismus überlassen, sondern die Selbsterkenntnis der Vernunft zum Problem machen „und einen Gerichtshof einsetzen, der sie in ihren gerechten Ansprüchen sichere, dagegen aber alle grundlosen Anmaßungen nicht durch Machtsprüche, sondern nach ihren ewigen und unwandelbaren Gesetzen abfertigen könne, und dieser ist kein anderer als die Kritik der reinen Vernunft selbst" (A XI). Diese Kritik soll keine Kritik der Systeme und Bücher sein, sondern „die des Vernunftvermögens überhaupt in Ansehung aller Erkenntnisse, zu denen sie unabhängig von aller Erfahrung streben mag, mithin die Entscheidung der Möglichkeit oder Unmöglichkeit einer Metaphysik überhaupt und die Bestimmung sowohl der Quellen als des Umfanges und der Grenzen derselben" (A XII). Es ist beachtenswert, daß es für Kant feststeht, daß die metaphysischen Erkenntnisse unabhängig von aller Erfahrung gelten: „Metaphysische Erkenntnis muß lauter Urteile a priori enthalten, das erfordert das Eigentümliche ihrer Quellen" (Proleg. § 2 = Werke IV, 266). Darum kann er die Aufgabe seiner Vernunftkritik in der Vorrede auch auf die Formel bringen: „Hauptfrage bleibt immer, was und wieviel kann Verstand und Vernunft frei von aller Erfahrung erkennen?" (A XVII.) In der Einleitung zur Kritik steht aber eine etwas andere Formulierung. Es ist der bekannte Satz: „Die eigentliche Aufgabe der reinen Vernunft ist nun in der Frage enthalten: Wie sind synthetische Urteile a priori möglich?“ (B 19; Proleg. § 5 = Werke IV, 278). Damit wird die Problemsituation noch detaillierter umrissen. Kant hält der bisherigen Metaphysik vor, daß sie nur analytische Sätze biete von dem Muster: Alle Körper sind ausgedehnt. Solche Urteile seien zwar notwendig und allgemeingültig, aber sie wären nur eine erläuternde Begriffsanalyse und bedeuteten keine Erweiterung unserer Erkenntnisse, wie sie z. B. der Satz enthalte: Alle Körper sind schwer. Die analytischen Urteile gelten eigentlich nur innerhalb der begrifflichen Sphäre, sagen im Prädikatsbegriff nur aus, was im Subjektsbegriff schon gesetzt war, sind bloße Vorstellungsbeziehungen, die sich nur nach dem Widerspruchsgesetz zu richten haben, wie schon Locke und Hume gesehen hatten. Die außerlogische Sphäre der realen Wirklichkeit werde von ihnen gar nicht berührt. Die Rationalisten und Dogmatiker hätten nämlich immer unterlassen zu fragen, „wie wir a priori zu solchen Begriffen gelangen, um danach auch ihren gültigen Gebrauch in Ansehung der Gegenstände aller Erfahrung überhaupt bestimmen zu können“ (B 23 f.). Es geht also Kant um die Grundlegung einer Wissenschaft von der Erfahrung. Wir sollen, meint er, nicht einfach Begriffe zergliedern, sondern sollen sie erstmalig richtig bilden, zusammensetzen. Wir brauchen nicht Erläuterungsurteile, sondern Erweiterungsurteile, synthetische Urteile. Eine Metaphysik, die nicht so vorgeht, belehre uns nicht über die Wirklichkeit. Aber Erweiterungen a priori müssen es sein, sonst ist wieder nichts geholfen (B 18). Auch wenn es Kant nicht eigens gesagt hätte, sähe man, daß es wieder die Problematik der Engländer um die Verknüpfung unserer Vorstellungen ist, was ihn bewegt (vgl. oben S. 209, 213, 227 f.). Während aber Kant ihnen folgt in der Forderung, daß unsere Begriffe eine Unterlage in der Erfahrung haben müssen, folgt er ihnen nicht mehr in den Konsequenzen, die sie aus ihrem Empirismus gezogen hatten, in jenem Skeptizismus, der den Erfahrungswissenschaften nur Wahrscheinlichkeitscharakter zuerkennen will. Bloße Erfahrung führt weder Notwendigkeit noch Allgemeingültigkeit mit sich, hatte Hume gesagt. Das will auch Kant nicht bestreiten. Aber daß alle Erfahrungswissenschaft nun bloß Glaube (belief) bleiben

ββ) Kants Kritik seiner Vorgänger

soll, mit diesem Stand der Dinge will er sich nicht bescheiden. Er will die Wissenschaft retten und sucht darum, die synthetischen Urteile a priori zu retten. Ihnen gilt sein ganzes Interesse (B 3ff.; Proleg. § 2ff. = Werke IV, 267ff.). Wenn man den Humeschen Konsequenzen entgehen soll, muß der Erfahrungsbegriff umgebildet werden. Und so versucht Kant eine Synthese zwischen Rationalismus und Empirismus. Von ersterem übernimmt er die These, daß Wissenschaft allgemeingültige und notwendige Sätze bieten müsse; von letzterem die These, daß sie die Sinneserfahrung zu befragen habe. Es ist aufschlußreich, Hume und Kant zu vergleichen.

γγ) Die Kantische Synthese

Die Voraussetzung

Hume überlegt: Erfahrung hat keine Notwendigkeit, der Kausalsatz stammt aus der Erfahrung, also ist er nicht notwendig. Und da es mit den anderen Erfahrungssätzen nicht anders bestellt ist, ist Wissenschaft nur Glaube. Kant überlegt: Erfahrung hat keine Notwendigkeit, der Kausalsatz aber ist notwendig, also stammt er nicht aus der Erfahrung, und es muß für ihn und analog auch für die anderen Erfahrungssätze nach einem Notwendigkeitsgrund gesucht werden. Kant wird ihn finden, weil er ihn finden muß. Und daß er ihn im Geist und seinen Formen findet, war auch zwangsläufig gegeben — für ihn wenigstens —, nachdem der Weg über die Dinge selbst durch den Empirismus versperrt war. Woher aber weiß Kant, daß der Kausalsatz notwendig ist? Und daß es überhaupt Erfahrungs-„Wissenschaft" mit allgemeingültigen und notwendigen Sätzen geben muß? War es ihm eine Selbstverständlichkeit? Oder hat er seine Erkenntnislehre seiner Ethik angepaßt, wo es die Allgemeingültigkeit wie im Prototyp gab? Oder war es die Macht des Historischen, die, auf beiden Seiten gleich stark, zu einem Kompromiß drängte, der jedem das Seine gab, mehr um eines Friedens als einer Sache willen? Die Philosophiegeschichte erweist immer wieder die Bedeutung des historischen Koeffizienten. Die Phänomenologie hat nicht umsonst den Ruf erhoben: Zurück zu den Sachen selbst! Auch an anderen Stellen der Kritik (Ideen, Grundsätze, Kategorien) läßt sich zeigen, daß der historische Weg, den Kant tatsächlich gegangen ist, ein anderer war als der, den er uns theoretisch bei der Ableitung dieser Faktoren vorführt. Immerhin, Kant behauptet, einen sachlichen Grund zu haben für die Annahme synthetischer Urteile a priori. Er sei gegeben in der

Die Basis

reinen Mathematik und reinen Physik. Sätze wie 7 + 5 = 12 oder: Die Gerade ist die kürzeste Verbindung zwischen zwei Punkten, beruhten auf Anschauung, der Zeit- und Raumanschauung nämlich, seien aber auch apodiktisch, also synthetisch und a priori zugleich. Wir hätten es dabei mit „reinen Formen der sinnlichen Anschauung" zu tun (B 36, 41). Ebenso stehe es mit Sätzen der reinen Physik wie: Die Quantität der Materie bleibt unverändert, oder: In der Bewegung sind Wirkung und Gegenwirkung einander jederzeit gleich. Damit schien ihm Erfahrungs-„Wissenschaft" gerettet zu sein. Kant hielt seine „Entdeckung" für überaus wichtig, und sie bildet in der Tat die Basis der Kritik. Kants System steht und fällt mit seiner Ansicht über den synthetischen und apriorischen Charakter der Sätze der reinen Mathematik und Physik; denn hier glaubt Kant zu haben, was er sucht. Kant glaubt, damit auch eine Grundlegung der reinen Mathematik gegeben zu haben, und zwar im Sinne eines synthetischen Charakters ihrer Sätze, die bekanntlich von den meisten Mathematikern als analytisch verstanden werden (s. unten S. 325 f.). Man kann ja gegen Kant sagen: Entweder ist die Anschauung sinnlich, dann ist sie nicht rein, oder sie ist rein, dann ist sie nicht sinnlich, so wie man von den Sätzen der Mathematik überhaupt gesagt hat: Entweder sind sie wahr, dann sind sie nicht wirklich, oder sie sind wirklich, dann sind sie nicht wahr. Aber Kant glaubt, in seinem Begriff der reinen Mathematik beides vereint zu haben (vgl. auch Proleg. § 2 u. §§ 6 ff. = Werke IV, 268 bzw. 280 ff.).

Nachdem ihm die Basis gesichert scheint, geht er daran, das „Form" apriorische Moment gesondert für sich herauszuheben. Es interessiert ihn am meisten. Schon gleich auf der ersten Seite (B 1) weist er darauf hin: „Es könnte wohl sein, daß selbst unsere Erfahrungserkenntnis ein Zusammengesetztes aus dem sei, was wir durch Eindrücke empfangen, und dem, was unser eigenes Erkenntnisvermögen (durch Sinneseindrücke bloß veranlaßt) aus sich selbst hergibt, welchen Zusatz wir von jenem Grundstoffe nicht eher unterscheiden, als bis lange Erfahrung uns darauf aufmerksam und zur Absonderung desselben geschickt gemacht hat." Kant hat für diese apriorischen Elemente, die unser eigenes Erkenntnisvermögen von sich aus hergibt, den Begriff Form gebraucht. Er hebt solche Formen, es sind die Anschauungsformen von

Raum und Zeit, heraus in der transzendentalen Ästhetik; dann wieder, es sind die Denkformen oder Kategorien, in der transzendentalen Analytik; und schließlich etwas ihnen Ähnliches, die Ideen, in der transzendentalen Dialektik. Diese apriorischen Formen, die aller Erkenntnis zugrunde lägen, bilden nun bei Kant die „Transzendentalphilosophie". Über den Terminus „transzendental", der etwas willkürlich gebraucht wird, sagt er selbst: „Ich nenne alle Erkenntnis transzendental, die sich nicht sowohl mit Gegenständen, sondern mit unserer Erkenntnisart von Gegenständen, insofern diese a priori möglich sein soll, überhaupt beschäftigt" (B 25). Transzendentalphilosophie ist darum für Kant die Lehre von der Möglichkeit der Erfahrungserkenntnis, insofern die Gegenstände dieser Erfahrung zustande kommen auf Grund der subjektiven apriorischen Formen unseres Geistes. Im Gegensatz zu „transzendent", das die transsubjektive ontische Struktur der Gegenstände meint, besagt „transzendental" die Gesetzmäßigkeit des Geistes als unseres Erkenntnisvermögens, also eine vom Subjekt her entworfene Logik, wie man früher sagte, eine vom Subjekt her entworfene Ontologie, wie man heute gern und besser sagt; denn es ist nicht nur der Verstand, der durch diese Formen entsteht, sondern eine Welt, weil, was wir an Welt erkennen, von eben diesen Formen a priori bestimmt wird. Transzendentalphilosophie bedeutet also die Absage an die Transzendenzphilosophie der alten Metaphysik. Der Terminus transzendental besagt aber noch einen zweiten Gegensatz, den zum Psychologismus und Relativismus Humes. In den apriorischen Formen glaubt Kant etwas gefunden zu haben, was, weil es notwendig und immer da sein muß, über der Zufälligkeit des bloß Empirischen steht, so daß die skeptische Vermutung Humes, Erfahrungswissenschaft sei bloß eine auf Gewöhnung beruhende Wahrscheinlichkeit, gar nicht mehr aufkommen kann. Mit den transzendentalen Formen will Kant eine Logik aufbauen, die „reine" Logik ist. Sie „schöpft nicht, wie man sich bisweilen überredet hat, aus der Psychologie, die also auf den Kanon des Verstandes gar keinen Einfluß hat" (B 78). Kant hat auf seine transzendentale Logik besonders viel gehalten: „Ich kenne keine Untersuchungen, die zur Ergründung des Vermögens, welches wir Verstand nennen, und zugleich zur Bestimmung der Regeln und Grenzen seines Gebrauches wichtiger wären als die, welche ich in dem zweiten Hauptstücke der transzendentalen Analytik, unter dem Titel der Deduktion der reinen Verstandesbegriffe, angestellt habe" (A XVI). Den Formen entspricht nun der Stoff. Stoff ist für Kant das Mannigfaltige der Sinnlichkeit, das Chaos der Empfindung, der „rohe Stoff sinnlicher Eindrücke", der uns „affiziert", in sich selbst aber noch ungeordnet ist und durch die apriorische Form erst verarbeitet und geordnet werden muß. Dem Stoff gegenüber verhalten wir uns passiv und rezeptiv. In den apriorischen Formen dagegen verhält sich der Geist aktiv und sogar „spontan". Damit stehen wir nun vor der Lösung, die Kant zur Bereinigung der historisch gegebenen Problemsituation vorlegt: er teilt dem Empirismus den Stoff zu, dem Rationalismus aber die Form. Ohne den durch die Sinne einströmenden Stoff gäbe es kein Erkennen. „Daß alle unsere Erkenntnis mit der Erfahrung anfange, daran ist gar kein Zweifel; denn wodurch sollte das Erkenntnisvermögen sonst zur Ausführung erweckt werden, geschähe es nicht durch Gegenstände, welche unsere Sinne rühren.... Der Zeit nach geht also keine Erkenntnis in uns vor der Erfahrung vorher, und mit dieser fängt alle an" (B 1). Auch für Kant ist somit die menschliche Seele eine unbeschriebene Tafel und bedarf der Sinne und ihres Materials, um beschriftet werden zu können. Das wäre somit das empirische, aposteriorische Element der Erkenntnis. Allein „wenn gleich alle unsere Erkenntnis mit der Erfahrung anhebt, so entspringt sie darum doch nicht eben alle aus der Erfahrung", fährt Kant sogleich fort. Das „Gewühl der Sinne" muß erst geordnet werden, und zwar durch die Aktivität der apriorischen Formen, die immer Notwendigkeit mit sich führen. Damit gibt er dem Rationalismus recht. Und im Apriorismus der Form sah nun Kant selbst das Umwälzende seiner Philosophie, seine sogenannte Kopernikanische Tat. (Hume hatte seine Assoziationsgesetze mit den Gravitationsgesetzen Newtons verglichen!) „Bisher nahm man an, alle unsere Erkenntnis müsse sich nach den Gegenständen richten; aber alle Versuche über sie a priori etwas durch Begriffe auszumachen, wodurch unsere Erkenntnis erweitert würde, gingen unter dieser Voraussetzung zunichte. Man versuche es daher einmal, ob wir nicht in den Aufgaben der Metaphysik damit besser fortkommen, daß wir annehmen, die Gegen-

„Stoff"

„Kopernikanische Tat"

stände müssen sich nach unserem Erkenntnis richten, welches so schon besser mit der verlangten Möglichkeit einer Erkenntnis derselben a priori zusammenstimmt, die über Gegenstände, ehe sie uns gegeben werden, etwas festsetzen soll. Es ist hiermit ebenso als mit den ersten Gedanken des Kopernikus bewandt, der, nachdem es mit der Erklärung der Himmelsbewegungen nicht gut fortwollte, wenn er annahm, das ganze Sternenheer drehe sich um den Zuschauer, versuchte, ob es nicht besser gelingen möchte, wenn er den Zuschauer sich drehen, dagegen die Sterne in Ruhe ließ. In der Metaphysik kann man nun, was die Anschauung der Gegenstände betrifft, es auf ähnliche Weise versuchen. Wenn die Anschauung sich nach der Beschaffenheit der Gegenstände richten müßte, so sehe ich nicht ein, wie man a priori von ihr etwas wissen könne. Richtet sich aber der Gegenstand (als Objekt der Sinne) nach der Beschaffenheit unseres Anschauungsvermögens, so kann ich mir diese Möglichkeit ganz wohl vorstellen" (B XVI f.). Damit glaubt also Kant den Forderungen des Empirismus nachgekommen zu sein und entgegen dem bei Locke und Hume einsetzenden Skeptizismus doch wieder eine allgemeingültige, streng notwendige Wissenschaft aufgebaut zu haben.

β) Metaphysik oder Erkenntnistheorie?

Kant sprach in dem zuletzt angeführten Zitat wieder von Metaphysik; aus den ganzen vorausgehenden Überlegungen aber konnte man entnehmen, daß seine Gedankengänge sich zugleich mit der menschlichen Erkenntnis überhaupt und im ganzen beschäftigten. Unter dem Einfluß des Neukantianismus hat man die Kritik der reinen Vernunft lange Zeit so ausgelegt, als ob sie nur eine Erkenntnistheorie überhaupt sei. Das Wort von Kant als dem Zermalmer der Metaphysik wurde, obwohl Kant doch nur eine ganz bestimmte Metaphysik im Auge gehabt und abgelehnt hatte, nämlich die rationalistische, so allgemein verstanden, daß man ihn mit der Metaphysik gar nicht mehr in Berührung brachte. Ein typischer Fall, wie ein Schlagwort Geschichte machen kann, auch Philosophiegeschichte. Inzwischen hat man Kant wieder als Metaphysiker verstehen gelernt. Es ist ersichtlich, daß seine Kritik der reinen Vernunft sachlich auch eine Grundlegung des Erkennens überhaupt bedeutet; das zunächst und expresse gestellte Thema aber ist die Möglichkeit der Metaphysik und deren Aufbau im Sinne Kants; denn die

„unvermeidlichen Aufgaben der reinen Vernunft selbst sind Gott, Freiheit und Unsterblichkeit, die Wissenschaft aber, deren Endabsicht mit allen ihren Zurüstungen eigentlich nur auf die Auflösung derselben gerichtet ist, heißt Metaphysik" (B 7; vgl. B 385 Anm.). Nur hätte man früher eine dogmatische Metaphysik getrieben, ohne Prüfung des Vermögens der Vernunft. Kant aber will dieses Vermögen nun prüfen und nach den Faktoren des Geistes suchen, die reine Form und darum zeitlos gültig sind, „weil die Hauptfrage immer bleibt, was und wieviel kann Verstand und Vernunft, frei von aller Erfahrung, erkennen?" (A XVII). Darum wird seine Metaphysik eine transzendentallogische sein.

Wir haben nunmehr die Durchführung des Kantischen Planes im einzelnen zu verfolgen und nacheinander seinen Nachweis von apriorischen Formen und deren Funktionen auf dem Felde der Sinneswahrnehmung, des begrifflichen Denkens und der Vernunfttätigkeit zu studieren, also seine transzendentale Ästhetik, Analytik und Dialektik.

b) Transzendentale Ästhetik

In der transzendentalen Ästhetik (Ästhetik heißt hier noch im ursprüglichen Sinn von αἴσθησις bloß Lehre von der Sinneswahrnehmung) behandelt Kant Raum und Zeit als die zwei apriorischen Formen unserer Sinnesanschauung. Kant will hier nämlich die Sinnlichkeit als solche isolieren und darum alles absondern, was der Verstand durch seine Begriffe dabei denkt, damit nichts als empirische Anschauung übrigbleibe. Das genügt aber noch nicht, er will „zweitens von dieser noch alles, was zur Empfindung gehört, abtrennen, damit nichts als reine Anschauung und die bloße Form der Erscheinungen übrigbleibe, welches das einzige ist, das die Sinnlichkeit a priori liefern kann" (A 22). Diese bloßen Formen der Erscheinungen sind die beiden apriorischen Anschauungsformen von Raum und Zeit. Sie bilden die ersten grundlegenden Ordnungsformen des Geistes, denen der rohe Stoff der Empfindung oder sinnlichen Affektion begegnet und die ihn zu möglichen Erkenntnissen, und zwar Sinneswahrnehmungen, verarbeiten.

α) Apriorischer Anschauungscharakter von Raum und Zeit

Das erste, was Kant nun zu erweisen hat, ist, daß Raum und Zeit sinnliche Anschauungen sind und nicht denkerische Begriffe, ferner, daß sie a priori sind und nicht durch Erfahrung (a posteriori) erworben werden. Er führt hierzu vier Beweise (A 23 ff.; B 38 ff.). Die beiden ersten sollen die Apriorität, die beiden letzten den Anschauungscharakter dartun. 1. Die Raum- und Zeitvorstellungen können nicht durch Abstraktion gewonnen werden, denn wenn wir aus dem Nebeneinander der Körper oder dem Nacheinander der Geschehnisse die Raum- bzw. Zeitvorstellung allererst abheben wollen, müssen wir sie schon voraussetzen, weil das Nebeneinander und Nacheinander eben nichts anderes ist als bereits Raum- und Zeitvorstellung. 2. Raum und Zeit sind Vorstellungen, die wir immer haben müssen. Wir können Seiendes und Welt nicht anschauen ohne die Raum- und Zeitvorstellung. Was wir aber immer haben müssen und was darum notwendig ist, ist a priori. 3. Raum und Zeit sind nicht ein allgemeiner Begriff, sondern je und je Einzelvorstellungen. Wenn wir von Räumen und Zeiten sprechen, so sind das nur quantitative Ausschnitte aus dem einen Raum und der einen Zeit. Dieser eine Raum wird nicht abgewandelt und je besonders dargestellt, wie es die Exemplare tun, die unter eine allgemeine Art fallen, es bleibt immer der qualitativ selbige, eine Raum. Ebenso ist es mit der Zeit. 4. Der Raum und die Zeit sind unendlich und enthalten Räume und Zeiten in sich, nicht unter sich wie die Allgemeinbegriffe ihre konkreten Individuationen. Der Raum ist nicht wie die Allgemeinbegriffe im Konkreten enthalten, also in den einzelnen Räumen, sondern die Räume sind im Raum. Und ebenso ist es auch wieder mit der Zeit.

β) Idealität von Raum und Zeit

Daraus schließt nun Kant, daß Raum und Zeit „gar keine Eigenschaft irgend einiger Dinge an sich sind“ (A 26). Sie sind nicht real. Der Raum ist „nur die Form aller Erscheinungen unserer Sinne, das ist die subjektive Bedingung der Sinnlichkeit, unter der allein uns äußere Anschauung möglich ist“ (a. a. O.). „Unsere Erörterungen lehren demnach die Realität (d. i. die objektive Gültigkeit) des Raumes in Ansehung alles dessen, was äußerlich als Gegenstand uns vorkommen kann, aber zugleich die Idealität des Raumes in Ansehung der Dinge, wenn sie durch die Vernunft an sich selbst erwogen werden, d. i. ohne Rücksicht auf die Beschaffenheit unserer Sinnlichkeit zu nehmen ... Er ist nichts, sobald wir die Bedingung der Möglichkeit aller Erfahrung weglassen, und ihn als etwas, was den Dingen an sich selbst zum Grunde liegt, annehmen" (A 28). Der Raum ist also weiter nichts als die subjektiv menschliche Bedingung der Sinneserfahrung. Er ist empirisch real, aber transzendental ideal, wie Kant dafür auch sagt. Parallel liegen die Dinge bei der Zeit (A 30 ff.).

γ) Verhältnis von Raum und Zeit

Verglichen mit der Raumanschauung, ist aber die Zeitanschauung logisch früher. Der Raum ist die Bedingung der äußeren Wahrnehmung, die Zeit jene der inneren. Und weil die äußeren Wahrnehmungen immer auch unter den inneren Sinn fallen, ist dieser jenen übergeordnet. Alle Raumanschauungen werden auch zeitlich angeschaut, aber nicht umgekehrt. Die Zeit bildet die Anschauungsform aller Erscheinungen schlechthin. Die Zeit ist darum für Kant das Tiefere. Sie wird auch für die Kategorienlehre ihre Rolle spielen, und man muß es schon von hier aus verstehen, daß sie in der Existenzphilosophie heute für so prinzipiell angesehen wird.

δ) Subjektivismus

In einer allgemeinen Anmerkung legt sich Kant zum Schluß der transzendentalen Ästhetik nochmals ausdrücklich auf seinen Subjektivismus fest, „um aller Mißdeutung vorzubeugen": „Wir haben also sagen wollen: daß alle unsere Anschauung nichts als die Vorstellung von Erscheinung sei: daß die Dinge, die wir anschauen, nicht das in sich selbst sind, wofür wir sie anschauen, noch ihre Verhältnisse so an sich selbst beschaffen sind, als sie uns erscheinen, und daß, wenn wir unser Subjekt oder auch nur die subjektive Beschaffenheit der Sinne überhaupt aufheben, alle die Beschaffenheit, alle Verhältnisse der Objekte in Raum und Zeit, ja selbst Raum und Zeit verschwinden würden und als Erscheinungen nicht an sich selbst, sondern nur in uns existieren können. Was es für eine Bewandtnis mit den Gegenständen an sich und abgesondert von aller dieser Rezeptivität unserer Sinnlichkeit haben möge, bleibt uns gänzlich unbekannt. Wir kennen nichts als unsere Art, sie wahrzunehmen, die uns eigentümlich ist, die auch nicht notwendig jedem Wesen, obzwar jedem Menschen, zukommen muß" (A 42, B 59). In dieser subjektivistischen Auffassung von Raum und Zeit kommt Kant, wenigstens in negativer Hinsicht, in der Antwort also auf die Frage, was Raum und Zeit nicht sind, mit Leibniz überein, der auch gelehrt hatte, daß Raum und Zeit nicht res, sondern nur ordines sind, eine Auffassung, die schon auf Wilhelm von Ockham zurückgeht und Leibniz über Gregor von Rimini, Gabriel Biel und Suarez zugekommen sein wird.

c) Transzendentale Analytik

α) Zielsetzung Mit der transzendentalen Ästhetik allein ist es aber nicht getan. Wir haben „zwei Stämme der menschlichen Erkenntnis": Sinnlichkeit und Verstand (B 29); denn „unsere Erkenntnis entspringt aus zwei Grundquellen des Gemüts, deren die erste ist, die Vorstellungen zu empfangen (die Rezeptivität der Eindrücke), die zweite das Vermögen, durch diese Vorstellungen einen Gegenstand zu erkennen (Spontaneität der Begriffe); durch die erste wird uns ein Gegenstand gegeben, durch die zweite wird dieser im Verhältnis auf jene Vorstellung (als bloße Bestimmung des Gemüts) gedacht. Anschauung und Begriffe machen also die Elemente aller unserer Erkenntnis aus, so daß weder Begriffe, ohne ihnen auf einige Art korrespondierende Anschauung, noch Anschauung ohne Begriffe ein Erkenntnis abgeben können" (B 74). Oder, wie die andere bekannte Formulierung lautet: „Gedanken ohne Inhalt sind leer, Anschauungen ohne Begriffe sind blind" (B 75). Eine für Kants Position grundlegende These; denn von da aus versteht sich seine Ablehnung der herkömmlichen Metaphysik. Er glaubt ihr entgegenhalten zu müssen, daß sie Begriffe verwende, die ohne Anschauungen, also leer sind, und infolgedessen Hirngespinste darstellen. Damit komme man nicht an die Realität heran. Kant hat, wenigstens in seiner theoretischen Philosophie, einen Realitätsbegriff, für den die Wahrnehmung konstitutiv ist: „Die Sinnlichkeit, dem Verstande untergelegt, als das Objekt, worauf dieser seine Funktion anwendet, ist der Quell realer Erkenntnisse" (B 351 Anm.). Historisch gesehen, ist dies der Realitätsbegriff des Empirismus. Man könnte über Realität ganz anders denken, und selbst an der zuletzt angeführten Stelle meldet sich schon im Nachsatz eine andere Möglichkeit an. Allein wir haben hier zunächst zu verfolgen, wie Kant versucht, die Elemente der reinen Verstandeserkenntnis zu erweisen, durch die wir in die Lage versetzt werden, die sinnlichen Anschauungen zu „denken". Wie das Gewühl der Sinnesempfindungen, sollte daraus Sinneswahrnehmung werden, überformt werden mußte

αα) Was ist Erkennen?

ββ) Transzendentale Logik

durch die Anschauungsformen, so müssen die Sinneswahrnehmungen, soll daraus Erkennen werden, überformt werden durch die Denkformen. Was ist damit gemeint? Es sind „Handlungen des reinen Denkens ..., dadurch wir Gegenstände völlig a priori denken" (B 81). In ihnen bringt der Verstand selbst Vorstellungen hervor, handelt „spontan", wie Kant besonders gern sagt (B 75 und öfter). Eben darum sind die Denkformen a priori. Kant will deshalb diese Elemente des reinen Verstandes ohne jede Beimischung aus der Sinnlichkeit oder der Erfahrung durch „Zergliederung des Verstandesvermögens selbst" (daher der Ausdruck transzendentale „Analytik") auffinden, und er will insbesondere eine vollständige Tafel dieser Elemente aufstellen, die das ganze Feld des reinen Verstandes gänzlich ausfüllt (B 89 f.). Das Ganze ist ein Stück aus der „transzendentalen Logik" (den anderen, mehr negativen Teil bildet die „transzendentale Dialektik"), weil es hier um den Umfang und die objektive Gültigkeit des Denkvermögens selbst geht, um die „Hauptfrage": „was und wieviel kann Verstand und Vernunft, frei von aller Erfahrung, erkennen?" (A XVII). Der Verstand soll nun dabei, und das ist entscheidend, mit seinen Funktionen und damit mit seinem Selbst aus einer obersten Idee abgeleitet werden (transzendentale Deduktion), während die sonst übliche, sogenannte formale Logik nur die Regeln dieses eben durch die transzendentale Logik in seinem Selbst und seiner Möglichkeit begründeten Verstandes behandelt, den Verstand also schon voraussetzt (B 81, A XVI). Diese Zergliederung des Verstandesvermögens oder transzendentale Analytik zerfällt in zwei Abschnitte, in die Analytik der Begriffe und in die Analytik der Grundsätze.

β) Analytik der Begriffe

Was Kant am Verstandesvermögen als dessen Elemente zuerst herauspräpariert, sind eine Reihe von letzten Ordnungsfaktoren, die er Grund- oder Stammbegriffe heißt. Weil durch sie alle über die bloße Sinneswahrnehmung hinausgehende Erkenntnis aufgebaut wird, bilden sie „konstitutive" Prinzipien. Man denkt natürlich sofort an die Analytik des Geistes durch Locke und besonders an die Kategorien des Aristoteles. An letzteren knüpft auch Kant unmittelbar an und heißt mit ihm seine Denkformen jetzt auch wieder Kategorien.

αα) Metaphysische Deduktion

Während aber Aristoteles seine Kategorien nur einfach aufgelesen hätte, wie sie ihm gerade unterkamen, will Kant die Kategorien aus Prinzipien „ableiten". Den Leitfaden dazu liefert ihm das Urteil, das seinem ganzen Sinn nach Verknüpfung, Synthesis des Mannigfaltigen ist. Sähen wir uns nur um die verschiedenen Formen des Urteils um, dann hätten wir in ihnen auch schon die Grundbegriffe des Verstandes, die Kategorien, in der Hand; und es wäre eine vollständige Tafel aller verknüpfenden Formen des Denkens (B 95 ff.). Seine Tafel unterscheidet nun die Urteile 1. nach der Quantität in allgemeine, besondere und einzelne; 2. nach der Qualität in bejahende, verneinende und unendliche; 3. nach der Relation in kategorische, hypothetische und disjunktive; 4. nach der Modalität in problematische, assertorische und apodiktische. Dementsprechend gibt es Kategorien 1. der Quantität: Einheit, Vielheit, Allheit; 2. der Qualität: Realität, Negation, Limitation; 3. der Relation: Inhärenz und Subsistenz (substantia et accidens), Kausalität und Dependenz (Ursache und Wirkung), Gemeinschaft (Wechselwirkung zwischen den Handelnden und Leidenden); 4. der Modalität: Möglichkeit — Unmöglichkeit, Dasein — Nichtsein, Notwendigkeit — Zufälligkeit. Kant nennt die Ableitung der Kategorien aus den Urteilsformen metaphysisch, weil sie „dasjenige enthält, was diese Begriffe als a priori gegeben darstellt" (B 38, 159). Man sieht schon aus dem Terminus metaphysisch, den er hier verwendet, daß seine Kategorienlehre die herkömmliche Metaphysik und ihre Seinsbeschreibung ersetzen will; es ist seine neue, seine transzendentale Ontologie. Obwohl sich Kant geschmeichelt hatte, mit seine Kategorien „die Funktionen des Verstandes völlig erschöpft und sein Vermögen dadurch gänzlich ausgemessen zu haben" (B 105), wurde die metaphysische Deduktion der Kategorien schon früh, bereits zu seinen eigenen Zeiten, besonders aber seit Bolzano und Schopenhauer, angefochten. Die Kategoriensysteme Fichtes, Schellings und Hegels wichen erheblich von dem Kants ab. Nicht einmal in den neukantianischen Systemen treten die 12 Kategorien mehr unverändert auf. Besonders ist die heutige Ontologie weit darüber hinausgewachsen, so vor allem, wenn sie sich auch um Kategorien des Lebendigen bemüht, die bei Kant gänzlich fehlen. Das Grundübel liegt aber schon in seiner Tafel der Urteile. Hier haben die Logiker nach Kant an ihm eine einschneidende Kritik geübt und dadurch seiner Ableitung der Kategorien im einzelnen den Boden entzogen (vgl. die Übersicht bei M. Aebi, Kants Begründung der Deutschen Philosophie. S. 156 ff.). Neben der metaphysischen kennt Kant aber auch noch eine transzendentale Deduktion der reinen Verstandesbegriffe (B 116 ff.). „In der metaphysischen Deduktion wurde der Ursprung der Kategorien a priori überhaupt durch ihre völlige Zusammentreffung mit den allgemeinen logischen Funktionen des Denkens dargetan, in der transzendentalen aber die Möglichkeit derselben als Erkenntnisse a priori von Gegenständen einer Anschauung überhaupt dargestellt. Jetzt soll die Möglichkeit, durch Kategorien die Gegenstände, die nur immer unseren Sinnen vorkommen mögen, und zwar nicht der Form ihrer Anschauung, sondern den Gesetzen ihrer Verbindung nach, a priori zu erkennen, also der Natur gleichsam das Gesetz vorzuschreiben und sie sogar möglich zu machen, erklärt werden" (B 159). In der transzendentalen Deduktion werden die Kategorien aus ihrer „Quelle", der tranzendentalen Einheit der Apperzeption, abgeleitet. Darauf komme es Kant eigentlich an, so versichert er, und wem die „subjektive", d. i. metaphysische Ableitung nicht genügt, der möge sich an diese „objektive" Deduktion halten, zu der eigentlich A 92 und 93 alles Nötige hinreichend gesagt sei (A XVII). Das ist der große Gedanke des Kantischen Systems, der sogenannte transzendentale Gedanke und zugleich der Punkt, an dem der deutsche Idealismus anknüpfen wird, um von hier aus das eigentliche und tiefste Wollen Kants, wie man sagt, weiter zu entwickeln. Hier eigentlich vollzieht sich die Kopernikanische Wende, der Versuch, nachzuweisen, daß die Gegenstände der Erkenntnis sich nach uns richten müssen, und nicht umgekehrt. Ebenso versucht Kant hier immer wieder, zu zeigen, daß die Kategorien in Gültigkeit und Umfang auf die Sinneserfahrung beschränkt sind und sonst keinen Sinn hätten, weshalb dann die alte Metaphysik, die sie ohne diesen Bezug verstanden habe, verworfen wird. Und da sich zudem herausstellt, daß auch die Anschauungsformen von Raum und Zeit ohne die Einheit der transzendentalen Apperzeption nicht möglich sind, enthält das Kapitel über die transzendentale Deduktion der reinen Verstandesbegriffe nicht nur die Grundlage der transzendentalen Logik, sondern auch die der transzendentalen Ästhetik und damit die Basis des ganzen Kantischen Systems. „Die tran-

ββ) Transzendentale Deduktion

Ihr Sinn

Ihre Bedeutung

szendentale Deduktion ist also in der Tat die Seele der Kantischen Erkenntniskritik" (B. Erdmann). Es wird jedoch hier nicht eine neue Tafel der Kategorien vorgeführt, sondern es bleibt bei den 12 Kategorien, die in der metaphysischen Ableitung schon „aufgefunden" worden waren. Was hier geschieht, ist der Versuch, nachzuweisen, wie sie in ihrer Gesamtheit vom reinen Verstand produziert werden; näherhin: von der Einheit des Ich oder der transzendentalen Apperzeption als erster und oberster Synthesis. Über den 12 Kategorien, die selbst schon Formen der Synthesis des Mannigfaltigen der Sinnesanschauungen sind, entdeckt also Kant jetzt nochmals eine höchste und letzte Form der Synthesis, das „Ich denke", das reine Ich oder den reinen Verstand. Dieser reine Verstand faltet sich sozusagen auf in 12 verschiedene Funktionen als den Unterformen seiner Synthesis, und insofern gehen sie aus ihm hervor. Reines Ich oder reiner Verstand sagt er, weil nicht das in der Empirie sich erlebende Ich gemeint ist, sondern die logische Verbindlichkeit und Geltung, die wie in einem letzten Punkt alles zusammenschließt, was mein Wissen in Gänze und Einheit ist. „Das ‚Ich denke' muß alle meine Vorstellungen begleiten können; denn sonst würde etwas in mir vorgestellt werden, was gar nicht gedacht werden könnte, welches ebensoviel heißt, als die Vorstellung würde entweder unmöglich, oder wenigstens für mich nichts sein ... Also hat alles Mannigfaltige der Anschauung eine notwendige Beziehung auf das ‚Ich denke' in demselben Subjekt, darin dieses Mannigfaltige angetroffen wird ... Ich nenne sie die reine Apperzeption, um sie von der empirischen zu unterscheiden, oder auch die ursprüngliche Apperzeption ... Ich nenne auch die Einheit derselben die transzentale Einheit des Selbstbewußtseins, um die Möglichkeit der Erkenntnis a priori aus ihr zu bezeichnen" (B 132). „Nur dadurch, daß ich ein Mannigfaltiges gegebener Vorstellungen in einem Bewußtsein verbinden kann, ist es möglich, daß ich mir die Identität des Bewußtseins in diesen Vorstellungen selbst vorstelle, d. i. die analytische Einheit der Apperzeption ist nur unter Voraussetzung irgendeiner synthetischen möglich" (B 133). In dem „unter Vorausetzung" liegen das gesuchte Apriori und der Nerv des Beweises. „Und so ist die synthetische Einheit der Apperzeption der höchste Punkt, an den man allen Ver-

Das reine Ich

standesgebrauch, selbst die ganze Logik und, nach ihr, die Transzendentalphilosophie heften muß, ja dieses Vermögen ist der Verstand selbst" (B 134); „Verstand" ist ja das Vermögen des Erkennens, erkennen heißt Vorstellungen in Hinsicht auf ein Objekt bilden, Vorstellungen sinnvoll bilden aber setzt voraus, daß es eine höchste Einheit des Bewußtseins gibt, das „Ich denke" (B 137). Davon hängt alles ab, die Tätigkeit des Verstandes u n d was er erkennt. Vergessen wir nicht, daß Kant eine Ontologie geben will, allerdings eine transzendentale, also aus den subjektiven Denkformen des Geistes aufgebaute! Darum versichert er uns, daß die Kategorien sowohl wie die transzendentale Apperzeption „objektive Gültigkeit" hätten, d. h. das Sein selbst wiedergeben, so wie es ist, und nicht, wie wir es vielleicht subjektiv einmal fühlen. Darauf ziele das Verbindungswörtchen „ist". Wenn wir beim Tragen eines Körpers nicht bloß sollen sagen können „ich fühle einen Druck der Schwere", sondern „der Körper ist schwer", muß jede transzendentale Synthesis, ob Kategorie oder Einheit des Selbstbewußtseins, also der Verstand überhaupt, objektive Gültigkeit haben, „welches soviel sagen will als: diese beiden Vorstellungen [sc. der Körper und schwer] sind im Objekt, d. i. ohne Unterschied des Zustandes des Subjekts, verbunden, und nicht bloß in der Wahrnehmung, sooft sie auch wiederholt werden mag, beisammen" (B 142). Die Kantische Objektivität beruht also in der von ihm angenommenen Gesetzmäßigkeit der subjektiven Denkformen. „Gegenstände" werden von ihm nicht mehr vorgefunden, sondern vom Subjekt gesetzt, durch seine „konstitutiven" Denkformen. Bezeichnend die Definition „Objekt ist das, in dessen Begriff das Mannigfaltige einer gegebenen Anschauung vereinigt ist" (B 137). Wie die Vereinigung geschieht, haben wir soeben gesehen. Gegenstände sind darum nicht mehr eine transzendente, sondern nur noch eine transzendentale Größe. Der Verstand allein schreibt ja mit seinen Grundfunktionen die Gesetze der Natur vor und macht so Natur allererst möglich. Daß bei aller Erkenntnis die Einheit des Selbstbewußtseins vorauszusetzen und insofern a priori ist, wird man Kant nicht bestreiten können. Daß der Verstand dabei sich gerade in 12 Funktionen als allen und einzigen Kategorien auffalte, sagt niemand mehr. Daß er als das subjektive Erkenntnisvermögen in dieser seiner Gesetz-

Das „Sein"

„Gegenstand"

γγ) Die Einwände gegen Kant

Kants Voraussetzung

mäßigkeit zugleich die Objektivität selbst grundlege, Ontologie also transzendental sein müsse, ist die These Kants, die er von dem Augenblick an voraussetzte, als er bei dem Versuch einer Bereinigung der historisch gegebenen Problemsituation, in Anlehnung an Humes psychologistische Erkenntnisformen, auch seinerseits subjektive Formen annahm, sie allerdings dann als a priori erklärte in der Hoffnung, damit dem Relativismus und Psychologismus Humes zu steuern. Für den Realisten sind diese transzendentalen „Gegenstände" Kants überhaupt keine Gegenstände, und seine Objektivität ist Subjektivität. Wie dem auch sein mag: wie steht es mit dem Beweis der transzendentalen Deduktion? Nun, man sucht vergeblich nach einer „Deduktion" im üblichen Sinn der Logik. Aber das mag Sache des Sprachgebrauches sein. Was Kant will, und darin besteht für ihn die Deduktion, ist der Nachweis, daß die objektive Gültigkeit der Kategorien darauf beruhe, „daß durch sie allein Erfahrung (der Form des Denkens nach) möglich sei. Denn alsdann beziehen sie sich notwendigerweise und a priori auf Gegenstände der Erfahrung, weil nur vermittelst ihrer überhaupt irgendein Gegenstand der Erfahrung gedacht werden kann" (A 93 = B 126). Wenn wir „Erfahrung" so nehmen, wie Kant sie nehmen will, also der „Form des Denkens nach" — auch dieser Ausdruck ist noch mehrdeutig genug —, dann allerdings. Aber das ist eben die Frage. Kant hat auch in der transzendentalen Deduktion keinen Beweis geliefert, sondern nur seine schon festliegende These wiederholt.

Beweis?

γ) Analytik der Grundsätze

Wie die apriorischen Regeln, die durch die reinen Verstandesbegriffe gegeben sind, nun im praktischen Erkennen gehandhabt werden müssen, das liege an einem Vermögen zu subsumieren, d. h. zu unterscheiden, ob etwas unter einer allgemeinen Regel stehe oder nicht, das Kant Urteilskraft heißen will. Darüber spricht er in seiner Analytik der Grundsätze (B 169 ff.). Zweierlei möchte er dabei zeigen; einmal sollen die sinnlichen Bedingungen angegeben werden, unter denen reine Verstandesbegriffe allein gebraucht werden können: Schematismus des reinen Verstandes; und dann soll die Geltung einer Reihe von synthetischen Urteilen ersichtlich werden, die unmittelbar unter diesen Bedingungen aus den reinen Verstandesbegriffen erfließen und allen weiteren Erkenntnissen zugrunde liegen: Grundsätze des reinen Ver-

αα) Schematismus

standes (B 175). — Kant will eine Erfahrungsphilosophie bieten. Er will den Forderungen des Empirismus Rechnung tragen, nimmt äußere Sinnesreize an und läßt dort die Erkenntnis „anheben". Hat er sich mit seiner Transzendentalphilosophie und ihren gänzlich apriorischen Kategorien nicht allzuweit von der wirklichen Welt entfernt? Er legt sich selbst diese Frage vor. Reine Verstandesbegriffe seien mit sinnlichen Anschauungen ganz ungleichartig und könnten niemals in der Empirie angetroffen werden. Wie ist da die Subsumtion der Erscheinungen unter die Kategorie möglich, „da doch niemand sagen wird: diese, z. B. die Kausalität, könne auch durch Sinne angeschaut werden und sei in der Erscheinung enthalten?" (B 177). Mit dieser Schwierigkeit also werde die transzendentale Doktrin der Urteilskraft notwendig. Sie soll den Kanon geben, nach dem reine Verstandesbegriffe auf Erscheinungen überhaupt angewendet werden können. Kant löst die ganze Frage mit der kategorischen Behauptung: „Nun ist klar, daß es ein Drittes geben müsse, was einerseits mit der Kategorie, andererseits mit der Erscheinung in Gleichartigkeit stehen muß und die Anwendung der ersteren auf die letztere möglich macht. Diese vermittelnde Vorstellung muß rein (ohne alles Empirische) und doch einerseits intellektuell, andererseits sinnlich sein. Eine solche ist das transzendentale Schema" (B 177). Kant erblickt das transzendentale Schema in der Zeit. Sie enthalte sowohl sinnliche Momente als auch transzendental-begriffliche, weil mit ihr auch die Zahl auftauchte, die doch reine Synthesis des Mannigfaltigen sei (B 182). Und nun entwickelt Kant in diesem Kapitel, das zu den tiefsten und interessantesten der Kritik der reinen Vernunft gehört, weil hier das Verhältnis von Sinnlichkeit und Idealität mit ganz neuen und eigenen Gesichtspunkten aufgegriffen wird, den Schematismus der reinen Verstandesbegriffe, indem er an gewisse Zeitbestimmtheiten quantitativer, qualitativer, relativer und modaler Art, nämlich die Zeitreihe, den Zeitinhalt, die Zeitordnung und den Zeitbegriff, die entsprechenden Kategorien geknüpft sein und sie dadurch ausgelöst werden läßt. Wenn wir in der Sinnlichkeit eine bestimmte Zeiterfahrung haben, dann stelle sich je und je die zugehörige Kategorie ein, und wir subsumieren dann unter sie unsere sinnliche Anschauung, und so werde daraus Erkennen. Die

Zwischen Sinnlichkeit und Geist

Vermittlung

Beharrlichkeit in der Zeit zum Beispiel ist das Schema für die Substanzkategorie. Die Regelmäßigkeit im Nacheinander ist das Schema der Kausalität, das Dasein zu aller Zeit ist Schema für die Notwendigkeit, das zu einer bestimmten Zeit für die Wirklichkeit, die erfüllte Zeit ist Schema der Realität, die leere Zeit Schema der Negation.

Die Aporie

Mit dem Schematismus ergeben sich tiefgreifende philosophische Probleme. Was schlägt im Zeitschema vor: das Sinnliche oder das Ideelle? Wenn es das Sinnliche ist, dann steht das Sein im Fluß des Werdens und mit ihm auch die Wesenheiten; Sein wird auf Zeit hin interpretiert. Wenn es das Ideelle ist, dann erzeugt die Synthesis des reinen Verstandes die Zeit (B 182), und das Sein wird auf die Idee hin interpretiert. Allgemeiner gesprochen: Muß das „Gegebene" so gegeben sein, wie Kant es verwendet, als ein Residuum des Empirismus? Könnte es nicht auch verstanden werden als etwas, was am Logos partizipiert, so daß von da aus entscheidend konstituiert wird, was Realität ist, entgegen seiner Äußerung in B 351 (s. oben S. 286)? Oder hat Kant sich in diesem fundamentalen Punkt überhaupt nicht endgültig festgelegt, und wäre der Schematismus in seiner Rolle als Vermittlung zwischen Sinnlichkeit und Geist nur Ausdruck der ideengeschichtlichen Konstellation? Man muß ja fragen: was gilt nun eigentlich, das Empirische der Empfindung oder die Spontaneität der apriorischen Form? Manchmal wird die Erscheinung inhaltlich vom Wesen des Erscheinenden abhängig gemacht, so, wenn sie „darauf Anzeige tut" (s. unten S. 310). Dann darf das wieder nicht sein wegen Spontaneität und Apriorität. Der Begriff der Erscheinung und damit der ganze Schematismus, zwei für das ganze System grundlegende Begriffe, ist zwielichtig und nicht entschieden. „Es ergibt sich von der transzendentalen Deduktion her, daß die Gegenüberstellung von logischer Form und empirischem Inhalt zuletzt nicht aufrechterhalten werden kann" (Heintel). Die Kantianer tun aber, als wäre dieser Boden fest, und bauen weiter. Das historisch Gewordene hat aber inzwischen sein eigenes Gewicht bekommen und erdrückt die Konsequenz der Kritik. Die Macht des historischen Koeffizienten ist oft größer als der „sichere Gang der Wissenschaft". —

ββ) Grundsätze

Auf die Lehre vom Schematismus der reinen Verstandesbegriffe folgt die Lehre von den Grundsätzen des reinen Verstandes (B 187 ff.). Diese Grundsätze gehen den Kategorien in deren Anwendung nicht mehr voraus wie das Zeitschema, sondern sie folgen aus ihnen. Sie bilden den ersten Entwurf einer aus den Kategorien aufzubauenden transzendentalen Ontologie und gelten teils in mathematisch-messender (mathematische Grundsätze), teils dynamisch-kausaler Hinsicht (dynamische Grundsätze). Wieder sollen sie natürlich a priori gelten und insofern „die Gründe anderer Urteile in sich enthalten", also die Grundsätze darbieten, auf denen alle weiteren Urteile der Seinswissenschaften sich erheben müssen. Mit anderen Worten: sie umreißen die Grundlinien der Gegenstände der Seinsgebiete. Mehr noch, sie setzen diese Gegenstände; denn so will es die eigentliche Tendenz der Kantischen Transzendentalphilosophie. „Der Verstand schöpft seine Gesetze a priori nicht aus der Natur, sondern schreibt sie dieser vor" (Proleg. § 36). Alle Gesetze der Naturwissenschaften, die im Laufe der Erfahrung gefunden werden, „stehen unter höheren Grundsätzen des Verstandes, indem sie diese nur auf besondere Fälle der Erscheinung anwenden" (B 198). Darum ist der Verstand „die Gesetzgebung für die Natur, d. i., ohne Verstand würde es überall nicht Natur, d. i. synthetische Einheit des Mannigfaltigen der Erscheinungen nach Regeln geben" (A 127). Der Verstand aber erfüllt diese seine Rolle mit seinen Kategorien und seinen Grundsätzen. Im deutschen Idealismus wird aus dieser Lehre Kants die noch viel kühnere Forderung, die Welt nicht zu erkennen, sondern sie zu erschaffen. „Über die Natur zu philosophieren heißt die Natur schaffen", wird Schelling sagen, und Fichte wird aus dem transzendentalen Ich alles Sein deduzieren, das es gibt. Damit wird nun erst ganz klar, was die Kopernikanische Wende bei Kant bedeutete. Im einzelnen leitet Kant seine Grundsätze auch wieder in Parallele zu seiner Urteilstafel ab. Darum gibt es wieder vier Gruppen: 1. Axiome der Anschauung mit dem Prinzip: Alle Anschauungen sind extensive Größen; 2. Antizipationen der Wahrnehmung mit dem Prinzip: In allen Erscheinungen hat das Reale, was ein Gegenstand der Empfindung ist, intensive Größe, d. i. einen Grad; 3. Analogien der Erfahrung mit dem Prinzip: Erfahrung ist nur durch die Vorstellung einer notwendigen Verknüpfung der Wahrnehmungen möglich; 4. Postulate des empirischen Denkens überhaupt, die Aufstellungen enthalten über Möglichkeit, Wirklichkeit und Notwendigkeit. Daß die Grundsätze für Sein und Wissenschaft vom Sein als solchem das leisten wollen, was etwa für einen Staat ein Staatsgrundgesetz bedeutet, ersieht man ohne weiteres, wenn man sie im einzelnen betrachtet. Die Frage ist nur wieder, ob sie transzendental-subjektivistischen Charakter haben, wie Kant meint, oder transzendent-objektiven. Und weiter ist zu überlegen, ob es richtig ist, die obersten Grundlinien und Grundsätze von Sein und Wissen unter allen Umständen so starr, um nicht zu sagen gequält, aus einem Prinzip abzuleiten, wie Kant aus seiner Urteilstafel, oder ob man nicht besser tut, die Wirklichkeit selbst in ihrer Vielfalt zu studieren und sich von ihr, wenn auch nicht endgültig bestimmen, so doch zunächst anleiten zu lassen. So hat es Aristoteles gemacht, und so macht es auch heute wieder die neue Ontologie. In Wirklichkeit war ja auch Kants Weg ein anderer gewesen, als es die Kritik der reinen Vernunft darstellt. Wie die Forschung längst gesehen hat, war es historisch so, daß Kant sein Werk als Newtonianer begann (Cohen). Dem System Newtons paßte er zunächst seine Grundsätze an, diesen dann die Kategorien und diesen wieder die Urteilstafel. Von Newton auch übernahm er seine Anschauungsformen. Und nun behauptete er, Newton verabsolutierend, daß dies alles mit der Natur des menschlichen Geistes notwendig gegeben sei. Jetzt erst erfolgte die „Ableitung“; aus der Urteilstafel ergaben sich die Kategorien und daraus die Grundsätze, alles a priori und zeitlos notwendig. Aber was herauskam, kam heraus infolge des Glaubens an Newton. Und wie es sich für einen Glauben gehört: was Newton und die Naturphilosophie noch postuliert hatten, war jetzt absolut geworden. Kant fand auch wieder Glauben. Unter dem Einfluß seiner Kategorienlehre und ihres Apriorismus hielten auch die exakten Naturwissenschaftler ihre Naturgesetze für absolut notwendig und „fanden“ das als gegeben. Bis die Relativitätstheorie kam und den Postulatencharakter wieder erkennen ließ.

γγ) Kants wirklicher Weg

d) Transzendentale Dialektik

α) Grundbegriffe

Nach der kritischen Behandlung der Sinnlichkeit und des Verstandes bleibt Kant noch eine Sichtung der Vernunft und ihrer Stellung im Erkennen überhaupt, besonders aber ihrer Bedeutung für eine mögliche Metaphysik. Das geschieht in der transzendentalen Dialektik (B 349 ff.). „Alle unsere Erkenntnis hebt von den Sinnen an, geht von da zum Verstande und endigt bei der Vernunft“ (B 355). In der Sinnlichkeit fand Kant als das Grundlegende die transzendentalen Anschauungsformen, im Verstand waren es die reinen Verstandesbegriffe oder Kategorien, in der Vernunft sind es die Ideen. „Die transzendentale Analytik gab uns ein Beispiel, wie die bloße logische Form unserer Erkenntnis den Ursprung von reinen Begriffen a priori enthalten könne ... Ebenso können wir erwarten, daß die Form der Vernunftschlüsse ... den Ursprung besonderer Begriffe a priori enthalten werde, welche wir reine Vernunftbegriffe oder transzendentale Ideen nennen können“ (B 378). Was ist also eine Idee im Sinne Kants? Natürlich nicht mehr die Vorstellung (idea) der Engländer. Die ist nicht einmal ein Begriff. Die Idee aber ist etwas Höheres, ein „Begriff aus Notionen (reiner Begriff a priori), der die Möglichkeit der Erfahrung übersteigt“ (B 377). Ideen bestimmen „den Verstandesgebrauch im Ganzen der gesamten Erfahrung nach Prinzipien“ (B 378), und zwar sollen diese Prinzipien eine höchste uns mögliche Einheit in unserer Erkenntnis darstellen (B 365; Proleg. § 56). Der nähere Sinn dieser einheitstiftenden Prinzipien wird klar, wenn wir uns die Ableitung vor Augen halten, die zu den Ideen führt. Es ist die Vernunft und das ihr eigentümliche Tun, nämlich das Schließen, was nach Kant die Ideen mit sich bringt. Jeder Schluß aber ist nichts anderes als das Aufsuchen der Bedingungen für ein Bedingtes. Daß Sokrates sterblich ist, ist dadurch bedingt, daß alle Menschen sterblich sind. Dieser Obersatz, daß alle Menschen sterblich sind, setzt selbst aber, wenn er bewiesen werden will, auch wieder Bedingungen voraus; diese wieder, und so immerzu. Vernunft besagt darum ihrem Sinn und Begriff nach nichts anderes als die Aufforderung, immer weiter zu forschen nach den immer weiter sich überhöhenden Bedingungen. Die gesuchte Totalität der Bedingungen macht darum das einheitstiftende Prinzip aus, das wir in einer Idee vor uns haben. Werden wir die Totalität aller Bedingungen für das Sein überhaupt oder auch nur für einen größeren Ausschnitt aus dem Seienden, etwa den Bereich des Seelischen oder der Welt, je voll erkennen und also eine Idee ganz ausschöpfen können? Kant bestreitet dies. Die Totalität

αα) „Vernunft“

ββ) „Idee“

der Bedingungen oder das Unbedingte wäre das Ganze der möglichen Erfahrung, „bis dahin zwar keine wirkliche Erfahrung jemals völlig zureicht, aber auch doch jederzeit dazu gehörig ist" (B 367). Ideen sind darum nur Aufforderungen zum Suchen, „heuristische Regeln", sind nicht konstitutive, d. h. Anschauungen zu Begriffen aufbauende, sondern nur regulative, d. h. den Verstandesgebrauch auf ein problematisches Ziel hin ausrichtende Prinzipien. Ja Kant muß sagen: „Durch die transzendentalen Ideen erkennt man eigentlich nur, daß man nichts wissen könne" (B 498), und darum heißt er die Ideen auch heuristische Fiktionen, womit nicht gesagt sein soll, daß sie „gedichtete Gegenstände" sind; sie sind nur als problematische Einheitspunkte dort angenommen, wo wir in der Totalität der Bedingungen eine Einheit noch suchen, aber noch nicht haben (B 799). So kann man zum Beispiel die Gesamtheit der seelischen Erscheinungen in einer Einheit versuchsweise als „Seele" zusammendenken; aber diese Seele ist nur Idee, heuristisches Prinzip, nicht jedoch eine gegenständliche Realität. Was für Ideen soll es nach Kant geben? Er leitet sie wie immer transzendental ab (B 390 ff.), und zwar aus den Formen der Relation (Bedingendes und Bedingtes, wie sie uns im Schluß begegnen, besagen ja eine Relation). Die Ableitung ist etwas gekünstelt; was herauskommt, sind die drei großen Ideen: Seele, Welt und Gott. Gott nur eine Idee, nur ein heuristisches Prinzip, eine nur als Problem aufgegebene Einheit der Bedingungen aller Realität überhaupt? Das hat natürlich Anstoß erregt, und ähnlich liegt es mit dem Begriff der Seele. Die bisherige rationale Psychologie, Kosmologie und Theologie hatten unter Seele, Welt und Gott etwas anderes verstanden: seiende Gegenstände, Realitäten und nicht bloß problematische Fiktionen. Es sah wenigstens so aus, als hielte man Gott und Welt für Gegenstände, wie man Dinge in Raum und Zeit dafür hält. In Wirklichkeit war es zwar nicht so glatt (s. unten S. 335), aber man konnte, wenn man nicht weitere Texte beizog, was dastand, beim Worte nehmen. Damit muß sich nun Kant auseinandersetzen. „Der transzendentale Gebrauch der reinen Vernunft, ihre Prinzipien und Ideen sind es also, welche genau zu kennen uns jetzt obliegt" (B 376). Die Vernunft sei immer der Gefahr ausgesetzt, ihre Prinzipien und Ideen, die doch nur regulative Prinzipien wären,

γγ) „Regulative Prinzipien"

δδ) „Dialektischer Schein"

für gegenständliche Wirklichkeiten, die Methoden also für das Sein selbst zu halten. Wo das geschieht, werde die Vernunft „gemißbraucht" und würden nur Fehlschlüsse, Blendwerke und Sophistikationen aufgerichtet. Warum Kant sich dagegen wenden muß, ergibt sich aus dem bisher Gesagten. Erkennen ist für ihn, so hörten wir, Anschauung + Denken. Vernunft aber steht über dem denkenden Verstand. Für die Vernunfttätigkeit gibt es also nichts mehr zum Anschauen. Das kann nur der Verstand, insofern er Sinnesanschauungen unter Regeln bringt. Die Vernunft hat darum eine andere, und zwar eine nur formale oder methodische Aufgabe. Sie regelt die Verstandestätigkeit, besitzt aber keine materialen „Gegenstände" mehr. Noch weniger als der Verstand dürfe sie transzendent oder hyperphysisch gebraucht werden (B 363, 352, 670). Kant legt auf diese Einsicht größten Nachdruck. In den Prolegomena (§ 41) schreibt er: „Wenn Kritik der reinen Vernunft auch nur das allein geleistet hätte, diesen Unterschied zuerst vor Augen zu legen, so hätte sie dadurch schon mehr zur Aufklärung unseres Begriffes (von Metaphysik) und der Leitung der Nachforschung im Felde der Metaphysik beigetragen als alle fruchtlosen Bemühungen, den transzendenten Aufgaben der reinen Vernunft ein Genüge zu tun, die man von jeher unternommen hat, ohne jemals zu wähnen, daß man sich in einem ganz anderen Felde befände als dem des Verstandes und daher Verstandes- und Vernunftbegriffe, gleich als ob sie von einerlei Art wären, in einem Strich hernannte." Es sei allerdings nicht zu leugnen, das gibt Kant zu, daß es sich bei der Verwechslung von Verstandes- und Vernunftbegriffen, von materialen Gegenständen der Erfahrung und bloßen Ideen zur Regelung des formalen Vernunftgebrauches um eine unvermeidliche Illusion handle. Diese Illusionen, diesen transzendentalen oder „dialektischen" Schein, wie Kant das in Anlehnung an die alte Bezeichnung der Vernunftschlüsse als Dialektik auch heißt, zu zerstören ist die eigentliche Aufgabe des Abschnittes über die transzendentale Dialektik (B 88, 349ff.). Es ist der wohl berühmteste Teil der Kritik der reinen Vernunft. Seine Angriffe auf die bisherigen Auffassungen von Seele, Welt und Gott mußten auch weitere Kreise sofort als neu und umwälzend verstehen. Kant trägt sie vor in den Abschnitten über die „Paralogismen der reinen Vernunft", die sich mit der herkömmlichen rationalen Psychologie befassen, in dem Abschnitt über die „Antinomien der reinen Vernunft", die der herkömmlichen rationalen Kosmologie entgegentreten, und in dem Abschnitt vom „Ideal der reinen Vernunft", wo er seine Kritik der überlieferten Gottesbeweise entwickelt.

β) Paralogismen Die traditionelle Psychologie vor Kant war nicht bloß eine Beschreibung der Bewußtseinsakte. Sie bildete eine Metaphysik der Seele und sah in der Seele eine Substanz. Von einer res spricht Descartes, von einer tätigen Monade Leibniz. Ebenso nahmen Wolff und seine Schule die Substanzialität der Seele an und bewiesen sie durch Rückschlüsse von den Akzidentien auf ein ihnen zugrunde liegendes reales Sein. Neben der Substanzialität wurde dann auch immer noch die Inkorruptibilität, Immaterialität und Unsterblichkeit der Seele zu beweisen versucht. In all dem erblickte man den eigentlichen Kern der menschlichen Person. Und diese Person, so dachte man, mache eigentlich das Ich aus, das Subjekt der menschlichen Tätigkeiten. Nur die Engländer hatten das angezweifelt. Für Locke ist die Substanz ein „ich weiß nicht was", und für Hume ist die Seele nur ein Bündel von Wahrnehmungen. Auch für Kant ist die Seele keine metaphysische Substanz mehr. Er sieht im Beweis für die Substanzialität der Seele einen Paralogismus (Fehlschluß), der auf einer quaternio terminorum beruhe, weil das Ich dabei in einem doppelten Sinn verstanden würde. Die Überlegung laute nämlich gewöhnlich so: Was absolutes Subjekt ist und nicht als Prädikat von Urteilen verwendet werden kann, ist Substanz. Das absolute Subjekt all unserer Urteile aber ist das Ich. Also ist das Ich eine Substanz. Jenes Ich, das Subjekt aller Urteile ist, ist jedoch nach Kant das transzendentale Ich der transzendentalen Apperzeption, bedeutet also eine rein logische Größe. Unser Schluß aber fasse diese logische Größe plötzlich als eine ontologische, als eine metaphysische Realität, und darin liege sein Fehler (A 348 ff.). Kant hat recht, dieses logische Ich als oberste Synthesis all unserer Bewußtseinsinhalte gibt es. Gibt es aber nur dieses logische Ich, und sind wir Menschen als Individuen nicht mehr als das? Oder können wir von dem, was wir noch sind, nicht mehr fassen als nur logische Geltungszusammenhänge? Wenn wir Kant das erlebte Ich entgegenhalten, das will und wirkt, leidet und fühlt, das existiert, verweist er das in die empirische Psychologie und vermag damit nichts anzufangen (A 342). Sein Begriff von Seele und seelischem Leben kennt nur Bewußtsein. „‚Ich denke‘ ist also der alleinige Text der rationalen Psychologie, aus welchem sie ihre ganze Weisheit auswickeln soll“ (A 343). Dieses ‚cogitans sum‘ ist bei ihm noch enger als bei Descartes; es meint nur den logischen Geltungszusammenhang. Kant preßt die ganze Wirklichkeit der Seele in seine Transzendentalität hinein. Es ist eine Verarmung dieser Wirklichkeit; denn der Hinweis auf Erleben, Wirken und Leiden, Widerstand und Dauer, Entwurf und Existenz kann nicht erledigt werden bloß mit der Erinnerung an die transzendentale Apperzeption des reinen Ich. Das „absolute“ Subjekt unserer Urteile ist eben doch etwas anderes als das einfach nur logische Subjekt. Sucht man dieses Ich allerdings, wie man einen verlorenen Groschen sucht, als einen Gegenstand von dinghafter Seinsmodalität, dann wird man freilich nichts finden. Man muß sich vielmehr klar werden über den modus essendi metaphysischer Gegebenheiten. Und dann wird das Suchen nicht aufhören: „Wer kann es wohl ertragen, daß wir von der Natur unserer Seele bis zum klaren Bewußtsein des Subjektes und zugleich der Überzeugung gelangen, daß seine Erscheinungen nicht materialistisch können erklärt werden, ohne zu fragen, was denn die Seele eigentlich sei, und, wenn kein Erfahrungsbegriff hierzu zureicht, allenfalls einen Vernunftbegriff eines einfachen immateriellen Wesens bloß zu diesem Behuf anzunehmen, ob wir gleich seine objektive Realität gar nicht dartun können?“ (Proleg. § 57 = Werke IV, 351 f.) „Realität“ sagt Kant. Welche meint er denn? Die Entscheidung dieser Frage entscheidet die Antwort (s. unten S. 329 f.).

γ) Antinomien

In seiner Beschäftigung mit der bisherigen Kosmologie verfolgt Kant auch wieder das Grundthema seiner Kritik: Erkennen = Anschauen + Denken; die reinen Verstandesbegriffe dienen nur einer möglichen Erfahrung innerhalb der Sinneswelt; nur in einem transzendentalen Sinn ist auch die Vernunft zu gebrauchen, ja hier gilt das noch mehr als für die Verstandesbegriffe. Ihre Ideen sind nämlich ausschließlich letzte Überhöhungen des Denkens und seiner Erfahrungserkenntnis zu obersten, alles in Einheit zusammenfassenden Synthesen. Treibe man aber eine Metaphysik der Welt im Stil der bisherigen rationalen Kosmologie und ver-

Kants Plan

wendet wie diese die Begriffe des Verstandes und der Vernunft in einem transzendenten Sinn, als gäbe es Gegenstände, die von unseren subjektiven geistigen Formen unabhängig sind und sozusagen darüberhinaus liegen, als Ding an sich, dann verwickelt sich die Vernunft notwendig in Widersprüche. An Hand von vier wichtigen Themen der bisherigen Metaphysik versucht Kant diese Widersprüche oder Antinomien aufzuzeigen. Die Lehre von den Antinomien will also in einem indirekten Verfahren, durch Klarstellung innerer Widersprüche, die alte Metaphysik ad absurdum führen. Die Thesen und Antithesen der Antinomien beruhen nämlich nicht auf Fehlschlüssen wie die Paralogismen der rationalen Psychologie, sondern jeder dieser Sätze sei, trotz der Widersprüche, auf dem Boden der alten Metaphysik zu beweisen. Aber gerade damit zeige sich deren innere Unmöglichkeit. Die vier Antinomien, die Kant aufstellt, entsprechen seinen vier kosmologischen Ideen (B 435 ff.). Diese wieder leitet er ab, indem er das oberste Vernunftprinzip, den Gesichtspunkt der Einheit bei der Betrachtung des Seins, entsprechend den vier Arten von Kategorien — also wieder die Urteilstafel als Ausgangspunkt — in einem vierfachen Sinne anwendet, in quantitativer, qualitativer, relationaler und modaler Hinsicht. Damit verlangt die Vernunft eben um der Einheit willen: absolute Vollständigkeit in der Zusammensetzung des gegebenen Ganzen aller Erscheinungen; absolute Vollständigkeit in der Teilung eines gegebenen Ganzen; absolute Vollständigkeit in der Entstehung einer Erscheinung überhaupt; absolute Vollständigkeit in der Abhängigkeit des Daseins des Veränderlichen in der Erscheinung. Die ersten beiden kosmologischen Ideen sind mathematischer, die letzten beiden dynamischer Natur. Den nur transzendentalen Charakter der Vernunft mißverstehend, habe die alte Metaphysik die transzendentalen Ideen der Vernunft zu Begriffen von transzendenten Gegenständen gemacht. Damit ergäben sich die Sätze der vier Antinomien (B 448 ff.): 1. Antinomie (bei einer Betrachtung der Welt in quantitativer Hinsicht). Thesis: Die Welt hat einen Anfang in der Zeit und ist dem Raum nach auch in Grenzen eingeschlossen; Antithesis: Die Welt hat keinen Anfang und keine Grenzen im Raum, sondern ist sowohl in Ansehung der Zeit als des Raumes unendlich. 2. Antinomie (bei einer Be-

Ableitung der vier Antinomien

trachtung der Welt in qualitativer Hinsicht). Thesis: Eine jede zusammengesetzte Substanz in der Welt besteht aus einfachen Teilen, und es existiert überall nichts als das Einfache oder das, was aus diesem zusammengesetzt ist; Antithesis: Kein zusammengesetztes Ding in der Welt besteht aus einfachen Teilen, und es existiert überall nichts Einfaches in derselben. 3. Antinomie (bei einer Betrachtung der Welt unter dem Gesichtspunkt der Relation). Thesis: Die Kausalität nach Gesetzen der Natur ist nicht die einzige, aus welcher die Erscheinungen der Welt insgesamt abgeleitet werden können. Es ist noch eine Kausalität durch Freiheit zur Erklärung derselben anzunehmen notwendig; Antithesis: Es ist keine Freiheit, sondern alles in der Welt geschieht lediglich nach Gesetzen der Natur. 4. Antinomie (bei einer Betrachtung der Welt unter dem Gesichtspunkt der Modalität). Thesis: Zu der Welt gehört etwas, das entweder als ihr Teil oder ihre Ursache ein schlechthin notwendiges Wesen ist. Antithesis: Es existiert kein schlechthin notwendiges Wesen, weder in der Welt, noch außer der Welt, als ihre Ursache.

Mit der Antinomienlehre sind Probleme aufgeworfen, die fast die ganze Philosophie selbst sind. Es ist sehr viel darüber geschrieben worden. Das Wichtigste dürfte Bolzano gesagt haben, der in seiner Wissenschaftslehre Kant einer eingehenden Kritik unterzieht. Beachtenswert ist ferner die Analyse des Antinomiendenkens durch H. Leisegang in seinen „Denkformen“ (1928). Hier kann nur gezeigt werden, wie Kant selbst sich die Lösung seiner Antinomien zurechtgelegt hat. Sie erfolgt durch eine Anwendung seiner transzendentalen Methode und soll die Fruchtbarkeit des transzendentalen Idealismus erweisen, also die Probe aufs Exempel machen (B 519 ff.).

αα) Auflösung der Antinomien 1 und 2

Die Auflösung der ersten und zweiten Antinomie, für die wir einfach sagen können Endlichkeit oder Unendlichkeit der raum-zeitlichen Welt nach außen und innen — nur um dieses naturphilosophische Problem der raum-zeitlichen Erstreckung der Körperwelt handelt es sich, weshalb es Kant ein mathematisches heißt; ob die Welt in ihrem Dasein bedingt, d. h. verursacht ist, oder nicht und also dann unbedingt (absolut) existiert, was man auch manchmal unter der Unendlichkeit der Welt versteht, ist eine andere, eine „dynamische“ Frage und wird zusammen mit der 4. Antinomie von Kant behandelt —, geschieht durch

Endliche oder unendliche Welt?

die Erklärung: In den beiden Antinomien sind jedesmal Thesis sowohl wie Antithesis falsch. Warum? Wer behauptet, daß es eine in Raum und Zeit nach außen oder innen unendliche Welt gibt, behauptet etwas, was er noch nicht gesehen hat; denn eine solche Anschauung ist unmöglich. Und wer behauptet, daß die raum-zeitliche Welt nach innen oder außen endlich sei, also Grenzen habe, behauptet auch etwas Unmögliches, weil man Raum und Zeit nicht begrenzen kann; dazu brauchte man selbst wieder Raum und Zeit. Der Grundfehler, den Thesis und Antithesis der ersten Antinomie machen, ist der, daß man die Welt als ganze zu denken versucht wie einen in der Anschauung gegebenen Gegenstand. Die Welt als ganze ist uns eben nicht in der Anschauung gegeben wie sonst ein anschaubarer Gegenstand innerhalb der Welt, die Welt ist uns vielmehr aufgegeben:

Indefinite Welt

„Die Sinnenwelt hat keine absolute Größe, sondern der empirische Regressus ... hat seine Regel, nämlich von einem jeden Glied der Reihe, als einem Bedingten, jederzeit zu einem noch entfernteren, es sei durch eigene Erfahrung oder den Leitfaden der Geschichte oder die Kette der Wirkungen und ihrer Ursachen, fortzuschreiten und sich der Erweiterung des möglichen empirischen Gebrauchs seines Verstandes nirgends zu überheben, welches denn auch das eigentliche und einzige Geschäft der Vernunft bei ihren Prinzipien ist" (B 549 f.). Welt ist uns also nicht vor dem Regressus unseres Erkennens gegeben wie in einer Art einmaliger kollektiver Anschauung, sondern im Regressus (B 551); sie wächst uns erst zu im Laufe unseres Forschens. Wir haben keinen bestimmten Begriff von Welt wie von einem fertigen Gegenstande; unser Erkennen muß immer noch weiter bestimmt werden. Die raum-zeitliche Welt ist darum nach innen und außen gesehen weder ein infiniter noch finiter Gegenstand, sondern ein indefinitum; mit anderen Worten, sie ist nur eine Idee, ein heuristisches Prinzip. Kant wird damit auch recht haben, daß die Welt als ganze nicht anschaubarer Gegenstand sein kann, und die oft auch im Alltag gehörten Fragen, ob die Welt ein Ende habe und was dann, jenseits ihrer Grenzen, komme, oder ob sie grenzenlos sei und wie man sich das vorstellen soll, was war, bevor die Welt wurde, ferner, ob die Materie unendlich teilbar sei, da sie doch immer ausgedehnt bleibt, oder nicht unendlich teilbar sei, all diese Fragen werden im Sinne Kants zu beantworten sein: Sie sind falsch gestellt, weil sie auf falschen Voraussetzungen beruhen, indem sie Vorstellungen, die innerhalb der Welt gelten, wo anschaubare Sinneserfahrung möglich ist, auf Verhältnisse übertragen, die so nicht mehr anschaubar sind, so daß man dort umdenken und sich einer anderen Methode des Betrachtens bedienen muß. Die Welt als ganze ist eine Idee, sagt Kant dafür. Gut; ist aber, so möchten wir Kant fragen, nicht wenigstens soviel von ihr auch vor Abschluß der unendlichen Aufgabe schon erkannt, daß sie damit von etwas anderem Seienden definit unterschieden werden, insofern ein Gegenstand sein und in wesentlichen Hinsichten charakterisiert werden kann? Man könnte ja auch von den Gegenständen innerhalb der Welt sagen, daß sie nie erschöpfend erkannt werden können, je nach dem Maßstab, den man anlegt. Und doch bezeichnen wir sie als Gegenstand.

Und doch gegenständliche Welt?

ββ) Auflösung der 3. Antinomie

Mit Hilfe des transzendentalen Vernunftgebrauchs will Kant auch die dritte Antinomie lösen, den Widerstreit von Freiheit und Notwendigkeit. Wieder ist die Idee der rettende Gedanke (B 560 ff). Kant wendet sich zunächst der allgemeinen Notwendigkeit innerhalb der Erscheinungswelt zu, die durch seine Kausalkategorie schon angesetzt ist. Diese Notwendigkeit wird nicht angetastet (B 564). Es ist für ihn ein allgemeines Gesetz, und zwar ein die Erfahrung überhaupt grundlegendes Gesetz, „daß alles, was geschieht, eine Ursache, mithin auch die Kausalität der Ursache, die selbst geschehen oder entstanden, wiederum eine Ursache haben müsse, wodurch denn das ganze Feld der Erfahrung, so weit es sich erstrecken mag, in einen Inbegriff bloßer Natur verwandelt wird“ (B 561). Sofern der Mensch in dieser raumzeitlichen Erscheinungswelt lebt, stehen alle Handlungen des Menschen als Erscheinungen „durch und durch mit anderen Erscheinungen nach beständigen Naturgesetzen im Zusammenhang und werden von ihnen als ihren Bedingungen abgeleitet und machen also, in Verbindung mit diesen, Glieder einer einzigen Reihe der Naturordnung aus“ (B 567). Der sogenannte „empirische Charakter“ des Menschen ist darum nach Kant kausal determiniert. Es ist dabei zu beachten, daß Kant auf Grund seiner Kategorienlehre in der Natur keine Freiheit mehr sehen k a n n. Sein Naturbegriff

Natur und Notwendigkeit

ist a priori und per definitionem zustande gekommen. Der ideengeschichtliche Hintergrund ist das mechanistische Denken der Neuzeit, der Kausalnexus des Spinoza und eine Verabsolutierung Newtons. Daß es sachlich auch anders sein könnte, hat Hume gezeigt, bei dem die Naturgesetze Wahrscheinlichkeitscharakter haben und ein Spielraum besteht, der wenigstens analog auch als Freiheit bezeichnet werden könnte und heute auch wieder als solcher angesprochen wird. Insbesondere sieht man heute, daß es Schichten des Seienden gibt, die je nach ihren eigenen Gesetzen beurteilt werden müssen, und daß man daher nicht alles über einen Kamm, den der Kausaldetermination, scheren darf (s. unten N. Hartmann). Aber zunächst hat Kant durch seine Philosophie fast 200 Jahre lang den Naturbegriff bestimmt, auch für den Naturwissenschaftler, und hier sogar so nachhaltig, daß man gewöhnlich, was eine ausgesprochen philosophische Konzeption war, für Tatsache und „empirisch" bewiesen hielt. Aber Kant ist nicht nur Erkenntnistheoretiker der Erfahrungswissenschaften, er ist auch Ethiker, ja er ist das in erster Linie. Das sieht man nirgends so klar wie in dem Kapitel über die Auflösung der 3. Antinomie. Die sittliche Freiheit muß unter allen Umständen gerettet werden, und man hat den bestimmten Eindruck, daß die ethischen Motive in Kants Neubegründung der Metaphysik im Rahmen seiner Kritik der reinen Vernunft die eigentlich treibenden Kräfte gewesen sind. Der ganze transzendentale Aufwand dieses Kapitels strebt auf das Ziel zu, uns zu zeigen, daß „Natur der Kausalität aus Freiheit wenigstens nicht widerstreite; das war das einzige, was wir leisten konnten und woran es uns auch einzig und allein gelegen war" (B 586). Kant muß also Freiheit so fassen, daß sie Natur nicht widerstreitet. Wie faßt er sie? Die Freiheit, der Kant hier das Wort redet, ist die Willensfreiheit. Kant definiert sie negativ als Unabhängigkeit von der Nötigung durch Antriebe der Sinnlichkeit, positiv als Vermögen oder Kausalität, „unabhängig von jenen Naturursachen und selbst wider ihre Gewalt und Einfluß etwas hervorzubringen, was in der Zeitordnung nach empirischen Gesetzen bestimmt ist, mithin eine Reihe von Begebenheiten ganz von selbst anzufangen" (B 562, 581 f.). Kant heißt jenes Vermögen auch den intelligiblen Charakter (B 566 ff.). Das Wesentliche für ihn ist, wie wir aus dem An-

Mensch und Freiheit

geführten schon sehen, die „Spontaneität" oder „die Fähigkeit, von selbst anzuheben zu handeln, ohne daß eine andere Ursache vorangeschickt werden dürfte" (B 561). Damit haben wir eine Ursache unseres Handelns, die außerhalb der Kausalreihe und ihrer Determination steht (B 565, 580). Mit dem intelligiblen Charakter hat Vernunft sich über die Grenzen möglicher Erfahrung hinausgewagt (B 563), und wir sind auf eine „intelligible Ursache" gestoßen, bewegen uns im Bereiche des „Noumenalen" und der sogenannten Dinge an sich (B 566 ff.). Damit glaubt Kant die dritte Antinomie auflösen zu können. Er erklärt jetzt: Beide Sätze sind wahr; nur muß man die Thesis (Freiheit) auf die intelligible, die Antithesis (Notwendigkeit) auf die Erscheinungswelt beziehen. So weichen sie sich also aus, und man kann beides lassen. Kant ist sich aber bewußt, daß es „äußerst subtil und dunkel erscheinen muß", ein und dieselben Geschehnisse in der raum-zeitlichen Welt zugleich als kausal notwendig (determiniert von seiten der vorausgehenden Ursachen in der Erscheinungswelt) und als frei (spontan als erster Anfang durch den intelligiblen Charakter gesetzt) zu betrachten. Obwohl wir diese mit der Freiheit gegebene intelligible Ursache weder als Wirklichkeit noch auch als Möglichkeit beweisen können, weil alles schlußfolgernde Denken auf die Sinneserfahrung beschränkt ist, eine intelligible Ursache aber nicht nach Erfahrungsgesetzen gedacht werden kann (B 586), und obwohl wir sonach vom intelligiblen Charakter nur einen allgemeinen Begriff haben (B 569), nimmt Kant doch diesen Grund der Freiheit an. Warum? Es ist die Ethik, die ihn dazu zwingt, näherhin das Sollen, das uns im kategorischen Imperativ bekannt wird. „Das Sollen drückt eine Art von Notwendigkeit und Verknüpfung mit Gründen aus, die in der ganzen Natur sonst nicht vorkommt" (B 575). Die Sollensnotwendigkeit ist nicht die Notwendigkeit der Kausaldetermination, sie folgt nicht der Ordnung der Dinge, so wie sie sich in der Erscheinung darstellen, sondern die Vernunft macht sich mit völliger Spontaneität eine eigene Ordnung nach Ideen, in die sie die empirischen Bedingungen hineinpaßt (s. unten S. 338). Ich soll, also kann ich, heißt es kurz und bündig in der Kritik der praktischen Vernunft. Im sittlichen Sollen findet sonach Kant den Hinweis auf die Berechtigung zur Annahme des intelligiblen Charakters und

Der Ausgleich

Kants Motive

seiner Kausalität aus Freiheit: „Bisweilen finden wir, oder glauben wenigstens zu finden, daß die Ideen der Vernunft wirklich Kausalität in Ansehung der Handlungen des Menschen, als Erscheinungen, bewiesen haben, und daß diese darum geschehen sind, nicht weil sie durch empirische Ursachen, nein, sondern weil sie durch Gründe der Vernunft bestimmt waren" (B 578). Da aber alles, was mit der Vernunft zusammenhängt, Idee ist oder transzendental, verstehen wir jetzt, wie Kant glauben kann, mit Hilfe seiner Transzendentalphilosophie das Problem von Notwendigkeit und Freiheit, Natur und Mensch, Faktizität und Sittlichkeit, Sein und Sollen gelöst zu haben. Kant meint, damit auch das für die Ethik

Zurechnung

wie für die Rechtsprechung gleich wichtige Problem der Zurechnung bereinigt zu haben. Die Handlungen eines Menschen, z. B. eine Lüge, gehen, so führt er aus, wenn sie unter Menschen beurteilt werden sollen, für eine solche Beurteilung aus dem empirischen Charakter mit Notwendigkeit hervor. Man müsse hier die Ursachen, schlechte Erziehung etwa, üble Gesellschaft, bösartiges Naturell, veranlassende Gelegenheitsursachen, ebenso untersuchen wie eine solche Reihe bestimmender Ursachen zu einer gegebenen Naturwirkung. Durch all das sei die Lüge notwendig determiniert. Trotzdem wird von uns der Täter so beurteilt und eventuell verurteilt, als wäre er frei gewesen; „denn man setzt voraus, man könne ... die verflossene Reihe von Bedingungen als ungeschehen, diese Tat aber als gänzlich unbedingt in Ansehung des vorigen Zustandes ansehen, als ob der Täter damit eine Reihe von Folgen ganz von selbst anhebe. Dieser Tadel gründet sich auf ein Gesetz der Vernunft, wobei man diese als eine Ursache ansieht, welche das Verhalten des Menschen, unangesehen aller genannten empirischen Bedingungen, anders habe bestimmen können und sollen. Und zwar sieht man die Kausalität der Vernunft nicht etwa bloß wie Konkurrenz, sondern an sich selbst als vollständig an ... Die Handlung wird seinem intelligiblen Charakter beigemessen, er hat jetzt, in dem Augenblicke, da er lügt, gänzlich

Zweifelhafte Freiheit

Schuld" (B 583). Mit diesen Worten scheint die ganze Schwierigkeit der Kantischen Lehre von Freiheit und Notwendigkeit nochmals grell auf. Er selbst fragt sehr scharf: „Gesetzt nun, man könnte sagen: die Vernunft habe Kausalität in Ansehung der Erscheinung; könnte da wohl die Handlung derselben frei heißen, da sie im empirischen Charakter derselben (der Sinnesart) ganz genau bestimmt und notwendig ist?“ (B 579). Und dann antwortet er: „Dieser ist wiederum im intelligiblen Charakter (der Denkungsart) bestimmt. Die letztere kennen wir aber nicht!“ Aber noch mehr, wir kennen jenen intelligiblen Charakter, der unseren empirischen bestimmen soll, nicht bloß nicht, wir sind darauf auch ohne jeden Einfluß: „Die Kausalität der Vernunft im intelligiblen Charakter entsteht nicht oder hebt nicht etwa zu einer gewissen Zeit an, um eine Wirkung hervorzubringen“ (B 579). „Sie, die Vernunft, ist allen Handlungen des Menschen in allen Zeitumständen gegenwärtig und einerlei, selbst aber ist sie nicht in der Zeit, und gerät etwa in einen neuen Zustand, darin sie vorher nicht war; sie ist bestimmend, aber nicht bestimmbar in Ansehung desselben. Daher kann man nicht fragen: warum hat sich nicht die Vernunft anders bestimmt? sondern nur: warum hat sie die Erscheinungen durch ihre Kausalität nicht anders bestimmt? Darauf aber ist keine Antwort möglich. Denn ein anderer intelligibler Charakter würde einen anderen empirischen gegeben haben“ (B 584). Ist das jetzt noch Freiheit? Wenn nicht mehr dahinter ist als eine Fiktion, ein Als-ob? Vaihingers Kant-Auslegung gibt mit dem Als-ob genau den Sinn der Freiheitsdeutung bei der Lösung der dritten Antinomie wieder; das Ganze ist immer auf den Tenor gestellt: wir denken uns das so, sehen es so an, und B 583 steht ja das Als-ob wörtlich da. Sollte ein Ansehen ‚als ob‘ genügen, wenn ein Mensch beurteilt, geschweige denn verurteilt werden soll? Mit dürren Worten hieße das doch, einen Menschen verurteilen, obwohl er nicht anders konnte. Real ist ja nur der in Raum und Zeit lebende Mensch; der aber ist nach Kant nicht frei. Für den intelligiblen Charakter kann er auch nichts, er besteht einfach in der allgemeinen Vernunftanlage, und die Vernunftbetrachtung der Handlung bleibt ein Als-ob. Ziemlich resigniert schreibt denn auch Kant: „Die eigentliche Moralität der Handlungen (Verdienst und Schuld) bleibt uns daher, selbst die unseres eigenen Verhaltens, gänzlich verborgen. Unsere Zurechnungen können nur auf den empirischen Charakter bezogen werden. Wieviel aber davon reine Wirkung der Freiheit, wieviel der bloßen Natur und dem unverschuldeten Fehler des Temperaments oder dessen glücklicher Beschaffenheit (merito fortunae) zuzuschreiben sei, kann niemand ergründen, und daher auch nicht nach völliger Gerechtigkeit richten“ (B 579). Übersehen wir aber nicht, daß Kant die Freiheit als Tatsache immer noch anerkennt. Nur seine Interpretation der Freiheit wäre vielleicht irrig. Damit hätte sich allerdings dann gezeigt, daß hier seine transzendentale Methode versagt, weil, was sie herausstellt, real nichts bedeuten würde. Es wäre anders, wenn die Idee mehr wäre denn ein Als-ob; wenn sie irgendwie auch in der von Kant real geheißenen Welt fundiert wäre; oder aber umgekehrt, wie es bei Platon und Aristoteles ist, wenn diese reale Welt an der Idee partizipierte, also von der Idee her geformt oder doch wenigstens mitgeformt wäre. Ein Ansatz hiezu liegt bei Kant dort vor, wo er versichert, daß die Ideen nicht gedichtet sind (B 799), daß die Erfahrung, wenn sie auch dafür völlig unzureichend sei, doch jederzeit dazu gehörig ist (B 367) und daß wir uns von den Vernunftideen einen Begriff machen können in Analogie zu den Erfahrungsbegriffen (B 594). Man kann sehr wohl Sinneserfahrung und Vernunftdenken trennen, aber doch nicht schlechthin. Das hat Kant auch in den Prolegomena (§ 57) deutlich gespürt. Er spricht dort von einer „Verknüpfung des Bekannten mit einem völlig Unbekannten“, einer Verknüpfung, deren Begriff zur Deutlichkeit gebracht werden müsse (Werke IV, 354). Kant muß also nicht nur eine Verbindung behaupten, sondern auch deutlich machen, wie die Fundierung der Vernunftidee in der Erfahrungserkenntnis näherhin zu denken sei, soll die Rede von den Vernunftideen nicht einen überflüssigen Dualismus bedeuten. Wir können ja nicht wahllos bald diese, bald jene Idee anwenden, sondern unsere Methode der Betrachtung der Erfahrung unter Einheitsgesichtspunkten der Vernunft muß doch wohl von der Sache, die betrachtet wird, mitbestimmt sein. Es folgen ja auch die Verstandesbegriffe einem bestimmten Schematismus. Kurz, die Kantische Idee darf ihre Transzendentalität nicht überspannen. Sie muß in einem positiven Verhältnis zur Wirklichkeit stehen. Im gleichen Paragraphen der Prolegomena spricht Kant davon, daß Erscheinungen „jederzeit eine Sache an sich selbst voraussetzen und also darauf Anzeige tun, man mag sie nun näher erkennen oder nicht“ (Werke IV, 355). Dieses Anzeige-tun muß auch gefordert werden für das Verhältnis zwischen dem,

Transzendental- und Transzendenzphilosophie

was wir in der Erfahrung erkennen, und dem, was wir in den Vernunftideen „theoretisch“ angeblich nicht erkennen, sondern nur betrachten als ob. Dieses Problem hat Kant nicht gelöst. Und darum besteht die Gefahr, daß Natur und Mensch, Sein und Sollen heillos auseinanderfallen.

γγ) Auflösung der 4. Antinomie

Bei der 4. Antinomie haben wir es wieder mit einem dynamischen Problem zu tun, ja es ist das dynamische Problem schlechthin. Die alte Metaphysik hatte immer angenommen, daß alles Dasein abhängiges Sein sei und ein erstes unbedingtes Seiendes voraussetze, das man bald die Idee des an sich Guten, bald den ersten unbewegten Beweger, den actus purus oder die erste Energeia, das ens a se, ens realissimum oder perfectissimum nannte. Der Empirismus hatte diesen Rückschluß abgelehnt und sich bewußt auf die Erscheinungen allein beschränkt. Kant greift das alte Problem auf und behandelt es unter dem Titel einer „absoluten Vollständigkeit der Abhängigkeit des Daseins des Veränderlichen in der Erscheinung“, wie die Formulierung der 4. kosmologischen Idee lautet (B 443). Trotz des Empirismus will er nicht darauf verzichten. „Die Idee dieser Vollständigkeit liegt doch in der Vernunft, unangesehen der Möglichkeit oder Unmöglichkeit, ihr adäquat empirische Begriffe zu verknüpfen“ (B 444; vgl. auch wieder den aufschlußreichen § 57 der Prolegomena!). Er hält den Grundgedanken der alten Metaphysik also für richtig, „daß, da alles in dem Inbegriff der Erscheinungen veränderlich, mithin im Dasein bedingt ist, es überall in der Reihe des abhängigen Daseins kein unbedingtes Glied geben könne, dessen Existenz schlechthin notwendig wäre“ (B 587). Aber was ist das für ein Unbedingtes, von dem hier immer die Rede ist? Oder, was das gleiche meint, was ist das für ein Regressus, den wir vornehmen, wenn wir nach den Bedingungen des Bedingten fragen? Beide Begriffe werden von Kant kritisch untersucht. Das Resultat, das herauskommt, ergibt sich wieder aus seiner Grundanschauung: Erkennen ist Anschauen + Denken. Wir sind also prinzipiell auf die empirische, sinnlich anschaubare Welt beschränkt. „Die Sinnenwelt enthält nichts als Erscheinungen, diese aber sind bloße Vorstellungen, die immer wiederum sinnlich bedingt sind, und da wir hier niemals Dinge an sich selbst zu unseren Gegenständen haben, so ist nicht zu verwundern, daß wir niemals berechtigt sind, von

Marginalien: Totalität der Bedingungen (neben „Kant greift das alte Problem“); Mathematischer Regressus in indefinitum (neben „Grundanschauung: Erkennen ist Anschauen + Denken“)

einem Glied der empirischen Reihe, welches es auch sei, einen Sprung außer dem Zusammenhang der Sinnlichkeit zu tun, . . . um die Ursache ihres Daseins außer ihnen zu suchen" (B 591). Mit anderen Worten: Bedingungen können nur innerhalb der Welt der Erscheinungen verfolgt werden, und hier gibt es, wie wir schon hörten, einen indefiniten Regressus. Diesen Faden der empirischen Bedingungen zu verlassen und sich „in transzendente und keiner Darstellung in concreto fähige Erklärungsgründe zu verlaufen" (B 590) ist gegen den Sinn des Erkennens und darum sinnlos. Der Grundsatz der Kausalität kann nur innerhalb der Welt selbst angewendet werden, nicht aber auf die Welt als ganze. Wer das tut, weiß nicht um die Grenzen des Erkennens. Wir sehen, Kant steht auf dem Boden des Empirismus und spricht dessen Sprache, die von uns schon beanstandete Rede nämlich, daß wir mit dem Wort von einem Grund der Welt als ganzer die Erscheinungswelt gänzlich verlassen (vgl. oben S. 243). Allein er steht nicht bloß auf dem Boden des Empirismus. Das Wort vom schlechthin Unbedingten als der Totalität aller Bedingungen, womit der Rationalismus das Gottesproblem philosophisch zu erhellen pflegte, läßt ihn nicht los. „Die Vernunft fordert das Unbedingte" (B 592). Und es ist sogar ein außerweltliches Unbedingtes, was Kant jetzt anzielt. Warum eigentlich noch? Aus dem aufschlußreichen Abschnitt vom Interesse der Vernunft an den Antinomien (B 490 ff.) ersehen wir, daß es wieder die praktische Vernunft ist, wie schon in Sachen der Freiheit in der 3. Antinomie, was Kant bestimmt, am schlechthin Unbedingten festzuhalten. Der bloße Empirismus würde Moral und Religion Kraft und Einfluß nehmen. Wenn es kein von der Welt unterschiedenes Urwesen gibt, wenn die Welt ohne Anfang und also auch ohne Urheber, unser Wille nicht frei, und die Seele von gleicher Teilbarkeit und Verweslichkeit wie die Materie ist, so verlieren auch die moralischen Ideen und Grundsätze alle Gültigkeit (B 496). Den Boden für jene majestätischen sittlichen Gebäude eben und baufest zu machen, das hat Kant ausdrücklich gewollt. Und so greift er wieder auf seine Vernunftideen zurück. Das Absolute ist ein regulatives Prinzip: mögen auch alle Geschehnisse innerhalb der Welt selbst einen unabschließbaren Regressus in ihrer Abhängigkeit haben und nicht von außerhalb dieser Reihe ableitbar sein, so hindert doch nichts, sich

Das schlechthin Unbedingte

die ganze Reihe als in irgendeinem intelligiblen, schlechthin notwendigen Wesen als dem Grund der Möglichkeit aller Erscheinungen gegründet zu denken (B 588 ff.). „Die Vernunft geht ihren Gang im empirischen und ihren besonderen Gang im transzendentalen Gebrauche“ (B 591). Damit rückt also das Unbedingte über die sinnliche Welt hinaus. Während nämlich bei der intelligiblen Freiheit, von der in der 3. Antinomie die Rede war, das Subjekt als Ding an sich dennoch in die Reihe der Bedingungen gehörte und nur die Kausalität als solche intelligibel war, ist das „notwendige Wesen ganz außer der Reihe der Sinnenwelt (als ens extramundanum) und muß bloß intelligibel gedacht werden“ (B 589). Es wird also nur „gedacht“. Eben damit aber, da es nur eine Vernunftidee ist, eine Art und Weise, die Dinge zu betrachten, und kein Gegenstand, ist es auch dem durchgängigen, uneingeschränkten empirischen Regressus in der Reihe der Erscheinungen nicht entgegen. „Das ist aber auch das einzige, was wir zur Hebung der scheinbaren Antinomie zu leisten hatten und was sich nur auf diese Weise tun ließ“ (B 592). Das Absolute ist also nicht „bewiesen“, wie die alte Metaphysik glaubte; denn Beweise gibt es nur innerhalb der Erscheinungswelt. Aber auch seine Unmöglichkeit ist nicht bewiesen und könne nicht bewiesen werden, wie der Materialismus und Atheismus glauben; denn das hieße wiederum die Erscheinungsbasis überschreiten (B 590 f.; vgl. Proleg. § 57 = Werke IV, 352). Aber man könnte es sich als Idee denken. Damit vermeint Kant die Antinomie aufgelöst zu haben: von den beiden widerstreitenden Sätzen wird die Antithese auf die Erscheinungswelt bezogen, die Thesis aber auf die Vernunftideen. So gelten beide Sätze, aber jeder in seiner Sphäre. Das gezeigt zu haben hält Kant für die spezifische Leistung der Dialektik der reinen Vernunft. Sehr aufschlußreich ist auch, was Kant ausführt, wenn er das Absolute vorstellt als das sogenannte Ideal der reinen Vernunft (B 595 ff.). Er knüpft an Platon an und sieht im Ideal das Urbild der durchgängigen Bestimmung des Nachbildes. Mögen diese Ideale auch keine objektive Realität oder Existenz haben, so seien sie doch nicht Hirngespinste, sondern „ein unentbehrliches Richtmaß der Vernunft, die des Begriffes von dem, was in seiner Art ganz vollständig ist, bedarf, um danach den Grad und die Mängel des Unvollständigen zu schätzen und ab-

Ideal der reinen Vernunft

zumessen" (B 597). Wie wir nun zum Beispiel die einzelnen sittlichen Handlungen auf die Ideale oder Werte schlechthin beziehen und daran messen als mehr oder weniger vollkommene Nachbilder, die Tugenden also als bedingt betrachten, das Ideal aber als das sie bedingende Unbedingte, so könnten wir auch alles Seiende als bedingt auf Gott als das Unbedingte beziehen. Er ist dann das „Urbild aller Dinge (Prototypon), welche insgesamt als mangelhafte Kopien (ectypa) den Stoff zu ihrer Möglichkeit daher nehmen, und indem sie demselben mehr oder weniger nahekommen, dennoch jederzeit unendlich weit daran fehlen, es zu erreichen" (B 606). Gott als das Unbedingte ist jetzt das All der Realität (omnitudo realitatis), das Wesen aller Wesen (ens entium), wodurch wie in einem Substratum der Grund für die Möglichkeit alles Seienden gelegt wird, so daß die Dinge Gott voraussetzen, wie das Unvollkommene das Vollkommene und auch wie ersteres gegenüber dem letzteren nur „Einschränkungen" Gottes sind (B 604—607). Es sei dann nicht schwer, dieses Urwesen, aus dem alles lebt, wie die Figuren aus dem Raum, auch als einfach, einzig, allgenugsam, ewig, höchst real, kurz: als Gott zu erkennen. Man meint Platon, Augustinus, Cusanus, Descartes, Leibniz zu vernehmen. Aber dann heißt es sogleich, daß damit keinerlei objektive Realität gemeint sei. Das transzendentale Ideal ist auch nur Idee, ja es steht noch weiter ab von der Realität als diese (B 596), und es selbst und damit auch das schlechthin Unbedingte als ein real Seiendes oder als ein Ding anzusehen, das wäre eine bloße Erdichtung. Ja es wird jetzt sogar eine nur psychologische Erklärung gegeben, wie diese Erdichtung zustande käme: das Ideal des allerrealsten Wesens würde, obgleich es nur eine Vorstellung ist, zuerst realisiert, dann hypostasiert und schließlich personifiziert. In Wirklichkeit gehe jenes Ideal und vermeintliche Wesen aller Wesen die durchgängige Bestimmung der realen Dinge nichts an und habe darauf nicht den mindesten Einfluß (B 608 ff.).

δδ) Würdigung Wir sehen: Die Macht der Idee und des Logos ist gebrochen. Kant vermag dem Ideal-Realismus und seinem Teilhabegedanken nichts mehr abzugewinnen. Der Einfluß des Empirismus hat über ihn gesiegt. Darum kann er in der platonischen Idee nicht mehr Realität und Wirklichkeit gründende Kraft sehen, sondern nur eine Vorstellung. Man kann sich

Ohnmacht des Geistes

den Wandel der Dinge von Platon zu Kant unter dem Einfluß des Empirismus kaum prägnanter ausmalen als an Hand des Bedeutungswandels der Idee vom ὄντως ὄν zu einem fragwürdigen subjektiven Bewußtseinsinhalt. Die Idee bei Kant schwebt vage über der Realität und bildet nur noch eine heuristische Betrachtungsweise, die er gelegentlich sogar Fiktion und ein Anschauen-als-ob nennen muß. Gott ein „Als-ob"? Man braucht das nur auszusprechen, um sofort die Gewagtheit der Kantischen Lösung zu empfinden. Nun war aus dem allerrealsten Wesen und der Totalität der Bedingungen glücklich das Allerunrealste geworden. Man versteht, daß man durch diese transzendental-philosophische Methode die Religion untergraben glaubte, Kant einen Atheisten hieß und seine Kritik der reinen Vernunft, zumal sie auch noch die bisherigen Gottesbeweise für nichtig erklärt hatte, auf den Index setzte. Tatsächlich glaubte sich ja auch der Atheismus der Folgezeit bis in die Gegenwart herein immer wieder auf Kant berufen zu können, der die Transzendenz Gottes widerlegt und Gott nur als eine transzendentale Idee dargetan habe, was nicht gerade dafür spricht, daß Kants Metaphysik Gottes besonders erfolgreich gewesen wäre. Aber Kant selbst war kein Atheist, und er hätte auf all das erwidert: Der Gottesgedanke ist als moralisches Postulat so sicher, daß alle theoretischen Philosopheme an ihn überhaupt nicht herankommen. Er braucht keinen Beweis aus den Unterlagen aus der Welt der theoretischen Vernunft, und es können solche gar nicht erbracht werden, wie umgekehrt von diesen Ansatz aus auch kein Beweis gegen Gott erbracht werden könne (Proleg. § 57 = Werke IV, 352). Gott ist also für Kant eine Wirklichkeit, genauso wie auch die Willensfreiheit, wie wir sahen, für ihn eine Tatsache ist.

Gott nur Idee?

Was in Frage steht, ist hier wie dort die Auslegung dieser Wirklichkeit. Kant bezeichnet nun die raum-zeitliche Welt der Erscheinungen als Realität (s. oben S. 286). Ihr gegenüber ist die Welt der Vernunftideen, also der ganze mundus intelligibilis und damit auch Gott, nur ein Anschauen-als-ob, das man immerhin versuchen könne, weil es dieser Realität nicht widerstreite. Und diese Ansicht Kants ist es nun, womit man sich nicht zufrieden geben kann. „Die Vernunft geht ihren Gang im empirischen und ihren besonderen Gang im transzendentalen Gebrauche." Diese zwei Geleise bedeuten

Dualismus?

einen schwer zu ertragenden Dualismus, deswegen schwer zu ertragen, weil ein Gott, der in keiner positiven Beziehung zur Welt steht, ebensowenig ein Gott ist, wie ein freier Wille nicht mehr wirklicher Wille sein kann, wenn er dem Gang der Dinge in Raum und Zeit nicht zugehört und sozusagen in einem luftleeren Raum schwebt. Will man aber den Dualismus vermeiden und setzt die Gottesidee dem All der Realität als ein höchstes ordnendes und regulatives Prinzip auf, dann muß eine solche heuristische Idee, soll sie nicht eine willkürliche Setzung sein, ein fundamentum in re haben. Der Ausdruck „willkürliche Voraussetzung" wird allerdings gebraucht (B 590); andererseits sieht Kant aber auch, wie bereits erwähnt (oben S. 310), daß die Vernunftideen keine Erdichtungen sein dürfen und daß die Erfahrung ihnen zugehörig sein müsse, wenn sie auch nicht für sie hinreicht. Hier besteht eine Unklarheit, und es wäre der Untersuchung wert, ob Kant, wenn er den mundus intelligibilis und den mundus sensibilis einerseits trennt und andererseits doch wieder verbindet, nicht vielleicht das gleiche Ziel verfolgt, das die platonisch-aristotelische Philosophie mit ihrem Teilhabe- bzw. Analogiegedanken auch im Auge hat, wo ja ebenfalls Verschiedenheit und Einheit zugleich gesehen und betont werden. Es ist die Frage, ob Kant diesen Weg bei seinem grundsätzlich empiristischen Ansatz (s. oben S. 286) noch gehen kann. Aber die Dinge sind ja nicht so ganz entschieden, wie wir sahen (S. 294). Wichtig wäre für eine kritische Überprüfung dabei besonders die Beachtung eines gewissen „Realität" Schwankens von Kant in seiner Realitätsauffassung. Bald nämlich gilt ihm die raum-zeitliche Welt als die Realität schlechthin, und die Vernunftideen sind „nur" Ideen; dann aber wieder wechselt das „nur" hinüber und wird gesagt, daß diese raum-zeitliche Welt „nur" aus Vorstellungen bestehe (z. B. B 565 und Proleg. § 57 = Werke IV 354: „Die Sinnlichkeit hat kein Bestehen für sich"), während im Hintergrund die Meinung zu stehen scheint, daß der mundus intelligibilis der moralischen Ideen die stärkere, ja eigentliche Wirklichkeit sei, was angesichts des Primates der praktischen Vernunft vor der theoretischen durchaus begreiflich ist. Jene sittlichen Ideen waren es aber auch immer in der Philosophiegeschichte gewesen, die den Idealrealismus des platonisch-aristotelischen Denkens zunächst, wenn auch nicht einzig und allein, grundgelegt haben. Damit wäre die ganze Situation eine andere, weil ein anderer Standpunkt in der Realitätsauffassung vorläge. Es wäre nicht mehr die intelligibel-idealische Welt als vielleicht bloß subjektiver Bewußtseinsinhalt abgewertet, sondern die sinnliche Erscheinungswelt, so ähnlich wie bei Platon das eigentlich Wirkliche die Welt der Idee ist. Solange man unter dem Einfluß des 19. Jahrhunderts und des Neukantianismus Marburger Prägung stand, hat man freilich in der Kant-Auslegung die Seite der moralischen Wirklichkeit zugunsten der Naturwirklichkeit gewöhnlich zurückgesetzt. Das ist allerdings auch die Auffassung des Alltags: Realität ist die Erscheinungswelt. Dann ist natürlich Gott, als Idee gedacht, nicht mehr genug Realität. Wie aber wäre es, wenn man mit dem Moralischen Ernst machte und in einer Idee, die nicht mehr die verwässerte des Empirismus ist, sondern wieder die platonische, die eigentliche Wirklichkeit sähe? Hätten wir damit nicht vielleicht das innerste Wollen Kants getroffen, der zwar durch die ganze Kritik hindurch die Sprache und die Formeln des Empirismus spricht, aber trotzdem den mundus intelligibilis nie vergessen konnte (vgl. unten S. 331)?

δ) Kritik der Gottesbeweise

Mit dem Problem der 4. Antinomie, dem Unbedingten, beschäftigen sich nun auch die Gottesbeweise der herkömmlichen Metaphysik. Kant setzt sich mit ihnen gesondert und eingehend auseinander (B 611 ff.). Er unterscheidet drei Beweise: den physiko-theologischen (= teleologischer Beweis), den kosmologischen und den ontologischen Gottesbeweis. Der erste ginge von einer ganz bestimmten Erfahrung aus, nämlich der Beobachtung der Zweckmäßigkeit und Ordnung im Sein, frage dann nach der Ursache dieser Ordnung und steige so mit Hilfe des Kausalsatzes zu einer höchsten Ursache auf; der zweite mache es ebenso, lege aber nur die Erfahrung des Daseins überhaupt zugrunde, indem er annimmt, daß Dasein schon rein als solches einer Ursache bedürfe; der dritte ginge nicht mehr von der Erfahrung aus, sondern schließe aus reinen Begriffen. Und nun erklärt Kant: „Ich werde dartun, daß die Vernunft, auf dem einen Wege (dem empirischen) so wenig als auf dem anderen Wege etwas ausrichte und daß sie vergeblich ihre Flügel ausspanne, um über die Sinnenwelt durch die bloße Macht der Spekulation hinauszukommen" (B 619). In der Einzelbesprechung behandelt dann Kant die Gottesbeweise in umgekehrter Reihenfolge. Sein Plan ist nämlich, zuerst die Unmöglichkeit des ontologischen Argumentes aufzuzeigen und dann darzutun, daß der kosmologische Beweis auf den ontologischen hinauslaufe und der physiko-theologische wieder auf den kosmologischen, womit dann diese beiden auch zu Fall kämen.

αα) Ontologischer Beweis

Der ontologische Gottesbeweis wurde nach Anselm, Descartes und Leibniz unmittelbar vor Kant von Wolff, Mendelssohn und anderen Aufklärungsphilosophen vertreten. Er schließt immer auf das Dasein Gottes auf einem analytischen Wege, indem er nämlich aus dem Wesen Gottes das Dasein als notwendig dazugehörig heraushebt. Wenn Gott das allervollkommenste und allerrealste Wesen ist (ens perfectissimum, realissimum), dann dürfe ihm das Dasein nicht mangeln; dies anzunehmen wäre ein Widerspruch, so daß das Dasein sogar mit Notwendigkeit aus dem Wesen Gottes folge. Kant wendet ein, „daß der Begriff eines absolut vollkommenen Wesens ein reiner Vernunftbegriff, d. i. eine bloße Idee sei, deren objektive Realität dadurch, daß die Vernunft ihrer bedarf, noch lange nicht bewiesen ist" (B 620). Er will sagen: wir können uns alles mögliche denken, aber ob es das, was wir denken, auch wirklich gibt, ist eine andere Frage. Wenn wir Gott als das vollkommenste oder allerrealste Wesen denken, müssen wir damit selbstverständlich auch das Dasein mitdenken; aber ob wir das, was wir da denken, auch berechtigterweise denken dürfen, d. h., ob unser Gedanke einer Realität entspricht, das wäre erst zu beweisen. Descartes hat in dieser Frage gesagt: Wenn wir Berg denken, müssen wir natürlich auch Tal mitdenken, aber aus diesem Begriffszusammenhang folgt nicht, daß es Berg und Tal auch wirklich gibt. In der Sprache Kants: „Sein ist kein reales Prädikat, d. i. ein Begriff von irgend etwas, was zu dem Begriff eines Dinges hinzukommen könne." Wir denken bloß Mögliches begrifflich genau so wie tatsächlich Wirkliches. 100 mögliche Taler werden, was ihre Washeit betrifft, nicht anders gedacht als 100 wirkliche Taler (B 626 f.). Die Wirklichkeit muß noch eigens gesetzt werden durch eine eigene Operation unseres Urteilens. Daher sage das ontologische Argument über die Wirklichkeit nichts aus, es bewege sich nur in der begrifflichen Sphäre und sei weiter nichts als eine Namenserklärung. —

ββ) Kosmologischer Beweis

Der kosmologische Beweis

(B 631 ff.) behalte auch die Verbindung von allerrealstem Wesen und notwendiger Existenz bei, erschließe aber das notwendige Dasein nicht aus dem allerrealsten Wesen, sondern aus dem notwendigen Wesen folgt für ihn das allerrealste und vollkommenste Wesen. Sein Gedankengang sei der folgende. Wenn etwas existiert, so muß auch ein schlechterdings notwendiges Wesen existieren; nun existiere zum mindesten ich selbst; also existiert ein notwendiges Wesen (B 632 f.). Dieser Schluß gehe von der Erfahrung aus oder tue wenigstens so; er täusche sich nämlich über sich selbst, weil er nach einem kleinen Umschweif wieder auf den alten Fußsteig des ontologischen Argumentes, also der reinen Begriffsanalyse, zurückkehre. Nur durch diese List käme der Beweis zu seinem Resultat. Wieso? Kant hält dem Gedankengang entgegen, daß er nicht weiterkomme als bis zu einem notwendigen Wesen. Er sei an sich nicht falsch, aber er reiche nicht aus, weil er nicht Gott beweise, sondern nur das notwendige Wesen. Nicht alles, was ein notwendiges Wesen ist, müsse auch Gott, d. h. ein vollkommenstes oder allerrealstes Wesen sein. Es ist zwar jedes vollkommenste und allerrealste Wesen auch notwendig, aber wer sagt, daß jedes notwendige Wesen auch allerrealst und vollkommen sei? Nun, das sagt der ontologische Gottesbeweis. Er identifiziert: vollkommen = allerrealst = notwendig. Wenn wir nun von dem gefundenen notwendigen Wesen weiterschreitend erklären, daß es nichts anderes als Gott sein könne, weil nur der Gottesbegriff dieser Notwendigkeit Genüge tue, dann hätten wir uns jene Auffassung des ontologischen Argumentes, das das vollkommenste Wesen zugleich als notwendiges Wesen bestimmt hatte, zu eigen gemacht und sie plötzlich in unseren Beweisgang eingeschoben, schließen infolgedessen gar nicht mehr aus der Erfahrung, sondern es ist nur ein Begriff, der Gottesbegriff des ontologischen Argumentes, der uns sagt, daß unser notwendiges Wesen Gott sei. Und daß der kosmologische Beweis, über sich selbst im unklaren, wieder auf den alten Fußsteig zurückkehre, obwohl er doch einen anderen Weg gehen wollte, diese ignoratio elenchi kreidet ihm Kant besonders an. Dann folgen an besonderen Einwänden noch eigens: 1. daß der Kausalsatz über die Erscheinungen hinaus angewendet werde (transzendent), obwohl er doch nur innerhalb der Erscheinungswelt einen

Sinn habe (transzendental); 2. daß man, wenn nicht einmal innerhalb der Erscheinungswelt der Regressus auf immer weiter zurückliegende Bedingungen abgeschlossen werden könne, erst recht nicht ein erstes Unbedingtes als eine Realität jenseits der Erfahrung erschließen kann; denn man darf ja dieses Unbedingte höchstens als eine „Idee" denken; 3. daß man etwas als eine Vollendung seines Begriffes ansehe, was eigentlich eine Unbegreiflichkeit darstelle, wie es das angeblich letzte Glied eines Regressus sei, der nicht ins Unendliche zurückgehen könne; denn hier müssen wir ein Seiendes annehmen, das ohne Grund wäre. Damit, in erster Linie aber mit der vermeintlichen Zurückführung auf den ontologischen Gottesbeweis, hält Kant auch den kosmologischen Gedankengang für widerlegt. — Vom physiko-theologischen Beweis (B 648 ff.), sonst teleologisch geheißen, bemerkt Kant: „Dieser Beweis verdient jederzeit mit Achtung genannt zu werden. Er ist der älteste und klarste und der gemeinen Menschenvernunft am meisten angemessene" (B 651). Trotzdem genügt auch er nicht. Einmal führt er nicht zu einem allweisen, sondern nur zu einem sehr weisen Ordner; denn die Welt erschöpfe nicht alle Möglichkeiten, und außerdem enthält sie viel Unordnung. Ferner führe er nicht zu einem Weltschöpfer, sondern höchstens zu einem Weltbaumeister; denn er betrachtet nur die Anordnung des Stoffes, aber nicht dessen Erschaffung. Will er einen Schöpfergott erweisen, dann müßte er wieder in den kosmologischen Gedankengang einmünden, der aber sei bereits widerlegt. Und soll der Beweis aus der Zweckmäßigkeit nicht nur zu einem großen Dämon führen, sondern zu einem gerechten und gütigem Wesen, dann müsse die Physikoteleologie durch die Ethikoteleologie ergänzt werden. So erst käme es zu einer Theologie, wie Kant in der Kritik der Urteilskraft ausführt (§ 86 = Werke V, 444; vgl. dort auch S. 459 ff.: „Vom Nutzen des moralischen Argumentes", sowie die „Allgemeine Anmerkung zur Teleologie" S. 475 ff.).

γγ) Teleologischer Beweis

ε) Antikritik der Kritik Kants

Man wird Kant einräumen können, daß das teleologische Argument, wenn es zu einem Schöpfergott führen soll, den Grundgedanken des kosmologischen Beweises voraussetzen muß. Daß es auch dann nur zu einem sehr weisen, aber nicht allweisen, gerechten und gütigen Weltordner führe, auf diesen Zweifel hatte Leibniz mit seinen Gedanken über das

Übel in der Welt schon die Antwort vorweggenommen. Das ens perfectissimum der alten Metaphysik setzt einen weiteren Seinsbegriff voraus als Kant. Es meinte ein Sein, das auch die moralische Welt einschloß, weil es schlechthin alles reale und ideale Sein umgreift, ja es ist eigentlich vom idealen Sein her ursprünglich entworfen worden (vgl. Bd. I, S. 83). Sogar der aristotelische Bewegungsbeweis setzt dieses Sein voraus, denn das höchste Gute bewegt die Welt (Bd. I, S. 223 f.). Leibniz wußte das noch. Kant aber denkt den Seinsbegriff in seiner Kritik des teleologischen Argumentes zu eng und in Hinsicht auf das raumzeitliche Sein im Sinne des Empirismus. Kommt also alles an auf den kosmologischen und ontologischen Beweis, weil Kant ja glaubt, daß jener auf diesem beruhe. Das Studium der Kantischen Kritik der Gottesbeweise ist für das Verständnis seines Denkens höchst aufschlußreich.

αα) Mißverständnis des ontologischen Beweises

Das gilt besonders für seine Beurteilung des ontologischen Argumentes. Kant sieht es mit den Augen seiner Zeit; er sieht es nicht mehr in seinem echten ideengeschichtlichen Sinn. Seitdem der Empirismus Denken und Sein auseinandergerissen hatte, sind Begriffe nur mehr Vorstellungen, und man weiß nicht mehr, was dahintersteht. Sie gehen ihre eigenen Wege, und vielleicht spricht der Mensch hier immer nur mit sich selbst. Jedenfalls, sie können sehr leicht reine Gedankendinge werden. Das reale Dasein war darum für Locke und noch mehr für Hume das große Problem. Die Schulphilosophie sprach auch nur von einem Gottes-„Begriff". Und so sagt auch Kant vom ontologischen Argument, es schließe aus dem „Begriff" Gottes auf dessen Existenz. Das klassische Argument aber schloß von Anselm bis Leibniz eben nicht aus einem „Begriff" oder einer „Vorstellung" Gottes auf seine Existenz, sondern Gott war hier „Grund", war Idee im platonischen Sinn, war das ὄντως ὄν, das Sein, das Seiendes als dessen ὑπόθεσις gründet, war das Vollkommene, das vorausgesetzt werden muß, damit das Unvollkommene gedacht werden kann, war die Totalität aller Möglichkeiten, aus denen Seiendes schöpft — Kant hat diesen Gedanken gesehen in seiner omnitudo realitatis, aber sein empiristisches Erbe verbot ihm, ihn auszuwerten — oder, wie heute die Ontologie Heideggers sagt, war das Sein, das sich entbirgt. Und wie das Sein dem Seienden vorangeht, so geht die Sein entbergende Idee allem geistigen Tun voran. Sie ist je schon da, immer vorgängig, und wird nicht erst künstlich gebildet wie ein Begriff, ja der Geist selbst ist diese Idee, und er ist „gewissermaßen alles", wie Aristoteles schon sagt und wie man noch deutlicher aus Plotin ersehen kann, wo der Geist das Sein und die Seienden (τὰ ὄντα) ist, als omnitudo realitatis, was den Grund bildet für das mittelalterliche Axiom omne ens est verum, das dann Descartes umkehrt — mit Recht umkehrt —, wenn er alles Wahre real sein läßt. Für Kant aber war Gott nur ein Begriff. Es ist übrigens bereits bei Wolff das Wesensdenken zunächst nur „Begriff" (Deutsche Metaphys. c. 2, § 14), und nicht mehr wie noch bei Descartes auch schon die Wirklichkeit, so daß Kant gegenüber Wolff natürlich im Recht ist. Hier spüren wir handgreiflich den Einfluß des empiristischen Denkens. Kant hat nicht mehr sehen können, was das ontologische Argument eigentlich war. Das ontologische Argument kommt dem Anliegen, das Kant mit seinem transzendentalen Ideal verfolgt, viel näher, als er vermuten konnte — er besaß ja keine aus den Quellen geschöpfte kritische Kenntnis ideengeschichtlicher Zusammenhänge —, ohne die Schwäche dieses Ideals an sich zu tragen, nur veredelter Empirismus zu sein. Damit ergibt sich nun auch die Bereinigung des Einwandes gegen den kosmologischen Beweis, daß er nichtig sei, weil er wieder in den ontologischen Gedankengang einbiege und darum auch nur aus Begriffen schließe. Kant hat die Notwendigkeit, von der hier gesprochen wird, ebenso mißverstanden wie den Gottesgedanken des ontologischen Argumentes überhaupt. Das notwendige Wesen des kosmologischen Argumentes ist in der Tat das allerrealste Wesen. Man darf hier das Wort „notwendig" nicht so unmittelbar nehmen, sondern muß, wie gewöhnlich in der alten Philosophie, die uns so fern liegt und auch Kant schon fern lag und deren Sprache häufig undifferenziert ist, den Sinn erst aufschließen. Und da zeigt sich dann, daß man für „notwendig" einfach auch Sein sagen kann. Das war gemeint. Wenn nämlich im kosmologischen Gedankengang von einem kontingenten Dasein auf ein notwendiges Dasein geschlossen wurde, so war es der Teilhabegedanke, der den nervus probandi ausmachte. Der aristotelische Bewegungs- und Kausalbeweis geht ja aus der platonischen Philosophie hervor und ist eine

ββ) Mißverständnis des kosmologischen Beweises

Abwandlung von Platons dialektischem Weg zu Gott (vgl. Bd. I, 221). Teilhabe aber ist immer Teilhabe am Sein als solchem; an der Idee des an sich Guten, wie Platon sagt; dem actus purus, wie Aristoteles sagt. Damit ist eo ipso die omnitudo realitatis gegeben, und es bedarf keiner List, um das allerrealste Wesen erst durch Umkehrung des ontologischen Argumentes noch einzuschmuggeln. Mit Recht hat darum Leibniz trotz der mechanischen „Ursachen" der neueren Philosophie eine Erklärung der Geschehnisse auch in der raum-zeitlichen Welt durch „Gründe" gegeben und in der allgenugsamen ratio die Möglichkeit für alles Seiende überhaupt enthalten sein lassen, so daß dieses daraus hervorgeht wie das Akzidens aus der Substanz. Nur so kommt nach Leibniz Seiendes zum Sein. Was das Sein weiterreicht, ist der zu-reichende Grund. Er gibt, so will es dieser Idealrealismus, das Was und das Daß (vgl. oben S. 165 f.). Und darum ist diese Welt für uns Menschen kontingent, obwohl der Dieu qui suffit der Inbegriff aller Möglichkeit und Wirklichkeit ist und sie per analysim aus ihm hervorgeht. Kant hat in unserem Zusammenhang erwähnt, daß Leibniz den kosmologischen Beweis als den Beweis ex contingentia mundi bezeichnet habe. Bei Leibniz hätte er sehen können, was mit dem schlechthin Notwendigen der alten Gottesbeweise eigentlich gemeint war. Aber die Einwirkungen des englischen Empirismus mit seinem neuen Wirklichkeitsbegriff waren zu stark und verdeckten die tiefere Einsicht in die Idee des Idealrealismus, wie ihn Leibniz noch vertreten hatte und wie er den gesamten Gottesbeweisen der alten Metaphysik zugrunde liegt. Was sodann die übrigen Einwürfe Kants gegen den kosmologischen Gottesbeweis angeht (Nr. 1 mit 3 oben S. 319 f.), so ist unschwer ersichtlich, daß sie nur den erkenntnistheoretischen Standpunkt Kants wiederholen: wir sind auf die Erscheinungswelt beschränkt. Allein Kant ist kein absoluter Phänomenalist. Er hat selbst entgegen den genannten Einwürfen die Erscheinungswelt überschritten. Er kennt auch ein schlechthin Unbedingtes als Totalität aller Bedingungen. Kant ist kein Atheist. In seiner Zusammenfassung sagt er ausdrücklich: „Fragt man also in Absicht auf eine transzendentale Theologie erstlich: ob es etwas von der Welt Unterschiedenes gebe, was den Grund der Weltordnung und ihres Zusammenhanges nach

γγ) Kants empirische Voraussetzungen

δδ) Idee und Sein

allgemeinen Gesetzen enthalte, so ist die Antwort: ohne Zweifel; denn die Welt ist eine Summe von Erscheinungen, es muß also irgendein transzendentaler, d. i. bloß dem reinen Verstande denkbarer Grund derselben sein" (B 725). Aber unmittelbar darauf fährt er fort: „Ist zweitens die Frage: ob dieses Wesen Substanz, von größter Realität, notwendig usw. sei, so antworte ich: daß diese Frage gar keine Bedeutung habe, denn alle Kategorien, durch welche ich mir einen Begriff von einem solchen Gegenstande zu machen versuche, sind von keinem anderen als empirischen Gebrauche und haben gar keinen Sinn, wenn sie nicht auf Objekte möglicher Erfahrung, d. i. auf die Sinnenwelt angewendet werden" (B 724). Das absolute Wesen soll also im bloßen Denken stehen- und steckenbleiben. Wenn es aber gar nicht so wäre, wie Kant, offenkundig von Hume beeinflußt (s. oben S. 243), annimmt, daß die natürliche Theologie über die Erfahrungsgrenzen „hinaus"-geht und in eine Transzendenz hinüberlangen will, zu der es keine Brücken gibt, weil das Transzendente zugleich ein Immanentes ist, dann ist alles anders. Nun sah aber der Transzendenzgedanke der alten Philosophie tatsächlich zugleich deren Immanenz vor, schon in der Parusie der Idee (vgl. Bd. I S. 504, 551). Nicht erst Scotus, sondern schon die alte Analogielehre wußte, daß Gott niemals das „ganz Andere" sein kann, sondern das Ist unserer Prädikate einen gemeinsamen Seinsbestand voraussetzt. Gott ist von der Welt verschieden, aber nicht geschieden, lehrt der Cusaner. Dann aber ist er für unsere Kategorien, insonderheit für die Kausal- und Substanzkategorie, grundsätzlich irgendwie erreichbar, und wir begeben uns nicht in eine uns gänzlich entrückte Welt, die nicht mehr Gegenstand unserer Erkenntnis sein kann. Daß Gott kein Gegenstand ist wie sonstige Gegenstände und auf ihn die Substanz- und Kausalkategorie nicht angewendet werden kann wie auf Strauch und Stein, das braucht nicht mehr gesagt zu werden. Die negative Theologie hat es immer schon gewußt. Was die natürliche Theologie aber nicht akzeptieren kann, ist die Meinung, daß unsere Gottesidee nur fromme, aber äquivoke Begriffsdichtung sei und so die religiöse Sprache allen Aussagewert verliert. So etwas kann nicht der Sinn von Religion sein. Die Rede über Gott muß daher sachhaltig fundiert sein, muß verifizierbar bleiben. Auch bei Kant bleibt ja der Absolute doch nicht ganz im dunkeln. Wenn für die klassische Metaphysik darum Gott zwar gegeben, aber gleichzeitig aufgegeben ist, dann ist das wohl nicht mehr und nicht weniger, als was die Idee Kants auch verlangt, wenn auch vielleicht nicht erfüllt (s. oben S. 310 f.).

e) Die Grundlagen der Kantischen Erkenntnislehre

Vergegenwärtigen wir uns zusammenfassend die grundlegenden Positionen der Kantischen Erkenntnislehre! Wir begegnen da einigen charakteristischen Eigentümlichkeiten, die sich unverkennbar und sozusagen auf den ersten Blick aufdrängen, bei näherem Zusehen allerdings auch wieder fraglich werden.

α) Subjektivismus

Zuvörderst hat man die Kantische Erkenntnislehre immer als Subjektivismus angesprochen. Diese Charakterisierung scheint klar zu sein. Der Subjektivismus liegt in der Kopernikanischen Wende, durch die der Natur die Gesetze vorgeschrieben und Gegenstände nicht vorgefunden, sondern gesetzt werden, so daß die Transzendenz abgelöst wird von der Immanenz und Ontologie einen ganz neuen Sinn erhält. Gerade mit dem Charakter der apriorischen Form als Setzung oder Handlung oder Funktion unterscheidet sich der Kantische reine Verstand von dem intellectus agens in der scholastischen wie auch averroistischen Form; denn der Aristotelische Nous besitzt irgendwie schon geformte, wenn auch von uns noch nicht endgültig, „adäquat" und erschöpfend erkannte Inhalte, die Ideen des mundus intelligibilis; der Kantische Nous setzt sie erst, was offenkundig noch eine Nachwirkung Humes ist. Obwohl Kant diesen transzendentalen Subjektivismus durch sein Apriori vom psychologistischen Subjektivismus Humes, dessen Gewöhnungsprinzip einen klaren Relativismus einschloß, abzusetzen versucht, hat man sich doch immer wieder gegen seine Erkenntnisbegründung gewendet, und zwar aus verschiedenen Gründen.

Kants mathematische Unterlagen

Einmal, weil gerade die Grundlage seines ganzen Beweisverfahrens, der synthetisch-apriorische Charakter mathematischer Wahrheiten, wie $7 + 5 = 12$, die den Beleg liefern sollten für die subjektive Produktivität der Einbildungskraft, fraglich ist. Darauf baut Kant alles weitere auf, wie besonders aus den Prolegomena (§ 5) ersichtlich wird. Die Mehrzahl der Philosophen und Mathematiker, wie z. B. Leibniz, Hume, d'Alembert, Bolzano, Brentano, Hilbert, Couturat, Poincaré, Einstein, Geyser, Scholz, Russell, entscheiden sich für den analytischen Charakter der mathematischen Sätze. Man ist heute in den Kreisen der Logistik sogar geneigt, in den herkömmlichen mathematischen und geometrischen Sätzen nur Postulate zu sehen, die per definitionem aufgestellt werden, dann natürlich in ihrer innerlogischen Analysis notwendige Sätze darstellen, aber über die Wirklichkeit als solche noch nichts aussagen (s. oben S. 279). Und wenn es bei der behaupteten „reinen" Anschauung bleiben soll, wie will Kant die formale Invarianz des leeren Raumes und der leeren Zeit im Geiste Newtons beweisen? Hat er nicht einfach Euklid und Newton verabsolutiert? Ist seine „reine" Anschauung wirklich noch „Anschauung", oder ist der Satz, daß die Gerade die kürzeste Verbindung zweier Punkte sei, nicht eher analytisch als synthetisch? Ein zweiter Einwand gegen Kant liegt in der Frage, ob sich der menschliche Geist nicht überhebe, wenn er glaubt, der Natur die Gesetze vorschreiben zu können. Wenn Raum und Zeit mindestens eine gewisse Relativität enthalten, können dann nicht vielleicht auch andere Formen des menschlichen Geistes unzulänglich sein, so daß wir uns hüten müssen, zu früh zu sagen, daß das Sein nur so und nicht anders gedacht werden kann?

Grenzen des Menschen

„Gegenstand"

Damit hängt ein dritter Punkt zusammen, der dem Subjektivismus entgegensteht, der Gegenstandsbegriff. Gegenstand muß wirklich gegen-stehen. Es liegt im Sinn alles Erkennens, daß es auf etwas anderes trifft, als es selbst ist. Dem Erkennen eignet notwendig die sogenannte gnoseologische Transzendenz. Das Erkennen ist nicht ein Monolog des Geistes mit sich selbst, sondern ein Dialog mit dem Entgegenstehenden. Es ist fraglich, ob es für Kant noch echte Gegenstände geben kann (s. oben S. 291 f.). Der Begriff „echter Gegenstand" könnte zwar selbst wieder zu rasch und unkritisch angesetzt werden. Das hindert nicht, nach der möglichen bloßen Subjektivität in der Kantischen „Objektivität" zu fragen.

β) Phänomenalismus

Als zweites Charakteristikum an der Erkenntnislehre Kants wäre ihr Phänomenalismus festzuhalten. Die Kritik der reinen Vernunft betont bis zum Überfluß, daß das menschliche Erkennen auf das Feld der Sinneserscheinungen beschränkt ist und darüber hinaus weder mit seinen Anschauungsformen noch Denkformen, noch mit seinen Vernunftideen etwas zu erkennen vermag. „Wir haben also sagen wollen: daß alle unsere Anschauung nichts als die Vorstellung von Erscheinung sei ... Was es für eine Bewandtnis mit den Gegenständen an sich und abgesondert von aller dieser Rezeptivität unserer Sinnlichkeit haben möge, bleibt uns gänzlich unbekannt" (B 59). Was nicht Erscheinung ist, ist kein Gegenstand der Erfahrung. Der Verstand kann die Grenzen der Sinnlichkeit niemals überschreiten. Seine „Grundsätze sind bloße Prinzipien der Exposition der Erscheinungen" (B 303; vgl. Proleg. § 30 = Werke IV, 312 f.). Dadurch wurde die Philosophie Kants zu einer der Quellen des späteren Phänomenalismus und Positivismus und trat gerade mit dieser Grundtendenz der traditionellen Metaphysik entgegen. Kant galt als der Zermalmer der Metaphysik. Der Begriff der Erscheinung ist jedoch bei Kant nicht klar. Auf das Dilemma zwischen Empfindung und Spontaneität der apriorischen Formen wurde bereits verwiesen (S. 294). Noch schwieriger wird es, wenn wir bedenken, daß nicht bloß bestimmte Arten von Anschauungs- und Denkformen ausgelöst werden sollen, sondern daß diese Formen je und je in individueller Konkretheit wirken müssen; wir erkennen ja nicht Raum überhaupt, sondern einen bestimmten Raum, nicht Kausalität überhaupt, sondern diese Kausalität usw. Dafür gibt es bei Kant überhaupt keine Erklärung; denn die Formen sind ja immer allgemein. Wovon hängt also die individuell-konkrete Determination ab? Soll aber andererseits die Spontaneität mit ihrer apriorischen Determination bleiben, warum dann noch einen Stoff annehmen? Um diesem Dilemma zu entgehen, hat der Neukantianismus in Anlehnung an den deutschen Idealismus die Dualität von Stoff und Form überhaupt gestrichen und sich zu einem monistischen Panlogismus bekannt. Es gibt für ihn kein logisch amorphes Material mehr. Der späte Kant dürfte dieser Lösung nahestehen; denn im Opus postumum scheint er jenes Zusammenspiel von affizierender Empfindung und apriorischen Formen aufzugeben und den Versuch zu machen, die ganze Erfahrung aus dem Verstande a priori zu konstruieren. Dazu kommt als weitere Schwierigkeit, daß es für Kant nicht nur Phänomena, sondern auch Noumena und „Dinge an sich" gibt (B 291 ff.). Der Begriff des Noumenon

Phänomenon

Noumenon

ist ihm nicht bloß ein zulässiger, sondern geradezu ein unvermeidlicher Begriff (B 311). Er ist neben dem Phänomenon natürlich so unvermeidlich wie auch der Stoff neben der Form. Kant ist also nicht absoluter Phänomenalist. In zwei Fällen hat er sich eindeutig für bestimmte Dinge an sich entschieden. Einmal gibt es die realen Körperdinge; in der zweiten Auflage der Kritik der reinen Vernunft hat Kant gegenüber dem absoluten Idealismus Berkeleys, dessen esse est percipi die Realität der Außenwelt geleugnet hatte, ausdrücklich den Satz vertreten: „Das bloße, aber empirisch bestimmte Bewußtsein meines eigenen Daseins beweist das Dasein der Gegenstände im Raum außer mir“ (B 274 ff.), wie überhaupt in der zweiten Auflage dieser realistische Gesichtspunkt stärker hervortritt, weshalb Schopenhauer die zweite Auflage gegenüber der ersten als einen Verrat am Idealismus betrachtet hat. (Die Frage ist umstritten; Vleeschouwer vertritt die genau gegenteilige These.) Und dann haben wir die Dinge an sich in der intelligiblen Welt, die Noumena schlechthin, wozu in erster Linie das intelligible Ich gehört. Die Körperdinge sind uns Menschen in der empirischen Anschauung gegeben, aber auch nur so und nicht in ihrem An-sich. Von den Gegenständen der intelligiblen Welt besitzen wir nicht einmal das; sie wären nur einer intellektuellen Anschauung, z. B. derjenigen Gottes, zugänglich; wir Menschen können sie nur als Ideen versuchsweise denken. Darin hätte sich Platon geirrt. Er habe mit Recht den Unterschied zwischen dem mundus intelligibilis und sensibilis aufgestellt, und es sei der Anfang aller gesunden Philosophie, einzusehen, daß die Körper nicht absolute Wirklichkeit sind, sondern nur Erscheinungen. Aber nicht recht habe Platon mit seiner Annahme, daß der eigentliche Gegenstand der Verstandeserkenntnis der mundus intelligibilis ist; das wäre nur die Erscheinung des mundus sensibilis. Es bleibt also dabei, daß das An-sich der Noumena unerkennbar ist. Was wir haben, sind nur Erscheinungen. Und insofern ist das Noumenon „bloß ein Grenzbegriff, um die Anmaßung der Sinnlichkeit einzuschränken und also nur von negativem Gebrauche. Er ist aber gleichwohl nicht willkürlich erdichtet, sondern hängt mit der Einschränkung der Sinnlichkeit zusammen, ohne doch etwas Positives außer dem Umfange derselben setzen zu können“ (B 311). Kant weiß aber trotzdem

Der Widerspruch

ziemlich viel Positives über die Dinge an sich, und damit stehen wir vor der crux interpretum, die das Ding an sich immer gewesen ist. Obwohl die Verstandesbegriffe nur auf Erscheinungen anwendbar sein sollen, sagt sie Kant auch von seinen Dingen an sich aus. Er legt ihnen Realität, Kausalität, Vielheit bei, läßt sie das Subjekt affizieren und anderseits auch das intelligible Ich von sich aus neue Kausalreihen innerhalb der Erscheinungen anheben. So ist durchaus verständlich, daß schon Jacobi gesagt hat, ohne Ding an sich kommt man nicht in die Kantische Philosophie hinein, mit ihm aber kann man nicht darin bleiben. Wir stoßen damit aber nicht nur auf eine Aporie im Denken Kants, näherhin auf die Grenzen seiner Synthese von Rationalismus und Empirismus, sondern auf die Grenzen des Phänomenalismus überhaupt.

γ) Kritizismus und Transzendentalismus

Zugleich zeigt sich auch, inwieweit man die Philosophie Kants als Kritizismus ansprechen kann, eine Bezeichnung, die auch immer als ein Charakteristikum seiner Erkenntnislehre gegolten hat. Das Kritische an seiner Methode fällt nämlich mit dem Moment der Beschränkung auf die Erscheinung zusammen. Die Kritik der reinen Vernunft will die Grenzen des Erkenntnisvermögens ziehen, vor allem gegenüber den vergeblichen Versuchen der alten Metaphysik, in ein unbetretbares Land vorzustoßen. Und weil die Grenzlinie so gezogen wird, daß all das unbetretbar sein soll, wovon wir keine Anschauungen, also keine „Vorstellungen" haben, weil es eben nicht Erscheinungswelt ist, kann man die Philosophie Kants als kritischen oder, weil ihm die transzendentalen Gesetze des Erkennens wichtiger sind als die transzendenten Gegenstände an sich, die er für unerkennbar hält, als transzendentalen Idealismus bezeichnen. Nun macht aber Kant trotzdem selbst auch Grenzüberschreitungen. Er spricht von Gott, Seele, Unsterblichkeit, Freiheit und ist sich darüber klar, daß er mit diesen Ideen die Reichweite der Erfahrung übersteigt (B 377, 395). — Noch wichtiger als diese Beobachtung ist für eine Kritik des Kritizismus die Erkenntnis, daß der Kritizismus auf einer bestimmten Voraussetzung beruht, der Annahme nämlich, daß reale Erkenntnis nur möglich ist auf Grund des in der empiristisch verstandenen Sinneserfahrung „Gegebenen". Es ist möglich, das Gegebene, das für Realität bürgen soll, anders anzusetzen (s. oben S. 294), wie es etwa Platon getan hat mit seiner Idee oder Aristoteles mit seinem Nus poietikos. Auch das ist Kritik, nur auf einem anderen Standpunkt. Wenn die Kantianer meinen, daß nur der kritisch philosophiere, der mit Kant philosophiert, und alles andere ziemlich pauschal als „vorkritisch" abtun wollen, als Begriffshypostasierung, Universalienrealismus, bare Unmittelbarkeit usw., dann nehmen sie ihre Voraussetzung als selbstverständlich, und der Kritizismus wird zum Dogmatismus. Kant hat dafür allerdings selbst ein schlechtes Beispiel gegeben, nämlich in seiner Auseinandersetzung mit Eberhard, um die Leibnizische Erkenntniskritik abzuwehren, nachdem 1765 die Nouveaux Essais erschienen waren („Über eine Entdeckung, nach der alle neue Kritik der reinen Vernunft durch eine ältere entbehrlich gemacht werden soll": 1790), und in der ebenso unduldsamen Stellungnahme gegen J. G. Schlosser („Von einem neuerdings erhobenen vornehmen Ton in der Philosophie": 1796), den er ähnlich wie Jacobi und Herder der Schwärmerei und Gefühlsphilosophie bezichtigen wollte. Allein Kant hatte übersehen, daß er nur einen Standpunkt neben anderen einnahm.

δ) Kant und die Metaphysik

αα) Kants Metaphysikbegriff:

Metaphysik im Ursprung

Da alles bisher Gesagte sich auf dem Horizont der „Metaphysik" abspielt und dieser Begriff bei Kant einen mehrfachen Sinn hat, so daß die Stellung Kants zur Metaphysik nicht sofort ersichtlich wird, seien folgende Bedeutungen auseinandergehalten. a) Metaphysik ist für Kant einmal identisch mit der transzendentalen Logik. Wir hörten schon (S. 276), daß metaphysische Erkenntnis lauter Urteile a priori enthalten müsse. Darum fällt die Entscheidung über sie in der Tat mit der transzendentalen Deduktion der reinen Verstandesbegriffe (A XII, XVII). In der Vorrede zu den Metaphysischen Anfangsgründen der Naturwissenschaft heißt es ganz in diesem Sinne, Metaphysik sei reine Vernunfterkenntnis aus bloßen Begriffen oder reine Philosophie. Und in Reflexion 4360 (Werke XVII, 519) definiert Kant: „Metaphysica est logica intellectus puri." Da aber die reinen Verstandesbegriffe nicht um ihrer selbst willen da sind, sondern Erfahrungserkenntnis aufbauen sollen, ergibt sich ein zweiter Begriff von Metaphysik, der weiter ist als der eben

Metaphysik im weiteren Sinn

bezeichnete: b) Metaphysik ist einfach die ganze Vernunftkritik, sofern sie Erfahrungserkenntnis begründet. Das System der reinen Vernunft, die ganze philosophische Erkenntnis aus reiner Vernunft im systematischen Zusammenhang, also die Transzendentalphilosophie, heißt Metaphysik (B 869). c) Metaphysik, jetzt „im eigentlichen Sinn“, ist das System der Vernunftideen: Welt, Seele, Gott, also die spezielle Metaphysik der Schulphilosophie. Für Kant handelt es sich aber dabei um Ideen in dem spezifischen Sinn, den er in der transzendentalen Dialektik entwickelt. Dazu gehören auch die moralischen Vernunftideen, also die Postulate, vor allem Freiheit und das Reich der Zwecke, die Gegenstände also der „Metaphysik der Sitten“. Ja das moralische Interesse ist der eigentliche Ursprung dieser Vernunftideen; auch schon in der Kritik der reinen Vernunft, wie wir sahen. Strenggenommen gehört diese dritte Bedeutung von Metaphysik unter die erste; die Vernunftideen, theoretische wie praktische, sind ein Teil der transzendentalen Logik. Aber in dem Wort von der eigentlichen Metaphysik und in der Wärme, mit der Kant von dieser Thematik spricht und sich dafür einsetzt, erkennen wir noch die Motive und das ganze Anliegen der alten Metaphysik. In verwandelter Form ist sie wieder da; aber sie ist da mit all ihren Faktoren: Gott, Seele, Unsterblichkeit, Freiheit, Wertreich und vor allem mit dem mundus intelligibilis, der immer wieder zum Problem wird. Übersehen wir nicht, daß Kant B 395 (Anm.) erklärt, daß wir der Vernunftideen nicht bedürfen, um Naturwissenschaft zu treiben, sondern „um über die Natur hinauszukommen“. Kant hat den Geist der alten Metaphysik nicht vergessen können. Schon Ende des vorigen Jahrhunderts schrieb Fr. Paulsen: „In der Tat, das trans physicam gibt dem ganzen Kantischen Denken die Richtung, der mundus intelligibilis ist sein Ziel.“ Die Ontologie ist nur der Vorhof der Metaphysik; das Übersinnliche aber ist der Endzweck, heißt es in der Vorrede zu der Abhandlung über die Fortschritte der Metaphysik. Es ist merkwürdig, daß man unter dem Einfluß des Neukantianismus und Positivismus in Kant nur den Erkenntniskritiker, aber nicht mehr den Metaphysiker sehen konnte. Kant fällt aus der abendländischen metaphysischen Tradition nicht heraus, sondern gehört in sie hinein als eine ihrer markantesten Gestalten. Nicht also das Daß der Metaphysik ist das Problem, sondern das Wie. Kant will eine neue, eine transzendentale Metaphysik. Und damit kommen wir zu einer vierten Bedeutung von Metaphysik, jener Fassung, die Kant ablehnt

Im eigentlichen Sinn

„Falsche“ Metaphysik

und bekämpft: d) Metaphysik ist der transzendente Verstandesgebrauch der Ideen Gott, Welt und Seele; richtiger, der angebliche Mißbrauch dieser Ideen durch die „Realisten“, die Vernunftideen, wie Gott und Seele, oder reine Verstandesbegriffe, wie Substanz und Kausalität, zu „an sich subsistierenden Dingen und daher bloße Vorstellungen zu Sachen an sich selbst“ machen (B 519). Die ganze alte Metaphysik habe mit dieser Transzendenz eine Welt aufgerichtet, die bloß erdichtet war, eine Art Hinterwelt, die mit unserer Erfahrungswelt nicht mehr zusammenhänge, wovon man darum auch nichts wissen könne, weil alles Wissen ja auf die Erscheinungswelt bezogen sei. Woher eigentlich hat Kant seine Auffassung von Metaphysik? Sie entspricht nicht der historischen Wirklichkeit, ja sie ist ein Zerrbild von Metaphysik. Irgendwie wirkt natürlich der unglückliche Name Metaphysik verführerisch und suggeriert eine Hinterwelt. Und es trifft auch auf die Schulmetaphysik vor Kant soundsooft zu, daß sie sich aus schlecht begründeten und einfach nur so hingestellten, „hypostasierten“ Begriffen eine „metaphysische“ Welt zurechtmachte, die dann in der Luft hing, die man aber als eine Art hintergründige Geheimniswelt überirdischer Art verehrte. Vielleicht auch war Kant von Swedenborg und seinen Arcana coelestia etwas infiziert worden. Auf die schiefe Darstellung, mit der Hume und die französische Aufklärung die Metaphysik verschrien hatten, konnten wir bereits verweisen. Auch das mußte seine Wirkung tun. Bei Hume sieht man eine weitere Quelle für eine verstellte Deutung von Transzendenz, die religiöse Rede vom Jenseits, die man unmittelbar wörtlich nahm, weil man sich keine weitere Rechenschaft über den Sinn der religiösen Sprache ablegte. Die Theologen hatten tatsächlich, anthropomorph genug sprechend, das Jenseits, speziell das Jenseits Gottes, glücklich als absolut erhaben so sehr über das uns verständliche Seiende hinausgelobt, daß ein nüchternes Denken schließlich sagte: wenn schon g a n z anders, dann können wir davon nichts wissen, und dann laßt uns damit in Ruhe. Vor allem aber scheint Kant dem Eindruck erlegen zu sein, den die in der Schulphilosophie mehr und mehr durchgeführte Trennung von erster Philosophie oder Ontologie einerseits und spezieller Metaphysik (Gott und Seele) andererseits erweckte. Schon 1598 hatte Goclenius in seiner Metaphysik die erste Philosophie geschieden von der speziellen Metaphysik Gottes und der Seelen und letztere scientia supranaturalis oder transnaturalis oder auch scientia divina geheißen. Er war dabei dem Beispiel des spanischen Jesuiten Pererius gefolgt, der in seiner Schrift De communibus omnium rerum naturalium principiis et affectionibus (Rom 1562; Köln 1595, 1603, 1618) die erste Philosophie als die Lehre von den Transzendentien von der Metaphysik als der natürlichen Theologie getrennt hatte. Er hatte in seinem eigenen Orden keine Nachahmung gefunden. Wir sahen, daß Suarez den klassischen Begriff von Metaphysik weiter vertreten hat (oben S. 74). Wohl aber setzte sich in Deutschland die Neuerung seit Goclenius durch. Auch der weitverbreitete Wolff hat sie, wenn bei ihm die Ontologie etwas Eigenes ist und wieder etwas Eigenes die rationale Psychologie und Theologie. Von hier lernte sie Kant kennen, der nach dem Lehrbuch des Wolff-Schülers A. Baumgarten Metaphysik dozierte. Mit dieser Darstellung mußte der Eindruck entstehen, daß die Gegenstände der speziellen Metaphysik ohne Fundierung in der Erfahrungswelt seien; denn die ganze Erscheinungswelt war ja in der Ontologie behandelt worden, für die Metaphysik aber stützte man sich auf einen neuen Ansatz, auf grundlose, leere Begriffe, wie Kant sagt. Wie dem auch sein mochte, für die klassische Metaphysik der Antike und des Mittelalters treffen diese Vorstellungen Kants nicht zu, obgleich sich Stellen in Fülle finden, die im Sinne Humes und Kants ausgelegt werden könnten. Aber die muß man eben lesen können, indem man noch beizieht, was in anderen Zusammenhängen steht; was beide nicht taten, da ihnen ein kritisches Quellenstudium nicht lag, sie vielmehr nur weiterentwickelten, was ihre Zeit ihnen zuwarf. Das aber waren bereits Verstellungen. Die klassische Metaphysik will nichts anderes sein als Wirklichkeitslehre, Ontologie. So sagt es schon die Begriffsbestimmung des Aristoteles, und man kann es an den einzelnen Lehrstücken leicht nachprüfen. Um nur den Gottesbegriff zu erwähnen, so ist hier Gott nie durch eine unüberbrückbare Kluft von der Welt getrennt, sondern immer ist er, mag man ihn als die Idee des an sich Guten oder als den unbewegten Beweger oder als das ens a se bezeichnen, in der Welt „anwesend“ als ihr Grund, und die Welt hat an ihm teil oder besitzt eine Aktualität, die in Ana-

ββ) Der klassische Metaphysikbegriff

Metaphysik und Erfahrung

logie darstellt, was er in Reinheit ist. Selbst wo das ἐπέκεινα betont wird oder das ὑπερούσιος, meint es nie eine absolute Beziehungslosigkeit, sondern den Unterschied von Urbild und Abbild, Aseität und Kontingenz. Und ebenso ist es, wenn Aristoteles in einer weiteren, oft mißverstandenen Bestimmung von Metaphysik diese als die Wissenschaft vom χωριστόν und ἀκίνητον bezeichnet. Das scheint geradezu zu bestätigen, was Kant einwendet, daß Gott das ganz Andere sei. In Wirklichkeit ist das ἀκίνητον auch das Ergebnis der Wissenschaft vom Sein als Sein und das χωριστόν nur eine nähere Charakterisierung des vom Sein zwar verschiedenen, aber nicht geschiedenen letzten Grundes (vgl. Bd. I, 184 f.). Es geht hier um die Analysis der ineinandergreifenden Modalitäten des Seins. Die alte Metaphysik sah, daß es ein Sein des Seienden gibt, das mehr ist als nur das Einzelseiende selbst und als solches einen eigenen modus essendi darstellt, der nicht mehr durch die Kategorien etwa des raumzeitlichen Seienden gefaßt werden kann. Dieses andere Sein sollte herausgehoben werden. In diesem Chorismos bestand das „Transzendieren". Es geschah in Stufen, die ineinandergriffen, bis hinauf zu einem obersten Sein, das eigentlich nicht mehr ein Modus, sondern das Sein selbst war (ipsum esse). Die alte Metaphysik sah, daß gerade dieses Sein alles gründete, in allem weste, weil alles daran partizipierte, der Akt aller Akte, und so trotz der Transzendenz allem zugleich immanent war, dem Seienden näher, als dieses sich selbst sein konnte, um ein Wort Augustins abzuwandeln. Hier wird nichts „hypostasiert", sondern die Wesenheiten sind die Realität des Realen, das eigentlich „Gegebene", das die „Erscheinung rettet", weil der Logos früher ist als die Materie und diese nur durch ihn Empfindung werden kann. Sie sind darum nicht nur dem intellectus archetypus zugänglich — das wäre der Fall, wenn Kants Begriff von Transzendenz richtig wäre —, sondern jedem Wesensblick, sei er zu verstehen im Sinne des parmenideischen Denkens oder des platonischen Eidos oder des aristotelischen Nus poietikos oder des Leibnizischen intellectus ipse. Worum es also in der ganzen Frage geht, ist der Transzendenzbegriff. Er ist auf beiden Seiten in seiner wahren, ursprünglichen Gestalt wieder herzustellen. — Das gilt auch für ein zweites grundlegendes Problem der alten Metaphysik, für die Frage der Wesenserkenntnis. Die neuzeitliche

Immanenz der Transzendenz

Wesenserkenntnis

Metaphysikkritik ist skeptisch gegenüber der Hoffnung, Wesenheiten und Dinge an sich so ohne weiteres erfassen zu können. „Ins Innre der Natur dringt kein geschaffener Geist.“ Um die Grenzen des Erkennens wußte aber auch die klassische Metaphysik: Substanzen werden nicht unmittelbar geschaut, sondern in den Akzidentien durch den intellectus agens aufgewiesen; selbst die platonische Ideenschau ist keine „adäquate“ Erkenntnis, sondern bedarf der ständigen dialektischen Fortführung; alles rezipierende Erkennen ist an den subjektiven Modus des Rezipierenden geknüpft; von Gott wissen wir eher, was er nicht ist, als was er ist. Das ist also keine unkritische Einstellung. Freilich, der theoretische Aussagewert der Wesenheiten und Substanzen soll nicht einfach schlechthin aufgehoben und in lauter dialektischen Prozeß aufgelöst werden, insbesondere auch nicht hinsichtlich Gottes (vgl. oben S. 324). Die negative Theologie ist kein Spiel mit Worten, bei dem im zweiten Satz negiert wird, was der erste gesetzt hatte. Die Negation bedeutet hier nicht Leere, sondern immer weitere Präzision. Sie negiert Einzelnes, um die Substanz der omnitudo realitatis zu gewinnen. Dieser Prozeß ist buchstäblich unaufhörliches Weiterschreiten. Ist das nicht auch der Sinn der Kantischen Idee gewesen? Man könnte auch von Dialektik sprechen, wäre das Wort nicht so verbraucht und nur allzusehr auf die Begriffsbewegung abgestimmt.

Literatur

H. Vaihinger, Kommentar zu K.s Kritik der reinen Vernunft. 2 Bde. (1891, ²1922). H. Cohen, Kommentar zu K.s Kritik der reinen Vernunft (1907). M. Apel, Kommentar zu K.s Prolegomena (1923). J. Maréchal, Le point de départ de la métaphysique, III: La critique de Kant (Louvain 1923). W. Gent, Die Philosophie des Raumes und der Zeit. 2 Bde. (1926—30, ²1962). H. J. Vleeschouwer, La déduction transcendentale dans l'œuvre de Kant. 3 Bde. (Paris 1934—37). H. J. Paton, Kant's Metaphysic of Experience. A Commentary on the First Half of the KrV. 2 Bde. (London 1936, ²1951). F. Grayeff, Deutung und Darstellung der theoretischen Philosophie K.s Kommentar zur KrV (1951). J. Vuillemin, Physique et métaphysique Kantienne (Paris 1955). A. De Coninck, L'analytique transcendentale de Kant (Paris 1955). I. Heidemann, Spontaneität und Zeitlichkeit. Ein Problem der KrV. In: Kantstudien, Ergänzungsheft 75 (1958). K. Nawratil, Wie ist Metaphysik nach Kant möglich? In: Kantstudien 50

(1958/59) 163—177. B. Lakebrink, Der Kantische Begriff einer transzendentalen Analogie. In: Philosophisches Jahrbuch 68 (1959) 244—257. D. Henrich, Der ontologische Gottesbeweis (1960). B. Liebrucks, Die Dialektik in Kants objektiver Deduktion der Kategorien. In: Ztschr. f. philos. Forschung 15 (1961) 194 bis 220. A. Antweiler, Die Anfangslosigkeit der Welt nach Thomas von Aquin und Kant. 2 Bde. (1961). A. Ewing, Short Commentary on K.'s Critic of Pure Reason (London 1961). M. Heidegger, Die Frage nach dem Ding. Zu Kants Lehre von den transzendentalenGrundsätzen (1972). W. Cramer, Vom transzendentalen zum absoluten Idealismus. Kant-Studien 52 (1960/61) Heft 1. H. Heimsoeth, Transzendentale Dialektik. Ein Kommentar zu K.s Kritik d. r. V. 4 Teile (1966—71). W. Cramer, Gottesbeweise und ihre Kritik (1967). B. Liebrucks, Sprache u. Bewußtsein, Bd. 4: K.s Kritik der reinen Vernunft (1968). H. Radermacher, Das Problem der transzendentalen Apperzeption. In: Ztschr. f. philos. Forschung 24 (1970) 28—49. W. Janke, Historische Dialektik. Destruktion dialektischer Grundformen von Kant bis Marx (1977).

B. KRITIK DER PRAKTISCHEN VERNUNFT

Zur praktischen Vernunft gehören bei Kant nicht nur die Fragen der Ethik im engeren Sinn, sondern auch die Rechts-, Staats- und Religionsphilosophie. Wir wollen darum hier den Rahmen etwas weiter spannen und uns nicht ausschließlich an den Gedankengang der Kritik der praktischen Vernunft halten, sondern auch die Grundlegung zur Metaphysik der Sitten, die Metaphysik der Sitten und die Religion innerhalb der Grenzen der bloßen Vernunft beiziehen.

a) Die Sittlichkeit

Vielleicht liegt die größte Leistung Kants in seinen Verdiensten um die Ethik. Kant war es, der gegenüber dem englischen Eudämonismus und Utilitarismus, die mit ihrer Deutung nicht nur den Sinn des sittlich Guten verfälschten, sondern auch, den Tendenzen des Empirismus und Psychologismus folgend, die zeitlosen Gebote der Moral in den Fluß des Werdens stellten und sie damit der Gewöhnung überantworteten, so daß Ethik schließlich Soziologie zu werden drohte, Kant war es, der hier die Reinheit und Absolutheit des sittlich Guten wieder gerettet hat. Seine eigene Theorie des Sittlichen ist zeitbedingt und sogar sehr einseitig, allein sie war doch von der Art, daß sie die Sittlichkeit aus dem Naturalismus heraushob und ihre Idealität wieder sichtbar werden ließ. Hier beginnt Kant mit einem anderen Ansatz als in seiner theoretischen Philosophie. Das „Gegebene“ liefert nicht mehr die Faktizität der Erfahrung, sondern das Sollen der sittlichen Vernunft. Jetzt macht also Kant mit dem Logos wieder Ernst. Um das moralische Gesetz als „gegeben“ einzusehen, so hören wir nunmehr, müsse man wohl bemerken, daß es kein empirisches, sondern „das einzige Faktum der reinen Vernunft sei, die sich dadurch als ursprünglich gesetzgebend (sic volo, sic iubeo) ankündigt“ (Werke V 31). Auch wenn man in der Erfahrung kein Beispiel auftreiben könne, da es genau befolgt würde, bleibe dieses apodiktische Faktum dennoch „gegeben“ (a. a. O. 47).

α) Das Faktum des Sittlichen

Das „Faktum“ des Sittlichen ist also grundlegend für die Ethik Kants. Es besteht in zwei Elementen, die ganz sui generis sind und eben darin das Sittliche von allem anderen Seienden abheben, worauf man es sonst zurückführen wollte, im Sollen und in der Freiheit.

αα) Das Sollen

Kant hat das Sittliche als solches in aller Klarheit gesehen, vor allem aber das Sollen. Die Art und Weise, wie er es beschreibt, setzt sofort den Naturalismus ins Unrecht und ist übrigens ein Musterbeispiel bester phänomenologischer Beschreibung. Schon in der Kritik der reinen Vernunft heißt es: „Das Sollen drückt eine Art von Notwendigkeit und Verknüpfung mit Gründen aus, die in der ganzen Natur sonst nicht vorkommt. Der Verstand kann von dieser nur erkennen, was da ist oder gewesen ist, oder sein wird. Es ist unmöglich, daß darin etwas anders sein soll, als es in allen diesen Zeitverhältnissen in der Tat ist; ja das Sollen, wenn man bloß den Lauf der Natur vor Augen hat, hat ganz und gar keine Bedeutung. Wir können gar nicht fragen, was in der Natur geschehen soll ... Dieses Sollen nun drückt eine mögliche Handlung aus, davon der Grund nichts anderes als ein bloßer Begriff ist, dahingegen von einer bloßen Naturhandlung der Grund jederzeit eine Erscheinung sein muß ... Es mögen noch so viele Naturgründe sein, die mich zum Wollen antreiben, noch so viele sinnliche Anreize, so können sie nicht das Sollen hervorbringen, sondern nur ein noch lange nicht notwendiges, sondern jederzeit bedingtes Wollen, dem dagegen das Sollen, das die Vernunft ausspricht, Maß und Ziel, ja Verbot und Ansehen entgegensetzt ... Die Vernunft gibt nicht demjenigen Grund, der empirisch gegeben ist, nach und folgt nicht der Ordnung der Dinge, so wie sie sich in der Erscheinung darstellen, sondern macht sich mit völliger Spontaneität eine eigene Ordnung nach Ideen, in die sie die empirischen Bedingungen hineinpaßt und nach denen sie sogar Handlungen für notwendig erklärt, die doch nicht geschehen sind und vielleicht nicht geschehen werden, von allen aber gleichwohl voraussetzt, daß die Vernunft in Beziehung auf sie Kausalität haben könne; denn ohne das würde sie nicht von ihren Ideen Wirkungen in der Erfahrung erwarten“ (B 575 f.). In der Grundlegung zur Metaphysik der Sitten verrät schon die Vorrede, daß es das Faktum des Sollens war, was der Kantischen Ethik als Grundlage und Ausgangspunkt diente. Kant erklärt dort, daß er eine „reine“ Moralphilosophie geben wolle, die von allem, was nur empirisch sein mag und als solches zur Anthropologie gehört, völlig gesäubert ist; „denn daß es eine solche geben muß, leuchtet von selbst aus der gemeinen Idee der Pflicht und der sittlichen Gesetze ein“. Jedermann müsse eingestehen, daß ein moralisches Gesetz absolute Notwendigkeit mit sich führen müsse und „daß mithin der Grund der Verbindlichkeit hier nicht in der Natur des Menschen oder den Umständen in der Welt, darin er gesetzt ist, gesucht werden müsse, sondern a priori lediglich in Begriffen der reinen Vernunft“ (Werke IV, 389). Und ebenso beginnt die Kritik der praktischen Vernunft sofort mit der Feststellung von Gesetzen, die für jedes vernünftige Wesen gültig sind (Werke V, 19), für die Menschen allerdings, da sie unheilig genug sind, auch noch zur Pflicht, zum „kategorischen Imperativ“, zu Zwang und Nötigung werden. Die Kritik der praktischen Vernunft nimmt diesen Gesetzesbegriff zunächst zwar nur vorläufig an — wenn Moralgesetze sein sollen, dann muß man sie so denken —, versichert aber, ebenso wie die Grundlegung, sehr bald, daß wir uns des moralischen Gesetzes „unmittelbar bewußt werden“, daß das Faktum der praktischen Vernunft „unleugbar“ sei und „sich für sich selbst aufdringt als synthetischer Satz a priori“ (Werke V, 29 u. 31). Ebenso wie das Sollen ist für Kant die Freiheit als sittliche Wahlfreiheit ein Faktum der praktischen Vernunft. Die Freiheit und das unbedingte Gesetz des Sollens weisen aufeinander zurück. Sie ist daher genauso faktisch wie das Gesetz selbst. Und wieder eignet dieser Freiheit der Charakter der Unbedingtheit. Nicht erst aus der Welt der empirischen Erfahrung und der raumzeitlichen Faktizität erkennen wir die

ββ) Die Freiheit

Freiheit; dort könnte sie überhaupt nicht gefunden werden, weil dort die Kausaldetermination gilt; sittliche Freiheit ist nicht „Erscheinung", sondern ein apriorisches Faktum der Vernunft selbst, das ebenso wie auch das Sollensgesetz der raum-zeitlichen Wirklichkeit gegenüber als etwas Absolutes dasteht. In der KprV. scheint Kant zwar bloß das Sollen als ein unmittelbares Faktum ansprechen zu wollen, während die Freiheit nur als Voraussetzung des Sollens einsichtig würde; denn das Bewußtsein der Freiheit sei uns „nicht vorgegeben" (a. a. O.). Er überlegt aber trotzdem, ob Sollen und Freiheit nicht ein und dasselbe „Selbstbewußtsein der reinen praktischen Vernunft" sind, bezeichnet schließlich den reinen Willen als eine objektive Realität, die „gleichsam durch ein Faktum" gegeben sei (a. a. O. 55), und versichert insbesondere in der Kritik der Urteilskraft, daß das Übersinnliche in der Freiheit „auch als Tatsache seine Realität in Handlungen dartut" (KUKr.: Werke V, 474). Darum ist nicht nur das Sollen, sondern auch die Freiheit ein Faktum der Vernunft. Jedenfalls steht für Kant nichts so fest wie das Gesetz der praktischen Vernunft, jenes Bewußtseins „eines inneren Gerichtshofes" im Menschen, das „Gewissen" heißt (Metaph. der Sitten: Werke VI, 438). Der Mensch könne sein Gewissen überhören, könne es betäuben, ja es kann sein, daß die ganze Welt keine Beispiele dessen gibt, was sein soll, trotzdem soll das der Mensch und kann er es; denn Sollen und Freiheit erwirbt der Mensch nicht, sondern hat er einfach; sie sind „seinem Wesen des Menschen einverleibt" (a. a. O.). Gegenüber der antiken und mittelalterlichen Philosophie ist die Entdeckung des apriorischen Wertbewußtseins nur eine Wiederentdeckung. Gegenüber dem Empirismus und Psychologismus der Engländer und der Aufklärung kam es einer Neuentdeckung gleich. Man könnte, was Kant im sittlichen Bewußtsein vorfindet, in heutiger Sprache vielleicht Werterfahrung heißen. Allein er ist auch hier der Kritiker und macht es sich nicht leicht. Nachdem in der Grundlegung schon vieles über das Sittengesetz entschieden ist, erklärt er plötzlich: „noch sind wir nicht so weit, a priori zu beweisen, daß dergleichen Imperativ wirklich stattfinde" (Werke IV, 425). Daß Glück und Wohlfahrt seine Realität nicht verbürgen, braucht nicht mehr gesagt zu werden. Aber auch aus den „besonderen Eigenschaften der menschlichen Natur" könne die Realität dieses Prinzips nicht abgeleitet werden. Davor möchte er sogar besonders warnen, wobei er natürlich wieder an die empirische Natur denkt. Und so muß er sich entschließen zu einer „Metaphysik" der Sitten, was er dann auch im 3. Abschnitt der Grundlegung versucht. Diese „Metaphysik" besteht im Aufweis dessen, was unbedingt geschehen soll, ob es gleich niemals geschieht (Werke IV, 427), was Zweck an sich selbst und darum absoluter Wert ist. Das aber ist einfach die Vernunft mit ihrem Sollen und ihrer Freiheit. In der KprV. heißt das die „Deduktion der Grundsätze der reinen praktischen Vernunft". Also wieder eine Deduktion, nur sei sie noch schwieriger als die der Kategorien und könne „durch keine Anstrengung der theoretischen, spekulativen oder empirisch unterstützten Vernunft bewiesen und ... durch keine Erfahrung bestätigt werden" (Werke V, 47 f.). Die sittliche Vernunft kann sich ja in ihrer Gesetzgebung nicht wie die theoretische an ein material Gegebenes halten, sie ist aus sich allein praktisch. Trotzdem stehe das moralische Gesetz für sich selbst fest (a. a. O.). „Die gemeinste Aufmerksamkeit auf sich selbst" zeigt es dem Menschen (KprV.: Werke V, 43).

β) Die Theorie des Sittlichen

Und so bewegt sich auch die Theorie des moralischen Bewußtseins in den allgemeinen Linien der Kantischen Philosophie, die wir schon bei der Besprechung der Kritik der reinen Vernunft kennenlernten. Der Formalismus, Apriorismus, die Autonomie sind auch für sie grundlegend. Dazu kommt noch als ein spezifisch ethisches Charakteristikum, das aber sachlich mit den anderen Eigentümlichkeiten dieser Philosophie schon gegeben ist, der Rigorismus.

αα) Formalismus

Moralisches Grundgesetz

Den Formalismus erkennt man sofort am „Grundgesetz der reinen praktischen Vernunft". Es besagt: „Handle so, daß die Maxime deines Willens jederzeit zugleich als Prinzip einer allgemeinen Gesetzgebung gelten könne." Kant verweist also nicht wie die materiale Wertethik auf eine Reihe von inhaltlich bestimmten Werten, auf Treue etwa, Wahrhaftigkeit, Ehrlichkeit usw., sondern empfiehlt, wenn wir wissen wollen, was gut oder böse ist, sich einfach zu fragen: Kannst du auch wollen, daß deine Maxime ein allgemeines Gesetz werde? Würde jemand z. B. überlegen, ob er sich nicht das Leben nehmen solle, weil es aller Voraussicht nach mehr Übel als Annehmlichkeit verspricht, so braucht er nur zu bedenken, daß eine Natur, deren Gesetz es wäre, durch dieselbe Empfindung, die das Leben antreiben sollte, es zu zerstören, „ihr selbst widersprechen und also nicht als Natur bestehen würde“. Die Maxime, sich das Leben zu nehmen, wenn es nichts mehr verspricht, kann sich also wegen dieses inneren Widerspruchs nicht als Prinzip einer allgemeinen Gesetzgebung eignen, und darum wäre eine entsprechende Handlung schlecht. Ebenso ist es, wenn jemand Geld borgen würde mit dem Grundsatz, es nicht wieder zurückzugeben; „denn die Allgemeinheit eines Gesetzes, daß jeder, nachdem er in Not zu sein glaubt, versprechen könne, was ihm einfällt, mit dem Vorsatz, es nicht zu halten, würde das Versprechen und den Zweck, den man damit haben mag, selbst unmöglich machen, indem niemand glauben würde, daß ihm etwas versprochen sei, sondern über alle solche Äußerungen als eitles Vorgeben lachen würde“ (Grundleg.: Werke IV, 422 f.). Und so überall. Kant war der Meinung, daß mit seinem sittlichen Prinzip dem Menschen ein sehr einfacher Kompaß an die Hand gegeben sei, Gut und Böse zu scheiden. Schopenhauer hat von dieser formalistisch und intellektualistisch eingestellten Ethik Kants behauptet, daß sie eigentlich reiner Logizismus wäre; denn über die mögliche Allgemeingesetzlichkeit entscheidet schließlich die Frage, ob unsere Maxime widerspruchsfrei ist oder nicht. Das Ganze wäre ein künstlich aufgebautes Kartenhaus und zur Bekämpfung der menschlichen Leidenschaften so wirkungslos wie eine Klistierspritze gegenüber einer Feuersbrunst. Und Scheler hat dem Formalismus der Kantischen Ethik entgegengehalten, daß er gerade das Wesentliche am Sittlichen, seinen materialen Gehalt, verkenne. Man könnte aber daran denken, daß Kant die materialen Werte wohl gar nicht abgelehnt hat, sondern bloß nicht bei ihrer Vielheit stehen bleiben wollte. Er fragt nach dem Prinzip, das für jeden einzelnen Wert die Werthaftigkeit als solche, das Gutsein als solches begründet, als das bei aller Verschiedenheit im einzelnen überall Gleiche, und er sieht dies eben in der Form der Gesetzlichkeit als solcher.

Gegner

Wie dem auch sei, jedenfalls gilt für Kant der Grundsatz: „Reine Vernunft ist für sich allein praktisch und gibt dem Menschen ein allgemeines Gesetz, welches wir das Sittengesetz nennen“ (KprV.: Werke V, 31). „Da ich den Willen aller Antriebe beraubt habe ..., so bleibt nichts als die all-

Reiner Wille

gemeine Gesetzmäßigkeit der Handlungen überhaupt übrig, welche allein dem Willen zum Prinzip dienen soll" (Grundleg.: Werke IV, 402). Darum heißt es gleich zu Beginn der Grundlegung zur Metaphysik der Sitten: „Es ist überall nichts in der Welt, ja überhaupt auch außer derselben zu denken möglich, was ohne Einschränkung für gut gehalten werden könnte, als allein ein guter Wille"; und: „Der gute Wille ist nicht durch das, was er bewirkt oder ausrichtet, nicht durch seine Tauglichkeit zur Erreichung irgendeines vorgesetzten Zweckes, sondern allein durch das Wollen, das ist an sich gut." Also die Form des Willens allein entscheidet, die Form seiner möglichen Allgemeingesetzlichkeit. Man sieht sofort die Parallele zur theoretischen Vernunftkritik. Auch dort war es der reine Verstand, der aus sich selbst die Kategorien hervorgehen ließ und Wissenschaft aufbaute. Jetzt ist es der reine Wille, der den Wert aufbaut. Und hier wie dort ist es die allgemeingültige Form, die entscheidend wird. Während wir aber dort schon fragen mußten, wie sich dann der Stoff und das Individuell-Konkrete in die allgemeine Form und ihre Spontaneität füge, könnte man hier ganz ähnlich auch wieder fragen: Soll die Werthaftigkeit von der möglichen Allgemeingesetzlichkeit abhängen, oder hängt nicht eher die mögliche Allgemeingesetzlichkeit von dem positiven Gehalt ab, der an sich schon wertvoll ist? Kant dürfte sich, wenigstens in seinen Deklarationen, für ersteres entscheiden. Reine praktische Vernunft kann nach ihm das höchste Gut hervorbringen und müßte sogar, würde sie von dem nötigen physischen Vermögen begleitet, unseren Willen bestimmen, die Sinnenwelt nach ihrer Form zu formen „als ein Ganzes vernünftiger Wesen" (KprV.: Werke V, 43). Was für die theoretische Vernunft erst im Opus postumum aufscheint, ist hier in der Kritik der praktischen Vernunft schon vorhanden: Kant hat den Empirismus voll überwunden. Seine philosophischen Entscheidungen fallen allein vom Logos her. Das ist jetzt wieder der Geist der klassischen Metaphysik. — Ebenso bezeichnend wie der Formalismus ist für die Kantische Ethik ihr Rigorismus. Das Sittliche begegnet uns als Gesetz, als Imperativ, und der Imperativ ist kategorisch, duldet kein Wenn und Aber, keine Rücksicht auf Neigungen und persönliche Interessen oder überhaupt auf irgendein „Materiale" und seinen Gehalt; denn in diesem

ββ) Rigorismus

Kategorischer Imperativ

Fall hinge das Gebot eben von der Neigung, den Zwecken, Interessen, also materialen Bedingungen ab, und dann hätten wir gar nicht mehr einen unbedingten, kategorischen Imperativ, sondern nur einen hypothetischen. Kant aber weiß aus dem im moralischen Selbstbewußtsein gegebenen Faktum der Sittlichkeit, daß der Imperativ kategorisch ist. Wie schon bei Hume gibt es auch für Kant nur die Alternative: entweder Vernunft oder Neigung. Während aber Hume sich schließlich für die Neigung entscheidet, weil ohne den Appell an die Wärme des Gefühls die Moral zu einer praktisch belanglosen Sache würde, entscheidet sich Kant ausschließlich für die Gesetzmäßigkeit durch Vernunft. Alle Formen der englischen Gefühlsmoral und des Eudämonismus mit ihrer Rede von Glück, Wohlfahrt, Interesse, Zweck, Neigung, Geschmack, moralischem Sinn werden als subjektivistisch und relativistisch zurückgewiesen. „Nichts von der Neigung des Menschen, sondern alles von der Obergewalt des Gesetzes und der schuldigen Achtung für dasselbe zu erwarten" sei die Aufgabe der Moralphilosophie (Grundleg.: Werke IV, 426). Damit wird die Kantische Ethik zur ausgesprochenen Pflichtethik. In der Pflichtbestimmung haben wir diejenige Formbestimmtheit des Willens vor uns, durch die er zu dem allein Guten in und über der Welt wird. Pflicht aber faßt nichts „Beliebtes, was Einschmeichelung mit sich führt" in sich; sie verlangt Unterwerfung, stellt ein Gesetz auf, läßt die Neigungen verstummen und verschafft sich doch, wenn auch wider Willen, Verehrung im Gemüt. So wird sie zur „unnachläßlichen Bedingung desjenigen Wertes, den sich Menschen allein selbst geben können". Im Handeln aus Pflicht und nur darin liegt die ganze Moral. Darum bedeutet ein Handeln, das aus Neigung oder aus Zufall das sachlich Richtige tut, zwar Legalität, aber noch nicht Moralität; denn weder in der Neigung noch in der sachlich zufällig richtigen Handlungsweise liegt ein Handeln rein um des Gesetzes willen vor. Nur das „aus Pflicht" und „um der Pflicht willen" macht unser Handeln moralisch. Hinter dem Rigorismus steht, das sieht man aus dem Umstand, daß alles nur auf die Pflicht und ihr Gesetz ankommt, der Kantische Formalismus: der kategorische Imperativ „betrifft nicht die Materie der Handlung und das, was aus ihr folgen soll, sondern die Form und das Prinzip" (Grundleg.: Werke IV, 416) und „Der Wille

Pflichtethik

Legalität und Moralität

Hintergründe des Rigorismus

wird als unabhängig von empirischen Bedingungen, mithin, als reiner Wille, durch die bloße Form des Gesetzes als bestimmt gedacht“ (KprV.: Werke V, 31). Der Stoff muß eben, wenn er Stoff und die Form Form ist, gemaßregelt werden. Und da es sich um eine allgemeine Regel handelt, bleibt für das Individuum und seine persönliche Veranlagung oder Neigung erst recht kein Raum mehr. Ein ideengeschichtlicher Hintergrund für den Rigorismus kann in der stoischen Grundhaltung Kants, die er mit den französischen Moralisten und Skeptikern teilt, sowie in der Erbsündelehre Luthers gesehen werden, wonach der Mensch in seiner „Natur“ total verdorben sei. Luther unterstellt darum den Menschen dem Worte Gottes, Kant unterstellt ihn einer apriorischen Vernunft-Form, die auch nicht eine solche des Menschen und seiner Natur ist, denn sie gilt „für jedes vernünftige Wesen schlechthin“. Der Kantische Rigorismus hat viel Widerspruch erfahren. Schon Schiller hat den wunden Punkt getroffen mit seinem bekannten Distichon: „Gerne dient' ich den Freunden, doch tu' ich es leider mit Neigung, und so wurmt es mich oft, daß ich nicht tugendhaft bin. Da ist kein anderer Rat, du mußt suchen, sie zu verachten, und mit Abscheu alsdann tun, was die Pflicht dir gebeut.“ Und die moderne materiale Wertethik macht ganz im Sinne Schillers geltend, daß Kant das Moralische zu eng gesehen habe, wenn er es in der formalistisch verstandenen Pflicht allein aufgehen läßt. Sie fragt: Wird der sittliche Wert, z. B. Nächstenliebe, nicht sinnlos, wenn man, wie Kant das verlangt hat (Grundleg.: Werke IV, 398), die gute Tat ohne Herz tut, nicht um des Wohles des Nebenmenschen willen, sondern rein um der Pflicht allein und als solcher zu genügen? — Mit dem Formalismus des Vernunftgesetzes ist natürlich auch wieder der Apriorismus verbunden. Die Vernunft gebietet für sich selbst und unabhängig von aller Erfahrung, was geschehen soll, mithin Handlungen, von denen die Welt bisher noch gar kein Beispiel gegeben hat. Wenngleich es bis jetzt noch gar keinen redlichen Freund gegeben haben sollte, so würde Redlichkeit als Pflicht doch „vor aller Erfahrung in der Idee einer den Willen durch Gründe a priori bestimmenden Vernunft liegen“ (Grundleg.: Werke IV, 408). Eben weil es sich um das Sollen handelt, kann das, was tatsächlich ist und geschieht, darüber gar nichts ausmachen. „Nichts kann Schädlicheres

γγ) Apriorismus

und eines Philosophen Unwürdigeres gefunden werden als die pöbelhafte Berufung auf vorgeblich widerstreitende Erfahrung“ (B 373). Was Kant mit dem Apriorismus der Vernunft verfolgt, ist die Sicherung der Zeitlosigkeit des Sittengesetzes. Es geht um die „Freiheit und Unabhängigkeit von dem Mechanismus der ganzen Natur“. Der Mensch soll über sich selbst als Sinnenwesen erhoben werden: denn obwohl in der Sinnenwelt stehend, „gehört er doch zugleich zur intelligiblen Welt“ (Kpr V.: Werke V, 87). — Damit haben wir nun

δδ) Autonomie

auch schon das vierte Charakteristikum der Kantischen Ethik berührt, den Autonomiegedanken. Der Mensch gibt sich selbst das Sittengesetz, wie man dafür gewöhnlich sagt; ist

Formalismus als Autonomie

mit seiner reinen praktischen Vernunft selbst das Sittengesetz, wie es besser heißen müßte; denn es liegt kein Willkürwille vor, der auf Grund eines Machtanspruches so oder so entscheidet, sondern Autonomie besagt sachlich nichts anderes als Formalismus: wenn das Prinzip der Sittlichkeit in der allgemeingültigen Gesetzmäßigkeit als solcher liegt, dann ist die Vernunft für sich allein praktisch, und damit wird die Vernunft eben zu einem Gesetz für alle vernünftigen Wesen, wie es in dem Paragraphen über das Grundgesetz der reinen praktischen Vernunft heißt (KprV.: Werke V, 31). Der Gegensatz ist die heteronome Ethik, bei der der Wille des Menschen in Abhängigkeit von irgendwelchen subjektiven Zwecken gerät, wie sie die Neigungen und Interessen des Individual- oder Gemeinschaftswillens festsetzen (Zweck- oder teleologische Ethik). Solche Prinzipien könnten nie einen kategorischen, sondern immer nur einen hypothetischen Imperativ ausmachen, weil hier, da alles auf das Materiale der Zwecke und dessen Billigung oder Nichtbilligung ankommt, erst gewartet werden muß, was gefällt und was nicht. Ähnlich wäre auch eine theonome Moral zu beurteilen, weil hier auch erst auf den Willen Gottes und seine, vermeintlicherweise willkürliche, Festsetzung zu warten wäre. Kant hat bei dieser Beurteilung die subjektive Zweckmoral der Engländer im Auge und die theonome Moral des theologischen Moralpositivismus. Die teleologische Ethik der Antike und des Mittelalters dagegen ist so wenig subjektivistisch und relativistisch, wie ihre theologische Moral auch nicht positivistisch ist; denn abgesehen von ein paar Außenseitern, ist der Tenor der gesamten Tradition doch immer die Lehre gewesen: Nicht ist deswegen etwas gut, weil es Gottes Wille ist, sondern weil es gut ist, ist es Gottes Wille. Der Willkürgott, gegen den sich Kant wehrt, ist nicht der Gott der christlichen Gesamtüberlieferung. Worauf es Kant bei seiner Lehre über die Autonomie ankam, war die Würde des Menschen: „Autonomie ist also der Grund der Würde der menschlichen und jeder vernünftigen Natur" (Grundleg.: Werke IV, 436). Nur so könnten Freiheit und Sollen, diese Grundfakta der Sittlichkeit, gerettet werden. Gibt der Mensch nicht sich selbst sein Gesetz, dann würde er zum Sklaven der Materie der sinnlichen Welt bzw. des Willkürwillens des jenseitigen Gottes. Damit hätte er sich selbst aufgegeben. Die Frage ist nur, ob bei der Deutung, die Kant dem Sittengesetz gibt, noch ein wirkliches Gesetz vorliegt. Thomas hat gemeint, daß niemand im eigentlichen Sinn seinen eigenen Akten ein Gesetz auferlegen könne: nullus proprie loquendo actibus suis legem imponit (S. theol. 1, II. 93, 5). Aber auch Schopenhauer scheint dieser Ansicht zu sein. In einer Art Psychoanalyse Kants und des kategorischen Imperativs hat er behauptet, nur weil Kant das „Du sollst" des Dekalogs unbewußt vor Augen gestanden wäre, hätte er in seinem kategorischen Imperativ ein Gesetz erblicken können. „Befohlen muß sein! Welche Sklavenmoral!" ruft er Kant gegenüber aus. Und auch die moderne materiale Wertethik fürchtet in der Gesetzesethik, auch noch in ihrer autonomen Form, eine Gefährdung der objektiven und zeitlosen Geltung der Wertgehalte. Die Neukantianer sind über solche Kantauffassungen sehr unglücklich. Wie das alles auch sein mag, jedenfalls verfolgt Kant eine ideale Absicht. Der Mensch soll, das sei schließlich der Sinn der ganzen Sittlichkeit, niemals als Mittel benutzt, d. h. irgendeinem fremden Zweck untergeordnet werden; er müsse immer Selbstzweck sein. Darum hat Kant für das Grundgesetz der praktischen Vernunft noch die zweite Formulierung: „Handle so, daß du die Menschheit sowohl in deiner Person als in der Person eines jeden anderen jederzeit zugleich als Zweck, niemals bloß als Mittel brauchst" (a. a. O. 429). Es ist kein Zweifel, Kant will den Menschen retten. Obgleich dieser in der Erscheinungswelt steht, soll er doch aus der Sinnenwelt wieder herausgehalten werden. Der Mensch ist mehr, er gehört noch einer höheren Welt an, und erst dort erfährt er seine ganze

Der Mensch als absoluter Wert

Erfüllung. „Zwei Dinge erfüllen das Gemüt mit immer neuer und zunehmender Bewunderung und Ehrfurcht, je öfter und anhaltender sich das Nachdenken damit beschäftigt: der bestirnte Himmel über mir und das moralische Gesetz in mir", heißt es im Beschluß der Kritik der praktischen Vernunft. Der Anblick des bestirnten Himmels erinnert den Menschen daran, daß er Teil dieser Sinnenwelt ist und gegenüber der Größe der materiellen Welt sogar ein sehr kleiner und unbedeutender Teil. Das moralische Gesetz aber in uns fängt bei unserem unsichtbaren Selbst an und erhebt unseren Wert als einer Intelligenz unendlich durch unsere Persönlichkeit, weil es ein von der ganzen Welt unabhängiges Leben offenbart. Wieder spüren wir den Zug der Kantischen Philosophie zum mundus intelligibilis. Und hier sehen wir nun auch, daß der Kantische Formalismus doch nicht so formalistisch war, wie seine Gegner es hinzustellen pflegen. Wenn die Menschheit, jedes vernünftige Wesen und überhaupt das Reich der Zwecke „absoluten Wert hat" (Grundleg.: Werke IV, 428 ff.), dann liegt darin, wenigstens in der Sache, ein Ansatz zu einer materialen Wertethik; und dazu auch noch eine Annäherung Kants an die Begründung der Ethik mit Hilfe der idealen Menschennatur im Rahmen der alten Philosophie; denn die Menschennatur, die Kant als sittliches Prinzip ablehnt, ist ja die Menschennatur des Empirismus. Noch deutlicher zeigt sich uns diese Tendenz in der Lehre von den Postulaten der praktischen Vernunft (KprV.: Werke V, 122 ff.). Postulate sind theoretische Annahmen, um sittliche Tatsachen verstehen zu können. Sie greifen über die Erscheinungswelt hinaus, stellen darum keine Gegenstände dar, über die man etwas „wissen" kann, sondern sind nur „Ideen", wie oben schon dargelegt. Insofern sind sie Sache des Glaubens. Kant hat die erkenntnistheoretische Problematik des Postulatenbegriffs wohl gefühlt. In der Vorrede zur KprV. gesteht er, er habe nicht vermocht, für diese „subjektive, aber doch wahre und unbedingte Vernunftnotwendigkeit einen besseren Ausdruck zu finden" (Werke V, 11). Die Schwierigkeit liegt darin, daß die Postulate nichts Theoretisches „in Ansehung des Objektes" aussagen, sondern nur eine Notwendigkeit in Ansehung des Subjektes. Höchstens in Form einer Hypothese könnte das Theoretische Eingang finden. In der Logik sagt er, es gebe auch „theoretische in

Reich der Zwecke

εε) Postulate

praktischer Vernunftabsicht notwendige Hypothesen, wie das Dasein Gottes, der Freiheit und einer anderen Welt" (§ 38 = Werke IX, 112). Und das sind nun auch seine drei Unsterblichkeit berühmten Postulate: Unsterblichkeit, Freiheit und Gott. Die Idee Unsterblichkeit erfließt aus der praktisch notwendigen Bedingung einer angemessenen Dauer zur möglichst vollständigen Erfüllung des moralischen Gesetzes. Das Sittliche fordert seinem ganzen Sinn nach Vollkommenheit. Auf dieser unserer Welt findet sie aber nie statt. Kant denkt ziemlich pessimistisch über wirklich gelebte echte Moralität (Grundleg.: Werke IV, 407). Also brauchen wir noch ein anderes Leben, weil dort wenigstens ein unendlicher Fortschritt möglich ist. Eine absolute Verwirklichung des sittlichen Ideals erreicht der Mensch allerdings auch dann nicht. Nur Gott ist ganz heilig. Immerhin besteht dort die Möglichkeit immer größerer sittlicher Vervollkommnung. Und darum wird die Unsterblichkeit postuliert. Sie muß sein; ohne sie „wären die moralischen Gesetze als leere Hirngespinste an-Gott zusehen" (B 839). Eine ähnliche Überlegung führt zum Postulat Gottes. So sicher die moralischen Prinzipien unseres Handelns sind, die uns sagen, was wir zu tun haben, nicht um des Lohnes willen, sondern aus Pflicht, so sicher dürfen wir auch hoffen, daß die Tugend durch Glückseligkeit gelohnt wird, wenn wir uns nur des Glückes würdig gemacht haben, indem wir eben unsere Pflicht erfüllten. In der sinnlichen Natur kann aber ein solch gerechter Ausgleich nicht stattfinden; denn menschliche Vernunft könnte, auch wenn wir danach lebten, doch nicht so in Natur und Geschichte eingreifen, daß jene Zustände geschaffen würden, die das vollendete Glück bedeuteten, das dem Guten gebührt. Der gerechte Ausgleich kann darum nur erhofft werden, wenn es eine höchste Vernunft gibt, die nach moralischen Gesetzen gebietet und zugleich als Ursache der Natur zugrunde gelegt wird. Dieses „Ideal des höchsten Gutes" verbindet in sich den vollkommenen moralischen Willen mit der Ursache aller Glückseligkeit, deren wir durch unser Leben würdig werden können. Da es also nur dort „die praktisch notwendige Verknüpfung beider Elemente" gibt, wir anderseits durch unsere Vernunft notwendig einer intelligiblen Welt angehören, müssen wir jene für uns künftige Welt annehmen. Kant spricht wie Leibniz von einem Reich der Gnaden. An der

Spitze steht Gott als der allweise Urheber und Regierer. „Gott also und ein künftiges Leben sind zwei von der Verbindlichkeit, die uns reine Vernunft auferlegt, nach Prinzipien eben derselben Vernunft nicht zu trennende Voraussetzungen" (B 838ff.). Mit diesem moralischen Gottesbeweis hätten wir den einzig möglichen Gottesbeweis vor uns. Man vergleiche dazu auch die Ausführungen Kants in den §§ 87ff. der KUKr. über den moralischen Gottesbeweis und seinen Sinn. Die Freiheit aber, die wir als ein Faktum der praktischen Vernunft schon kennenlernten, steht trotzdem nochmals in Frage, jetzt in einem vorwiegend metaphysischen Sinn, als Vermögen der freien Wahl oder der freien Kausalität angesichts des sonst eben durchgängigen Kausalnexus der Welt von Raum und Zeit, in der der Mensch tatsächlich lebt. Gerade deswegen aber, weil Freiheit zusammen mit dem Sollen als ein Faktum gegeben war, müssen wir auch, soll sie nicht illusorisch sein, annehmen, daß es in unserer raum-zeitlichen Welt die Kausalität aus Freiheit, jenes erste Anfangen neuer Kausalreihen geben muß, und darin besteht das Postulat der Freiheit. Es ist die „Idee" der Freiheit, für die Kant sich schon in der Kritik der reinen Vernunft ausgesprochen hatte (vgl. oben S. 306), die aber zugleich den metaphysischen Horizont auch der sittlichen Freiheit bildet. Freiheit

b) Die Religion

Die Postulate sind als Ideen nicht Wissen, sondern Glauben. Für Kant, den Ethiker und Vertreter eines Primates der praktischen Vernunft, ist durch diesen Vernunftglauben ihre Wirklichkeit stärker verbürgt, als alle theoretische Gewißheit sein kann.

Trotz allem Empirismus standen für Kant Gott, Freiheit und Unsterblichkeit fest. Da dort für sie kein Raum mehr war, mußte Kant sie anderweitig sichern: „Ich mußte also das Wissen aufheben, um zum Glauben Platz zu bekommen" (B XXX; vgl. B 773). Wer aber nicht der Ethiker ist wie er und einen anderen Realitätsbegriff vertritt, den an der sinnlichen Erscheinungswelt orientierten, wie übrigens ja auch er selbst (s. oben S. 286), wird darin „nur" Glauben sehen Und viele kennen ja Kant nur als den Theoretiker der sinnlichen Erscheinungswelt. Bei Leibniz war jenes Reich der Ideen eigentliche Realität, weil er auf dem Boden des Ideal- α) „Glaube" realismus stand. Bei Kant gerät es unter dem Einfluß des Empirismus und seiner Realitätsauffassung in die Gefahr, verflüchtigt zu werden, trotz des Primates der praktischen Vernunft und ihrer „objektiv praktischen Realität". Trotz mehrfacher Erörterung des Glaubensbegriffes (B 848 ff.: „Vom Meinen, Wissen und Glauben"; KUKr. § 91: „Von der Art des Fürwahrhaltens durch einen praktischen Glauben"; Religion innerhalb ...: Werke III, 6: „Der Kirchenglaube hat zu seinem höchsten Ausleger den reinen Religionsglauben") ist es schwierig, zu sagen, was Glaube nach Kant noch sein soll, nachdem er den gegenständlichen Wissensgehalt dabei aufheben will. Die Folgezeit hat denn auch in der Weiterentwicklung der Kantischen Religionsphilosophie den Glaubensbegriff sehr verschieden gedeutet als Ahnung (Fries), Gefühl (Schleiermacher), Ideal und Idol (Lange), Als-ob (Vaihinger).

β) Moral Klar ist nur, daß die Religion bei Kant gänzlich auf Moral reduziert wird. Religion wächst aus der Sittlichkeit hervor, und ihr Inhalt und ihre Aufgabe hat sich darin zu erschöpfen, wieder Sittlichkeit zu fördern. Sie soll versuchen, den Einfluß des Sittengesetzes dadurch zu verstärken, daß sie lehrt, die Pflicht auch als göttliches Gebot anzusehen. Aber es ist nur ein Ansehen-als-ob. „Religion unterscheidet sich nicht der Materie, d. i. dem Objekt, nach in irgendeinem Stück von der Moral ... darum ist sie aber auch nur eine einzige, und es gibt nicht verschiedene Religionen, aber wohl verschiedene Glaubensarten an göttliche Offenbarung und deren statutarische Lehren, die nicht aus der Vernunft entspringen können, d. i. verschiedene Formen der sinnlichen Vorstellungsart des göttlichen Willens, um ihm Einfluß auf die Gemüter zu verschaffen, unter denen das Christentum, soviel wir wissen, die schicklichste Form ist" (Streit der Fak.: Werke VII, 36). „Das Theoretische des Kirchenglaubens kann uns moralisch nicht interessieren, wenn es nicht zur Erfüllung aller Menschenpflichten als göttlicher Gebote, was das Wesentliche aller Religion ausmacht, hinwirkt. Diese Auslegung mag uns selbst in Ansehung des Textes der Offenbarung oft gezwungen scheinen, oft es auch wirklich sein ... Man wird auch finden, daß es mit allen alten und neueren zum Teil in heiligen Büchern abgefaßten Glaubensarten jederzeit so ist gehalten worden und daß vernünftige

Volkslehrer sie so lange gedeutet haben, bis sie dieselbe ihrem wesentlichen Inhalte nach nachgerade mit den allgemeinen moralischen Glaubenssätzen in Übereinstimmung brachten", heißt es in dem Abschnitt: Der Kirchenglaube hat zu seinem höchsten Ausleger den reinen Religionsglauben, in der Schrift über Religion innerhalb der Grenzen der bloßen Vernunft. Ziel der religiösen Entwicklung sei Auflösung des Geschichtsglaubens in reinen Vernunftglauben. Christus ist als Sohn Gottes keine historische Gestalt. Er ist nur die „personifizierte Idee des sittlichen Prinzips" (Religion innerhalb . . .: Werke VI, 60 ff.). Jeder Mensch kann Gottes Sohn werden und sollte es werden. Die „Offenbarung" in Christus, Gnade, Wunder können gleichfalls nicht wörtlich verstanden werden. Solche Dinge würden Vernunft und Freiheit geradezu lähmen; wären äußere mechanische Einwirkungen und führten zu „unter Furcht oder Hoffnung genötigten Handlungen" (a. a. O. 115 f.), während der Mensch in der Sittlichkeit nur aus sich und in Freiheit handeln soll. Darum kann auch die Stiftung Christi, die Kirche, nur in uns sein. Das Reich Gottes auf Erden befindet sich im inneren Menschen. Religion kann kein öffentlicher Zustand sein. Die allgemeine Kirche muß anfangen, „sich zu einem ethischen Staat Gottes zu bilden" (a. a. O. 124). „Der allmähliche Übergang des Kirchenglaubens zur alleinigen Herrschaft des reinen Religionsglaubens ist die Annäherung des Reiches Gottes" (a. a. O. 115). Ziemlich heftig wendet sich Kant gegen das, was er Statuten, Zeremonien und Werkheiligkeit des Kirchenglaubens heißt. Das sei Afterdienst und Pfaffentum. Hier ist er in der Aufklärung steckengeblieben und auch etwas populär geworden. Daß es der Religion auch um Moral geht, ist selbstverständlich; daß es ihr nur darum gehen soll, bedeutete eine Verarmung der Religion. Kant ist hier wie die gesamte rationalistische Aufklärung ohne Verständnis für das Historische, das Mysterium, den Kult und das Symbol.

γ) Christus und Kirche

c) Das Recht

Was die Religionsphilosophie Kants zuviel hat an Moral, hat seine Rechtsphilosophie zuwenig. Das Recht wird nur negativ bestimmt: Recht ist der „Inbegriff der Bedingungen, unten denen die Willkür des einen mit der Willkür des anderen nach einem allgemeinen Gesetz der Freiheit zusammen vereinigt werden kann". Damit wird das Recht zu einer Sache äußerer Zwangsmaßnahmen und reicht nicht weiter als diese. Es müsse scharf von der Moral geschieden werden, die allein es mit inneren Pflichten zu tun habe. Es nähren sich jetzt also nicht mehr alle Gesetze von dem einen göttlichen, wie es bei Heraklit noch geheißen hatte. Wieder handelt es sich um eine Konsequenz aus dem Empirismus, wo bei Hobbes bereits mit seinem Staatsvertrag diese konventionalistische, letztlich auf die Machtideologie hinauslaufende Rechtsauffassung vorliegt (s. o. S. 199). In Deutschland hat sie Thomasius eingeführt, bei dem die Scheidung zwischen Recht und Moral schon vollendet ist. Die Juristen haben sie oft als eine große Errungenschaft gepriesen, weil sie ihnen das Feld der Paragraphen zur unbestrittenen Bearbeitung überließ. Dadurch gab es die Möglichkeit klarer Definitionen, Kombinationen und Berechnungen; kurz, es gab Rechtssicherheit; denn nun konnte keine unkontrollierbare Macht wie etwa die Berufung auf das Gewissen oder das Naturrecht mehr dazwischenreden. In der Rechtsphilosophie war die Folge der Rechtspositivismus; in der breiten Öffentlichkeit aber so etwas wie eine doppelte Fahrbahn. Die einen sagten sich nämlich: Was nur Gesetz ist, muß ich nicht tun, weil es nicht Pflicht ist; die andern aber sagten: Was nur Pflicht ist, muß ich nicht tun, weil es kein Gesetz ist. Über die Grundkonzeption Kants von der Rechtsidee orientiert rasch die kleine Schrift „Idee zu einer allgemeinen Geschichte in weltbürgerlicher Absicht", besonders die Sätze 4—7, ausführlicher die Metaphysik der Sitten, Teil I: Metaphysische Anfangsgründe der Rechtslehre (Werke VIII, 20 ff.; bzw. VI, 203 ff.).

d) Der Staat

Entsprechend dem Kantischen Rechtsbegriff gestaltet sich auch seine Staatsauffassung. Der Staat ist eine „Vereinigung von Menschen unter Rechtsgesetzen". Wie das Recht selbst ist auch diese Vereinigung eine nur äußere Institution. Durch Zwang soll möglicher Zwang bezwungen werden, um so Spielraum zu schaffen für die Freiheit der Individuen. Darum auch die Dreiteilung der Gewalten. Der Staat besitzt keinen positiven Ideengehalt. Nur das negative Gebot: neminem laedere, gilt für seine Bürger. Es ist das Ideal des Liberalismus. Mit seiner bloßen Negativität bedeutet es eine

Verarmung des staatlichen Lebens. Aber da bei der Zersplitterung des modernen Geistes das Motto der Antike: Der Staat ist die Großorganisation der sittlichen Erziehung seiner Bürger, oder das Motto des Mittelalters: Jeder Staat soll Gottesstaat sein, keine allgemeine Anerkennung mehr findet, scheint vielen dieser Ausweg der einzig mögliche zu sein. Freiheit und Friede soll aber auch den zwischenstaatlichen Beziehungen als Ziel vor Augen schweben. Der Sinn der Weltgeschichte ist die Errichtung der besten Staatsverfassungen. Das wäre aber nur möglich, wenn die Menschheit einen allgemeinen Friedenszustand erreichen könnte. „Zum ewigen Frieden" lautet der Titel einer der Spätschriften Kants. Und in diesem Ideal schlägt nun doch wieder die Moral durch, auch in der Staatsphilosophie. Der ewige Friede ist die Idee einer moralisch praktischen Aufgabe für die Politik, die innere sowohl wie die äußere.

Literatur

A. Schopenhauer, Preisschrift über die Grundlagen der Moral (1840). H. Cohen, K.s Begründung der Ethik (1877, ²1910). M. Scheler, Der Formalismus in der Ethik und die materiale Wertethik (1916). N. Hartmann, Ethik (1925). G. Krüger, Philosophie und Moral in der Kantischen Kritik (1931). H. Reiner, Pflicht und Neigung (1951). H. J. Paton, The Categorial Imperative. A Study in Kant's Moral Philosophy (London 1946, deutsch 1962: Der Kategor. Imperativ. Unters. über K.s Moralphil.). D. Ross, Kant's Ethical Theory. A Commentary of the Grundlegung zur Metaphysik der Sitten (Oxford 1954). P. Menzer, Schiller und Kant. In: Kant-Studien 47 (1955—56) 113—147 234—272. J. Kopper, Kants Gotteslehre: ebd. 31—61. L. W. Beck, A Commentary on Kant's Critic of Practical Reason (Chicago 1960). D. Henrich, Der Begriff der sittlichen Einsicht und K.s Lehre vom Faktum der Vernunft. In: Die Gegenwart der Griechen im neueren Denken (1960). J. Schmucker, Die Ursprünge der Ethik K.s in seinen vorkritischen Schriften und Reflexionen (1961). — M. Schulze, K.s Religion innerhalb der Grenzen der bloßen Vernunft. Kommentar (1927). B. Jansen, Die Religionsphilosophie K.s (1929). H. Schmalenbach, K.s Religion (1929). J. Bohatec, Die Religionsphilosophie K.s in der „Religion innerhalb der Grenzen der bloßen Vernunft" (1938). A. Antweiler, Der Zweck in Religion und Moral. Zu Kants Religion innerhalb der Grenzen der bloßen Vernunft. In: Freiburger Zeitschrift für Philosophie und Theologie 4 (1957) 273 bis

316. W. Ritzel, Zur Aufhebung des Kritizismus. In: Kant-Studien 53 (1961/62) 334—350. — E. Weil u. a., La philosophie politique de Kant (Paris 1962).

C. KRITIK DER URTEILSKRAFT

Nachdem in der Kritik der reinen Vernunft das Erkennen, in der Kritik der praktischen Vernunft das Wollen seine philosophische Klärung erfuhr, wird in der Kritik der Urteilskraft das Gefühl zum Problem gemacht. Kant erblickt im Gefühl, er meint Lust und Unlust, eine Zweckbeziehung, und darum ist das eigentliche Thema der Kritik der Urteilskraft der Zweckgedanke. Der Zweck wieder kann sein entweder subjektiv, wenn in seiner Setzung der Mensch und sein Geschmack auftritt, oder objektiv, wenn die Natur und ihre Ordnung in Frage steht. Dementsprechend unterscheidet Kant eine ästhetische und eine teleologische Urteilskraft. In beiden Fällen wird die Welt unter Freiheitsgesichtspunkten angeschaut; denn der Zweckbegriff schließt irgendwie einen Willensbegriff ein, und „Urteilskraft" ist darum nicht einfach Urteilen im Sinn des feststellenden Erkennens, sondern ein Beurteilen in Hinsicht auf den Freiheit voraussetzenden Zweck.

a) Ästhetische Urteilskraft

Die ästhetische Urteilskraft befaßt sich mit dem Schönen und dem Erhabenen. Die philosophische Ästhetik Kants hat in der deutschen Klassik, besonders bei Goethe und Schiller, große Resonanz gefunden. Worum handelt es sich beim Ästhetischen? Ganz allgemein gesprochen, meint Kant, betrachtet der Mensch in der Kunst die reine Form.

α) Das Schöne Wenn nun die Wahrnehmung der Form rein als solcher geeignet ist — im Geeignetsein liegt die Zweckbeziehung —, im Betrachter Lust hervorzurufen und als „schön" zu gefallen, dann liegt in dem billigenden „das gefällt mir" eine ästhetische Beurteilung vor. Das ästhetische Gefallen ist etwas Eigenes. Es fällt nicht zusammen mit dem Angenehmen; das Angenehme vergnügt. Es fällt auch nicht zusammen mit dem sittlich Guten; das sittlich Gute wird geschätzt und erwirbt Achtung. Es fällt ferner nicht zusammen mit dem Begehrten; der Gegenstand der Begierde ist durch ein Habenwollen gekennzeichnet. Das ästhetische Gefallen dagegen ist „interesselose“ Zustimmung, und zwar Zustimmung zu dem inneren objektiven Gehalt der uns begegnenden und gefallenden Formen. Habsucht, Willkür und Begierde schweigen, um die Form allein sich aussprechen zu lassen. Trotz der Zweckbeziehung auf das Subjekt und sein zustimmendes Wohlgefallen eignet dem Schönen Objektivität und Notwendigkeit. Und so definiert Kant: „Schön ist das, was ohne Begriff als Gegenstand eines notwendigen Wohlgefallens erkannt wird.“

Das Erhabene unterscheidet sich davon durch die bei ihm noch hinzukommende Vorstellung des Unendlichen. Hier wird der Gegenstand des Wohlgefallens nicht als begrenzt gesehen, sondern als übermenschlich und überwältigend. Das Erhabene wird als furchterregend vorgestellt, ohne daß man sich davor fürchtet. Es hat eine gewisse Nähe zum Moralischen, weil es etwas Gebieterisches in sich schließt, das uns zu seinem Gehalt irgendwie hinanzieht, so daß das Erhabene buchstäblich das Erhebende ist. Für das ästhetische Bildungsideal der deutschen Klassik bedeutete Kants Philosophie des Schönen und Erhabenen so etwas wie eine Sanktionierung ihres erzieherischen Wollens. β) Das Erhabene

b) Teleologische Urteilskraft

Die teleologische Urteilskraft befaßt sich mit dem Zweck in der Natur. Sie entdeckt ihn im Reich des Organischen.

In einem Organismus verstehen sich die Teile immer nur aus ihrer Beziehung zum Ganzen. Sie verbinden sich so zur Einheit des Ganzen, daß sie voneinander wechselseitig Ursache und Wirkung ihrer Form sind, d. h., ein Teil ist nicht nur um des anderen willen da, sondern auch durch den anderen. Der Organismus ist darum nicht bloß Maschine, sondern besitzt noch eine bildende Kraft, die auf die Materie einzuwirken vermag und sie dadurch „organisiert“, eine Tatsache, die mechanisch nicht erklärt werden könne. „Schlechterdings kann keine menschliche Vernunft ... die Erzeugung auch nur eines Gräschens aus bloß mechanischen Ursachen zu verstehen hoffen“ (KUKr. § 77 = Werke V, 409). Hat man nun im Reich des Organischen den Zweck einmal gesehen, so ist es begreiflich, daß man versucht, die gesamte Natur als ein Ganzes anzusehen, in dem alles sinnbezogen ist und von der α) Organismus

Idee des Ganzen her als eine einzige Einheit verständlich wird. Dieser Idee wäre dann der Mechanismus unterzuordnen. Aber damit sind wir noch nicht am Ende. Die Idee des Zweckes verlangt notwendig die weitere Idee eines Zwecke setzenden, d. h. intelligenten Wesens. Die Teleologie führt damit zur Theologie, freilich nur wenn sie ergänzt wird durch die „moralische Teleologie" der praktischen Vernunft, die den Menschen als moralisches Wesen als den Endzweck der Schöpfung erkennt; denn eine rein physische Teleologie bleibe bloß auf einen Teil der Natur beschränkt, führe nicht über sie hinaus, und ihr Ergebnis ist überhaupt nur eine Dämonologie (KUKr. § 86 = Werke V, 443 f.).

β) Zweck als Idee Allein der Zweck ist „Idee", und es gilt davon alles, was wir über die Idee bei Kant schon sagten. Er ist nicht konstitutiv, sondern nur regulativ. Wir schauen also die Natur nach Kant nur so an, als ob es Zwecke gäbe. Tatsächlich aber könnten wir keine Zwecktätigkeit nachweisen. Wirklich zu beobachten ist nur die Kausaldetermination, und die Natur muß nach Prinzipien des Mechanischen erforscht werden. Wir können ein Naturprodukt, das auf Grund der Notwendigkeit des Kausalnexus zu denken ist, nicht zugleich als „zufällig" denken, was es wäre, wenn seine Form auf Grund einer Zweckbestimmung frei gestaltet worden wäre (KUKr. § 74 = Werke V, 396). Damit sei jedoch nicht ausgeschlossen, sie unter gewissen Einheitsgesichtspunkten anzuschauen. Einer davon ist die Zweckidee. Echten Zwecken begegnen wir an sich nur in unserem menschlichen Planen und seinen Zielsetzungen. In der Natur können wir ein solches Entstehen aus Plan und Ziel nicht gegenständlich auffinden und nachweisen. Wenn der Organismus so aussieht, als ob er geplant wäre, so ist es nur die Übertragung unserer menschlichen Anschauungsformen, was diesen Eindruck hervorruft. Tatsächlich gegeben ist der Organismus uns nur in seinem fertigen Zustand; nicht aber ist uns anschaubar gegeben eine das Werden vorgängig steuernde Idee. Für Gott allerdings wäre es anders: „Nun können wir uns aber auch einen Verstand denken, der, weil er nicht wie der unsrige diskursiv, sondern intuitiv ist, vom Synthetisch-Allgemeinen zum Besondern geht, d. i. vom Ganzen zu den Teilen", einen Verstand also, der plant, indem er zuerst das Ganze denkt und ihm dann, als ihrem Zwecke, die Teile zuordnet. In einem solchen Verstande wäre der soeben berührte Widerspruch zwischen der Notwendigkeit des Kausalnexus und der Freiheit der Zwecksetzung („zufällig") nicht wirksam. Ein intellectus archetypus könnte beides vereinen, weil er „der Grund der Möglichkeit dieser Natur selbst" wäre (Werke V, 396). Aber diesen intellectus archetypus, der zugleich ein produktiver Intellekt ist, haben wir Menschen nicht. Uns bleibt nur die „Idee" des Zweckes, das Anschauen als ob. Darum lehnt Kant in Sachen Teleologie Epikur und Spinoza ebenso ab wie den Theismus. Erstere haben zuwenig, letzterer zuviel „Zweck" angenommen. Die Natur könne nicht nur kausal erklärt werden; es gibt auch den Zweck; aber der Zweck sei für uns Menschen keine beweisbare Realität, er ist nur „Idee". Für einen Augenblick war wieder der mundus intelligibilis, die Welt Leibnizens und des Ideal-Realismus, in das Blickfeld getreten; aber sofort wird dieser Gedanke unterdrückt durch die Konsequenzen der Lehre Humes: Gegeben sind uns nur Erscheinungen; sie sind zusammenhanglos; denn die Welt ist grundsätzlich zerstückt in lauter Teile; diese Teile werden zusammengesetzt, aber nach Regeln, unter denen sich der Zweckbegriff nicht befindet. Spinoza und Hume verwenden, wie übrigens schon Descartes, nur die Kategorie der Kausalität. Und so letztlich doch auch wieder Kant. Die Zwecke in der Natur sind nichts Anschaubares, darum keine Gegenstände, und konnten so nur noch als Ideen eingeführt werden. Das ist das einzige Zugeständnis, das Kant der Betrachtung der Welt sub specie aeterni machen konnte. Es ist wenig; denn seine Idee spielt ihre Rolle nur post festum, nicht aber vermag sie das Geschehen zu antizipieren, wie die echte platonische Idee des Ideal-Realismus, die Teilhabe war am intellectus archetypus. Mit dem Empirismus hat der Mensch in diesem Punkt auf seine Gottähnlichkeit vergessen und läuft dem Geschehen der Welt nur noch nach.

c) Die Aufgabe der dritten Kritik

Es ist darum nicht recht einzusehen, wieso die Kritik der Urteilskraft die Aufgabe erreichen soll, die sie sich gesteckt hatte. Kant hat selbst den oben (S. 315) hervorgehobenen Dualismus gesehen, an dem seine Philosophie auseinanderzubrechen droht. Es steht, wie es in der Einleitung II zur Kritik der Urteilskraft heißt, hier das Gebiet des Naturbegriffs als das Reich des Sinnlichen und dort das Gebiet des Freiheitsbegriffs als das Reich des Übersinnlichen, und es scheint kein Übergang möglich zu sein. Da aber das sittliche Sollen uns anzeigt, daß Vernunft mit ihren praktischen Gesetzen auf die Welt der Erscheinungen, in der der Mensch lebt, einen Einfluß haben muß (s. oben S. 342), muß es auch, so schließt Kant, „einen Grund der Einheit des Übersinnlichen, welches der Natur zum Grunde liegt, mithin, was der Freiheitsbegriff praktisch enthält, geben". Dieser Einheitsgrund, der den Übergang von den Prinzipien der theoretischen zu den Prinzipien der praktischen Denkungsart ermöglichen soll, wäre nun die Idee der Zweckmäßigkeit. Der Zweck, zwar nur im Wollen des Menschen eigentlich gegeben, könnte wenigstens als eine heuristische Idee auch auf die Natur übertragen werden, so daß schließlich doch schlechthin alles Sein unter diesem Vernunftprinzip zusammengefaßt und alle Zufälligkeit des Mechanischen überwunden würde (Werke V, 183 f.). Die Kantanhänger betonen gerne, daß mit der Kritik der Urteilskraft Kant schließlich noch einen Versuch mache, die Einheit des menschlichen Geistes wieder herzustellen. Diese Absicht gibt Kant tatsächlich kund. Aber er hatte ja schon in der Grundlegung von 1785 die Einheit von theoretischer und praktischer Vernunft als Notwendigkeit empfunden, „weil es doch am Ende nur ein und dieselbe Vernunft sein kann, die bloß in der Anwendung unterschieden sein muß" (Werke IV, 391. Ebenso KprV.: Werke V, 121). Die Kritik der Urteilskraft bringt aber keine sachlich neuen Gesichtspunkte. Es bleibt vielmehr dabei, daß für die wissenschaftliche Erkenntnis der Erscheinungswelt ausschließlich die Kausaldetermination gilt, die Zweckmäßigkeit aber nur ein Als-ob bedeutet. Das war aber auch in den beiden ersten Kritiken schon so gewesen. Man hat gesagt: „Die Problematik der Kritik der Urteilskraft läßt sich, wenn man die Grundlage von Kants System berücksichtigt, überhaupt nicht konstruieren" (Aebi, S. 91). Das ist richtig, wenn man an den Kant der theoretischen Vernunftkritik denkt. Es gibt aber auch den Kant der praktischen Vernunft, und der fordert, daß man das Ganze der Sinnenwelt nur vom Logos her verstehen und formen solle (s. oben S. 342). Kant möchte also Metaphysiker sein. Das Bleigewicht, das ihn behindert, ist der Empirismus.

Literatur

A. Baeumler, K.s Kritik der Urteilskraft (1923). K. Marc-Wogan, Vier Studien zu K.s Kritik der Urteilskraft (1938). P. Menzer, K.s Ästhetik in ihrer Entwicklung (1952). J. Knox, The Aesthetic Theories of Kant, Hegel and Schopenhauer (London 1958). W. Biemel, Die Bedeutung von K.s Begründung der Ästhetik für die Philosophie der Kunst. In: Kant-Studien, Erg.-H. 77 (1959). G. Freudenberg, Die Rolle der Schönheit und Kunst in der Transzendentalphilosophie (1960).

D. KANTS ANHÄNGER UND GEGNER

a) Gegner

Die Einwände der Gegner Kants decken eine Reihe von Schwierigkeiten auf, die wir auch heute noch als solche empfinden. In einer Rezension der Kritik der reinen Vernunft in den Zugaben zu den Göttingischen Gelehrten Anzeigen vom 19. 1. 1782 konnte Christian Garve († 1798) Kant so verstehen, als wäre er ähnlich wie Berkeley absoluter Idealist, so daß es nur subjektive Vorstellungen gäbe und sonst nichts. Kant hat ihm gegenüber in den Prolegomena und in der 2. Auflage der Kritik der reinen Vernunft sich zum kritischen Idealismus bekannt: es gibt reale Dinge, aber wir müssen um die Grenzen unseres Erkennens wissen, müssen scheiden (Kritik), was möglich ist und was nicht möglich ist: das Ansich der Dinge bleibt uns unzugänglich; erkennbar ist nur die Erscheinung; darauf sind wir beschränkt. Aber gerade dieses Ding an sich wurde nun zum Problem. Fr. H. Jacobi († 1819) hält entgegen, daß Kant im Widerspruch zu seiner eigenen Theorie nun doch, wenn er von den Körperdingen die Affektionen der Sinne ausgehen läßt, die Kausalkategorie auf Dinge an sich anwende, obwohl sie sich nur auf Erscheinungen als solche beziehen dürfte. G. E. Schulze pflichtet ihm in seinem 1792 erschienenen Aenesidem bei. Und weiterhin stößt sich Schulze an dem Versuch Kants, subjektive Formen als transzendentallogische Geltungen auszugeben. Kant sollte wieder, so verlangt er, zu Hume zurückkehren, wo die subjektiven Formen echt, d. h. Psychologismus sind und nicht Logik. Man kann sich in der Tat fragen, ob die Begründung der logischen Geltung der Kategorien durch den Gedanken: die Menschen *müssen* so denken, nicht Widersinn und Erschleichung ist; denn diese Begründung besagt nur eine subjektive Notwendigkeit und nicht mehr, jedenfalls nicht eine logisch-ontologische „Geltung"; trotzdem wollen die Kategorien den Anschein objektiver Geltung erwecken. Joh. Gottfr. Herder (s. oben S. 265) nennt die gesamten einschlägigen Bemühungen Kants in der transzendentalen Analytik „öde Wüsten voll leerer Hirngeburten" und „anmaßende Wortnebel".

b) Anhänger

Aber die Anhänger Kants waren bei weitem in der Überzahl. Bezeichnend für ihre Stimmung ist ein Wort von Jean Paul († 1825): „Kant ist kein Licht der Welt, sondern ein ganzes strahlendes Sonnensystem auf einmal." Viel taten für die Verbreitung der Kantischen Philosophie Karl Leonhard Reinhold († 1823) mit seinen populär gehaltenen „Briefen über Kantische Philosophie", Salomon Maimon († 1800), der durch seine Beseitigung des Dinges an sich den Übergang zu Fichte vorbereitete, und Jak. S. Beck († 1840). Viele andere kamen dazu. Auch die deutsche Klassik übernahm typische Ideen der Kantischen Philosophie. Weniger Goethe, obgleich auch er die Kritik der Urteilskraft mit Interesse gelesen hatte, wohl aber Schiller. Man braucht nur Worte zu hören wie: „Es ist kein leerer, kein eitler Wahn, erzeugt im Gehirne der Toren, im Herzen kündet es laut sich an, zu was Höherem sind wir geboren" oder, wenn er vom Wahren und Schönen sagt: „Es ist nicht draußen, da sucht es der Tor; es ist in dir, du bringst es ewig hervor", um sofort die Postulate und den Glauben an die Macht der Vernunft wieder zu erkennen. Nur geraten bei Schiller die Ideale etwas in die Nähe des Ästhetizismus Shaftesburys und dessen, was Fr. A. Lange später Ideale im Sinne von Idolen heißen wird. Auch in seiner Abhandlung „Über Anmut und Würde" (1793) vertritt Schiller ein Kantisches Philosophem: Der Mensch soll sich durch die sittliche Würde seines Geistes über die Natur erheben; er versucht aber gleichzeitig den Rigorismus abzuschwächen und eine Verbindung des sittlich Guten mit den Grazien, mit dem Ideal der schönen Seele herzustellen. Kant witterte dahinter sofort wieder die Neigung und die Gefahr des Eudämonismus. Auch bei Kleist findet Kants Philosophie größtes Interesse. Der Prinz von Homburg bringt eine sehr klare und tief erlebte Auseinandersetzung zwischen der formalistischen Gesetzesethik und der natürlich empfundenen Gefühlsmoral, die das Herz sprechen lassen will (Kurfürst und Kottwitz in V, 5), mit dem Ergebnis, daß der Prinz, der dem Antrieb seines Herzens gefolgt war, sich schließlich doch dem Gesetz unterwirft. Aber was Kant zum Sieg verhalf, war der Beifall der Philosophen, den er mehr und mehr fand. Auch auf Frankreich, Holland, England griff die Kantbewegung über. Und als schließlich die Männer des deutschen Idealismus sich aus der Philosophie Kants erhoben, konnte kein Zweifel mehr sein über die epochale Wirkung seines Denkens. Nach einem kurzen Rückschlag um die Mitte des 19. Jahrhunderts ertönte bald wieder der Ruf „Zurück zu Kant!", und es kam zu der mächtigen Entwicklung des Neukantianismus. Er befindet sich heute in einer wieder stark rückläufigen Bewegung. Aber wie sehr man auch inzwischen über Kant hinausgegangen ist, irgenwie finden sich auf allen Gebieten der Philosophie Nachwirkungen Kants, und mindestens die Auseinandersetzung mit ihm kann niemand sich schenken, der sich in der Philosophie Gehör verschaffen will.

Literatur

R. Reininger, Kant. Seine Anhänger und Gegner (1923). Th. Litt, Kant und Herder als Deuter der geistigen Welt (1930). H. Borkowski, Kleist und Kant (1935). W. Lamprecht, Anschauende und begriffliche Erkenntnis. Eine vergleichende erkenntnistheoretische Analyse der Denkweise Goethes und Kants. In: Zeitschrift für philosophische Forschung 10 (1956) 63—84. P. Menzer, Schiller und Kant (s. oben S. 353). A. Klemmt, K. L. Reinholds Elementarphilosophie. Eine Studie über den Ursprung des spekulativen Deutschen Idealismus (1958).

2. FICHTE
Subjektiver Idealismus

„Das Lebenswerk Fichtes steht an einem der großen Wendepunkte in der Geschichte des philosophischen Denkens. Mit ihm beginnt in machtvollem Einsatz eine geschlossene Folge von philosophischen Bewegungen und Systemen, die allein nach Wucht, Anspruch und Ausmaß zu dem Größten gehören, was der suchende Menschengeist je ersonnen hat. Die einzigartige Kraft spekulativer Begabung, die der deutsche Geist in seinem Innern trug . . ., sie strömt von hier in breitem Flusse" (Heimsoeth). Es ist der deutsche Idealismus, der sich nunmehr erhebt. Das Woraus aber bildet die Kantische Philosophie. Fichte will bewußt an Kant anknüpfen und ihn weiterbilden. Und zwar ist es der Kant der praktischen Vernunft, der Fichte als der eigentliche Kant erscheint. Nicht so sehr das Sein und der Kosmos interessieren Fichte als vielmehr der Mensch und seine rein menschlichen inneren Möglichkeiten. Schon Kant sah im Menschen einen absoluten Wert. Immerhin gab es nicht bloß den Menschen. Jetzt ist der Mensch alles. Sein Ich wird zum Ursprung des gesamten Weltseins. Der Idealismus Kants war ein kritischer. Er wollte die rechten Grenzen ziehen für die Vorstellungswelt des Menschen. Für das vorstellende und wollende Ich Fichtes gibt es keine Grenzen mehr. Darum heißen wir diesen Idealismus, der das Subjekt zu allem und jedem macht, einen subjektiven. Der Transzendentalismus ist ein vollkommener geworden, die Methode des Wissens bildet das Gewußte selbst, die Dualität von Subjekt und Objekt ist aufgehoben, ein Ziel, in dem Fichte, Schelling und Hegel einig gehen; zunächst wenigstens; denn der späte Fichte und späte Schelling werden aus dieser Front ausbrechen! Man hat die Kühnheit, ja Verwegenheit der Fichteschen Spekulation um das Ich immer gesehen. Bei aller Kritik möge man aber nicht das hohe Ethos übersehen, das hinter dem Ganzen steht und dem es noch mehr als Kant darum zu tun ist, Freiheit und Würde des Menschen gegenüber Natur und Materie zu retten. Man kann diesen Idealismus darum mit Recht auch einen ethischen heißen.

Leben und Werke

Johann Gottlieb Fichte ist 1762 in der Oberlausitz geboren und kommt aus kleinen Verhältnissen. Er wurde plötzlich bekannt durch seine Frühschrift „Versuch einer Kritik aller Offenbarung" (1792), die man — sie war zufällig anonym erschienen — für die längst erwartete Religionsphilosophie Kants hielt. So sehr hatte Fichte sich in Kant hineingelebt. 1794 erscheint sein Hauptwerk „Grundlage der gesamten Wissenschaftslehre". Es ist das Buch, mit dem Kants Gedanke der transzendentalen Deduktion an den deutschen Idealismus übergeben wird und nun dazu führt, eine absolute Geistphilosophie, den deutschen Subjektivismus, entstehen zu lassen. Noch im gleichen Jahr wird Fichte Professor in Jena, der Stadt der Frühromantiker, in der übrigens auch Schelling und Hegel ihre Dozentenlaufbahn begonnen haben. In Jena entstand noch die „Grundlage des Naturrechts nach den Prinzipien der Wissenschaftslehre“ (1796) und „Das System der Sittenlehre nach den Prinzipien der Wissenschaftslehre“ (1798). Ein Aufsatz Fichtes im Philosophischen Journal von 1798 „Über den Grund unseres Glaubens an eine göttliche Weltregierung“ trug ihm den Vorwurf des Atheismus ein, und Fichte mußte 1799 die Universität Jena verlassen. Er ging schließlich nach Berlin und wurde dort Mittelpunkt neuen geistigen Lebens, besonders der Romantikerkreise (Friedrich Schlegel, Dorothea Veit, Friedrich Schleiermacher). In Berlin entstanden seine Staatsutopie „Der geschlossene Handelsstaat“ (1800), „Über die Bestimmung des Menschen“ (1800), „Grundzüge des gegenwärtigen Zeitalters“ (1804), „Anweisung zum seligen Leben“ (1806) und eine Reihe von neuen Darstellungen und Einleitungen zu seinem Hauptwerk, der „Wissenschaftslehre“. Nach kurzer Tätigkeit in Erlangen und Königsberg war Fichte schließlich Professor an der 1809 gegründeten Berliner Universität und ihr erster Rektor geworden. Als um diese Zeit der Napoleonische Imperialismus Deutschland überrannte, stand Fichte an hervorragender Stelle in der nationalen Widerstandsbewegung und hielt seine berühmten Reden an die deutsche Nation (1808/09). 1814 ist er an Wundbrand gestorben. Die noch auf dem Sterbelager geschriebene und unvollendete Fassung der Wissenschaftslehre scheint die wichtigste zu sein. — Ausgaben: J. G. Fichtes sämtliche Werke. Hrsg. von I. H. Fichte. 8 Bde. (1845—46). Nachgelassene Werke. Hrsg. von I. H. Fichte. 3 Bde. (1834—35). (Nachdruck beider Ausgaben 1971). (Danach wird im folgenden zitiert unter Werke mit Band und Seite). Ein bisher unbekannter bzw. nur unzureichend veröffentlichter Nachlaß, der das übliche Fichte-Bild — Fichte nur eine Vorstufe zu Hegel — korrigieren soll, harrt der Edition. — Kritische Gesamtausgabe der Werke im Auftrag der Bayerischen Akademie der Wissenschaften hrsg. von R. Lauth, H. Jacob u. M. Zahn (1962 ff.).

Literatur

H. Heimsoeth, Fichte (1923). M. Wundt, Fichte (1927, ^{2}1937). J. Barion, Die intellektuelle Anschauung bei Fichte und Schelling (1929). B. Noll, Kant und Fichtes Frage nach dem Ding (1936). W. Ritzel, Fichtes Religionsphilosophie (1956). M. Zahn, Die Bedeutung neuer Fichte-Funde für die Philosophie des deutschen Idealismus und die heutige Philosophie. In: Zeitschrift für philosophische Forschung 13 (1959) 110—118. H. Radermacher, F.s Begriff des Absoluten (1970). W. Janke, F. Sein u. Reflexion (1970). — K. Hammacher (Hrsg.), Der transzendentale Gedanke. Die gegenwärtige Darstellung der Philos. F.s (1980). — H. M. Baumgartner u. W. G. Jacobs, F.-Bibliographie (1968).

Von zwei Seiten her baut Fichte seine Philosophie auf: aus dem Nachdenken über das Wesen des Wissens und den Sinn des Wollens. Darum treibt er entweder Wissenschaftslehre oder Sittenlehre.

a) Wissenschaftslehre

α) Absoluter Idealismus

αα) Von Kant zu Fichte

Die Wissenschaftslehre will das System der notwendigen Vorstellungsweisen entwickeln, will also erste Philosophie, Fundamentalontologie sein. Nun wollte das Kant mit seiner transzendentalen Deduktion der reinen Verstandesbegriffe auch leisten. Fichte knüpft auch hier an. Aber er will Kant vollenden; denn dieser sei nicht radikal genug gewesen. Einmal habe Kant seine Kategorien aus der Empirie entnommen; er könne durch nichts erhärten, daß sie das „System der notwendigen Handelsweisen" des Bewußtseins und ausschließlich reine Intelligenz seien. Daß Kant nicht lautere Verstandesweisen dargeboten habe, zeige sich besonders darin, daß er das Ding an sich und die von ihm ausgehenden Affektionen noch stehen ließ. Hier würden die „Dogmatiker" einhaken und geltend machen, daß die Kantischen Kategorien in Wirklichkeit transzendente Seinsgesetze seien. Historisch gesehen, hat Fichte mit seiner Behauptung in der Tat recht. Die Kantischen Kategorien entstanden auf andere Weise als durch transzendentale Deduktion. Und dann berührt Fichte eine für Kant lästige Aporie, auf die ja auch schon Jacobi, Aenesidem-Schulze und Reinhold hingewiesen hatten. Es ist die oben (327) erwähnte Schwierigkeit, daß, wenn man die vom Ding an sich ausgehenden Affektionen wirklich etwas bedeuten läßt, die Spontaneität der apriorischen Formen verlorengeht und, wenn die Spontaneität bleiben soll, die Affektionen überflüssig werden. Nach Fichte gibt es überhaupt nur zwei mögliche Philosophien, den Dogmatismus und den Idealismus. Ersterer nimmt transzendente Dinge an sich an und bringt damit das Ich um seine Freiheit (Spontaneität), ganz abgesehen davon, daß nicht einzusehen sei, wie etwas, was nicht Bewußtsein und Geist ist, auf Bewußtsein und Geist sollte wirken können. Letzterer, der Idealismus, kennt nur Vorstellungen, läßt sie aus dem Ich hervorgehen und macht damit dieses frei und unabhängig. Zwischen den beiden möglichen Standpunkten müsse man wählen. Eine theoretische Entscheidung könne nicht gefällt werden; weder der eine noch der andere Standpunkt sei zu beweisen oder zu widerlegen; denn es handle sich um letzte prinzipielle Stellungnahmen. So komme alles auf unsere persönliche Entscheidung an: „Was für eine Philosophie man wähle, hängt ... davon ab, was für ein Mensch man ist; denn ein philosophisches System ist nicht ein toter Hausrat, den man ablegen könnte, wie es uns beliebte, sondern es ist beseelt durch die Seele des Menschen, der es hat." Fichte war ein aktiver Mensch, und so entschied er sich für den Idealismus, um keinerlei Abhängigkeit in Kauf nehmen zu müssen, um die ganze Spontaneität des Ich zu gewinnen. Auch Kant sah im Idealismus schon das Moment der spontanen Setzung. Die Kategorien waren Handlungen des Geistes. Aber der Stein des Anstoßes war der Stoff und das Ding an sich. Jetzt, bei Fichte, setzt das Subjekt auch noch den Stoff, der Geist ist alles. Wir haben einen absoluten Idealismus, eine ausgesprochene, reine Geistphilosophie vor uns. Bei Kant war der reine Verstand so etwas wie ein griechischer Demiurg; er fand noch das Material vor, und dieses setzte seinem Tun Grenzen. Bei Fichte ist der Geist so etwas wie der göttliche Geist der Bibel, er erschafft alles aus dem Nichts. „Die Wissenschaftslehre leitet sonach, ohne alle Rücksicht auf Wahrnehmung, a priori ab, was ihr zufolge eben in der Wahrnehmung, also a posteriori, vorkommen soll" (Sonnenklarer Bericht, 2. Lehrst. = Werke II, 355). Die Wissenschaftslehre „konstruiert das gesamte gemeinsame Bewußtsein aller vernünftigen Wesen schlechthin a priori, seinen Grundzügen nach, ebenso wie die Geometrie die allgemeinen Begrenzungsweisen des Raumes durch alle vernünftigen Wesen schlechthin a priori konstruiert" (a. a. O. 3. Lehrst. = Werke II, 379).

ββ) Idealität als Realität

Das soll nicht heißen, daß damit „aus dem Begriff des Ich die ganze Wissenschaft herausgewickelt werde wie aus einer Zwiebel", also durch Analyse dessen, was im Ich schon dunkel enthalten sei (a. a. O. 375), und noch weniger würden nur reine Gedankengebilde konstruiert: „Die Wissenschaftslehre ist realistisch"; es existiert eine „den endlichen Naturen völlig entgegengesetzte Kraft", das „Nicht-Ich, von der dieselben ihrem empirischen Dasein nach abhängig sind". Die

Wissenschaftslehre behaupte aber auch nichts weiter, als daß eine solche entgegengesetzte Kraft bloß gefühlt werde. Erkannt werde sie nicht. Das sieht nun so aus, als wäre der Idealismus durchbrochen. Aber dann heißt es gleich wieder: „Alle möglichen Bestimmungen dieser Kraft und dieses Nicht-Ich, die in die Unendlichkeit hinaus in unserem Bewußtsein vorkommen können, macht sie sich anheischig aus dem bestimmenden Vermögen des Ich abzuleiten, und muß dieselben, so gewiß sie Wissenschaftslehre ist, wirklich ableiten können.“ Und daraus sieht man denn, daß die „Realität“ Fichtes Idealität ist. Es gibt kein logisch amorphes Material mehr, werden die Neukantianer dafür sagen. Die neue Ontologie ist darum eine „pragmatische Geschichte des menschlichen Geistes“, wie Fichte seine Wissenschaftslehre auch nennt und mit Recht nennt, nachdem er ihr die Aufgabe gestellt hat, „alles Sein der Erscheinung aus dem Verstande abzuleiten“.

β) Dialektik des Ich

αα) Intellektuelle Anschauung

Wie aber stellt der Geist es an, um diesen Werdeprozeß, der das Sein erzeugt, in Gang zu bringen? Das Bewußtsein braucht nur, meint Fichte, sich selbst anzuschauen und sich zu besinnen auf die Voraussetzungen seiner eigenen Möglichkeit, und die Grundbestimmungen des Bewußtseins werden nacheinander sichtbar; denn wenn eines ist, müsse alles übrige sein und gerade so sein, wie es ist (Sonnenklarer Bericht, 2. Lehrst. = Werke II, 349). Wie in den geometrischen Figuren ein gesetzmäßiger Zusammenhang ist, so daß eines nach dem anderen folgen muß, so hat auch das Bewußtsein eine immanente Gesetzmäßigkeit, nach der sich alles mit Notwendigkeit ergibt, was immer es enthält, bis in das letzte Detail. Die Wissenschaftslehre „hebt an von der einfachsten und durchaus charakteristischen Bestimmung des Bewußtseins, der Anschauung, oder Ichheit, und geht in der Voraussetzung, daß das vollständig bestimmte Selbstbewußtsein letztes Resultat aller anderen Bestimmungen des Bewußtseins sei, fort, bis dieses abgeleitet ist; indem sich ihr an jedes Glied ihrer Kette stets ein neues anknüpft, wovon ihr in unmittelbarer Anschauung klar ist, daß es bei jedem vernünftigen Wesen sich eben also anknüpfen müsse“ (a. a. O. 3. Lehrst. = Werke II, 379 f.). Schon das Beispiel der geometrischen Gesetzmäßigkeit läßt erkennen, daß es sich natürlich bei diesem Bewußtsein um das „reine“ Bewußtsein handelt, um eine Parallele zum reinen Verstand Kants; also nicht um eine psychologische, sondern transzendentallogische Genesis, so wie der Mathematiker, wenn er Mathematik lehrt, ja auch nicht zugrunde legt, wie die Menschen tatsächlich rechnen, sondern wie sie rechnen sollen. Er lehrt das richtige Rechnen und Fichte das richtige Bewußtsein, das nicht Bewußthaben überhaupt ist, sondern „Wissen". Fichte schaut das Bewußtsein in seiner Idealgestalt an und erkennt so die unbedingten Notwendigkeiten, die dem Wissen und damit auch dem Sein zugrunde liegen. Darin besteht seine sogenannte intellektuelle Anschauung. Die Methode nun für die Ableitung aller Grundbestimmungen des Bewußtseins ist der berühmte dialektische Dreischritt: Thesis, Antithesis und Synthesis, der von jetzt ab den ganzen deutschen Idealismus beherrschen wird. Uranfang alles Bewußtseins sei, daß das Ich sich selbst setze: „Ich bin Ich" (Thesis). Es ist die erste Setzung überhaupt. Man brauche nur irgend etwas zu denken, z. B. dies ist dies, allgemein gesprochen: A = A, um das sofort zu sehen. In dem zweiten A, das als Prädikat auftritt, erinnern wir uns an das erste A (Subjekt) als ein von uns so und nicht anders gesetztes A und werden uns klar, daß wir auch im zweiten A nur wieder uns selbst anschauen und also mit uns identisch sind. Und so in allen Bewußtseinsinhalten. Wir erleben in ihm immer nur uns selbst, das Ich als Ich. Im ersten Schritt des dialektischen Dreitaktes, der Thesis, haben wir damit nun auch schon zwei ontologisch sehr wichtige Prinzipien gefunden, den Satz der Identität und — es wurde ja positiv etwas gesetzt — die Kategorie der Realität. Auf die Setzung des Ich in der Thesis muß nun aber sofort die Antithesis folgen, das Nicht-Ich. Das Ich setzt sich entgegen ein Nicht-Ich und muß es, weil sich ein Ich ohne ein Nicht-Ich sowenig denken läßt wie ein Rechts ohne ein Links. Damit findet Entgegensetzung statt und Negation, und wir haben wieder zwei ontologisch besonders wichtige Prinzipien, den Satz des Widerspruchs und die Kategorie der Negation. Da aber das Ich sich selbst ein Nicht-Ich entgegensetzte — alle von außen kommende Determination würde ja die Grundvoraussetzung Fichtes von der völligen Freiheit und Spontaneität wieder vernichten —, hat das Ich offenbar sich selbst eingeschränkt oder gespalten. Und somit ergibt sich, wenn wir nur jetzt das Gesamt-Ich wieder ansehen,

ββ) Dialektischer Dreischritt

Thesis

Antithesis

Synthesis

sofort der dritte Schritt, die Synthesis: Aufhebung des Widerspruchs. In ihr erkennen wir die Einheit des Ich und Nicht-Ich in einer Ursubjektivität, im absoluten Ich, so daß die Synthesis an sich das logisch Frühere ist und Dialektik den Weg darstellt, auf dem das Eine, der Geist, sich in das Viele expliziert. Als ontologische Elemente aber haben wir gewonnen den Satz vom Grunde und die Kategorie der Limitation. (Auch bei Kant enthielt die dritte Kategorie jeweils die beiden vorausgehenden unter sich.) Ein Beispiel nach Fichte: Gold erkennen wir, indem wir es in seiner Diesheit setzen, dann von Kupfer und Silber usw. unterscheiden, dann alles wieder als Metall zusammenfassen und in dieser Synthesis den Grund für seine Möglichkeit finden. Mit Hilfe dieser Methode glaubt Fichte das ganze Bewußtsein in seinem Werden erklärt zu haben; denn jede Synthesis kann wieder als Thesis betrachtet werden, so daß der Prozeß immer weiter geht, bis herunter zu den letzten Details unseres Erkennens. Zugleich glaubt er, das Wissen in seinem wahren Wesen aufgehellt zu haben; denn die Welt des Wissens in ihrer Struktur verstehen ist nichts anderes als das Bewußtsein in seiner Struktur verstehen. Die Geschichte des Seins ist die Geschichte des Bewußtseins. Seine gesetzmäßige Funktionsweise aber, der dialektische Dreischritt, mache das eigentliche Wissen in seinem Wesen aus. Die Schwierigkeiten, die mit dieser Konzeption gegeben sind, wurden immer schon beredet. Der Begriff des Ich wechsle allzuoft und zu willkürlich seinen Sinn. Bald sei das absolute, allgemeine, unendliche Ich gemeint, bald wieder das besondere, individuelle, begrenzte Ich, und man hat darum von Begriffsverschiebungen gesprochen. Man hat sogar daran gedacht, das Ganze als romantische Schwärmerei zu betrachten, die einer „unaufhörlichen Sprachen- und Gedankenverwirrung zutreibt" (Jean Paul).

γγ) Fichtes Dialektik und Kants Deduktion

Es ist aber kein Zweifel, was Fichte gewollt hat: eine Neugestaltung der Kantischen transzendentalen Deduktion, die nun wirklich reine, ganz immanente Formalistik des Geistes ist. Man wird auch kaum leugnen können, daß der dialektische Dreischritt ein genialer Versuch ist, sich der Form und Funktion des Geistes in seinem innersten Wesen, in seiner Genesis nämlich, zu nähern. Die Frage ist nur, ob diese Formalistik des Geistes mit ihrer Aufhebung von Subjekt und Objekt innerhalb des Geistes selbst hängenbleibt oder zu etwas gelangt, was mehr ist als nur geistige Funktion. Man wird aus dem noch zu veröffentlichenden Nachlaß weiteren Aufschluß darüber erhoffen dürfen. Kant hat die Wissenschaftslehre Fichtes als nebelhaft abgelehnt. Fichte hat darüber ziemlich erregt in einem Brief an Reinhold Kant einen Dreiviertelskopf geheißen und behauptet, daß er den heiligen Geist in Kants Lehre besser erfaßt habe als der Autor selbst. Er hat nicht ganz Unrecht; denn aus Kants Opus postumum ersehen wir heute, daß auch er unterwegs war, die transzendentale Deduktion auf Stoff und Inhalt des Erkennens übergreifen zu lassen.

b) Sittenlehre

Der radikalen Formalistik der Wissenschaftslehre begegnen wir auch in der Ethik. Fichte nimmt das Setzen der Gegenstände als echte Tathandlung. Seine Dialektik ist nicht wie jene Platons analytische Ideenzergliederung, sondern ewig voranschreitendes Tun. Das Wort „Im Anfang war der Logos“ übersetzt er darum wie Faust mit „Im Anfang war die Tat“. Die Wissenschaftslehre wird ihm zur Sittenlehre, die Seinslehre zur Ethik. „Wir handeln nicht, weil wir erkennen, sondern wir erkennen, weil wir zu handeln bestimmt sind: Die praktische Vernunft ist die Wurzel aller Vernunft“ (Werke II, 263). Die Natur und ihre Inhalte bedeuten für den Menschen Fichte nichts; sie sind nur das „versinnlichte Material der Pflicht“, ein Widerstand, der überwunden werden muß, damit das Ich sich erproben und bewähren kann. Den Grundsatz seiner Ethik bildet nämlich die Selbstbetätigung und Selbstverwirklichung des Ich: „Erfülle jedesmal deine Bestimmung!“ Das sich darlebende Ich als Grundlage der Ethik sieht zunächst so aus, als ob Fichte den Kantischen Formalismus durch eine materiale Wertlehre ersetzen wollte. Allein, es bleibt doch beim Formalismus; denn wir erhalten die rein formale, inhaltsleere Forderung: „Handeln, Handeln, das ist es, wozu wir da sind!“ Der reine Wille, der analog dem reinen Wissen die Sittlichkeit ausmacht, ist zwar grundsätzlich zu unterscheiden von jedem niederen Willen, der nicht mehr ist als ein Begehren, das im Sinne des Utilitarismus, Eudämonismus und Hedonismus nur auf Bedürfnisbefriedigung ausgeht und wo der Mensch so wenig frei ist wie das Tier, sondern auch wie dieses abhängig von dem ihm

α) Ethik

αα) Formale oder materiale Sittenlehre?

zufallenden physiologischen Reiz aus der materiellen Umwelt; und auch von jeder Form des Machtwillens oder Herrschaftstriebes ist der reine Wille zu unterscheiden; er ist „reiner" Vernunftwille, der Idealwille der Menschheit überhaupt, dem sich der Individualwille in unendlicher Annäherung anzugleichen hat als der reinen Norm alles Wollens. Wenn man dann aber fragt, worin der reine Wille besteht, lautet die Auskunft wieder: „Handeln, Handeln, das ist es, wozu wir da sind!" Wissen wir aber damit auch, was wir tun sollen? Wie der Formalismus Kants bedarf auch die Ethik Fichtes der Ergänzung durch eine materiale Wertlehre. Beide Ethiken sind insofern ein unvollkommener Ausdruck der Sittlichkeit. Ja hinter der Ethik Fichtes steckt die Gefahr eines vielgesichtigen Dynamismus, der sich als Größe gibt, aber zur Panourgia werden kann (vgl. Bd. I, 78), wenn man nur noch Können und Mächtigsein in Anschlag bringt, wie es in der Lebensphilosophie zu geschehen pflegt. Das sittliche Prinzip Fichtes wurde hier ebenso in das Wertindifferente und Wertwidrige heruntерentwickelt, wie der Kantische Subjektivismus dort zum Schlechteren, zum reinen Relativismus gewendet wurde. Trotz dieses Mangels lebt aber in der Sittenlehre Kants und Fichtes ein echtes Ethos, das Ideal der Freiheit und Autonomie des Menschen. Autonomie sagen wir, denn daß diese Ethik des reinen Willens Selbstgesetzgebung ist, bedarf wohl keiner weiteren Erläuterung mehr; die Autonomie liegt darin, daß es eben das Ich ist, das sich selbst verwirklicht; daß dies aber das reine Ich ist, das macht den Formalismus und die Pflichtidee aus. In diesen Punkten stimmt Fichte ganz mit Kant überein, und beide gehören zu den Überwindern des Utilitarismus und aller empiristischen Ethik, die den Menschen dem rein Tatsächlichen und seinem Zufall unterwerfen. Es ist ein Verdienst, das im Zeitalter der Technik, in dem die Menschen immer mehr den Dingen verfallen, die das Leben angenehm machen, gleichzeitig damit aber die Menschen zu ihren Knechten werden lassen, nicht hoch genug angeschlagen werden kann.

ββ) Sinn des Daseins

Im 3. Buch seiner „Bestimmung des Menschen" zeichnet Fichte in kurzen Strichen den Sinn der Geschichte des Menschen, der sich aus und über Natur erhebt, in Kultur und Geschichte eintritt und schließlich ein Paradies auf Erden erreicht, wo dank der Erfindung des menschlichen Geistes die Arbeit aufhört, Last zu sein, „denn das vernünftige Wesen ist nicht zum Lastträger bestimmt“, und wo der ewige Friede herrschen soll, wie bei Kant. Aber Fichte ist damit nicht zufrieden. Was wäre das für ein Leben? fragt er. „Ich äße nur und tränke, damit ich wiederum hungern und dürsten, und essen und trinken könnte, so lange, bis das unter meinen Füßen eröffnete Grab mich verschlänge, und ich selbst als Speise dem Boden entkeimte? Ich zeugte Wesen meinesgleichen, damit auch sie essen und trinken, und sterben, und Wesen ihresgleichen hinterlassen könnten, die dasselbe tun werden, was ich schon tat? Wozu dieser unablässig in sich selbst zurückkehrende Zirkel ... Dieses Ungeheuer, unaufhörlich sich selbst verschlingend, damit es sich wiederum gebären könne, sich gebärend, damit es sich wiederum verschlingen könne?“ (Werke II, 266). Darum ist Fichte mit dieser sinnlichen Realität und einem solchen Paradies nicht zufrieden. Er spricht K. Marx sein Urteil, noch bevor dieser geschrieben hat. Die Realität, die Fichte sucht, ist das Übersinnliche. Es ist die wahre Realität und die eigentlich menschliche. Und sie hebt nicht erst jenseits des Grabes an, jetzt und hier schon sei sie da und mache den Menschen zum Menschen. „Das wahre Leben nämlich glaubt gar nicht an die Realität dieses Mannigfaltigen und Wandelbaren, sondern es glaubt ganz allein an ihre unwandelbare und ewige Grundlage im göttlichen Wesen; mit allem seinem Denken, seiner Liebe, seinem Gehorsam, seinem Selbstgenuß unveränderlich verschmolzen und aufgegangen in dieser Grundlage; dagegen das scheinbare Leben gar keine Einheit kennt und faßt, sondern das Mannigfaltige und Veränderliche selbst für das wahre Sein hält“ (Anweisung, 3. Vorl. = Werke V, 446). Fichtes Philosophie könnte dem Menschen wieder zum Bewußtsein bringen, daß die Welt ihm, nicht er der Welt untertan sein soll. Nur muß immer wieder betont werden, daß diese Formalismen ergänzt werden müssen durch ein mit materialen Werten ausgefülltes Menschenbild; sonst bringen sie sich selbst um ihren Wert. Einen neuen Gedanken, der vielleicht in diese materiale Richtung weist und in dem Fichte nunmehr von Kant abweicht, bildet die hohe Bedeutung, die Fichte der Gemeinschaft in Sachen der Sittlichkeit einräumt. Am sichersten sei nämlich in der Gemeinschaft zu erfahren, was reiner Wille ist. Der Mitmensch ist nicht, wie sonst die äußere Na-

γγ) Ethik und Gemeinschaft

tur, nur Widerstand, der überwunden werden muß durch die Selbstbetätigung des Ich, sondern ist Weggenosse und Hilfe für den sittlichen Anstieg. Es gibt Heroen der Sittlichkeit, Tugend-Genies, wie z. B. die großen Religionsstifter, die uns den Menschen immer reiner repräsentieren und damit auf unserem Weg vorangehen. Und nicht nur die außerordentlichen Menschen, sondern auch schon die durchschnittliche menschliche Gemeinschaft überhaupt bietet uns Material zu moralischer Bewährung: in den allgemeinen Menschenpflichten, den Sonderpflichten des Berufes, des Standes, der Familie. Indem jeder jedem die Möglichkeit einräumt, ja ihm hilft, die eigene moralische Aufgabe zu erfüllen, erreicht das Ich über das Du die eigene Vollendung. Fichtes Ethik wird damit zur Gemeinschaftsethik. Ein gewisser Formalismus haftet ihr aber auch da noch an, weil der Begriff Gemeinschaft ebenso wie der des Ich eines konkreten Inhaltes bedarf, denn es lassen sich alle möglichen Gemeinschaften denken.

β) Recht und Staat

Da der Mensch aber nicht immer reiner Wille ist, muß die Gemeinschaft sich gegen die Übergriffe mancher ihrer Mitglieder schützen, um jedem so viel äußere Freiheit als möglich zur Selbstentfaltung des Ich zu gewährleisten. So entstehen Recht und Staat. Der frühe Fichte hat das Recht genauso wie Kant als eine nur äußere Zwangsmaßnahme von der Sittlichkeit als dem Reich der inneren Pflicht geschieden. Dementsprechend ist ihm dann auch der Staat eine Anstalt, die durch Machtanwendung für die Sicherheit und äußere Freiheit ihrer Mitglieder zu sorgen hat. Er entsteht auch nur durch Vertrag auf Grund freier Übereinkunft um dieser Zwecke willen. Darum hat der Staat Leib und Leben, Eigentum und Recht auf Arbeit zu garantieren. Er soll dafür sorgen, daß es weder Notleidende noch Müßiggänger gibt. Es steht ihm das Recht zu, Gewerbefreiheit, Freihandel und Freizügigkeit notfalls einzuschränken. Um der wahren Gemeinschaft willen und um das innere Gleichgewicht nicht zu stören, müsse der Außenhandel monopolisiert werden, soweit überhaupt Außenhandel gepflegt wird; denn das Ideal wäre der geschlossene Handelsstaat. Was also Fichte vorschwebt, ist ein weitgehend sozialisiertes Staatsideal. Fichte hatte sich in seiner Frühzeit mit Feuereifer für die Französische Revolution eingesetzt. Der späte Fichte, seit den Reden an die deutsche Nation und der Staatslehre von 1813, denkt erheblich anders. Jetzt ist ihm der Staat nicht bloß Wachanstalt, sondern Erziehungs- und Kulturstaat. Es machen sich Einflüsse von Pestalozzi her geltend, und wie häufig wird wieder übertrieben und der Staat am liebsten als Zwangserziehungsstaat gesehen. Gleichzeitig tritt an die Stelle der kosmopolitischen Einstellung unseres Philosophen das Ideal des Nationalstaates und der Nationalerziehung; wieder mit einer Forcierung: auf das Schicksal des deutschen Volkes ist das Schicksal der Menschheit gestellt: „Es ist kein Ausweg; wenn ihr versinkt, so versinkt die Menschheit mit, ohne Hoffnung einer einstigen Wiederherstellung."

c) Der späte Fichte

α) Wissenschaftslehre

Den absoluten Subjektivismus, für den alles Sein Setzung und Tathandlung des sich darlebenden Ich war, konnte Fichte nicht durchhalten. Schon in der „Anweisung zum seligen Leben" von 1806 geht das Sein dem Tun und Sollen voraus. Es gibt hier „das Andere" der Sinnlichkeit, des Pflichtgebotes und besonders Gottes. Jetzt zeigt sich bei Fichte in der Immanenz seiner Geistphilosophie die Transzendenz und, jenseits der Methode, der die Form überschreitende Inhalt, im Unterschied zu Hegel. Der „subjektive" Idealismus wird auf einer höheren Ebene nach dem Durchgang durch die Auflösung des Dinges an sich in der transzendentalen Phase jetzt wieder „kritisch". Und in der letzten Fassung der Wissenschaftslehre ist das eine, ewige, unwandelbare göttliche Sein die allein wirkliche Realität. Jetzt bildet sich das Subjekt nach dem Bild und Gleichnis Gottes. Ein nachgelassenes Sonett sagt: „Das ewig Eine lebt mir im Leben, sieht in meinem Sehen. Nichts ist denn Gott; und Gott ist nichts denn Leben. Gar klar die Hülle sich vor dir erhebt. Dein Ich ist sie; es sterbe, was vernichtbar; und fortan lebt nur Gott in deinem Streben. Durchschaue, was dies Streben überlebet, so wird die Hülle dir als Hülle sichtbar, und unverschleiert siehst du göttlich Leben."

β) Religions- und Geschichtsphilosophie

Für den frühen Fichte ist Religion wie für Kant nur Sittlichkeit: „Das Göttliche wird konstruiert durch Rechttun. Die lebendige und wirkende moralische Ordnung ist selbst Gott"; „Wir bedürfen keines anderen Gottes und können keinen andern fassen." Eben deswegen wurde Fichte der Vorwurf des

Atheismus gemacht. In der „Anweisung zum seligen Leben" aber ist das Religiöse eine eigene Wirklichkeit und eine Person und Gemeinschaft bildende Macht, und es geht der Subjektivität voraus. Jetzt wird es auch zu einem entscheidenden Faktor auf dem geschichtlichen Weg der Menschheit. Es soll diesen Prozeß abschließen und die Menschheit vollenden. Fichte hält fünf Epochen der Menschheitsgeschichte auseinander: 1. die Epoche der unbedingten Herrschaft der Vernunft, aber nur vermittels des Instinktes: Stand der Unschuld des Menschengeschlechtes; 2. die Epoche, in der der Vernunftinstinkt von einer äußerlich zwingenden, blinden Glauben verlangenden, aber nicht durch Gründe überzeugenden Autorität abgelöst wird: Stand der anhebenden Sünde; 3. die Epoche der Befreiung von Autorität, Vernunftinstinkt und Vernunft überhaupt in einem Zeitalter völliger Ungebundenheit und absoluter Gleichgültigkeit gegen alle Wahrheit: Stand der vollendeten Sündhaftigkeit; 4. die Epoche der Vernunftwissenschaft, wo die Wahrheit als das Höchste erkannt und geliebt wird: Stand der anhebenden Rechtfertigung; 5. die Epoche der Vernunftkunst, wo die Menschheit mit sicherer und unfehlbarer Hand sich selber zum Abdruck der Vernunft aufbaut: Stand der vollendeten Rechtfertigung und Heiligung. In den „Grundzügen des gegenwärtigen Zeitalters" von 1804 hat Fichte auch die Aufklärung mit ihrem „unerquicklichen freigeistigen Geschwätz" und auch seine eigene Zeit der dritten Epoche zugeteilt und ähnlich wie Rousseau in einer scharfen Zeit- und Kulturkritik von der dünkelhaften Überheblichkeit gesprochen, mit der man sich als Verkörperung des Fortschritts fühle gegenüber den „vergangenen Zeiten der Finsternis und des Aberglaubens", während in Wirklichkeit eine Anarchie der Meinungen und Leidenschaften herrsche, die dabei sei, „auf luftige, gehaltlose Abstraktionen Staatsverfassungen aufzubauen und durch weithin schallende Phrasen ohne eine feste und unerbittliche Gewalt entartete Geschlechter zu regieren". Was die Menschheit brauche, sei die Ausrichtung an den ewigen Wahrheiten: „Alles Höhere muß eingreifen wollen auf seine Weise in die unmittelbare Gegenwart, und wer wahrhaftig in jenem lebt, lebt zugleich auch in letzterem." Immer mehr sah Fichte jenes Höhere gegeben in den religiösen Wahrheiten und Werten. Der alte Fichte bevorzugte zur Darstellung seiner Ideen besonders Begriffe aus dem Johannes-Evangelium (Johanneische Periode). Der Gedanke der Liebe und des werktätigen Brudersinns schiebt sich jetzt in den Vordergrund als gemeinschaftsbildende Macht und als das Hochziel idealer geschichtlicher Entwicklung. Somit haben sich die religiösen Anschauungen Fichtes grundlegend gewandelt. Von einer rein christlichen Religiosität wird man aber auch beim alten Fichte noch nicht sprechen können, wenigstens nicht, wenn man an eine kirchliche Ausprägung denken will. Aber Fichte hatte bereits in der „Anweisung zum seligen Leben" geglaubt, daß die Lehre dieser Schrift auch die Lehre des Christentums sei, und in der Schlußvorlesung seiner Staatslehre von 1813 prophezeit er: „Es kann nicht fehlen, daß ... das ganze Menschengeschlecht auf der Erde umfaßt werde durch einen einzigen innig verbündeten christlichen Staat, der nun nach einem gemeinsamen Plan besiege die Natur und dann betrete die höhere Sphäre eines anderen Lebens" (Werke IV, 600).

3. SCHELLING UND DIE ROMANTIK

Objektiver Idealismus

Fichtes Idealismus erhob sich nach dem Urteil seiner Zeit auf einer zu schmalen Basis. Daß alles Sein Setzung nur des Ich sei und wir überall immer nur unsere eigenen Modifikationen anschauen, dieser Standpunkt war zu eng. Schelling ist auch wieder Idealist. Auch er entdeckt hinter dem Sein den Geist als das eigentliche Sein und den Grund des Werdens. Aber dieser Geist ist unabhängig von unserem Ich, ist objektiver Geist. Und so kommt es nach dem subjektiven Idealismus Fichtes jetzt zum objektiven Idealismus Schellings. Darin liegt zugleich eine Überwindung des Kantischen Subjektivismus und dann, was ebenso bedeutend ist, eine Auferstehung der besten Traditionen der abendländischen Metaphysik. Wir sahen, daß auch Kant in jene geistige Kontinuität hineingehört, weil ihre großen Anliegen auch die seinen sind. Während aber bei ihm die metaphysischen Elemente seines Denkens durch Einflüsse des Empirismus gehemmt und überdeckt werden, treten sie bei Schelling wieder rein zutage. Um das zu sehen, darf man allerdings Schelling nicht bloß wie üblich auf Spinoza und Bruno hin interpretieren, sondern muß den eigentlichen Urheber der deutschen Philosophie wieder in den Blick bekommen, der zuletzt hinter Schelling steht, wenn auch in vielen Vermittlungen, Nikolaus von Cues.

Leben

Friedrich Wilhelm Joseph Schelling ist einer von den vielen bedeutenden Männern, die der schwäbische Volksstamm dem deutschen Geistesleben geschenkt hat. Er wurde 1775 als Sohn einer württembergischen Pfarrersfamilie geboren, studiert zusammen mit dem um fünf Jahre älteren Hegel sowie mit Hölderlin am theologischen Stift zu Tübingen — „Unter Deutschen versteht man sofort, wenn ich sage, daß die Philosophie durch Theologenblut verderbt ist", wettert Nietzsche einmal, „man braucht nur das Wort Tübinger Stift aussprechen ..." —, wird bereits 1798 auf Betreiben Goethes als ordentlicher Professor nach Jena berufen, lernt dort im Kreise der Romantiker Caroline Schlegel kennen, mit der er sich 1803 verheiratet, kommt im gleichen Jahre als Professor nach Würzburg, geht aber schon 1806 nach München, wo er Mitglied der Bayerischen Akademie der Wissenschaften wird und Generalsekretär der Akademie der bildenden Künste. Nachdem er inzwischen auch in Erlangen Vorlesungen gehalten hatte, wurde er 1827 Professor an der Universität München und Präsident der Akademie. 1841 ruft ihn Friedrich Wilhelm IV. an die Universität Berlin, wo er die „Drachensaat des Hegelschen Pantheismus" vernichten sollte. Der Mann, der bis zu seinem ersten Auftreten in München wie ein Meteor emporgestiegen war, findet jetzt keinen Anklang mehr. Nach nur kurzer Vorlesungstätigkeit zieht er sich aus der Öffentlichkeit zurück. Um diese Zeit hatte das 19. Jahrhundert bereits begonnen, das Jahrhundert der exakten Naturwissenschaften zu werden, und der Geist der Romantik war einem nüchternen Denken gewichen, das nun rasch um sich griff. Schelling mußte seinen eigenen Ruhm überleben. Als er 1854 starb, war sein Werk fast vergessen; aber nicht nur Schelling, sondern der Idealismus überhaupt.

Werke

Schelling war ein sehr fruchtbarer, aber auch sehr wandlungsreicher Schriftsteller, wenn wir auch heute wissen, daß er nicht jener Proteus war, als den man ihn lange hingestellt hat. Mit 17 Jahren bereits schreibt er eine Dissertation über den Sündenfall. Von 1793 ab erscheinen in rascher Folge eine Reihe philosophischer Arbeiten, die noch unter dem Einfluß Kants und

Fichtes stehen. Aber bereits mit den „Ideen zu einer Philosophie der Natur“ (1797) findet er zu sich selbst. Die nächsten Schriften, „Von der Weltseele“ (1798) und „Erster Entwurf eines Systems der Naturphilosophie“ (1799), verfolgen diese Linie weiter. Beide Werke sind bezeichnend für seine erste, die sogenannte naturphilosophische Periode. Schelling betrachtet hier die Natur als Ganzheit im Werden, angefangen von der allgemeinen Materie bis zum Geist des Menschen, der das Auge sei, mit dem der Naturgeist sich selbst anschaue. In einem weiteren Werke dieser Periode dem „System des transszendentalen Idealismus“ (1800) geht er den umgekehrten Weg vom Subjekt zum Objekt. In einer zweiten Periode läßt Schelling Natur und Geist im Absoluten zusammenfallen: Identitätsphilosophie, etwa von 1802 bis 1809. Hierher gehören das schon im Titel bezeichnende Gespräch „Bruno“ (1802) und die „Vorlesungen über die Methode des akademischen Studiums“ (1803). In einer dritten Periode, etwa von 1809 ab, schlägt Schelling unter dem Einfluß von F. Ch. Oetinger und F. v. Baader, die ihn auf J. Böhme verwiesen hatten, eine theosophisch-gnostische Entwicklung ein. Hier interessieren ihn zunächst die Probleme der Freiheit, so in den „Philosophischen Untersuchungen über die menschliche Freiheit“ (1809), und dann die Welt des Mythos, der Offenbarung und Religion, die sogenannte „positive Philosophie“. Unser Philosoph, der früher ein Werk um das andere herausbrachte, ist jetzt unsicher geworden. Er arbeitet und schreibt unablässig, läßt aber nur noch weniges erscheinen. Von dem Hauptwerk dieser Periode, „Die Weltalter“, existierten in der Universitätsbibliothek zu München nicht weniger als 12 Umarbeitungen. Das Werk kam 1815 heraus, wurde aber wieder zurückgezogen. 1946 gab M. Schröter aus dem 1944 verbrannten Schellingschen Nachlaß vom ersten Buch der Weltalter die Urfassungen heraus als Anhang zum Münchener Jubiläumsdruck. Aus den Weltaltern gingen die Vorlesungen über die Philosophie der Mythologie und die Philosophie der Offenbarung hervor. Schelling sprach darüber schon in den 1820er Jahren, besonders aber in Berlin von 1841 ab. Diese Vorlesungen bringen seine „positive“ Philosophie. Ihre Hauptgegenstände sind die Fragen nach der eigentlichen Wirklichkeit, der Freiheit und Gott. Schelling sucht jetzt den „existierenden“ Gott. Die „negative“ Philosophie bei Kant, Fichte und Hegel habe es nur bis zu einem Gott in der Idee gebracht. Sie habe weder die eigentliche Wirklichkeit noch die Freiheit getroffen und darum auch nicht den wirklichen Gott. Diese Kritik spricht schon deutlich aus den Münchener Vorlesungen über „die Geschichte der neueren Philosophie“ von 1827, z. B. aus der Deutung des ontologischen Argumentes bei Descartes, besonders aber aus der 8. Vorlesung über die Philosophie der Offenbarung. Diese Spätphilosophie Schellings findet jetzt erst das verdiente Interesse. Sie bringt, ähnlich wie der späte Fichte, den Idealismus an seine Grenzen, weil das Absolute der nur formal-logischen Dialektik entrissen und ganz auf die Freiheit des Willens gestellt wird, die Welt zu schaffen oder nicht zu schaffen, anders als es sich Spinoza mit seiner logischen Notwendigkeit gedacht hatte. Diese Freiheit bedeutet zugleich die Position einer Wirklichkeit, die sich auf ein erstes Prinzip gründet, qui à cause de son ... positivité absolue ne se laisse connaître qu' à posteriori, wie es in einem Brief vom 16. 4. 1826 heißt. — Ausgaben: Sämtliche Werke. Hrsg. von dem Sohn K. F. A. Schelling: 1. Abt. 10 Bde., 2. Abt. 4 Bde. (1856 ff.). Sämtliche Werke in neuer Anordnung. Hrsg. von M. Schröter, 6 Haupt- und 6 Ergänzungsbände (1927 ff.) (sogenannter Münchener Jubiläumsdruck; danach wird hier zitiert). Separatdrucke: In der Philosophischen Bibliothek bei Meiner: Bruno und System des transzendentalen Idealismus; in der Wissenschaftlichen Buchgesellschaft Darmstadt: Philosophie der Mythologie, Philosophie der Offenbarung, Philosophie der Kunst, Geschichte der neueren Philosophie.

Literatur

R. Haym, Die romantische Schule (1870, Nachdr. 1961). E. v. Hartmann, Sch.s philosophisches System (1897). H. Knittermeyer, Sch. und die romantische Schule (1929). H. Heimsoeth, G. Bruno und die deutsche Philosophie. In: Blätter für deutsche Philosophie 15 (1942) 396—433. E. Hoffmann, Nikolaus von Cues (1947). H. Fuhrmans, Sch.s Philosophie der Weltalter. Sch.s Philosophie in den Jahren 1806—1821 (1954). H. Zeltner, Schelling (1954). E. Heintel, Philosophie und Gotteserkenntnis im Altersdenken Sch.s. In: Wissenschaft und Weltbild 7 (1954) 439—450. E. Benz, Sch.s theologische Geistesahnen (1954). P. Tillich, Sch. u. die Anfänge des existenzialistischen Protestes. In: Zeitschr. für philosophische Forschung 9 (1955) 197—208. K. Jaspers, Schelling. Größe und Verhängnis (1955). W. Schulz, Die Vollendung des deutschen Idealismus in der Spätphilosophie Schellings (1955). H. Fuhrmans, Dokumente zur Sch.-Forschung. In: Kant-Studien 47 (1955—56) 182—191 273 bis 287 378—396. Ders., Der Ausgangspunkt der Schellingschen Spätphilosophie. In: Kant-Studien 48 (1956—57) 302—323. A. Dempf, Kierkegaard hört Schelling. In: Philosophisches Jahrbuch 65 (1956) 147—161. H. Knittermeyer, Hundert Jahre nach Sch.s Tod. In: Philosophische Rundschau 4 (1956) 1—57. W. A. Schulze, Zum Verständnis der Stuttgarter Privatvorlesungen Schellings. In: Zeitschrift für philosophische Forschung 11 (1957)

575—593. G. Bruneder, Das Wesen der menschlichen Freiheit bei Sch. Sein ideengeschichtlicher Zusammenhang mit J. Böhmes Lehre vom Ungrund. In: Archiv für Philosophie 8 (1958) 101—115. K. Hildebrandt, Die Geltung der Mythologie Sch.s In: Zeitschrift für philosophische Forschung 15 (1961) 23—38 221—236. J. A. Stüttler, Das Gottesproblem im Spätwerk Sch.s. In: Scholastik 36 (1961) 73—83. A. M. Koktanek, Sch.s Seinslehre und Kierkegaard. Mit Erstausgabe der Nachschriften zweier Schellingvorlesungen von G. M. Mittermaier und S. Kierkegaard (1962). K. Hemmerle, Gott u. d. Denken nach Sch.s Spätphilosophie (1968). K.-H. Volkmann-Schluck, Mythos u. Logos (1969). H. Holz, Spekulation u. Faktizität (1970). W. Beierwaltes, Absolute Identität. Neuplatonische Implikationen in Sch.s Bruno. In: Philos. Jahrb. 80 (1973) 242—266. R. Lauth, Die Entstehung von Sch.s Identitätsphilos. in der Auseinandersetzung mit Fichtes Wissenschaftslehre (1975). H. M. Baumgartner (Hrsg.), Sch. Einführung in seine Philosophie (1975). — G. Schneeberger, Schelling-Bibliographie (Bern 1954).

a) Naturphilosophie

Fichte hatte gemeint, daß nur zwei Philosophien möglich seien, der Dogmatismus, der Dinge an sich annimmt, und der Idealismus, für den es nur Bewußtseinsinhalte gibt. Zwischen diesen beiden Philosophien müßte man wählen. Schelling vertritt den einen wie den anderen Standpunkt. Alles Wissen habe es immer mit Objekt und Subjekt zu tun. Man darf sich weder nur auf die eine noch nur auf die andere Seite schlagen, sondern müsse sehen, wie das Objektive zum Subjektiven und das Subjektive zum Objektiven führe.

α) Vom Objekt zum Subjekt

Den Weg vom Objekt zum Subjekt geht Schelling in seiner Philosophie der Natur. Die Welt des Objektiven ist ihm nämlich die Natur.

αα) Die Natur als das Objektive

Schelling erkannte, daß die Natur mehr ist als nur ein Produkt des Ich, eine Schranke, die das Subjekt sich selbst setze, um sich daran zu bewähren. Die Natur wird wirklich vorgefunden und in einem so reichen Inhalt, daß gerade diese Fülle ein Beweis für ihre Andersheit gegenüber dem Subjekt sei. Darin lag jetzt eine neue Einstellung zur Natur, und dieser Übergang vom subjektiven zum objektiven Idealismus ist die entscheidende Wende in der nachkantischen Philosophie. Man erkennt sie äußerlich an dem berühmten Bruch zwischen Schelling und Fichte. Sachlich aber wird sie offenkundig in der anderen Bewertung der Natur, die nunmehr wieder etwas Eigenes und Selbständiges ist. Im ersten Entwurf der Naturphilosophie von 1799 steht der oft zitierte Satz: „Da über die Natur philosophieren so viel heißt, als die Natur schaffen, so muß vorerst der Punkt gefunden werden, von welchem aus die Natur ins Werden gesetzt werden kann“ (Werke II, 5. Jubiliäumsdruck). Aber etwas von Fichte bleibt: die Natur entwickelt sich. Nur erhält dieses sich entwickelnde Wesen durch Schelling wieder

ββ) Natur als Leben

seinen objektiven Gehalt. Es wird als lebendiger Organismus gedeutet, der eine Seele besitzt und nun wächst wie alles Lebendige und Seelische. Auch das sogenannte tote Sein der anorganischen Welt wird noch als Leben gedeutet. Es ist gehemmte Bewegung, ist nicht wirklich etwas endgültig Starres, sondern hat auch bereits, weil es eben teilhat am allgemeinen Naturleben, wieder in sich den Trieb, weiterzuschreiten zu neuen Bildungen. Das periodische Gesetz, durch das der Prozeß geregelt wird, ist wieder der dialektische Dreischritt. Die Natur ist eine Stufenleiter, die zu immer höheren Gestaltungen sich ausweitet. Wir haben zuerst die Materie, erzeugt durch die Schwere; dann die Erscheinungen der Wärme und Bewegung, erzeugt durch das Licht; und schließlich die Erscheinungen des Organischen, erzeugt durch das Leben. Weil aber das Leben als Synthesis die Thesis und Antithesis in sich enthält, ist auch alles Frühere immer schon eine Form des Lebens gewesen. Nur weil die Natur in ihrem inneren Wesen immer schon Leben ist, können die Erscheinungen des Lebens auftauchen.

γγ) Natur als Geist

Bedenken wir aber, daß Seele als Organismus Sinngefüge ist, dann zeigt sich, daß hinter Leben und Seele Geist stehen muß. Unmittelbar aber begegnet er uns in der höchsten Gestaltung der Natur, im Menschen. Und wieder sagt Schelling, auch den Menschengeist kann es nur geben, weil der Natur immer schon Geist zugrunde lag. „Die sogenannte tote Natur ist mithin nichts anderes als unreife Intelligenz, weshalb in ihrem Phänomenen noch bewußtlos schon der intelligente Charakter durchblickt. Das höchste Ziel, sich selbst ganz Objekt zu werden, erreicht aber die Natur erst durch die höchste und letzte Reflexion in sich, welche nichts anderes als der Mensch oder allgemeiner das ist, was wir Vernunft nennen; denn durch diese kehrt die Natur vollständig in sich selbst zurück, und es wird offenbar, daß die Natur ursprünglich identisch ist mit dem, was in uns als Intelligenz und Bewußtes erkannt

δδ) Schelling und die Naturphilosophie

wird.“ Gegenüber der Kantischen Naturphilosophie bedeutet die Einführung des Lebens- und Geistprinzips eine ebenso entscheidende Wende wie der Hinweis auf die Objektivität der Natur gegenüber Fichte. Für Kant war die ganze Naturbetrachtung orientiert am mathematisch-physikalischen Denken, wie Newton es entwickelt hatte. Dieses Denken analysiert überall letzte, immer gleichbleibende Faktoren heraus und schematisiert damit die Natur wie das ganze Sein überhaupt. Für das Lebendige besaß Kant keine Kategorien. Er hatte zwar gesehen, daß man angesichts des Organischen die Natur auch unter die Idee der Zweckmäßigkeit stellen müsse, aber das bedeutete nur ein Anschauen-als-ob, kein konstitutives Seinsgesetz. Er war damit, wie alles rein begrifflich verallgemeinernde Denken, auch blind für alles Individuelle und Einmalige, für Faktoren also, die gerade für das Reich des Lebendigen charakteristisch sind. Kant brachte zwar die Naturwissenschaft auf allgemeine Gesetzlichkeiten, verarmte aber auch, ähnlich wie Sokrates schon, unser Anschauen und verkürzte so die Wirklichkeit und ihre ewig variable Fülle, die trotz aller Gesetzlichkeit auch da ist und gewürdigt werden will. Schon Goethe war mit jener schematisierenden Naturanschauung nicht zufrieden gewesen und hatte mit seinem Gedanken einer Urpflanze die Einseitigkeit des mathematisch-physikalischen Denkens zu überwinden versucht. Seine Urpflanze ist „geprägte Form, die lebend sich gestaltet“. Aus ihr gehen Pflanzen über Pflanzen bis ins Unendliche hervor, und, wie er in einem Brief an Herder schreibt, „dasselbe Gesetz wird sich auf alles übrige Lebendige anwenden lassen“. Aber nicht nur auf alles Lebendige wendet Goethe den Gedanken der geprägten Form an, die lebend sich entwickelt, sondern auf die Natur überhaupt; denn auch ihm ist die ganze Natur Leben: „Nun alles sich mit göttlichem Erkühnen zu übertreffen strebt, das Wasser will, das unfruchtbare, grünen, und jedes Stäubchen lebt.“ So war auch für Leibniz die Monade Seele und Leben; ebenso für Paracelsus; und nach Schelling werden Hegel, Schopenhauer, Scheler die Metaphysik des Seins durch Denkformen bestreiten, die vom Leben, Willen, Drang hergenommen sind. Mögen sie das Konto dieser Denkformen überzogen haben, so haben sie doch die naturphilosophische Problematik bereichert, indem sie auf Sachverhalte hinwiesen, die die quantitativ-mechanistische Naturbetrachtung nicht genügend zu erklären vermag. Der rein naturwissenschaftliche Geist des vorigen Jahrhunderts fand in Schelling allerdings nur vage Begriffe und phantastische Analogien, mit denen man nichts anfangen könne. Daran war etwas Richtiges. Schelling wollte aber auch die Methode der exakten Naturwissenschaftler weder ersetzen noch streichen. Sie wird einer Seite des Wirklichen gerecht und ausgezeichnet gerecht. Aber er glaubte nicht, daß diese quantitativ-mechanistische Seite die ganze Natur und ihr eigentliches Wesen ausmache. Um das gerade ginge es jedoch der Naturphilosophie im Unterschied zur Naturwissenschaft. Die Naturphilosophie wolle die innere Mitte zeigen, Grund und Quell, aus denen die Erscheinungen hervorgehen. Letztere kann man dann nach mathematisch-physikalischen Methoden messen, aber man könne sie nicht für das Ganze halten. Dieses Ganze also deutet Schelling vom Lebensbegriff her. Es ist für ihn zeugendes Leben, natura naturans, und nicht mehr bloß eine Summe von Erscheinungen. Die Romantik hatte für eine solche Auffassung noch einen Sinn; denn Leben und Erleben waren für sie Zentralbegriffe. Darum war Schelling ihr Philosoph.

β) Vom Subjekt zum Objekt

In seiner Transzendentalphilosophie, der Parallele zur Naturphilosophie, geht Schelling den umgekehrten Weg, indem er, ähnlich wie Fichte in seiner Wissenschaftslehre, zeigt, wie aus dem Subjekt das Objekt, aus Geist die Natur als Realitäten einsichtig werden. Sie gehen nicht mehr hervor durch Setzung des Ich, so daß Natur nichts anderes wäre als Selbsterleben des Ich, sondern hinter dem Leben des Geistes entdecken wir, wenn wir nur richtig zu schauen vermögen, die Natur, so etwa wie in der Naturphilosophie gezeigt worden war, daß hinter der Natur der Geist steht. In dem Bruchstück „Der Frühling“ aus „Clara oder über den Zusammenhang der Natur mit der Geisterwelt“ heißt es: „Unserem Herzen genügt das bloße Geistesleben nicht. Es ist etwas in uns, das nach wesentlicher Realität verlangt ... Und wie der Künstler nicht ruht im Gedanken seines Werkes, sondern nur in der körperlichen Darstellung und jeder von einem Ideal Entbrannte es in leiblich sichtbarlicher Gestalt offenbaren oder finden will, so ist das Ziel aller Sehnsucht das vollkommen Leibliche als Abglanz und Gegenbild des vollkommen Geistigen." Man sieht aus diesen Worten, wie nach Schelling der Geist sich objektivieren kann. Im ersten Teil der Transzendentalphilosophie, der theoretischen Philosophie, wird gezeigt, wie aus der Intelligenz die Natur sich entwickelt. Den Stufen des Selbstbewußtseins entsprächen nämlich jeweils Stufen der Realität. Empfindung und produktive Anschauung brächten die Materie hervor, äußere und innere Anschauung erzeugten Raum und Zeit sowie die Kategorien, und die Abstraktion lasse die Intelligenz von ihren Produkten unterscheiden. Materie ist der erloschene Geist, Natur die zum Sein erstarrte Intelligenz, ihre Qualitäten leblose Empfindungen, Körper schematisierte Anschauungen. Der ganze Prozeß vollziehe sich unbewußt. Der zweite Teil, die praktische Philosophie, zeigt, wie aus der Intelligenz auch mit Bewußtsein gesetzte freie Handlungen hervorgehen. Auf ihnen beruht die Geschichte. Erscheine sie auch oft als wirr und sinnlos, so sei sie doch vom Geist geleitet und ziele letztlich ab auf die vollkommene sittliche Weltordnung in Recht und Staat. So entsteht aus den freien, bewußten Setzungen des Geistes eine zweite, höhere Natur, die Welt der Freiheit. Ihre Grundstruktur darzulegen sei Aufgabe der praktischen Philosophie. Es ist noch jene ideale Freiheit, die „reiner" Wille ist und die andere Denker, darunter auch der späte Schelling, nicht für wirkliche Freiheit halten. Im dritten Teil der Transzendentalphilosophie bringt Schelling seine Philosophie der Kunst. Sie bildet eine Synthese der theoretischen und praktischen Philosophie und entdeckt, daß Bewußtloses und Bewußtes in eins zusammenfallen. In Kunst und künstlerischem Schaffen begegnen sich in Polarität und Identität Natur und Geist, Bewußtes und Unbewußtes, Gesetz und Freiheit, Leib und Seele, Individualität und Allgemeingültigkeit, Sinnlichkeit und Idealität, Endliches und Unendliches. Und darin liege die Schönheit, daß das Unendliche sich fühlbar in das Endliche herabsenke und das Endliche Symbol des Unendlichen werde. Das war wieder etwas für die Romantik. Damit konnte man, wie niemals mit dem Denken der Aufklärung und seinen schematisierenden Abstraktionen, nun Dichter und Kunstwerke, Sitten, Brauchtümer, Rechts- und Staatsbildungen in ihrer Individualität und ihrem doch wieder zeitlosen Wert, in ihrer Bindung an Raum, Zeit und Geschichte und doch ewigen Idealität verstehen und deuten.

αα) Theoretische Philosophie

ββ) Praktische Philosophie

γγ) Philosophie der Kunst

Das kam den Intentionen der Romantiker entgegen: der Kunstinterpretation und Kunstkritik von Aug. Wilh. Schlegel, der als erstes immer das Einfühlungsvermögen und die individuelle schöpferische Genialität verlangte; der Geschichtswissenschaft eines Ranke, für den jede Periode unmittelbar zu Gott war; der historischen Rechtsschule von Savigny mit ihrer Wertung des Volksgeistes, der Überlieferung, der Sitten und Rechte als des objektiven Geistes; der Philologie als Sprach- und Kulturwissenschaft und der Mythen- und Sagenforschung bei den Gebr. Grimm, W. v. Humboldt und den Gebr. Schlegel. Die knappste Zusammenfassung der Schellingschen Kunstphilosophie bietet seine Rede „Über das Verhältnis der bildenden Künste zur Natur" (1807), die man überhaupt als Schlüssel zum Denken Schellings empfehlen kann.

b) Identitätsphilosophie

Wenn Schelling in der Naturphilosophie die Natur sich zum Geist entwickeln läßt, in dem sie sich endlich bewußt selbst anschaut, was sie immer schon wollte, weil sie immer schon Geist war, und wenn er umgekehrt in der Transzendentalphilosophie den Geist sich objektivieren läßt, weil es immer schon zum Geist gehört, daß er sich sinnlich darstellt als Natur, so ist darin bereits die nun folgende Periode seines Philosophierens, seine Identitätsphilosophie, angelegt.

α) Das Identische

Nunmehr wird das War-immer-schon in den Mittelpunkt gerückt und in aller Bestimmtheit erklärt: Natur und Geist, Objekt und Subjekt, Realität und Idealität sind identisch. Natur ist der sichtbare Geist, Geist die unsichtbare Natur, im Wesen aber handelt es sich immer um ein und dasselbe. Der Grund für die Annahme der Identität liege darin, daß alle Wissenschaft und Wahrheit eine Konformität unserer Erkenntnis mit ihrem Objekt verlange. Ohne Voraussetzung einer ursprünglichen Identität von Geist und Sein könne aber eine solche Übereinstimmung gar nie erkannt werden. In der endlichen Erscheinungswelt ist es freilich so, daß in den Dingen je die eine oder andere Seite überwiegt. Wo die Realität, die Objektseite, überwiegt, haben wir das Reich der Natur vor uns; wo das Ideale, die Subjektseite, befinden wir uns im Reiche des Geistes und der Geschichte. „In allem Werden aber, es sei übrigens von welcher Art es wolle, sind

Subjektives und Objektives, Ideales und Reales immer beisammen, nur in verschiedenen Graden“ (Werke IV, 337f. Jubiläumsdruck). In beiden Reichen unterscheidet Schelling dann wieder Stufen. Die Hauptstufen oder „Potenzen“ sind Materie, Licht und Organismus in der realen, und Anschauung, Verstand und Vernunft in der idealen Sphäre des Seins. Je mehr Idealität in einem Seienden vorhanden sei, auf um so höherer Stufe stehe es.

β) Das Absolute

All das aber ist trotz der Unterscheidungen immer Eines. Schelling nennt es das Absolute oder das Göttliche. Dieses göttlich Eine ist das in allem Identische. In ihm fallen die Gegensätze nicht bloß zusammen, sondern sind überhaupt noch nicht getrennt. Gott ist die absolute Indifferenz der Gegensätze. Wie wird dann aus diesem Einen das Viele? Die absolute Indifferenz, sagt Schelling, differenziert sich, aber ohne dabei die Einheit aufzugeben; die Einheit braucht nämlich sogar die Gegensätze, und die Indifferenz ist wirklich nur in der Differenz der Gegensätze. Den Vorgang der Differenzierung aber versteht man, wenn man das Absolute so auffaßt, wie Aristoteles das schon tat, nämlich als Geist, der sich selbst anschaue (νόησις νοήσεως). Wir haben dann in der Substanz immer noch die Einheit, im Anschauen aber Subjekt und Objekt. Die grundlegenden Gegensätze sind darum Natur und Geist mit ihren bereits oben erwähnten Potenzen. Entstanden aus dem göttlichen Selbstblick, sind somit die Ordnungen und Stufen des Alls Gedanken Gottes, Ideen im göttlichen Geist, wie der Neuplatonismus sie schon lehrte, und die Welt wird so zu einer Manifestation Gottes. Müßten wir aber nicht richtiger sagen, die Welt ist selbst göttlich? Mit Rücksicht auf den Identitätsgedanken wurde diese Philosophie auch immer als Pantheismus angesprochen. Allein der Pantheismusbegriff ist ein sehr schwieriger und verwickelter Begriff, und man muß auch bei Schelling auf den größeren Zusammenhang sehen, in den sein Denken sich eingliedert, speziell aber der Begriff der absoluten Indifferenz. Um zur Indifferenz des Absoluten fortzuschreiten, sagt Schelling, können wir „keine trefflichere Regel weder uns selbst noch anderen vorschreiben, die wir beständig vor Augen haben, als welche ein Philosoph vor uns in den Worten hinterlassen hat: Um in die tiefsten Geheimnisse der Natur einzudringen, muß man nicht müde werden, den entgegengesetzten und

αα) Von Cusanus bis Schelling

widerstreitenden äußersten Enden der Dinge nachzuforschen ..." Der Philosoph, den Schelling meint, ist Giordano Bruno, dessen Grundgedanken aus De la causa, principio ed uno er in dem Anhang zu Jacobis Briefen über die Lehre Spinozas kennengelernt hatte. Aber über Spinoza und Bruno hinaus muß man die Schellingsche Indifferenz im Absoluten zurückführen auf die Coincidenz der Gegensätze des Cusaners, von dem Bruno seine Coincidenz im Absoluten übernommen hatte, den er auch in De la causa gebührend rühmt, ohne ihn allerdings gerade an der Stelle zu zitieren, wo er ihn am nachhaltigsten benutzt hatte, so daß der Zusammenhang des deutschen Idealismus in Schelling mit Cusanus nicht genügend gesehen wurde. Und doch steht der Zusammenhang mit dem eigentlichen Begründer der deutschen Philosophie, dem Manne also, der zugleich die Brücke bildet zu Mittelalter und Antike, fest, weil er es ist, von dem Bruno seinen Hauptgedanken übernommen hat. Man verwies nur immer auf Spinoza und Bruno allein, ähnlich wie man ja auch hinter der Leibnizischen Monade immer nur Bruno sah, der doch auch hier wieder von Cusanus und dazu noch von Paracelsus abhängig war. In Wirklichkeit erneuern sich also im objektiven Idealismus nicht nur die Tendenzen der Männer aus der frühen deutschen Philosophie, sondern es ist auch noch — das zeigt die Verwurzelung der Lehre vom Einen und Vielen in Cusanus und im Neuplatonismus, wie man aus dem cusanischen „De principio", das man immer neben dem „Bruno" Schellings lesen sollte, sofort ersehen kann — die Problematik der klassischen abendländischen Metaphysik und ihre Frage nach dem Verhältnis von Gott und Welt, die Schelling wieder, anders als Kant und sein transzendentaler Subjektivismus, im Sinne echter Objektivität gestellt hat. Schelling hat mit seiner Identitätsphilosophie, die Seiendes aus dem Sein durch dessen Selbstdifferenzierung ableitet und seine Vielfalt als Ideen im Geiste Gottes deutet, den Kantischen Subjektivismus durchbrochen, und man sollte diese Seite an der Identitätsphilosophie nicht übersehen. Die Forschung hat gezeigt, daß Schelling jedenfalls in der Zeit von 1806 bis 1821 keinen sog. dynamischen Pantheismus vertreten hat, wie häufig behauptet wurde. Worum es ihm ging, war vielmehr der Versuch, Weltschöpfung und Weltgeschehen aller bloßen Willkür zu entreißen und es dafür aus göttlicher Notwendigkeit abzuleiten — Gott ist nie ohne Welt —, wobei allerdings die Formel Spinozas vom Dreieck und seiner Winkelsumme (s. oben S. 138) eine Rolle spielte. Später, schon 1814, ist auch diese Auffassung überwunden, und von 1828 an wird Schelling nicht müde, gegen den notwendigen Hervorgang der Dinge aus Gott, wie ihn die Formel Spinozas nahelegte, zu polemisieren und den freien Willen Gottes zu postulieren. Wo aber Schelling mit seinen Identitätserklärungen den Pantheismus nahelegt, kann der Rückgang auf Cusanus zeigen, wie dieser Gefahr zu entgehen ist, weil dort bei aller explicatio und implicatio der Welt aus und in Gott durch den Teilhabegedanken immer noch der notwendige Unterschied zwischen Gott und Welt gesichert wird. Damit wäre aber der Pantheismus zunächst nur auf der ontischen Ebene vermieden. Stellt sich aber nicht die Gefahr neuerdings ein auf der erkenntnistheoretischen Ebene? Der „Geist", der in der Transzendentalphilosophie eine Welt erschafft, scheint ein göttlicher zu sein. Nur der intellectus archetypus ist schöpferisch; nur in ihm fallen Denken und Sein zusammen. Schelling aber nimmt eine ursprüngliche Identität von Natur und Geist an, weil ohne sie, wie wir soeben hörten, die Konformität von subjektiver und objektiver Wahrheit nie begreiflich werden könnte. Es ist die „intellektuelle Anschauung" unserer Vernunft, in der uns jene Identität gewiß würde. Sie ist die eigentliche Quelle des Wissens. Nimmer erblicke die Wahrheit, wer sie nicht im Ewigen anschaut. Wahrheit ist nur im absoluten Wissen, in einem Wissen, das in Gott und aus Gott sei. Der Begriff der intellektuellen Anschauung stammt aus Fichte. Die Sache aber ist alt, und bei Schelling steht die intellektuelle Anschauung wieder näher bei der metaphysischen Tradition der philosophia perennis als bei Fichte, wo sie noch subjektivistisch verunreinigt war, obgleich auch dort die Aufgabe, die sie erfüllen sollte, die alte war: Grundlegung der Wissenschaft und erste Philosophie. Bei Schelling aber wird wieder jene von der Antike heraufkommende Tradition des Ideal-Realismus lebendig, für die die Rede von der ontologischen Wahrheit charakteristisch ist, wo man darum weiß, daß wohl das empirische Subjekt und sein in der Zeit stehender Geist sich hier und dort irren kann, daß aber der Geist überhaupt immer schon die Wahrheit enthält und das Sein ent-

ββ) Pantheismus?

hüllt. Ja von diesem letzteren Geist gilt, daß seine Wahrheit das eigentliche Sein ist, und: Gott ist die Wahrheit und ist das Sein, weil er der Ort der ewigen Ideen ist. Die Hauptpunkte dieser großen Linie sind fixiert durch Platon und seine Lehre, daß die Idee des an sich Guten Sein, Wahrheit und Wert grundlegt; Aristoteles und seinen Nous poietikos, der ungemischt ist, leidenslos, unsterblich und göttlich; Augustinus und seine Illuminationslehre; Anselm und seine ontologische Wahrheit; Bonaventura und seinen Exemplarismus; Thomas und den Apriorismus in seinem intellectus agens; Cusanus und sein unum; Descartes und Leibniz und ihre angeborenen Ideen. Aber auch Plotin, Averroes, G. Bruno und Spinoza gehören hierher, und bei ihnen zeigt sich nun die pantheistische Variante. Man hat hinter Schelling lange nur G. Bruno und Spinoza gesehen und ihn nur in deren Sinn gedeutet. Die Erkenntnis, daß er über diese Denker auf Cusanus hinabreicht, ermöglicht eine historisch tiefere und sachlich bessere Auslegung.

c) Gnosis

Die Natur- und Transzendentalphilosophie Schellings sah in der Welt ein göttliches Kunstwerk. Als Selbstentfaltung Gottes muß die Welt herrlich und schön sein. Dieser Optimismus tritt schon seit der Würzburger Zeit mehr und mehr zurück, und in der Philosophie der Freiheit von 1809 sowie in den Stuttgarter Privatvorlesungen vom Winter 1809/10 entsteht unter dem Einfluß Baaders, der ein Interesse an J. Böhme wiederweckte, das Schelling von Hause aus besaß, aus seinen Beziehungen nämlich zu den schwäbischen Pietisten- und Mystikerkreisen um Ch. Oetinger, eine Problematik, die über jene Philosophie des Wissens und der Wesenheiten hinausgeht und neue Seiten des Wirklichen aufgreift, den Willen und das Böse, das Werden und die Geschichte, das Göttliche und Widergöttliche im Weltprozeß. Es ist die Seite der Philosophie Schellings, die bei Schopenhauer, Ed. v. Hartmann, Bergson, Scheler und Berdjajew weiterwirken wird.

α) Philosophie der Freiheit

In den „Philosophischen Untersuchungen über das Wesen der menschlichen Freiheit" ist das Absolute zum Willen geworden. Die Weltentwicklung beruht nicht mehr bloß auf einer ins Unendliche gehenden Ausdifferenzierung des Bewußtseins als eines Wissens, sondern der eigentliche Grund des Weltprozesses wird jetzt im Willen gesehen. Der Wille soll vor allem das Böse und die Schuld in der Welt erklären, wofür ja in einer Auffassung des Weltprozesses als einer Ideendialektik sowohl im Stile Platons als des Neuplatonismus wenig Raum war. Und so sagt sich Schelling, daß nie Böses in der Welt auftauchen könnte, wenn diese ganz allein aus göttlicher Vernunft oder aus einem rein vernünftigen Willen erwachsen wäre. Folglich müsse im Urgrund der Wirklichkeit, im Absoluten selbst, außer dem vernünftigen auch ein unvernünftiger Wille als Quelle des Bösen und der Schuld angenommen werden. Das Absolute ist jetzt nicht mehr der reine Wille Fichtes oder jene göttliche Freiheit Spinozas, die mit der Notwendigkeit als der vollkommenen Richtigkeit und Weisheit zusammenfiel, sondern ein blinder, dunkler, „bloßer" Wille, der nur Drang und ohne ideelle Steuerung ist — wir sind verdammt zur Freiheit, sagt Sartre von einem ähnlich verstandenen Willensbegriff aus —, so daß er auch das Böse tun kann und es tun wird, wenn immer er Wille ist und Freiheit besitzt. So kommt es zu einer Entzweiung im Absoluten, zu einem Sündenfall im Urgrunde, wie es die Gnostiker und der nun auf Schelling wirkende Jakob Böhme schon angenommen hatten. Auf diesem Sündenfall im Urgrund als dem Urbösen beruht alles Böse, Unvernünftige und Unvollkommene in der Wirklichkeit, während alles Schöne, Zweckmäßige und Vernünftige auf dem lichten Willen in Gott beruhe, auf dem Logos. Das Absolute, das beides umfaßt, Licht und Dunkel, ist jetzt nicht mehr bloß Urgrund des Seins, sondern „Ungrund" und stelle so einen Erklärungsgrund dar, der auch alles Irrationale im Leben des Einzelnen verständlich werden lasse, Sünde, Schuld, Tragik und alles Rätselhafte, Paradoxe und Sinnlose in der Geschichte der Völker und der Menschheit. Der „lichte" Wille im Absoluten sei nämlich der alles umspannende, der Universalwille, der eine ideelle, obersten Zwecken zustrebende einheitliche Ordnung repräsentiere; der blinde, irrationale Wille dagegen ist dunkel, ungeordnet, zersplittert, sieht nur den Teil und seine individuellen egoistischen Willkürwünsche. In der untermenschlichen Natur sei der Individualwille noch durch den Universalwillen beherrscht, z. B. in den allgemeinen Naturgesetzen. Sobald aber der Mensch aus dem bloß naturhaften

αα) Blinder Wille

ββ) Sündenfall im Ungrund

γγ) Sinn der Geschichte

Zustand herausgewachsen und ein seiner selbst bewußtes, frei entscheidendes Wesen, eine „Persönlichkeit" geworden ist, erhebe sich mit der Freiheit auch die Möglichkeit und Wirklichkeit der Schuld, der Kampf zwischen Gut und Böse. Die Geschichte ist darum nichts anderes als dieser Kampf zwischen Licht und Dunkel, Gut und Böse, Universal- und Individualwillen. Aber gerade in diesem Gegensatz zum Bösen und in der Überwindung des blinden Naturdranges — man erinnert sich an Fichte: Natur ist Material der Pflicht, an dem das Ich sich zu erproben und zu bewähren hat — entfaltet sich das Eigentlich-Göttliche. In Wirklichkeit sehne sich die Kreatur mitten in ihrer Willkürfreiheit und Sündhaftigkeit nach dem lichten Universalwillen. Sie ist sich bewußt, daß sie in die Irre geht, in ihrer Selbstsucht nur Unechtes und Unwahres ergreift und heimfinden müsse zum Lichten. Wenn sie dieses aufnimmt und sich ihm unterordnet, wird sie sich damit erlösen. Die Geschichte der Menschheit ist deshalb auch die Geschichte der Erlösung und Rückkehr der Welt zu Gott.

δδ) Theogonie

Diese Philosophie der Geschichte ist aber zugleich eine Theogonie. Das absolute Selbst geht einen Werdeprozeß ein: Zunächst schlummert der blinde Wille noch, Gott hat sich noch nicht entfaltet und schließt seine Möglichkeiten noch ein (deus implicitus); aber dann erwacht der blinde Wille, und es kommt zum Ursündenfall in Gott; als Folge davon ergibt sich der Einschuß des Bösen in der Welt und beim Menschen; sie sind nicht mehr ganz Gedanken Gottes; es ergibt sich der Kampf zwischen Licht und Dunkel; er endet mit dem Sieg des Lichtes, nachdem auch das Böse von göttlichem Geist durchdrungen und so erlöst worden ist. Jetzt erst hat sich Gott ganz geoffenbart, ist, wie Oetinger, ähnlich wie Cusanus, sagte, ein deus explicitus und hat dadurch auch seine Selbstvollendung gefunden.

β) Positive Philosophie

Der Schelling, der auf die Freiheit und das rein Geschichtliche gestoßen war, sieht in aller Klarheit, daß hier die rationale Berechenbarkeit der üblichen Vernunftdialektik aufhört. Damit finde auch die rationalistische Methode der Descartes, Spinoza, Leibniz, Wolff, Kant, Fichte ihre Grenze, und Hegels Versuch, diese Methode zu einem universalen System des Wissens und der Wesenheiten auszubauen, müsse scheitern. Eben darin besteht die große Bedeutung der Spätphilosophie Schellings. Er will nicht ausruhen auf der Selbstsicherheit der Dialektik. Wie Kierkegaard sieht auch Schelling in ihr die Gefahr eines geistreichen, aber leeren Geredes heraufkommen. Schelling hat schon in seiner Zeit an der Münchener Universität viel gegen Hegel polemisiert und mußte es von seinem Standpunkt aus tun, so wie ja auch heute die Existenzphilosophie und jedes am Historischen orientierte Denken gegen Descartes Stellung nehmen muß. Was Schelling nun brauchte, waren Tatsachen; anders können Wille und Geschichte nicht studiert werden. Und so entwickelt er jetzt seine „positive Philosophie". Sie sucht die Mythologie, die großen Religionen, ihre Mystik und Offenbarungen auf, weil das eigentliche Sein des Menschlichen und Göttlichen erst in seinem Verflochtensein mit Wille, Freiheit, Sünde, Schuld, Erlösung wirklich, in seiner empirischen Positivität, sichtbar werde. Will man den Sinn der positiven Philosophie gut in den Blick bekommen, muß man Schellings Interpretation des Prologs zum Johannesevangelium mit der von Fichte vergleichen, wie sie dieser in seiner Anweisung zum seligen Leben (1806, ^{2}1828), jener in seiner Philosophie der Offenbarung, 28. Vorlesung, gegeben hat. Fichte sagt dort in der 6. Vorlesung (Werke V, 479), daß die Annahme einer Schöpfung endlicher und selbständiger Dinge außerhalb Gottes so viel bedeute wie in Gott absolute Willkür hineintragen, was eine Verkehrung des Gottes- und Vernunftbegriffes wäre. Fichte will darum den Vers „Alle Dinge sind durch dasselbe gemacht worden" in seiner Sprache also ausdrücken: „Ebenso ursprünglich als Gottes eigenes Sein ist sein Dasein, und das letztere ist von ersterem unzertrennlich und selber ganz gleich dem ersteren; und dieses göttliche Dasein ist in seiner eigenen Materie notwendig Wissen: und in diesem Wissen allein ist eine Welt und alle Dinge, welche in der Welt sich vorfinden, wirklich geworden" (a. a. O. 481). Das heißt jetzt für Schelling: „Alles ist bloß im Wissen", und da das Wissen selbst schon das göttliche Dasein ist, ist nichts und wird nichts aus Gott; und weil das, woraus nichts wird, auch selber nichts sei, existiere eben der Gott Fichtes nicht (Philosophie der Offenbarung, 28. Vorl. = Werke VI, 494 Jubiläumsdruck). Damit findet sich der späte Schelling nicht mehr ab. Er will genau das, was Fichte ablehnt. Darum schließt Schelling seine Interpretation mit dem Hinweis auf die Menschwerdung als eine historische, positive und freie Tatsache. „Wir haben seine Herrlichkeit gesehen", zitiert er und sagt ausdrücklich, daß auf diesem „wir haben gesehen" der Nachdruck liege (Werke VI, 509. Jubiläumsdruck). Das also ist seine positive Philosophie, die Empirie und Geschichtlichkeit wieder unreduzierbar für sich stehen lassen will, ist seine Philosophie der Existenz, genauer, um nicht an die „Empirie" der Engländer denken zu müssen, seine Philosophie der Freiheit; denn aus der Freiheit Gottes ergibt sich die Schöpfung, und Freiheit will sagen: einmalig, undurchschaubar, dialektisch unreduzierbar. Darum müsse man endlich wissen, daß es einer ganz anderen als der von Kant sich herschreibenden Philosophie bedürfe, um diese Tatsache begreifen zu können (a. a. O. 496). Und diese Geschichte, die Heilsgeschichte — der späte Schelling hat sich dem Christentum immer mehr genähert —, zu wissen, sei mehr wert als alles andere Wissen (a. a. O. 510). Aber wie will Schelling diese Fakten „wissen"? Schelling stößt auf die gleiche Problematik, die heute jene Theologen quält, die mehr noch an Kant als an die Bibel glauben und jetzt nach dem Aussagewert der religiösen Sprache fragen. Kant hatte ja verneint, daß es da etwas zu „wissen" gäbe. Schelling ist nicht Historiker genug, um die mit den Engländern geschaffenen Voraussetzungen der modernen Philosophie durchschauen zu können, sowenig wie Kant und Fichte (s. o. S. 329 f). Er sieht das Unvermögen der negativen Philosophie, vermag es aber nicht, sich von ihr zu befreien, und schlägt nur seine Zähne ins eigene Fleisch. So hilft er sich wie heute Heidegger durch die Flucht in eine Art Mystik. Er will einen höheren Weg gehen als jenen des Denkens und kommt doch nicht los von diesem Denken. Seit Philons „unvermischter, himmlischer Weisheit" ist das schon so in aller Gnosis und Mystik. Die Aufstellungen über die Selbstentfaltung des Absoluten in der Welt, die Schelling jetzt gibt, bedienen sich wieder des im deutschen Idealismus üblichen dialektischen Dreischrittes. In der Entwicklung des Christentums z. B. setzt er — auch hier von Oetinger beeinflußt — drei Stufen an, das Petrinische Christentum oder den Katholizismus, wo die Autorität vorherrscht, das Paulinische Christentum oder den Protestantismus, wo die Freiheit charakteristisch wird, und das Johanneische Christentum, wo Wissen und Glauben versöhnt seien. Aber Schellings

Deutungen werden jetzt immer gewagter und überschreiten oft die Grenze des Kontrollierbaren in Richtung auf das Dichterische, ja Phantastische. Seine Philosophie fängt an zu zerfließen. Die Männer der exakten Naturwissenschaften des vorigen Jahrhunderts haben ihm im einzelnen viele Fehlgriffe und Unklarheiten nachgewiesen. Das war das Gebaren des ewigen Wagner. Schelling konnte sich all dem gegenüber als Faust fühlen. Er teilt aber auch das Schicksal Faustens. Sein Geist verlor sich ins Uferlose.

d) Schelling und die Romantiker

Schelling hat eine große Gefolgschaft gefunden. Besonders aber wurde er zum Philosophen der Romantiker, mehr noch als Fichte.

α) Schellings Schule

Aus den unmittelbar von Schelling angeregten Männern seien neben zahlreichen anderen hervorgehoben: Lorenz Oken (1779 bis 1851), von dem G. Th. Fechner bekennt, daß er lange für ihn richtunggebend war und daß er seine „Ansicht einer einheitlichen Gipfelung und geistigen Durchdringung der Natur" immer beibehalten habe; Karl Gustav Carus (1789—1860), dessen „Psyche" mit dem Untertitel „Zur Entwicklungsgeschichte der Seele" (1846) sich heute wieder gesteigerten Interesses erfreut, wo Klages die Psychologie stark romantisiert hat und wo das Unbewußte immer mehr gewürdigt wird, von dem Carus meint: „Der Schlüssel zur Erkenntnis vom Wesen des bewußten Seelenlebens liegt in der Region des Unbewußtseins"; Friedrich Ast (1778—1841), der sich um die Geschichte der Philosophie verdient gemacht hat, namentlich durch sein Lexicon Platonicum; Josef Görres (1776—1847), der in seinen naturphilosophischen Jugendschriften noch ganz im Geiste Schellings denkt, aber auch in seiner „Mythengeschichte der asiatischen Welt" (1810) noch im Stil der pantheistischen Identitätsphilosophie alle Religionen als Gebilde eines einzigen organischen Wachstumsprozesses auffaßt, „im Natürlichen zuerst geboren, um im Geistigen sich strebend zu verklären", bis er dann in seiner „Christlichen Mystik" (1836—42) sich wie Schelling zu einem theistischen Standpunkt durchringt, aber immer noch etwas belastet mit dem theosophischen Tiefsinn und sonstigen Okkultismen der positiven Philosophie Schellings; Martin Deutinger (1815—64), der bedeutendste katholische Ästhetiker um die Mitte des 19. Jahrhunderts, auf den außer Schelling auch Görres und der namhafteste Schelling-Schüler Franz von Baader eingewirkt haben.

β) Baader Franz von B a a d e r (1765—1841), wie Görres ein Mittelpunkt der katholischen Romantikerkreise Münchens, seit 1826 Professor an der dortigen Universität, ist wohl der bedeutendste Denker aus dem Schellingkreis, schon deswegen, weil er auf seinen Lehrer auch wieder stark zurückgewirkt hat, indem er ihn für Jakob Böhme begeistern konnte. Außer Schelling haben auf ihn bestimmenden Einfluß genommen der von ihm wiederentdeckte Meister Eckhart, ferner Kant, Herder, Lavater, Sailer, Saint-Martin und vor allem Jakob Böhme und die Bibel. Baader bekämpft wie Schelling den Rationalismus. Er ist voll Mißtrauen gegen die Vernunft und baut

αα) Philosophie als Glaube dafür auf den Glauben. Der Mensch sei weder im Wollen noch im Wissen eigenständig, sondern immer von einer höheren Macht abhängig. All unser Wissen ist nur Mit-Wissen (conscientia), sei geistige Empfängnis aus göttlichem Urwissen. Ohne Gott könnten wir überhaupt nichts wissen. Nur weil Gott die Welt und uns selbst denkt, können wir Welt und uns selbst auch denken. Und so variiert Baader Descartes' cogito in cogitor, ergo cogito et sum. Es sei das größte Verhängnis der neuzeitlichen Philosophie seit Bacon und Descartes gewesen, daß sie von der religiösen Tradition abgewichen ist. Baader will darum nicht Philosoph in diesem herkömmlichen Geist sein, wo das Wissen nicht nur den Glauben verläßt, sondern sich sogar noch darüber stellen will. Er fühlt sich vielmehr als Interpret göttlicher Offenbarungen und autoritativer Überlieferungen, und seine Methode ist die der Theosophie und der Gnosis. Die Philosophie hat darum nach Baader auf den überlieferten religiösen Lehren aufzubauen. Sie handelt zunächst von Gott und gibt hier die religiöse Grundwissenschaft, auch Logik oder Transzendentalphilosophie genannt; dann von der Natur, wobei sie Naturphilosophie oder Kosmologie im Sinne religiöser Schöpfungslehre sein müsse; und schließlich vom Menschen, wo eine Geistphilosophie oder Ethik und Gesellschaftslehre, auch wieder auf religiösem Grund, zu entwikkeln sei. Man erinnert sich an die Einteilung der Philosophie bei Hegel, es steht aber das Ganze trotzdem auf einem anderen Fundament, dem Glauben nämlich und der religiösen

ββ) Fideismus und Traditionalismus Überlieferung. Es ist das alles wieder ein Beleg für die starken irrationalen Strömungen auch im 19. Jahrhundert, wie sie besonders im Fideismus und Traditionalismus zum Ausdruck kommen. Beide Richtungen sehen im Glauben ein philosophisches Prinzip. Der Fideismus läßt die metaphysischen, moralischen und erst recht die übernatürlichen Wahrheiten ausschließlich auf einem „Gefühl“ beruhen; so Jacobi und Schleiermacher. Der Traditionalismus basiert den Glauben ausschließlich auf die Autorität, die ihn offenbart und überliefert; so de Bonald († 1840), Bautain († 1861) und Bonnetty († 1879); ähnlich auch Ventura († 1861) und de Lamennais († 1854). Die katholische Kirche hat gegen diese Auffassung Stellung genommen, weil sie einen blinden Glauben nicht billigen kann. In dieser Haltung der Kirche leben Erbe und Maß der Antike und des Mittelalters fort. Wie richtig ihre Entscheidung war, zeigte sich, als im 20. Jahrhundert der blinde Glaube zu einem politischen Ideal wurde und jetzt zum Fanatismus führte; zum Abbruch aller Toleranz und Communication und schließlich zur brutalen Diktatur. Bei Baader wird auch das Weltgeschehen analog zum Erkenntnisprozeß aufgefaßt. Wie alles Erkennen in und aus Gott geschieht, so ist auch alles Naturgeschehen göttliches Geschehen, ist eigentlich eine Theogonie. Dem Pantheismus sucht Baader zu entgehen durch die Annahme einer doppelten Schöpfung, einer solchen in und einer solchen außerhalb Gottes. Letztere betrifft die Körperwelt und ist eine Folge des Sündenfalls. Nur mit Rücksicht darauf entstehen Raum und Zeit, und die Materie ist somit, wie häufig in der Gnosis, eine Folge des Bösen und bedeutet eine Strafe. Gemeint ist der Sündenfall freier Geister. Aber auch in Gott selbst nimmt Baader mit Jakob Böhme einen höheren geistigen Lichtgrund und einen niederen Naturgrund an, der überwunden werden muß, und zwar im Lauf des Weltprozesses. Der Mensch kann in diesem Prozeß eine Aufgabe erfüllen, indem er sich gegen die Materie erklärt und so sein Teil mitwirkt an der Entsündigung, Entmaterialisierung und Erlösung der Welt. Es ist wieder der Sieg des Lichtes aus dem göttlichen Urgrund. Baader betrachtet diese Spekulationen nicht bloß als Mystik, sondern auch als Metaphysik und glaubt damit einig zu gehen mit Kant, womit sich zeigt, daß es falsch wäre, wollte man in ihm nur den Theosophen sehen. Zugleich zeigt sich damit der in Schelling sich vollziehende Übergang zum objektiven Idealismus, und es bestätigt sich die Richtigkeit der Auffassung Kants als eines Metaphysikers. Die nachkantische Zeit sah in ihm weithin nicht den

γγ) Weltprozeß

δδ) Baader und Kant

Zermalmer der Metaphysik, sondern ihren Reformer und glaubte sein Werk fortzusetzen, wenn sie selbst auch eifrig

εε) Sozialphilosophie

Metaphysik triebe. Baader hat innerhalb des religiösen Gesamtrahmens seiner Philosophie auch höchst beachtliche sozialphilosophische Gedanken entwickelt, die konkreter sind als seine theosophischen Konstruktionen. Er wendet sich gegen das moderne atheistische Staatsdenken, das immer vom Staatsvertrag ausgeht und in der Gemeinschaft nur eine Summe von Atomen sehen will, die nur durch egoistische Motive zusammengehalten und insgesamt von der Begierde nach Macht und Vorteil getrieben werden. Das Beispiel dafür seien die nationalistischen Machtstaaten, die auch Fichte und Hegel im Auge gehabt hätten. Ergebnis sei immer die Despotie, nach innen wie nach außen, mag die Souveränität beim Volke liegen oder bei einem Fürsten; denn der Machtstaat kennt in den zwischenstaatlichen Beziehungen kein Völkerrecht und im innerstaatlichen Leben keine Toleranz, sondern nur immer das Interesse der Stärkeren. Die Hörigkeit des modernen Proletariers gegenüber der Macht des Kapitals sei grausamer als die mittelalterliche Leibeigenschaft. Gegen diese Mißstände helfen keine äußeren Bestimmungen, weil auch sie nur wieder Ausdruck der bestehenden Machtverhältnisse seien, sondern nur die Besinnung auf den echten Geist der Gemeinschaft, der in der Bindung an die Gesetze Gottes bestehe. Weder Volk noch Fürst, sondern Gott ist der Souverän. Durch ihn wird jedem das Seine. Der Glaube an Gott, das Vertrauen zum Mitmenschen, der Wille zur Solidarität sind die Grundlagen der Gemeinschaft. Eine solche Gemeinschaft wächst organisch aus dem Leben und der Natur des Menschen heraus. Ihre äußeren tragenden Formen sind die Stände und Körperschaften. Ihre Seele aber muß sein die innere religiös-ethische Verbindung des Menschen mit Gott. Ganz anders als bei Kant, wo Recht und Sittlichkeit getrennt waren, wird jetzt der Staat wieder als eine religiös-ethisch fundierte Erscheinung betrachtet. Das Ideal ist der christliche Staat. Ihn stellt Baader dem atheistischen Machtstaat gegenüber als den einzigen Staat, der zu echter Solidarität führe und nicht zur Verewigung des Krieges aller gegen alle unter den Völkern, den Klassen und Individuen. Er ist nicht künstlich errichteter Zwangsstaat, sondern echt menschliches, organisches Leben. Es ist Leben aus Gott und in Gott. In ihm ist der Mensch aufgerufen zur Restauration der ganzen Welt. Die religiös-ethische Vollendung komme allerdings erst in einer künftigen Zeit, wenn auch die Kirche alle Spaltungen überwunden haben wird und die großen Autoritäten des geistigen Lebens wieder in Einheit zusammenstehen: die abstrakte Traditionsautorität, die im Katholizismus einseitig herrsche — Baader wollte Katholik sein und ist als solcher gestorben, fand aber keinen rechten Kontakt zur kirchlichen Autorität, insbesondere nicht zum Papsttum —, die abstrakte Schriftautorität des Protestantismus und die abstrakte Wissensautorität im Rationalismus. Der Absolutismus der reinen Vernunft müsse überwunden und die Einheit zwischen Wissen und Glauben wiederhergestellt werden.

ζζ) Die Wahlverwandten

— In dieser Richtung hatte sich etwas früher auch der württembergische Philosoph und lutherische Theologe Friedrich Christoph Oetinger (1702—82) bewegt, ebenso von J. Böhme beeindruckt wie Saint-Martin und Baader selbst. Er war aber auch, wie er selbst sagt, mit dem „Malebrancheschen System von dem vorweltlichen Schema in der Gottheit schwanger gegangen". Wahrscheinlich ist Baader durch Schelling auf Oetinger verwiesen worden. Beide, Baader und Oetinger, standen übrigens in Verbindung mit dem späteren Bischof von Regensburg, J. M. Sailer (1751—1832). Zu den Freunden Baaders zählte auch der Münsteraner Philosoph Christoph Schlüter. Man spricht in Hinsicht auf diese Männer gern von Mystik. Daran ist etwas Wahres. Wichtiger aber wäre es, zu sehen, daß alle versucht haben, den seit den Engländern und auch bei Kant auf das nur Raum-Zeitliche eingeschränkten Begriff des „Wirklichen" und „Gegebenen" wieder von dieser per definitionem geschaffenen Enge zu befreien und das wieder zu fassen, was auch wirklich ist und wirklicher als alle sinnliche Realität.

Werke und Literatur

F. v. Baader, Sämtliche Werke. Hrsg. von F. Hoffmann. 16 Bde. (1851—60, Nachdruck 1963). E. Susini, Lettres inédites de F. von Baader (Paris 1942). F. Ch. Oetinger, Sämtliche Werke. Hrsg. von K. Ch. E. Ehmann. 11 Bde. (1852—64). — D. Baumgardt, F. v. Baader und die philos. Romantik (1927). J. Sauer, Baader und Kant (1928). H. Spreckelmeyer, Die philos. Deutung des Sündenfalles bei F. Baader (1938). R. Schneider, Hegels und Schellings schwäbische Geistesahnen

(1938). E. Susini, F. v. Baader et le Romantisme mystique. 2 Bde. (Paris 1942), E. Benz, F. v. B. und der abendländische Nihilismus. Archiv für Philosophie 3 (1949) 29—52. J. Nettesheim, Ch. B. Schlüter. Eine Gestalt des deutschen Biedermeier (1960).

γ) Schleiermacher

Ein protestantisches Gegenstück zu Baader ist Friedrich Schleiermacher (1768—1834), hervorgegangen aus der Breslauer Herrnhuter Gemeinde, seit 1804 Theologieprofessor in Halle, dann in Berlin. Er bleibt zeitlebens Vertreter einer typisch undogmatischen protestantischen Gefühlsreligion im Stile des Pietismus „höherer Ordnung". Berühmt sind seine „Reden über die Religion an die Gebildeten unter ihren Verächtern" (1799) und seine „Monologen" (1800). Schleiermacher hat auf vielen Gebieten Großes geleistet.

αα) im allgemeinen

Er ist ein hervorragender Prediger, hat sich Verdienste um die Ethik erworben, besonders um die Güter-, Tugend- und Pflichtenlehre; hat in seiner „Dialektik" eine große Wissenschaftslehre geschaffen, in der er sich eingehend mit Kant auseinandersetzt und die in seiner Philosophie enthaltenen idealistischen und realistischen Elemente zu einem „Ideal-Realismus" zusammenfügt, wobei ihm für den Ausgleich des Realen mit dem Idealen und der Natur mit dem Geist Schellings Identitätsphilosophie sowie Spinozas Formel Deus sive natura Leitgedanken waren; und nicht zuletzt seien seine ausgezeichneten Platonübersetzungen erwähnt und seine Anregungen zu einer Wiederbeschäftigung mit Aristoteles.

ββ) Religionsphilosophie

Die Hauptbedeutung Schleiermachers liegt aber doch auf religionsphilosophischem Gebiet, speziell für den Protestantismus. Seit Schleiermacher gibt es dort eine theologische Grundlagenforschung. In der Frage nach dem Wesen der Religion hatte ja Kant zunächst eine negative Antwort gegeben: „Ich mußte das Wissen aufheben." Das brachte für alle religiöse Erkenntnis die Gefahr des Agnostizismus mit sich. So kam alles darauf an, den „Glauben", den Kant dann an Stelle des Wissens der Religion zugewiesen hatte, in seinem Wesen und Gehalt zu ergründen. Hier setzt Schleiermacher ein. Auch nach ihm besteht der Glaube nicht in einem theoretischen Wissen über Welt und Gott; insofern stimmt er Kant zu. Der Glaube bildet aber auch nicht einen Sittenkodex und ist nicht einfach auf Moral zu reduzieren; hier lehnt er Kant ab. Der Glaube sei vielmehr etwas Eigenes,

Letztes; er ist reines Gefühl, und zwar das Gefühl der schlechthinnigen Abhängigkeit angesichts des Alls. Anschauen und Fühlen des Universums, das sei Religion. Im religiösen Gefühl sei der Urgrund ebenso in uns gesetzt, wie im Wahrnehmungsakt die Außendinge in uns gesetzt werden. Aber man könne theoretisch darüber nichts wissen. Die Sätze und Vorstellungen der Religion sind nur Ausdrucksformen für religiöse Gefühle. Die Dogmen der Religion als Philosopheme aufzufassen oder in der Theologie philosophieren zu wollen heiße die Grenzen der beiden Gebiete des Wissens und des Glaubens verschieben. Beides sei voneinander gänzlich unabhängig. Gott ist keine theoretische Tatsache, sondern eine solche des Gefühls. „Meine Religion ist so durch und durch Herzreligion, daß ich für keine andere Raum habe ...", schreibt er mitten in seinen Arbeiten zu den Reden über die Religion an Henriette Herz nach Berlin; „so muß ich schon aus Religion und um der Religion willen nach Berlin kommen, aus Religion, denn wahrlich, ich will das Universum in Ihnen schauen". Das ist die ganze Romantik. Gleich darauf erwähnt er denn auch das Athenäum, die Zeitschrift der Romantikerkreise. Der Gegensatz zu Hegels Intellektualisierung der Religion ist ebenso evident wie jener zu Kants Moralisierung der Religion. Trotzdem ist klar, daß dennoch hinter dem Ganzen immer noch Kant steht. Denn im Fühlen wird Gott wieder vom Subjekt gesetzt. Und so ist es nur konsequent, wenn bei R. Otto das religiöse Apriori auftaucht. Die Nachwirkungen Schleiermachers ziehen sich wie ein breiter Strom durch die moderne protestantische Religionsphilosophie, so außer R. Otto bei H. Lüdemann, G. Wobbermin, A. Titius, K. Beth, Th. Siegfried. Man hat oft gegen Schleiermacher eingewendet, daß er mit seinem Gefühl das Göttliche gar nicht getroffen habe; es sei ein allgemeines Weltgefühl, vielleicht ein ästhetisches Gefühl wie das des Erhabenen bei Kant. Ebenso wichtig dürfte etwas anderes sein, worauf in der katholischen Religionsphilosophie immer geachtet wird. Auch hier weiß man, daß der Glaube nicht wie etwa bei Hegel in lauter Begrifflichkeit und reine Rationalität aufgelöst werden kann. Aber man fürchtet, daß ein Glaube in dem nicht auch kognitive Elemente mitenhalten sind und dem insbesondere nicht in den praeambula fidei eine vernünftige Begründung „voraus-

γγ) Kritik an Schleiermacher

geht", kein vernünftiger Glaube (rationabile obsequium) mehr ist, sondern blinder Glaube, ein Apeiron, wie die Griechen sagen würden. Denn „wenn man ganz in dem Gefühle selig ist", geht Verschiedenes durcheinander. „Nenn es dann, wie du willst: Nenn's Glück, Herz, Liebe, Gott! Ich habe keinen Namen dafür. Gefühl ist alles; Name ist Schall und Rauch." Bei allem Respekt vor solchen Gefühlen: aber man muß verstehen, daß es Menschen gibt, die Gretchen, Henriette Herz und Gott einigermaßen auseinanderhalten wollen.

Werke und Literatur

F. Schleiermacher, Gesammelte Werke. 30 Bde. (1836—64). F. Schleiermachers Dialektik. Hrsg. von R. Odebrecht (1942). In der Philos. Bibliothek bei Meiner: Über die Religion. Reden an die Gebildeten unter ihren Verächtern. Hrsg. von H.-J. Rothert (1957). In der Wissenschaftlichen Buchgesellschaft, Darmstadt: Monologen (1953). — F. A. Staudenmaier, Rezension zu Schleiermacher „Der christliche Glaube" in Theologische Quartalschrift (Tübingen 1833) 266—329, 496—524, 639—700. W. Dilthey, Fr. Schleiermacher (1870) [= Dilthey, Gesammelte Schriften IV, 354—402]. Th. Kappstein, Schleichermachers Weltbild und Lebensanschauung (1921). F. Kattenbusch, Schleiermachers Größe und Schranke (1934). F. Flückiger, Philosophie und Theologie bei Schleiermacher (Zürich 1947).

δ) Die romantische Schule

Schelling und Schleiermacher waren von besonderer Bedeutung für die romantische Schule, deren führende Köpfe Novalis (Friedrich von Hardenberg) (1772—1801), Friedrich Schlegel (1772—1829) und Friedrich Hölderlin (1770—1843) bilden. Sie wollen nicht bloß Dichter, sondern auch Philosophen sein, wie sie überhaupt die Ansicht vertreten, daß Dichtung und Philosophie ineinander übergehen. Ihre Vorliebe für Religion, Mythos und Symbol, ein Interesse, das sich im Laufe der Romantik immer mehr verstärkte, war darum nur konsequent. Schon Aristoteles hatte gesagt, daß der Freund des Mythos in gewisser Hinsicht auch Philosoph sei.

αα) Hölderlin

Fr. Hölderlin hat besonders auf den jungen Hegel, auf Nietzsche und den George-Kreis gewirkt; auf ersteren durch seine Unendlichkeitssehnsucht, auf letztere durch seine Idee einer Vermählung von Griechentum und Deutschtum, durch die ein neues, zugleich schönes und göttliches Menschentum heraufkommen solle. „Eines zu sein mit allem, was lebt, in seliger Selbstvergessenheit wiederzukehren ins All der Natur, das ist der Gipfel der Gedanken und Freuden." „Siehst du Griechenland nicht schon? O siehst du nicht, wie, froh der neuen Nachbarschaft, die ewigen Sterne lächeln über unseren Städten und Hainen, wie das alte Meer, wenn es unser Volk lustwandelnd am Ufer sieht, der schönen Athener wieder denkt und wieder Glück uns bringt, wie damals seinen Lieblingen, auf fröhlicher Woge?" „Schöpferischer, o wann, Genius unsres Volkes, wann erscheinst du ganz, Seele des Vaterlands, daß ich tiefer mich beuge, daß die leiseste Saite selbst mir verstumme vor dir, daß ich beschämt und still, eine Blume der Nacht, himmlischer Tag, vor dir enden möge mit Freuden, wenn sie alle, mit denen ich vormals trauerte, wenn unsere Städte nun hell und offen und wach, reineren Feuers voll, und die Berge des deutschen Landes Berge der Musen sind, wie die herrlichen einst, Pindos und Helikon und Parnassos, und rings unter des Vaterlands goldenem Himmel die freie, klare, geistige Freude glänzt."

ββ) Rechts- und Staatsphilosophen

Aus dem Schlegelkreis müssen zwei um die Staatsphilosophie verdiente Männer hervorgehoben werden, beide Mitarbeiter Schlegels an seiner Wiener Zeitschrift Concordia, nämlich Adam Müller (1779—1829) und Karl Ludwig von Haller (1768 bis 1854), beide auch wie Schlegel zur katholischen Kirche übergetreten. A. Müller kritisiert überlegen die Nationalökonomie von Adam Smith und die gesamte utilitaristisch-berechnende Staatsauffassung und betrachtet dafür den Staat als einen lebendigen Organismus. Der Staat ist, wie das auch Friedrich Schlegel so gesagt hatte, ein großes, all die kleinen Individuen umfassendes und überdauerndes Individuum, das sein eigenes Lebensgesetz hat und hierin ebenso wie auch der Einzelmensch nicht nur vom Brote, sondern von jedem Worte lebt, das aus dem Munde Gottes kommt. Das höhere Lebensgesetz liegt in den ethischen Werten, besonders in der Treue, sowie in den Werten der Religion. Davon müsse der Staatsbürger bis ins Innerste durchdrungen sein. Aber auch die Staaten müßten sich in einem solchen übernationalen Rechtsbund vereinen. Darum ist auch alles geschichtliche Geschehen in seinem wahren Wesen als Bewegung von Gott und zu Gott zu erkennen, wie wieder Schlegel schon betont hatte. Geschichte als tierischer Kampf stellt nicht das wahre Sein des Menschen dar, sondern ist Abfall vom Menschen. Mit den Begriffen des Lebens und des höheren Lebens hatte die Romantik eine viel tiefere Interpretation des Geschichtlichen gegeben als die Aufklärung, die statt des organischen Lebens nur immer die Summe der Atome sah und vom höheren Leben überhaupt nichts wußte, sondern nur mit dem mechanischen Druck und Stoß auf dem Grunde der allgemeinen Selbstsucht rechnete. Mit dem Gedanken, daß die Gemeinschaft Leben sei, hat Müller auch Friedrich Karl von Savigny (1779—1861) beeinflußt, den Begründer der historischen Rechtsschule, der gegenüber dem aufklärerischen Naturrechtsdenken, für das alles Recht bloß schematisierte und ausgeklügelte Vernunft war, stets das organische und in der Geschichte sich vollziehende Wachsen des Rechts aus der Volksseele verteidigt, die hier diesen und dort jenen Charakter hat. Auch K. von Haller kämpfte gegen die rationalistische Naturrechtsauffassung und lehrte ein organisches Herauswachsen des Staates aus einer Urzelle, der Patriarchalfamilie. Von ihm und auch von Schelling her gehen starke Fäden zu Friedrich Julius Stahl (1802—62), dem eigentlichen Programmatiker des Altkonservativismus um Friedrich Wilhelm IV. Auch nach Stahl ist das Recht kein Erzeugnis des abstrahierenden, allgemeinmenschlichen, mathematischen Denkens, sondern wächst mit dem Leben und der Geschichte der Völker. In Stahl führte nun, ähnlich wie in den katholischen Politikern der Romantik, der Protestantismus Preußens einen guten Kampf gegen das mechanistisch-utilitaristische Rechts- und Staatsdenken der Aufklärung. Schließlich sei noch auf einen Nachfahren der Romantik hingewiesen, auf Constantin Frantz (1817—91), einen Mann, den J. Burckhardt als den einzigen deutschen Staatslehrer bezeichnet hat, der „den Kopf über dem Nebel habe", und von dem Fr. W. Förster schrieb, daß er dem Eisernen Kanzler an Tiefe der Einfühlung in den Geist der abendländischen Geschichte überlegen gewesen sei. Frantz kam unter dem Einfluß Schellings von Hegel los, dem er zunächst anhing und über den er auch geschrieben hatte. Er stemmte sich gegen das mit der französischen Aufklärung aufkommende mechanistische und schematisierende Denken, das auch das deutsche Staatsdenken von Kant bis Hegel nicht wenig beeinflußt habe. Dieses Denken sehe in Gemeinschaft und Staat nur eine Masse von Atomen; um sie zusammenzuhalten, bedarf man äußerer mechanischer Mittel: „Die Zentralisation muß folglich immer stärker werden." Das sei alles unecht, künstlich, gemacht. Und wieder wird auf das Leben verwiesen, wie es gewachsen ist in den Volksstämmen, ihrer Geschichte, ihrem Recht, ihrer Sitte, Religion und Kultur. Hier liegen die wahren Lebensquellen des Staates. Die praktische Folgerung, die Frantz daraus zieht, ist ein betonter Föderalismus. Und auch die höheren politischen Normen, auf die auch kein Realpolitiker verzichten könne, werden wieder wie bei den Romantikern gesucht im Wesen des Menschen, seinem ursprünglichen Zustand und der letzten Bestimmung des Menschengeschlechtes. Eine Hauptquelle für ihre Erkenntnis ist die Bibel. Die Menschheit sehne sich zurück nach dem verlorenen Paradies. In diesen höheren Normen der Religion beruhen die Grundlagen für das Völkerrecht und den Frieden der Menschheit. So leben die einzelnen Völker und Stämme ihr eigenes Leben und könne doch die Menschheit zusammenstehen in Ordnung und Frieden. Eine seiner Thesen lautet darum: „Kein Recht ohne Frieden, keinen Frieden ohne Bund, und ohne diese drei auch keine Freiheit."

Werke und Literatur

Athenäum. Eine Zeitschrift. Hrsg. von Aug. Wilhelm und Friedrich Schlegel. 3 Bde. (1798—1800, Nachdruck 1960). Kritische Friedrich-Schlegel-Ausgabe. Hrsg. von E. Behler (1958 ff.). Novalis' Schriften. Die Werke F. v. Hardenbergs. Hrsg. von P. Kluckhohn und R. Samuel. 4 Bde. (1929, ²1960). F. Hölderlin, Große Stuttgarter Ausgabe. Hrsg. von F. Beissner. 6 Bde. (1946—61). C. Frantz, Die Naturlehre des Staates. Neu hrsg. von W. Ferber (1949). — R. Haym, Die romantische Schule (1870, Nachdruck 1961). E. Staiger, Der Geist der Liebe und das Schicksal. Schelling, Hegel und Hölderlin (1935). R. Guardini, Hölderlins Weltbild und Frömmigkeit (1938). M. Heidegger, Erläuterungen zu Hölderlins Dichtung (1944, ²1951). Th. Haering, Novalis als Philosoph (1954).

Anhangsweise sei hier kurz auf Wladimir Solowjew (1853 bis 1900) eingegangen, weil dieser größte slawische Denker von Schelling und Baader Einflüsse erfahren hat und weil ε) Solowjew aus ihm eine wahlverwandte Geistesart spricht, die auch ohne direkte Abhängigkeit — Solowjew ist kein Epigone — zu einer Philosophie kommt, die sich weithin mit den Positionen Schellings deckt.

αα) Seins- und Geistphilosophie

Die Seins- und Geistphilosophie Solowjews ist Alleinheitslehre. Wie Plotin will auch der russische Dichterphilosoph die göttliche Alleinheit der Dinge, wie sie vor dem Sündenfall bestand und am Ende der Zeiten in einer verklärten Schöpfung wiederkehren soll, in drei Ekstasen geschaut haben. Wie in aller Mystik steht auch in dieser Alleinheitsphilosophie das göttliche Eine und Vollkommene als das in der religiösen Erfahrung unmittelbar Gegebene am Anfang. Es ist das eigentlich Unproblematische. Die Schwierigkeiten beginnen erst mit dem Unvollkommenen, mit der Schöpfung und ihrer Vielheit, besonders aber mit der Sünde. „Die Absicht der Philosophie ist das Sein, welches seine Begreiflichkeit nicht in sich selbst hat, weil es gleich als ein Nichtursprüngliches sich darstellt", sagt Schelling; und Solowjew: „Nicht die ewige göttliche Welt, sondern im Gegenteil unsere Natur, die uns tatsächlich gegebene wirkliche Welt ist ein Rätsel für unsere Vernunft." Der vollkommene Geist existiert nach Solowjew — und hier erstreckt sich die Übereinstimmung mit Schelling bis in die Worte — in einer dreifachen Weise: als reines An-sich-Sein; als Außer-sich-Sein, d. h. von sich Hinausgehen in einer wesenhaften Selbstoffenbarung; und als In-sich-selbst-Zurückkehren. Bei Schelling haben wir: den an sich seienden Geist, der reine, in sich selbst ruhende Aseität ist; den außer sich seienden Geist, der sich selbst zum Objekt wird; und den für sich seienden Geist, der zu sich selbst wieder zurückkehrt, die Äußerung seiner selbst als von ihm ausgehend erkennt, so wieder besitzt und genießt.

Der vollkommene Geist

Die Schöpfung

Haben wir nun in der zweiten Gestalt der Gottheit, in dem Außer-sich-Sein, vielleicht einen wenigstens virtuellen Anfang der Schöpfung vor uns? so könnte man fragen. Nun, Solowjew lehnt jedenfalls ebenso wie auch Schelling eine Emanation ab. Gott bleibt als Schöpfer und absolute Ursache (causa causarum) außerhalb des Weltprozesses. Er ist nicht ein durch den Weltprozeß erst werdender Gott, wie Hegel meine, gegen den hier beide Denker polemisieren. Die Schöpfung sei eine freie Tat Gottes. Wie aber soll dann die Philosophie der Alleinheit durchgehalten werden? Oder von der anderen Seite her gefragt: Wie soll die absolute Indifferenz sich zum Vielen der Schöpfung differenzieren? Schelling und Solowjew helfen sich in dieser Monismus—Dualismus-Problematik wie einst schon Plotin mit dem Einschub eines Mittelwesens, der „Weisheit Gottes". Es ist die „himmlische Jungfrau Sophia" J. Böhmes, die „Weisheit" der hermetischen, philonischen und biblischen Tradition. In der göttlichen Weisheit seien die Urbilder der Schöpfung als platonische Ideen in ewiger Einheit beschlossen. Durch den Sündenfall wurde diese Einheit zerstört, und aus dem Kosmos entstehe jetzt das Chaos. Damit ist aber das Problem nicht gelöst, sondern nur verschoben. Warum überhaupt die Tatsache der Schöpfung und des Sündenfalles? Als Antwort hören wir: Die Möglichkeit kann man einsehen, die Tatsache als solche mag vielleicht irrational bleiben.

ββ) **Religions- und Geschichtsphilosophie**

Jedenfalls aber ergibt sich aus dem Gedanken der ursprünglichen Einheit in Gott und dem des Abfalles nun die Religionsphilosophie Solowjews, die zugleich Geschichtsphilosophie ist, weil sie den Sinn des ganzen Menschheitsgeschehens deuten will. Der Sündenfall leitet das kosmische Drama ein, dessen letzter Akt die Wiedervereinigung der gefallenen Schöpfung mit ihrem Schöpfer ist in neuer ewiger Alleinheit. Zentralbegriff ist hier für Solowjew der Gedanke vom Gottesreich, das der auferstandene Christus anheben läßt. In ihm siegt zum erstenmal wieder das Ewige über das Zeitliche und beginnt eine neue, sich wieder vergöttlichende Welt. Der Auferstandene wurde ja in der Ostkirche immer schon mit existentieller Inbrunst erlebt. Von ihm erhält nun der Mensch einen neuen Lebenssinn. Er soll als Christ auch Christus, Messias sein und mitwirken an der Heimholung der Welt zu Gott: „Als Mittelglied zwischen Himmel und Erde war der Mensch dazu bestimmt, Messias des Universums zu sein, die Welt aus dem Chaos zu erretten, indem er sie mit Gott vereinigte, indem er die ewige Weisheit in den geschaffenen Formen Fleisch werden ließ." Die Idee des Gottesreiches bildet nun den Mittelpunkt, um den das Denken Solowjews kreist. Im einzelnen können wir drei Perioden unterscheiden. In der ersten, der orthodox-messianistischen Periode, die bis zum 28. Lebensjahre reicht, hoffte Solowjew, daß seine orthodoxe Mutterkirche und das „Gott tragende" russische Volk die Menschheit an die Pforten des ewigen Reiches führen werde. Hierher gehören die „Vorlesungen über das Gottmenschentum" und die „Kritik der abstrakten Philosophie". In der zweiten, der katholisch-messianistischen Periode, die den größten Teil seiner Dreißigerjahre umfaßt, kommt Solowjew auf Grund eingehender dogmen- und kirchengeschichtlicher Studien zur Überzeugung, daß das orthodoxe Rußland seine messianische Aufgabe nur erfüllen könne, wenn es sich zusammen mit allen anderen Völkern mit dem von Christus gestifteten Mittelpunkt der gesamten Christenheit, dem Felsen Petri, vereinige und der universalen kirchlichen Wahrheit unterordne. Die meisten Werke dieser Jahre sind darum der Wiedervereinigung der Kirche gewidmet. Die wichtigsten davon sind: „Philosophie der biblischen Geschichte" und „Rußland und die universale Kirche". Besonders sieht Solowjew nunmehr, daß der russische Messianismus zum nationalen Panrussismus und konfessionellen Partikularismus entartet ist, und er führt dagegen einen scharfen Kampf in einer Reihe von Aufsätzen, die größtenteils gesammelt sind in „Die nationale Frage in Rußland". Die letzten 10 Jahre seines Lebens, die die dritte, die apokalyptische Periode ausmachen, lassen die messianische Begeisterung abflauen, verzichten schließlich ganz auf die Idee des Gottesreiches auf Erden und verlegen es in ein jenseitiges ewiges Reich. An die Stelle der messianistischen tritt jetzt die apokalyptische Geschichtsauffassung. In dieser irdischen Welt gebe es eben nicht den Frieden Gottes, sondern nur den Kampf. Der Reichsgedanke wird aber auch jetzt nicht aufgegeben, sondern erhält jetzt den der neuen Einsicht gemäßen Sinn, die Menschen zu sammeln für den Kampf mit dem Schwerte Christi gegen das Böse. Das letzte Geheimnis des Bösen liege nun aber in der freien Wahlentscheidung. Darum sieht Solowjew die Hauptaufgabe seines Lebens jetzt darin, die Hemmnisse, die dieser Wahlentscheidung im Wege stehen, zu beseitigen. Es gelte die volle Wahrheit herauszustellen, weil nur unter ihrer Voraussetzung eine letzte Verantwortung möglich wird. Und so bemüht sich Solowjew um den Aufbau der vollkommenen christlichen Philosophie. Die Pläne sind klar; für die Ausführung aber reicht die Kraft nicht mehr. Nur seine Ethik konnte er noch erschöpfend darstellen: „Rechtfertigung des Guten". Dann liegen noch mehr oder weniger ausgearbeitete

Entwürfe vor zur Erkenntnistheorie, Metaphysik, Ästhetik, Geschichtsphilosophie und Philosophie der Liebe. Diese letzten, besonders großartigen Schriften umfassen 1. Aufsätze, die den „Grundproblemen und Hauptgestalten der christlichen Philosophie und Mystik" gewidmet sind; 2. Beiträge zur Ästhetik (Schönheit als Offenbarung der Alleinheit) und Philosophie der Liebe; 3. Meisterwerke der letzten drei Jahre, darunter die klassischen „Drei Gespräche".

Werke und Literatur

Deutsche Gesamtausgabe der Werke von W. Solowjew. Hrsg. von W. Szylkarski. 8 Bde. (1953 ff.). — Eug. Trubetzkoi, Solowjews Weltanschauung. 2 Bde. (Moskau 1911—13 [russisch]. W. Szylkarski, Solowjews Philosophie der Alleinheit. Eine Einführung in seine Weltanschauung und Dichtung (Kaunas 1932). D. Strémooukhoff, V. Soloviev et son œuvre méssianique (Paris 1935). L. Müller, Schellings Einfluß auf Rußland. Archiv für Philosophie 3 (1949) 53—81.

4. HEGEL
Absoluter Idealismus

In Hegel erreicht der deutsche Idealismus seinen Höhepunkt. So pflegt man wenigstens unter dem Einfluß der von der Hegelschen Schule herkommenden Philosophie-Geschichtsschreibung zu sagen. Mit einer erstaunlichen Universalität des Wissens in Natur und Geschichte, mit echt metaphysischem Tiefgang und mit einzigartiger Radikalität versucht Hegel, das gesamte Sein als Geistsein und Geistschöpfung zu erweisen. Nicht nur im Anfang ist der Logos, er ist immer, schafft alles und ist alles. Weder beirrt ihn die Materie noch die Freiheit des Menschen. Und es ist nicht bloß so, daß wir nur das Walten des Logos erkennen, er selbst erkennt, wenn wir erkennen. Hegels Philosophie ist absoluter Idealismus, den man oft als Panlogismus verstehen will. Und wieder ist wie schon bei Schelling dieser Geist viel mehr als das sich zur Welt erweiternde Ich des subjektiven Idealismus Fichtes. Es ist der absolute Weltgeist selbst. Hegel kann sich darum nicht damit begnügen, ihn nur unter einem Aspekt zu sehen. Er zeichnet sein Bild, indem er alle Hauptmotive der abendländischen Geistesgeschichte zu einer kunstvollen Fuge zusammenfaßt, die griechische Seinsmetaphysik, die christliche Gottesspekulation und die weltliche Philosophie der Neuzeit mit ihrer Apotheose von Natur und Mensch. Hegel fühlt sich als die Erfüllung aller Versuche, die Welt sub specie aeterni zu betrachten, von der Logosidee Heraklits über Platon, Aristoteles, Augustin und Hochmittelalter bis herauf zu Spinozas Formel Deus sive substantia sive natura. Aber sein Denken ist mehr eine Überspannung als eine Erfüllung dieser abendländischen Metaphysik. Der alte Urbild-Abbild-Gedanke geht bei Hegel verloren, der wesentliche Unterschied von Gott und Welt, der Transzendenzgedanke also, verschwindet, der Logos resorbiert, was man bislang „Gegenstand" geheißen hat, das Identitätsprinzip taucht wieder auf, die Grenzen verschwimmen. Die Allseitigkeit wird so groß, daß man nicht mehr weiß, was nun gilt, weil alles gilt, alles sich darum gegenseitig aufhebt. Manche glauben, daß dies gerade die große Kunst Hegels ist. Oder soll man darin gerade die Selbstaufhebung Hegels sehen?

Leben und Werke

Georg Wilhelm Friedrich Hegel, 1770 zu Stuttgart geboren, ist auch wieder, wie die mit ihm befreundeten Schelling und Hölderlin, ein Schwabe, studiert mit ihnen am Tübinger Stift (vgl. oben S. 376), geht 1793 zunächst als Hauslehrer nach Basel und vier Jahre später als ebensolcher nach Frankfurt, wo er die Verbindung mit Hölderlin besonders intensiviert (sogenannte mystisch-pantheistische Periode, von ca. 1793—1800), doziert seit 1801 in Jena neben Schelling, mit dem er das Kritische Journal für Philosophie herausgibt, zieht dann infolge des Krieges nach Bamberg, wo er als Zeitungsredakteur tätig ist, und wird schließlich 1808 Gymnasialdirektor in Nürnberg. 1816 bekommt er eine Professur an der Universität Heidelberg, 1818 geht er nach Berlin, wo er zu seltenem Ruhm und Einfluß gelangt. 1831 ist er dort gestorben, wahrscheinlich an der Cholera. Von seinen Werken sind zunächst die 1907 von H. Nohl edierten theologischen Jugendschriften („Leben Jesu", „Die Positivität der christlichen Religion", „Der Geist des Christentums" u. a.) zu erwähnen, weil sie zum Verständnis des Ursprungs und auch des Zieles seiner Philosophie wichtig sind. Bedeutsam aus dieser Zeit, weil typisch für das Kommende, ist auch „Differenz des Fichteschen und Schellingschen Systems der Philosophie" (1801). Von seinen großen philosophischen Werken entstanden die „Phänomenologie des Geistes" 1807 zu Jena, die „Wissenschaft der Logik" 1812—16 zu Nürnberg (= Bd. III—V der alten Ausgabe bzw. 4 und 5 bei Glockner), die „Encyklopädie der philosophischen Wissenschaften" 1817 zu

Heidelberg (Kleine oder Heidelberger Encyklopädie geheißen = Bd. 6 bei Glockner) und die berühmten „Grundlinien der Philosophie des Rechts oder Naturrecht und Staatswissenschaft im Grundriß" 1821 zu Berlin. Dazu kommen noch die sogenannte große „Encyklopädie der philosophischen Wissenschaften im Grundriß", die die Logik, die Naturphilosophie und die Philosophie des Geistes behandelt (= Bd. VI, VII, 1 und VII, 2 der alten Ausgabe bzw. Bd. 8, 9 und 10 bei Glockner, und da jetzt „System der Philosophie" betitelt), die Vorlesungen über die Philosophie der Geschichte, über Ästhetik, über Philosophie der Religion und über Geschichte der Philosophie. — Ausgaben: G. W. F. Hegels Werke. Vollständige Ausgabe durch einen Verein der Freunde des Verewigten. 19 Bde. (1832—45). Ein anastatischer Nachdruck davon ist: Hegel, Sämtliche Werke. Jubiläumsausgabe in 20 Bänden, einer Hegel-Monographie und einem Hegel-Lexikon von H. Glockner (1951 ff.). (Danach wird hier zitiert unter Werke mit Band und Seite.) — Kritische Ausgaben vieler Werke in der Philosophischen Bibliothek bei Meiner besorgten G. Lasson, J. Hoffmeister u. a. Eine neue kritische Gesamtausgabe soll ebendort ab 1963 erscheinen: G. W. F. Hegel, Gesammelte Werke. Hrsg. im Auftrag der Deutschen Forschungsgemeinschaft unter Leitung von F. Nicolin.

Literatur

F. A. Staudenmaier, Darstellung und Kritik des Hegelschen Systems aus dem Standpunkt der christlichen Philosophie (1844). R. Haym, Hegel und seine Zeit. Vorlesungen über Entstehung, Wesen und Wert der Hegelschen Philosophie (1857). K. Fischer, Hegel. 2 Bde. (1901). W. Dilthey, Die Jugendgeschichte Hegels (1905) [= Dilthey, Gesammelte Schriften IV, 5—282]. R. Kroner, Von Kant bis Hegel. 2 Bde. (1921—24, ²1961). H. Leisegang, Denkformen (1928) 136 ff. N. Hartmann, Die Philosophie des deutschen Idealismus II (1929). Th. Haering, Hegel, sein Wollen und sein Werk. 2 Bde. (1929—38). G. Della Volpe, Hegel romantico e mistico (Firenze 1929). J. Schwarz, Hegels philosophische Entwicklung (1938). Th. Steinbüchel, Das Grundproblem der Hegelschen Philosophie (1933). Wesen, Wert und Grenze des deutschen Idealismus. In: Philosophisches Jahrbuch der Görres-Gesellschaft 44 (1931) 289—316. G. R. G. Mure, An Introduction to Hegel (Oxford 1940, ³1959). C. Hötschl, Das Absolute in Hegels Dialektik (1941). H. Niel, De la Médiation dans la Philosophie de Hegel (1945). I. Iljin, Die Philosophie Hegels als kontemplative Gotteslehre (1946). J. Hyppolite, Genèse et Structure de la Phénoménologie de l'Esprit de Hegel (Paris 1946). M. Heidegger, Hegels Begriff der Erfahrung.

Holzwege (1950) 105—192. H. A. Ogiermann, Hegels Gottesbeweise (1948). Th. Litt, Hegel (1953, ²1961). J. Hyppolite, Logique et Existence (Paris 1953, ²1962). B. Lakebrink, Hegels dialektische Ontologie und die thomistische Analektik (1955, ²1968). J. Ritter, Hegel und die Französische Revolution (1957). J. Möller, Thomistische Analogie und Hegelsche Dialektik. In: Tübinger Theologische Quartalschrift 137 (1957) 129—159. E. Heintel, Hegel und die Analogia entis (1958). Dazu E. Coreth, Zum Problem der Analogie. In: Innsbrucker Zeitschrift für Katholische Theologie 80 (1958) 430—445. A. Kojève, Hegel. Eine Vergegenwärtigung seines Denkens. Kommentar zur Phänomenologie des Geistes. Hrsg. von I. Fetscher (1958). G. E. Müller, Hegel. Denkgeschichte eines Lebendigen (1959). W. Seeberger, Hegel und die Entwicklung des Geistes zur Freiheit (1961). Hegel-Studien. Hrsg. von F. Nicolin und O. Pöggeler (1961 ff.). B. Lakebrink, Die Europäische Idee der Freiheit, I: Hegels Logik u. d. Tradition der Selbstbestimmung (Leiden 1968).

a) Von Kant zu Hegel

Wie immer wollen wir das Verständnis unseres Philosophen zu gewinnen suchen, indem wir die Situation klären, in der er steht.

α) Kritik an Kant und Fichte

Der Ausgangspunkt des Hegelschen Denkens ist Kant, und zwar dort, wo er nach Ansicht der deutschen Idealisten zu früh haltgemacht hat. Kant hatte nur die Formen des Gegenstandes der Erkenntnis der Spontaneität des Ich überlassen, so daß nur nach dieser Seite hin der Gegenstand durch die Kategorien des Geistes konstituiert wurde. Hegel bejaht diese Entscheidung und meint: „Das Prinzip der Unabhängigkeit der Vernunft, ihrer absoluten Selbständigkeit in sich, ist von nun an als allgemeines Prinzip der Philosophie, wie als eines der Vorurteile der Zeit anzusehen." Aber er fragt sofort: Ist ein so verstandener Gegenstand wirklich Objekt? und er antwortet: „Ob nun schon die Kategorien ... dem Denken als solchem zukommen, so folgt daraus doch keineswegs, daß dieselben deshalb bloß ein Unsriges und nicht auch Bestimmungen der Gegenstände selbst wären" (Gr. Encykl. § 42 Zus. 3 = Werke VIII, 131 Glockner). Wenn die Kantische Philosophie bei ihrer Seinserklärung nur jene eine Seite in Anschlag bringe, dann ist sie „bloß ein subjektiver (platter) Idealismus, der sich nicht auf den Inhalt einläßt" (a. a. O. § 46 = Werke VIII, 137 Glockner), worauf man aber nicht verzichten könne; denn wenn es nach einem alten Glauben der Menschen die Bestimmung des Geistes sei, die Wahrheit zu wissen, so liege darin weiter dieses, daß die Gegenstände, die äußere und innere Natur, überhaupt das Objektive, was es an sich ist, so sei, wie es als Gedachtes ist, daß also das Denken die Wahrheit der Gegenstände sei. Damit vollzieht sich bei Hegel ebenso wie bei Schelling ein Durchbruch zum objektiven Idealismus. Aber das ist nicht der dualistische Realismus, für den das Ich bestimmt wird durch das An-sich der Dinge; denn damit wäre es wieder um die Spontaneität geschehen, die Hegel, wie wir soeben sahen, gewahrt wissen will. Oder soll dann der Gegenstand vielleicht eine Setzung des Ich sein, wie Fichte es meinte, auch um die Freiheit zu retten? Dann gäbe es kein echtes Objekt, keine echte Wahrheit mehr, die Hegel, wie wir soeben auch hörten, ebenso in ihrer Vorgefundenheit stehen lassen will.

β) Absoluter Idealismus

So bleibt ihm nur der Ausweg, daß das Denken des Menschen, wo es Wahrheit ist und das Sein trifft, das Denken des Weltgeistes selbst ist, der die Dinge, indem er sie denkt, erschafft, wo darum Denken, Wahrheit und Sein zusammenfallen: „Das Absolute ist die allgemeine und eine Idee, welche als urteilend sich zum System der bestimmten Ideen besondert“ (a. a. O. § 213 = Werke VIII, 423); oder: „Das Sich-Urteilen der Idee in die beiden Erscheinungen“ (Geist und Natur) „bestimmt dieselben als ihre (der sich wissenden Vernunft) Manifestationen, und es vereinigt sich in ihr, daß die Natur der Sache, der Begriff, es ist, der sich fortbewegt und entwickelt, und diese Bewegung ebensosehr die Tätigkeit des Erkennens ist, die ewige an und für sich seiende Idee sich ewig als absoluter Geist betätigt, erzeugt und genießt“ (a. a. O. § 577 = Werke X, 475 Glockner). Das ist jetzt absoluter Idealismus. Denken, Sein, Wahrheit, alles ist identisch mit dem Geist. Darum also ist alles Vernünftige wirklich und alles Wirkliche vernünftig (s. unten S. 426). Kants Idealismus war ein kritischer gewesen und hatte sich nicht an den intellectus archetypus herangewagt. Hegel treibt Metaphysik trotz der Kantischen Kritik und treibt sie kühner denn je. Er weiß wieder um das objektive An-sich-Sein der Dinge, erklärt es sogar als Geist, ja als Selbstbestimmung an der absoluten Idee, und noch nicht genug damit, er sieht in der reinen Philosophie den intellectus archetypus selbst. Gott ist es, der im Philosophen philosophiert.

b) Dialektik der Idee

α) Geschichte des Seins und des Geistes

Aber hatte das nicht schon Schelling gesagt? Was die Identität von Geist und Natur angeht, ja. Aber etwas anderes habe er übersehen, und darüber sagt Hegel sich in der Vorrede zur Phänomenologie des Geistes von Schelling los. Es ist das Werden und die Entwicklung des Absoluten in notwendigen

αα) Das Werden des Seins

Denkschritten. Hier war Fichte schon weiter gewesen. Er hatte bereits eine Geschichte des Bewußtseins und damit des Weltseins gegeben, nur daß bei ihm alles im Subjektiven stecken geblieben war. Dem Subjektivismus hat Hegel die Absage erteilt, aber der Entwicklungsgedanke bleibt, und er soll nun dem Absoluten Inhalt und Fülle geben. Das Absolute soll als der selbsttätige Geist erfaßt werden, der in unablässig voranschreitender Selbstbestimmung sich entwickelt, aber über dem Vielen doch die Einheit nicht verliert, weil er alle Gegensätze immer wieder in sich selbst auflöst; denn er ist es ja, der alles wird und darin sich identisch bleibt als das Alleine, so daß er am Ende voll ist, was er in Wahrheit ist. Damit wird Hegels Idealismus zu einer typischen Philosophie des Werdens. Das Absolute braucht das Werden, um zu sich selbst zu finden, und begibt sich deshalb auf den Weg einer kontinuierlichen Entwicklung. „Das Wahre ist das Ganze. Das Ganze aber ist nur das durch seine Entwicklung sich vollendende Wesen. Es ist von dem Absoluten zu sagen, daß es wesentlich Resultat ist, daß es erst am Ende das ist, was es in Wahrheit ist" (Phänom. d. Geistes, Vorrede, S. 21 Hoffmeister = Werke II, 24 Glockner). Für Hegel werden jetzt die Gedanken „flüssig", es kommt zu einer „Bewegung der Begriffe", und „diese Bewegung der reinen Wesenheiten macht die Natur der Wissenschaftlichkeit überhaupt aus" (a. a. O. 31 = Werke II, 35 Glockner). Obwohl Platon schon sich gefragt hatte, ob Sein nicht auch Bewegung sei, und obwohl Aristoteles in der Bewegung eines der Prinzipien seiner Seinsphilosophie erkannt hatte, war man bis jetzt über die

Hegel, Fichte und Kant

Statik der Begriffe nicht Herr geworden. Hegel greift nun den dialektischen Gedanken Fichtes auf, der so etwas wie die Seele des Geistes, sein inneres Leben und seine eigentliche Funktionsweise zu erhellen vermag. Wieder haben wir Thesis, Antithesis und Synthesis. Der Begriff schlägt in sein Gegenteil um, aber die Gegensätze werden wieder in einer höheren Ebene, als ihrer Synthese, aufgehoben. Der neue Begriff ist wieder Thesis, führt wieder zur Antithesis und wird abermals aufgehoben, und so geht der Prozeß weiter, bis der Geist die ganze Welt der Gegenstände aus sich geboren hat. Aber über alle Verschiedenheit siegt die Einheit. Jetzt, mit der Philosophie des Werdens auf Grund des dialektischen Prozesses, haben wir eine „Bewegung des Begriffs" vor uns, und dazu hat die Rede vom Absoluten und Identischen nunmehr Inhalt und Fülle erhalten und ist nicht mehr bloß wie bei Schelling ein leerer, abstrakter Begriff, jenes Allgemeine, das nicht ausspricht, was darin enthalten ist (Phänom. d. Geistes, S. 21 = Werke II, 24 Glockner). Man kann den dialektischen Dreischritt über Fichte auch noch auf Kant zurückführen, dessen Idee der transzendentalen Deduktion darin fortlebt (s. oben S. 289 u. 367). Aber Hegels Dialektik sitzt noch etwas tiefer. Sie ist eine Erneuerung des Heraklitismus mit seiner Lehre von den Gegensätzen und dem Fluß der Dinge. „Den Seelen ist es Tod, zu Wasser werden, dem Wasser aber Tod, zu Erde werden, aus Erde aber Wasser wird, aus Wasser aber Seele." Hegel hat selbst bemerkt, daß es keinen Satz Heraklits gäbe, den er nicht in seine Logik aufgenommen hätte. Und wie bei Heraklit das Werden nicht formlos und in lauter Einmaligkeit verströmt, sondern begleitet wird vom Logos, nach dessen Maßen es sich entzündet und wieder erlischt, und es gerade die Gegensätze sind, an denen die begriffliche Ordnung sichtbar wird, so wird auch die Hegelsche Dialektik zu einer Geschichte der Begriffe, der Idee, des Geistes; denn der Dreischritt ist nicht nur das voranschreitende Werden, sondern in Thesis, Antithesis und Synthesis scheinen die Formen auf, in denen der Prozeß sein Sein besitzt. Hegel hat mit einzigartiger Meisterschaft die dialektische Methode auf allen Gebieten des philosophischen Wissens gehandhabt. Und immer war es seine besondere Eigenart, daß er dabei den objektiven Inhalt der Ideen enthüllte und zur Entwicklung brachte. Bei Fichte haftet der Dialektik noch etwas Willkürliches an entsprechend seiner voluntativen Grundeinstellung. Bei Hegel aber ist es der objektive Sinn der Idee selbst, was vorwärtsführt. Die Antithesis wird in der Thesis selbst gefunden, weil beide Begriffe qualitativ auf ein höheres Gemeinsames bezogen sind. Sein zum Beispiel und Nichts sind aufgehoben im Werden, Ent-

Hegel und Heraklit

ββ) Geschichte der Idee

stehen und Vergehen im Dasein, Geburt und Grab im Leben.

„Vermittlung" In dieser Dialektik der gegenseitigen Bestimmung der Begriffe auf dem Wege der Position und Negation haben wir die Hegelsche „Vermittlung" vor uns. Durch sie erhalten die Begriffe erst konkrete Fülle. Was sollen Worte wie Gott, das Absolute, das Ewige besagen, fragt Hegel, wenn sie abstrakt bleiben. „Sie sprechen nicht aus, was darin enthalten ist." Sowenig das Wort „alle Tiere" schon eine Zoologie ist, so wenig genügten jene unmittelbaren Abstrakte. Man braucht den Durchgang durch das andere, die Vermittlung, die Geschichte des Begriffes. „Was mehr ist als ein Wort, der Übergang auch nur zu einem Satze, enthält ein Anderswerden, das zurückgenommen werden muß, ist eine Vermittlung ... denn die Vermittlung ist nichts anderes als die sich bewegende Sichselbstgleichheit, oder sie ist die Reflexion in sich selbst ... die reine Negativität ... das einfache Werden" (Phänom. d. Geistes, S. 21 Hoffmeister = Werke II, 24 f. Glockner). Die klassische Stelle, an der Hegel die Idee der Vermittlung entwickelt, steht gleich zu Beginn der Phänomenologie bei der Behandlung der sinnlichen Gewißheit, wo versucht wird, das „Dieses" und „Jetzt" als vermittelt darzutun (a. a. O. 81 Hoffmeister = Werke II, 83 Glockner). Die Idee projiziert sich also in den Prozeß, in die Zeit, in das Werden, ohne ihr Selbst aufzugeben. Gerade in dieser inhaltlich sinnhaften Begriffsentwicklung zeigt sich, daß die Dialektik Hegels objektive Ideen- und Geistesgeschichte ist, wirkliche Ontologie, und nicht mehr nur Geschichte des Subjekts und seiner sittlichen Taten wie bei Fichte. Hegel steht näher bei der platonischen als der Fichteschen Dialektik, obwohl letzterer es war, der ihm sein Werkzeug in die Hand gedrückt hatte. Das Ganze aber ist wieder ein Beweis, wie weit der deutsche Idealismus über den Subjektivismus Kants hinausgedrungen ist und wie er wieder viel offener in der Nähe der klassischen Metaphysik von Antike und Mittelalter steht als Kant. Hegel war aber auch viel mehr Grieche gewesen als Kant.

β) Hegels Denkform

αα) Um das Widerspruchsprinzip

Hegels Dialektik scheint die Preisgabe zweier fundamentaler logischer Prinzipien zu verlangen, des Satzes vom Widerspruch und der Identität. Wenn zu Beginn seiner Logik das Sein als mit dem Nichts identisch erklärt wird oder das Etwas in ein Anderes übergehen kann, dieses wieder, und so immerzu, ja übergehen muß, weil alles Einzelne nur erkannt wird aus seiner Verwobenheit in das Ganze, dann sei das gleichzeitig ein Verstoß gegen das Widerspruchsprinzip wie auch gegen das der Identität, das die definite Selbständigkeit und Unterscheidbarkeit alles Einzelnen gegenüber allem anderen festhält (A ist A). Darum wird diese Dialektik nicht selten und von den verschiedensten Lagern aus unisono abgelehnt. „Von Hegels Philosophie ist kein Satz annehmbar, eben deshalb, weil jeder im Gegensatz zum Widerspruchsprinzip verstanden ist", schrieb ein Vertreter der scholastischen Philosophie (C. Nink), und ein Vertreter des modernen logistischen Empirismus (B. Russell) meint: „Wenn Hegel recht hätte, dann könnte kein einziges Wort anfangen einen Sinn zu haben, weil wir vorher schon den Sinn aller anderen Worte kennen müßten ... Bevor du den Satz verstehen kannst: John ist der Vater von James, muß du zunächst wissen, wer John ist und wer James. Wissen, wer John ist, heißt aber seine sämtlichen Eigentümlichkeiten wissen; denn ohne sie wäre er nicht von jemand anders zu unterscheiden. Aber seine Eigentümlichkeiten involvieren wieder andere Leute oder Dinge. Er ist zum Beispiel charakterisiert durch seine Beziehung zu seinen Eltern, seiner Frau, seinen Kindern, durch die Tatsache, ob er ein guter oder schlechter Mitbürger ist, und durch das Land, zu dem er gehört. All das mußt du wissen, bevor man von dir sagen kann, daß du weißt, worauf sich das Wort John beziehe. In deinem Streben, zu sagen, was du mit dem Wort John meinst, wirst du also Schritt für Schritt dazu gezwungen, über das ganze Universum Rechenschaft abzulegen, und dein anfänglicher Satz läuft daraus hinaus, daß du schließlich etwas über das Universum erzählst, nicht aber über die zwei Einzelmenschen John und James." Diese Ablehnungen Hegels beruhen auf einem Mißverständnis, das nur geklärt werden kann durch Aufhellung der Typik des Hegelschen Denkens, die eine spezifische „Denkform" darstellt, was allerdings voraussetzt, daß in Wechselwirkung mit der Erhellung der Hegelschen Denkform auch der Hegel-Kritiker sich über seine eigene Denkform klar wird. Damit stoßen wir zum eigentlichen Ursprung der Hegelschen Dialektik vor, und nur von hier aus wird sie verständlich. Wir nähern uns ihm durch die Erkenntnis der Rolle, die die Bibel im Leben Hegels gespielt

ββ) Hegel und die Bibel

hat. Der enragierte Dialektiker wird darin zwar nicht den eigentlichen Ursprung sehen, sondern höchstens einen historischen Anlaß, der das Denken Hegels, das seinen Sinn in sich selbst trage, nur ausgelöst hat. Trotzdem wird auch er das ideengeschichtliche Faktum nicht übersehen, weil es sich entscheidend auswirkt für die Deutung der dialektischen Bewegung, bei der manchmal die geprägte Form, die lebend sich gestaltet, nicht genügend gesehen wird. Schon Dilthey hatte in seiner Analyse der Jugendgeschichte Hegels auf dessen Interesse am Denken der Bibel und der Mystiker mit ihrer Alleinheitslehre hingewiesen. Hans Leisegang hat diese Anregungen zu Ende geführt und damit Entscheidendes zum Verständnis Hegels und seiner Gegner gesagt. Er verweist darauf, daß Hegels Denken über das Studium der Bibel zu der ihm eigentümlichen Form erwacht ist. Hier, besonders aber im Johannes-Evangelium, fand er, was für ihn so bezeichnend wurde, die Gleichsetzung von Gott, Geist, Wahrheit, Leben und Weg. Der Logos des Johannes-Evangeliums ist am Anfang, ist Gott, durch ihn ist alles geschaffen, er ist das Licht der Welt, kommt in die Welt, nimmt Fleisch an, damit alle, die an ihn glauben, Kinder Gottes werden. Das alles sagt Hegel auch von seiner Idee. Auch die Idee ist am Anfang, ist Geist und Gott, nimmt in der Natur Fleisch an, ist „außer sich", ist das Licht und Leben der Welt und will alle Welt wieder in sich zu Gott zurückführen. Im Johannes-Evangelium fand Hegel auch die Philosophie der Gegensätze, die in einer höheren Synthese aufgehoben werden: „Wenn das Weizenkorn nicht in die Erde fällt und stirbt, bleibt es allein; wenn es aber stirbt, wird es viele Frucht bringen"; „Ich bin die Auferstehung und das Leben, wer an mich glaubt, wird leben, wenn er auch gestorben ist." Mit 25 Jahren beginnt Hegel ein Leben Jesu zu schreiben. Es hebt mit dem Satz an: „Die reine, aller Schranken unfähige Vernunft ist die Gottheit selbst." Als er mit 42 Jahren die Ausarbeitung seines Systems unternimmt und seine Wissenschaft der Logik schreibt, setzt er in der Einleitung in Sperrdruck als Definition der Logik hin: „Die Logik ist sonach als das System der reinen Vernunft, als das Reich des reinen Gedankens zu fassen. Dieses Reich ist die Wahrheit, wie sie ohne Hülle an und für sich selbst ist. Man kann sich deswegen ausdrücken, daß dieser Inhalt die Darstellung Gottes ist, wie er in seinem ewigen Wesen vor der Erschaffung der Natur und eines endlichen Geistes ist" (Logik I, 31 Lasson = Werke IV, 45f. Glockner). Den Zeitpunkt, an dem Hegel in die philosophische Bewegung der Zeit eintrat, bezeichnet er als den philosophischen Karfreitag. Er sah seine Aufgabe darin, Gott zu neuem Leben zu erwecken. Kants angeblicher Nachweis der Unmöglichkeit aller spekulativen Metaphysik und speziell der alten Gottesbeweise hatte Gott als Gegenstand des Wissens aus der Philosophie vertrieben. Gott sollte nur noch geglaubt werden oder nach Schleiermacher Gegenstand des Gefühls sein. Und so formuliert Hegel in Hinsicht auf diesen Zeitgeist den Satz: „Gott ist tot." Aber, so fährt er fort, es liegt im Wesen Gottes, zu sterben und wieder lebendig zu werden. Diesen lebendigen Gott will er in seinem System aufweisen. Der ganze Weltorganismus sei Zeugnis für ihn; denn das Leben Gottes selbst hat ihn ja aus sich hervorgetrieben: Gott, die Wahrheit, das Universum: alles ist Leben. Und damit haben wir nun die typische Denkform der Hegelschen Philosophie in der Hand. Sie ist am Leben abgelesen und ist selbst auch lebendiges, organologisches Denken. Das Leben des Organismus ist ihr Urbild. Das Leben ist zunächst konzentriert in einem Samen; dann entfaltet es sich, legt sich auseinander in Stengel, Blätter und Blüten; zuletzt faßt es sich wieder zusammen in der Frucht und dem Samen, der wieder in die Erde fällt und denselben Kreislauf von neuem beginnt. Da der Geist für Hegel Leben ist, muß das Denken sich genauso enfalten wie der lebendige Organismus. „Die Entwicklung des Geistes ist Herausgehen, Sichauseinanderlegen und zugleich Zusichkommen", heißt es in den Vorlesungen über Geschichte der Philosophie (S. 109 Hoffmeister = Werke XVII, 51 Glockner). Das also ist der letzte Ursprung der Dialektik mit ihrer Thesis, Antithesis und Synthesis. Dialektisches Denken ist sich entfaltendes und wieder in sich zurückführendes Leben: „Der Keim in der Natur, nachdem er sich zu einem anderen gemacht, nimmt sich wieder in die Einheit zusammen; ebenso im Geiste; was an sich ist, wird für den Geist, und so wird er für sich selbst" (a. a. O.). „Vermöge der aufgezeigten Natur der Methode stellt sich die Wissenschaft als einen in sich geschlungenen Kreis dar, in dessen Anfang, den einfachen Grund, die Vermittlung das Ende zurückschlingt; dabei ist

γγ) Organologisches Denken

dieser Kreis ein Kreis von Kreisen; denn jedes einzelne Glied, als Beseeltes der Methode, ist die Reflexion-in-sich, indem sie in den Anfang zurückkehrt, zugleich der Anfang eines neuen Gliedes ist" (Logik II, 504 Lasson = Werke V, 551 Glockner). Hegels Denkform ist sonach der „Kreis von Kreisen", wie sie Leisegang im Anschluß an dieses Zitat geheißen hat. Das ist typisches Ganzheitsdenken, das Gegenteil des summistisch-atomistischen Denkens der Empiristen, so daß begreiflicherweise B. Russell damit nichts anfangen kann. Es geht immer aus von der lebendigen Fülle einer Ganzheit. Was wir im Erkennen an Gegenständen aufgreifen, ist ein Herausgreifen, ja ein Herausreißen („Abstraktion") aus einer Gesamtheit. Nur in dieser Isolierung sind die Dinge einander entgegengesetzt. Schaut man aber auf das Ganze, dann heben sich in ihm die Gegensätze auf. Ja man entdeckt in dem Dieses schon das Andere und umgekehrt. Die „Gegenstände" sind darum keine eigentlichen Gegenstände, sondern nur sogenannte „Momente" am Ganzen, und rein für sich betrachtet sind sie, wie Hegel sagt, „unwahr". Erst wenn alle Beziehungen aufgedeckt und so alles durchgegangen ist, ist die „ganze" Wahrheit erkannt. „Das Wahre ist das Ganze" (s. oben S. 412). Der dialektische Dreischritt aber ist der Weg zum Ganzen. Sein Gesetz heißt: nicht vorzeitig stehen bleiben. Wenn Russell meint, daß man hier nicht anfangen kann, einen Begriff zu denken, weil man vorher schon das ganze Universum wissen müßte, so ist das eine kleine Sophisterei. Natürlich kann man anfangen; aber aufhören kann man nicht so schnell, weil Hegel weiß, daß der Anfang nur ein Anfang ist.

γ) Alleinheit? Wenn Hegel nach dem Gesagten im Geist und seiner Dialektik Leben und Ganzheit sieht, dann ist das nicht bildlich zu verstehen, ist auch nicht im Sinne Kants eine nur subjektive Form, die der Natur Gesetze vorschreibt, und auch nicht im Stil der Abbildtheorie nur ein Nachzeichnen des Lebens der Natur, sondern der Geist ist selbst ein solcher Naturprozeß. Denken und Sein sind wie bei Parmenides dasselbe, worauf Hegel lobend verweist (Logik I, 26 Lasson = Werke IV, 39 Glockner). „Die reine Wissenschaft setzt somit die Befreiung von dem Gegensatz des Bewußtseins voraus. Sie enthält den Gedanken, insofern er ebensosehr die Sache an sich selbst ist, oder die Sache an sich selbst, insofern sie ebensosehr der reine Gedanke ist“ (a. a. O. 30 = Werke IV, 45 Glockner). Das in Kreisläufen pulsende Leben, das Hegel überall in seinem dialektischen Dreitakt entdeckt, in den Bewegungen der Materie ebenso wie in den organischen Gebilden und in den geistigen Schöpfungen, in der Pflanze, im Tier, im Menschen, in der Wissenschaft, in Recht, Sitte, Staat, Weltgeschichte, Kunst, Religion und Philosophie, dieses eine selbige All-Leben macht auch das Leben des menschlichen Geistes aus, in dem der Weltorganismus zum Bewußtsein erwacht. Und weil dieses All-Leben das Leben der Gottheit, des Absoluten, der Idee ist, darum kann Hegel sagen: „Der Mensch weiß nur von Gott, insofern Gott im Menschen von sich selbst weiß; dieses Wissen ist das Selbstbewußtsein Gottes. Der Geist des Menschen, von Gott zu wissen, ist nur der Geist Gottes selbst.“ Man nennt das alles gerne Panlogismus und hat angesichts dieses Panlogismus in Hegel häufig einen Vertreter der mystisch-pantheistischen Alleinheitslehre gesehen. Dilthey hat auf Grund verschiedener Zeugnisse der Jugendgeschichte Hegels, besonders angesichts der Elegie Eleusis an Hölderlin, eine romantisch-mystische Periode Hegels festgestellt. G. Della Volpe hat in seinem Buch Hegel romantico e mistico diese Periode noch besonders unterstrichen und als bezeichnend auch für den späteren Hegel erklärt. Leisegang verweist auf die starken Interessen Hegels an der neuplatonischen Mystik, an Proklos, Ps.-Dionysius und Eriugena. Die scholastisch orientierte Philosophie hat ihn so ziemlich einhellig als pantheistischen Identitätsphilosophen betrachtet. Th. Haering bestreitet jedoch die Richtigkeit dieser Deutungen. Hegel habe den pantheistischen Mystizismus und seine Alleinheitslehre abgelehnt; allerdings auch dessen Gegenteil, den abstrakten atomistischen Individualismus und den rationalistischen Dualismus, der „Gott und Welt auseinanderreißt und durch eine Kluft trennt“. Es sei ihm darum gegangen, beide Extreme in einer diese Einseitigkeiten aufhebenden Übereinheit zu verbinden. Es ist richtig, Hegel hat die „abstrakte Identität“ der Eleaten, Spinozas, Schellings und des ganzen „Akosmismus“, der das Viele nicht mehr als Realität gelten lassen wollte und nur das Eine sah, was man herkömmlicherweise als Pantheismus zu bezeichnen pflegt, abgelehnt (Gr. Encykl. §§ 50, 573 = Werke VIII, 144 ff.; X, 458 ff. Glockner) und hat, wie Haering

αα) Pantheistische Ansätze

ββ) Hegels Absichten

zeigte, vor und nach seiner sogenannten romantisch-mystischen Jugendperiode, ja auch innerhalb dieser Zeit sich gegen eine bloß gefühlsmäßige Geisteshaltung ausgesprochen, gegen jede das Individuum in das Absolute verflüchtigende und ebenso gegen jede die theistisch-persönliche Note der Geistesreligion aufhebende Form des Verhältnisses des Einzelnen zum Absoluten. Es sollte nur über der Selbständigkeit des Vielen und der ebenso betonten Selbständigkeit der Gegensätzlichkeiten auch wieder die Einheit gesehen, d. h. also eine Synthese von Pantheismus und Dualismus geschaffen werden. — Hängt aber trotz der persönlichen Willenserklärungen die „Übereinheit" nicht doch zu sehr nach der Seite der pantheistischen Alleinheitslehre, einfach deswegen, weil das Gewicht und die innere Logik seiner prinzipiellen Positionen Hegel dorthin ziehen? Muß sein „wahres" Absolutes, das er als solches von dem „abstrakten" der Pantheisten unterscheidet, nicht doch auch wieder den alten Weg gehen? Auch die patristisch-scholastische Philosophie erklärt das Seiende durch das Sein der ersten Ursache, die Sein schlechthin, ens a se ist; und auch dort wird in der subjektiven (logischen) Urteilswahrheit nur deswegen die ontologische Wahrheit und das Sein erfaßt, weil im intellectus agens jene Ideen aufleuchten und von sich aus „tätig" werden, deren Realisierung die veritas ontologica ist.

γγ) Die Aporien des Systems

Transzendenz?

Aber es besteht ein Unterschied! Das Absolute Hegels geht im Weltprozeß doch wohl ohne Rest auf: „Wenn das göttliche Wesen nicht das Wesen von Mensch und Natur wäre, so wäre es eben ein Wesen, das nichts wäre" (Phil. d. Weltg. 38 Lasson [3]1930); das ens a se der alten Metaphysik aber sah im Seienden nicht das Ganze des Seins, sondern nur das analoge Abbild, demgegenüber das Urbild „jenseits" bleibt, trotz der Teilhabe des Seienden an ihm. (Hier hätten wir übrigens die gesuchte Synthese!) Auch bei Cusanus wird Gott nur im Abbild expliziert (vgl. Bd. I, 578 ff.). Und ebenso bei Eckhart, dessen Formulierung Hegel im letzten Zitat fast wörtlich übernimmt. Bei Hegel fehlen diese retardierenden Momente, weil mit der Aufhebung des Gegensatzes von Denken und Sein im absoluten Wissen auch die Transzendenz aufgehoben ist und damit auch der Teilhabegedanke, die Urbild-Abbild-Zäsur und die analogia entis. Im sogenannten absoluten Wissen überwiegt trotz gegenteiliger

Behauptungen die Subjektseite, und darum ist es gar kein absolutes Wissen. Eben deswegen läuft der Gottesgedanke Gefahr, in der Welt unterzugehen. Der Grund wiederum für die Meinung, das Objekt in das Subjekt hereinholen zu müssen, lag in einer falschen Auffassung des Transzendenzbegriffs sowohl hinsichtlich des Gegenstandes überhaupt wie auch hinsichtlich Gottes. Er galt als das „ganz" und „unendlich andere", über das sich nichts mehr sagen lasse, weil in seiner Unendlichkeit alle Bestimmung, auch die analoge, untergehe. Diese Voraussetzung zeigt sich in vielen Äußerungen Hegels und der Hegel-Anhänger, wenn sie auf die platonische Idee oder die analogia entis zu sprechen kommen. Aber auch die Verteidiger lassen sich diese Voraussetzung vorgeben und wollen nun Brücken schlagen, wo keine geschlagen zu werden brauchen, weil Transzendenz eben nicht das ganz andere besagt, sondern zwischen Subjekt und Objekt, Denken und Sein, Welt und Gott eine Immanenz der Transzendenz besteht. Um das zu sehen, müßte man freilich die Analogieproblematik mehr aus den Tiefen der Texte heraus denken als aus dem, was in vordergründigen Formulierungen nur im Wort, oft auch im Schlagwort, angeboten wird. Dann dürfte übrigens die ganze Pantheismusdiskussion überflüssig werden. Eine ähnliche Situation obwaltet hinsichtlich des menschlichen Individuums. Es ist schwer, einzusehen, wie bei Hegel, wenn das Urbild-Denken entfällt, der subjektive Geist des Menschen noch ein individueller sein kann, wenn „sein Wissen das Selbstbewußtsein Gottes ist". Das ist nun doch wohl wieder Spinoza (s. oben S. 138). Hegel dürfte damit auch die pantheistische Variante der alten Nous-Lehre vertreten, der gegenüber Albert und Thomas in ihren Schriften gegen den averroistischen Monopsychismus schon früh geltend machten, daß dann nicht mehr ein Ich, sondern ein Es denkt. Es ist bei Hegel der Einzelne also doch gefährdet, wie übrigens auch das Einzelne; denn wie kann man Grenzen ziehen, wenn alles Dieses nur durch das Andere und das Ganze ist? Das scheint nun auch der wahre Kern zu sein, der in der These Russells steckt, daß man nach Hegel nicht sagen könne: John ist der Vater von James. Das auch war es, was Kierkegaard immer wieder gegen Hegel ins Feld führte, wenn er betonte, daß in seinem System alle Persönlichkeit und mit ihr alle freie Entschei-

Individualität?

dung und Verantwortung herabgedrückt würde zu einem „Moment" am Weltprozeß, der mit seinem Es das Ich aufhebe, so daß damit auch das unmöglich würde, was diesem homo religiosus besonders am Herzen lag, das echte Ich-Du-Verhältnis von Mensch und Gott, in welchem der Mensch wirklich Kreatur und Gott wirklich Gott sein kann. Für den Menschen Hegels, in dessen Geist der absolute Denkgeist selbst sich entfaltet, kann Gott nicht mehr das maiestosum und tremendum sein. Es dürfte in der Hegelschen Philosophie auch schwer werden, daß es echte Heroen gibt; auch wieder wegen des Mangels echter Individualität; auch der Heros ist für ihn nur ein „Moment" am Ganzen; dieses Ganze und seine Notwendigkeit bildet das eigentliche Aktivum. Es ist bezeichnend, daß Hegel nie zu einer eindeutigen Äußerung über die persönliche Unsterblichkeit kam. Er konnte nicht dazu kommen. Eine letzte Aporie der Dialektik des Absoluten ist schließlich gegeben mit dem logisch Amorphen, dem Unvernünftigen, dem Kranken und Bösen. Hegel steht da vor der gleichen Schwierigkeit wie Platon und jeder Idealismus angesichts der Materie und des Bösen. Platon ließ es stehen als ein Nichtseiendes. Auch für Hegel ist es kein wahres Sein. Aber sein Panlogismus dürfte davor nicht haltmachen. In der Philosophie der Weltgeschichte wird es denn auch in den Prozeß aufgenommen. Es darf sein und muß sein. Dadurch wird die Weltgeschichte zum Weltgerichte. Es ist aber nicht mehr wie bei Leibniz Strafe und Mittel zum Zweck, sondern alles wird bejaht, auch Krieg, Gewalttaten, Grausamkeiten, Rechtsbrüche. Alles hat einen Sinn, einfach indem es ist. Alles ist ein Stadium auf dem Weg, auf dem das Absolute zu sich selbst findet. Hier vollzieht sich in der Philosophie Hegels ein ähnlicher Umbruch wie bei Spinoza, der ebenfalls mit der platonischen Idee und ihrer Betrachtung der Welt sub specie aeterni anfing und dann in seiner Staatsphilosophie in den Naturalismus des Hobbes umkippte (vgl. oben S. 147). Und damit kommt nun ganz zum Vorschein, daß der „Gott" Hegels doch wohl ein nur weltimmanenter sein muß. Das Absolute und seine Vernunft bilden kein selegierendes Prinzip mehr. Hegel hat zuviel erklärt. Er hat den Logos überspannt. Wenn alles Logos ist, ist der Logos nichts mehr. Es geht nicht nur Gott ohne Rest in der Welt auf, sondern auch die Welt ohne Rest in Gott. Damit aber

Religiosität? Heroismus? Das Unvernünftige?

erhält der Satz: „Wenn das göttliche Wesen nicht das Wesen von Mensch und Natur wäre, so wäre es eben ein Wesen, das nichts wäre", einen Sinn, der die Umkehrung eines antik-mittelalterlichen Gedankens ist. Die Welt ist jetzt die Ursache Gottes. Der Geist der Philosophie der Neuzeit, der sich seit der Renaissance mehr an der Welt als an Gott orientiert, war bei Hegel doch stärker als das Erbe der Alten.

c) Das System

Was Hegel mit seiner Dialektik geschaffen hat, ist ein philosophisches System von so riesigen Ausmaßen, wie es vor und nach ihm sonst nicht mehr in dieser Fülle und Detailarbeit entworfen wurde. Und was von Hegel blieb, ist nicht eigentlich die dialektische Methode selbst — sie war ohnehin etwas ganz Persönliches und mehr eine unnachahmliche Kunst als eine allgemeine wissenschaftliche Technik —, auch nicht das System als solches, sondern vielmehr eine Fülle von tiefen und genialen Gedanken, die in seinen Werken bald hier, bald dort ausgesprochen werden. Trotzdem soll das System in seinen Grundzügen kurz umrissen werden. Es gliedert sich in Logik, Naturphilosophie und Philosophie des Geistes. Die Logik behandelt die Idee in ihrem An-und-für-sich, die Naturphilosophie die Idee in ihrem Anderssein, die Philosophie des Geistes in ihrer Rückkehr zu sich selbst in ihrem Bei-sich-Sein.

α) Logik

Die Logik Hegels ist nicht wie üblich eine Wiederholung des Aristotelischen Organon, sondern will die Darstellung der reinen Gedanken sein, die absolute Methode des Erkennens, „der sein Wesen denkende Geist". In der Phänomenologie hatte Hegel das Bewußtsein in seiner Fortbewegung von dem ersten unmittelbaren Gegensatz seiner und des Gegenstandes bis zum absoluten Wissen dargestellt. Es war eine Bewegung auf dem Grunde der reinen Wesenheiten. Sie machen nun den Inhalt der Logik aus (Logik I, 7 Lasson = Werke IV, 18 Glockner). Darum ist die Logik als „das System der reinen Vernunft, als das Reich des reinen Gedankens zu fassen. Dieses Reich ist die Wahrheit, wie sie ohne Hülle an und für sich selbst ist. Man kann sich deswegen ausdrücken, daß dieser Inhalt die Darstellung Gottes ist, wie er in seinem ewigen Wesen vor der Erschaffung der Natur und eines endlichen Geistes ist" (a. a. O. I, 31 Lasson =

αα) Logik als Theologik und Metaphysik

Werke IV, 45 f. Glockner). Hegel unterscheidet drei Teile der Logik: Logik des Seins, des Wesens und des Begriffs. Die ersten beiden Teile bilden die objektive, der dritte die subjektive Logik. Die objektive Logik „tritt an die Stelle der vormaligen Metaphysik, als welche das wissenschaftliche Gebäude über die Welt war, das nur durch Gedanken aufgeführt sein sollte". Sie umfaßt zunächst die Ontologie und erforscht das Sein als Sein sowie das Wesen; dann aber auch die übrige Metaphysik, „insofern als diese mit den reinen Denkformen die besonderen, zunächst aus der Vorstellung genommenen Substrate, die Seele, die Welt, Gott, zu fassen suchte und die Bestimmungen des Denkens das Wesentliche der Betrachtungsweise ausmachten. Aber die Logik betrachtet diese Formen frei von jenen Substraten, den Subjekten der Vorstellung, und ihre Natur und Wert an und für sich selbst. Jene Metaphysik unterließ dies und zog sich daher den gerechten Vorwurf zu, sie ohne Kritik gebraucht zu haben, ohne die vorgängige Untersuchung, ob und wie sie fähig seien, Bestimmungen des Dinges-an-sich, nach Kantischem Ausdruck, oder vielmehr des Vernünftigen, zu sein. Die objektive Logik ist daher die wahrhafte Kritik derselben, eine Kritik, die sie nicht nach der abstrakten Form der Apriorität gegen das Aposteriorische, sondern sie selbst in ihrem besonderen Inhalte betrachtet" (a. a. O. I, 46 f. Lasson = Werke IV, 64 f. Glockner). Eine Erkenntnis, die nicht den Gegenstand, wie er an sich ist, erkannte, wäre keine Erkenntnis (a. a. O. 27 = Werke IV, 41 Glockner). Da ist also die alte Metaphysik wieder auferstanden und in ihrer ganzen Reinheit auferstanden als Wissenschaft von den Ideen. Aber es soll nicht mehr die platonische Ideendialektik sein, sondern seine höchst eigene, die Dialektik der Vermittlung und der reinen Negation. Kant wird, nachdem er noch honoris causa erwähnt worden war, ohne weiteres beiseite geschoben. Sein Apriorismus ist erkannt; er ist nur etwas „Abstraktes", ist sublimierte Erfahrung, veredelter Psychologismus. Hegel aber will das Sein schauen, wie der intellectus archetypus es schaut, der es schuf. Er ist ja auch, wie wir hörten, der Überzeugung, daß der Weltgeist selbst es ist, der in ihm philosophiert. Die Logik Hegels bearbeitet nun wieder ein Gebiet, von dem Kant immer gesagt hatte, daß es unbetretbar sei. Woran man erkennen kann, welcher Wandel der Dinge sich im deutschen Idealismus vollzogen hat. Der Bann Humes ist gebrochen. Der subjektive und kritische Idealismus ist abgelöst durch den objektiven und absoluten Idealismus. Im einzelnen behandelt die Logik in der Lehre vom Sein: 1. Qualität, Sein, Nichtsein, Werden, Dasein, Endlichkeit, Unendlichkeit, Fürsichsein, Eins und Vieles, Repulsion und Attraktion; 2. Quantität; 3. Maß. In der Lehre vom Wesen: 1. Wesenheit als Grund der Existenz; 2. Erscheinung; 3. Wirklichkeit. In der Lehre vom Begriff: 1. der subjektive Begriff; 2. das Objekt; 3. die Idee. Gleich zu Beginn der Lehre vom Sein erfolgt jene Identifizierung von Sein und Nichts, die viele an Hegel wegen des vermeintlichen Verstoßes gegen das Widerspruchsprinzip sofort irre werden läßt, die aber, wie gezeigt, aus der Typik seiner Denkform heraus verstanden werden kann.

ββ) Einteilung der Logik

Die Naturphilosophie gibt auf die von Descartes mit seiner Trennung von res cogitans und res extensa geschaffene Substanzproblematik zu den vielen schon vernommenen Lösungsversuchen — Occasionalismus, Spinoza, Hobbes, Berkeley, Leibniz, Kant, Fichte, Schelling — eine neue Antwort: Die Natur ist das Anderssein der Idee. Theologisch gesprochen: In der Natur hat der Logos sich selbst entäußert, hat Fleisch angenommen, wir haben seine Herrlichkeit gesehen und sollen nun durch sein Licht, das Licht der Idee, Geist werden, so daß das All zurückkehren kann zum Absoluten. „Wie kommt Gott dazu, sich zu einem schlechthin Ungleichen zu entschließen?“ fragt sich Hegel und antwortet: „Die göttliche Idee ist eben dies, sich zu entschließen, dieses Andere aus sich herauszusetzen und wieder in sich zurückzunehmen, um Subjektivität und Geist zu sein“ (Werke IX, 49 Glockner). Die Natur ist also für Hegel ein Stück Weltprozeß. Der Philosoph faßt sie nicht so sehr nach ihrer Statik als nach ihrem Werden, weil nur so über die oberflächliche Betrachtung hinaus zur inneren Mitte der Dinge vorgestoßen werden kann. Das ganze 19. Jahrhundert steht unter dem Zeichen der geschichtlichen Betrachtungsweise, auf allen Gebieten des Wissens. Der Entwicklungsgedanke ist eine seiner Leitideen. Hegel war einer der großen Wegweiser der auf den Prozeß bedachten Methode. Natur ist ihm Geschichte, Entwicklung. Aber seine Entwicklung ist sinngesteuert, ist nicht die mechanische der materialistischen Evolutionisten um die

β) Naturphilosophie

αα) Natur als Entwicklung

Mitte des Jahrhunderts, für die alle Formen, Seinsschichten und Wertstufen eingeebnet werden auf die nur kausal determinierte Atombewegung in Raum und Zeit, wo darum alles einerlei ist und es keine grundsätzlichen Unterschiede mehr gibt (kategorialer Monismus) und wo „ein Schimmelpilz und die Neunte Symphonie sich einander gleichstehen als Hervorbringungen innerhalb desselben Evolutionsvorganges" (Gg. Lasson). Für Hegel aber geht die Natur einen Werdeprozeß ein im Stil des neuplatonischen Denkens und seiner idealistischen Morphologie: es gibt Sinnzusammenhänge, ewige Formen, Seins- und Wertstufen. Ihre Vielheit ist nicht mehr auf anderes reduzierbar, sondern steht als wesenhaft verschieden nebeneinander oder übereinander (kategorialer Pluralismus). Der Prozeß ist darum geordnet und steuert schließlich auf ein höchstes Ziel zu, auf das Beisichsein der

ββ) Natur als Idee

Idee. Und: die Idee ist immer das eigentlich Wirkliche. Für die Natur gilt ebenso wie für das geistige Universum Hegels berühmtes Wort: „Was vernünftig ist, das ist wirklich; und was wirklich ist, das ist vernünftig. ... Darauf kommt es dann an, in dem Scheine des Zeitlichen und Vorübergehenden die Substanz, die immanent, und das Ewige, das gegenwärtig ist, zu erkennen. Denn das Vernünftige, was synonym ist mit der Idee, indem es in seiner Wirklichkeit zugleich in die äußere Existenz tritt, tritt in einem unendlichen Reichtum von Formen, Erscheinungen und Gestaltungen hervor und umzieht seinen Kern mit der bunten Rinde, in welcher das Bewußtsein zunächst haust, welche der Begriff erst durchdringt, um den inneren Puls zu finden und ihn ebenso in den äußeren Gestaltungen noch schlagend zu fühlen" (Rechtsph. S. 14 Lasson = Werke VII, 33f. Glock-

γγ) Einteilung der Naturphilosophie

ner). Das von der Naturphilosophie Hegels so bearbeitete Feld ist: 1. die Mechanik mit Raum, Zeit, Bewegung, Materie, Schwere, allgemeiner Gravitation; 2. die Physik mit den Themen Weltkörper, Elemente, spezifische Schwere, Kohäsion, Klang, Wärme, chemischer Prozeß; 3. die Organik mit der Behandlung des Erdorganismus, der Pflanze und des Tieres. Die Philosophie des Geistes muß auf die Philosophie der

γ) Philosophie des Geistes

Natur folgen, weil Geist das Ziel des Naturprozesses ist: „Das Ziel der Natur ist, sich selbst zu töten, sich als Phönix zu verbrennen, um aus dieser Äußerlichkeit verjüngt als Geist hervorzutreten." Geist ist Beisichsein der Idee, ist in sich zurückgekehrte Idee. Auch der Geist hat Stufen. Es gibt 1. den subjektiven Geist, der in der Anthropologie (Beziehungen der Seele zu Klima, Jahreszeiten, Tag und Nacht in ihrem Wechsel, Rasse, Nation, Lebensart, Temperament, Familieneigenarten, Lebensalter, Geschlecht), Phänomenologie (Gefühl, Bewußtsein, Wahrnehmung, Verstand, Vernunft) und Psychologie (Intelligenz, Wille, Sittlichkeit) zur Sprache kommt; 2. den objektiven Geist, der hinter Recht, Moralität und Sittlichkeit steht; 3. den absoluten Geist, der in Kunst, Religion und Philosophie gegeben ist. In der Kunst unterscheidet Hegel als Stufen die orientalische als die symbolische Kunstform, die griechische als die klassische, die christliche als die romantische Kunstform. In der Religion sind die Stufen der Entwicklung: die Naturreligion (chinesische, indische, buddhistische usw.), die Religion der geistigen Individualität (jüdische, griechische, römische) und die absolute Religion oder das Christentum. αα) Einteilung

Etwas vom Berühmtesten aus der Philosophie Hegels — nach dem Urteile vieler vielleicht ihr wertvollstes Kapitel überhaupt — ist seine Lehre über den objektiven Geist und dessen Formen in Recht, Moralität und Sittlichkeit. Sie bildet zugleich seine Staatsphilosophie. Der grundlegende Begriff ist der Begriff der Freiheit; denn in der Entfaltung des objektiven Geistes entfaltet sich gerade das Reich der Freiheit. Hegel beschreibt zunächst phänomenologisch die Formen der Freiheit. Es gibt eine „Freiheit", die nichts anderes ist als die allgemeine Wollensfähigkeit des Menschen („natürlicher" freier Wille); eine andere „Freiheit" ist jene, die sich willkürlich nach Neigungen und Interessen, auf Grund pathologischer Affektionen würde Kant sagen, für diese oder jene materiell vorgefundenen Inhalte entscheidet, in Selbstbestimmung zwar, aber doch in Abhängigkeit von den Dingen (Freiheit der „Willkür"); und schließlich gibt es eine „Freiheit", in der natürliches Wollen und individuelle Willkür „aufgehoben" sind im Allgemeinen, ideell Richtigen. Letztlich ist dieses Allgemeine nichts anderes als der Wille des Weltgeistes selbst, der als die Seele des objektiven Geistes über dessen Stufen in Recht, Moralität und Sittlichkeit zu sich selbst kommt. Hier begegnet sich Hegel mit dem Geiste der platonischen Politeia, die auch in dem Menschen, der zum Idealwillen gefunden hat, den eigentlich freien ββ) Recht und Staat Freiheit

Menschen sieht, oder mit Spinoza, für den frei das Ding heißt, das so ist, wie es kraft der Notwendigkeit seiner Natur sein muß. Ein erster Versuch auf dem Weg zur Freiheit ist das Recht, zunächst einmal als Summe der Gesetze genommen. Es beschränkt nur die Willkür, nicht aber die Freiheit, zu der es vielmehr verhelfen will. Aber es ist noch ein unvollkommener Versuch. Denn die Summe der Gesetze betrachtet die Menschen unter Absehung von ihrer Individualität ganz abstrakt nur als lauter gleiche Nummern. Dieses „abtsrakte oder formelle" Recht, das in der Hauptsache Eigentumsrecht, Vertragsrecht und Strafrecht ist, ist eine Notwendigkeit und auch ein Wert, aber doch eigentlich eine Halbheit, weil es die Individualität in ihrer Eigenständigkeit nicht berücksichtigen kann. Und das Rechtsgebot lautet doch: „Sei eine Person und respektiere die anderen Personen!" Gerade als Person auch hat man das Recht auf Eigentum; denn der Besitz ist nichts anderes als das Dasein, das die Person ihrer Freiheit gibt, eine Art Verkörperung ihres Willens. Aber auch das Vertragsrecht ist vom Willen und der Freiheit der Personen her zu verstehen: zwei Willen verschmelzen hier zu einem Willen. Und sogar das Strafrecht setzt die Anerkennung des Verbrechers als rechtsfähiger Person voraus. Darum muß das abstrakte Recht, vor dessen Buchstaben alle Menschen nur gleiche Nummern sind, ergänzt werden durch die „Moralität" oder die Kräfte der Ethik, wo der Einzelne mit seinem persönlichen Gewissen sich einsetzen und entscheiden kann. Hegel bleibt also in seiner Rechtsphilosophie nicht stehen bei einem Rechtspositivismus, der nur das faktisch in Zeiten und Räumen gerade geltende allgemeine Gesetz kennt. Er sieht aber auch sofort, daß die Moralität die Gefahr der Zersplitterung und Rechtsunsicherheit mit sich bringen könnte. Darum geht seine Rechtsphilosophie noch einen Schritt weiter und überhöht Recht und Moral durch die „Sittlichkeit", die — in etwas eigenwilliger Terminologie — beides, Recht und Moral, zusammenfaßt. Ihre Elemente sind Familie, bürgerliche Gesellschaft und Staat. Aber erst der Staat bringt jene vollkommene organische Synthese, wo Recht und Moral, Individuum, Familie und bürgerliche Gesellschaft in einer Einheit so verbunden sind, daß die Einzelpersonen Personen sind und doch aus dem Ganzen heraus leben, so daß der Gleichklang aller

Moralität

Sittlichkeit

Staat

gewahrt ist. Der Staat wird von Hegel ganz konkret verstanden. Er sieht in ihm sogar eine lebendige Person. Sein Geist, der „Volksgeist", soll für jeden Einzelnen etwa das sein, was die Seele für den Leib ist. Im Volksgeist offenbart sich der objektive Geist. Durch die besonderen Volksgeister hindurch steigt dann der objektive Geist zur Weltgeschichte empor und wird zum allgemeinen „Weltgeist", dessen Recht das höchste Recht überhaupt ist. Obwohl also eigentlich erst hier der objektive Geist ganz Idee und absolut ist, hat Hegel trotzdem schon den Staat, der doch immer noch eine Individualität und etwas raum-zeitlich Gebundenes darstellt, schlechthin idealisiert. Der Staat ist ihm die „selbstbewußte sittliche Substanz" (Gr. Encykl. § 535 = Werke X, 409 Glockner), „die Wirklichkeit der sittlichen Idee" und „als die Wirklichkeit des substantiellen Willens... das an und für sich Vernünftige. Diese substantielle Einheit ist absoluter, unbewegter Selbstzweck, in welchem die Freiheit zu ihrem höchsten Recht kommt, so wie dieser Endzweck das höchste Recht gegen die Einzelnen hat, deren höchste Pflicht es ist, Mitglieder des Staates zu sein" (Rechtsphil. § 258, S. 195 Lasson = Werke VII, 329 Glockner). In den von E. Gans stammenden, aber, wie er behauptet, auf Hegel zurückgehenden Zusätzen, heißt es: „Es ist der Gang Gottes in der Welt, daß der Staat ist; sein Grund ist die Gewalt der sich als Wille verwirklichenden Vernunft. Bei der Idee des Staates muß man nicht besondere Staaten vor Augen haben, nicht besondere Institutionen, man muß vielmehr die Idee, diesen wirklichen Gott, für sich betrachten" (a. a. O. Zusatz zu § 258, S. 349 Lasson = Werke VII, 336 Glockner). „Das kälteste aller kalten Ungeheuer" Nietzsches ist also bei Hegel ein Gott. Beide Philosophen tragen etwas stark auf und scheinen vor dem Staat die Fassung verloren zu haben. Hegels Apotheose des Staates hat aber nicht wenig beigetragen zur Steigerung des Glaubens an die Staatsallmacht und zur Minderung der Zivilcourage und des Freiheitsbewußtseins. Es ist aber nicht so, daß etwa die Staatsträger ihn, allzu konkret denkend, einfach auf sich und ihren Fall bezogen hätten, nicht ahnend, daß Hegel vom Staat an sich spreche. Hegel meint schon die konkret hic et nunc bestehenden Verhältnisse und nicht einen Idealstaat. Ausdrücklich sagt er: „Jeder Staat, man mag ihn auch nach den Grundsätzen, die

Grenzen Hegels

man hat, für schlecht erklären, man mag diese oder jene Mangelhaftigkeit davon erkennen, hat immer, wenn er namentlich zu den ausgebildeten unserer Zeit gehört, die wesentlichen Momente seiner Existenz in sich ... Der Staat ist kein Kunstwerk; er steht in der Welt, somit in der Sphäre der Willkür, des Zufalls und des Irrtums, übles Benehmen kann ihn nach vielen Seiten defigurieren. Aber der häßlichste Mensch, der Verbrecher, ein Kranker und Krüppel ist immer noch ein lebender Mensch; das Affirmative, das Leben, besteht trotz des Mangels, und um dieses Affirmative ist es hier zu tun" (a. a. O.). Zwei Dinge fallen an dieser Staatsauffassung auf. Einmal das Übergewicht des Ganzen gegenüber dem Individuellen. Gegenüber einem so verstandenen Staat kommt keine Freiheit mehr auf. Jene „Freiheit" Hegels, die im ideal Richtigen natürliches Wollen und individuelle Willkür aufheben möchte (s. oben S. 427), ist ohnehin ein gefährlicher Begriff. Die Fassung der Staatsidee verschärft die Bedrohung der Freiheit im Denken Hegels noch mehr. Die Synthese zwischen Persönlichkeit und Allgemeinheit, die der Staat sein soll, ist einseitig durchgeführt und keine wirkliche Synthese. Es ist wieder wie in der Metaphysik Hegels, wo auch die eine Seite, das Alleine, das Übergewicht hatte. Wir stoßen hier auf die Grenzen der Hegelschen Denkformen. Unser Philosoph sieht das Verhältnis der menschlichen Individuen zu ihrer Gemeinschaft genau so wie das Verhältnis der Glieder zu ihrem Organismus. Allein der Mensch steht freier zu seiner Ganzheit als die Teile eines biologischen Organismus. Er steht in einer Ganzheit, ja; aber weil er Mensch ist und mit ihm eine höhere Seinsschicht auftaucht mit größerer Freiheit als im Sein unter ihm, ist er auch pluripotenter und das Ganze ihm gegenüber nicht mehr omnipotent wie in biologischen Bezirken. Sein Verhältnis zum Staat ist differenzierter als in einem allgemein biologischen Organismus. Und dann fällt auf, daß der Staat Hegels unter allen Umständen bejaht werden muß, auch wenn er defiguriert ist. Der häßlichste Mensch ist noch Mensch, und der häßlichste Staat soll also noch ein Gott sein. Der Vergleich hinkt, spricht aber eindeutig für den Naturalismus. Wie Spinoza fällt auch Hegel in seiner Staatsphilosophie von sich selber ab. Die Idee ist nicht mehr ein selegierendes Prinzip, sondern was immer auch in Raum und Zeit ist, ist jetzt auch Idee.

γγ) Weltgeschichte

Klar zeigt sich die Deckung des Idealen und Realen in Hegels Philosophie der Weltgeschichte. Die Geschichte ist die „Auslegung des Geistes in der Zeit“. Hier läßt die Vernunft die Interessen und Leidenschaften der Menschen und Völker für sich selbst wirksam werden. Es ist die „List der Vernunft“ (Werke V, 226; VI, 127; VIII, 420 Glockner), sich dieser Interessen und Leidenschaften zu bedienen, um so ihr Ziel zu erreichen; auch gegen den Willen der Individuen. Eine besondere Rolle spielen dabei die einzelnen Volksgeister. Ziel der ganzen Entwicklung sei die allgemeine Freiheit. Die Weltgeschichte beginnt im Osten, aber erst im Westen ginge das Licht des Selbstbewußtseins auf. Im Osten weiß nur einer, daß er frei ist; in der griechisch-römischen Welt sind es nur einige; in der germanischen aber sind alle frei. Der Osten ist das Kindheitsalter der Menschheit. Der griechische Kulturkreis ist das Jünglingsalter, und hier treffen wir erstmals auf subjektive Freiheit. Der römische Kulturkreis bildet das Mannesalter der Geschichte. Hier gibt es nur die harte allgemeine Pflicht, und die Individuen werden der Ganzheit bedenkenlos geopfert. Immerhin, es entsteht der Begriff der rechtsfähigen Person. Dann geht der Geist wieder in sich selbst zurück und beginnt das Leben der Innerlichkeit, wo absoluter Wille und Wille des Subjektes einig sind: Epoche des Christentums. Es ist das Zeitalter der germanischen Völker, mit denen die Weltzeit in ihr Greisenalter eintritt und der Versöhnung der Gegensätze entgegengeführt wird. Der ganze weltgeschichtliche Prozeß schreitet voran nach dem Gesetz des dialektischen Dreischritts. Wie bei Heraklit ist wieder der Krieg der Vater aller Dinge. Die Gegensätze sind es, die weiterführen und die neue Synthese erzwingen. Und die Kräfte, die dabei eingesetzt werden und in Gegensatz treten, sind die einzelnen Volksgeister. Der Weltgeist geht von einem Volk zum andern über. Die Völker steigen empor und gehen unter. Immer ist das herrschende Volk im Recht und sind die anderen ihm gegenüber rechtlos. So will es der Weltgeist auf seinem Weg zur selbstbewußten Freiheit. Die Weltgeschichte wird zum Weltgerichte. Ein etwas sonderbares Weltgericht! Einmal, weil hier alles Recht ist, was ist; und dann, weil alles notwendig vor sich geht nach dem Gesetz des dialektischen Dreischrittes und insofern nichts mehr zu richten übrig bleibt. Die Hegelsche Weltgeschichte verläuft als reine Faktizität. Es gibt gar keine quaestio iuris. Man kann in Hegels Philosophie der Weltgeschichte ein Vorspiel zu Nietzsches Machtideologie sehen. Dieses Vorspiel wurde eröffnet in dem Augenblick, wo Hegel das Erstgeburtsrecht der Idee dem Identitätsgedanken zum Opfer brachte. Der Panlogismus ist eine Überspannung des idealistischen Gedankens. Wenn es nichts logisch Amorphes mehr gibt, hat die Idee keinen Sinn mehr.

δδ) Religion

Auch in seiner Religionsphilosophie verfolgt Hegel die Linie eines absoluten Idealismus. Religion ist in ihrer höchsten Idee nicht die Angelegenheit eines Menschen, „sondern sie ist wesentlich die höchste Bestimmung der absoluten Idee selbst". Die Philosophie kann darum die Religion begreifen. Gottesbeweise sind grundsätzlich möglich, die Religion kann gelehrt werden, ihr Gegenstand, das Absolute, fällt in der Sache mit der Philosophie zusammen, und der Unterschied ist nur der, daß die Philosophie denselben Gegenstand begrifflich erfaßt, die Religion aber in der Vorstellung. Religion ist darum „Wissen von Gott", „die höchste Sphäre des menschlichen Bewußtseins". Dann kommen wieder die dialektischen Stufen der geschichtlichen Entwicklung. Die unterste Stufe bilden die Naturreligionen des Orients, wo Gott die Natursubstanz bildet und das Individuum ihm gegenüber nichtig ist. Die zweite Stufe sind die Religionen, in denen das Göttliche als Subjekt angeschaut wird (jüdische, griechische, römische Religion). Auf der dritten Stufe haben wir die absolute oder christliche Religion vor uns: man erkennt den dreifaltigen Gott. Das Reich des Vaters ist Gott als die ewige Idee an und für sich, das Reich des Sohnes ist die Idee in ihrer Erscheinung innerhalb der endlichen Natur, das Reich des Geistes ist die Rückkehr aus der Endlichkeit zur Einswerdung von Vater und Sohn, Geist und Natur, Gott und Welt. Die Religion Hegels hat nichts von Schleiermacher an sich. Sie ist reine Intellektualität, und wohl pantheistische Intellektualität: „Wissen des göttlichen Geistes von sich durch Vermittlung des endlichen Geistes." Religion ist darum in der Philosophie enthalten und aufgehoben.

εε) Philosophie

Philosophie aber bringt nun die Vollendung des Ganzen. Sie ist „die sich denkende Idee, die wissende Wahrheit" (Gr. Encykl. § 574 = Werke X, 474 Glockner). Nun hat der Geist heimgefunden. Das Ziel von Natur und Geschichte ist erreicht. Die Geschichte ist „begriffen“. Und diese begriffene Geschichte bildet, wie es am Ende der Phänomenologie heißt, „die Er-innerung und die Schädelstätte des absoluten Geistes, die Wirklichkeit, Wahrheit und Gewißheit seines Thrones, ohne den er das leblose Einsame wäre“. Nun denkt der Geist sich in Reinheit. Es ist der Weltgeist, der in der reinen Philosophie sich mit sich selbst unterhält. Hegel schließt seine Encyklopädie, indem er Aristoteles das Wort gibt und ihn nochmals die berühmten Sätze aus Metaph. XII, 7 sprechen läßt, daß Gott Wissen des Wissens ist, daß die Wirklichkeit des Geistes Leben bedeutet und daß in dieser Wahrheit und in diesem Leben Gottes ewige Seligkeit bestehe.

d) Die Nachwirkungen

Hegels Philosophie war ein großer Erfolg. Sie wurde fast zum Zeitgeist. Bis etwa um die Mitte des 19. Jahrhunderts besaß sie die klare Führung auf den deutschen Universitäten. Dazu kam, daß sie auch von Staats wegen offiziell gefördert wurde, besonders durch den Minister v. Altenstein, was sie zu einer Art Hof- und Staatsphilosophie stempelte, nicht gerade zu ihrem Vorteil. Schopenhauer hat sie darüber viel angegriffen. Er hat übertrieben, und seine Vorwürfe erfüllen manchmal sogar den Tatbestand der üblen Nachrede. Was nun die Anhänger Hegels als seine Philosophie ausgaben oder aus ihr gemacht haben, ist für die Interpretation, Auswertung und Würdigung Hegels aufschlußreich. Es offenbart sich darin noch einmal der Charakter der Hegelschen Philosophie, aber nicht immer in seiner Ganzheit, sondern oft nur in bestimmten Momenten oder Teilen. Hegel hatte die Gegensätze herausgestellt (Natur — Geist, Welt — Gott, Werden — Sein, Individuum — Gemeinschaft), sie aber immer wieder in höheren Einheiten aufgehoben. Das führte dazu, daß die Epigonen, weniger umsichtig als er, sich einseitig auf den einen oder auf den anderen der Gegensätze festlegen. Der Identitätsgedanke erleichtert ihr Unternehmen. Wir beobachten dies in der Religionsphilosophie ebenso wie in der Gesellschaftslehre.

α) Religionsphilosophie

Wenn hier Gott und dort die Welt ist, aber beide auch wieder als identisch gesetzt werden, warum soll man sich dann nicht mit der oder jener Seite begnügen, je nach Einstellung und Geschmack, da ja das eine sowieso auch das andere schon ist?

αα) Theistische Hegeldeutung

Und so finden die einen, daß Hegel ein konservativer und theistischer Denker ist, und der alte Hegel-Gegner Schopenhauer behauptet mit dem üblichen Sarkasmus sogar, daß Hegel von Amts wegen den vom protestantischen preußischen Staat gewünschten Gott, der in der Philosophie abhanden gekommen sei, wieder eingeführt habe und seine Philosophie überhaupt nur getarnter Katechismusunterricht wäre. Auf seiten der theistischen Hegel-Interpretation nahm man auch an, daß für Hegel die Religion neben der Philosophie noch etwas Eigenes und Selbständiges sei, und ferner hielt man dafür, daß Hegel die Gestalt Christi als historisch im Sinn der christlichen Kirchen angesehen habe. An dem theistisch verstandenen Hegel knüpft aber auch einer der Hauptvertreter der katholischen Tübinger Schule an, J. A. Möhler († 1838), und zwar an dessen Begriff vom objektiven Geist; er verwendet ihn für seine Kirchenlehre. Und ebenso hat M. Deutinger in die idealistisch-theistische Diskussion eingegriffen, teils stark widersprechend, teils aber auch wieder von Hegel beeinflußt. Mit weniger Glück hat A. Günther († 1863) versucht, sich mit Hegel auseinanderzusetzen. Er übernimmt dessen Trinitätsspekulation und unterliegt dabei der Gefahr einer Verflüchtigung des Mysteriums in lauter Rationalität. Das wäre also die theistische Hegeldeutung.

ββ) Pantheistische Hegeldeutung

Andere aber sehen in Hegel mindestens einen Pantheisten. Auf dieser Seite wird dann auch die Religionsphilosophie Hegels anders verstanden. Hegel hatte gesagt, daß die Religion und die Philosophie den gleichen Gegenstand hätten, daß die Religion in der Philosophie aufgehoben sei. Wie sollte man sich dieses Aufgehobensein denken? Es ist ein Grundbegriff seiner ganzen Philosophie — alle Gegensätze sind in der Synthesis aufgehoben —, aber er bleibt immer labil zwischen zwei weiteren möglichen Deutungen. Bei Hegel selbst oszilliert das Denken hin und her, nimmt Seiendes als etwas Verfestigtes und löst es dann wieder im allgemeinen Werdeprozeß und seinen Synthesen auf. Wer nicht ganz mitging, konnte, wie wir es soeben bei den Konservativen sahen, bei dem Verfestigten haltmachen, und dann war die Religion etwas Selbständiges. Man konnte aber auch die Aufhebung überbetonen oder überhaupt nur sie sehen, und dann war die Religion eben aufgelöst, war nur etwas Vorläufiges, dessen eigentliches Sein in dem Höheren zu Hause war, in der Philosophie. Dann mußte Religion als etwas erscheinen, was überwunden werden soll. Die Aufhebung war also eine Enthebung der Religion, die die Überwindung für den Einsichtigen geradezu zur Pflicht machte, um des „eigentlichen" und „wahren" und „wissenschaftlichen" Wesens der Religion willen, so etwa, wie die Religionen Homers und Hesiods von der griechischen Philosophie als Mythen und Metaphern erkannt und dann auf die höhere Ebene des philosophischen Glaubens transponiert wurden. Dann war der theistische Gott eine primitive Vorstellung und durch den pantheistischen der neuzeitlichen Philosophie zu ersetzen. Und der Sohn Gottes, der nach der Bibel Mensch geworden war, und ebenso alles andere Historische und Einmalige der heiligen Schriften, muß dann umgedeutet werden in das Philosophisch-Begriffliche und Allgemeine, z. B. in die Idee der Gottmenschheit. Wenn die Natur und alles Raum-Zeitliche nur das Anderssein der Idee ist und dieser ideelle Weltprozeß sich mit dialektischer Notwendigkeit vollzieht, bleibt ja gar kein Platz mehr für das Außerordentliche. Schon die menschlichen Dinge und geschichtlichen Prozesse einschließlich ihrer Helden sehen nur so aus, als ob sie individuell wären, während sie in Wirklichkeit immer nur der List der Idee gehorchen. Erst recht kann diese dialektische Wissenschaft kein Wunder mehr brauchen. Es würde dem strengen Naturprozeß und der Allgemeingültigkeit des Naturgesetzes widerstreiten. D. F. Strauß hat in seinem „Leben Jesu" (1835) Christus dementsprechend beurteilt, und im Anschluß an ihn hat die rationalistische Bibelkritik ebenfalls aus einem so verstandenen Hegel die Konsequenzen gezogen und in der Bibel alles als Metapher aufgefaßt und umgedeutet, was nach der neuzeitlichen Philosophie und ihrem Standpunkt „nicht möglich" war. So wurde aus einem historischen Buch ein allegorisches, und aus der Religion wurde Philosophie. Gegenüber den Konservativen aber fühlte man sich als „fortschrittlich" und als Vertreter der Wissenschaft. Daß es nur ein Standpunkt war, von dem aus man operierte und erklärte, was möglich war und was nicht, wurde nicht durchschaut. Wo aber die Fortschrittlichkeit noch etwas radikaler war, wie beim späteren Bruno Bauer, fand man in der Philosophie Hegels als deren „eigentlichen" Sinn sogar den Atheismus, indem man ähnlich dachte wie Schopenhauer, nach dem der Pantheismus bekanntlich

γγ) Atheistische Hegeldeutung

nur ein höflicher Atheismus ist. So bildeten sich zwei Lager, die Hegelsche Rechte, mit Gg. Gabler († 1853), H. Fr. Hinrichs († 1861), K. Fr. Göschel († 1861), dem frühen Br. Bauer († 1882) u. a., und die Hegelsche Linke, mit dem späten Br. Bauer, D. Fr. Strauß († 1874), Lg. Feuerbach († 1872), A. Ruge († 1880), K. Marx († 1883), Fr. Engels († 1895), M. Stirner († 1856) u. a. Und weil Geist und Natur auch identisch sind, die „Natur" aber vielen Menschen näher zu liegen scheint, bestimmt die Hegelsche Linke den Inhalt des Identischen von dieser Seite her und entwickelt jetzt einen pointierten Materialismus.

β) Gesellschaftslehre Und ähnlich geht es mit der Begriffs-Parallele von Werden und Sein. Konservative Geister sahen in der Hegelschen Philosophie den Ausdruck der ewigen Seinsordnungen der Welt, des Menschen und des Staates, und weidlich optimistisch hielten sie gleich auch noch dafür, daß sie in dieser Beziehung in Posseß seien. Die revolutionären Kreise aber stürzten sich auf Hegels Lehre vom ewigen Werden und vom Umschlag ins Gegenteil im Verfolg des dialektischen Prozesses. So beriefen sich auf Hegel die Kronphilosophen des preußischen Staates, andererseits aber auch die Begründer des dialektischen Materialismus, Marx und Engels, und die russischen Anarchisten. Bakunin verläßt die Armee des Zaren, um in Moskau Hegel zu studieren, und Alexander Herzen sagt: Hegel ist die Algebra der Revolution. Und mit Lenin und Stalin wird die Dialektik zur Seele oder, um stilgerechter zu sprechen, zum Getriebe der Philosophie, Geschichtsauffassung und Sozialwissenschaft des Bolschewismus. Der nationale Sozialist Ferdinand Lassalle (1825 bis 1864) sah in der Philosophie Hegels stets die einzig wahre Philosophie.

γ) Geschichtswissenschaft Aber ganz abgesehen nun von der speziell dialektischen Betrachtung des Werdens in Natur und Geschichte, haben von Hegel Historiker der verschiedensten Gebiete und Methoden gelernt. In der Philosophiegeschichte sind es die großen A. Schwegler († 1857), Joh. Ed. Erdmann († 1892), Kuno Fischer († 1907) und Ed. Zeller († 1908); in der philosophischen Ganzheitsbetrachtung der Weltgeschichte, besonders in der Anwendung der kulturmorphologischen Methode, sind es O. Spengler († 1936), B. Croce († 1952), A. J. Toynbee (geb. 1889), K. Jaspers (geb. 1883).

Um die Mitte des 19. Jahrhunderts brach der Idealismus zusammen. Es war buchstäblich ein Zusammenbruch, ein plötzliches Abstürzen. Symptomatisch war bereits, daß Schelling in Berlin keine Resonanz mehr finden konnte. Ein neuer Zeitgeist war heraufgekommen, die kalte, nüchterne Luft des Materialismus und des rein naturwissenschaftlich-technischen Denkens. Hegel hatte einst in der Vorrede zur Phänomenologie die Philosophie Schellings getadelt, weil sie zu allgemein gehalten sei und die Exaktheit des Konkreten vermissen lasse. „Nicht der Begriff, sondern die Ekstase, nicht die kalt fortschreitende Notwendigkeit der Sache, sondern die gärende Begeisterung soll die Haltung und fortleitende Ausbreitung des Reichtums der Substanz sein" (Phänom. d. Geistes, S. 13 Hoffmeister = Werke II, 16 Glockner). Wie es eine leere Breite gebe, so auch eine leere Tiefe. Bloß immer von der Substanz zu reden sei zu inhaltsleer und wirklichkeitsfremd. Es gelte, das Maß, die Bestimmtheit, die Fülle des Endlichen in seiner Unmittelbarkeit zu sehen. Genau das wird nun um die Mitte des Jahrhunderts von den Materialisten und den Naturwissenschaftlern auch Hegel selbst vorgehalten. Der ganze Idealismus gilt nun als wirklichkeitsfremd und als nicht mehr möglich. Das Zeitalter der auf das Sein als Ganzes und auf seinen Bezug zum Menschen und seinen Geist bedachten metaphysischen Spekulation war vorüber. Und das Ganze vollzog sich mit solcher Plötzlichkeit und Nachhaltigkeit, daß man von einem Zusammenbruch sprechen konnte. Heute zeigt sich aber, daß der Idealismus doch nicht tot war. Denn in der deutschen Existenzphilosophie, bei Jaspers und Heidegger, erleben wir sein Wiedererwachen, in einer Verwandlung zwar, entsprechend den veränderten Umständen, aber im übrigen in der alten Zielsetzung, Ursprünglichkeit und letzten Intensität des Philosophierens.

δ) **Zusammenbruch des Idealismus**

Unmittelbar lebt Hegel fort in den nun allerdings sehr verschiedenen Formen des Neuhegelianismus, wie ihn z. B. A. und G. Lasson, O. Pfleiderer, R. Kroner, K. Larenz, W. Schönfeld, Th. Litt u. a. in Deutschland vertraten, B. Croce (1886—1952) und G. Gentile (1875—1944) in Italien, J. Hyppolite und A. Kojève in Frankreich, F. H. Bradley (1846—1924), B. Bonsanquet (1848—1923), E. McTaggart (1866—1925) in England und J. Rojce

ε) **Neuhegelianismus**

(1855—1916) in Amerika. Als der deutsche Neuhegelianismus sich zu Beginn des 20. Jahrhunderts erhob, fragte W. Windelband verwundert: Soll jetzt, nachdem wir die Tiraden Schopenhauers gegen den „großen Charlatan" genossen und geglaubt haben, daß man für immer von ihm los sei, „jenes Gerede von An-sich, Für-sich und An-und-Für-sich wieder losgehen"? Windelband suchte die Gründe für die Hegel-Erneuerung in einem religiösen Weltanschauungsbedürfnis der Zeit, das der Philosoph stillen könnte, der das Universum als Entwicklung des Geistes vorführte. So war es aber nicht. Weltanschauung wurde wohl praktiziert, aber keine religiöse, sondern bloß eine marxistische. Faktisch schloß sich aber alles mögliche an Hegel und seine Dialektik an, der Literat, der Ästhet, der Nihilist. Es gibt eine echte und ernste Philosophie im Rahmen des Neuhegelianismus, wofür Litt, Croce, Liebrucks u. a. ein vornehmes Beispiel sind. Es gibt aber auch eine den Namen Hegels bemühende unverbindliche Dialektik, die feiner und schöngeistiger Eklektizismus bleibt und manchmal an jene agitierenden Literaten erinnert, die das 19. Jahrhundert beschwatzten (s. unten S. 469). Statt Hegelianismus hieße man diese Dialektik besser Neosophistik.

Werke und Literatur

Die Hegelsche Linke. Texte aus den Schriften von H. Heine, A. Ruge, M. Hess, M. Stirner, B. Bauer, L. Feuerbach, K. Marx und Sören Kierkegaard. Hrsg. von K. Löwith (1963). Die Hegelsche Rechte. Texte aus den Schriften von F. W. Carové, E. Gans, C. L. Michelet, H. F. W. Hinrichs, H. B. Oppenheim, C. Rössler, F. Lassalle, K. Rosenkranz und J. E. Erdmann. Hrsg. von H. Lübbe (1962). — Th. Steinbüchel, Hegel. In: Staatslexikon der Görres-Gesellschaft II (1927) (über die geschichtlichen Wirkungen der Hegelschen Sozialphilosophie). W. Moog, Hegel und die Hegelsche Schule (1930). K. Löwith, Von Hegel zu Nietzsche (1941, [4]1958). E. Benz, Hegels Religionsphilosophie und die Linkshegelianer. In: Zeitschrift für Religions- u. Geistesgeschichte 7 (1955) 247—270.

ZWEITER ABSCHNITT

DIE PHILOSOPHIE DER GEGENWART

VORBEMERKUNG

Eine Darstellung der Philosophie der Gegenwart schon mit der Zeit nach Hegel beginnen zu lassen muß nicht so befremden, wie es zunächst vielleicht scheinen möchte. Hegel fühlte sich am Ende eines Zeitalters, und er hatte recht damit. Was nach ihm kommt, hat mit unserem 20. Jahrhundert viel mehr gemein als mit der Zeit vor Hegel. In vielen Dingen läuft, was damals begonnen wurde, im 20. Jahrhundert unmittelbar weiter, ja entfaltet zum Teil erst hier seine eigentliche Wirksamkeit: der Materialismus, Nietzsche und die Lebensphilosophie, Kierkegaard, die induktive Metaphysik, der Neukantianismus, die Neuscholastik. Anderes, was unserer heutigen Zeit besonders eigentümlich ist: Phänomenologie, logistischer Empirismus und Existenzphilosophie, ist wenigstens nicht ohne Teilbezüge zu dieser unmittelbaren Vergangenheit. Der Philosoph darf die Gegenwart nicht bloß in der Generation sehen, in der wir gerade leben. Er muß weiter schauen. Philosophieren heißt verstehen. Verstehen heißt zu den Wurzeln hinabsteigen. Dort schon beginnt die Zeit von heute. Darum schicken wir dem Kapitel über die Philosophie des 20. Jahrhunderts ein Kapitel voraus, das uns das 19. Jahrhundert als Vorstufe der Zeit von heute erkennen und damit diese unsere unmittelbare Gegenwart tiefer verstehen läßt. Das Aktuelle und Erregende, das der Philosophie der unmittelbaren Gegenwart immer anhaftet, birgt die Gefahr der Verflachung in sich. Um ihr zu begegnen, lenken wir den Blick von vornherein auf die noch bloßliegenden Wurzeln und hoffen, daß das bohrende Denken, einmal angeregt, dann noch tiefer gräbt. Philosophie der Gegenwart studiert man am besten in der Vergangenheit. Wer es nicht tut, hat nur Gegenwart, aber keine Philosophie.

ERSTES KAPITEL

VOM 19. ZUM 20. JAHRHUNDERT

Das 19. Jahrhundert steht zu seinem Beginn bis gut über das erste Drittel hinaus unter dem Zeichen des deutschen Idealismus. Dann folgt ein plötzlicher Umschlag des Denkens vom Idealismus in den Materialismus. Er erhebt sich teils aus dem soziologischen, teils aus dem naturwissenschaftlich-technischen Denken. Hier auch sind die Stimmführer des Fortschrittsglaubens zu Hause, der für das Jahrhundert der Technik und des Sozialismus fast zu einer Art Religionsersatz geworden ist. Um 1860 etwa erfolgt eine Rückkehr zu Kant. Es sollte ein Gegenschlag sein gegen den Materialismus, aber auch gegen den angeblich vorschnellen Idealismus der Fichte, Schelling und Hegel und ihr „unkritisches" Denken. Man bekennt sich wieder zur Kritik, zur Beschränkung auf das Gegebene der Sinneserfahrung im Geiste Kants. Und so verbündet sich der neue Kritizismus mit dem Positivismus, Empirismus und Pragmatismus und kommt in einem entscheidenden Punkt damit doch wieder mit dem materialistisch-naturwissenschaftlichen Denken überein: im Phänomenalismus. Hier wie dort steht man ablehnend oder doch skeptisch gegen alles Transsubjektive, vor allem gegen den Gottesgedanken. Und hier stößt man wieder zu einem Verbündeten, der zwar von einer ganz anderen Seite herkommt, aber die Metaphysik gleichfalls ablehnt, auf die Lebensphilosophie. Auch Nietzsche ist gegen den „höheren Schwindel" des Idealismus. „Brüder, bleibt der Erde treu!" Das Ganze ist, wie ja auch schon der Kritizismus und Phänomenalismus Kants, eine Folge des englischen Empirismus, der sich mit Hume als die moderne Philosophie präsentiert hatte und nun, nachdem die Gegenbewegung des deutschen Idealismus zusammengebrochen war, im 19. Jahrhundert das Feld erobert. Immerhin, auch dieses Jahrhundert kennt noch metaphysische Strömungen. Sogar im Neukantianismus sind da und dort solche vorhanden, in Erinnerung an den metaphysischen Idealismus, der auch bei Kant trotz aller Kritik nicht untergehen konnte. Wir haben ferner die induktive Metaphysik eines Fechner und Lotze. Und vor allem: auch hier reißt die Kontinuität der klassischen metaphysischen Tradition des Abendlandes nicht ab. Wir finden sie in verschiedenen Formen und Lagern, bei Herbart, Bolzano, Trendelenburg, Brentano, v. Hertling, Willmann und in der nun sich erhebenden und bald zu einer weltweiten Philosophie erstarkenden Neuscholastik.

Literatur

Fr. Ueberweg, Grundriß der Geschichte der Philosophie. 4. Bd. ([12]1923). 5. Bd. ([12]1928). M. Ettlinger, Geschichte der Philosophie von der Romantik bis zur Gegenwart (1924). Fr. Schnabel, Deutsche Geschichte im 19. Jahrhundert. 4 Bde. (1927—37). K. Löwith, Von Hegel bis Nietzsche (1941, [4]1958).

1. HERBART
Vom Idealismus zum Realismus

In Herbart spürt man erstmals deutlich den Umbruch vom Idealismus zum Realismus des 19. Jahrhunderts. Er bezeichnet sich noch als Kantianer, aber als einen solchen von 1828. Die Zeit ist weitergegangen. Und die Kritik an Kant ist nunmehr eine prinzipiellere als im deutschen Idealismus. Kant wird nicht mehr „weitergeführt", sondern der Idealismus wird in seiner Wurzel angegriffen. Das von Kant nur in der Vorstellung erfaßte und gefaßte Reale wird wieder in seiner Realität an sich gesehen und zum Gegenstand der Erkenntnis gemacht.

Leben, Werke, Literatur

Johann Friedrich Herbart (1776—1841) nimmt 1809 den Lehrstuhl Kants in Königsberg ein, geht aber 1833 wieder nach Göttingen, wo er sich 1802 habilitiert hatte. Während einer Tätigkeit in der Schweiz (1797—1800) hatte er Pestalozzi kennen und schätzen gelernt. Er wird der erste literarische Verkünder des Schweizers in Deutschland. Herbarts größte Leistungen liegen auf dem Gebiet der Pädagogik und der sie unterbauenden Psychologie. Seine Hauptwerke: Allgemeine Metaphysik (1828); Einleitung in die Philosophie (1813); Psychologie als Wissenschaft, neugegründet auf Erfahrung, Metaphysik und Mathematik (1824/25); Allgemeine Pädagogik (1806). Sämtliche Werke, hrsg. von K. Kehrbach und O. Flügel. 19 Bde. (1882—1912). — Lit.: O. Flügel, Herbarts Leben und Lehre (1907, [3]1912). G. Weiß, Herbart und seine Schule (1928). W. Schriever, Die pädagogische Menschenkunde Herbarts (Diss. Göttingen 1950).

a) Die Realen

α) Das Reale Herbart durchschaut klar die Mängel der Kantischen Metaphysikauffassung. Er stimmt nicht mehr dessen Meinung zu, daß Metaphysik ein Hinübergreifen in eine nicht zugängliche Welt wäre, sondern sieht in ihr, ganz in Übereinstimmung mit dem historischen Sinn der klassischen Metaphysik, die Ergründung der Erscheinungswelt. Ding an sich und Vorstellungswelt, Sein und Schein werden nicht mehr auseinandergerissen. „Soviel Schein, soviel Hindeutung auf das Sein" lautet sein Leitgedanke. Das unphilosophische Denken bleibt aber in ungeklärten Vorstellungen des Scheines stecken. Es gelte darum die aus der Erscheinungswelt gewonnenen Begriffe kritisch zu prüfen. Die nur empirischen Begriffe weisen Lücken und Widersprüche auf, z. B. die Dingvorstellung oder der Ich-Begriff, oder der Begriff der Veränderung. In der Klärung der grundlegenden Begriffe unseres Seinsverständnisses, in der Aufdeckung der hier eingehenden Voraussetzungen und möglichen Fehler besteht die Aufgabe der Metaphysik. Herbart treibt auch Kritik; aber er sieht, daß von der Erscheinung, wenn sie schon Erscheinung eines Etwas bleiben soll, auch ein Weg zum Sein führen muß. Damit ist aber der subjektivistische Phänomenalismus durchbrochen und das Sein in seiner Realität wiedergewonnen.

β) Die Realen Aber nicht nur das Sein überhaupt, auch das einzelne Seiende, das bestimmte Noumenon, setzt Herbart wieder in sein Recht ein. Die Überlegung, die schon Aristoteles zu seinem Substanzbegriff geführt hatte: wir sagen die Prädikate von einem Subjekt aus, stellt auch Herbart an: den Eigenschaften und Merkmalen legen wir Träger und Einheit unter. Nur muß nach Herbart der damit gegebene Dingbegriff kritisch gereinigt werden. Träger und Einheit sind nicht so zu verstehen, daß das Eine zugleich Vieles sei (die sich widersprechenden Eigenschaften). Das einzelne Seiende hat nicht viele und verschiedene Eigenschaften, sondern es ist einfach, und jedes hat nur eine, uns im übrigen unbekannte, Qualität. Die vielen Eigenschaften sind Schein, und er entsteht dadurch, daß dasselbe Seiende mit verschiedenen anderen zusammenkommt. Schnee zum Beispiel ist weiß, wenn das Auge ihn sieht, kalt, wenn die Hand ihn berührt. Herbart nennt diese Seinseinheiten Reale, und wir haben in ihnen wieder die Leibnizischen Monaden und die Substanzen der alten Metaphysik vor uns. Damit wird auch seine Metaphysik pluralistisch. Analog werden die Begriffe der Veränderung und des Ich erläutert.

Herbart hat das Ich wieder aus dem transzendentalen Himmel heruntergeholt und sieht auch in ihm ein Reale, wobei er in der Einzelerklärung abermals auf Leibniz zurückgreift, und zwar auf dessen Gedanken über die Seelenmonade, ihre vorstellende Tätigkeit und den Apperzeptionsbegriff. Die im Bewußtsein vorherrschenden Vorstellungsmassen sind es nämlich, die neu Hinzukommendes apperzipieren, und darin erleben wir das Ich, seine Aktivität und Realität. Es gibt aber nicht ein reines Ich, sondern das Ich ist eigentlich der Schnittpunkt sich kreuzender Vorstellungsreihen, der apperzipierenden und der apperzipierten. Die Identität des Ich-Subjektes sei Schein. Sie komme dadurch zustande, daß wir von den Einzelinhalten der Vorstellungsreihen absehen und nur den Schnittpunkt denken, der dann wie ein immer gleiches, reines Ich aussehe. Es ist eine etwas eigenartige Koppelung von Assoziationspsychologie und Monadenlehre, was Herbart hier vorsetzt. Einerseits ist das Ich ein Reale und betätigt sich in Apperzeptionen, andererseits gibt es bloß die Vorstellungsreihen, und nur der Schnittpunkt der wissenden und bewußten Vorstellungsinhalte bildet das Ich.

γ) Das Ich

b) Die Seele

Mit dem über das Ich Gesagten haben wir uns bereits in die Psychologie begeben. Es hängt bei Herbart beides eng zusammen, wie man schon aus dem Titel seines psychologischen Hauptwerkes ersehen kann: Psychologie als Wissenschaft, neugegründet auf Erfahrung, Metaphysik und Mathematik. Es schlägt aber der Empirismus der Assoziationspsychologie mit ihren naturwissenschaftlichen, mathematisch messenden Methoden merklich durch. Psychologie ist ihm nämlich die Lehre von den inneren Zuständen der Seele. Auf diese Zustände kommt es an. Die alten Begriffe von den Seelenvermögen (potentiae animae) sind nur Abstraktionen und Worte und besagten weiter nichts. Real dagegen sind die

Vorstellungen und ihre Bewegungen. Damit lasse sich das ganze Seelenleben erklären. Auch Wille ist Vorstellung: gegen ein Hindernis steigende Vorstellung; ebenso Gefühl: zwischen andere eingeklemmte Vorstellung. Das ist wieder der Leibnizische Intellektualismus. Aber wie Herbart die Vorstellungen und ihre Bewegungen, Sinken und Steigen, Apperzeption und Reproduktion, auf Gesetzmäßigkeiten bringt, das ist der Geist der Assoziationspsychologie. Er unterscheidet da: 1. die Verschmelzung gleichartiger Vorstellungen (Anblick und Gedächtnisbild eines Hauses); 2. Verknüpfung der gleichzeitigen disparaten Vorstellungen (z. B. Geld und hart); 3. Hemmung der entgegengesetzten Vorstellungen (z. B. gelb und rot). Noch mehr erkennt man den Charakter der Assoziationspsychologie, wenn — analog zu den naturwissenschaftlichen Methoden, die die Bewegungen der Körper, Molekel und Atome messen und auf mathematische Formeln bringen — nun auch die Vorstellungsbewegung quantitativ in Hinsicht auf Hemmungssumme, Schwellenwert und ähnliches gemessen wird. Das hätte Leibniz nicht mißbilligt, aber er hätte die Ganzheitsfaktoren und Strukturformen höher angeschlagen und wäre nicht bloß bei den psychischen Atomen stehengeblieben. Und die heutige Psychologie stimmt ihm darin zu. Weil aber Herbart den Mechanismus der Assoziation überbetont, wird seine Psychologie einseitig, und dazu schlittert er konsequenterweise auch noch in den Determinismus hinein.

c) Das Schöne

Die praktische Philosophie Herbarts steht unter dem Leitmotiv des Schönen. Seine Moral sowohl wie seine Pädagogik sind Ästhetik. Interessant ist dabei seine Kritik an der Ethik Kants. Der Grundbegriff der Sittenlehre sei nicht der Pflichtgedanke; denn es wäre nicht einzusehen, woher ein gebietender Wille, gleichgültig woher er komme, seine Autorität erlange. Vor allem Befehlen und Sollen müßte feststehen, was dem Gebot seine Würde und dem Gehorsam seine Achtbarkeit verleihe. Kant hatte bei der Pflicht haltgemacht. Der kategorische Imperativ ist nicht weiter zu ergründen, er ist einfach das Faktum des Sittlichen. Herbart will weiter ergründen und findet die letzte Rechtfertigung des praktisch Gesollten in ästhetischen Urteilen. Die allgemeine Ästhetik

ist die Lehre vom Geschmack überhaupt. Die Ethik ist die Lehre vom sittlichen Geschmack. Wie in der Metaphysik besteht nun auch hier die Aufgabe, die unüberlegten Urteile des Alltags kritisch zu reinigen. Die letzten entscheidenden Ideen der Geschmacksbildung, die sich aus einer solchen Sichtung ergeben, sind folgende fünf: innere Freiheit (der Einsicht gemäß, beharrlich und konsequent handeln), Vollkommenheit (Stärke, Tapferkeit), Wohlwollen (Güte, Milde), Recht (Verhütung und Schlichtung des Streites), Billigkeit (Vergeltung in Lohn oder Strafe). Herbart betrachtet sie rein formalistisch und wendet sie auch rein formalistisch an, unter dem Gesichtspunst nämlich der Harmonie und Disharmonie. Damit entfernt er sich wieder von Leibniz, der zwar auch die Rechtslehre in einer formalen Betrachtung mit Zahlenverhältnissen verglich, aber darin nur etwas Sekundäres sah. Das Primäre und letztlich Entscheidende waren ihm sachlich-inhaltliche Ordnungen, Sätze an sich. Sie führten auf Grund dieses Gehaltes Harmonie und Schönheit mit sich, so zwar, daß sich die Schönheit der Form aus der Sachgerechtigkeit ergab. Nicht aber führte nach Leibniz die Tatsache einer formalen Harmonie zur Erkenntnis des gesollten Inhaltes. Letzteres aber meint Herbart. Er denkt primär an die Ausgeglichenheit der Kräfte und orientiert sich damit wieder am Atomismus und Mechanismus der Assoziationspsychologie. Ob ein so verstandenes Schönes ein eindeutig sittlich Gutes oder auch nur ästhetisch Erhebendes sein wird? Kant wäre dieser Ästhetizismus zu harmlos, der Wertethik zu substanzlos, der christlichen Moral zu unverbindlich. Die Psychologie und der Ästhetizismus seiner Ethik sollten aber die beiden Grundpfeiler seiner Pädagogik sein.
Herbart hat mit seinen psychologischen und pädagogischen Grundbegriffen, besonders über W. Rein, bis in die letzten Dorfschulen hinein weitergewirkt. Auch O. Willmann ist von ihm beeinflußt.

2. BOLZANO UND DIE VORKANTISCHE TRADITION

Philosophie der Objektivität

Bolzano war einer der originellsten Denker des 19. Jahrhunderts. So unterlag er auch nicht den Suggestionen der Zeitphilosophie, weder Kant noch dem deutschen Idealismus. Er steht über den Dingen und unterzieht Kant einer Kritik, in der er seiner Zeit weit vorauseilt. Das brachte es aber mit sich, daß er lange unverstanden blieb. Erst die jüngste Vergangenheit kommt mehr und mehr auf ihn zurück, und die Anerkennung seiner Bedeutung wächst zusehends. Wir schätzen heute an ihm die Verteidigung der Objektivität gegenüber dem Kantischen Subjektivismus, seine Philosophie der Mathematik und seine Verdienste um die Wissenschaftslehre im allgemeinen und die Logistik im besonderen. Da Bolzano wieder die vorkantische, vor allem in Leibniz verkörperte Tradition in der Philosophie repräsentiert, werfen wir von ihm aus gleich einen Blick auf weitere Vertreter des vorkantischen, objektivistischen Denkens, auf Brentano und die österreichische Schule, sowie auf Teichmüller.

Leben, Werke, Literatur

Bernhard Bolzano (1781—1848) wurde in Prag von einer deutschen Mutter geboren. Der Vater war ein aus dem Mailändischen eingewanderter Italiener. So vermählten sich in seinem Wesen ähnlich wie bei Thomas von Aquin, Rosmini und Brentano deutscher und italienischer Geist, Tiefsinn und Fülle deutscher Spekulation und Sicherheit und Klarheit der lateinischen Form. 1805 wurde er zum Priester geweiht, und bald darauf erhielt er eine Professur für philosophische Religionslehre an der Universität Prag. 1819 wurde er auf Grund einer Denunziation seines Amtes enthoben und lebte nun einsam bloß mehr seiner Wissenschaft. — Werke: Lehrbuch der Religionswissenschaft. 4 Bde. (1834). Wissenschaftslehre. 4 Bde. (1837, Neudruck 1929/31). In Meiners Philosophischer Bibliothek: Paradoxien des Unendlichen. Hrsg. von A. Höfler (1955). — Lit.: H. Fels, B. Bolzano (1929). Ed. Winter, B. Bolzano und sein Kreis (1933). H. Scholz, Die Wissenschaftslehre Bolzanos (1937). J. Berg, Bolzano's Logic. Stockholm Studies in Philosophy 2 (1962).

a) Die historische Situation

Bolzano hat in einer selbstverfaßten kleinen Geschichte seiner frühen geistigen Entwicklung mit eigener Hand die Situation umrissen, in der er stand und aus der er beginnt, sich zu erheben. Man erkennt dabei sofort die Leitlinie seines Denkens, den Gegensatz zum Subjektivismus und die Tendenz zum Objektivitätsdenken der Sätze und Wahrheiten an sich. Immer in der dritten Person sprechend, schreibt er da über sich selbst: „Nie gab es in Bolzanos Leben eine auch noch so kurze Periode, in der ihm irgendein philosophisches System als das allein wahre erschienen, ja auch ein Gegenstand seiner hohen Bewunderung gewesen wäre. An jedem fand er gleich bei der ersten Bekanntschaft mit demselben gar manche Anstände, um deretwillen er sich mit demselben nicht zu befreunden vermochte, obgleich er ... immer besorgt war, daß die Schuld des Nichtverstehens und Nichtanerkennens nur in ihm selbst liegen dürfe. So bei dem System Kants, Herbarts, Fichtes, Schellings, Hegels; bei jedem derselben verstrichen Jahre und Jahrzehnte der Prüfung, bevor Bolzano es wagte, auch nur mit einiger Zuversicht bei sich selbst anzunehmen, daß nicht er, sondern jene im Irrtum sind. Eines der ersten philosophischen Bücher, die Bolzano etwa im 16. Lebensjahr las, war Baumgartens Metaphysik, wo er mit aller Deutlichkeit einzusehen glaubte, daß viele Erklärungen verfehlt, manche Beweise, z. B. der des Satzes vom Grunde, das zu Beweisende schon voraussetzten, und mehrere ganz unrichtige Behauptungen (z. B. von der Zusammensetzung der Linie, Fläche und Körper aus einer unendlichen Menge von Punkten) vorkommen. In Kants Kritik der reinen Vernunft, deren Studium er in seinem 18. Jahr begann, spricht ihn sogleich die Unterscheidung zwischen Urteilen a priori und a posteriori, zwischen analytischen und synthetischen Urteilen und die Einteilung der Vorstellungen in Anschauungen und Begriffe sehr an, obgleich er sich in die von Kant gegebenen Erklärungen derselben nie einzufinden vermochte und es anstößig fand, daß gleich im Anfang der Kritik der Begriff der Erfahrung ohne eine vorherige Erklärung, da ebenso der des Notwendigen vorausgesetzt werde. Der erste Punkt, in welchem er Kant mit Bestimmtheit eines Irrtums beschuldigen zu dürfen glaubte, war dessen oberstes Sittenprinzip, seine Methode des Postulierens, seine Lehre von der Antinomie, seine sich selbst widersprechende Annahme von Dingen an sich, von denen wir doch gleichfalls nichts wissen sollen usw. Ihm in den Lehren von Zeit und Raum geradezu zu widersprechen wagte er dagegen erst sehr spät, obgleich er nie begriff und zugab, daß ihm synthetische Urteile a priori durch Anschauung vermittelt sein sollten, und insbesondere nie glaubte, daß den synthetischen Urteilen die Urteile der Anschauung der Zeit zugrunde lägen ... Er konnte dies um so weniger zugeben, da er frühzeitig einen Weg fand, mehrere geometrische Wahrheiten, die man sonst aus dem bloßen Augenschein kannte, aus Begriffen abzuleiten."

b) Das An-sich in der Wissenschaft

Geometrische Wahrheiten nicht mehr als synthetische Anschauungen aufzufassen, sondern analytisch aus Begriffen abzuleiten, das verrät bereits das positive Resultat, zu dem Bolzano schon in seiner Jugendentwicklung durchgedrungen war, die Einsicht nämlich, daß es immer die Analysis objektiver Sachverhalte ist, was den Kern wissenschaftlicher Erkenntnisse ausmacht. Von zwei Seiten her ist Bolzano zu dieser Einsicht vorgestoßen; einmal im Verfolg seiner Studien über den Sinn des mathematischen Denkens; und dann aus seiner Vertrautheit mit dem Geist der aristotelisch-scholastischen Philosophie, wo Wesenheiten immer objektive und zeitlose Geltungszusammenhänge, sogenannte Formen, sind und nicht subjektive Funktionen der Einbildungskraft oder Verstandestätigkeit. Wir verstehen diese Einstellung Bolzanos am besten, wenn wir die drei Grundbegriffe seiner Wissenschaftslehre uns vergegenwärtigen, die Sätze an sich, Vorstellungen an sich und Wahrheiten an sich. Nichts davon ist „gesetzt", sondern alles wird vorgefunden, ist ein An-sich, und eben darin zeigt sich, daß der Subjektivismus einem grundsätzlichen Irrtum verfallen war. Die Art und Weise, wie Bolzano das An-sich beschreibt, arbeitet mit feiner phänomenologischer Methode den Objektivitätscharakter an der Erkenntnis heraus. Bolzano hat denn auch den Beifall Husserls gefunden, der von der Wissenschaftslehre schrieb, sie sei „ein Werk, das in Sachen der logischen Elementarlehre alles weit zurückläßt, was die Weltliteratur an systematischen Entwürfen der Logik darbietet".

α) Sätze an sich

Satz an sich ist für Bolzano dasjenige, „was man unter einem Satz denkt, wenn man noch fragen kann, ob ihn auch jemand ausgesprochen oder nicht ausgesprochen, gedacht oder nicht gedacht habe". Der Satz an sich macht also den Inhalt eines Gedankens oder Urteils aus. Er ist „nicht Existierendes, dergestalt, daß es ebenso ungereimt wäre zu sagen, ein Satz habe ewiges Dasein, als er sei in einem gewissen Augenblick entstanden und habe in einem anderen aufgehört". Bolzano bringt also hier zum Verständnis eines Satzes überhaupt kein Subjekt mehr in Anschlag, weder ein individuelles noch ein transzendentales. Dennoch hat der Satz einen Sinn und stellt etwas dar, was gemeint werden kann. Daß ein Subjekt es in der Zeit denkt, ist sekundär. Das Primäre an dem Satz aber ist, wie damit ersichtlich wird, der objektive Gehalt.

β) Vorstellungen an sich

αα) Ihr Begriff

Parallel liegen die Dinge nun auch bei den Vorstellungen, wo man eher geneigt sein könnte, ein zeitliches Subjekt als für den Begriff der Vorstellung notwendig anzunehmen. Vorstellung an sich oder objektive Vorstellung ist „alles dasjenige, was als ein Bestandteil in einem Satz vorkommen kann, für sich allein aber noch keinen Satz ausmacht“. Auch die objektive Vorstellung bedarf keines Subjektes, von dem sie vorgestellt werden müßte, sondern besteht, zwar nicht als etwas Seiendes, „aber doch als ein gewisses Etwas, auch wenn kein einziges denkendes Wesen sie auffassen sollte, und sie wird dadurch, daß ein, zwei, drei oder mehr Wesen sie denken, nicht vervielfacht“. Anders als der Psychologismus sieht also Bolzano auch in der Vorstellung zunächst den rein objektiven Sachverhalt. Da er vom tatsächlichen Vorgestelltwerden als das Möglich-Vorstellbare zu unterscheiden ist, ergibt sich, daß der Psychologismus im Unrecht sein muß, wenn er im tatsächlichen Vorgestelltwerden das Ganze der Vorstellung sieht. Bolzano ist mit seiner Lehre, daß Vorstellungen an sich mögliche Bestandteile von Sätzen und als solche weder wahr noch falsch sind, von Aristoteles beeinflußt, der dies vom Begriff behauptet. Man sieht die Übereinstimmung, wenn man beachtet, daß bei Bolzano die Vorstellungen an sich, wenigstens die allgemeinen unter ihnen, inhaltlich gesehen, insgesamt Begriffe werden können. Es gibt nämlich nach ihm folgende Arten von Satzbestandteilen: 1. konkrete Vorstellungen: Vorstellung eines Etwas, das eine bestimmte Beschaffenheit hat, z. B. Tier; 2. abstrakte Vorstellungen: die bloße Beschaffenheitsvorstellung selbst, z. B. Tierheit; 3. Anschauungen: Vorstellungen von Einzelobjekten, z. B. dieses Tier; 4. Begriffe: Vorstellungen, in denen keine Anschauungen mehr enthalten, die also reine Gedanken sind.

ββ) Das Urteil

Diese Vorstellungen nun entscheiden über das Zustandekommen des subjektiven Urteils. Der Sinn des Urteils liegt darin, daß in ihm ein Satz an sich in die Erscheinung tritt. Zu jedem Urteil gehört ein Satz an sich, und er wird in dem Urteilsakt aufgestellt und findet Zustimmung. Es ist das die Lehre vom consensus der Scholastiker. Aber wie dort das Urteil damit nicht subjektiviert wird, so auch hier nicht; denn „nie und nirgends hängt das Urteil von unserem Willen allein und unmittelbar ab“, sondern erfolgt „nach einem gewissen Gesetz der Notwendigkeit bloß nach Beschaffenheit der sämtlichen in unserer Seele soeben gegenwärtigen Vorstellungen“. Mit letzterer Ansicht entfernt sich nun aber Bolzano von der scholastischen Theorie, deren Sachverhaltsdenken immer an die Realität appellierte, und nähert sich deutlich Anschauungen, die heute von der Logistik vorgetragen werden.

γ) Wahrheiten an sich

Auch die Wahrheiten an sich sind wieder objektive Inhalte, wo es nicht darauf ankommt, ob jemand sie denkt oder anerkennt. Die gedachte Wahrheit ist die nur logische Wahrheit; die Wahrheit an sich aber berührt sich mit dem, was die alte Philosophie als ontologische Wahrheit verstanden hatte. Wahrheit an sich ist nämlich für Bolzano „jeder beliebige Satz, der etwas so, wie es ist, aussagt, wobei ich unbestimmt lasse, ob dieser Satz von irgend jemand wirklich gedacht oder ausgesprochen worden ist oder nicht“. So sehr betont Bolzano die Objektivität der Wahrheit an sich, daß nicht einmal Gott sie setzt, geschweige denn irgendein menschliches Subjekt. Auch Gott denkt die Wahrheiten an sich, weil sie wahr sind; nicht sind sie wahr, weil Gott sie denkt. Sie sind „Sätze vor Gott“. Das dürfte die schärfste Formel sein, die je gegen den theologischen Moralpositivismus gefunden worden ist.

c) Metaphysik

Ein Denker, der der Ideenlehre so nahesteht wie Bolzano mit seiner Identifizierung von Wahrheit und Objektivität, muß auch die Metaphysik bejahen, und zwar die der philosophia perennis. Ihre typischen Lehren finden sich denn auch bei ihm wieder, und zwar häufig in der Form, die Leibniz ihnen gegeben hatte. Bolzano hält Metaphysik aus reinen Begriffen — wir verstehen, daß es nicht die von Kant perhorreszierten sind, sondern Begriffe an sich — für möglich. Metaphysische Sätze dieser Art sind die Aussagen, daß Gott existiert und daß ihm seiner Natur nach Unveränderlichkeit, Allwissenheit, Allmacht, Heiligkeit zukommen; ferner daß alles Sein entweder als Substanz oder Akzidens existiert; daß alle Substanzen in Wechselwirkung stehen; daß auch unser Ich eine Substanz ist, und zwar eine unsterbliche. Von Leibniz speziell übernimmt er die Lehre, daß jede Substanz ein wirkendes Seiendes ist und daß diese Tätigkeit im Vorstellen bestehe. Alles Seiende hat Vorstellungen, von der leblosen Materie bis hinauf zum Menschen. Nur sind die Vorstellungen dem Grade nach verschieden, so wie das Leibniz auch schon sagte.

d) Teichmüller

Man hat Bolzano den böhmischen Leibniz genannt. Mit ebensoviel Recht könnte man Gustav Teichmüller (1832—88), der sich 1860 bei Lotze in Göttingen habilitierte und dann Professor in Basel und Dorpat war, einen neuen Leibniz heißen, denn auch er ist ein Vertreter der ewigen Wahrheiten, Anhänger des christlichen Theismus und jenes Spiritualismus, für den die Welt nichts anderes ist als der Inbegriff der endlichen tätigen Geister, die in ihrem schöpferischen Urgrund, dem Geist der Geister, zusammengeschlossen sind zu der sie alle umfassenden und beherrschenden Einheit. Teichmüller ist noch zu wenig bekannt. „Der Leibniz der ersten Hälfte des 19. Jahrhunderts, B. Bolzano, hat ein halbes Jahrhundert gewartet, bis seine Ideen wohlverdiente Wirkung und Anerkennung fanden. Der Leibniz der zweiten Hälfte, Gustav Teichmüller, kann ebenfalls ruhig warten, bis seine Zeit gekommen ist“ (W. Szylkarski). Einer der Schüler Teichmüllers war R. Eucken.

Werke und Literatur

Aristotelische Forschungen (1866—1873). Studien zur Geschichte der Begriffe (1874). Neue Studien zur Geschichte der Begriffe. 3 Bde. (1876—79). Die wirkliche und die scheinbare Welt (1882). Religionsphilosophie (1886). Neue Grundlegung der Psychologie und Logik (1889). Logik und Kategorienlehre. In: Archiv für spiritualistische Philosophie und ihre Geschichte. Hrsg. von W. Szylkarski. 1. Band (1938). — Lit.: Im letztgenannten Archiv 5 Abhandlungen von A. Dyroff, E. Pfennigsdorf und W. Szylkarski. M. Schabad, Die Wiederentdeckung des Ich in der Metaphysik Teichmülles (Basel 1940).

e) Brentano und die österreichische Schule

Als unberührt vom Kantischen Subjektivismus, trotz starker Anregung durch den Empirismus, erweist sich auch Franz Brentano (1838—1917). Seine „Psychologie vom empirischen Standpunkt“ (1874) nimmt gleich Lange, Fechner und Lotze die naturwissenschaftliche Methode als Vorbild, verfällt aber nicht dem Psychologismus, der alle Wahrheiten und Werte verzeitlicht. Brentano findet objektive Maßstäbe im Erkennen: den „intentionalen Charakter“, der ein An-sich ist, und im Wollen: das „richtige“ Lieben, womit der objektive Gehalt der Werte gesehen ist, die quaestio iuris, wie Leibniz gegenüber dem alles auf die quaestio facti beziehenden Empirismus zu sagen pflegte. Brentanos objektivistisches Denken versteht sich nicht zuletzt aus seiner geistigen Herkunft. Er wurde als Schüler Trendelenburgs mit dem Aristotelismus vertraut. Als katholischer Priester aber, der er ursprünglich war, bis er 1873 infolge innerer Schwierigkeiten aus der Kirche austrat, kannte er die scholastische Philosophie, wo die Lehre von der intentionalen Inexistenz des Gegenstandes im Erkenntnisakt ebenso zu Hause ist wie eine objektive Ethik. Brentano hat darum nie den Unsinn der Kantianer nachgesagt, daß die religiöse Ethik subjektivistisch oder eudämonistisch sei, und diese Meinung in „Vom Ursprung sittlicher Erkenntnis“ (1889) sehr klar zurückgewiesen. (Die von O. Kraus in der Meinerschen Philosophischen Bibliothek besorgten Neuauflagen dieses für die moderne Wertlehre so entscheidenden Werkes bringen viele wichtige Ergänzungen.) Neben Brentanos Leistungen für die Psychologie, eine objektive Logik und die Ethik verdient besondere Erwähnung auch seine scharfsinnige Begründung des Theismus. Seine objektivistische Haltung lebt weiter in den Wert- und Gegenstandstheorien der sog. österreichischen Schule bei A. Marty (1847—1914), O. Kraus (1874—1942), A. Meinong (1853 bis 1921), A. Höfler (1853—1922), C. Stumpf (1848—1936), A. Kastil (1874—1950). Besonders hat Brentano auch auf E. Husserl gewirkt.

Werke und Literatur

F. Brentano, Grundlegung und Aufbau der Ethik. Nach den Vorlesungen über „Praktische Philosophie“ aus dem Nachlaß hrsg. von F. Mayer-Hillebrand (Bern 1952). Religion und Philosophie. Hrsg. von ders. (Bern 1954). In der Meinerschen Philosophischen Bibliothek: Vom Ursprung sittlicher Erkenntnis. Hrsg. von O. Kraus ([4]1955). Psychologie vom empirischen Standpunkt. 2 Bde. Hrsg. von dems. ([2]1955/59). Früher wurden dort von O. Kraus und A. Kastil ediert: Kategorienlehre, Wahrheit und Evidenz, Über die Zukunft der Philosophie, Die Lehre Jesu und ihre bleibende Bedeutung, Versuch über Erkenntnis, Die 4 Phasen der Philosphie, Vom Dasein Gottes. — Lit.: O. Kraus, Fr. Brentano. Mit Beiträgen von C. Stumpf und E. Husserl und Bibliographie (1919). O. Most, Die Ethik Fr. Brentanos (1931). A. Kastil, Die Philosophie Fr. Brentanos (Salzburg 1951).

3. SCHOPENHAUER
Voluntarismus und Pessimismus

Schopenhauer hat einmal das Gewissen als eine Mischung aus 5 Ingredienzien erklärt, nämlich aus Menschenfurcht, Deisidaimonie, Vorurteil, Eitelkeit und Gewöhnung. Wenn man dieses Verfahren auf seine eigene Philosophie anwendet, kann man feststellen: sie besteht aus $^1/_5$ Kant (Welt als Vorstellung), $^1/_5$ Schellingscher Romantik (Welt als Wille), $^1/_5$ „uralter indischer Weisheit aus den Veden und Upanischaden" (Weltverneinung), $^1/_5$ englischem Empirismus (Bestreitung der klassischen Metaphysik) und $^1/_5$ Platonismus. Vom letzteren merkt man nicht viel, aber er selbst behauptet, daß man besser vorbereitet sei, ihn zu hören, wenn man in der Schule des göttlichen Platon geweilt habe. In Wirklichkeit versteht man Schopenhauer besser, wenn man den Geist des Empirismus und Utilitarismus des 19. Jahrhunderts gut kennt.

Leben, Werke, Literatur

Arthur Schopenhauer (1788—1860) kommt aus einer Danziger, später nach Hamburg übersiedelten reichen Kaufmannsfamilie mit starker erblicher Belastung (vgl. darüber Lombroso) und unerquicklichen Eheverhältnissen, wo zwar Geld und Wohlleben zu Hause waren, aber kein Glück. Man versucht, durch Reisen die innere Leere und Langeweile zu übertönen, aber die Unzufriedenheit bleibt. Nach dem frühen Tode des Vaters (wahrscheinlich durch Selbstmord) entzweit sich Schopenhauer mit der weniger an den Sohn als an die eigenen Verhältnisse denkenden Mutter. Selbst auch ein ausgesprochener Egoist und „unersättlich in seinen Begierden", ist Schopenhauers Pessimismus damit bereits grundgelegt, wenn nicht schon fertig. Was für eine Philosophie man hat, hängt davon ab, was für ein Mensch man ist, sagte Fichte. Ursprünglich für den Kaufmannsberuf bestimmt, erzwingt sich der junge Schopenhauer schließlich den Weg der Gelehrtenlaufbahn und erwirbt sich durch Selbststudium rasch ein erstaunliches Wissen auf vielen Gebieten. Er habilitiert sich 1820 in Berlin, wo Hegel dozierte. Schopenhauer fordert ihn heraus, indem er seine Vorlesungen zu gleicher Zeit wie Hegel ansetzt. Aber er kommt gegen den so berühmten Mann nicht auf. Seine Vorlesungen scheitern kläglich. So wirft er die Universitätslaufbahn wieder weg, geht auf Reisen und beschäftigt sich mit verschiedenen Aufgaben und Plänen. Seit 1833 lebt er endgültig als freier Schriftsteller in Frankfurt a. M., in Urfehde mit der Universitätsphilosophie im allgemeinen und „Hegel und seiner Rotte" im besonderen. Was geht meine Philosophie, fragt er in der Vorrede zur 2. Auflage der „Welt als Wille und Vorstellung", „jene Alma Mater, die gute, nahrhafte Universitätsphilosophie an, welche, mit hundert Absichten und tausend Rücksichten belastet, behutsam ihres Weges daherlaviert kommt, indem sie alle Zeit die Furcht des Herren, den Willen des Ministeriums, die Satzungen der Landeskirche, die Wünsche des Verlegers, den Zuspruch der Studenten, die gute Freundschaft der Kollegen, den Gang der Tagespolitik, die momentane Richtung des Publikums und was noch alles vor Augen hat?" Man braucht nicht sehr viel aus Schopenhauer zu lesen, um bald das Ressentiment zu spüren, das ihm die Feder führt. Er fühlt sich mißverstanden und verfolgt und zieht sich verdrossen von der Welt, wenn auch nicht in allen Dingen, so doch von ihrer Geselligkeit, zurück und führt das Leben eines Sonderlings, seinen Pudel mehr schätzend als die Menschen. W. Busch hat in einer seiner Zeichnungen beide samt ihrem Pessimismus trefflich charakterisiert. Zunächst wenig beachtet, worüber er viel geschimpft hat, wurde Schopenhauer später einer der am meisten gelesenen philosophischen Schriftsteller. Schriftsteller sagen wir, denn seine Wirkung lag wesentlich an seiner bedeutenden Kunst, zu schreiben. Die Hauptsache der Philosophie Schopenhauers steht schon in seiner Dissertation „Über die vierfache Wurzel des Satzes vom zureichenden Grunde" (1813). Sein Hauptwerk ist „Die Welt als Wille und Vorstellung" (1819). „Die beiden Grundprobleme der Ethik" (1841) enthalten die zwei Preisschriften über die Freiheit des menschlichen Willens und über das Fundament der Moral. In den „Parerga und Paralipomena" ((1851) stehen die vielgelesenen „Aphorismen zur Lebensweisheit". — Ausgaben: A. Schopenhauer, Sämtliche Werke samt Nachlaß. Herausgegeben von E. Grisebach. 10 Bde. (Reclam, 1891 ff.). A. Schopenhauer, Sämtliche Werke. Nach der ersten, von J. Frauenstädt besorgten Gesamtausgabe neu bearbeitet und hrsg. von A. Hübscher. 7 Bde. (1937—41). Sämtliche Werke. Textkritisch bearbeitet von W. v. Löhneysen (1960ff.). A. Schopenhauer, Mensch und Philosoph in seinen Briefen. Hrsg. von A. Hübscher (1960). G. F. Wagner, Schopenhauer-Register. Neu hrsg. von A. Hübscher (1960). — Lit.: F. Nietzsche, Schopenhauer als Erzieher. In: Unzeitgemäße Betrachtungen (1874). K. Fischer, Schopenhauers Leben, Werke und Lehre (⁴1934). M. Wundt, Schopenhauer. Sein Kreis und sein Werk. In: Beiträge zur Philosophie des deutschen Idealismus I (1921). H. Hasse, Schopenhauer (1926). A. Hübscher, Schopenhauer. Ein Lebensbild (1938). H. M. Wolff, A. Schopenhauer 100 Jahre später (1960). Sonderheft der Zeitschrift für philosophische Forschung 14 (1960) 353—452, mit Aufsätzen von O. Pöggeler (Schopenhauer und das Wesen der Kunst), M. Landmann, (Das Menschenbild bei Schopenhauer), W. Röd (Das Realitätsproblem in der Schopenhauerschen Philosophie) und G. Klamp (Die Schopenhauer-Tradition im 20. Jahrhundert). Jahrbücher der Schopenhauer-Gesellschaft. Hrsg. von P. Deußen (1912ff.).

a) Die Welt als Wille und Vorstellung

α) Welt als Vorstellung

αα) Subjektivität der Vorstellung

In seinem Hauptwerk geht Schopenhauer zum Teil mit Kant, zum Teil steht er gegen ihn. Was die Oberfläche der Welt, ihre Erscheinung anbetrifft, ist ihm die Welt subjektive Vorstellung, so wie Kant das gelehrt hatte. Die Welt ist meine Vorstellung, heißt es gleich in § 1 seines Hauptwerkes, sei eine Wahrheit, welche für jedes erkennende Wesen gilt. Wer das eingesehen hat, habe die philosophische Besonnenheit erreicht. Es wird ihm dann deutlich, daß er keine Sonne kennt und keine Erde, sondern immer nur ein Auge, das eine Sonne sieht und eine Hand, die eine Erde fühlt; daß die Welt, welche ihn umgibt, nur als Vorstellung da ist, d. h. durchwegs nur in Beziehung auf ein anderes, das Vorstellende, welches er selbst ist. „Wenn irgend eine Wahrheit a priori ausgesprochen werden kann, so ist es diese." Weniger als jede andere bedürfe sie eines Beweises. Kants Position wird also in der Erkenntnistheorie grundsätzlich beibehalten. Die 12 Kategorien allerdings fallen. Nur Raum und Zeit bleiben als Anschauungsformen. An die Stelle der Kategorien tritt als neue Form der Verknüpfung der Satz vom Grunde. Er wird in einem vierfachen Sinn angewendet: Als logischer Grund der Urteilsverknüpfung, als Seinsgrund in den Zusammenhängen der mathematischen Sachverhalte, als Motivation im

ββ) Vorstellungsverknüpfung

Bereich des Psychischen und als Wirkursächlichkeit in der Welt des Werdens der Naturdinge. Aber der Grundgedanke der Kategorienlehre, die notwendige Verknüpfung hält sich. Schopenhauer ist strenger Determinist und Hauptkämpfer des 19. Jahrhunderts gegen die Willensfreiheit. Durch ihn erst ist die Kantische Lehre von der streng notwendigen Kausaldetermination und speziell in ihrer Ausdehnung von der Natur her auch auf alles Menschliche populär geworden. Schopenhauers Entscheid war eigentlich ein Widerspruch; denn bei ihm tritt an die Stelle der transzendentallogischen Kantdeutung die psychologistische. Er faßt Kant wieder im Stile des Humeschen Empirismus, der nur Vorstellungen kennt. Damit gab es aber nicht mehr die apriorische Notwendigkeit, sondern nur noch Wahrscheinlichkeiten. Allein auch Hume war schon in Widerspruch mit seiner Wahrscheinlichkeitslehre Determinist gewesen. Das Wort vom Kausalnexus war von dem mechanistischen Denken und von Spinoza her schon zu gängig geworden, als daß er sich seiner Wirkung noch hätte entziehen können, obwohl seine Erkenntnis, daß die Naturwissenschaften nur ein „belief" sind, ihm hätte sagen müssen, daß der Kausalnexus weder bewiesen noch beweisbar ist. Trotzdem hält er am Determinismus fest und ebenso Schopenhauer an der apriorischen Kausalnotwendigkeit Kants, obwohl seine Kant-Interpretation nicht mehr die transzendentallogische war.

β) Welt als Wille

Von vornherein aber steht Schopenhauer gegen Kant, was seine Lehre von der inneren Mitte der Welt, vom Ding an sich betrifft. Er billigt Kants Unterscheidung von Erscheinung und Ding an sich. Aber, so meint er, wir erkennen die Welt nicht nur, wobei wir in der Tat auf die Erscheinung angewiesen wären; sondern wir erleben sie auch, haben neben der Vorstellung auch noch den Willen. Und mit diesem Willen treten wir in Kontakt mit der Welt als Ding an sich.

αα) Willenserleben als Welterleben

Dieses Erleben ist noch vielsagender als das sinnliche Anschauen und Vorstellen der äußeren Erscheinungswelt. „Die letzten Grundgeheimnisse trägt der Mensch in seinem Innern, und dies ist ihm am unmittelbarsten zugänglich; daher er nur hier den Schlüssel zum Rätsel der Welt zu finden und das Wesen aller Dinge an einem Faden zu erfassen hoffen darf." Zuerst erkennen wir uns selbst als Wille. Nicht nur unser bewußtes Wollen, was gewöhnlich als Wille im engeren Sinn bezeichnet wird, sondern überhaupt alles Wünschen, Verlangen, Sehnen, Hoffen, Lieben, Hassen, Widerstreben, Fliehen, Trauern, Leiden, Erkennen, Denken, Vorstellen; kurz, unser ganzes Leben ist Erleben, ist Wille. Aber auch unser Leib ist nichts anderes als Objektivation des Willens. Unser Wille zu gehen erscheint als Fuß, unser Wille zu greifen als Hand, zu verdauen als Magen, zu denken als Gehirn. Und so ist der Wille „das Innerste, der Kern jedes Einzelnen und ebenso des Ganzen". Also auch des Ganzen! In einem Analogieschluß überträgt Schopenhauer die Einsicht, daß jeder Einzelne in seinem Leben Erleben und Wille sei, auf das Weltganze. Wille liegt allen Erscheinungen der Welt zugrunde und macht deren innerstes Wesen aus, von der Schwerkraft bis zum menschlichen Selbstbewußtsein. Die Naturkräfte, die Gravitation, Zentrifugal- und Zentripetalkraft, Polarität, Magnetismus, chemische Affinität, das Wachsen der Pflanzen, ihr Streben zum Licht, Selbsterhaltungstrieb und Instinkt der Lebewesen, alles ist Wille. Im Menschen erwache der Wille zum Selbstbewußtsein. Und nun trete in die Erscheinung, daß er eigentlich blinder Wille ist, weil nur Wille, nur ewiges Begehren, und darum unstillbar nach dem Goethe-Wort: „Und im Genuß verschmacht' ich nach Begierde." „Aus der Nacht der Bewußtlosigkeit zum Leben erwacht, findet der Wille sich als Individuum, in einer end- und grenzenlosen Welt unter zahllosen Individuen, alle strebend, leidend, irrend; und wie durch einen bangen Traum eilt er zurück zur alten Bewußtlosigkeit. Bis dahin jedoch sind seine Wünsche grenzenlos, seine Ansprüche unerschöpflich, und jeder befriedigte Wunsch gebiert einen neuen. Keine auf der Welt mögliche Befriedigung könnte hinreichen, sein Verlangen zu stillen, seinem Begehren ein endliches Ziel zu setzen und den bodenlosen Abgrund seines Herzens auszufüllen" (Welt als Wille und Vorstellung II, Kap. 46). Ein solcher Wille ist sinnlos, ist leidend. Und weil das der Weltwille ist, ist die ganze Welt sinnlos, ist eine Tragikomödie; ebenso wie auch das Leben des Einzelnen; es ist ein Geschäft, dessen Ertrag die Kosten nicht deckt. Schopenhauer beschreibt übrigens die Wertlosigkeit des Daseins mit Tönen, die auch in der Lebensstimmung der Existenzphilosophie wieder anklingen. In § 57 des 1. Bandes seines Hauptwerkes heißt es: Im unendlichen Raum und

ββ) Blinder Wille

γγ) Pessimismus

unendlicher Zeit findet das menschliche Individuum sich als endliche Größe in sie hineingeworfen und hat immer nur ein relatives, nie ein absolutes Wann und Wo seines Daseins; sein eigentliches Dasein ist nur die Gegenwart, die aber als solche ein stetes Hineinstürzen in die Vergangenheit, ein stetes Sterben ist; das Gehen ist nur ein stets gehemmtes Fallen; das Leben des Leibes ein aufgeschobener Tod; die Regsamkeit des Geistes eine fortdauernd zurückgeschobene Langeweile; die Basis alles Wollens sind Bedürftigkeit, Mangel, Schmerz; das Leben schwingt gleich einem Pendel hin und her zwischen Schmerz und Langeweile, welche beide in der Tat seine letzten Bestandteile seien. Und so stehe also der Mensch auf der Erde „sich selbst überlassen, über alles in Ungewißheit, nur nicht über seine Bedürftigkeit und seine Not: demgemäß füllt die Sorge für die Erhaltung jenes Daseins unter so schweren, sich jeden Tag von neuem meldenden Forderungen in der Regel das ganze Menschenleben aus." Die eigentliche Sinnlosigkeit liege aber nun darin, daß trotzdem alles da sein will: „Was alle Lebenden beschäftigt und in Bewegung erhält, ist das Streben nach Dasein." Ist es ihnen aber gesichert, so wissen sie damit nichts anzufangen; „daher ist das zweite, was sie in Bewegung setzt, das Streben, die Last des Daseins loszuwerden, es unfühlbar zu machen, die Zeit zu töten, d. h. der Langeweile zu entgehen." Also ein wirklicher circulus vitiosus: alles strebt zum Dasein, das Dasein ist Leiden, man will sich davon befreien, verfällt aber mit der Sicherung des Daseins in die Langeweile und mit ihr wieder in das Unbefriedigtsein.

δδ) Gegen Leibniz und Hegel

Schopenhauer hat diesen Pessimismus mit Heftigkeit gegen den Optimismus des Leibniz verteidigt, der ihm „nicht nur als eine absurde, sondern auch als eine wahrhaft ruchlose Denkungsart" erscheint, als ein bitterer Hohn über die namenlosen Leiden der Menschheit (a. a. O. § 59). „Und dieser Welt, diesem Tummelplatz gequälter und geängstigter Wesen, welche nur dadurch bestehen, daß eines das andere verzehrt, ... dieser Welt hat man das System des Optimismus anpassen und sie uns als die beste unter den möglichen andemonstrieren wollen. Die Absurdität ist schreiend" (a. a. O. II, Kap. 46). Mit besonderer Schärfe aber wendet sich Schopenhauer gegen Hegel und die Hegelianer, die vergessen hätten, daß nach Platon die Philosophie es mit dem Unveränderlichen zu tun habe, die jetzt die ganze Seinslehre zur Geschichte machten und so alles in Fluß brächten und dazu noch glaubten, daß dieser Weltprozeß sinnvoll sei und einem höchsten Ziele zustrebe. „Demnach nehmen sie die Welt als vollkommen real und setzen den Zweck derselben in das armselige Erdenglück, welches, selbst wenn noch so sehr von Menschen gepflegt und vom Schicksal begünstigt, doch ein hohles, täuschendes, hinfälliges und trauriges Ding ist, aus welchem weder Konstitutionen und Gesetzgebungen noch Dampfmaschinen und Telegraphen jemals etwas Besseres machen können. Besagte Geschichtsphilosophen und Geschichtsverherrlicher sind demnach einfältige Realisten, dazu Optimisten und Eudämonisten, mithin platte Gesellen und eingefleischte Philister, zudem auch eigentlich schlechte Christen, da der wahre Geist und Kern des Christentums ebenso wie des Brahmanismus und Buddhaismus die Erkenntnis der Nichtigkeit des Erdenglücks, die völlige Verachtung desselben und Hinwendung zu einem ganz andersartigen, ja entgegengesetzten Dasein ist.... Daher eben der atheistische Buddhaismus dem Christentum viel näher verwandt ist als das optimistische Judentum und seine Varietät, der Islam" (a. a. O. II, Kap. 38). Die letztgeäußerte Ansicht ist typisch für Schopenhauer. Er hat ständig Christentum und Buddhismus verwechselt, verwechselt um seiner Theorie willen. Die Stellung des Christentums zur Welt ist etwas komplizierter, als es der Pauschalpessimismus Schopenhauers annimmt. Aber wo er seinen Kopf durchsetzen wollte, kam es ihm auf die Tatsachen nicht an. Was

εε) Gründe?

uns aber jetzt interessiert, sind die Gründe, die er für seinen Pessimismus beibringt. Diese Gründe sind mangelhaft. Schopenhauer ist stark im Behaupten, schwach im Beweisen. Er hat bestenfalls bewiesen, daß es in Welt und Leben viel oder auch sehr viel Unsinn und Leiden gibt; er hat nicht bewiesen, daß alles in der Welt und im Leben Unsinn und Leiden ist; und nicht einmal das ist bewiesen, daß die Summe der Sinnlosigkeit und des Leidens die Summe des Guten in der Welt übertreffe. Sein ganzer Gedankengang ist ein Verstoß gegen das einfache Gesetz der Logik: a particulari ad universale non valet illatio. Aber wenn man tiefer schaut, zeigt sich, daß es gar nicht um die Logik der Beweisführung geht. Seine Behauptungen sind nämlich nur Affekturteile und entspringen aus einem kranken Ressentiment. Aber gerade das hat ihnen, wo sie wieder auf ressentimenterfüllte Stimmungen trafen, Resonanz verschafft. Es ist lehrreich, Schopenhauers pessimistische Auffassung des Weltwillens mit Schelling zu vergleichen, von dem er angeregt ist. Auch beim späten Schelling sind Wille und Drang die Seele des Weltprozesses. Hier haben wir auch schon die Schopenhauerschen Objektivationen des Willens und deren Steigerung von der Schwerkraft bis herauf zum Selbstbewußtsein und seinem vernünftigen Willen im Menschen. Dieser Wille Schellings ist auch frei, weil er bloßer Wille ist, und es kommt darum zum Sündenfall. Aber auch zum Sündenfall. Der Wille ist nicht nur Böses, sondern in seiner Fülle und in allen seinen Möglichkeiten genommen, meldet sich auch wieder die lichte Seite, und sie siegt sogar über das Böse. Schopenhauer aber legt sich einseitig fest. Auch für ihn ist der Weltwille als das metaphysische Wesen der Welt frei. Er verlegt im Geiste Schellings und Kants „die Freiheit statt in das operari in das esse" („Der Wille in der Natur": Hinweisung auf die Ethik). Nur die Erscheinungswelt untersteht dem Kausalnexus. Kant hatte ja schon immer seine Anerkennung gefunden, weil er den Unterschied zwischen intelligiblem und empirischem Charakter aufgestellt, letzterem die Notwendigkeit, ersterem als einem Ding an sich die Freiheit zugeschrieben habe. Anders jedoch als Schelling sieht Schopenhauer nicht mehr alle Möglichkeiten dieses freien Willens, sondern blickt wie gebannt nur auf die dunklen Seiten. Daß es nur sie gibt, geht aus dem Begriff des „bloßen Willens" nicht hervor. Dieser bloße, freie Wille kann auch fehlen; aber er muß nicht nur fehlen. Es ist typisch für Schopenhauer, daß er die Willens- und Freiheitsphilosophie der Romantik mit einem betont pessimistischen Vorzeichen versehen hat. Die Entscheidung darüber war nicht sachlich begründet. Sie ist ein persönliches Bekenntnis.

b) Verneinung des Willens

α) Individuation

Schopenhauer spricht zwar im allgemeinen immer nur von der Unseligkeit des Willens überhaupt, genauer besehen meint er aber dabei zunächst den egoistischen Willen. In der ganzen Natur sähen wir überall Streit und Kampf und den Wechsel des Sieges. Jede Stufe der Objektivation des Willens macht der anderen die Materie, den Raum, die Zeit streitig.

Beständig muß die beharrende Materie die Form wechseln, indem, am Leitfaden der Kausalität, mechanische, physische, chemische, organische Erscheinungen, sich gierig zur Herrschaft drängend, einander die Materie entreißen, da jede die Idee offenbaren will (Welt als Wille und Vorst. § 27). Am meisten macht sich der Egoismus auf den höchsten Stufen der Objektivationen des Willens geltend, im Menschen. Und hier erkennt man nun ganz deutlich, daß der Egoismus der Ausgangspunkt des ganzen Kampfes ist. Jedes in der grenzenlosen Welt gänzlich verschwindende kleine Individuum will sich zum Mittelpunkt der Welt machen, seine eigene Existenz und sein Wohlsein vor allem anderen berücksichtigen, und es ist auf dem natürlichen Standpunkt sogar so, daß jedes Individuum bereit ist, seinem Vorteil alles andere zu opfern und „eine Welt zu vernichten, um nur sein eigenes Selbst, diesen Tropfen im Meer, etwas länger zu erhalten". Was man im Kleinen wie im Großen leicht sehen könne, in der Eitelkeit nämlich und im Eigendünkel der Menschen, die das Lustspiel darstellt, und in der Tragikomödie, die in der Weltgeschichte aufgeführt werde, im Leben der großen Tyrannen und Bösewichter und in den weltverheerenden Kriegen. „Am deutlichsten aber tritt es hervor, sobald irgendein Haufen Menschen von allem Gesetz und Ordnung entbunden ist: da zeigt sich sogleich auf das deutlichste das bellum omnium contra omnes, welches Hobbes trefflich geschildert hat" (a. a. O. § 61). Hinter diesem Egoismus, „der jedem Ding in der Natur wesentlich ist", offenbart sich aber eine fürchterliche Entzweiung des Weltwillens selbst. Wie Böhme, Schelling und Baader kennt auch Schopenhauer diesen Begriff. Wenn der Wille sich selbst offenbaren soll, sei das nur möglich auf Grund der Vereinzelung, der „Individuation". Das Prinzip dieser Individuation bilden Raum und Zeit. Die Folge ist, daß alle Dinge in Raum und Zeit, weil jedes davon der ganze Weltwille sein möchte, in Streit geraten, ewig unersättlich, ewig unglücklich; aber es ist immer der Weltwille selbst, der „die Zähne in sein eigenes Fleisch schlägt, nicht wissend, daß er immer nur sich selbst verletzt, dergestalt, durch das Medium der Individuation, den Widerstreit mit sich selbst offenbarend, welchen er in seinem Innern trägt. Der Quäler und der Gequälte sind eins" (a. a. O. § 63). Bei Nietzsche wird daraus die Entzweiung des Lebens mit sich selbst; bei Heidegger die Schuld des Daseins (vgl. a. a. O. § 63 und II, Kap. 46).

β) Die Kunst

So bleibt nichts anderes übrig, als zur Verneinung des Willens zu schreiten, wenn immer eine Erlösung vom Leid erreicht werden soll. Die Individuation muß überwunden, die Alleinheit wieder hergestellt werden. Ein erster Weg zur Selbsterlösung ist die Kunst. Die Kunst ist ein anderes Anschauen der Welt, als es sonst im Alltag und auch in der Wissenschaft geübt wird. Dort geht man dem Satz vom Grund in seinen verschiedenen Gestaltungen nach und betrachtet die Erscheinungen, das Viele und seine Beziehungen untereinander. Dabei dient der Verstand nur dem Willen zum Leben und sieht nur, was Objekt der Begehrungen werden kann. Eine solche Betrachtung der Welt bleibt egoistisch, „interessiert". Auch das Tier sieht die Welt so an. Es gibt aber auch ein Anschauen der Welt, wo es nicht mehr um das Einzelne geht, sondern um das Allgemeine, um das immer gleiche Wesen, um die ewigen Musterbilder, die ewigen Ideen oder Formen, und dieses Anschauen geschieht „interesselos", ist reine Kontemplation. Es ist das Schauen der Kunst und der Philosophie. Hier versenkt sich der Blick in das Wesen der Welt, der Mensch hebt sich zum Allgemeinen empor und findet so die Erlösung von seiner Vereinzelung. Schopenhauer macht sich damit in seiner Ästhetik den Gedanken Kants vom interesselosen Wohlgefallen zunutze; dazu dann noch den Begriff der platonischen Idee und den antiken Gedanken der vita contemplativa. Der einzige Ursprung der Kunst sei die Erkenntnis der Ideen, ihr einziges Ziel Mitteilung dieser Erkenntnis. Damit reißt die Kunst das Objekt ihrer Kontemplation heraus aus dem Strom des Weltlaufs und der Zeit und schaut es in seinem An-sich. Das ist mehr als Erfahrung und Wissenschaft. Es ist Metaphysik. Am reinsten repräsentiert der Genius das Wesen der Kunst. „Genialität ist nichts anderes als die vollkommenste Objektivität, ... die Fähigkeit, sich rein anschauend zu verhalten, sich in die Anschauung zu verlieren und die Erkenntnis, welche ursprünglich nur zum Dienste des Lebens da ist, diesem Dienst zu entziehen, d. h. sein Interesse, sein Wollen, seine Zwecke ganz aus den Augen zu lassen, sonach seiner Persönlichkeit sich auf eine Zeit völlig zu entäußern, um als rein erkennendes Subjekt, klares Weltauge, übrigzubleiben;

αα) Interesseloses Schauen

und dieses nicht auf Augenblicke, sondern so anhaltend und mit soviel Besonnenheit, als nötig ist, um das Aufgefaßte durch überlegte Kunst zu wiederholen und ,Was in schwankender Erscheinung schwebt, zu befestigen in dauerndem Gedanken'" (a.a.O. I, § 36). Die vollendetste Kunst sah Schopenhauer in der Musik. Sie ist nicht wie die anderen Künste ein Abbild nur der Ideen, sondern das Abbild des Weltwillens selbst, dessen Objektivationen zwar auch die Ideen sind, aber eben nur Objektivationen. In der Musik dagegen spricht der Weltwille selbst zu uns. Sie ist zu allem Physischen das Metaphysische. Man könnte das, meint Schopenhauer, in der Sprache der Scholastiker so ausdrücken, daß man sagte: die Begriffe sind die universalia post rem, die Musik aber gibt die universalia ante rem und die Wirklichkeit die universalia in re (a. a. O. § 52). Richard Wagner war von dieser Lehre begeistert, und seine Musik ist in der Tat eine Vertonung Schopenhauerscher Philosophie, des Weltschmerzes sowohl als auch seiner Erlösung durch den Untergang im Alleinen. ββ) Musik

Die Erlösung aus der Individuation durch die Kunst ist aber zu wenig; sie ist auf kurze Stunden beschränkt. Die volle Erlösung soll die Ethik bringen, die bei Schopenhauer Mitleidsethik ist und uns befiehlt, in wunschloser Nirwanastimmung uns selbst zu sterben, in einer alles umfassenden Sympathie in jedem Menschen den Bruder (tat twam asi: das bist du), und nicht nur das, sondern in allen Wesen überhaupt nur das Alleine zu sehen und sich darin zu verlieren im Geiste der buddhistischen oder christlichen Mystik, so etwa, wie das Eckhart gelehrt habe. Auf diesen Meister berufen sich also Hegel und Schopenhauer in gleicher Weise, nur daß es bei Schopenhauer absolut keinen Zweifel mehr gibt, daß seine unio mystica keine christliche mehr ist, denn er will erklärter Atheist sein. Es geht ihm bei seiner Mystik einzig um die Überwindung der Individualisierung und um das Nirwana. γ) Die Ethik

Was Schopenhauer in seinen „Grundproblemen der Ethik" zunächst am Herzen liegt, ist der Versuch, die Unfreiheit des menschlichen Willens zu erweisen. Darüber handelt die erste seiner zwei ethischen Preisschriften. Den Satz, in dem die Anhänger der Willensfreiheit ihre Lehre zusammenfassen, „Ich kann tun, was ich will", interpretiert er in dem Sinn: „Du kannst tun, was du willst, aber du kannst in jedem Augenblick deines Lebens nur ein Bestimmtes wollen, und αα) Gegen die Willensfreiheit

schlechterdings nichts anderes als dieses eine.“ Was immer wir wollen, sei durch den durchgängigen Kausalnexus der Welt festgelegt (Determinismus). Dadurch seien alle Motive unseres Wollens vorgegeben. Wer behauptet, daß sein Selbstbewußtsein ihm sage, daß er könne, was immer er wolle, und das nicht so verstehe, daß er nur ausführen könne, was sein Wille sei, sondern so, daß der Willensakt selbst freier Wahlakt wäre, müsse sich belehren lassen, daß unser Selbstbewußtsein uns über die Herkunft unserer Motive gar nichts sage. Die Kette der Determination unserer Willensakte liege ja außerhalb unseres Selbst (Werke III, 395 f. Grisebach). Woher weiß dann Schopenhauer etwas über diese Motivation? Nun, er setzt eine Theorie an die Stelle der Tatsachen. Es ist die Theorie vom streng notwendigen Kausalnexus, die mit dem mechanistisch-naturwissenschaftlichen Denken der Neuzeit aufkam und bei Spinoza ihre klassische Ausprägung gefunden hat. Sie wurde nie bewiesen, nicht einmal auf dem rein physischen Gebiet, und heute neigt die Naturwissenschaft mit ihrer Lehre vom statistischen Charakter der Naturgesetze sogar zur gegenteiligen Annahme. Vor allem aber fragen wir heute, wo wir den Unterschied der Seinsschichten wieder erkennen, was Schopenhauer berechtigt, das Handeln des Menschen unter ein Schema einzureihen, das viel zu einfach ist, weil es nur im Stile des mechanistischen Geschehens der klassischen Physik denkt und den Menschen nur als ein Stück Natur betrachtet? Ist nicht eine Pflanze schon mehr als ein Kräfteparallelogramm, ein Tier wieder mehr als eine Pflanze und ein Mensch erst recht noch mehr? Aber Schopenhauer repräsentiert hier den Geist des 19. Jahrhunderts, das den Unterschied zwischen Natur und Mensch zu verwischen
ββ) Gegen Kant pflegte. An zweiter Stelle ist an der Ethik Schopenhauers beachtenswert seine scharfe Ablehnung der Vernunft- und Gesetzesethik Kants, besonders ihres Formalismus. Schopenhauer hat in seiner Kritik eine Reihe richtiger Bemerkungen vorgebracht, in der Hauptsache aber doch das Bild der Kantischen Ethik verzeichnet. Er stellt den Formalismus überspitzt so dar, als ob die Ethik Kants eigentlich Logik, die praktische Vernunft theoretische Vernunft wäre. Kant hatte in der Tat die Ethik alles Inhaltes beraubt, wie er selbst sagt, meint aber damit die philosophische Deutung, die er der sittlichen Wirklichkeit und ihren Werten geben will; er sucht das

allen Werten Gemeinsame und sieht es in der Allgemeingesetzlichkeit; Schopenhauer preßt jedoch Kants Worte in dem Sinn, daß es für Kant überhaupt keine sittlichen Werte gebe. Ferner soll die Gesetzesethik Sklavenmoral sein, obwohl Kant doch genau das Gegenteil mindestens wollte. Sodann wird der kategorische Imperativ als ein „delphischer Tempel im menschlichen Gemüte" hingestellt, wo in hyperphysischer Weise ex tripode Orakelsprüche ergingen zur Freude „aller Philosophaster und Phantasten". Im Zusammenhang damit verkennt Schopenhauer gröblich das „Faktum des Sittlichen", womit Kant etwas schlechthin Gegebenes und nicht wieder Erklärbares meint. Fichte spricht dieses Faktum, das wir heute entweder als Gewissen oder Wert-Apriori bezeichnen, die Alten aber zu den ersten, auch nicht mehr weiter zurückführbaren praktischen Prinzipien rechneten im Sinne der judicia per se nota, als intellektuelle Anschauung an. Demgegenüber wettert Schopenhauer: „Schöne Exküse! ... Hinter welche Floskeln doch so ein Windbeutel seine Ratlosigkeit versteckt!" Und schließlich kommt noch die Behauptung, daß Kant in Wirklichkeit doch Eudämonist gewesen sei, weil er dem Tugendhaften als dem des Lohnes Würdigen die Glückseligkeit zuerkenne. Nachdem die Lohnmoral zur Vordertür hinausgeworfen worden sei, habe Kant sie zur Hintertür wieder hereingelassen. Es ist aber doch ganz klar, daß Kant die Eudämonie in keiner Weise zum sittlichen Fundament gemacht hat. Sie ist eine Folge, aber nicht ein Prinzip. Hinter alledem steckt die Orientierung Schopenhauers am Empirismus und Psychologismus Humes. Darum führt er jetzt auch wieder die Humesche Neigungs- und Gefühlsmoral ein. Es ist seine Mitleidsmoral, die Mitgefühl mit allen Wesen verlangt. Es gebe nur drei Triebfedern der menschlichen Handlungen, den Egoismus, der das eigene Wohl will und grenzenlos sei; die Bosheit, die das fremde Wehe will und bis zur äußersten Grausamkeit gehe; das Mitleid, welches das fremde Wohl will und bis zum Edelmut und zur Großmut gehe. Nur die letztere Triebfeder sei sittlich, und sie allein bilde das moralische Fundament. Sie sei ein Urphänomen. Ihre Erscheinungsformen seien Gerechtigkeit und Menschenliebe. Der metaphysische Hintergrund dieser Ethik ist die Alleinheit, die Wunschlosigkeit und Verneinung des Einzelwillens überhaupt.

γγ) **Mitleidsmoral**

4. MATERIALISMUS

Die säkulare Revolution

Die Philosophiegeschichte des 19. Jahrhunderts wurde immer von Fachphilosophen geschrieben. Ihnen entbehrte der Materialismus der Tiefe und der wissenschaftlichen Exaktheit. Ihr Interesse wandte sich naturgemäß der reinen Philosophie zu, die zu Anfang des Jahrhunderts führend war, im deutschen Idealismus, und die auch am Ende wieder erstarkte, im Neukantianismus. Die Jahrhundertmitte mit ihrem Materialismus wurde rasch abgetan, obwohl der Materialismus die breiteste und mächtigste Strömung des Jahrhunderts war und vielleicht das schwerste Erbe ist, das uns das 19. Jahrhundert mit auf den Weg gegeben hat. Schon der allgemeine Zeitgeist suggerierte den Materialismus: die mit der Welt der Materie hantierende Technik und Industrie, die immer mehr von Großmachtgedanken besessene internationale Politik und der mit der voranschreitenden Zivilisation um die Wette laufende Hunger nach Geld, der Kapitalismus heißt, wenn man das Geld schon hat, und Sozialismus, wenn man es noch nicht hat, aber haben will. Zur bewußten Theorie erhoben wurde der Materialismus aber von seiten der Junghegelianer oder der sogenannten Hegelschen Linken sowie gewisser Naturwissenschaftler.

a) Die Hegelsche Linke und der dialektische Materialismus

Hegels Philosophie war, wie wir sahen, zwiegesichtig. Man konnte aus ihr Gegensätzliches herausholen. Hegels reifer Geist stand am Ende einer Zeit und stand über dem Ganzen. Alle Teile, Seiten und Bewegungen hatten in seinem System ihren Ort und ihre Ruhe gefunden. Ein andersgearteter Geist konnte vor jener alles gleich setzenden und gleich wieder aufhebenden Ausgeglichenheit des Ganzen leicht versagen. Er konnte am Einzelnen haften bleiben und sich auf Teilgesichtspunkte versteifen, konnte z. B. Materialist werden und Revolutionär. Von dieser Art waren die Junghegelianer. Sie haben das Werk des Meisters radikalisiert und damit den eigentlichen revolutionären Bruch im Denken des 19. Jahrhunderts herbeigeführt. In ihnen hat Hegels Werk eine tragische, aber kaum zu überschätzende Wirkung auf das geistige und politische Leben erhalten. „Erst das 20. Jahrhundert hat das eigentliche Geschehen des 19. Jahrhunderts deutlich und deutbar gemacht" nach dem Rezept, den Baum an den Früchten zu erkennen, hat K. Löwith, einer der besten Kenner dieser Epoche, gesagt. Er charakterisiert die Junghegelianer als entgleiste Bildungsmenschen und gescheiterte Existenzen, die unter dem Zwang der sozialen Verhältnisse ihre gelehrten Kenntnisse ins Journalistische übersetzen. Ihr eigentlicher Beruf ist der freie Schriftsteller unter ständiger Abhängigkeit von Geldgebern und Verlegern, Publikum und Zensoren. Ihre Schriften sind Manifeste, Programme und Thesen, aber kein in sich gehaltvolles Ganzes, und ihre wissenschaftlichen Demonstrationen wurden ihnen unter der Hand zu effektvollen Proklamationen. Ihr Ton ist aufreizend, aber ihre Schriften hinterlassen einen faden Geschmack, weil sie mit dürftigen Mitteln maßlose Ansprüche stellen. Die Welt ist nach 1830 „gemeiner" geworden, sagt Löwith mit J. Burckhardt. Gemessen an Hegels Geschichte des Geistes, ist der neue Geist eine Barbarisierung des Denkens, wo der Gehalt durch Schwulst und Gesinnung ersetzt wird. „Und doch wäre es ein großer Irrtum zu meinen, man könnte auf dem hohen Roß einer verstorbenen Philosophie des Geistes über den Materialismus hinwegsetzen. Feuerbachs Versinnlichung und Verendlichung von Hegels philosophischer Theologie ist schlechthin zum Standpunkt der Zeit geworden, auf dem wir nun alle, bewußt oder unbewußt, stehen" (Löwith). Ausgelöst wurde die geistige Revolution der Hegelschen Linken durch das „Leben Jesu" (1835) von David Friedrich Strauß, wo allem Übernatürlichen der Abschied gegeben war und die raum-zeitliche Welt und ihre Gesetze als das Sein und die Gesetzlichkeit schlechthin genommen wurden, um danach nun die Offenbarung zu interpretieren, d. h. zu richten. Das streifte bereits den Materialismus.

α) Feuerbach

Man kann diesen Übergang von einer rein irdischen, natürlichen Religion zum Materialismus sehr schön bei Ludwig Feuerbach (1804—72) studieren. Schon in seinem Begleitbrief an Hegel, den er seiner Dissertation mitgibt, setzt Feuerbach sich dafür ein, daß das „Selbst" des christlichen Gottes zu entthronen und der Dualismus von übersinnlicher Religion und sinnlicher Welt, von Kirche und Staat zu beseitigen wäre. In einer Abhandlung zur Kritik der Hegelschen Philosophie von 1839 spricht er vom „Unsinn des Absoluten". Das Absolute Hegels sei nichts anderes als der abgeschiedene Geist der Theologie, der in Hegels Philosophie als Gespenst umgehe. In den „Thesen zur Reform der Philosophie" und den „Grundsätzen der Philosophie der Zukunft", besonders aber in seinem „Wesen des Christentums" (1841) geht er dann konsequent weiter auf dem Weg zum Sensualismus und Materialismus. Hegel wird jetzt als extremer Idealist erklärt; trotz aller Aufhebung der Gegensätze bleibe es bei ihm bei der absoluten Einseitigkeit des Idealismus und Spiritualismus. Die Hegelsche Philosophie treffe derselbe Vorwurf, der für die ganze neuere Philosophie seit Descartes überhaupt gelte, der Vorwurf eines unvermittelten Bruches mit der sinnlichen Anschauung. Hegel spreche immer vom Unmittelbaren; aber gerade das gebe es bei ihm nicht, weil er alles Sinnlich-Materielle nur durch den Begriff sehe. Feuerbach will darum die Sinne wieder in ihr Recht einsetzen. Sie seien bei Hegel, was der verachtete dritte Stand bisher war. In Wirklichkeit ist alle Existenz nicht begrifflich, sondern sinnlich zu verstehen. Darum tadelt Feuerbach besonders Hegels Psychologie, die im Wortlaut zwar eine Identität von Leib und Seele annehme, in Wirklichkeit jedoch in spiritualistischer Einseitigkeit alle Realität des Menschen nur in der Seele und im Geiste sehe. Feuerbach erwidert: Allerdings bildet und bestimmt der Geist den Leib, so sehr, daß der geistige Beruf eines Menschen die ganze Lebensform beeinflussen könne; „aber vergessen wir nicht über der einen Seite die andere, vergessen wir nicht, daß, wozu der Geist den Leib mit Bewußtsein bestimmt, dazu er selbst schon unbewußt von seinem Leib bestimmt wird!" „Der Mensch ist, was er ißt." Schärfer kann man wohl den Materialismus nicht mehr ausdrücken. Interessant ist, wie schon bei Feuerbach ein Gedanke ständig wiederkehrt, der bei Nietzsche oft begegnet, die Behauptung nämlich, daß der Idealismus Hegels nur verkappte Theologie sei: „Wer die Hegelsche Philosophie nicht aufgibt, gibt die Theologie nicht auf. Die Hegelsche Lehre, daß die ... Realität von der Idee gesetzt sei, ist nur der rationelle Ausdruck von der theologischen Lehre, daß die Natur von Gott ... geschaffen ist." Feuerbach hält dagegen: Das Unendliche der Religion und Philosophie ist in Wirklichkeit nichts anderes als ein Endliches, Sinnliches, Bestimmtes;

αα) Sensualismus

aber mystifiziert. Der Anfang der Philosophie könne darum nicht Gott oder das „Sein" ohne Seiendes sein, sondern immer nur das Endliche, Bestimmte, Wirkliche. Aus der Ablehnung einer übernatürlichen Religion wird also hier unter der Hand ein glatter Sensualismus und Materialismus. Das eigentlich Wirkliche ist weder Gott noch das Sein noch der Begriff, sondern das sinnlich Gegebene. In besonders prägnanter Weise begegne es uns im Menschen. Damit ergibt sich ββ) Atheistischer Humanismus eine prinzipiell veränderte Stellung der Philosophie zu Politik und Religion. „Das Menschliche ist das Göttliche." Die neue Religion ist dann natürlich die Politik: „Religiös müssen wir wieder werden — die Politik muß unsere Religion werden — aber das kann sie nur, wenn wir ein Höchstes in unserer Anschauung haben, welches uns die Politik zur Religion macht." Dieses Höchste ist der Mensch: homo homini deus. Da der Mensch immer ein irdisch-bedürftiger Mensch bleibt, müsse die Gemeinschaft der Arbeit an die Stelle des Gebetes treten. Nicht Gott oder die Religion ist Grundlage des Staates, sondern der Mensch und seine Not. „Nicht der Glaube an Gott, die Verzweiflung an Gott hat die Staaten gegründet." Was die Menschen zusammenführt, sei der Glaube an sie selbst. Wenn Gott der Herr ist, würde der Mensch sich auf ihn verlassen, statt auf den Menschen. Aber es bleibe uns nur der Mensch. Darum ist der Staat der „Inbegriff aller Realitäten", das neue ens realissimum, ist das „allgemeine Wesen" und die „Vorsehung des Menschen". Damit wird der Staat zur praktischen Widerlegung der Religion. „Der praktische Atheismus ist also das Band der Staaten", und „die Menschen werfen sich gegenwärtig auf die Politik, weil sie das Christentum als eine den Menschen um seine politische Energie bringende Religion erkennen". Man kann die Anschauung, die den Menschen an die Stelle Gottes rückt und dementsprechend Staaten bilden und Geschichte machen will, atheistischen Humanismus heißen. Aber es ist schade für das Wort Humanismus, das eine bessere Vergangenheit hat und im Menschen mehr sehen möchte als nur ein Sinnenwesen. — Literat.: E. Thies, L. F. (1976).

Feuerbach war der Schrittmacher für Karl Marx (1818—83), der β) Marx zusammen mit Fr. Engels der eigentliche Begründer des historischen und dialektischen Materialismus ist. Seine Anhänger pflegen ihn mit Betonung den Vater des wissenschaftlichen Sozialismus zu nennen. Marx ist in Trier an der Mosel als Sohn eines jüdischen Rechtsanwaltes geboren. Auf der Universität stand er zunächst unter dem Einfluß der Hegelschen Philosophie. Durch Feuerbach kam er in das Fahrwasser der Hegelschen Linken. Als Journalist bei der Rheinischen Zeitung tätig, ging er nach deren Verbot nach Frankreich, um dort den Sozialismus zu studieren. In Frankreich traf er Engels und kam durch ihn nach England, wo er sich wieder mit wirtschaftlichen Fragen beschäftigte und tief erschüttert war von den sozialen Mißständen in der Arbeiterklasse. 1848 verfaßte er in Brüssel zusammen mit Engels das Kommunistische Manifest. Seine wichtigsten Schriften sind „Die heilige Familie" (1845), „Die deutsche Ideologie" (1846), „Das Elend der Philosophie, eine Antwort auf Proudhons „Philosophie des Elends" (1847), „Das Kapital" (1867). — Ausgaben: Marx-Engels, Historisch-kritische Gesamtausgabe, herausgeg. vom Marx-Engels-Institut. 1927 ff. K. Marx, Die Frühschriften. Hrsg. von S. Landshut (1953). Studienausgabe in 7 Bdn. von H.-J. Lieber u. a. bei der Wissenschaftlichen Buchgesellschaft Darmstadt (1962 ff.). — Lit.: K. R. Popper, Falsche Propheten: Hegel, Marx und die Folgen (Bern 1958). I. Fetscher, Der Marxismus. Seine Geschichte in Dokumenten (1962). G. Salomon-Delatour, Die Lehre Saint-Simons (1962). S. auch oben S. 438. H. Fleischer, Marx und Engels (1970). T. Hanak, Die Entwicklung der marxistischen Philosophie (1976). W. Bienert, Der überholte M. Seine Religionskritik u. Weltanschauung kritisch untersucht (1975). H. Rolfes (Hrsg.), Marxismus und Christentum (1974). — A. v. Weiß, Neomarxismus. Die Problemsituation im Nachfolge-Marxismus der Jahre 1945—1970 (1970). G. Rohrmoser, Das Elend der kritischen Theorie (1970). M. Spieker, Neomarxismus u. Christentum. Zur Problematik des Dialogs (1974).

αα) Der umgestülpte Hegelianer

Marx hat sich selbst einen umgestülpten Hegelianer geheißen. Hegel habe die Welt von oben her betrachtet. Die Idee war ihm das erste, alles andere aber eine Folgeerscheiung der Idee, des Begriffs oder des Weltgeistes. Auch die materielle Natur ist nur das Anderssein der Idee. Nach Marx ist das erste die materielle Wirklichkeit. Sie ist auch die einzig echte und entscheidende Realität, alles Ideenhafte dagegen, Sitte also, Sittlichkeit, Recht, Religion, Kultur, sind nur Folgeerscheinungen der Materie, bloße Epiphänomene. Hegel habe

ββ) Neuer Materialismus

die Welt auf den Kopf gestellt. Es gelte, die Dinge wieder in der rechten Ordnung zu sehen. Marx nennt sich darum, obwohl er Hegelschüler ist, einen Materialisten. Wir sahen bereits, wieso man auf dem Boden des Hegelschen Idealismus auch zum Materialismus kommen kann und von seinem Theismus zum Atheismus. Feuerbach war vorangegangen. Marx ist aber mit ihm und anderen Junghegelianern nicht zufrieden. Sein Materialismus ist etwas anderer Art. Er ist ein praktischer, historischer und atheistischer. Daß der Materialismus praktisch sein muß, hat Marx sehr scharf gegen Feuerbach herausgehoben. In den elf Thesen über Feuerbach (1845) sieht Marx den Hauptmangel des bisherigen Materialismus darin, daß dieser im Stile des alten Sensualismus die Welt als etwas Fertiges angeschaut und nur passiv hingenommen habe. Es sei zwar ein Verdienst Feuerbachs gewesen, die religiöse Vorstellungswelt in ihre irdisch-sinnlichen Elemente aufgelöst zu haben, allein er sowohl wie die anderen Junghegelianer seien bei der gegebenen Welt stehengeblieben und hätten sie nur anders interpretiert, Feuerbach in Richtung auf das menschliche, Bruno Bauer in Richtung auf das kritische, Stirner in Richtung auf das egoistische Bewußtsein. Ihr Fehler lag darin, daß sie die Sinnlichkeit nicht als ein Produkt der menschlich-sinnlichen Tätigkeit oder Praxis aufgefaßt hätten. Sie waren eben auch noch Mitglieder der allzu bürgerlichen Gesellschaft, die als eine Gesellschaft nur genießender Individuen nicht wisse, daß, was immer sie konsumiere, das geschichtliche Produkt gemeinsamer menschlicher Tätigkeit sei, und wenn es sich nur um einen Apfel handle. Darum jene passiv-rezeptive Einstellung zur materialistisch-interpretierten, aber nicht als Aufgabe aktiv-praktischer Umbildung aufgefaßten Welt. Die Umbildung, die Marx im Auge hat, ist eine radikale. Zur Begründung seiner Haltung übernimmt er aus der Hegelschen Philosophie das Motiv des ewigen Werdens, des Aufhebens der Gegensätze, des Voranschreitens zu stets Neuem. Von den vielen Triaden interessiert ihn freilich nur eine einzige: die kapitalistische Gesellschaftsordnung, deren Antithesis im Proletariat und die zu erkämpfende Synthesis in der klassenlosen kommunistischen Gesellschaft. Das allein bleibt vom Hegelschen Weltprozeß. Ist das politische Ziel erreicht, so ist auch der philosophische Prozeß zu Ende. Und hier kann man nun mit Händen greifen, daß Marx mehr Revolutionär ist denn Philosoph. Die Philosophie ist nur ein willkommenes Mittel für seine politischen Tendenzen. Allein wie unecht das alles auch

Praktischer

Historischer

ist, Marx hat in dieser Frage doch einen Gedanken ausgesprochen, der Geschichte gemacht hat. Wir meinen seine Theorie, daß alles Auffassen der uns umgebenden Welt auf gewissen materiellen Grundvoraussetzungen beruhe. „Die Betrachtungsweise ist nicht voraussetzungslos. Sie geht von wirklichen Voraussetzungen aus, sie verläßt sie keinen Augenblick ... Ihre Voraussetzungen sind die Menschen, nicht in irgendeiner phantastischen Abgeschlossenheit und Fixierung, sondern in ihrem wirklichen ... Entwicklungsprozeß unter bestimmten Bedingungen. Sobald dieser tätige Lebensprozeß dargestellt wird, hört die Geschichte auf, eine Sammlung toter Fakta zu sein, wie bei den selbst noch abstrakten Empirikern, oder eine eingebildete Aktion eingebildeter Subjekte wie bei den Idealisten." Damit wird Marx zum Vater des historischen Materialismus. Die Bedingungen, die das Schauen, Denken, Handeln und damit den ganzen Prozeß der menschlichen Geschichte bestimmen, sind nämlich materieller Art. Näherhin ist es die Gesamtheit der Produktionsverhältnisse, was die reale Basis für das historische Werden, vor allem natürlich für eine bestimmte Struktur der Gesellschaft mit ihrem juristischen und politischen Überbau ausmacht. Zur Handmühle gehört die Gesellschaft der Feudalherren, zur Dampfmühle die der Industriellen und Kapitalisten. Immer mit dem entsprechenden geistigen Überbau, so daß Geschichtswissenschaft, Philosophie, Religion, Kunst, Politik, überhaupt Kultur, ihrer Substanz und Eigengesetzlichkeit verlustig gehen und zum bloßen Epiphänomen werden. Damit ist Hegels Metaphysik des Geistes so extrem wie nur möglich verendlicht und verzeitlicht. Wir dürfen aber nicht übersehen, daß der Materialismus Marxens nicht einfach und unmittelbar nur die tote Materie im Auge hat. Voraussetzung ist der Mensch, so hörten wir; näherhin der Mensch in seinen Produktionsverhältnissen. Die Materie, die der historische Materialismus meint, ist nicht eine vollständig dehumanisierte. Was Welt- und Geschichtsbetrachtung und überhaupt das ganze Denken und Handeln des Menschen bestimmt, ist die Materie in ihrer Beziehung zum Menschen oder der Mensch in seiner Beziehung zur Materie. Was also Marx mit seinem historischen Materialismus meint, und das gerade im Unterschied zu den anderen Junghegelianern oder zum Sensualismus der Empiriker, ist ein Prozeß, in dessen

Verlauf Materie und Mensch sich gegenseitig anpassen. Darum immer die Forderung eines praktischen Materialismus. Man könnte das auch Pragmatismus oder Instrumentalismus oder auch, in der Sprache Feuerbachs, Naturalismus heißen, wobei man nur bedenken muß, daß „Natur" jetzt nicht mehr die Körperwelt ist, die rerum natura der Alten oder die Jagd oder der Urwald, sondern, wie Marx in seinen Thesen gegen Feuerbach betont, „das Ensemble der gesellschaftlichen Verhältnisse", „Staat und Sozietät", kurz, die Industriegesellschaft. Darum die Versuche der Soziologen, Gegebenheiten des geistigen Lebens „gesellschaftlich" zu erklären. Man hat auch gemeint, den historischen Materialismus eigentlich historischen Ökonomismus nennen zu sollen, weil es im Grunde nicht um einen ontologischen Materialismus gehe, sondern um die Empirie der wirtschaftlichen Verhältnisse und ihre Auswirkungen auf das geistige Leben, wofür sich auch wieder schon bei Hegel Ansätze fänden. Das philosophische Denken fragt natürlich nach konkreten Angaben über die einzelnen Faktoren, die in diesem Zusammenspiel von Mensch und Materie auftreten. Dabei ginge es nicht um die Historizität kultureller Erscheinungen. Darauf zu verweisen hieße offene Türen einrennen und ist ebenso banal wie billig. Es geht vielmehr um die Prinzipien des geistigen Seins und Geschehens. Sollen etwa auch die Gesetze der Logik oder die Kategorien des Geistes oder das sittliche Werturteil als Vermögen an sich „ökonomisch" erklärt werden? Setzt nicht jeder Gebrauch technomorpher, biomorpher, soziomorpher Denkmodelle das alles schon voraus? Hier wären Detailnachweise zu führen. Allein davon ist nichts zu sehen. Marx ist kein Kant und kein Locke. Er schlägt sich nicht mit einer Physiologie des Verstandes oder mit Kategorienlehren herum. Es geht ihm einfach um den Menschen, dessen Elend er in den Industriestädten Frankreichs und Englands kennengelernt hatte. Darum bleiben seine Aussagen so pauschal wie die Behauptungen der an ihm geschulten Soziologie über Urgesellschaft, Feudal- und bürgerliches Zeitalter usw., für die offenbar 1000 Jahre wie ein Tag sind. Die Materialismus-Problematik begegnet uns wieder in der Stellung Marxens zur Religion, seinem Atheismus, wo übrigens die Abhängigkeit von Feuerbach besonders ersichtlich wird. Schon in seiner Dissertation beschäftigt sich Marx

Atheistischer

mit zwei Atheisten, mit Demokrit und Epikur. Es hat einen tiefen Sinn. Nur der Atheismus des an sich selbst glaubenden Menschen läßt ohne Hemmung für sich selbst sorgen. Die Destruktion der christlichen Religion ist die Voraussetzung für die Konstruktion einer Welt, in welcher der Mensch Herr seiner selbst ist. Aber nicht nur die christliche, sondern jede Religion wird abgelehnt; denn die Religion nimmt vielleicht dem Menschen das Bewußtsein seines Elends, indem sie ihn vertröstet auf eine bessere Welt. „Sie ist das Opium des Volkes." Darum muß dem Volk immer wieder beigebracht werden, daß Religion nur ein Erzeugnis des Menschen ist; „und zwar ist die Religion das Selbstbewußtsein, das Selbstgefühl des Menschen, der sich selbst entweder noch nicht erworben oder schon wieder verloren hat." Der marxistische Atheismus ist aber nicht eine nur politische Emergente. Mag sein, daß seine ganze materialistische Rede Pseudowissenschaft ist, aber was tatsächlich behauptet wird, impliziert den Materialismus, sogar den ontologischen. Ein solcher liegt nicht nur vor, wenn man mit Demokrit oder den französischen Aufklärern alles auf Wirklichkeitsklötzchen zurückführt, sondern auch, wenn der historische Ökonomismus die Realität „vor allem", richtiger nur in der materiellen Wirklichkeit sehen möchte. Dann gibt es eben auch nur diese eine Realität. Die „Materie" Marxens umgreift nicht auch den Geist als etwas Eigenes und Ursprüngliches, der dann aus ihr entlassen würde, sondern für Marx ist der „Geist" Materie; er sieht nur anders aus, ist ein „Epiphänomen". Hätte Marx den Geist in der Materie als ein novum enthalten sein lassen, um ihn dann zu „eduzieren", wäre er ein Scholastiker gewesen. Wäre der Geist in der Materie aber „aufgehoben" gewesen — die Rede ist unklar genug —, so könnte man das hegelisch verstehen. Dann hätte er aber Hegel nicht auf den Kopf zu stellen brauchen. Daß er dies tut, zeigt, was er will. Darum wird auch im Marxismus der Kampf gegen jede Metaphysik geführt. Die Wiederbelebung des Materialismus in der französischen Aufklärung (Marx war schon von seinem Vater auf Voltaire verwiesen worden, und ganz in diesem Sinn nehmen sich heute auch die sowjetischen Marxisten wieder der französischen Materialisten an) war nach Marx „nicht nur ein Kampf gegen die bestehenden politischen Institutionen wie gegen die bestehende Religion und

Theologie, sondern ebensosehr ein ausgesprochener Kampf gegen die Metaphysik des 17. Jahrhunderts und gegen alle Metaphysik". Darum also kann man diesen Atheismus nicht für ephemer halten. In den zuletzt angeführten Gedankengängen hören wir noch ein viertes Charakteristikum des neuen Materialismus anklingen, den Gedanken des Klassenkampfes. Er bedient sich zur näheren Begründung neben anderem gerne der Lehre vom „Mehrwert": Die Kapitalisten zahlen dem Arbeiter nur so viel Lohn, daß damit gerade nur die Kosten zur Erhaltung seiner Arbeitskraft gedeckt werden („Tauschwert"). Der auf dem freien Markt erzielte „Nutzwert" des Arbeitsproduktes ist aber größer. Diesen Mehrwert steckt der Kapitalist ein. Und darum heißt Kapitalismus soviel wie Ausbeutung des Arbeiters. Der Kapitalist vermag das, weil er im Besitz der Produktionsmittel ist. Ohne Arbeit kommt er so unter Ausnutzung des werktätigen Volkes zur Anhäufung immer größerer Reichtümer. Aber gerade diese Akkumulation wird zur Expropriation der Expropriateure führen; denn sie erzeugt das Proletariat und schlägt damit in das Gegenteil um. Diese Entwicklung will Marx nun forcieren: „Es handelt sich darum, den Deutschen keinen Augenblick der Selbsttäuschung und Resignation zu gönnen. Man muß den wirklichen Druck noch drückender machen, indem man das Bewußtsein des Druckes hinzufügt, die Schmach noch schmachvoller, indem man sie publiziert." So entsteht das klassenbewußte Proletariat. Aber es entsteht nicht als ein Endziel! Es muß nur als Gegensatz zum Kapitalismus seiner selbst bewußt werden, damit die beiden Gegensätze zugleich zur Aufhebung gelangen; denn „die besitzende Klasse und die Klasse des Proletariats stellen dieselbe menschliche Selbstentfremdung dar". Aber der Kapitalismus fühlt sich in seiner Unmenschlichkeit wohl. So ergibt sich die Aufgabe, das Proletariat nicht zur Ruhe kommen zu lassen, etwa durch Religion. Es soll um sein Elend wissen, damit es seine und die Selbstentfremdung des Kapitalismus beseitige. So treibt das Privateigentum zu seiner Selbstauflösung, indem es das Proletariat als Proletariat erzeugt, „das seines geistigen und physischen Elends bewußte Elend und die ihrer Entmenschung bewußte und darum sich selbst aufhebende Entmenschung". Damit „vollzieht das Proletariat das Urteil, welches das Privateigentum

Klassenkämpferischer

durch die Erzeugung des Proletariats über sich selbst verhängt ... Alsdann ist ebensowohl das Proletariat wie sein

γγ) Der neue Mensch

bedingender ,Gegensatz verschwunden." Der neue Mensch, den Marx erträumt, ist darum der eigentliche Mensch, der seiner Selbstentfremdung enthobene und zur Synthese seiner „Abstraktionen" oder bloßen Teilsachverhalte gekommene ganze und vollkommene Mensch. Hier gibt es keine Halbheiten, keine Gegensätze, und darum ist diese Gesellschaft „klassenlos". Was uns eigentlich interessieren würde, der konkrete Inhalt des neuen Menschenbildes, bleibt wieder ungesagt. Die großen Revolutionäre wollen immer Blankoschecks ausgestellt haben für ihre Pläne. Sie versprechen das Neue, das Große, das Ideale, aber sie sagen nicht gerne, worin es besteht. Immerhin, das hören wir von Marx, daß im bürgerlichen Staat die Existenz des Individuums außerhalb der gemeinschaftlichen Existenz liege, im Kommunismus aber Gemeinschaft und Individualität zusammenfallen. In der Gemeinschaft erst sei man frei, und nur hier könne man zu sich selbst finden. Wie das praktisch vor sich geht, dafür haben wir im 20. Jahrhundert Anschauungsunterricht genug erhalten.

δδ) Hintergründe

Im übrigen ist gegenüber den interessierten Versuchen, den Marxismus als eine Abart des Hegelianismus hinzustellen, auf die Tatsache zu verweisen, daß Marx auf seine sozialistischen Ideen durch den Saint-Simonismus sowie durch seine Bekanntschaft mit den französischen Frühsozialisten gebracht wurde. Auf ersteren hatte ihn sein späterer Schwiegervater L. v. Westphalen, auf letztere sein Redaktionskollege Moses Hess aufmerksam gemacht. Die sozialistischen Ideen wurden nicht primär aus Hegel spekulativ abgeleitet, sondern nur post festum mit Hegelschen Begriffen verbrämt. H. Marcuse, selbst ein Marxist, bestreitet, daß es sich bei Marx um Philosophie handle. Alle „philosophischen" Begriffe der marxistischen Theorie seien gesellschaftliche und ökonomische Kategorien, während die Hegelschen gesellschaftlichen und ökonomischen Kategorien philosophische Begriffe seien. „Selbst die Marx'schen Frühschriften sind nicht philosophisch. Sie drücken die Negation der Philosophie aus, obgleich noch in philosophischer Sprache." Der Marxismus ist darum vor allem eine politische Doktrin. Seine „Wissenschaft" ist Parteisache. Marxens Lehre über die Entfremdung des Menschen und ihre Aufhebung durch die Beseitigung der Teilung der Arbeit wird erst dann richtig gedeutet, wenn man Ch. Fouriers Theorien über die Vollendung des Menschen und die Umwandlung der Arbeit in Genuß kennt. Das Ganze ist darum mehr französische Aufklärung als deutsche Philosophie. Von dort stammt auch der Fortschritts- εε) „Fortschritt“ gedanke, den der Marxismus reichlich strapaziert. Nun ist Fortschritt eine ebenso hohe wie schwierige Idee. Wer weiß, was echter Fortschritt ist und was nur leichtgläubige Hoffnung? In der aufklärerischen Popularphilosophie wird daraus tatsächlich ein rascher, unüberlegter Fortschrittsglaube, der nun wirklich so etwas ist wie Opium für das Volk. Feinere Geister reflektieren die Fortschrittsidee, und jetzt gerät sie vom Regen in die Traufe; denn angesichts ihrer radikalen Ideologiekritik bleibt nichts als eben das Nichts und der Zynismus. Man sieht es an den in die Utopie und ζζ) Neomarxisten den „permanenten Revisionismus“ (L. Kolakowski) flüchtenden Vielschreibern des Neomarxismus wie G. Lukács, E. Bloch, J.-P. Sartre, L. Goldmann, R. Garaudy, der Frankfurter Schule u. a. (s. o. S. 438). Die Psychoanalyse von S. Freud leistet dabei häufig Schützenhilfe, vor allem aber die Soziologie, die im Neomarxismus schnell mit Philosophie ausgewechselt werden kann und umgekehrt; „Gesellschaft“ ist dann das alles von der Metaphysik und Ethik bis zur Ästhetik und Logik erklärende Stichwort.

γ) Engels

Friedrich Engels (1820—95) war der Weggenosse von Marx. Beide haben so eng, auch in ihren Schriften, zusammengearbeitet, daß man nicht immer jedem zuteilen kann, was ihm genau zukommt. Das Marx-Engels-Institut hat auch die Werke der beiden in einem herausgegeben, und in Rußland hält man an der unlösbaren Einheit der Lehre beider wie an einem Dogma fest. Die Hauptwerke von Engels sind: „Ludwig Feuerbach und das Ende der klassischen Philosophie“ (1886), „Herrn Dührings Umwälzung der Wissenschaften“ (1877), „Dialektik der Natur“ (1873—83). Man kann aber den Anteil, den Engels am gemeinsamen Werk gehabt hat, wenn auch nicht immer im einzelnen, so doch in einer sehr wichtigen Grundhaltung feststellen. Er hat nämlich den dialektischen Faktor in voller Breite auf allen Einzelgebieten der Philosophie zur Anwendung gebracht, und zwar jeweils vollständig, von Anfang bis zum Schluß, und nicht bloß sporadisch. Bei Marx liegt ja faktisch nur eine Triade vor, wie wir gesehen haben. Engels aber behandelt, dabei besonders stark, mehr noch als Marx, beeinflußt vom naturwissenschaftlichen Materialismus, alle Seinsgebiete prinzipiell als materialistisch-dialektische Komplexe. Er ist der eigentliche Begründer eines total durchgeführten dialektischen Materialismus, Marx dagegen der Begründer des historischen Materialismus, der dem dialektischen gegenüber nur einen Ausschnitt darstellt.

δ) Der sowjetrussische Diamat

Auf Marx und Engels geht der dialektische Materialismus zurück, der heute die offizielle Philosophie Sowjetrußlands bildet und mit dem Anspruch auftritt, der orthodoxe Marxismus zu sein. Andere Formen des Marxismus, besonders der Revisionismus (E. Bernstein, K. Kautzky, K. Vorländer), werden schroff abgelehnt. Marx war schon frühzeitig mit russischen Revolutionären in Verbindung getreten. Bereits von 1870 an wurde auch seine Lehre in Rußland verschiedentlich diskutiert und auch doziert. Allein was Lenin und Stalin aus seiner Lehre gemacht haben, ist doch etwas anderes, wenngleich die Möglichkeit der Weiterentwicklung Marxens zum Leninismus und Stalinismus zu denken gibt, allerdings nicht nur für Marx, sondern auch für Hegel.

αα) Plechanow

Der eigentliche Begründer des russischen Marxismus ist G. W. Plechanow (1856—1918), der 1880 als Emigrant in Genf die erste russische marxistische Gruppe gründete, den „Bund der Befreiung der Arbeit". Rasch entstanden ähnliche Gruppen in Rußland selbst, die sich zur „Union zum Kampf für die Emanzipation der Arbeiterklasse" zusammenschlossen. 1898 wurde zu Minsk der erste Parteikongreß gehalten; 1903 der zweite in Brüssel-London. In den Auseinandersetzungen dieses Kongresses über den künftigen Charakter der Partei erhielt Lenin die Mehrheit (= Bolschewiki). Die Minderheit (= Menschewiki) wurde nun diskriminiert als Irrlehrer, Verräter, Liquidateure des Parteigedankens. Sie hatten teils am mechanistisch denkenden Determinismus festgehalten, statt am dialektischen, teils auch wollten sie legal bleiben und auch die christliche Weltanschauung nicht ablehnen. Darunter war neben anderen einst auch N. Berdjajew. Auch Plechanow ging nicht unter die Bolschewisten.

ββ) Lenin

Lenin (1870—1924) hat dann jenen Marxismus ausgebildet und als Parteidogma diktiert, der heute in der Politik Bolschewismus heißt, als Philosophie aber dialektischer Materialismus (= Diamat). Lenin nimmt Marx und Engels als Einheit, schließt sich engstens an sie an und behauptet, den orthodoxen Marxismus zu vertreten. Unter den 30 Bänden seiner eigenen Werke befinden sich allerdings nur zwei philosophische Schriften: „Materialismus und Empiriokritizsmus“ (1909) und die „Philosophischen Hefte“ (posthum 1929). Es sind aber in seinen politischen Aufsätzen viele philosophische Gedanken eingestreut.

In seinem Buch über den Materialismus und Empiriokritizismus nimmt Lenin Stellung gegen russische Anhänger jenes Empiriokritizismus, den Mach und Avenarius vertreten haben, da er darin einen subjektivistischen Idealismus sah, der seinem eigenen Materialismus und Realismus entgegenstand. Lenin ist von der materialistisch-dialektischen Grundhaltung wie besessen und setzt sie mit jener eisernen Konsequenz durch, die für die großen historischen Gründernaturen immer so bezeichnend ist. Sie haben alle eine einfache, klare Idee und verfolgen sie unbeirrbar, alles niederwälzend, was sich ihnen in den Weg stellt. Insofern lebt in ihnen eine Vitalität, die stärker ist als alles andere. Darin liegt ihre Kraft. Allerdings ist es keine philosophische. In seinem Hauptwerk hat jedoch Lenin zunächst den Nachdruck mehr auf den Erweis des Materialismus und Realismus überhaupt gelegt. Realität und Materialität sind wie häufig im naiven Denken des Alltags so auch für Lenin identisch. Dieser „Realismus“ wird von Realisten anderer Provenienz mit Anerkennung registriert. Alles Wirkliche ist also materieller Natur, und nicht nur das: alles Erkennen bildet diese materielle Realität sogar ab wie in einer Kopie oder Photographie, was ganz konsequent ist, wenn auch höchst unkritisch. Der dialektische Gedanke jedoch: die gesamte Weltentwicklung im großen wie im kleinen ist ein Kampf der Gegensätze, wo die Thesis immer wieder von der Antithesis zerstört wird, findet sich mehr in den Philosophischen Heften vertreten. In den Philosophischen Heften dämmert auch die Erkenntnis, daß die Sinneswahrnehmung vielleicht doch nicht so unmittelbar ist, wie die sensualistische Abbildtheorie meint, daß also „Materie“ weniger wahrgenommen als vielmehr erdacht sein könnte. Dann wäre Materie nicht mehr das Wirklichkeitsklötzchen der Aufklärungs-Materialisten, sondern so etwas wie die Hyle des Aristoteles, auf den sich Lenin auch bezieht. Vielleicht wäre Materie dann sogar nur Produkt einer langen geistigen Vermittlung. Das scheint den Materiebegriff des Diamat aufzulösen, weshalb denn auch

Materialismus

die Philosophischen Hefte nur unter Parteiaufsicht verwendet werden dürfen. Außer den drei Momenten der materialistischen Wirklichkeitslehre, realistischen Erkenntnislehre und dialektischen Entwicklungslehre findet sich bei Lenin noch, auch wieder wie bei Marx, der Pragmatismus, die Forderung also, daß alle Philosophie der Praxis zu dienen habe. Und was Praxis ist, wird jetzt klar. Es ist die Praxis der Partei. Ob ein Gedanke linientreu ist oder nicht, den Interessen der politischen Pläne dient oder nicht, ist für Lenin ein Argument für oder gegen. „Marx und Engels waren in der Philosophie vom Anfang bis zum Ende parteilich", schreibt er, ohne rot zu werden (Materialismus und Empiriokritizismus S. 366. Verlag für fremdsprachige Literatur. Moskau 1947). Trotzdem haben die Marxisten die Stirn, die Philosophie ihrer Gegner als „nicht objektiv" zu bezeichnen. Dazu kommt dann noch die radikale Ablehnung aller Religion. In dem Aufsatz „Sozialismus und Religion" heißt es: „Die Religion ist das Opium des Volkes. Die Religion ist eine Art geistiger Fusel, in dem die Sklaven des Kapitals ihr Menschenantlitz und ihre Ansprüche auf ein halbwegs menschenwürdiges Leben ersäufen. Doch der Sklave, der sich seiner Sklaverei bewußt geworden ist und sich zum Kampf für seine Befreiung erhebt, hat bereits zur Hälfte aufgehört, Sklave zu sein. Der moderne klassenbewußte Arbeiter, von der Großindustrie erzogen, durch das städtische Leben aufgeklärt, wirft mit Verachtung die religiösen Vorurteile von sich, überläßt den Himmel den Pfaffen und bürgerlichen Frömmlern, um sich ein besseres Leben hier auf Erden zu erkämpfen" (Lenin, Marx—Engels—Marxismus. Ausgewählte Aufsätze. Berlin 1946. S. 115). Lenin gibt zu, daß Religion Privatsache sein müsse, wie man in Kreisen des Marxismus immer zu sagen pflege. Das gelte aber nur dem Staate gegenüber, nicht jedoch für die Partei. Sie ist religionsfeindlich. Der Staat allerdings müsse neutral sein, und zwar in dem Sinn, daß er jede Verbindung mit der Religion löst. Sie darf für den Staatsbürger nichts bedeuten. Nicht einmal eine Angabe über Konfessionszugehörigkeit darf verlangt werden. Völlige Trennung also von Kirche und Staat. Interessant ist die Begründung dieser Forderung. Sie wird um der Freiheit des Menschen willen erhoben. Lenin will der „verfluchten Vergangenheit ein Ende machen, wo die

Pragmatismus

Religionsfeindlichkeit

Kirche im Hörigkeitsverhältnis zum Staat und der russische Bürger im Hörigkeitsverhältnis zur Staatskirche standen, wo mittelalterliche Inquisitionsgesetze existierten und Anwendung fanden“ (a. a. O.). Er fragt die Geistlichen, ob sie bereit seien, diese Freiheit zu bejahen, und ruft ihnen zu: „Wenn nicht, dann seid ihr also immer noch in den Überlieferungen der Inquisition befangen, dann klammert ihr euch also noch an die Staatspöstchen und Staatspfründen, dann glaubt ihr also nicht an die geistige Kraft eurer Waffe, laßt euch auch weiterhin von der Staatsmacht bestechen — dann erklären euch die klassenbewußten Arbeiter ganz Rußlands den schonungslosen Krieg“ (a. a. O. 116).

γγ) Stalin

Die Nachfolge Lenins trat wie in der Politik so auch in der Philosophie Josef Stalin (1879—1953) an. Er hat zwar zur Philosophie weiter nichts geschrieben als ein Resumé der Hauptthesen von Marx und Engels, gesehen mit den Augen Lenins, das nur ein halbes Kapitel der Parteigeschichte ausmacht, sowie die nicht viel größere Abhandlung über den Marxismus und die Fragen der Sprachwissenschaft („Linguistik-Briefe“ von 1950, die die Sprache aus der revolutionären Entwicklung herausnahmen), gilt aber trotzdem in Rußland als ein philosophisches Genie. Dieses Resumé mit dem Titel „Über historischen und dialektischen Materialismus“ (abgekürzt „Histomat“ bzw. „Diamat“) wurde allein durch die Parteigeschichte, in der es steht, in Millionen von Exemplaren verbreitet und galt bis 1956 als die verbindliche Darstellung des historischen und dialektischen Materialismus.

Stalins Schrift über den Histomat und Diamat hebt an mit den definitorischen Sätzen: „Der dialektische Materialismus ist die Weltanschauung der marxistisch-leninistischen Partei. Diese Weltanschauung heißt darum dialektischer Materialismus, weil ihr Herangehen an die Naturerscheinungen, ihre Methode der Erforschung der Naturerscheinungen, ihre Methode der Erkenntnis dieser Erscheinungen die dialektische ist und weil ihre Deutung der Naturerscheinungen, ihre Auffassung der Naturerscheinungen, ihre Theorie materialistisch ist.“ Das Verhältnis von historischem und dialektischem Materialismus wird auch sofort festgelegt: „Der historische Materialismus ist die Ausdehnung der Leitsätze des dialektischen Materialismus auf die Erforschung des gesellschaftlichen Lebens ... auf die Erscheinungen ... und auf die

Dialektik Geschichte der Gesellschaft." Dann wird in einer sehr klaren und einprägsamen Weise dargestellt: 1. Der Sinn der Dialektik: Die Natur ist ein zusammenhängendes Ganzes; die Einzeldinge sind organisch miteinander verbunden und müssen aus diesem Zusammenhang heraus verstanden werden; alles befindet sich in unaufhörlicher Bewegung und Veränderung, und die damit gegebene Entwicklung ist zu erforschen; die Entwicklung ist ein Prozeß, in dem unbedeutende und verborgene quantitative Veränderungen zu grundlegenden qualitativen Veränderungen führen, wobei die neuen Gestalten nicht allmählich, sondern plötzlich, in einem Umschlag, herausspringen; diese Bewegung schreitet gradlinig fort und ist ein Aufstieg vom Einfacheren zum Komplizierteren, vom Niederen zum Höheren; was die Entwicklung vorantreibt, sind die Gegensätze, die inneren Widersprüche der Naturerscheinungen, wie z. B. die positiven und negativen Seiten der Dinge, Ablebendes und Aufblühendes, Vergangenheit und Zukunft; Kampf ist darum das Wesen aller Entwicklung. Das ist nun in der Tat Hegelsche Dialektik; denn die Auffassung des Seins als eines organischen Ganzen und die Betrachtung der Entwicklung als eines Kampfes zwischen den Gegensätzen des dialektischen Dreischritts, das war seine Lehre gewesen. Stalin macht davon sofort eine Anwendung auf die politische Praxis. Aus dem allgemeinen Werden folgt der soziale Fortschritt, aus dem allgemeinen Kampf der Klassenkampf, aus dem sprunghaften Auftauchen neuer Gestalten die revolutionäre Änderung bestehender Verhältnisse, aus der Eindeutigkeit der wesenhaften Gestalten die kompromißlose Forderung der Entwicklungsziele: „Also darf man die Widersprüche der kapitalistischen Zustände nicht verkleistern, sondern muß sie aufdecken und entwirren, darf man den Klassenkampf nicht eindämmen, sondern muß ihn zu Ende führen. Um also in der Politik nicht fehlzugehen, muß man eine unversöhnliche proletarische Klassenpolitik und nicht eine reformistische Politik der Interessenharmonie zwischen Proletariat und Bourgeoisie, nicht eine Paktierpolitik des Hineinwachsens des Kapitalismus in den Sozialismus durchführen." 2. Der Sinn des Materialismus: Die Wirklichkeit ist nicht Idee oder Bewußtsein, bedarf auch keines Weltgeistes, sondern ist ausschließlich Materie, die sich nach ihren eigenen, durch die dialek-

Materialismus

tische Methode festzustellenden Gesetzen bewege; Sein ist gleich Materie; Materie ist darum überall das Primäre, ist Quelle der Empfindungen, Vorstellungen, des Bewußtseins, die nur sekundär sind und abgeleitet; „Denken ist ein Produkt der Materie, die in ihrer Entwicklung einen hohen Grad von Vollkommenheit erreicht hat, und zwar ein Produkt des Gehirns", so daß man „Denken nicht von der Materie trennen kann, ohne in einen groben Irrtum zu verfallen"; diese materielle Welt ist in ihrem An-sich erkennbar im Sinne des Realismus. In der Rede Stalins vom Denken als einem Produkt der Materie erkennt man noch das Wort von Hobbes, daß auch der Körper denken könne (s. oben S. 192). Es ist über die französischen Materialisten in den Diamat hineingeraten, nicht über Hegel. Und dann wird wieder auf die große Bedeutung dieser Lehren für die Tätigkeit der Partei und die Theorie der Gesellschaft verwiesen: Wenn der Zusammenhang der Naturerscheinungen gesetzmäßig ist, dann seien das auch die Erscheinungen des gesellschaftlichen Lebens; die Geschichte der menschlichen Gesellschaft ist dann nicht mehr eine Geschichte von Zufälligkeiten, sondern von Gesetzmäßigkeiten; also gibt es eine Wissenschaft vom Werden der Sozialverhältnisse; der Sozialismus wird zur Wissenschaft und hört auf, ein Traum zu sein; und wenn die Natur, das Sein, die materielle Welt primär sind, das Bewußtsein, das Denken aber sekundär, so folgt, „daß das materielle Leben der Gesellschaft, ihr Sein ebenfalls das Primäre, das Ursprüngliche, ihr geistiges Leben aber das Sekundäre, Abgeleitete, ... eine Widerspiegelung des Seins ist"; und die Utopisten fangen darum am falschen Ende an, wenn sie Staat und Gesellschaft auf eine Idee stellen; „Stärke und Lebenskraft des Marxismus-Leninismus bestehen darin, daß er sich in seiner praktischen Tätigkeit eben auf die Bedürfnisse der Entwicklung des materiellen Lebens der Gesellschaft stützt." Das soll nicht heißen, daß Ideen nicht auch auf die materiellen Lebensbedingungen einer Gesellschaft zurückwirken könnten, im Gegenteil, Theorien sind äußerst wirksam; es soll vielmehr heißen, daß der letzte Ursprung der Ideologien in materiellen Lebensbedingungen zu suchen ist. Daraus ergibt sich: 3. Der Sinn des historischen Materialismus: Geschichte wird nicht gemacht durch Könige, Heerführer und Staatenbezwinger, Geschichte sondern sie ergibt sich aus den materiellen Lebensbedingungen der Gesellschaft, und Geschichtswissenschaft hat darum diese zu studieren; „also darf man den Schlüssel zur Erforschung der Gesetze der Geschichte der Gesellschaft nicht in den Köpfen der Menschen suchen, ... sondern in der Produktionsweise ..., in der Ökonomie der Gesellschaft". In der Produktionsweise selbst wieder sind zu unterscheiden die Produktivkräfte (Instrumente, Menschen, Produktionserfahrung) und die Produktionsverhältnisse (die Gruppen, in die zusammengeschlossen der Mensch produziert). Es gibt nach Stalin fünf Grundtypen von Produktionsverhältnissen: Urgemeinschaft, Sklaverei, Feudalismus, Kapitalismus, Sozialismus. „Das sind die Grundzüge des dialektischen und historischen Materialismus", lautet der Schlußsatz der kleinen Abhandlung. Der Zusammenhang mit Marx, Engels und Lenin ist evident. Sie werden auch ständig von Stalin wie ein Evangelium zitiert.

dd) Ab 1958 Nach der Entstalinisierung erhielt auch die philosophische Dogmatik eine neue Fassung. Gegen Ende 1958 erschien ein von verschiedenen Philosophen bearbeitetes Lehrbuch der marxistischen Philosophie (Osnovy Marksistskoj Filosofii), das den Histomat, Diamat und einiges aus dem sogenannten wissenschaftlichen Sozialismus darstellt und jetzt als offiziell zu gelten hat. Das Ergebnis ist aber von der Philosophie Stalins nicht sehr verschieden. Näheres über den Inhalt bei Bocheński, Die dogmatischen Grundlagen der Sowjetphilosophie, Stand 1958 (Dordrecht 1959). Inzwischen regten sich einige Versuche freieren Denkens, wobei — vielfach von der Physik forciert — Begriffe zur Sprache kamen wie Materie (mechanische oder sinnliche), Realität, Objektivität, Abbildtheorie, Dialektik und Logik, aber auch der Mensch und seine Werte, das Leiden, der Tod und der Sinn des Lebens. Kurze kritische Übersicht in den unten genannten Rezensionen W. Del Negros von Büchern über Einstein und Heisenberg.

Texte und Literatur

H. de Lubac, Die Tragödie des Humanismus ohne Gott (Salzburg 1950). I. M. Bocheński, Der sowjetrussische dialektische Materialismus (Bern 1950). Ders., Marxismus-Leninismus. Wissenschaft oder Glaube? (^{4}1975). H. Falk, Die Weltanschauung des Bolschewismus. Historischer und dialektischer Materialismus gemeinverständlich dargelegt (1951, [12]1962). G. Wetter, Der dialektische Materialismus (1952, [5]1960). I. Fetscher, Von Marx zur Sowjetideologie (1956, [5]1960). Gott, Mensch, Universum. Die Antwort des Christen auf den Materialismus der Zeit. Hrsg. von J. de Bivort de la Saudée (Graz 1956, [5]1959). W. Goerdt, Die Sowjetphilosophie. Wendigkeit u. Bestimmtheit. Dokumente (1967). F. Skoda, Die sowjetruss. philosoph. Religionskritik heute (1968). H. Fleischer, Wertphilosophie in der Sowjetunion (1969). A. Sarlemijn, Die Methode des Sowjetatheismus. In: Zeitschr. f. philos. Forschung 25 (1971). L. Kolakowski, Marxismus — Utopie und Antiutopie (1974). F. J. Adelmann (Hrsg.). Philosophical Investigations in the USSR (The Hague 1975). E. Weinzierl, Zur sowjetphilos. Kritik der „idealistischen" Erkenntnistheorie. In: Ztschr. f. philos. F. 29 (1975) 270—279. F. v. Magnis, Normative Voraussetzungen im Denken des jungen Marx (1975). L. Kolakowski, Die Hauptströmungen des Marxismus. Entstehung — Entwicklung — Zerfall. 3 Bde. (1977 ff.).

b) Der naturwissenschaftliche Materialismus

Der Materialismus der Hegelschen Linken hat viel Unterstützung erfahren von seiten des naturwissenschaftlichen Materialismus. Daß die exakten Naturwissenschaftler Materialisten sind, muß nicht sein, wie man gerade an den ganz Großen feststellen kann, an Newton z. B. und M. Planck. Es ist aber häufig so, weil ein unphilosophisches Denken schon bei manchen Naturwissenschaftlern selbst, noch mehr aber in populären Kreisen, bei einem Teilsachverhalt, dem sinnlichen Datum, mit dem man sich immer beschäftigt, leicht stehen bleibt und dann außer ihm nichts mehr sieht.

α) Die erste Welle

Einen naturwissenschaftlich motivierten Materialismus hatte es in England schon im 17. Jahrhundert gegeben und in Frankreich in der Aufklärung des 18. Jahrhunderts. In Deutschland hatten Kant und der Idealismus ihn nicht aufkommen lassen. Aber nachdem das 19. Jahrhundert zum Jahrhundert der Naturwissenschaften geworden war, war er plötzlich da und wurde wie im Handumdrehen zum Zeitgeist. Auf der Naturforscherversammlung zu Göttingen von 1854 brach er stürmisch hervor, und es zeigte sich sofort, daß bereits eine ganze Reihe von Männern in seinem Geiste dachten. Er beherrscht nun das zweite Drittel des vorigen Jahrhunderts (ca. 1840—70). Man hat diese Zeit auf die Formel gebracht: Zunahme der stofflichen Welt, äußere Bereicherung,

innere Verarmung. Der Materialismus war die dazu passende
αα) Vertreter und Lehre Philosophie. Die Schriften dieser materialistisch denkenden Naturwissenschaftler galten als der große Fortschritt, als die Wissenschaft, und fanden reißenden Absatz: Karl Vogt mit seinen „Physiologischen Briefen" (1845) und seiner Streitschrift „Köhlerglaube und Wissenschaft" (1854), Jakob Moleschott mit seinem „Kreislauf des Lebens" (1852), Ludwig Büchner mit „Kraft und Stoff" (1855) und Heinrich Czolbe mit seiner „Neuen Darstellung des Sensualismus" (1855). Ihre Lehre: Die Welt ist in Werden und Sein nichts anderes als Kraft und Stoff, wie das Demokrit schon gesagt habe. Man braucht nicht mehr den Nous des Anaxagoras noch den Demiurgen und die Ideen Platons, noch den unbewegten Beweger des Aristoteles, vom Gott der Christen ganz zu schweigen. Und der Geist, der im Menschen lebendig ist, das Bewußtsein, das Denken? Hier lautet die Antwort: Das Seelische ist nichts als Gehirnfunktion. Die Gedanken verhalten sich zum Gehirn wie die Galle zur Leber und der Urin zur Niere. Sie sind der Schweiß der Materie. „Etwas unfiltriert" sind diese Gedanken, hat Hermann Lotze mit Humor bemerkt. Der Fehler war ein ziemlich einfacher: Aus der richtigen Beobachtung, daß bewußter Geist stets an die organisierte Materie gebunden ist, Denken also auf Umsetzung der Gehirnsubstanz beruht, wurde der unrichtige Satz, daß Geist oder Denken nur Gehirnfunktion ist. Diese Folgerung ist ein Trugschluß; denn das Beruhen-auf muß nicht ein Identisch-Sein-mit besagen, sondern kann auch nur eine Voraussetzung, eine Bedingung oder ein Mittel meinen. Wie Leibniz, der die ganze Materialismusfrage, besonders das Verhältnis von Bewußtsein und Körper, in der Auseinandersetzung mit Hobbes schon erledigt hatte (vgl. oben S. 174, 193), einmal sagt: das Leben des Menschen beruht auf der Atmung, ist aber nicht
ββ) Der Kritiker Luft. Die schlagendste Kritik des Materialismus hat Fr. A. Lange gegeben in seinem klassischen Werk „Geschichte des Materialismus" (1866). Er hat durch seine vornehme, sachliche Prüfung dem Materialismus mehr Abbruch getan als ganze Stöße rein polemischer Schriften. Der Grundgedanke Langes war: Der Materialismus ist als naturwissenschaftliche Forschungsmethode durchaus zu bejahen. Die naturwissenschaftliche Erfahrung muß so vorgehen, als ob es nur materielle Realitäten gäbe, was übrigens auch Leibniz

schon so verlangt hatte, vor allem aber der Standpunkt Kants gewesen ist. Abzulehnen dagegen sei der Materialismus als Metaphysik und philosophische Weltanschauung. Hier überschreiten seine Behauptungen die Grenzen der Erfahrung und sind primitiv und unkritisch. Man müsse sich, wie Kant gelehrt habe, bescheiden mit den Erscheinungen und dürfe keine Aussagen machen über das Ding an sich. Selbst wenn z. B. auch in der Psychologie nach dem Vorbild der Naturwissenschaften die somatische Methode anzuwenden wäre, was Lange forderte, so sei damit doch nicht gesagt, daß das Physiologische schon das ganze Seelische selbst sei; denn es könnte durchaus auch nur etwas regelmäßig mit dem Seelischen Verbundenes sein, das als Begleiterscheinung dann immer noch nicht dessen Grund und Wesen wäre. (Über Langes Kritik des ethischen Materialismus vgl. unten S. 540 f.)

β) Die zweite Welle

Die zweite Welle des Materialismus setzte gegen Ende des 19. Jahrhunderts ein und heißt jetzt Monismus. Sie knüpft sich an die Namen Ernst Haeckel (1834—1919) und Wilhelm Ostwald (1853—1932). 1906 wurde der Monistenbund gegründet. Man ruft also wieder einmal das Alleine. Dieses Eine, auf das alle Vielheit zurückgeführt werden kann, ist bei Haeckel die „Substanz", bei Ostwald ist es die „Energie". So war also Büchners Kraft und Stoff nunmehr aufgeteilt worden. Den weitaus größeren Einfluß hat Haeckel ausgeübt, der Verfasser der in Hunderttausenden von Exemplaren verbreiteten und in mehr als 20 Sprachen übersetzten „Welträtsel" (1899), die jetzt das wurden, was vorher Büchners „Kraft und Stoff" war und nachher Nietzsches Zarathustra wurde. Haeckel war ein berühmter Zoologe. Als Philosoph ist er weniger berühmt, eher berüchtigt. Um Haeckels Monismus zu verstehen, muß zunächst über Charles Darwin (1809—82) das Nötigste gesagt werden. Der Engländer hatte 1858 sein Werk über die „Entstehung der Arten auf Grund der natürlichen Auslese" (On the origin of species by means of natural selection. Deutsch 1859) erscheinen lassen. Es wurde grundlegend für die zweite Welle des Materialismus in Deutschland, besonders aber für das Wirken Haeckels. Denn dadurch wurde die bisherige allgemeine Überzeugung von der Unveränderlichkeit der Arten (polyphyletischer Pluralismus) zugunsten einer Entwicklung aller Arten aus einer einzigen Urzelle (monophyletische Entwicklung) erschüttert

αα) Darwin

und ein neuer Begriff in die Biologie eingeführt, der nunmehr eine beherrschende Rolle spielte, die Entwicklungsidee. In diese Entwicklung hat Darwin in seinem zweiten großen Werk „Über die Abstammung des Menschen und natürliche Zuchtwahl" (The descent of man and selection in relation to sex) (1871) auch den Menschen miteinbezogen. Der Mensch verlor damit seine besondere Stellung im Reich des Lebendigen, erschien nicht mehr als von Gott unmittelbar geschaffen, sondern als ein Produkt der allgemeinen biologischen Deszendenz und war somit eine Tierart neben vielen anderen. Hatte Kopernikus der Erde ihre besondere Stellung genommen und sie als einen Stern unter die anderen verwiesen, so nahm Darwin dem Menschen seinen Vorrang und verwies ihn als Tier unter die übrigen Tiere. Am „Darwinismus" ist zweierlei auseinanderzuhalten: die Tatsache der Entwicklung im Reiche des Lebendigen, die er als Tatsache mit einem erdrückenden biologischen Material nachgewiesen hat, und dann die Hypothese zur Erklärung dieser Entwicklung, die nicht bewiesen ist und als ungenügend immer wieder angegriffen wurde, sein Mechanismus. Darwin denkt sich nämlich die Entwicklung nicht wie Hegel im Sinne einer idealistischen Morphologie, die nur die Realisierung der Arten in die Zeit stellt, den Wesenstyp als etwas Zeitloses aber unangetastet läßt, sondern unterwirft sie zwei mechanisch wirkenden Faktoren, der Auslese im Kampf ums Dasein (struggle for life), wo nur die Stärkeren und Lebenstüchtigeren sich erhalten und ihre Erbmasse weitergeben, und der natürlichen Zuchtwahl, die wieder den Stärkeren zugute komme, so daß allmählich die Vorzüge der Lebenstüchtigeren so groß werden, daß man von einer neuen Art sprechen könnte. Schon vor Darwin hatte J.-B. L a m a r c k († 1829) die Entwicklung als Anpassung zu erklären versucht. Die Lebewesen hätten der veränderten Umwelt entsprechend sich umgestellt, andere Eigenschaften ausgebildet und sie weitervererbt. Durch ihre Summation ergäben sich schließlich größere Unterschiede, eben unsere Artunterschiede. Nicht erklärt waren damit, weder bei Darwin noch bei Lamarck, die am Anfang stehenden Urorganismen, die ja auch schon mehrere und verschieden sind. Für ihre Entstehung nahm

ββ) Haeckel

Darwin noch das Eingreifen einer Schöpfermacht an. Haeckel geht radikaler vor als Darwin. Bei ihm reicht die mechanische Entwicklung vom Atom bis zum Menschen. Er läßt nicht nur das Leben „von selbst" entstehen (generatio spontanea oder aequivoca), sondern auch sämtliche Varietäten von den Protozoen über alle weiteren Differenzierungen bis einschließlich des höchsten aller Säugetiere, des Menschen. Seine unmittelbaren Vorgänger sind die Primaten. „Der Mensch stammt vom Affen ab" wurde nun zum allgemeinen Schlagwort. Schon vor Darwins „Abstammung des Menschen" hatte Haeckel in seiner „Natürlichen Schöpfungsgeschichte" (1868) die Deszendenztheorie in dieser radikalen Weise durchgeführt. Damit hatte der mechanistische Monismus Mensch und Tier, aber auch organische und anorganische Welt erfaßt. Er macht auch nicht halt vor Körper und Geist. „Wir halten fest an dem reinen und unzweideutigen Monismus von Spinoza: Die Materie, als die unendlich ausgedehnte Substanz, und der Geist (oder die Energie), als die empfindende und denkende Substanz, sind die beiden fundamentalen Attribute oder Grundeigenschaften des allumfassenden göttlichen Weltwesens, der universalen Substanz", heißt es gleich im ersten Kapitel der Welträtsel. Daß Geist ohne weiteres mit Sinnesempfindung und Energie gleichgesetzt wird, zeigt, daß der Geist für Haeckel von der Materie nicht wesensverschieden ist. Und schließlich ebnet dieser Materialismus auch die Dualität von Gott und Welt ein: „Der Monismus erkennt im Universum nur eine einzige Substanz, die Gott und Natur zugleich ist; Körper und Geist oder Materie und Energie sind für sie untrennbar verbunden. Der extramundane oder persönliche Gott des Dualismus führt notwendig zum Theismus; hingegen der intramundane Gott des Monismus zum Pantheismus" (Welträtsel, Kap. 1). Den theistischen Gott glaubte Haeckel sich nur als „gasförmiges Wirbeltier" vorstellen zu können. Haeckel führte einen heftigen Kampf gegen die kirchliche Religiosität, und das immer unter dem Namen der Wissenschaft, der Entwicklung und des Fortschritts. Er beliebte zu behaupten, die Kirche stelle sich Fortschritt und Wissenschaft entgegen. Es war eine seiner vielen Pauschalbehauptungen. Vom Monismus Haeckels ist nichts geblieben. Die Lehre von der Affenabstammung wich zunächst der vorsichtigeren These, daß beide, Affe und Mensch, einen gemeinsamen Vorfahren hätten. Dann wurde die mögliche Deszendenz auf die leibliche Seite eingeschränkt. Heute ist der Sinn und das nähere Wie einer solchen Abstammung umstrittener denn je. Die Entstehung der Arten überhaupt ist nach wie vor ein Rätsel. Daß der mechanistisch-spontane Ursprung des Lebens aus der anorganischen Materie gesichert sei, ist nicht Lehre der Wissenschaft, und ebensowenig die Identität von Körper und Geist. Der Materialismus ist heute, in der Wissenschaft wenigstens, überwunden. Aber zu seiner Zeit haben Haeckels Schriften Hunderttausende betört, besonders in den Kreisen des Marxismus. Bei seinem Tod hat der „Vorwärts", das Organ der Sozialdemokratischen Partei Deutschlands, geschrieben: „Was Voltaire für die Franzosen leistete, das soll auch zum Ruhme Haeckels gesagt sein. Er war der Vorbereiter der deutschen Revolution" (8. Aug. 1919). Im sowjet-russischen Marxismus gilt denn auch heute noch seine Lehre als Wissenschaft. Zwei Nachfahren, jetzt im nationalsozialistischen Fahrwasser segelnd, sind E. Bergmann mit seinem Buch „Die natürliche Geistlehre. System einer deutsch-nordischen Weltsinndeutung" (1937) und H. Dingler mit dem Buch „Von der Tierseele zur Menschenseele. Die Geschichte der geistigen Menschwerdung" (²1942). Beide wollen nachholen, was Haeckel nicht geleistet habe, den Erweis der geistigen Menschwerdung. Aber was sie bieten, sind nur zeitgemäße Betrachtungen von damals.

γγ) Bergmann und Dingler

5. KIERKEGAARD
Christlicher Umsturz

Marx bedeutet gegenüber Hegels philosophisch beruhigter und sanktionierter bürgerlicher Welt den sozialistischen Umsturz, Kierkegaard den christlichen Umsturz. Man muß diese Parallele sehen. Beide Denker knüpfen an Hegel an, beide aber sind unzufrieden mit seiner Vermittlung und Versöhnung des Bürgerlichen und Menschlichen, des Geistigen und Materiellen, des Zeitlichen und Ewigen, des Christlichen und Weltlichen, des Staates und der Kirche. Beide wollen tiefer bohren, verfestigen sich aber dabei in einem einseitigen Aspekt, Kierkegaard noch mehr als Marx; denn bei ihm gibt es keinerlei Ausgleich, sondern es bleibt überall bei den Gegensätzen, beim Einmaligen, Einzigen, Paradoxen. Und insofern steht Kierkegaard nicht nur gegen Hegel, sondern auch noch gegen Marx und seine klassenlose Gesellschaft.

Die Bedeutung Kierkegaards ist erst in unserem Jahrhundert sichtbar geworden, und zwar durch seine Wirkung auf die protestantische dialektische Theologie und auf die Existenzphilosophie.

Leben, Werke, Literatur

Sören Kierkegaard ist 1813 zu Kopenhagen geboren, studierte dort Philosophie und protestantische Theologie, hörte 1841 auch bei Schelling in Berlin und lebte dann als freier Schriftsteller, in zahlreiche Kämpfe verwickelt, besonders mit seiner Kirche, deren damals bestehende Existenzform ihn schließlich zwang, sich gänzlich von ihr zu lösen. Schon 1855 ist er, erst 42 Jahre alt, in Kopenhagen gestorben. Von seinen Schriften seien genannt: „Entweder — Oder“ (1843), „Furcht und Zittern, dialektische Lyrik“ (1843), „Der Begriff der Angst“ (1844), „Philosophische Brocken“ (1844—46), „Die Krankheit zum Tode, eine christlich-psychologische Entwicklung zur Erbauung und Erweckung“ (1849), „Einübung im Christentum“ (1850). — Ausgaben: S. Kierkegaard, Gesammelte Werke. Hrsg. von H. Gottsched und Ch. Schrempf. 12 Bde. (1909 ff.). Gesammelte Werke. Ausgewählt, neu geordnet und übersetzt von E. Hirsch (1952 ff.). (Danach wird hier zitiert unter Werke mit Angabe von Band und Seite.) Die Tagebücher. 1834—55. Auswahl und Übertragung von Th. Haecker. 2 Bde. (Innsbruck 1923, 2. Aufl. in 1 Bd. Leipzig 1941). N. Thulstrup, Letters and Documents Concerning S. Kierkegaard. 2 Bde. (Kopenhagen 1953—54). — Lit.: Chr. Schrempf, S. Kierkegaard. 2 Bde. (1927/28). W. Ruttenbeck, S. Kierkegaard. Der christliche Denker und sein Werk (1929). E. Geismar, S. Kierkegaard. Seine Lebensentwicklung und seine Wirksamkeit als Schriftsteller (1929). B. Meerpohl, Die Verzweiflung als metaphysisches Phänomen in der Philosophie Kierkegaards (1934). A. Dempf, Kierkegaards Folgen (1935). Fr. Lombardi, Kierkegaard (Firence 1937). W. Lowrie, Das Leben Kierkegaards (1955). S. Holm, K.s Geschichtsphilosophie (1956). H. Schröer, Die Denkform der Paradoxalität als theologisches Problem (1960). H. Roos, S. Kierkegaard auf der Suche nach dem wahren Christentum (1961). H. Gerdes, S. Kierkegaard. Leben u. Werk (1966). — Bibliographie: S. Kierkegaard. International Bibliography. Ed. by J. Himmelstrup (Kopenhagen 1962).

a) Für das Leben und gegen die Theorie

Sehr früh schon läßt sich im Wesen Kierkegaards ein Leitmotiv feststellen, das zeitlebens bleiben wird und das man auf die Formel bringen kann: nicht Theorie und bloßes Wissen, sondern Tun und Leben, nicht teilnahmslose, neutrale Objektivität, sondern Einsatz und Entscheidung der Person! In einer Tagebuchnotiz vom 1. Aug. 1835 schreibt er: „Was mir eigentlich fehlt, ist, ins reine mit mir selbst zu kommen darüber, was ich tun soll, nicht was ich erkennen soll, außer soweit ein Erkennen jedem Handeln vorausgehen muß. Es kommt darauf an, meine Bestimmung zu verstehen, zu sehen, was Gott eigentlich will, daß ich tun soll; es gilt, eine Wahrheit zu finden, die Wahrheit ist für mich, die Idee zu finden, für die ich leben und sterben will.“ Es würde ihm nicht nützen, daß er eine sogenannte objektive Wahrheit kennt, mit der Philosophiegeschichte vertraut ist, eine Staatstheorie entwickeln, eine Welt konstruieren, die Bedeutung des Christentums in allen Details auseinandersetzen kann. Wenn er das alles bloß für andere zur Schau hielte, statt daß er „darin lebt“, kann es ruhig unterbleiben. Es habe keinen Sinn, daß die Wahrheit kalt und nackt bloß objektiv vor ihm dasteht. Es kommt alles darauf an, daß er sie anerkennt und sie lebendig in sich aufnimmt. „Was mir fehlte, war: ein vollkommen menschliches Leben zu führen, und nicht bloß eines der Erkenntnis, so daß ich dadurch dazu gelangte, meine Gedankenentwicklungen auf etwas zu gründen . . ., das zusammenhängt mit den tiefsten Wurzeln meiner Existenz, durch die ich sozusagen eingewachsen bin in das Göttliche, daran festhänge, wenn auch die ganze Welt zusammenstürzt.“ Diese allgemeine Grundeinstellung expliziert sich in einer Reihe von Einzelbegriffen, die für das Denken Kierkegaards typisch werden.

α) Existenz

αα) Bewußtsein oder Ich?

Das ist zunächst der Begriff der Existenz. Er besagt noch nicht, was die heutige Existenzphilosophie darunter versteht, aber er bereitet es vor. Mit diesem Begriff wendet sich Kierkegaard nämlich von der Bewußtseinsphilosophie ab, vom bloß begrifflichen Denken Hegels, speziell seiner Allgemeinheit und Objektivität, und sucht das Ich, seine Einmaligkeit und Innerlichkeit und ein Leben aus dieser Innerlichkeit des Ich. Es ist gegenüber dem Denken das Tiefere; denn auch die Art und Weise des Denkens und seiner Begriffe hängt ab von der inneren Verfassung des Ich. In der eben erwähnten Tagebuchnotiz heißt es weiter: „Ich will jetzt versuchen, den Blick ruhig auf mich selbst zu heften und innerlich zu handeln anfangen; denn nur dadurch werde ich imstande sein, gleich wie das Kind durch seine erste mit Bewußtsein vorgenommene Handlung sich Ich nennt, mich in tieferer Bedeutung Ich zu nennen"; „es ist dieses innere Handeln des Menschen, diese Gottesseite, worauf es ankommt, nicht eine Masse von Erkenntnissen; denn die werden wohl folgen und werden sich dann zeigen nicht als zufällige Aggregate oder als eine Reihe von Einzelheiten, eine neben der anderen, ohne ein System, ohne einen Brennpunkt, in welchem alle Radien sich sammeln; einen solchen Brennpunkt habe ich wohl auch gesucht." Wenn hier vom System die Rede ist, bedeutet das nur einen anderen Ausdruck für das Ich als Brennpunkt, wo alle Strahlen sich sammeln und von wo sie wieder ausgestrahlt werden, um so allem Aufnehmen und Ausgeben des Geistes einen individuellen Stempel aufzudrücken, die Eigenart und Eigentätigkeit der persönlichen Existenz, die mehr ist als bloß zusammenfassendes Wissen. Ein geschlossenes begriffliches System im sonst üblichen Sinn gibt es für das existierende Ich bei Kierkegaard eben gerade nicht. Und hier steht er wieder prinzipiell gegen Hegel: „Alles Reden von einer höheren Einheit, die absolute Gegensätze vereinigen soll, ist ein metaphysisches Attentat auf die Ethik." Kierkegaard fürchtet für die Substanz des Ich, für seine Wirklichkeit, die ureigenste Selbsttätigkeit ist. Sein existenzielles Ich soll immer in Bewegung, immer unabgeschlossen sein. Wichtiger als das System ist ihm die Zeit, mehr als der Begriff die Tat, und höher als das Allgemeine ist das Einzelne und der Einzelne. Eine eventuelle Versöhnung der Gegensätze müßte immer voraussetzen, daß diese Gegensätze zuerst wirklich waren. Die Aufhebung im höheren Begriff sei nur Sache des Denkens, die Wirklichkeit selbst aber steht unter dem Gesetz des Einzelnen. Das ist das eigentlich Wirkliche. Dem Allgemeinen Hegels stellt darum Kierkegaard sein Entweder-Oder gegenüber. Allein schon dieser Buchtitel sagt alles. In die Sprache der Universalienproblematik übersetzt: Wie Aristoteles gegenüber Platon das Einzelne als das eigentlich Seiende und Entscheidende reklamiert, das Allgemeine aber als abstrakt und nur als Sache des Denkens erklärt hatte, so auch Kierkegaard gegenüber Hegel. Darum ersetzt er die Hegelsche Er-innerung und Mediation durch seinen Begriff

ββ) Wiederholung statt Erinnerung

der „Wiederholung". Nach der Hegelschen Dialektik schreitet das Leben voran, indem die Gegensätze sich in ihre höhere Synthese „er-innern" und so in dem sie überbrückenden Begriff aufgehoben werden. Sie bewegen sich sozusagen in der Gleitbahn des Begriffs, der alle Wege weist, dadurch jede Entscheidung, jede Tat und Verantwortung aufhebt und das Ich herabdrückt zu einem bloßen Moment am Prozeß des Ganzen. Kierkegaard will dagegen, daß das Ich nicht sich bestimmen läßt von der allgemeinen Gleitbahn, sondern je und je selbst entscheidet. Es weiß um das, was ist, und erinnert sich auch. Aber wie es sein Wissen verwertet, das müsse jedesmal die eigene Tat eines selbständig existierenden Ich sein. Und das heißt er Wiederholung. Die Er-innerung ist Passivität, die Wiederholung Aktivität.

β) Das Paradox und der Sprung

Diese Anschauung setzt nicht voraus, daß das Sein wie bei Hegel rational durchschaubar und die Ontologie eigentlich Logik ist, sondern daß umgekehrt die Rationalität überdeckt wird durch die Irrationalität. Die Welt ist paradox, und der Mensch steht in seinem Leben stets vor dem Wagnis des „Sprunges". Der geschichtliche Prozeß ist nicht logisch determiniert, kann nicht aus dem Vorhergehenden durch Erinnerung abgeleitet werden, ist darum auch nicht kontinuierlich, sondern geschieht durch den Ruck der Entscheidung, durch den wagenden Sprung. „Die Geschichte des individuellen Lebens schreitet fort in einer Bewegung von Zustand zu Zustand. Ein jeder Zustand wird durch einen Sprung gesetzt" (Werke XI und XII, 116). Damit ist nun die Angst verbunden. „In einem jeden Zustand ist die Möglichkeit gegenwärtig und insofern die Angst" (a. a. O. 116). „Die Angst läuft vorweg, sie entdeckt die Folge, ehe denn sie kommt, so wie man es an sich selber spüren kann, daß ein Wetter im Anzuge ist" (a. a. O. 119). Im Hintergrund aber steht die Freiheit, und diese Freiheit „ist unendlich und entspringt aus nichts" (111). Die Angst auf dem Grunde der Freiheit und des Nichts ist für Kierkegaards Philosophie geradezu ein Existential und wird typisch für das von ihm verkündete und überall auch von ihm persönlich gelebte Leben. Das wird nun entscheidend für seine Stellung zu Welt und Gott.

γ) Der Glaube und der Einzelne

Mit dem Sprung ist nämlich auch der Glaube verbunden. Ohne ihn hätte das Wagnis keinen Sinn. Nicht nur die Angst schwebt dem Übergang von Zustand zu Zustand vor, sondern auch der Glaube. In eminenter Weise ist der Glaube aber in der Religion gegeben. Es gibt nach Kierkegaard drei Wege zur Innerlichkeit des Ich: den ästhetischen — er ist reine, untätige Beschauung dessen, was war; den ethischen — er führt in die entscheidende Tat, in die freie Wahl, besonders die Selbstwahl des Ich und seiner eigenen Möglichkeiten, und hier sieht sich der Mensch schon allein und steht vor der Angst, weil alle unsere Pflichten höchst persönliche Pflichten sind und als solche getragen und entschieden werden müssen; und dann gibt es den religiösen Weg, wo der Mensch vollends auf sich selbst gestellt und die letzte Innerlichkeit gewonnen wird. Wieso? Der religiöse Glaube versucht, Gott, das absolut Ewige, im Werden des Daseins festzuhalten. Nur durch den Glauben, nicht durch den Begriff wie bei Hegel, sei dies möglich; denn der ewige Gott ist dieser zeitlichen Welt gegenüber das Ganz-Andere und darum das Paradoxe schlechthin. Aber je paradoxer der Glaubensinhalt sei, desto mehr sei der Glaube Glaube. Kierkegaard hat das besonders eindringlich gezeigt in seiner Psychoanalyse Abrahams angesichts des Auftrages Gottes, seinen Sohn Isaak zu opfern. Der Glaube an Gott ist ein Akt des Gehorsams, der von uns eine solch totale Hintansetzung aller nur menschlichen Begriffe und Überlegungen fordert, daß dem Menschen durch nichts Menschliches mehr Hilfe werden kann, daß er ganz auf sich selbst gestellt ist und die Schwere der Entscheidung allein zu tragen hat. Paradox ist nicht nur, was schwer zu denken ist, sondern was, menschlich gesprochen, überhaupt nicht mehr gedacht und verstanden werden kann. Der Mensch wird darum hier in einen Zustand der Verzweiflung hineingestoßen. Aber wenn er jetzt noch glaubt, dann ist das die höchste Bewährung. Im Scheitern findet der Einzelne sich, wird frei von der Welt und findet zugleich zu Gott. Die Naturreligion, für die Sokrates ein Typus ist, breche nicht vollständig mit der Welt, sondern setze sie immer noch voraus. Die übernatürliche Religion, die Christus gebracht habe, sei vollständig paradox und müsse es bleiben. Sie zu einer Religion der Milde und des Trostes umzufälschen wäre Verrat. Sie verlangt das Leid, die Verzweiflung, das Ärgernis, das Paradox. Gott ist das absolut Unbekannte, von uns absolut Verschiedene, ist die Grenze des Menschen. Der menschliche Verstand kann nie

αα) Wege zur Innerlichkeit

ββ) Gegen die Vernunftreligion

über sich hinaus. Das Dasein Gottes könne man nicht im üblichen Sinne „beweisen". Und wer gar Gott begreifen will, müsse vollständig verwirrt werden, so daß er sich selbst nicht mehr kennt und ganz konsequent sich mit der Verschiedenheit verwechselt, heißt es in den Philosophischen Brocken, Kap. 3, das die Überschrift trägt: „Das absolute Paradox" (Werke X, 43). Damit ist wieder Hegel gemeint, der zwischen Gott und Welt vermittelt. Für Kierkegaard bleibt das Wagnis. „In demselben Augenblick hat der Mensch Gott nicht kraft einer objektiven Betrachtung, sondern kraft der unendlichen Leidenschaft der Innerlichkeit" (Werke XVI, 1. Teil, S. 191). „Objektiv hat man da nur die Ungewißheit, aber gerade die strafft die unendliche Leidenschaft der Innerlichkeit, und die Wahrheit ist eben gerade dies Wagestück: mit der Leidenschaft der Unendlichkeit das objektiv Ungewisse zu wählen" (a. a. O. 194 f.). Daß dies dem Einzelnen niemand abnehmen kann, ist klar. „Religiös gibt es nämlich kein Publikum, sondern nur Einzelne; denn das Religiöse ist der Ernst, und der Ernst ist: der Einzelne" (Werke XXX, 9). Der Glaubensbegriff Kierkegaards ist der des credo quia absurdum est, er setzt die radikale protestantische Erbsündelehre voraus und lebt wieder auf in der dialektischen Theologie, für die es auch zwischen Gott und Welt keine Vermittlung mehr gibt, auch keine analogia entis, sondern Gott das Ganz-Andere, das Paradox bleibt. Seine Grundstimmung zur Welt und eine Reihe von Einzelbegriffen, wie Wagnis, Angst, Verzweiflung, Scheitern an der Grenze, der Einzelne und seine Innerlichkeit, das Paradox, Freiheit auf dem Grunde des Nichts, treffen wir aber auch in der Existenzphilosophie.

γγ) Kierkegaards Folgen

Daß Kierkegaard intensivste Religiosität im Auge hat, daran ist kein Zweifel. Ob er seine Begriffe nicht doch überspitzt hat bis zur Unwirklichkeit, wenn nicht Unmenschlichkeit, ist die Frage. Man fürchtet manchmal bei der Lektüre Kierkegaards, zur Bewußtseinsspaltung gezwungen zu werden.

b) Kritik am Christentum seiner Zeit

Wenn man sich den Glaubensbegriff Kierkegaards vergegenwärtigt, versteht man sofort seine Kritik am Christentum seiner Zeit.

α) Wider ein verweltlichtes Christentum

In seinen Flugschriften „Der Augenblick", die die Entscheidung zwischen Christlichkeit und Weltlichkeit herbeiführen wollen, protestiert er mit maßloser Ironie gegen die „protestantische Mittelmäßigkeit" der zwischen Welt und Christentum vermittelnden Staatschristen und zugleich gegen Hegel, der diese Vermittlung sanktioniert hatte, indem er im Staat den wandelnden Gott auf Erden sah. Im sogenannten christlichen Staat protegiere das Menschliche das Göttliche. „Wie in aller Welt", fragt Kierkegaard mit Anspielung auf Hegel, „ist einem so vernünftigen Wesen wie dem Staat etwas derart Widersinniges in den Sinn gekommen?" und antwortet dann: „Nun, das hat eine lange Geschichte; hauptsächlich aber hängt es damit zusammen, daß das Christentum im Laufe der Zeit immer weniger seinem wahren Charakter gemäß bedient wurde: als das Göttliche." Das echte Christentum, wie das Urchristentum es war, hätte damals kein Staatsmann als eine vom Staat zu beschützende Aufgabe angesehen; ein entartetes Christentum der feigen Menschenfurcht und der Mittelmäßigkeit vertrüge sich mit dem weltlichen Staat. Der Staat ist aber immer weltlich, und es ist darum Lüge und Widersinn, ihn zum Protektor des Christentums zu machen. „Angenommen, der Staat stellte 1000 Beamte an, die mit ihrer Familie davon leben ..., das Christentum zu verhindern, so wäre das wohl ein Versuch, der darauf ausginge, das Christentum womöglich unmöglich zu machen. Und doch wäre dieser Versuch ... weit nicht so gefährlich wie das, was faktisch geschieht: daß der Staat 1000 Beamte anstellt, die als ‚Verkünder des Christentums' ... ein pekuniäres Interesse daran haben, erstens daß die Leute sich christlich nennen ... und zweitens, daß es dabei bleibe, daß sie also nicht zu wissen bekommen, was in Wahrheit Christentum ist ... Und die Wirksamkeit dieses Standes geschieht nicht unter dem Namen, daß das Christentum verhindert werde und hierfür 1000 Beamte mit Familie ihre Besoldung beziehen; nein, sie ‚verkünden' das Christentum, sie ‚breiten das Christentum aus', sie ‚arbeiten für das Christentum'! ... Ist denn das nicht ungefähr das Allergefährlichste, das sich ausdenken ließ, um das Christentum womöglich unmöglich zu machen?" Kierkegaard sah in dem protestantischen Staatskirchentum Dänemarks das Gegenteil von dem, was das Neue Testament wolle.

Marx und Kierkegaard verzweifeln an Staat und Kirche und β) Marx und Kierkegaard dem von diesen Mächten geformten Menschen ihrer Zeit. Die Versöhnung Hegels, in der dies alles gerechtfertigt worden war, schlug bei ihnen zur Revolte um, zur sozialen bei Marx, zur christlichen bei Kierkegaard. Während aber Marx der Philosoph der Vermassung wird und im Kollektiv-Menschen der klassenlosen Gesellschaft das Heil sucht, also in einem Ideal-Menschen, der nun doch wieder im Stile Hegels uniform und reiner Begriff ist, aber damit auch ohne Ich und ohne Entscheidung, ohne Verantwortung und Freiheit, schreitet Kierkegaard zu einer endgültigen Überwindung Hegels, indem er den Einzelnen mit der Einmaligkeit seines Wagens und Entscheidens ruft. Er, dieser Mensch der Innerlichkeit, ist der eigentliche Mensch. Er hat nicht nur die bürgerliche Gesellschaft, er hat die ganze menschliche Kultur überwunden, ja er hat die Welt überwunden. Gerade in der Angst hat er das Zeitliche in seiner Brüchigkeit durchschaut. Es ist absolut nicht das Anderssein der Idee. Das Gegenteil ist der Fall. Die Realistik seiner Schauweise offenbart Kierkegaard die Unsicherheit, ja Nichtigkeit des Zeitlichen. Und so unterwirft er sich dem Ganz-Anderen und erwartet einzig von seinem Wort die Rettung des Menschen. Es ginge um das Absolute und das Ewige in der Zeitlichkeit, ja. Aber nicht so, wie Hegel sich das vorgestellt hatte. „Es wird, um die Ewigkeit wieder zu bekommen, Blut gefordert werden, aber Blut von einer anderen Art, nicht jenes der tausendweis totgeschlagenen Schlachtopfer, nein, das kostbare Blut der Einzelnen — der Martyrer, dieser mächtigen Verstorbenen, die vermögen, was kein Lebender, der Menschen tausendweis niederhauen läßt, vermag, was diese mächtigen Verstorbenen selbst nicht vermochten als Lebende, sondern nur vermögen als Verstorbene: eine rasende Menge in Gehorsam zu zwingen, just weil diese rasende Menge in Ungehorsam diese Martyrer totschlagen durfte." In dem entscheidenden Augenblicke des „Umschlages" werden nur Martyrer die Welt noch regieren können, aber keine wie immer gearteten weltlichen Führer. Was dann not tut, wären Geistliche, aber keine Soldaten und Diplomaten: „Geistliche, welche ‚die Menge' trennen können und sie zu Einzelnen machen; Geistliche, die nicht zu große Ansprüche machten an das Studieren und nichts weniger wünschten als zu herrschen; Geistliche, die, womöglich, ge-

αα) Die Überwindung Hegels

ββ) Der christliche Weg zum Absoluten

waltig beredsam, nicht weniger gewaltig wären im Schweigen und Erdulden; Geistliche, die, womöglich, Herzenskenner, nicht minder gelehrt wären in Enthaltsamkeit von Urteilen und Verurteilen; Geistliche, die Autorität zu brauchen wüßten mit Hilfe der Kunst, Aufopferungen zu machen; Geistliche, die vorbereitet, erzogen, gebildet wären, zu gehorchen und zu leiden, so daß sie mildern, ermahnen, erbauen, rühren, aber auch zwingen könnten — nicht durch Macht, nichts weniger, nein, durch den eigenen Gehorsam zwingen und vor allem alle Unarten des Kranken geduldig leiden, ohne gestört zu werden ... Denn das Geschlecht ist krank und, geistig verstanden, krank bis zum Tode" (vgl. Löwith, a. a. O. 129).

6. NIETZSCHE
Umwertung aller Werte

Nietzsche ist der dritte große umstürzlerische Denker in der Philosophie des 19. Jahrhunderts. Wie Marx und Kierkegaard konstatiert er den Verfall der bürgerlich-christlichen Welt. Er scheint sich mit Marx niemals befaßt zu haben. Auf Kierkegaard wurde er durch G. Brandes verwiesen, aber zu spät. Im übrigen wäre ihm der erstere zu pöbelhaft, der letztere zu christlich gewesen. So glaubt er allein zu stehen und fühlt sich als der radikalste aller Denker, ja als eine Zeitenwende. Im letzten Kapitel von Ecce homo, kurz vor seiner geistigen Umnachtung, schreibt er: „Es wird sich einmal an meinen Namen die Erinnerung an etwas Ungeheures anknüpfen, an eine Krisis, wie es keine auf Erden gab ... Ich bin kein Mensch, ich bin Dynamit ... Ich widerspreche, wie nie widersprochen worden ist ... Mit alledem bin ich notwendig auch der Mensch des Verhängnisses. Denn wenn die Wahrheit mit der Lüge von Jahrtausenden in Kampf tritt, werden wir Erschütterungen haben, einen Krampf von Erdbeben, eine Versetzung von Berg und Tal, wie dergleichen nie geträumt worden ist. Der Begriff Politik ist dann gänzlich in einen Geisterkrieg aufgegangen, alle Machtgebilde der alten Gesellschaft sind in die Luft gesprengt — sie ruhen allesamt auf der Lüge: es wird Kriege geben, wie es noch keine auf Erden gegeben hat. Erst von mir an gibt es auf Erden große Politik." Das alles klingt schrecklich, wird aber sofort gedämpft, wenn Nietzsche gleichzeitig fragt, ob er nicht ein Hanswurst sei und dann meint: „Vielleicht bin ich ein Hanswurst.“ Ein starkes Wort, das man vielleicht nicht ernst nehmen soll? Oder gehört es zu jenen Äußerungen, mit denen Nietzsche sein eigenes Niveau unterschreitet? Aber wie wissen wir denn um das Niveau Nietzsches? Indem wir alle seine Äußerungen beiziehen oder nur ausgewählte? Wie wird dann ausgewählt? Die Nietzsche-Enthusiasten übersehen solche und viele andere Äußerungen und meinen, wer sie beachte, werde dem Genie nicht gerecht. Sie vergessen, daß sie der ganzen Wirklichkeit Nietzsche nicht gerecht werden und sich ein geschnitztes Bild machen, um es anzubeten. So interpretieren sie nicht Nietzsche, sondern was sie für Nietzsche halten, letztlich nur sich selbst. Man muß die ganze Wahrheit um Nietzsche wissen und sollte ihn nicht künstlich hochspielen, aus welchen Gründen auch immer.

Leben und Werke

Friedrich Nietzsche wurde 1844 zu Röcken bei Lützen (in der preußischen Provinz Sachsen) als Sohn einer Pastorenfamilie geboren. Er besuchte Schulpforta und studierte in Bonn und Leipzig Altphilologie. Im ersten Semester zu Bonn hatte er auch noch Theologie belegt. In Leipzig begeisterte er sich für die Philosophie Schopenhauers und wurde persönlich bekannt mit R. Wagner (1868), der gleichfalls Anhänger Schopenhauers war. Bereits mit 24 Jahren wurde Nietzsche Professor für klassische Philologie an der Universität Basel. Dort trat er in Kontakt mit J. Burckhardt und dem protestantischen Theologen Fr. Overbeck. Höchst bedeutsam wurde für ihn der Verkehr mit Richard Wagner, der damals mit seiner Gattin Cosima zu Triebschen am Vierwaldstätter See lebte. Im Kriege 1870/71 hat Nietzsche einige Monate freiwillig als Krankenpfleger Dienst getan. Er zog sich dabei eine schwere Ruhr- und Diphtherieerkrankung zu. Seitdem war seine Gesundheit geschwächt. Immer mehr wurde Nietzsche von einem schweren Kopfleiden gequält. Er mußte Krankenurlaub nehmen und 1877 in Pension gehen. Unstet irrt er umher, bald hier, bald dort Ruhe und Genesung suchend, in Sils Maria, Naumburg, Nizza, Marienbad, Venedig, Riva, Rapallo, Rom, Genua, Turin. Im Januar 1889 fiel er in geistige Umnachtung. Die Diagnose der Jenenser Klinik auf Paralyse wurde neuerdings auch durch Karl Jaspers wieder für richtig befunden. Mutter und Schwester haben den Kranken zuerst in Naumburg und dann in Weimar bis zu seinem Tod im August 1900 liebevoll gepflegt. In Weimar befindet sich auch das Nietzsche-Archiv.

α) Frühzeit Man kann Nietzsches Schaffen in drei Perioden einteilen. In seinen Frühschriften kämpft er für ein neues Bildungsideal, das ästhetisch-heroische Menschenbild, dessen Prototyp im tragischen Zeitalter der Griechen vor Sokrates bei Heraklit, Theognis und Aischylos zu suchen sei. Hierher gehören die Schriften „Die Geburt der Tragödie aus dem Geiste der Musik" (1871), die Vorträge „Über die Zukunft unserer Bildungsanstalten" (1870/72) und die „Unzeitgemäßen Betrachtungen" (1873—76), die über Dav. Fr. Strauß, über Schopenhauer als Erzieher, über den Nutzen und Nachteil der Historie für das Leben und über R. Wagner in Bayreuth gehen. In dieser Zeit steht Nietzsche unter dem Einfluß von Schopenhauer und R. Wagner. Mit der Philosophie Schopenhauers versucht er eine neue Deutung der griechischen Kunst, besonders der Tragödie. Sie enthielte zwei Elemente: das dionysische, das sich in der Musik, im Chor und im Tanz ausspreche und ein ungezügeltes, rauschig-bacchantisches Jasagen zu schlechthin allen Erscheinungen des Lebens sei (Welt als Wille), und das apollinische, das sich im Dialog und überhaupt in Form und Maß des Kunstwerkes ausspreche und den schönen Schein bedeute, aber eben damit auch die Welt der Erscheinung und die das Lebensganze und seinen Urwillen zerreißende Individuation (Welt als Vorstellung). Nietzsches Herz gehört Dionysos, und damit ist er bereits über Schopenhauer hinausgewachsen. Der Wille wird nicht mehr verneint, sondern bejaht. Mit Wagner aber geht Nietzsche einig im Willen zu einem neuen Kunstideal und Bildungstypus. Wagner stand in Verbindung mit den revolutionären Tendenzen der Linkshegelianer, besonders mit Feuerbach. Er hatte 1830, wie er selbst berichtet, wie ein Wahnsinniger an den Zerstörungen in Leipzig teilgenommen und sich 1849 mit Röckel und Bakunin in den Strom der Dresdener Geschehnisse gestürzt und dies auch literarisch in Feuerbach-Marxschen Phrasen begrüßt: „Ich will zerstören die Herrschaft des einen über den anderen ... Ich will zerbrechen die Gewalt der Mächtigen, des Gesetzes und des Eigentums. Der eigne Wille sei der Herr des Menschen, die eigene Lust sein einziges Gesetz, die eigene Kraft sein ganzes Eigentum, denn das Heilige ist allein der freie Mensch, und nichts Höheres ist als Er ... Und seht, die Scharen, auf den Hügeln, sie liegen lautlos auf den Knien ... Begeisterung strahlt von ihrem veredelten Antlitz, ein leuchtender Glanz entströmt ihrem Auge, und mit dem himmelerschütternden Ruf: ‚Ich bin ein Mensch!' stürzen sich die Millionen, die lebendige Revolution, der menschgewordene Gott hinab in die Täler und Ebenen und verkünden der ganzen Welt das neue Evangelium des Glückes!" (Man vergleiche damit den Schluß des ersten Stückes aus der „Geburt der Tragödie aus dem Geiste der Musik"!) „Die Kunst und die Revolution" hieß der Titel der

αα) Einfluß Schopenhauers

ββ) Einfluß Wagners

Schrift, mit der Wagner 1849 sein neues Kunst- und Lebensprogramm entwickelte, und über die Zukunft unserer Bildungsanstalten spricht auch Nietzsche. Während aber Wagner Jesus und Apollon auf den Altar der Zukunft erheben wollte, hat Nietzsche schon in der Geburt der Tragödie Dionysos an die Stelle von Christus gesetzt, und nachdem er 1876 die ersten Festspiele in Bayreuth gesehen hatte, fragt er: „Ist das noch deutsch?" und antwortet: „Was ihr hört, ist Rom, Roms Glaube ohne Worte." Wagners Sünde war, daß er immer noch ein christlich-germanisches Kulturideal verfolgte. „Weh! daß auch du am Kreuze niedersankst! Auch du! Auch du — ein Überwundener!" Es kam zum Gegensatz, und die Kluft wurde immer größer. Wagner verkörpert ihm den ganzen Verfall der deutschen und abendländischen Welt, und schließlich muß Nietzsche „als alter Artillerist schweres Geschütz gegen ihn auffahren". Das ist derselbe Ausdruck, der in einem Brief an Brandes gegenüber „dem Gekreuzigten und allem, was christlich oder christlich infekt ist", gebraucht wird.

(γγ) Die Trennung)

β) Zwischenperiode

In einer zweiten Periode springt Nietzsche plötzlich zur theoretischen Lebensform um, wird „Wissenschaftler", will voraussetzungslos sein, reiner Kritiker und Positivist. Jetzt vernimmt man die herkömmlichen Töne gegen die Metaphysik, das Lob der kalten Erkenntnis und des freien Geistes, und man meint, einen französischen Aufklärer reden zu hören. Was er bisher verpönt hatte, war er nun selbst geworden, Intellektueller und Sokratiker. Hierher gehören: „Menschliches, Allzumenschliches" (1878), „Morgenröte" (1881), „Die fröhliche Wissenschaft" (1882).

γ) Der späte Nietzsche

Aber diese Periode dauerte nicht lange. Die Motive der Frühzeit klingen wieder an, aber jetzt radikalisiert zum Willen zur Macht. Dieses Motto beherrscht die dritte Periode, die Zeit des „Zarathustra" (1883—85), des „Jenseits von Gut und Böse" (1886), der „Genealogie der Moral" (1887) und des Nachlasses, der unter dem Titel „Wille zur Macht" (Förster-Nietzsche), „Unschuld des Werdens" (Baeumler) und „Das Vermächtnis Nietzsches" (Würzbach) herausgegeben wurde. Wie K. Schlechta nachgewiesen hat, bildet der Nachlaß nicht das Rohmaterial für ein angeblich geplantes eigenes Werk mit dem Titel „Wille zur Macht". Hier haben die Gestalten um Nietzsche etwas stark frisiert. Über ihr Editionsverfahren unterrichtet ihr „Nachbericht" in Bd. 16 (^{2}1911) S. 471—496; dazu jetzt kritisch der philologische Nachbericht in Bd. 3, S. 1383 ff. der Ausgabe von Schlechta. Tatsächlich war aber das Wort vom Willen zur Macht doch die Chiffre für die neuen Werte. Der Übermensch ist ihr Schöpfer, Zarathustra ihr Künder, Dionysos ihr Symbol; ihr Gegensatz ist der Gekreuzigte. Die Schriften des Jahres 1888 „Der Fall Wagner", „Nietzsche contra

Wagner", „Götterdämmerung", „Der Antichrist" und seine Selbstbiographie „Ecce homo" verraten schon die Spuren des kommenden geistigen Zusammenbruchs. Über sein Ecce homo schrieb Nietzsche am 20. Nov. 1888 an Brandes: „Ich habe jetzt mit einem Zynismus, der welthistorisch werden wird, mich selbst erzählt. Das Buch heißt Ecce homo und ist ein Attentat ohne die geringste Rücksicht auf den Gekreuzigten; es endet in Donnern und Wetterschlägen gegen alles, was christlich oder christlich-infekt ist, bei denen einem Sehen und Hören vergeht." Wenige Wochen später, anfangs Januar 1889, ist Nietzsche in Turin auf der Straße zusammengebrochen. Man brachte ihn in seine Wohnung, wo er zwei Tage bewußtlos dalag. Als er wieder erwachte, war sein Geist umnachtet.

δ) Der kranke Nietzsche

Der Geist Nietzsches war aber schon länger krank gewesen. W. Lange-Eichbaum, Nietzsche, Krankheit und Wirkung (1946), sieht im Übermenschen und im Willen zur Macht aus der Paralyse zu erklärende geisteskranke Ideen. „Ohne die Paralyse wäre Nietzsche niemals berühmt geworden." Er nimmt daneben noch eine vererbte „ausgesprochene Psychopathie" an. Für die Erkenntnis des Psychopathischen, das bei Nietzsche von Anfang an da ist, ist jetzt maßgebend Reyburn-Hinderks, Friedrich Nietzsche (1947), ein Werk, das auf Grund eingehender geistesgeschichtlicher und psychologischer Analysen zeigt, wie die Gedankenwelt Nietzsches nicht hervorgegangen ist aus einer objektiven Logik der Sachen, sondern als eine Spiegelung seiner eigenen subjektiven Zuständlichkeiten verstanden werden muß, als eine Selbstverteidigung und Selbstrettung angesichts einer Fülle von seelischen Komplexen, unter denen er litt. Was Nietzsche der Welt vorhielt, war sein eigenes Leiden. Das Ressentiment, der Sklavenaufstand, die ewige Zerstörung und Verwandlung, die Herrschsucht, der Lebensneid, der Wille zur Macht: das alles war Nietzsche selbst (vgl. unten S. 592).

Ausgaben: Eine Gesamtausgabe, einschließlich des Nachlasses, ist die von der Schwester Nietzsches, Elisabeth Förster-Nietzsche, und anderen besorgte sogenannte Großoktav-Ausgabe in 15 Bänden der 1. Auflage (1895—1901) und 19 Bänden der 2. Auflage (1906—1913) bei Kröner, Leipzig. Bd. 20 enthält das Nietzsche-Register von K. Oehler (1926). Seitengleich damit ist die sogenannte Kleinoktav-Ausgabe in 16 Bänden (ohne die Philologica). (Nach der Großoktav-Ausgabe², die in Bd. 15 u. 16 [1911] den Willen zur Macht mit 1067 Aphorismen [1068 bis 1079 sind unsicher] bringt, entsprechend Bd. 9 der sog. Taschen-Ausgabe von 1906, gegenüber nur 483 Aphorismen seiner Edition in Bd. 15 der 1. Auflage, wird hier zitiert unter Werke mit Band- und Seitenzahl.) Neuere Ausgaben jetzt: Fr. Nietzsche, Werke in 3

Bänden. Hrsg. von K. Schlechta (1954—56). E. F. Podach, F. Nietzsches Werke des Zusammenbruchs (1961). G. Colli u. M. Montinari, F. Nietzsche, Werke. Kritische Gesamtausgabe (1967 ff.). Textgleich damit die „Kritische Studienausgabe". 15 Bde. (1980).

Literatur

J. Hofmiller, Nietzsche (1933). K. Löwith, Nietzsches Philosophie der ewigen Wiederkehr des Gleichen (1935, [2]1956). K. Jaspers, Nietzsche. Einführung in das Verständnis seines Philosophierens (1936). G. Köhler, Nietzsche und der Katholizismus. In: Philosophisches Jahrbuch 51 (1938) 155—171 317—343. K. Jaspers, Nietzsche und das Christentum (1946). Reyburn-Hinderks, F. Nietzsche. Ein Menschenleben und seine Philosophie (1947). M. Heidegger, Nietzsches Wort „Gott ist tot". Holzwege (1950) 193—247. A. Mittasch, F. Nietzsche als Naturphilosoph (1952). K. Schlechta, Nietzsches großer Mittag (1954). H. Heimsoeth, Metaphysische Voraussetzungen und Antriebe in Nietzsches „Immoralismus" (1955). Ch. Andler, Nietzsche. Sa vie et sa pensée. 3 Bde. (Paris 1958). K. Schlechta, Der Fall Nietzsche (1958). E. Fink, Nietzsches Philosophie (1960). M. Heidegger, Nietzsche. 2 Bde. (1961). E. Biser, „Gott ist tot". Nietzsches Destruktion des christlichen Bewußtseins (1962). D. Arendt (Hrsg.), Der Nihilismus als Phänomen der Geistesgeschichte in der wissenschaftl. Diskussion unseres Jahrhunderts (= Wege der Forschung 360) (1974). H. Steffen (Hrsg.), N. Werk u. Wirkung (1974). H. Pfeil, Von Christus zu Dionysos. N.s religiöse Entwicklung (1975). Nietzsche-Studien. Hrsg. von M. Montinari, W. Müller-Lauter und H. Wenzel (1972 ff.). F. Rauh, Neue Forschungen zu Quellen, Werk und Wirkung von F. N. In: Philos. Literaturanzeiger 33 (1980) 277 ff. — Bibliographie: F. Krökel, Bibliographie der deutschen Literatur über Nietzsche von 1872—1931. In: Literarische Berichte aus dem Gebiete der Philosophie. Heft 26 (1932). Ebendort in Heft 19/20 und 26 Fr. Würzbach, Gesamtüberblick über die bisherige Nietzsche-Literatur. H. W. Reichert-K. Schlechta, International Nietzsche-Bibliography (Chapel Hill [N. C.] 1960).

a) Gegen die Moral und für das Leben

α) Immoralist? „Es bleibt kein anderes Mittel, die Philosophie wieder zu Ehren zu bringen: Man muß zuerst die Moralisten aufhängen. Solange diese von Glück und Tugend reden, überreden sie nur die alten Weiber zur Philosophie" (Werke XVI, 437). „Dieser Anfang ist heiter genug. Ich schicke ihm sogleich meinen Ernst hinterdrein. Mit diesem Buch (Wille zur Macht) wird der Moral der Krieg erklärt, und in der Tat, die Moralisten insgesamt werden zuerst von mir abgetan. Man weiß bereits, welches Wort ich mir zu diesem Kampf zurechtgemacht habe, das Wort Immoralist; man kennt insgleichen meine Formel ‚Jenseits von Gut und Böse'. Ich habe diese starken Gegenbegriffe nötig, um in jenen Abgrund von Leichtfertigkeit und Lüge hinabzuleuchten, der bisher Moral hieß" (a. a. O. 438). Nietzsche kämpft gegen die Moral, weil sie das Leben töte. Die ganze Geschichte der Philosophie, besonders aber des Christentums, sei ein heimliches Wüten gegen das Leben, seine Voraussetzung und seine Wertfülle. Und es sei die Circe der Philosophie, die Moral, die den Philosophen den Streich spielte, an eine höhere und angeblich bessere Welt glauben zu machen. Es gebe aber nur diese unsere Welt in Raum und Zeit und von Fleisch und Blut. Dieses ganze Dasein aber sei unmoralisch. Das Leben beruhe auf Voraussetzungen, die gegen die Moral sind. Eben deswegen verneine die Moral das Leben. Das Leben sei aber das einzig Wirkliche. Die Moral ist Fiktion, Unwahrheit, Verleumdung. „Mein Hauptsatz: Es gibt keine moralischen Phänomene" (Wille zur Macht, Aphor. 258). In Wirklichkeit ist aber Nietzsche nicht schlechthin Immoralist; im Gegenteil! Er lehnt nur die bisherige Moral ab, die idealistische, eudämonistische, christliche und bürgerlich-deutsche, um eine andere an ihre Stelle zu setzen, die Moral des Lebens. Umwertung aller Werte heißt sein Ziel, und insofern ist die ganze Philosophie Nietzsches Moralphilosophie.

β) Was ist Leben?

Fragt sich bloß, was Nietzsche unter Leben versteht. Bei keinem Philosophen ist die Gefahr so groß, daß der Leser sich von der Sprachmusik berauschen läßt und sich mit großen Worten zufriedengibt. Was man da für Tiefe hält, ist oft genug nur Stimmung und Affekt, die zu suggerieren Nietzsche ein Meister ist. In der Philosophie läßt sich jedoch mit Worten und Stimmungen nichts anfangen. Man braucht Gedanken, und wichtiger als die Form ist der Inhalt. Danach muß man bei Nietzsche immer wieder fragen. Man darf Nietzsche nicht lesen, sondern muß ihn studieren. Dann wird man allerdings bald entdecken, daß, je mehr die Worte sich aufdrängen, um so mehr der gesuchte Gehalt zurückweicht. Der Kernbegriff seiner ganzen Philosophie: Leben, bietet das schönste Beispiel dafür. Was versteht nämlich Nietzsche αα) unter dem Leben, für das er sich so sehr einsetzt? Zuerst Nicht Glück hören wir eine negative Antwort: Leben ist nicht Glück. Mit ziemlich viel Ironie distanziert sich Nietzsche vom Eudämonismus der englischen Utilitaristen und ihrer ewigen happiness, ebenso aber auch von der Nächstenliebe des Christentums und aller „Milchseelen": „Rate ich euch zur Nächstenliebe? Lieber noch rate ich zur Nächstenflucht und zur Fernstenliebe." All dieses Reden von Glück, Wohlfahrt, Mitleid rechnet Nietzsche unter die pöbelhaften Instinkte. Es ist das „grüne Weideglück" der großen Menge. Sein Ideal ist ein ββ) anderes. Als erste positive Antwort hören wir nun: Leben ist Wille zur Macht Wille zur Macht. „Was sind unsere Wertschätzungen und moralischen Gütertafeln selber wert? Was kommt bei ihrer Herrschaft heraus? Für wen? In Bezug worauf? Antwort: für das Leben. Aber was ist Leben? Hier tut eine neue, bestimmtere Fassung des Begriffes Leben not. Meine Formel dafür lautet: Leben ist Wille zur Macht" (Wille zur Macht, Aphor. 254). Im Willen zur Macht findet Nietzsche ein letztes Prinzip aller Wertungen. Im zweiten Aphorismus des Antichrist heißt es: „Was ist gut? Alles, was das Gefühl Macht, den Willen zur Macht, die Macht selbst im Menschen erhöht. Was ist schlecht? Alles, was aus der Schwäche stammt ... Nicht Zufriedenheit, sondern mehr Macht; nicht Frieden überhaupt, sondern Krieg; nicht Tugend, sondern Tüchtigkeit (Tugend im Renaissance-Stil, virtù, moralinfreie Tugend). Die Schwachen und Mißratenen sollen zugrunde gehen: erster Satz unserer Menschenliebe. Und man soll ihnen noch dazu helfen. Was ist schädlicher als irgendein Laster? Das Mitleiden der Tat mit allen Mißratenen und Schwachen, das Christentum!" Für Nietzsche ist überhaupt der ganze Weltprozeß Wille zur Macht und nichts außerdem (vgl. Schlußaphorismus des Willens zur Macht). Macht ist jedoch ein ziemlich vieldeutiger Begriff. Es gibt eine physische Macht, eine brutale Macht, eine Macht des Rechtes, eine Macht der Unschuld, eine Macht der Werte, eine Macht ideeller Wahrheiten. Viele meinen, Nietzsche denke einfach an die nackte physische Macht, und sprechen von einem Biologismus seiner Ethik und Philosophie. Wir werden sehen, daß die Dinge komplizierter sind. Zunächst wollen wir aber seine weiteren Antworten auf die Frage hören, was Leben als Prinzip der Moral sei. Unmittelbar neben γγ) Herrentum der Bestimmung als Wille zur Macht liegt der Begriff des Herrentums, wie er in der Gegenüberstellung von Herren- und Sklavenmoral vorkommt. Aristokratisch hat man deswegen die Moral Nietzsches geheißen. Die sogenannten Herren seien nämlich die Herrschenden, die Vornehmen, die Starken. Gut ist jetzt alles, was dem Charakter, der Macht und Rasse dieser Herren entspricht: die erhobenen, stolzen Zustände dieser Herren, das Gefühl der Fülle, die überströmen will, das Glück der hohen Spannung, das Bewußtsein eines Reichtums, der schenken möchte, nicht aus Mitleid, sondern aus Herrlichkeit. Es gehört auch Härte zu diesen Menschen, Glaube an sich selbst, Stolz, eine Grundfeindschaft gegen alle Selbstlosigkeit und eine gewisse Vorsicht gegen alles, was Mitgefühl und warmes Herz heißt. Gegensatz sind die Schwachen, die Niedrigen, Sklaven, im Leben zur kurz Gekommenen und ihre Art zu fühlen. Was mit ihnen zusammenhängt, ist niedrig und eben damit schlecht. Menschen dieser Art werden verachtet, der Feige also, der Ängstliche, Kleinliche, an seine eigene Nützlichkeit Denkende, vor allem der Lügner. Für die aristokratische Ethik wäre dann gut alles, was das Herrentum widerspiegelt. Schlecht aber, was sklavisch ist. Da aber unter den Aristokraten auch Raubritter sein können, möchte man gerne wissen, was eindeutig vornehm macht. Allein solche begriffliche prinzipielle Klärungen läßt Nietzsche gerne links liegen. Er will uns etwas Dramatischeres erzählen, den Mythos vom Sklavenaufstand in der Moral. Er soll uns Aufschluß geben über die Genealogie der bisherigen Moral. Die Sklaven hätten gesehen, daß ihnen die virtù der Starken und Stolzen immer unerreichbar bleibt. Um sich nun auch Geltung und Macht zu verschaffen, hätten sie begonnen, die aristokratische Wertgleichung (gut = vornehm = mächtig = schön = glücklich = gottgeliebt) als wertlos, ja als schlecht umzulügen und dafür ihre eigenen Zuständlichkeiten und alles, was ihnen Erleichterung bringen konnte, als das eigentlich Wertvolle und Gute anzupreisen: Leiden, Niedrigkeit, Demut, Gefälligkeit, Güte, Mitleid, Geduld, das warme Herz. Besonders seien es die Juden gewesen, die mit einer furchteinflößenden Folgerichtigkeit sich für den niederen Typus Mensch, für die Tschandalarasse eingesetzt und die Umkehrung gewagt hätten: „Die Elenden sind allein die Guten, die Armen, Ohnmächtigen, Niedrigen sind

Gut = vornehm

Sklavenaufstand

allein die Guten, die Leidenden, Entbehrenden, Kranken, Häßlichen sind auch die einzig Frommen, die einzig Gottseligen, für sie allein gibt es Seligkeit; dagegen ihr, ihr Vornehmen und Gewaltigen, ihr seid in alle Ewigkeit die Bösen, die Grausamen, die Lüsternen, die Unersättlichen, die Gottlosen, ihr werdet auch ewig die Unseligen, Verfluchten, Verdammten sein!" (Geneal. d. Moral, 1. Abh., Aphor. 7). Ressentiment hat Nietzsche diesen Umschlag geheißen. Es sei schöpferisch gewesen, indem es das erzeugte, was bisher als Moral galt. So verstehen wir nunmehr seine Behauptung, daß es keine moralischen Phänomene gibt, daß Moral nur Fiktion ist, eine unwahre Auslegung des Lebens und seiner Erscheinungen durch die Minderwertigen. Weil ihnen die Trauben zu hoch hingen, machten sie aus der Not eine Tugend und erklärten die Werte der Starken als sauer. Merkwürdig ist nur, daß die Starken und Stolzen sich von den Minderwertigen diesen Bären aufbinden ließen. Und außerdem könnte Nietzsche nach diesem Propagandaerfolg, durch den die Niedrigen die Starken verdrängten, nur zufrieden sein mit seinen Sklaven und müßte eigentlich in ihnen jetzt die Starken sehen. Aber so weit reicht die Konsequenz nicht. Es bleibt bei der Zweiteilung, dem vollen Leben der Herren, das gut ist, und dem ärmlichen der Sklaven, das schlecht ist, obgleich jene Fülle vieldeutig genug ist.

Ressentiment

δδ) Unschuld des Werdens

Ein dritter Versuch Nietzsches, dem Begriff Leben als Prinzip der Moral einen genaueren Sinn zu geben, ist seine Lehre von der Unschuld des Werdens. Wenn es keine moralischen Phänomene gibt und hinter dem, was bisher Moral hieß, nichts anderes steht als das unwahrhafte Ressentiment der Schwachen und es in Wirklichkeit nur auf die Stärke der Starken ankommt, dann ist das eigentlich Wertvolle das nackte Dasein selbst, die Natur und alles rein naturhafte Werden. Dieses Werden ist dann „unschuldig", was immer auch wird und geschieht. „Es wäre entsetzlich, wenn wir noch an Sünden glaubten: sondern, was wir auch tun werden, in unzähliger Wiederholung, es ist unschuldig" (Werke XII, 68). „Ich muß nicht nur die Lehre von der Sünde, sondern auch die vom Verdienste (Tugend) aufheben. Wie in der Natur — es bleiben die ästhetischen Urteile: ekelhaft, gewöhnlich, selten, anziehend, harmonisch, schroff, grell, widerspruchsvoll, quälend, entzückend usw." (a. a. O. 76). „Ich habe mich bemüht, die Unschuld des

Werdens mir zu beweisen: und wahrscheinlich wollte ich so das Gefühl der völligen Unverantwortlichkeit gewinnen, mich unabhängig machen von Lob und Tadel ... Die erste Lösung war mir die ästhetische Rechtfertigung des Daseins ... Die zweite Lösung war mir die objektive Wertlosigkeit aller Schuldbegriffe und die Einsicht in den subjektiven, notwendig ungerechten und unlogischen Charakter alles Lebens. Die dritte Lösung war mir die Leugnung aller Zwecke und die Einsicht in die Unerkennbarkeit der Kausalitäten" (Werke XIII, 127). „Heute, wo uns jedes ‚so und so soll der Mensch sein' eine kleine Ironie in den Mund legt, wo wir durchaus daran festhalten, daß man, trotz allem, nur das wird, was man ist (trotz allem, will sagen: Erziehung, Unterricht, Milieu, Zufälle und Unfälle), haben wir in Dingen der Moral auf kuriose Weise das Verhältnis von Ursache und Folge umdrehen gelernt. Nichts unterscheidet uns vielleicht mehr von den alten Moralgläubigen. Wir sagen z. B. nicht mehr, das Laster ist eine Ursache davon, daß ein Mensch auch physiologsich zugrunde geht ..., unsere Meinung ist vielmehr, daß Laster und Tugend nur Folgen sind ... Wir wissen heute die moralische Degenereszenz nicht mehr abgetrennt von der physiologischen zu denken; sie ist ein bloßer Symptomkomplex der letzteren" (Wille zur Macht, Aphor. 334). Wir sehen wieder, daß für Nietzsche das Ethische sein Eigensein verloren hat. Das Sollen ist so sinnlos geworden wie das Wollen. Es gibt keine freie Entscheidung mehr angesichts eines sittlichen Imperativs. Mit dem Naturalismus der Unschuld des Werdens verbindet sich also auch noch der Determinismus. Nietzsche entwickelt diese letzte Konsequenz des Nichtmehrsollens: „Der Gegensatz ist aus den Dingen entfernt, die Einartigkeit in allem Geschehen ist gerettet" (a. a. O. Aphor. 308). Alles ist jetzt Schicksal. „Meine Formel für die Größe am Menschen ist amor fati: daß man nichts anderes haben will, vorwärts nicht, rückwärts nicht, in alle Ewigkeit nicht. Das Notwendige nicht bloß ertragen, noch weniger verhehlen — aller Idealismus ist Verlogenheit vor dem Notwendigen —, sondern es lieben ..." (Ecce homo, Warum ich so klug bin, Aphor. 10). Nietzsches Determinismus und Schicksalsglaube tritt nun in einer besonderen Form auf, als Lehre von der ewigen Wiederkunft aller Dinge. Der Gedanke stammt aus der Antike, bei ihm dient er zur Überwindung

εε) Ewige Wiederkunft

des Nihilismus, indem er eine neue Ewigkeit eröffnet. „Gott ist tot“ steht am Anfang der Philosophie Nietzsches. Damit ergab sich der Nihilismus des „Nichts mehr ist wahr, alles ist erlaubt“ (Zarath. IV, Der Schatten); denn nun gab es nicht mehr das „Du sollst“. Das nächste Stadium im Denken Nietzsches war das „Ich will“ des Herrenmenschen. Da aber erkennt Zarathustra (erste Rede mit der dreifachen Verwandlung des Geistes), daß hinter dem „Ich will“ ein „Ich muß“ steht. Man will immer nur, was man schon ist. Unser Ich ist unser Schicksal, unsere Freiheit ist Notwendigkeit, unser Wille ist der Wille einer Welt, die in ewigen Zyklen der Zeit und des Seins immer wiederkehrt in einer ungeheuren Summe von Kraft, die sich nicht vermehrt und die nichts verliert, sich selbst schafft und selbst zerstört, wieder schafft und wieder zerstört im ewigen Zurück und Vorwärts des Kreises — Dionysos. In ihr steht der Mensch. Er ist nichts anderes, nicht mehr und nicht weniger, als diese Welt und ihr ewiges Werden: „Schild der Notwendigkeit! Höchstes Gestirn des Seins! Das kein Wunsch erreicht, das kein Nein befleckt, ewiges Ja des Seins, ewig bin ich dein Ja: denn ich liebe dich, o Ewigkeit.“

γ) Biologismus? Wissen wir nach den vielen Worten, was Nietzsches neues Prinzip der Moral, das Leben, nun eigentlich ist? Es drängt sich aus vielen der angeführten Äußerungen die Klassifizierung der Moral Nietzsches als Naturalismus und Biologismus

αα) Gründe dafür auf. Vielfach wird er in der Tat so beurteilt. Dazu kommt, daß er an zahllosen Stellen einen geradezu brutalen Biologismus zu fordern scheint, nackteste physische Macht, so daß an dem Naturalismus kein Zweifel mehr bleiben will. Nur ein paar Beispiele: „Krieg gegen die weichliche Auffassung der ‚Vornehmheit‘! Ein Quantum Brutalität mehr ist nicht zu erlassen, sowenig als die Nachbarschaft zum Verbrechen. Auch die Selbstzufriedenheit ist nicht darin; man muß abenteuerlich auch zu sich selbst stehen, versucherisch, verderberisch. Nichts von Schön-Seelen-Salbaderei! Ich will einem robusteren Ideal Luft machen“ (Wille zur Macht, Aphor. 951). „Der Barbar ist in jedem von uns bejaht. Auch das wilde Tier“ (a. a. O. Aphor. 127). „Wir vermeinen, daß Härte, Gewaltsamkeit, Sklaverei, Gefahr auf der Gasse und im Herzen, Verborgenheit, Stoizismus, Versucherkunst und Teufelei jeder Art, daß alles Böse, Furchtbare, Tyrannische, Raubtier-

und Schlangenhafte am Menschen so gut zur Erhöhung der Spezies Mensch dient als sein Gegenteil“ (a. a. O. Aphor. 957). Das Wort von der blonden Bestie aus der „Genealogie der Moral“ (1. Abh., Aphor. 11), die auf dem Grund aller großen und vornehmen Rassen zu finden sei und die von einer Abfolge von Mord, Brandstiftung, Folterung, Schändung mit einem Gleichmut davongeht, als ob nur ein Studentenstreich vollbracht sei, ist allbekannt und ebenso Nietzsches Begeisterung für Cesare Borgia, Catilina, Iwan den Schrecklichen, Macchiavelli, Napoleon. Trotzdem ist Nietzsche weder ein Vertreter des Naturalismus noch des Biologismus. Es sind nicht wenig Stellen in seinen Werken, in denen er sich gegen die nackte physische Gewalt und gegen die bloße Vitalität ausspricht und ein Wertkriterium aufstellt, das Macht von Macht und Physis von Physis sondert, so daß trotz der vorgängigen Erklärungen über die Moral als eine Folgeerscheinung physiologischer Zustände das rein Biologische doch nicht das letztlich Entscheidende für ihn bleibt. Und trotz der Lehre von der Notwendigkeit und der ewigen Wiederkunft hört er auch nicht auf, Forderungen zu stellen. Nur ein paar Belege dafür: „Man hat gut reden von aller Art Immoralität. Aber sie aushalten können! Zum Beispiel würde ich ein gebrochenes Wort oder gar einen Mord nicht aushalten. Längeres oder kürzeres Siechtum und Untergang wäre mein Los“ (Werke XII, 224). „Einsamer, du gehst den Weg zu dir selber! Und an dir selber führt dein Weg vorbei, und an deinen sieben Teufeln! ... Verbrennen mußt du dich wollen in deiner eignen Flamme: wie wolltest du neu werden, wenn du nicht erst Asche geworden bist! Einsamer, du gehst den Weg des Schaffenden: einen Gott willst du dir schaffen aus deinen sieben Teufeln! ... Ich liebe den, der über sich selbst hinaus schaffen will und so zugrunde geht“ (Zarath. I, Vom Weg der Schaffenden). „Es gibt kein härteres Unglück in allem Menschen-Schicksale, als wenn die Mächtigen der Erde nicht auch die ersten Menschen sind. Da wird alles falsch und schief und ungeheuer. Und wenn sie gar die Letzten sind und mehr Vieh als Mensch: da steigt und steigt der Pöbel im Preise, und endlich spricht gar die Pöbeltugend: siehe, ich allein bin Tugend!“ (Zarath. IV, Gespräch mit den Königen). „Ich sehe und ich sah ... Menschen, welche weiter nichts sind als ein großes Auge oder ein großes Maul oder ein großer Bauch

ββ) Gründe dagegen

oder irgend etwas Großes: umgekehrte Krüppel heiße ich solche“ (Zarath. II, Von der Erlösung). Darum erklärt sich Nietzsche gegen das reine Kraftquantum: „Die mechanistische Auffassung will nichts als Quantitäten; allein die Kraft steckt in der Qualität“ (Wille zur Macht, Aphor. 1077), lehnt den Mißbrauch der Macht durch die römischen Cäsaren ab (Werke XIV, 65) und erblickt das Ideal fürstlicher Machtstellung einmal sogar in einem „Cäsar mit Christi Seele“ (Wille zur Macht, Aphor. 983). „Der große Mensch ist groß durch den Freiheitsspielraum seiner Begierden und durch die noch größere Macht, welche diese prachtvollen Untiere in Dienst zu nehmen weiß“ (Wille zur Macht, Aphor. 933). Es ist also nicht damit getan, daß man Nietzsches Philosophie auf den Nenner des Biologismus bringt oder ihr A und O in der ewigen Wiederkunft erblickt.

δ) Werte

Was aber sind das für Qualitäten? Was für Mächte, die das rein Biologische und sein Begehren in den Dienst wovon nehmen? Darauf kommt nun alles an. Die Worte vom Willen zur Macht, vom Herrentum, der Vornehmheit, dem Stolz, der großen Gesundheit, der Stärke, dem vollen Leben, dem ewigen Werden sind nur etwas Vorläufiges. Sie bedürfen der näheren Bestimmung. Hier taucht nun bei Nietzsche der Begriff der Werte auf. Werten, schätzen, lieben, Werte setzen und schaffen, das sei die Aufgabe. In zahllosen Wendungen wird diese Forderung erhoben.

αα) Die Aufgabe

„Was gut und böse ist, das weiß noch niemand, es sei denn der Schaffende! Das aber ist der, welcher des Menschen Ziele schafft und der Erde ihren Sinn gibt und ihre Zukunft; dieser erst schafft es, daß etwas gut und böse ist“ (Zarathustra III, Von Gesicht und Rätsel). „Werte legt erst der Mensch in die Dinge, sich zu erhalten; er schuf erst den Dingen Sinn, einen Menschensinn. Darum nennt er sich Mensch, das ist: der Schätzende“ (Zarathustra I, Von tausend und einem Ziele). „Bist du eine neue Kraft und ein neues Recht? Eine erste Bewegung? Ein aus sich rollendes Rad? Kannst du auch Sterne zwingen, daß sie sich um sich drehen? Ach, es gibt so viel Lüsternheit nach Höhe! Es gibt so viel Krämpfe der Ehrgeizigen! Zeige mir, daß du kein Lüsterner und Ehrgeiziger bist! Ach, es gibt so viele große Gedanken; die tun nicht mehr als ein Blasebalg: sie blasen auf und machen leerer! Frei nennst du dich? Deine herrschenden Gedanken will ich hören, und nicht, daß du einem Joch entronnen bist. Bist du ein solcher, der einem Joch entrinnen durfte? Es gibt manchen, der seinen letzten Wert wegwarf, als er seine Dienstbarkeit wegwarf. Frei wovon? Was schiert das Zarathustra! Hell aber soll mir dein Auge künden: frei wozu?" (Zarath. I, Vom Wege der Schaffenden). So und ähnlich lauten immer wieder die Forderungen. Aber man sucht ββ) Das Vakuum vergeblich nach den konkreten Inhalten dieser Werte. Nietzsche hat keine neuen Werttafeln aufgestellt. Er redet nur ständig um sie herum, in glänzenden, aber verschwommenen Phrasen. Weiß ein Mensch nach der Lektüre des Kapitels über den Ursprung unserer Tugend (Zarath. I, Von der schenkenden Tugend; ähnlich II, Von der Erlösung), was er konkret zu tun hat, nachdem der Naturalismus und Biologismus nach dem oben Gesagten ausscheidet? Nicht Naturalismus und Biologismus sind also Nietzsche vorzuhalten. Er hat ihre Unmöglichkeit gesehen. Das aber muß man sagen, daß seine Philosophie reine Negativität ist und daß er den Nihilismus nicht überwunden, sondern vergrößert hat. Er hat die Werte umzuwerten versprochen, aber er hat nur das Bestehende abgewertet, ohne etwas Positives dafür bieten zu können, geschweige denn etwas Besseres. Mit dem allgemeinen Dynamismus, der hinter seinen Bildern von der blonden Bestie, vom brutalen Ideal und vom harten Holz der sibirischen Verbrecher usw. als das eigentlich Gemeinte steht, ist es nicht getan. Man muß, wenn etwas Sittliches geschehen soll, nicht bloß überhaupt können, sonder muß etwas Bestimmtes können. Dieses Bestimmte und seine Inhalte fehlen bei Nietzsche. Er hat immer nur Rahmenbegriffe dafür gegeben. Nietzsche gehört zu den Geistern, die bloß verneinen. Er war ein wirklich kranker Geist. Hat er deswegen so laut von der großen Gesundheit gesprochen?

Aber da ist noch der Übermensch. In ihm ballt sich das ganze ε) Übermensch Wollen Nietzsches zusammen. Mißriet der Mensch: „Wohlan, wohlauf! Ihr höheren Menschen! Nun erst kreißt der Berg der Mensch-Zukunft. Gott starb: nun wollen wir, daß der Übermensch lebe ... Der Übermensch liegt mir am Herzen, er ist mein Erstes und Einziges, und nicht der Mensch, nicht der Nächste, nicht der Ärmste, nicht der Leidende, nicht der Beste ... Was ich lieben kann am Menschen, das ist, daß er ein Übergang ist und ein Untergang" (Zarath. IV, Vom höheren Menschen, 2 und 3. Vgl. auch Vorrede 4 und Zarath. I,

αα) Der neue Gott

Von der schenkenden Tugend, 3 Ende). Vielleicht bringt uns also der Übermensch den gewünschten Aufschluß. „Irgendwann ... muß er uns doch kommen, der erlösende Mensch ..., der der Erde ihr Ziel zurückgibt, dieser Antichrist und Antinihilist, dieser Besieger Gottes und des Nichts“ (Geneal. d. Moral, 2. Abh., Aphor. 24). Aber er kommt nicht. Wenn man die Stellen zusammenschaut, an denen Nietzsche darüber spricht, zeigt sich das alte Bild: die Aufgabe wird gestellt, die Forderung in immer neuen Worten erhoben, geschildert, wie schön und groß das alles wäre, aber dabei bleibt es auch; der Inhalt fehlt, jener Inhalt, der über den bloßen Biologismus und Naturalismus hinausführte; denn darin liegt ja die Schwierigkeit des Problems, nachdem Nietzsche, wie wir bereits hörten, die alte Moral verwirft, aber auch nicht einfach einen brutalen Naturmenschen anzielt, sondern den neuen Menschen, der alles Bisherige hinter sich läßt. Was macht

ββ) Leere Worte

seine Vollkommenheit aus? Welche Inhalte sind es? Was wissen wir vom Übermenschen, wenn uns nur versichert wird, daß er ein Übergang ist und ein Untergang, eine Brücke, eine Sehnsucht nach dem anderen Ufer, ein Blitz, der uns mit seiner Zunge leckt, ein Wahnsinn, mit dem man geimpft werden muß, ein Typus höchster Wohlgeratenheit, mit anderen Entstehungs- und Erhaltungsbedingungen als der Durchschnittsmensch, „eine Rasse mit eigener Lebenssphäre, mit einem Überschuß von Kraft für Schönheit, Tapferkeit, Kultur, Manier bis ins Geistigste, eine bejahende Rasse, welche sich jeden großen Luxus gönnen darf, stark genug, um die Tyrannei des Tugendimperativs nicht nötig zu haben, reich genug, um die Sparsamkeit und Pedanterie nicht nötig zu haben, jenseits von Gut und Böse, ein Treibhaus für sonderbare Pflanzen“ (Wille zur Macht, Aphor. 898). Das sind lauter Rahmen ohne Bilder, und man kann alles mögliche in sie hineinstecken. Im übrigen hat es Nietzsche selbst gefühlt, daß er nicht erreicht hat, was er wollte: „Immer zieht es uns hinan, nämlich zum Reich der Wolken: auf diese setzen wir unsere bunten Bälge und heißen sie dann Götter und Übermenschen: sind sie doch gerade leicht genug für diese Stühle, alle diese Götter und Übermenschen. Ach, wie bin ich all des Unzulänglichen müde ...“ (Zarath. II, Von den Dichtern). Wer bei Nietzsche nur Worte liest und vielleicht unvermerkt in die Rahmen seine eigenen Idealbilder hineinsteckt —

christliche, eudämonistische, idealistische, naturalistische, was aber für Nietzsche selbst auszuscheiden hat —, findet den Übermenschen; wer Nietzsche kritisch liest und nach den wirklich neuen Inhalten sucht, die bei ihm selbst dastehen müßten, erlebt ein Fiasko. Daß es eine Tragödie war, ändert nichts an der Sachlage. Einmal allerdings hat er einen konkreten Vorschlag gemacht, zum Übermenschen zu kommen; aber da wurde die Tragödie zur Komödie. Wir meinen seinen Plan, den Übermenschen zu züchten als eine Kreuzung aus dem adeligen Offizier der Mark und den Juden: „Es wäre von vielfachem Interesse, zu sehen, ob sich nicht zu der erblichen Kunst des Befehlens und Gehorchens — in beiden ist das bezeichnete Land heute klassisch — das Genie des Geldes und der Geduld, vor allem etwas Geistigkeit, woran es reichlich an der bezeichneten Stelle fehlt, hinzutun, hinzuzüchten ließe." Es war ein Witz, und Nietzsche bricht seine „heitere Deutschtümelei und Festrede" rechtzeitig ab (Jenseits von Gut und Böse. Aphor. 251). Er hat aber 50 Jahre später eine geistreiche Gefolgschaft gefunden, die in der Tat glaubte, der Übermensch sei ein Stallversuch.

γγ) Zucht und Züchtung

b) Deutschtum und Christentum

α) Nietzsche und die Deutschen

αα) Der Gegensatz

Nietzsche war über das Deutschtum fast so empört wie über das Christentum. Und das nicht erst in „Ecce homo", wo ihm die Spannung gegenüber seiner Zeit unerträglich geworden war, sondern auch schon vor 1888. Bereits in „Menschliches, Allzumenschliches" fragt er: Goethes Vornehmheit und Neidlosigkeit, Beethovens edle, einsiedlerische Resignation, Mozarts Anmut und Grazie, Händels unbeugsame Männlichkeit und Freiheit unter dem Gesetz, Bachs getrostes und verklärtes Innenleben — sind denn das deutsche Eigenschaften? Dort bereits zieht er die „europäischen Bücher" vor, die über den bloß nationalen Geschmack erhaben sind, behauptet, daß Montaigne, La Rochefoucauld, La Bruyère, Fontenelle, Vauvenargues, Chamfort mehr wirkliche Gedanken enthalten als alle Bücher deutscher Philosophen zusammengenommen. In der „Morgenröte" heißt es, daß die Deutschen überhaupt entartet sind im Geschmack und sklavisch vor Würden, Trachten, Pomp und Prunk. In der „Fröhlichen Wissenschaft" erklärt er den Pessimismus seiner Zeit aus einem Diätfehler, daraus nämlich, „daß unsere Vorwelt, das ganze Mittelalter...

dem Trunk ergeben war". In der „Genealogie der Moral" behauptet er wieder die auf spezifisch germanische Einwirkungen zurückgehende „Alkoholvergiftung Europas, welche streng mit dem politischen und Rassenübergewicht der Germanen bisher Schritt gehalten hat: wo sie ihr Blut einimpften, impften sie auch ihre Laster ein". Ebendort empört er sich gegen „die neuesten Spekulanten in Idealismus, die Antisemiten, welche heute ihre Augen christlich-arisch-biedermännnisch verdrehen und durch einen jede Geduld erschöpfenden Mißbrauch des wohlfeilsten Agitationsmittels, der moralischen Attitüde, alle Hornvieh-Elemente des Volkes aufzuregen suchen". In „Jenseits von Gut und Böse" gibt er neuerdings eine abwertende Schilderung des deutschen Nationalcharakters. Der Deutsche sei nichts weniger als rassenrein, es wohnen mehr als zwei Seelen in seiner Brust, er sei „unfaßbarer, umfänglicher, widerspruchsvoller, unbekannter, unberechenbarer, überraschender, selbst erschrecklicher, als es andere Völker sind". Der Deutsche liebe „die Wolken und alles, was unklar, werdend, dämmernd, feucht und verhängt ist: das Ungewisse und Ungestaltete, Sich-Verschiebende, Wachsende fühlt er als ‚tief'. Der Deutsche ist nicht, er wird, er ‚entwickelt' sich ... Die Ausländer stehen erstaunt und angezogen vor den Rätseln, die ihnen die Widerspruchsnatur im Grunde der deutschen Seele aufgibt (welche Hegel in System gebracht, R. Wagner zuletzt noch in Musik gesetzt hat)." In „Ecce homo" kommt es dann zu Wutausbrüchen, Geschmacklosigkeiten und Schimpfereien. Fast alle Ausfälle gegen die Deutschen sind ganz allgemein gehalten.

ββ) Die Haßliebe

In Wirklichkeit aber hat Nietzsche nur den engstirnigen Deutschen „der Sumpfluft der 50er Jahre" im Auge, wo Wagner und jeder große Deutsche notwendig hätte Revolutionär werden müssen, und den aufgeblasenen, eitlen und leeren Nationalismus des „Reiches", wo wieder der Mucker obenauf war, wenn er jetzt auch andere Farben trug und Husarenuniform angezogen hatte. Dieser Reichsdeutsche konnte nicht als Europäer denken. Er hat auch Nietzsche nicht verstanden. Daher der Zorn. Hinter dem Spott aber versteckte sich eine geheime Liebe zum „Deutschen der starken Rasse", zum „ausgestorbenen Deutschen", zum Nordländer und Arier. Es bildet einen der entscheidenden Gründe Nietzsches gegen das Christentum, daß es die antiarische

Religion par excellence sei und daß es die vornehmen Germanen, und hier gerade wieder die schönsten Exemplare der blonden Bestie, „verbesserte“, „ins Kloster führte“, „zu Sündern machte“ und so verdarb. Sein Ideal war dasjenige Hölderlins. Der Geist des vorchristlichen Germanentums sollte sich vermählen mit dem Geist des vorsokratischen Griechentums. Hier suchte er den Edelmenschen der Zukunft. Darum setzte er zunächst auf Wagner und war dann so enttäuscht, als Wagner wieder Christ geworden war. Aber was ist das für ein Denker, der sich in so maß- und sinnlosen Pauschalbehauptungen ergeht?

β) Nietzsche und die Christen

Ganz parallel liegen die Dinge in Nietzsches Zorn gegen das Christentum. Zunächst werden Einzelvorwürfe erhoben. Das Christentum habe den Gottesbegriff erfunden als Gegenbegriff gegen das Leben, um seine Instinkte, seine Freuden, seine Fülle zu unterdrücken; das Jenseits, um das Diesseits zu entwerten; die Seele, um den Leib und alles Leibliche zu verleumden; die Sünde, das Gewissen, die Willensfreiheit, um den Starken und Stolzen ihre Kraft zu nehmen; eigentlich seien Sünde und Gewissen zwar eine jüdische Erfindung, aber das Christentum und besonders Rom hätten sie übernommen, um damit die ganze Welt zu verjüdeln. Die Grundbegriffe des Christentums: Liebe, Mitleid, Demut, Selbstlosigkeit, Opfergeist seien Sklavenmoral und Feindschaft gegen das Leben. „Der Gott am Kreuz ist ein Fluch auf das Leben — ein Fingerzeig, sich von ihm zu erlösen!“ Der Gegenbegriff ist Dionysos. „Dionysos gegen den Gekreuzigten“ ist ein Schlagwort Nietzsches. Und dann haben wir wieder die allgemein gehaltenen maß- und sinnlosen Verurteilungen: „Ich erhebe gegen die christliche Kirche die furchtbarste aller Anklagen ... Sie ist mir die höchste aller denkbaren Korruptionen, sie hat den Willen zur letzten, auch nur möglichen Korruption gehabt. Die christliche Kirche ließ nichts mit ihrer Verderbnis unberührt, sie hat aus jedem Wert einen Unwert, aus jeder Wahrheit eine Lüge, aus jeder Rechtschaffenheit eine Seelenniedertracht gemacht“ (Antichrist, Aphor. 62). Aber wie hinter dem Zorn auf die Deutschen die versteckte Liebe stand, so haben wir auch hier die positiven Äußerungen zum Christentum. „Ironie gegen die, welche das Christentum durch die modernen Naturwissenschaften überwunden glauben. Die christlichen Werturteile

αα) Der Gegensatz

ββ) Haßliebe?

sind damit absolut nicht überwunden. ‚Christus am Kreuze' ist das erhabenste Symbol — immer noch" (Wille zur Macht, Aphor. 219). Auch eine Reihe von wesentlichen Einrichtungen der katholischen Kirche finden Nietzsches Beifall: die guten Werke statt des bloßen Glaubens, die Zeremonien des kirchlichen Kultus, die besondere Stellung des Priesters mit seinen Vollmachten; sogar das Rosenkranzgebet, die Beichte, der Zölibat und die Jesuiten werden gelegentlich gegen die landläufige Kritik in Schutz genommen. Besonders billigt er, daß es in der katholischen Kirche einen echten Mythos, einen unbezweifelten Glauben gebe, während im Protestantismus der Professorengeist herrsche, lauter Rationalismus und Menschlichkeit. Und vor allem gefällt ihm die Hierarchie der Kirche. Das sei Rangordnung, Wille zur Macht, ein letztes Stück Imperium Romanum. Nietzsche donnert jetzt gegen Luther, der durch sein allgemeines Priestertum diese Hierarchie beseitigte, die demokratische Gleichheit eingeführt und so den höheren Menschen abgeschafft habe. Die Reformation sei der Bauernaufstand des Nordens gegen den feineren Geist des Südens, Luther selbst der beredteste und unbescheidenste Bauer, den Deutschland je gehabt habe, ein Schimpfteufel, Plebejer und Rüpel, der „direkt" und „ungeniert" mit seinem Herrgott reden wollte, weil er keinen Sinn hatte für Ehrfurchtsetikette und hieratischen Geschmack. Nietzsche begeisterte sich geradezu für die Aristokratie der römischen Kirche, für die Anmut der Gebärden, die herrschenden Augen, das durchgeistete Antlitz, wie man das bei der höchsten Geistlichkeit sehen könne, besonders wenn sie aus vornehmen Geschlechtern komme. Und da er nun gerade auf dieser Tour „philosophiert", erhält der Priester, der ihm sonst eine Ausgeburt ist von Niedrigkeit, Ohnmacht, Lebensneid und giftigster Verleumdungssucht, den Ehrentitel „delikateres Raubtier", und die Kirchenfürsten erscheinen als Brücke zum Übermenschen (vgl. die oben S. 506 angeführte Arbeit von G. Köhler).

γ) Nietzsche-Deutung

Man hat Nietzsches Kritik am Christentum als eine heimliche Sehnsucht nach einem wahren und echten Christentum interpretieren wollen. So wie er nur die Deutschen seiner Zeit gehaßt habe, hätte er auch nur die Christen seiner Zeit gehaßt, weil er die Mittelmäßigkeit und Unechtheit hier und dort durchschaut habe. Es ist aber sehr fraglich, ob Nietzsche das Christentum in irgendeiner Form, auch der idealsten, bejaht hätte. Bei diesen Deutungen wird gewöhnlich viel in Nietzsche hineingelesen, was nicht darin steht, und viel ausgelassen, was sicher dasteht. Immerhin ist die Parallele in seinem Verhältnis zum Deutschtum und Christentum auffallend. Sie hat sogar noch eine dritte Parallele, nämlich in seinem Haß zur alten Moral. Auch dort ist der Gegensatz, trotz des in Worten verkündeten Naturalismus, kein endgültiger, weil, wie wir sahen, nach höchsten Kriterien gesucht wird, die dem Willen zur Macht erst seinen letzten Wert geben. Könnte, wie der „Immoralist" in Wirklichkeit Moralist ist, nicht auch der Antichrist in tiefster Seele Christ sein wollen? Man müßte da aber zuerst fragen, was man unter Christsein verstehen will, sonst könnte die Antwort zu billig erfolgen. Und noch notwendiger wäre die weitere und ganz fundamentale Frage, ob Nietzsche überhaupt wußte, was er wollte, in Sachen Deutschtum und Christentum, aber auch in seinem sonstigen Denken; denn der Widersprüche sind es zu viele. Jaspers sagt mit Recht, daß sich so ungefähr zu jedem Satz Nietzsches auch die gegenteilige Behauptung bei ihm finden lasse. Aber das ist nicht deswegen so, weil Nietzsche eine Philosophie der Selbstüberwindung vorexerziert hätte, wie Jaspers denkt, sondern weil sich sein Geist nicht in der Gewalt hatte. Es ist kein Zweifel, daß bei Nietzsche die Krankheit tiefer sitzt und schon viel früher einsetzt, als man gewöhnlich zugeben will. Wo immer man versuchte, aus der Philosophie Nietzsches etwas Brauchbares zu machen, mußten schwere operative Eingriffe erfolgen. Der Nietzsche, den Bertram, Klages, Baeumler, Jaspers, Heidegger bieten, ist nicht der historische, sondern ein umgedeuteter, „verbesserter" Nietzsche. Ob sich das wohl lohnt? Es wird zweifellos zu viel Theater um Nietzsche gemacht. Die Nietzsche-Literatur ist zu einem guten Teil nicht viel anderes als gebranntes Wasser, Artistik und Interessantmacherei. Insofern ist sie allerdings Nietzsche wahlverwandt.

c) Nietzsche im 20. Jahrhundert

Was man aus Nietzsche im 20. Jahrhundert machte und wozu er dienen mußte, ist nicht mehr zu überschauen. Es reicht vom ästhetischen Genießertum bis zum tragischen Verhängnis im politischen Mißbrauch seiner Worte. Erst jetzt erkennen wir wie bei Marx und den Linkshegelianern den Baum an seinen Früchten und verlernen immer mehr, das 19. Jahrhundert zu unterschätzen. Wir unterscheiden in der Nietzsche-Bewegung des 20. Jahrhunderts eine ästhetisch-musische, eine politische und eine existenzialistische Richtung.

α) Ästhetisch-musische Deutung

Die ästhetisch-musische Nietzsche-Bewegung setzt bei dem Nietzsche an, der die Geburt der Tragödie aus dem Geiste der Musik schrieb. Das Künstlerische erschien Nietzsche damals als eine Rechtfertigung der Welt. In sich selbst war diese Welt ihm unmoralisch und insofern nicht zu ertragen. Aber wenn der Künstler die furchtbaren und fragwürdigen Dinge darstellt, dann spricht daraus ein „Instikt der Macht und Herrlichkeit ... er fürchtet sie nicht ... Die Kunst bejaht". Besonders aber ist es die griechische Tragödie, die die starken Zeitalter und Charaktere kennzeichnet. „Es sind die heroischen Geister, welche zu sich selbst in der tragischen Grausamkeit ja sagen." Und in der Tragödie wieder sei es der Chor, wo in Reigen und Rausch der Zauber des Dionysischen die ganze Welt mit all ihren Inhalten jubelnd bejaht. Das war seine Philosophie: Dionysos als Symbol des Lebens. Dieses heroisch-ästhetische Griechentum der Tragödie sollte zum Bildungsideal der Deutschen werden, wie das Hölderlin schon geträumt hatte (vgl. oben S. 400 f.). Nach seinem Dichter hielt Nietzsche Ausschau. „Dieser zukünftige Held der tragischen Erkenntnis wird es sein, auf dessen Stirn der Abglanz jener griechischen Heiterkeit liegt, jener Heiligenschein, mit dem eine noch bevorstehende Wiedergeburt des Altertums inauguriert wird, die deutsche Wiedergeburt der hellenischen Welt." Darum fand Nietzsche zu Wagner. Im Feuerzauber seiner Musik sollte der deutsche Geist geläutert und mit einem neuen Mythos erfüllt werden. Hier knüpft die ästhetische Nietzsche-Bewegung des 20. Jahrhunderts an. Es ist besonders der George-Kreis, der sie vertritt. Im zweiten seiner Hyperion-Gedichte bekennt George: „Ahnung gesellt mich zu euch, Kinder des Inselgebiets, die ihr in Anmut die Tat, Bilder in Hoheit ersannt ... Die ihr in Fleisch und in Erz Muster dem Menschtum geformt, die ihr in Reigen und Rausch unsere Götter gebart." Und nach K. Hildebrandt ist „Hellas bisher der Gipfel aller Kultur der nordischen Rasse, und nirgends besser als aus dem Werk Platons kann uns eine Ahnung aufgehen, wozu das deutsche Volk berufen ist". Und will man diesen Heiligtümern sich nahen, dann sei es Nietzsche, an den man sich zuerst wenden wird. Das philosophische Hauptwerk der ästhetisch-musischen Nietzsche-Auffassung hat E. Bertram 1918 geschrieben mit seinem Nietzschebuch. Es trägt den Untertitel „Versuch einer Mythologie".

β) Politische Deutung

Die politische Nietzsche-Deutung setzt den Hebel beim Willen zur Macht an. Dionysos ist jetzt nicht mehr ein Kunstgott, sondern ein Kriegsgott. „Dionysos ist die früheste Formel des Willens zur Macht", schreibt A. Baeumler. Fragt sich nur wieder, wie der Wille zur Macht dann zu verstehen sei. Wir können hier zwei Wege auseinanderhalten, den populären und den akademischen. Die populär-politische Nietzsche-Auffassung wirft sich auf die Stellen, die einem robusteren Ideal Luft zu machen scheinen (vgl. oben S. 512 f.), wo der Kampf ums Dasein, das rücksichtslose Sichdurchsetzen, das gesunde Barbarentum, die Brutalität und der Macchiavellismus gefordert werden. Die klassische Stelle ist immer das Wort von der blonden Bestie in der Genealogie der Moral (s. oben S. 513) gewesen, die auf dem Grund aller großen Rassen lebe, die von Zeit zu Zeit sich austoben müsse und von einer scheußlichen Abfolge von Mord, Niederbrennung, Schändung, Folterung mit einem Übermut und seelischen Gleichgewicht davongehe, als ob nur ein Studentenstreich vollbracht sei, überzeugt davon, daß die Dichter für lange nun wieder etwas zu singen und zu rühmen haben. Diese Äußerungen werden nicht aus der Problematik Nietzsches heraus verstanden, seinem Ringen um neue, lebensvollere Werte, sondern werden wörtlich genommen. Und hier kommt es nun zu jenem Naturalismus und Biologismus, den man häufig bei Nietzsche selbst sucht, während er in Wirklichkeit nur von einem Teil der Nietzsche-Anhänger vertreten wird. Es hat immer Ellenbogen-Naturen gegeben, die Nietzsche zur Deckung ihres Macchiavellismus und Brutalismus mißbrauchten. Eine wahre Überschwemmung durch eine populäre Nietzsche-Literatur dieser Art setzte aber 1933 ein. Die Träger des Nationalsozialismus betrachteten sich als die Erfüllung Nietzsches. Die eben erwähnte Stelle über die blonde Bestie aus der Genealogie der Moral „könnte 1933 geschrieben sein", meinte — war es

αα) Populäre Version

Naivität oder Zynismus? — Fr. Giese (Nietzsche. Die Erfüllung. 1934. S. 60) und vergaß nicht, zu erwähnen, daß Mussolini sowohl wie Hitler sich ostentativ zu Nietzsche bekannten. ββ) Akademische Version Die akademische Version der politischen Nietzsche-Deutung macht ihre Sache etwas feiner. A. Baeumler, ihr Hauptvertreter, spricht von einem heroischen Aktivismus. Ideal ist der griechische Agon. Kämpfen, immer kämpfen! Nicht bloß die Festspiele, sondern das ganze Leben soll als heroischer Kampf geführt werden. Kämpfen und siegen und im Siege sich opfern, so starben die Helden der griechischen Tragödie. Es sei die tiefste Erkenntnis Nietzsches gewesen, daß dieses kämpferische Triebleben sich nicht unterdrücken lasse, sondern den eigentlichen Menschen ausmache; denn „aus der Tiefe der Natur, wo das Wilde und das Böse liegt, stammt auch das Beste und Edelste im Menschen. Die Griechen sind groß, weil sie den Weg fanden, noch die stärksten Instinkte ihrer kriegerischen Rasse zu bändigen, indem sie ihnen die Bahn des Wettkampfes eröffneten." Es ist ein allgemeiner Dynamismus, was hier vorgetragen wird, der sich nicht auf etwas Bestimmtes festlegt. In der gelehrten Ausstaffierung zwar reicher als die derbe Auffassung Hitlers, wäre diese Philosophie doch nimmer und nirgends ein Hindernis der Taten des „Führers" gewesen. Die populäre und die akademische Nietzsche-Deutung unterscheiden sich nur in der Form, nicht im Prinzip. Beide sind ohne eindeutige, die Vitalität selegierende und sublimierende Wertkriterien. Beide verkennen, daß Nietzsche selbst über den Dynamismus hinaus wollte. Denn daß er nicht genügt, weil er notwendig in die Panourgia, in das Zu-allem-fähig-sein einmündet, war ja eine Erkenntnis, die bereits in den Sokratischen Kreisen errungen worden war (vgl. Bd. I. 68 f.).

γ) Existenzialistische Deutung Für die existenzialphilosophische Nietzsche-Deutung ist K. Jaspers mit seinem Nietzsche-Buch von 1936 typisch. Jaspers weist die übliche Nietzsche-Kritik zurück, die unter Berufung auf die zahllosen Widersprüche in der Philosophie Nietzsches deren Unlogik aufdeckt; oder die ihre Inhalte im αα) Jaspers einzelnen als unrichtig dartut; oder die den ganzen Lebensstil Nietzsches ablehnt, seinen Individualismus, seine Volks-Fremdheit, seinen Nihilismus. Das gleiche falsche Verhältnis zu Nietzsche liege vor, wenn man statt der Kritik jetzt sich ihm gläubig anvertraut und dann bald dies und bald das aus seiner Philosophie herausholt, wie es gerade paßt. Demgegenüber fragt sich Jaspers, wie Nietzsche sich selbst verstanden habe. So müßten auch wir ihn wieder verstehen. Das Selbstverständnis Nietzsches aber liege gerade in der Widersprüchlichkeit, Vieldeutigkeit, der Maske und Verwechselbarkeit. Nietzsches Philosophie sei die Philosophie der Selbstüberwindung, der Unruhe ohne Ziel, der absoluten Negativität. Er wolle kein Systematiker sein. Er hat überhaupt keine Heimat. Jaspers zitiert hierfür aus Nietzsche: „Den ganzen Umkreis der modernen Seele umlaufen, in jedem ihrer Winkel gesessen zu haben — mein Ehrgeiz, meine Tortur und mein Glück." Schon mit 12 Jahren hatte Nietzsche gedichtet: „Niemand darf es wagen, mich danach zu fragen, wo meine Heimat sei"; und der reife Mann sagt wieder: „Wir haben alle Brücken hinter uns abgebrochen, mehr noch, wir haben das Land hinter uns abgebrochen." Diese Philosophie der absoluten Negativität und ständigen Selbstüberwindung sei wie eine Leidenschaft zum Nichts. Das Ganze sei ein Philosophieren auf dem Grund der Gottlosigkeit. Alles ist Nietzsche zusammengebrochen: Moral, Vernunft, Humanität, Kultur, Wahrheit, Philosophie, Christentum, Gott. Aber diese Gottlosigkeit ist nicht eine Theorie wie jene der sonstigen Atheisten. Wäre sie eine Theorie, so schlüge Nietzsches Haltung sofort in Unphilosophie um. Er muß ja ständig sich selbst überwinden. So darf er sich auch nicht auf seinen Atheismus versteifen. Was dann? Nun, er muß „existieren", sich immer voraus sein, muß an der Grenze scheitern, wieder dagegen anrennen, wieder scheitern und trotzdem weiter suchen in grenzenloser Unruhe. In eben diesem Existieren hätten wir die wahre Philosophie Nietzsches vor uns. Denken und Leben sind da eins geworden. Jaspers hat aus Nietzsche einen Existenzphilosophen gemacht.

Wie bei Jaspers wird Nietzsche auch bei Heidegger in den Dienst des eigenen Denkens gestellt. Bei Jaspers geschah das über den Begriff des Scheiterns, bei Heidegger über den des Nihilismus. Jaspers wird glatt abgelehnt. „In jedem Falle wäre es irrig, wollte man die Formel des Wertsatzes als ein Zeugnis dafür nehmen, daß Nietzsche existenziell philosophiert. Das hat er nie getan" (Holzwege 230). Für Heidegger ist Nietzsche Metaphysiker. Zunächst allerdings Anti- ββ) Heidegger metaphysiker: „Das Wort ‚Gott ist tot' bedeutet: Die übersinnliche Welt ist ohne wirkende Kraft. Sie spendet kein Leben. Die Metaphysik, d. h. für Nietzsche die abendländische Philosophie als Platonismus verstanden, ist zu Ende. Nietzsche versteht seine eigene Philosophie als die Gegenbewegung gegen die Metaphysik, d. h. für ihn gegen den Platonismus." Daher seine ständige Rede vom Nihilismus. Ihn sah Nietzsche heraufkommen, nicht nur für die Metaphysik, sondern für die ganze abendländische Kultur und insbesondere für das Christentum. Nietzsche hätte die unzureichende Bedingtheit der Begriffe des abendländischen Geistes, auch des christlichen, ja gerade dieses, durchschaut. Das gehörte zu seiner Größe. Indem er aber selbst eine neue Wertwelt aufrichten wollte, wäre er auch wieder dem Denken der alten Metaphysik verfallen, trotz der Gegenstellung. Der tolle Mensch sucht zwar einen anderen Gott, aber er sucht eben doch auch wieder Gott, immer noch, wie es die alte Metaphysik seit je tat. Darin aber läge gerade der Nihilismus. Die Begriffe der alten Metaphysik würden nämlich das Sein verstellen, statt es sein zu lassen — Seinsvergessenheit. Den letzten Schlag im Töten Gottes vollführe gerade die Metaphysik, bei Nietzsche die Metaphysik des Wertsatzes im Willen zur Macht. Darum meint Heidegger: „Nietzsche hat das Wesen des Nihilismus nie erkannt, so wenig wie je eine Metaphysik vor ihm." Erst das Sein Heideggers bringe die Befreiung von den verstellenden Begriffen, die vom bloß Seienden hergenommen wären. Jetzt könne sich das Sein zu sich selbst sammeln und die Erfüllung kommen, die Nietzsche versagt war, zu der er aber immerhin den Auftakt gab. — Frage: Hat Heidegger mehr zur Entbergung des Seins sagen können als Nietzsche zur Entbergung seiner neuen Werttafeln? Bleibt es nicht auch bei ihm beim Vakuum, trotz der vielen Worte vom Sein? Hat er überhaupt richtig gedeutet, was Metaphysik war und wollte? Nur unkritisches Denken nimmt die angebliche Zerstörung des metaphysischen und des christlichen Bewußtseins, sei es durch Nietzsche, sei es durch Heidegger, für bare Münze. Nicht immer ist der Wille auch schon das Werk.

Wir kommen zum Schluß. Was von Nietzsche zu halten ist, dürfte feststehen, wenn man zu einer wissenschaftlich-kritischen Stellungnahme überhaupt bereit ist. Es ist genau so, wie es K. Löwith in seinem Nietzsche-Buch gesagt hat. Er fragt: „Ist Nietzsche wirklich ein großer Denker oder ein verhinderter Dichter?“ und antwortet: „Gemessen an Aristoteles und Hegel ist er ein leidenschaftlicher Dilettant ... Gemessen an Sophokles und Hölderlin sind Nietzsches Gedichte und Gleichnisreden, mit wenigen kostbaren Ausnahmen, die künstliche Einkleidung von ‚Gedankenerlebnissen‘. Nietzsche ist, im Vordergrund und der Breite nach, ein philosophischer Schriftsteller, so wie Kierkegaard ein religiöser war, aber ohne dessen Schulung im begrifflichen Denken. In der Tiefe und im Hintergrund ist Nietzsche aber dennoch ein wahrer Liebhaber der Weisheit, der als solcher das Immerseiende oder Ewige suchte und darum seine Zeit und die Zeitlichkeit überhaupt überwinden wollte.“ Bei diesem Willen ist es aber auch geblieben, nicht jedoch beim Werk. Nüchtern-kritisches Denken kann nicht anders urteilen.

7. DER PHÄNOMENALISMUS UND SEINE SPIELARTEN

Wir sprachen im Zusammenhang mit Kant von einem Mißverständnis der Metaphysik. Man fürchtete, sie wäre unzulässige Überschreitung der allein erfahrbaren Erscheinungswelt. Die Überzeugung, daß es für das menschliche Erkennen weiter nichts gibt als eben nur die Erscheinungswelt, daß sie das eigentlich Wirkliche, Metaphysik und Religion aber Erdichtungen seien, bildet ein fast zum Schlagwort gewordenes Dogma des 19. Jahrhunderts. Man sah darin *die* Philosophie dieses Jahrhunderts. Ist das auch eine Übertreibung, so kann doch nicht bestritten werden, daß der Phänomenalismus eine charakteristische Note des 19. Jahrhunderts bildete. Nietzsche warnt vor den „Hinterwelten“ der Metaphysik und Religion und gibt den Ruf aus: „Meine Brüder, bleibt der Erde treu!“ Und die Tendenzen des Materialismus liegen in derselben Richtung. Ideengeschichtlich sind es drei Wurzeln, aus denen die phänomenalistische Haltung hervorgeht: der Skeptizismus und Materialismus der Franzosen, der Empirismus der Engländer und der Phänomenalismus Kants. Letzterer weiß zwar noch von viel mehr Dingen, aber das 19. Jahrhundert sah mit verschwindenden Ausnahmen in ihm nur den Verfasser der Kritik der reinen Vernunft und beachtete auch da wieder nur den sogenannten Zermalmer der Metaphysik, der das Erkennen auf die reine Erscheinungswelt eingeschränkt hatte. Im einzelnen nimmt der Phänomenalismus des 19. Jahrhunderts verschiedene Formen an, und wir unterscheiden an ihm den französischen Positivismus, den englischen Empirismus, den deutschen Positivismus und Kritizismus und den Pragmatismus der Deutschen, Engländer und Amerikaner.

a) Der französische Positivismus

α) Comte

Zu einem stehenden Begriff wird der Positivismus zuerst durch Auguste Comte (1798—1857), und zwar durch seine Drei-Stadien-Lehre.

αα) Drei Stadien

Es gebe in der Geistesgeschichte der Menschheit drei Phasen. Die erste ist die mythologisch-theologische, wo der Mensch das Naturgeschehen abhängig sein läßt vom Willen höherer persönlicher Mächte, die auf primitiver Stufe in den belebt gedachten Naturdingen gesucht werden (Fetischismus), später dann in einer Reihe von sogenannten Göttern, die über größere Bezirke des Seins herrschen (Polytheismus), und noch später im Glauben an den einen Gott, der über die ganze Welt herrsche (Monotheismus). Die zweite Phase bestehe in der metaphysischen Periode, wo man, schon etwas kritischer geworden, den Anthropomorphismus der ersten Zeit ersetze durch abstrakt gedachte sogenannte Kräfte, Wesenheiten, innere Naturen, Formen und Seelen, womit man es immer noch mit Erdichtungen zu tun habe, wenn sie auch nicht mehr so primitive Vermenschlichungen der Natur wären wie jene der ersten Stufe. In der dritten Phase, der „positiven Periode", erkenne der Mensch endlich, was Aufgabe und Wesen der Wissenschaft sei. Nun beschränke er sich auf das „positiv Gegebene", d. h. auf das in der äußeren und inneren sinnlichen Erfahrung Erfaßbare und wirklich „unmittelbar" Gegebene. Das sei jetzt Wirklichkeit und nicht mehr Erdichtung.

ββ) Aufgabe der Wissenschaft

Die Aufgabe der Wissenschaft auf positivistischer Basis sei dann eine doppelte. Man habe einerseits das immer Gleiche der Erscheinungen herauszustellen (wissenschaftliche Begriffsbildung) und andererseits deren regelmäßige Abfolge (wissenschaftliche Gesetzesbildung). Comte hat mit seiner Drei-Stadien-Lehre ähnlich wie Hegel auf die Geschichtsphilosophie und Soziologie des 19. Jahrhunderts anregend gewirkt. Der Begriff des „Gegebenen" wollte bewußte Erkenntniskritik sein. Daß das Gegebene aber sowohl bei

Comte wie bei anderen Positivisten noch reichlich unkritisch gefaßt wurde und viel Nichtgegebenes enthält — man hat mit Recht gegen allen Positivismus immer eingewendet, daß er Voraussetzungen mache und im Grunde sogar eine metaphysische These vertrete, die These nämlich, daß Seiendes nur Erscheinung sei —, wird sich uns bei der Betrachtung des Neupositivismus des 20. Jahrhunderts zeigen.

γγ) Religion

Interessant ist, daß Comte trotz des Positivismus noch Religion braucht. Sie dient zwar nur mehr ästhetischen Zwecken und soll auch „positiv" sein, aber sie ist da, und sogar ziemlich umfänglich, mit 9 Sakramenten, 84 Festtagen, Hierarchie und großem Zeremoniell. Ihr Gott ist das grand être, die Menschheit.

β) Guyau

Der andere bedeutende französische Positivist des 19. Jahrhunderts ist Jean-Marie Guyau (1854—88), den man den französischen Nietzsche genannt hat. In seiner Erkenntniskritik will er wie dieser alle „Atavismen" des metaphysischen Denkens zerschlagen, um das allein wirklich „Gegebene" rein in den Blick zu bekommen. Besonders aber tritt bei ihm der Positivismus in der Ethik in die Erscheinung. Die Sittlichkeit sollte ohne die Begriffe der Pflicht und einer göttlichen Sanktion verstanden werden. Sie habe nur die positiven Tatsachen des sozialen Daseins des Menschen in Anschlag zu bringen. Rein „tatsächlich" stehe der Mensch in der Gemeinschaft. Sein Leben in und mit ihr zu entwickeln sei seine sittliche Auszeichnung. Egoismus ist Unsittlichkeit, weil Unnatur. Eine noch größere Ausweitung des Lebens ergebe sich dann, wenn der Mensch in Einsfühlung mit dem ganzen Kosmos lebe. Das sei das Ziel der Entwicklung. Und damit ist dann auch die Religion aufgehoben, so gut wie die Metaphysik und die metaphysische Ethik. Das Leben, das das Innerste von allem sei in Natur und Welt und an die Stelle Gottes getreten ist, habe sich damit durchgesetzt. Mit dem Begriff des Lebens wurde Guyau zu einem Wegbereiter des modernen Vitalismus und der Philosophie Bergsons. Aber schon diese dürftigen Angaben genügen, um erkennen zu lassen, daß Guyau die ursprünglich erklärte Ausgangsbasis vom nur unmittelbar und positiv Gegebenen überschritten hat. Immer wieder zeigt sich bei den Positivisten, daß sie mit ihrer eigenen Sache nicht ganz zufrieden sein wollen.

Texte und Literatur

A. Comte, Cours de philosophie. 6 Bde. (Paris 1830—42). Abhandlung über den Geist des Positivismus. Übersetzt und mit Anmerkungen versehen von F. Sebrecht (1915). Soziologie. Übersetzt von V. Dorn. 3 Bde. ([2]1923). J.-M. Guyau, Esquisse d'une morale sans obligation ni sanction (Paris 1885). Ders., L'irréligion de l'avenir (Paris 1887). — L. Lévy-Bruhl, La philosophie d'Auguste Comte (Paris 1900), deutsch von H. Molenaar (1902). G. Mehlis, Die Geschichtsphilosophie Comtes (1909). A. Marcuse, Die Geschichtsphilosophie Comtes (1932). J. Peter, Comtes Bild vom Menschen (1936). H. de Lubac, Die Tragödie des Humanismus ohne Gott (Salzburg 1950). J. Lacroix, La sociologie de A. Comte (Paris 1956). — H. Pfeil, J.-M. Guyau und die Philosophie des Lebens (1928).

b) Der englische Empirismus

In derselben Richtung wie der französische Positivismus arbeitet auch der englische Empirismus, nur daß bei ihm mehr als dort das Psychologische sowohl als Forschungsgebiet wie als Methode im Vordergrund steht. Die führenden Männer sind J. St. Mill und H. Spencer. Sie haben auf das Denken der Folgezeit einen großen Einfluß ausgeübt. Alles beeilt sich jetzt, zu versichern, daß man auf der Erfahrung fuße, um nicht an Kredit zu verlieren.

α) Mill John Stuart Mill (1806—73) will nur in den augenblicklichen Wahrnehmungen das positiv Gegebene sehen. Es gebe weder objektive Wesenheiten noch zeitlose Geltungen, noch apriorische Inhalte oder Tätigkeiten des Verstandes. Was die Wissenschaft verarbeite, sei ausschließlich das Erfahrungsmaterial, und ihre Methode bestehe darum notwendig in der Induktion. Mill faßt die Erfahrung im Sinne der psychologistisch verstandenen Ideenassoziation. Was ihn dabei besonders interessiert, ist die Logik. Sie beschäftigt sich mit der weiteren Verarbeitung unserer sinnlichen Anschauungen. Nicht alles in unserem Erkennen ist ja immer unmittelbare Wahrnehmung. Diese Wahrnehmungsintuitionen seien allerdings sicher, und dagegen gebe es keine Appellation, aber nicht immer stehen uns unmittelbare Anschauungen zur Verfügung. Vieles, ja das meiste in unserem Wissen, gewinnen wir durch Schlußfolgerungen (inferences). Wir wollen

αα) Induktive Logik

ja immer nach einer Reihe von Einzelbeobachtungen allgemeine Begriffe und Gesetzlichkeiten aufstellen. Gesetz besagt aber immer Zusammenhang und Abhängigkeit zwischen einem A und einem B, C usw. Wie vollziehen sich dabei unsere Ideenverbindungen? Hume hatte schon Assoziationsgesetze aufgestellt, sie aber nicht für objektiv gehalten und war darum im Skeptizismus stehengeblieben. Mill bemüht sich nun um den Nachweis von sicheren Gedankenschritten in unserem Schließen. Dadurch wird er zum Vater der induktiven Logik. Sie ist bei ihm Wissenschaftslehre. Der Untertitel seines „Systems der Logik" (1843) sagt ausdrücklich, daß Mill über die Grundlagen des Beweisens und der wissenschaftlichen Forschung sprechen will. Und für die Technik der wissenschaftlichen Forschung in Naturwissenschaft, Psychologie, Soziologie, Ethik und Politik hat Mill, besonders durch den Ausbau des Experiments, in der Tat ausgezeichnete Regeln aufgestellt, die dazu beitrugen, die Logik zu modernisieren und ihr eine neue Wertschätzung zu verschaffen. Die wichtigsten sind folgende: 1. Methode der Übereinstimmung: Wenn zwei oder mehrere Fälle, in denen eine Erscheinung auftritt, nur einen Umstand gemeinsam haben, ist dieser die Ursache oder Wirkung derselben; 2. Methode des Unterschieds: Enthalten zwei Fälle eine Erscheinung W, sobald der Umstand A vorhanden ist, dagegen nicht, wenn A fehlt, so hängt W von A ab; 3. Vereinigte Methode der Übereinstimmung und des Unterschieds: Wenn gewisse Fälle bei Anwesenheit von A eine Erscheinung W enthalten und andere beim Fehlen von A auch W nicht enthalten, so ist A die Bedingung für W; 4. Methode der Reste: Ist W abhängig von $A = A_1 A_2 A_3$, so ist durch die Feststellung der Abhängigkeiten von A_1 und A_2 zugleich dargetan, inwiefern W von A_3 abhängt; 5. Methode der parallelen Änderungen: Wenn eine Erscheinung W sich ändert, sobald eine andere U sich ändert, indem Zunahme oder Abnahme von W bei Zu- oder Abnahme von U eintritt, so ist W von U abhängig. Grundgedanke dieser Regeln ist der Übergang von partikulären Unterlagen zu generellen Sätzen. Darin besteht überhaupt das Wesen der Induktion. Das ist aber nur möglich unter der Voraussetzung der Konstanz des Naturverlaufs. Dieser Satz ist für die Induktion aber nicht bewiesen und auch nicht beweisbar. Hier verbleibt es bei der Position Humes, daß alle Erfahrung Gewöhnung sei. Somit ist Mill nur taktisch über Hume hinausgekommen, nicht aber prinzipiell. Der Psychologismus Humes wird nicht überwunden, sondern wird im Empirismus Mills geradlinig fortgeführt. Darüber darf die neue Technik nicht täuschen. (Das wird man sich auch fragen müssen angesichts eines weiteren Versuchs, eine Technik der Empirie zu liefern, den heute der logistische Empirismus unter-

ββ) Utilitaristische Ethik

nimmt.) Parallel liegen die Dinge bei Mill auch in der Ethik. Er steht hier gleichfalls auf dem durch Hume geschaffenen Boden des englischen Eudämonismus und Utilitarismus. Praktisch haben die Utilitaristen viele wertvolle Vorschläge gemacht, besonders bezüglich der sozialen Probleme, die im England des 19. Jahrhunderts äußerst aktuell waren. Leitmotiv ist dabei immer der Glücksgedanke gewesen. Maximation der Lust, Minimation der Unlust lautete eine vielgehörte Forderung. Als Faustregel kann dieses Motto wohl verwendet werden. Wie aber, wenn ein Tyrann einer bislang hungernden Menge genügend Reis zu essen gibt, sie damit „glücklicher" macht und verspricht, sie weiterhin mit Reis zu füttern, wenn sie im übrigen ihm sklavisch ergeben sein wird? Wird dann nicht eines Tages die Frage aufgeworfen werden müssen, ob Reisessen das ganze Glück des Menschen ist? Was ist überhaupt Glück? Diese prinzipielle Frage ist bei Mill so wenig befriedigend gelöst wie die andere Frage: Was ist Erfahrung? Gewohnheit hier und Lust dort sind Antworten, die im Vorläufigen steckenbleiben.

β) Spencer

Herbert Spencer (1820—1903) ist der andere bedeutende Träger des englischen Empirismus im 19. Jahrhundert. Er ist auch einer der repräsentativen Träger zweier großer Schlagworte dieses Jahrhunderts: Entwicklung und Fortschritt.

αα) „Entwicklung"

Entwicklung ist nach Spencer nicht Resultat von Gesetzen oder Ideen wie bei Hegel, sondern bildet — man meint einen Metaphysiker und nicht einen erklärten Positivisten sprechen zu hören — selbst das Wesen der ganzen Natur, die als eine Urkraft alles aus sich hervorbringt, was es im anorganischen, organischen und geistig-sittlichen Bereich gibt. Besondere Faktoren, wie sie Darwin und andere im organischen Bereich mit der natürlichen Zuchtwahl annehmen, braucht Spencer nicht. Die materielle Umwelt und sukzessive Veränderung genügten, um das voranschreitende Werden immer neue Gestalten erzeugen zu lassen, in denen das bisher Unbestimmte zum Bestimmten wird. Wohl aber nimmt er eine Vererbung erworbener Eigenschaften an. Entwicklung ist ein kosmisches Prinzip, betrifft aber besonders den Menschen. Einmal insofern, als sie auch alles Menschliche erklärt. Die Wahrheiten und Werte des Menschen sind, auch wo sie apriorisch heißen, nur vererbte Gattungserfahrungen, die sich fortlaufend verbessern. Und damit ergibt sich das zweite: Entwicklung muß für den Menschen ein Appell zu weiterem Fortschritt werden. Wie unser jetziges Erkennen und Wertfühlen sich herausentwickelt habe aus einem Erkennen und Werten, das wir im Grunde schon beim Tier beobachten, etwa beim treuen Aufblick des Hundes zu seinem Herrn, so müßten wir auch jetzt wieder weiterschreiten zu noch höheren Wahrheiten und Werten. Spencer vertrat damit die gleichen Tendenzen wie Darwin und Haeckel. Sie bilden zusammen das populär gewordene Triumvirat des Entwicklungs- und Fortschrittgedankens des 19. Jahrhunderts. Aber selbst wenn die von Spencer namhaft gemachten ββ) „Fortschritt“ Faktoren genügten, um das Voranschreiten und die Bildung neuer Gestalten zu erklären: woher nimmt er das Recht, diesen Fortschritt nicht bloß als ein Voranschreiten, sondern als ein Höherschreiten zu verstehen, im Neuen also nicht nur ein Neues, sondern zugleich ein Besseres zu sehen? Kennt er das letzte Ziel der Entwicklung? Augustinus, Cusanus, Leibniz könnten auf Grund ihrer eidetisch-teleologischen Seinsbetrachtung eine optimistische Entwicklungslehre vertreten. Für den Empiristen aber sind die teleologischen Ideen, wie Kant in der Kritik der Urteilskraft zeigt, höchstens ein Alsob, aber keine Realität. Ihm fehlen überhaupt die verbindlichen Wertmaßstäbe, weil es für ihn nur Tatsächliches gibt, so daß die Annahme einer Höherentwicklung dem tieferschauenden Blick fragwürdig bleibt. Dem nur auf das Nächstliegende schauenden Blick scheint sich der Fortschrittsgedanke allerdings oft geradezu aufzuzwingen. Wer hätte Dampfschiff, Eisenbahn, Auto, Flugzeug, Fernsprecher, Fernsehen usw. nicht schon als Fortschritt bezeichnet? So fühlte man schon, seit Bacon die Forderung erhoben hatte, die Wissenschaft zur Macht des Menschen über die Natur auszubauen und in den Dienst der Erleichterung des Daseins zu stellen, und seit ganz allgemein die Renaissance alle

Werte im Menschen und seiner unendlichen Metamorphose suchte. R. Turgot in seinem Discours sur l'histoire (1750) und A. Condorcet in seinem Esquisse d'un tableau historique des progrès de l'esprit humain (1794) haben das zur geschichtsphilosophischen Theorie erhoben: Geschichte ist Kultur und Zivilisation und hat den Sinn, das Dasein des Menschen zu vervollkommnen. Das war auch die Meinung von Marx und Engels und aller Sozialisten, nicht zuletzt der englischen Utilitaristen. Daraus wurde eine allgemeine Überzeugung des modernen Menschen über seine Bestimmung und seine Geschichte. „Diese Idee der Zivilisation", schreiben C. A. und M. R. Beard in The American Spirit (1942), „umfaßt einen Begriff der Geschichte als einen Kampf von menschlichen Wesen in der Welt um die individuelle und soziale Vervollkommnung, für das Gute, das Wahre und Schöne gegen die Unwissenheit, das Übel und die Härten der physischen Natur, die Kräfte der Barbarei in den Individuen und in der Gesellschaft." Besonders typisch ist dafür, daß im Prozeß der Technifizierung in der Sowjet-Union jedes zweite Wort Fortschritt heißt. Es ist eine Ideenassoziation, die die Suggestivkraft eines iudicium per se notum hat und zudem tief im Selbstbewußtsein des modernen Geistes verwurzelt ist. Und so ist es verständlich, daß Spencer, noch unter dem Eindruck der „Erleuchtungen" der Aufklärung und der naturwissenschaftlichen und technischen Errungenschaften seines Jahrhunderts, an den Fortschritt glauben konnte wie eben seine ganze Zeit daran glaubte. Aber inzwischen haben Wissenschaft und Technik auch noch andere Seiten zu erkennen gegeben. Die sozialen und politischen Entwicklungen der jüngsten Vergangenheit, die Vermassung des Menschen, die bedrohlichen Machtballungen der verschiedensten Art, das ungeheure Zerstörungspotential des Krieges, alles Parallelerscheinungen zu den Errungenschaften der modernen Wissenschaft und Zivilisation, machen eine Gefährdung des Menschen und der Erde durch den Menschen selbst kund, die uns jetzt einsehen läßt, daß es eine übereilte Annahme war, den Verlauf jener Geschichte, die der Mensch selbst macht, ohne weiteres als Fortschritt zu bezeichnen. Die Lehre vom Fortschritt war so wenig philosophisch-kritisch gesichtet und gesichert wie schon der zugehörige Begriff der Entwicklung.

Paul Häberlin und seine ganzheitliche Philosophie

dargestellt und historisch begründet von Dr. phil. Hans Buscher

Kennen Sie Paul Häberlin?

Er hat einige Jahrzehnte an der Universität Basel Philosophie, Pädagogik und Psychologie doziert und sein Lebenswerk in mehr als zwanzig Büchern dargelegt. Der Verfasser der genannten Schrift hat das Wesentliche der Philosophie Häberlins im Sinne der Anregung zu philosophischem Denken auf 160 Seiten zusammengefasst, und zwar in einer Sprache, "die auch Nichtfachleuten den Weg zur Geistigkeit Häberlins öffnet", wie der Präsident der Häberlin Gesellschaft im Geleitwort schreibt. Auch gehe von der Philosophie Häberlins etwas "Heilkräftiges, Stärkendes" aus, wie es im Grusswort des Rektorats der Universität zum 70. Geburtstag des Philosophen heisst. Die vorliegende Schrift entspricht im übrigen völlig dem Willen Häberlins, "dass Philosophie auch auf dem kargen heimatlichen Boden Schweiz" Fuss fassen und hier eine Zukunft haben müsse.

So eignet sich diese Schrift als Anregung zur philosophischen Besinnung ebenso wie als Geschenkgabe von dauerndem Wert im Jubiläumsjahr der Eidgenossenschaft 1991.

(Druck Schwabe & Co. AG Basel) Preis Fr. 56.– plus Porto

Auslieferung durch Selbstverlag

Dr. Hans Buscher, Postfach 162, CH–4003 Basel

vyx200 997d

Dr. E

Sein V

Sein Vermächtn
die unternehmerische

Aufsich
und alle M
d

Texte und Literatur

J. St. Mill, A System of Logic (London 1843). Essay on Liberty (1863), deutsch von E. Wentscher (1928) in Meiners Philosophischer Bibliothek. R. P. Anschutz, The Philosophy of J. St. Mill (London 1953). — H. Spencer, A System of Synthetic Philosophy. 10 Bde. (1862—96). L. v. Wiese, Die Grundlegung der Gesellschaftslehre. Eine kritische Auseinandersetzung mit H. Spencers System der synthetischen Philosophie (1906). P. Häberlin, H. Spencers Grundlagen der Philosophie (1908). E. May, Schöpfung und Entwicklung. Zeitschrift für philosophische Forschung 2 (1947) 209—230.

c) Der deutsche Positivismus und Neukantianismus

α) Positivisten

Die deutschen Positivisten des 19. Jahrhunderts schließen sich eng an die Engländer an. Die Grundgedanken sind die gleichen: Gegensatz zur Metaphysik, Beschränkung auf das sinnlich Gegebene, darum Verzeitlichung des Seins und des Menschen, Vertrauen auf Entwicklung und Fortschritt, Ersatz der Religion durch Wissenschaft, Kunst und Soziologie. Eine neue Note darf man in einer verstärkten erkenntnistheoretischen Kritik sehen. Empiriokritizismus heißt Avenarius sein System, und Mach betont, daß er nicht mehr bieten wolle als eine naturwissenschaftliche Methodologie und Erkenntnispsychologie. An bedeutenderen Positivisten wären zu nennen: E. Laas (1837—85), W. Schuppe (1836—1913), R. Avenarius (1843—96), E. Mach (1838—1916).

β) Neukantianer

Der Positivismus überschneidet sich in Deutschland vielfach mit dem Neukantianismus. Dieser erhob sich, als in den 70iger Jahren Fr. A. Lange, K. Fischer, O. Liebmann u. a. den Ruf ausgegeben hatten: Zurück zu Kant! Die neue Bewegung war durch die philosophische Zeitlage gefordert worden, und zwar durch den Popularmaterialismus von Büchner bis Haeckel. Diese Männer hatten eine wild wuchernde Metaphysik betrieben, ins Innerste der Natur geschaut und im Handumdrehen die Welträtsel gelöst. Diesen Unbesonnenheiten gegenüber macht man wieder die Kantische Kritik geltend mit ihrer Besinnung auf die Grenzen des Erkennens. In der erkenntnistheoretischen Kritik darf man ein erstes und dominierendes Charakteristikum des Neukantianismus sehen, der in diesem Punkt viel weiter geht als der Positivismus und darum vielfach schlechthin Kritizismus heißt. Hierher gehört u. a. die Auseinandersetzung Fr. A. Langes mit dem Materialismus und die Abrechnung Friedrich Paulsens mit Haeckels Welträtseln und ihrer unwissenschaftlichen Methode. Mit der erkenntnistheoretischen Grundhaltung hängt ein zweites Charakteristikum zusammen, das besondere Interesse am Formalen, auch wieder getreu der Kantischen Überlieferung. Darin liegt zugleich auch eine Differenz gegenüber dem Positivismus und allgemeinen Empirismus, denen es mehr auf die Materie des Wissens ankam. Durch die Beachtung des Formalen im menschlichen Geist rücken die Neukantianer viel weiter vom Materialismus ab als die Positivisten und Empiristen, und sie bezeichnen sich darum auch gerne als Idealisten. Daraus versteht sich ein drittes Charakteristikum, ihre besondere Schätzung der Ideale und Werte des Menschen. Für sie kämpfen sie, allen voran Fr. A. Lange, gegenüber der Auflösung alles Menschlichen in lauter Natur durch den Materialismus. Die zwei bedeutendsten Schulen des Neukantianismus sind die Marburger und die Heidelberger.

αα) Marburg Die Marburger Schule mit Hermann Cohen (1842—1918), Paul Natorp (1854—1924), Arthur Liebert (1878—1946), Ernst Cassirer (1874—1945), dem jüngeren Nicolai Hartmann (1882—1950) und anderen geht von dem mathematisch-naturwissenschaftlichen Erkenntnisideal Kants aus, beseitigt das Ding an sich, kennt kein logisch amorphes Material mehr, läßt den Gegenstand durch den Logos erzeugt werden und interessiert sich vor allem für eben diesen Geist, seine Formen, Begriffe, Funktionen und Methoden. Metaphysik wird abgelehnt. Es sieht so aus, als ob die ganze Philosophie nur Erkenntnistheorie sein dürfte. Nur Ästhetik und Ethik werden noch gepflegt, wobei man auch wieder den ganzen Nachdruck auf den Formalismus und Kritizismus legt, so daß Form und Geltung den spezifischen Gehalt verdrängen. Cohen hat in „Kants Begründung der Ethik" (1877) an Kants Ethik die transzendentale Methode noch mehr herausgehoben, als es bei Kant schon der Fall war, dagegen bezeichnenderweise die Postulate und damit „die ganze unkritische Verbindung der Ethik mit der Religionsphilosophie als inkonsequent" fallen lassen, wie K. Vorländer zustimmend sagt. In seinem eigenen ethischen System, der „Ethik des reinen Willens" (1902) hat Cohen, auf der einmal beschrittenen Bahn weiterschreitend, die Ethik zur „Logik der

Geisteswissenschaften" umgebildet und als „Prinzipienlehre der Philosophie von Recht und Staat" verstehen wollen. Die Verflüchtigung der materialen Gehalte zeigte sich auch in der Religionsphilosophie. Wie bei Kant wird Religion auf Moral reduziert. Natorps einschlägiges Werk trägt den Titel „Religion innerhalb der Grenzen der Humanität" (1894). Cohen hat allerdings später versucht, mit der Ich-Du-Beziehung etwas zu finden, das für die Religion ein Spezifikum sei. Der Gedanke wurde aufgegriffen durch M. Buber, Th. Steinbüchel u. a. Eine besondere Beachtung erfuhren auch die sozialen Probleme. Cohen bildete hier, angeregt durch seinen Lehrer F. A. Lange (s. unten S. 539), den Materialismus von Marx in einen Sozialhumanismus um. Dieser sogenannte Reformsozialismus, dem auch F. Staudinger und K. Vorländer zugehören, wurde von Einfluß auf den sogenannten revisionistischen Marxismus (s. oben S. 480).

ββ) Heidelber

Die badische Schule mit Wilhelm Windelband (1848 bis 1915), Heinrich Rickert (1863—1936) und anderen konzentriert sich mehr auf die Geisteswissenschaften, die sie als auf das Einzelne eingestellte (idiographische) Forschung unterscheidet von den das Allgemeine beachtenden (generalisierenden) Naturwissenschaften, was zu einer besonderen Pflege der Wertproblematik führte, weil es eben letztlich Wertgesichtspunkte sind, was die geistesgeschichtliche Forschung in Gang bringt. Nicht einfach eine Fülle von Data könne die Geschichtswissenschaft interessieren, sondern die in den Fakten erscheinenden Wertzusammenhänge, lehrt Rickert. Daraus haben die Geschichtswissenschaften überhaupt und besonders die historische Soziologie M. Webers Nutzen gezogen. Wie der Wertgedanke sind auch die übrigen Anliegen der klassischen Metaphysik im Neukantianismus im Grunde immer noch so aufbewahrt wie bei Kant selbst. Nur wird jetzt der transzendentale Gedanke so sehr überspannt, daß die Inhalte über Gebühr zurücktreten.

γγ) Zusammenbruch des Neukantianismus

Die Philosophen des Neukantianismus waren immer scharfsinnig, geistreich, wahre Akrobaten des Denkens. Aber dieses Denken war oft leerlaufender Formalismus. Gegenständlichkeit, Einheit, Geltung, Wissenschaft, Wert sind wichtige philosophische Probleme. Aber darüber sollten die Gegenstände, das Geltende, das Gewußte, die Werte, das in Einheit Verbundene in der jeweils spezifisch materialen Eigenart auch genügend gesehen werden. Eben das aber kam zu kurz, wie man am Gegenbild, der materialen Wertethik, gut sehen kann. Eine Ethik wie die Cohens, die sich nur für die transzendental-logische Gesetzlichkeit und Einheit interessiert, ist eine zu dünne Ethik. Und so ging es auch sonst. Br. Bauch (1877—1942), bei dem sich die Überlieferungen der beiden Schulen finden, betont zwar, daß er den abstrakten Formalismus überwinden und den Gehalt der Gegenstände sowohl wie der Anschauungen in Anschlag bringen möchte, aber gerade er ist ein typischer Vertreter eines formalistischen Panlogismus. Seine Ethiken enthalten viel moralische Delikatesse, aber wer versuchte, nach dieser Ethik zu leben, würde nicht erfahren, was zu tun sei. Und sein Buch über Wahrheit, Wert und Wirklichkeit enthält eine Fülle von gescheiten Gedanken, über die Wirklichkeit aber erfährt man nichts. Der Formalismus der Schule verband sich mit einer allgemeinen Verengung des Blickfeldes. Man konnte Platon, Descartes, Leibniz nur neukantianisch verstehen. Wer nicht dachte wie die eigene Schule, wurde abgewertet oder galt überhaupt nicht als Philosoph. Man nannte sich kritisch, war aber dogmatisch, wie P. Linke treffend gesagt hat. Es ist kein Wunder, daß unser Jahrhundert, das wie auf anderen Gebieten auch in der Philosophie die Sachlichkeit schätzt, sich rasch von dieser allzu abstrakten Philosophie abwandte. Während um die Jahrhundertwende noch die Mehrzahl der philosophischen Lehrstühle in Deutschland mit Neukantianern besetzt war, mußte ein Aufsatz zum 70. Geburtstag Rickerts (1933) feststellen, daß er jetzt fast der einzige Vertreter der transzendentalphilosophischen Erkenntnistheorie war.

Literatur

O. Liebmann, Kant und die Epigonen (1865). W. Windelband (Hrsg.), Die Philosophie im Beginn des 20. Jahrhunderts. K.-Fischer-Festschrift (1904). P. Natorp, Kant und die Marburger Schule (1912). J. Hessen, Die Religionsphilosophie des Neukantianismus (1919).

d) Der Pragmatismus

Auch der Pragmatismus ist Phänomenalismus, beschränkt sich auf die sinnliche Erfahrung, stellt Sein und Mensch in die Zeit und lehnt die Metaphysik ab. Während aber der allgemeine Empirismus sich gegenüber der Erfahrung neutral registrierend verhält, bringt der Pragmatismus eine aktive Note mit, nicht so sehr im Sinne der Kantischen Spontaneität der transzendentalen Form als vielmehr im Sinne einer Zweckmäßigkeit für das menschliche Handeln. Man sucht auch die Erscheinungswelt auf, aber das Suchen, Schauen und Formulieren wird ausgerichtet an dem höheren und entscheidenden Gesichtspunkt der Brauchbarkeit für den Menschen. Wenn für den Positivismus wahr ist, was unmittelbar sinnlich gegeben ist, für den Empirismus, was die Summe und Inhalte der Erfahrungen ausmacht, für den Kritizismus, was als ideelle logische Geltung die Erscheinungen durchwaltet, ist für den Pragmatismus das wahr, was fruchtbar ist. Der Begriff der Fruchtbarkeit bleibt dabei gewöhnlich im dunkeln, und der Pragmatismus läßt offen, was man sich darunter denken soll. Ist diese Lücke schon bedenklich genug, so dürfte noch größere Schwierigkeiten die prinzipielle Frage bereiten, ob, außer in Träumen und Märchen, allüberall der Wunsch Vater unserer Gedanken sein darf. Während sonst diese Möglichkeit einen erheblichen Einwand gegen eine Aussage bedeutet, macht der Pragmatismus aus der menschlichen Schwachheit ein System. Er glaubt die Berechtigung hierfür darin sehen zu dürfen, daß es ein voraussetzungsloses Erkennen nicht gibt und daß, wie auch die Lebensphilosophie immer betont, das Leben das Erkennen, nicht aber das Erkennen das Leben präge. Das trifft in der Tat weithin zu. Ob es aber immer so ist und ob es so sein soll?

α) Lange

Der eigentliche Begründer des deutschen Pragmatismus ist F. A. Lange (1828—75), den wir schon als einen der ersten Neukantianer kennen. In seiner Geschichte des Materialismus (vgl. oben S. 488) beschäftigt er sich auch mit dem ethischen Materialismus und der Religion (2. Buch, 4. Abschn.). Er lehnt dabei den Materialismus als Ethik ebenso ab, wie er ihn schon als Metaphysik abgelehnt hatte. Der Materialismus kann nur Methodik der naturwissenschaftlichen Erfahrung sein. Hier bietet er sicheres Wissen. Und nur hier im Bereich der sinnlichen Erfahrungswelt gibt es überhaupt echtes Wissen. Wie für Kant ist auch für Lange Erkennen = Anschauen + Denken. Wie aber für Kant der Mensch nicht bloß Verstand war und neben dem Wissen auch noch den Glauben an die Postulate besaß, erklärt jetzt auch Lange gegenüber

αα) Die Wirklichkeit und das Ideal

dem Materialismus: Mit dem nüchternen kalten Wissen und seinem Bereich der res extensa allein ist das Menschliche nicht erschöpft. Wie es nicht wahr ist, daß der Mensch allein vom Brote lebt und nur ist, was er ißt, ist es auch nicht wahr, daß sein Innenleben im Wissen aufgeht. Das wäre eine zu enge Menschlichkeit. Der Mensch besitzt auch die Welt der Dichtung, der Kunst und der Werte, für die sein Herz sich erwärmen und sein Glaube begeistern kann. Es ist die Welt des „Ideals“, wie Lange das heißt. Und hier wird nun die Metaphysik auch wieder fruchtbar. Sie ist Begriffsdichtung, ein Mittelding zwischen Wissen und Poesie. Und ebenso steht es mit der Religion. Auch für sie gilt der „Standpunkt des Ideals“. Sieht man den Kern der Religion und der Metaphysik im „Wissen“ von Gott, Welt, Seele, Unsterblichkeit, dann setzt man sie der wissenschaftlichen Kritik aus, und ihr gegenüber sind, entsprechend der Kantischen Erkenntnistheorie, Metaphysik und Religion unhaltbar. Von der Transzendenz könnten wir eben nichts wissen. Religiöse und metaphysische Ideen könnten höchstens Symbole der Transzendenz sein, und ihre Bedeutung liegt insofern nicht in ihrem Wissens-, sondern in ihrem Wertgehalt. Sie können uns erheben, beglücken, begeistern. Hier haben Metaphysik und Religion wie überhaupt Kunst und Dichtung, Legenden, Fabeln und Märchen, einen unvergänglichen Wert; denn immer brauche der Mensch über der nüchternen, rauhen, niedrigen materiellen Wirklichkeit noch eine Sphäre des Ideals. An sie reicht „wissenschaftliche“ Kritik überhaupt nicht mehr heran. Sie trifft nur das Dogma, nicht aber das religiöse „Ideal“. „Wer will eine Messe von Palestrina widerlegen oder wer will die Madonna Raffaels eines Irrtums zeihen? Das Gloria in excelsis bleibt eine weltgeschichtliche Macht und wird schallen durch die Jahrhunderte, solange noch der Nerv eines Menschen unter dem Schauer des Erhabenen erzittern kann. Und jene einfachen Grundgedanken der Erlösung des vereinzelten Menschen durch die Hingabe des eigenen Willens an den Willen, der das Ganze lenkt, jene Bilder von Tod und Auferstehung, die das Ergreifendste und Höchste, was die Menschenbrust durchbebt, aussprechen, wo keine Prosa mehr fähig ist, die Fülle des Herzens mit kühlen Worten darzustellen, jene Lehren endlich, die uns befehlen, mit dem Hungrigen das Brot zu brechen und den Armen die frohe Botschaft zu verkünden — sie werden nicht für immer verschwinden, um einer Gesellschaft Platz zu machen, die ihr Ziel erreicht hat, wenn sie ihrem Verstand eine bessere Polizei verdankt und ihrem Scharfsinn die Befriedigung immer neuer Bedürfnisse durch immer neue Erfindungen" (Gesch. d. Mat. II, 691 Reclam). Das „Ideal" Langes ist aber nur ein Als-ob, ein Glaube, der nicht Wissen sein darf, ist Dichtung wie Fabeln und Märchen, d. h. aber, daß das Ideal eigentlich ein Idol ist. Bei Hans Vaihinger (1852—1932) wird daraus die Religionsphilosophie des Als-ob. Und darin liegt nun der Pragmatismus: Weil uns etwas als fruchtbar erscheint, weil es uns gefällt und uns erhebt, wird es gläubig angenommen. Man hat mit Recht darauf hingewiesen, daß religiöse Ideen, die nur Idole sind, ihre Kraft verlieren. Jeder Mensch kennt den vielfachen Wert der Dichtung. Aber die religiösen Ideen werden als Wahrheiten und nicht als Dichtung erlebt, ja als die sichersten Wahrheiten. Das zeigt die ganze Religionsgeschichte, die nicht nur berichtet von gläubiger Begeisterung, sondern ebensosehr von grübelndem Studium über das Woher und Wohin der Welt. Die Zweiteilung hie Wissen und dort Glauben ist zu einfach. Wir sahen das schon bei der Besprechung des mit der Kantischen Idee auftretenden Dualismus (vgl. S. 315 f.).

ββ) Das Ideal als Idol

Gewöhnlich gelten als die Begründer des Pragmatismus William James (1842—1910), Charles Peirce (1839—1914) und F. C. S. Schiller (1864—1937). Davon ist ersterer der Bedeutendere, besonders bekannt durch seine bahnbrechenden allgemeinpsychologischen und religionspsychologischen Arbeiten. Seinen Pragmatismus hat er niedergelegt in The will to believe (1896) und in Pragmatism, a new name for some old ways of thinking (1907). Gegenüber Lange tauchen keine neuen Gedanken auf. Wie dieser will auch James die Lebenswerte der Religion in Schutz nehmen, weil sie, wie die Erfahrung zeigt, faktisch auf den Menschen erziehend und wohltuend wirken. Sind die religiösen Ideen auch kein beweisbares „Wissen", so sind sie doch höchst praktisch. Wo aber praktische Interessen auf dem Spiele stehen, sollte man intellektuelle Erwägungen zurücktreten lassen und selbst das Risiko eines intellektuellen Irrtums in Kauf nehmen. „Unsere Irrtümer sind am Ende nicht so furchtbar wichtige Dinge. In einer Welt, wo wir ihnen trotz aller Vorsicht nicht

β) James

aus dem Wege gehen können, erscheint ein gewisses Maß sorglosen Leichtsinns gesünder als übertrieben nervöse Angst." Der rein intellektuell und theoretisch vorgehende Mensch sei in jeder Zweifelsfrage immer dem Irrtum ausgesetzt, ob er sich so oder so entscheidet. Fällt nun auf der einen Seite ein praktischer Nutzen in die Waagschale, so ist es vernünftiger, diesen Umstand als ausschlaggebend zu betrachten; denn dann springt wenigstens ein fruchtbarer Wert heraus. James' Ansicht ist erfrischend, und eine gewisse Dosis seines Rezeptes könnte manchmal nicht schaden, denn es gibt eine Gründlichkeit, die lähmend wirkt, und eine Wissenschaftlichkeit, die nur mehr art pour l'art ist. Prinzipiell aber ist sie falsch, wie aller Pragmatismus, weil sie auf einer Voraussetzung beruht, die ein Vakuum offen läßt, den unklaren Begriff der Fruchtbarkeit. Was ist fruchtbar? Darauf käme alles an. Nur allzu leicht kann das Nächstbeste als fruchtbar betrachtet werden, und dann gleitet der Pragmatismus ab in Plattheiten und vielleicht auch in eine Erniedrigung des Menschen.

γ) Peirce Im Unterschied zu James hat sich Peirce in erster Linie statt für das praktische mehr für das theoretische Bewußtsein interessiert. Er bemerkt entgegen der üblichen Version der Kantianer, daß die Unterscheidung von konstitutiven und regulativen Prinzipien nicht streng durchgeführt werden könne, daß vielmehr auch die Kategorien eine nur regulative Bedeutung hätten. Sie dienten nur einer ständigen Verbesserung unserer Erfahrung. Nicht in der Gegenstandserfassung, die nicht adäquat gegeben sei, sondern in der Nützlichkeit liege ihr Wert, der Begriff habe sowenig wie die Ideen ein ihm korrespondierendes Gegenüber. Peirce ist hiermit kritischer als viele Kantianer, für die die Unterscheidung konstitutiv—regulativ eine Art Dogma geworden ist.

δ) Dewey Bei John Dewey (1859—1952), dem jahrzehntelang führenden amerikanischen Philosophen und Pädagogen, wird der Pragmatismus zu einem allgemeinen Instrumentalismus. Er leitet sich nicht mehr vom Kantischen Als-ob her und versteht sich auch nicht als Stütze der Religion, sondern ist Ausdruck eines den allgemeinen Lebensinteressen dienenden Relativismus. Aber selbst das ist noch zuviel gesagt. Für Dewey gibt es nämlich nicht nur keinen ewigen mundus intelligiblis, sondern auch keine zeitlich begrenzte Wahrheit, wenn man unter der relativen Wahrheit Sätze versteht, die in Hinsicht auf einen bestehenden Sachverhalt mehr oder weniger zutreffen. Dewey setzt vielmehr an die Stelle des Wahrheitsbegriffs (truth) den Begriff des Suchens (inquiry) und versteht darunter eine Mischung von Denken und Streben, einen Versuch, sich teils durch Anpassung, teils durch änderndes Eingreifen in den Situationen des Lebens so zurechtzufinden, daß man mit der neugeschaffenen Lage zufrieden sein kann. Wie man sieht, ist Wahrheit keine theoretische Angelegenheit mehr, sondern ähnlich wie im Marxismus (vgl. oben S. 473) buchstäblich nur noch Praxis. Wie B. Russell witzig bemerkt, kommt diese Wahrheitstheorie schon in Schwierigkeiten, wenn man auf ihrer Basis nur die einfache Frage wahrheitsgetreu beantworten soll, ob man zum Frühstück Kaffee getrunken habe oder Tee. Denn man darf nach ihr nicht einfach sich erinnern, was man tatsächlich getan hat, und das dann sagen, sondern müßte den Fragenden bitten, einen Augenblick zu warten, bis man zwei Experimente gemacht habe: 1. Welche Konsequenzen hat es eventuell, wenn ich glaubte, Kaffee; 2. welche, wenn ich glaubte, Tee? Man müßte dann noch die beiden Reihen von möglichen Konsequenzen vergleichen. Ist die eine davon, etwa die erste, günstiger für uns, dann wäre es also wahr, daß man Kaffee getrunken hat. Wenn sie nicht günstiger ist, hat man keinen Kaffee getrunken. Halten sich die beiden Reihen die Waage, wäre der Fall nicht zu entscheiden. Man kann sich vorstellen, daß jemand dagegen erklären wird: für das Kaffeetrinken mag Russell recht haben, in den großen Fragen des Weltgeschehens wird Dewey recht behalten. Wir möchten erwidern: nur in jener Welt, für die Tacitus sagt: corrumpere et corrumpi saeculum vocatur; denn wer in einem Krieg Angreifer war und als solcher zu verurteilen ist, pflegen in unserer Welt die Sieger zu entscheiden. Hier ist Wahrheit dann wirklich ein Handeln nach subjektiven Zweckmäßigkeiten. Aber es gibt auch in diesen Dingen eine objektive Wahrheit, selbst wenn niemand sie sehen und sagen dürfte. Und man braucht nur auf sie hinzuweisen, um den Grundfehler des Pragmatismus und Instrumentalismus sichtbar werden zu lassen, der noch fundamentaler ist als der unklare Begriff der Fruchtbarkeit, dieses Wechselbalgs von einem Begriff. Es ist sein Versagen vor den Tatsachen und seine Flucht in das Reich des Wünschens und Wollens. Pragmatismus ist der Aufstand des Subjektes gegen das Objekt, eine moderne Form der Machtphilosophie und Ausdruck der Überheblichkeit des Menschen gegenüber dem, wovon die Griechen sagten, daß es größer ist als der Mensch. Es ist aber weder Nietzsche noch Fichte daran schuld, daß der Wahrheitsbegriff vom Machtbegriff überdeckt wurde, sondern Hume war es, der die Wahrheit dem Menschen auslieferte, indem er sie den Assoziationsgesetzen unterwarf und an die Stelle der Ontologie die Psychologie setzte. Damals fiel die Entscheidung für eine Philosophie, die es heute in gleicher Weise dem sowjetischen Marxismus wie dem Instrumentalismus des führenden amerikanischen Philosophen erlaubt, eine „praktische" Wahrheit als die Wahrheit zu verkünden.

Texte und Literatur

F. A. Lange, Geschichte des Materialismus (1866). H. Scholz, Die Religionsphilosophie des Als-Ob (1921). E. Becher, F. A. Lange. In: Deutsche Philosophen (1929) 75—123. — F. C. S. Schiller, Humanism (London 1903). W. James, Pragmatism (New York 1907). Ch. Peirce, Collected Papers. Hrsg. von Ch. Hartshore und P. Weiss. 6 Bde. (Cambridge [Mass.] 1931 bis 1935). — E. Baumgarten, Die geistigen Grundlagen des amerikanischen Gemeinwesens. Bd. II: Der Pragmatismus: R. W. Emerson, W. James, J. Dewey (1939). S. Marck, Der amerikanische Pragmatismus in seinen Beziehungen zum kritischen Idealismus und Existenzialismus (1951). J. v. Kempski, Ch. S. Peirce und der Pragmatismus (1952). F. Rippe, Die Pädagogik Deweys (1934). P. A. Schilpp, The Philosophy of J. Dewey (Evanston 1951) (mit Bibliographie).

8. INDUKTIVE METAPHYSIK

Daß im 19. Jahrhundert trotz des Zusammenbruchs des Idealismus, der Überbetonung des rein naturwissenschaftlichen Erkenntnisideals und der großen Verbreitung des Phänomenalismus und seiner Spielarten der metaphysische Gedanke nicht unterging, ist außer den anschließend zu besprechenden Neuaristotelikern und Neuscholastikern den Männern der induktiven Metaphysik zu danken, vorab Fechner und Lotze. Sie nahmen sich der vielgescholtenen metaphysischen Problematik wieder an und taten es, dem Geist der Zeit entsprechend, unter Verwertung der fortgeschrittenen naturwissenschaftlichen Erkenntnisse. Metaphysik sollte nicht wie bei Lange, der übrigens in Zürich auch einen Lehrstuhl für „induktive Philosophie" innegehabt hatte (1870), nur Begriffsdichtung sein, sondern durch die empirischen Wissenschaften wohlbegründetes Wissen. Darum jetzt „induktive" Metaphysik. Selbst hervorragende Forscher auf naturwissenschaftlichem Gebiet, brachen sie vielen Einwänden von dieser Seite her die Spitze ab und erweckten die Metaphysik zu neuem Leben. Von der klassischen Metaphysik der Antike und des Mittelalters unterscheidet sich die induktive Metaphysik dadurch, daß jetzt die Erfahrung in einem viel weiteren Umfang als damals beigezogen wird, nämlich in der ganzen Breite der modernen Forschung, daß diese positive Erfahrung maßgebliche Erkenntnisquelle bleibt im Unterschied zu der geistphilosophischen Methode und daß die Ergebnisse dementsprechend als vorgreifende Abrundungen der empirischen Forschung nur hypothetischen Charakter tragen, während die alte Metaphysik sicheres, beweisbares Wissen bieten wollte, indem sie die Erfahrung überschritt durch Rückgriff auf ein unsinnliches Sein, das „der Natur nach früher" ist (Aristoteles), aber in der Erfahrung aufscheint wie das Urbild im Abbild oder die Form im Geformten.

a) Fechner

Leben, Werke, Literatur

Gustav Theodor Fechner (1801—87), jahrelang Professor der Physik an der Universität Leipzig, besonders bekannt als der Begründer der Psychophysik, der experimentellen Psychologie überhaupt und der experimentellen Ästhetik, schreibt schon früh ein „Büchlein vom Leben nach dem Tode" (1836), ein anderes „Über das Seelenleben der Pflanzen" (1848), spricht in seinem „Zendavesta" (1851) über Himmel und Jenseits und verrät schon mit diesen Buchtiteln seine metaphysischen Interessen. — Lit.: M. Wundt, G. Th. Fechner (1901). M. Wentscher, Fechner und Lotze (1925). E. Becher, G. Th. Fechner. In: Deutsche Philosophen (1929) 31—45.

α) Induktive Metaphysik

Fechner ist in seiner Metaphysik getragen von dem Wunsch, eine philosophische Ausgestaltung des religiösen Glaubens zu finden, die nicht nur Begriffsdichtung ist, sondern die ohne Preisgabe seines kritischen Denkens und wissenschaftlichen Gewissens auch der Naturforscher anzuerkennen vermöchte. Seine Metaphysik wollte darum weltanschauliche Erfassung der Gesamtwirklichkeit sein. Sein Hauptverdienst liegt in der Schaffung eines neuen Forschungsverfahrens, eben dem der „induktiven" Metaphysik. Es soll von der Er-

αα) Begriff

fahrung ausgehen, aber dann über sie hinausführen. Dabei liegt nicht ein Überschreiten im eigentlichen Sinne vor, wie in der klassischen Metaphysik, wo auf Grund der einmal erkannten ideellen Struktur in einer Betrachtung der Welt sub specie aeterni gesagt werden kann: so muß es immer sein. Von Platon bis Spinoza, Leibniz und Schelling denkt man so, und selbst Kant meinte, alle Gesetze der Naturwissenschaften, die im Laufe der Erfahrung gefunden werden, stünden „unter höheren Grundsätzen des Verstandes, indem sie diese nur auf besondere Fälle der Erscheinung anwenden" (B 198). Bei Fechner dagegen ist das Hinausführen über die Erfahrung nur ein Vorgriff auf das vermutliche Ergebnis noch zu gewinnender Erfahrung, der gemacht wird, um nicht bei einem Stückwerk stehenbleiben zu müssen. Prinzipiell ist man aber ausschließlich an die Erfahrung gebunden, und nur praktisch antipiziert man per hypothesin ihre Ergebnisse. Im Grunde ist also der induktive Metaphysiker

ββ) Methode

Empirist. Drei Regeln hat Fechner für die Methode der induktiven Metaphysik aufgestellt. Die erste empfiehlt den Analogieschluß: Wenn Gegenstände in gewissen Zügen übereinstimmen, darf man glauben, daß sie auch in anderen Zügen übereinstimmen werden. Es ist nur ein Glaube, was sich daraus ergibt, aber wenn er begründet ist und sicheren wissenschaftlichen Erkenntnissen nicht widerspricht, darf er einen hohen Grad von Wahrscheinlichkeit in Anspruch nehmen. Die zweite Regel beruht auf dem Prinzip der Fruchtbarkeit: Ist ein Glaube wissenschaftlich begründet, so darf man ihn um so mehr annehmen, je beglückender er für den Menschen ist. Die dritte Regel endlich besagt: Die Wahrscheinlichkeit ist für einen Glauben um so größer, je länger er sich in der Geschichte gehalten hat, insbesondere, wenn er mit steigender Kultur an Verbreitung zunimmt. Auf Grund dieser Methode hat Fechner eine Anzahl metaphy-

γγ) Tagansicht

sischer Annahmen gewagt. So z. B. seine „Tagansicht". Fechner bemängelt an der mathematisch-naturwissenschaftlichen und Kantischen Weltbetrachtung, daß für sie die Natur außerhalb der Menschen- und Tierseele „finster“ und „stumm“ sei. „Nachtansicht“ hat er diese Meinung geheißen. Er selbst nahm an, daß auch die Außenwelt Empfindungen habe, Licht, Farben, Töne erlebe ähnlich der Menschen- und Tierseele; denn wenn die physikalischen Wellenbewegungen im Großhirn mit einem Empfindungsgehalt auftreten, dürfen wir per analogiam schließen, daß sie sonst auch damit verbunden sind. Dazu komme, daß der Glaube der „Tagansicht“, die Natur sei voll Licht und Klang, voll Empfindung und Beseelung, erfreulicher ist, als die „Nachtansicht“. Auf Grund ähnlicher Überlegungen nimmt Fechner ferner an, daß auch die Pflanzen eine Seele haben, ebenso aber auch die Erde selbst und jeder Stern, ja die ganze Welt. Und diese Weltseele sei nichts anderes als die Gottheit. Unsere Seele und überhaupt alles seelische Leben ist ein Teil dieser Allbeseelung. Und weil wir in sie eingeschlossen sind, dürfen wir annehmen, daß unsere Seele unsterblich ist. Wenn schon die Vorstellungsbilder in unserer Seele fortleben, könne man es nicht von der Hand weisen, zu glauben, daß all die Erlebnisse des Menschen, die wir unter dem Namen Seele zusammenfassen, in der Weltseele nicht untergehen. Und wie die Vorstellungsbilder in unserer eigenen Seele zueinander und zu den Sinneswahrnehmungen in Beziehung treten, so werden die Seelen der Verstorbenen, die in Gott als Vorstellungen fortleben, auch zueinander sowie zu den Seelen der noch in diesem Leben Weilenden in Beziehung treten können. Dieser Panpsychismus will aber das Körpersein der Welt nicht in monistischer Weise auslöschen, sondern Fechner versteht ihn als einen psychophysischen Parallelismus: Wie wir am selben Kreisbogen ein Innen und Außen haben, eine konkave und konvexe Seite, wie beide verschieden aussehen und doch dasselbe sind, so seien auch Leib und Seele beim Menschen, Körper und Allbeseelung in Kristall, Erde, Sternen und Welten, der Kosmos und die Gottheit nur zwei Seiten an ein und demselben Sein. Der psychophysische Parallelismus gestattet es Fechner, in der Psychologie nach naturwissenschaftlichen Methoden zu arbeiten, die damals als das Ideal der Wissenschaftlichkeit galten, ohne zum Materialisten zu werden; denn die Körperseite war ihm ja nur eine Seite, eine Erscheinungsform, aber nicht das eigentliche Sein der Seele.

δδ) Allbeseelung

εε) Parallelismus

β) Ethik In seiner Ethik hat Fechner einen Eudämonismus vertreten. Unser Wollen ziele auf das Glück, d. h. auf die Vermeidung von Unlust und den Gewinn von Lust, und gut wäre darum alles, was das Glück der Welt zu fördern geeignet ist. Dabei dürfe man aber nicht nur an sinnliche Lust denken, sondern müsse die höhere, geistige Lust mitberücksichtigen, die Freude am Schönen, Guten und Wahren und die Seligkeit des Sich-eins-Fühlens mit Gott. Fechner empfand es als Gottesdienst und sittliche Pflicht, soviel Glück als möglich in die Welt zu bringen, soviel Leid als möglich zu lindern. Dahinter stand der allgemeine Glaube an eine Weltentwicklung von der Unvollkommenheit zur Vollkommenheit, von weniger Glück zu immer größerer Lust und Harmonie. Diese Entwicklung betrachtet Fechner als streng notwendig, und er vertrat zusammen mit diesem allgemeinen Determinismus auch in Sachen der Willensfreiheit die deterministische These: Jeder müsse so handeln, wie seine Natur es verlangt. Auch Gott sei nicht frei im Sinne gesetzloser Willkür, sondern frei, weil er ohne äußeren Zwang sein eigenes Wesen entsprechend seiner Natur darlebt.

b) Lotze

Leben, Werke, Literatur Rudolph Hermann Lotze (1817—81), Professor in Leipzig, Göttingen und Berlin, war einer der größten Philosophen des 19. Jahrhunderts. Seine wichtigsten Werke: „Medizinische Psychologie oder Physiologie der Seele“ (1852); „Mikrokosmos. Ideen zur Naturgeschichte und Geschichte der Menschheit“ (1856—1864); „System der Philosophie“ (1874—1879). Die beiden letztgenannten Werke wurden neu herausgegeben in der Meinerschen Philosophischen Bibliothek. — Lit.: G. Misch, Einleitung zur Ausgabe der Logik (= Bd. 1 des Systems der Philosophie) (1912, ²1928) IX—XCII. M. Wentscher, Fechner und Lotze (1925). E. Becher, H. Lotze. In: Deutsche Philosophen (1929) 47—72.

α) Metaphysik Auch Lotze kommt, ähnlich wie sein Freund Fechner, wie Helmholtz, Mach und Wundt, von der Naturwissenschaft her — er hatte sich ursprünglich für Medizin habilitiert —, und es ist speziell eine im naturwissenschaftlichen Geist betriebene Psychologie, durch die er neues Leben in die Philosophie gebracht hat. Wie Fechner hatte auch er in einer metaphysikfeindlichen Zeit den Mut zur Metaphysik und pflegte sie, ihren Gegnern den Wind aus den Segeln nehmend, gerade unter Verwertung naturwissenschaftlicher Forschungsergebnisse. Lotze steht nicht im Bann der Kantischen Grenzziehung, sondern greift auf die vorkantische Tradition zurück, besonders auf Leibniz. Wie dieser hat er ein umfassendes Wissen, steht über den Parteien, holt in einem gesunden Eklektizismus das ewig Wahre, wo immer es sich findet, und weiß es harmonisch zu verbinden. Vor allem teilt er mit Leibniz jene Grundauffassung, die den Mechanismus des Naturgeschehens anerkennt und die kausale Erklärungsweise als die wissenschaftliche Erklärung der Geschehnisse überhaupt betrachtet, ohne deswegen einem ausschließlichen Mechanismus zu verfallen. Dem Mechanismus wird wie bei Leibniz ein höherer Sinn- und Zweckzusammenhang übergeordnet. Alle kausalen Kräfte wirken nämlich im Verband der einen Allursache, die er in Gott, und zwar in einem geistigen und persönlichen Gott — hier über Fechners Pantheismus hinausschreitend —, sehen will. Der Mechanismus ist für ihn nur ein Mittel der Gottheit zur Verwirklichung des Weltzweckes, d. i. des Guten. In seinem Aufsatz „Die Philosophie in den letzten 40 Jahren" (1880) (mitabgedruckt in „System der Philosophie". Bd. 1: Logik) schreibt er, daß er wie Fichte und Hegel der Ansicht sei, daß „keine Theorie der Welt als Wahrheit und Wissenschaft gelten könne, welche nicht imstande wäre, alle besonderen Teile des Weltlaufes als unselbständige Folgen eines einzigen allgemeinen Prinzips zu erklären". Aber beide hätten sich übernommen, wenn sie aus einem Absoluten alles daraus Folgende abzuleiten sich unterfingen. „Nur ein Geist, so schien mir, der im Mittelpunkt des Universums stände, das er selbst geschaffen, könnte mit der Kenntnis des letzten Zweckes, den er seiner Schöpfung gegeben, alle ihre einzelnen Teile vor sich vorüberziehen lassen in der majestätischen Folge einer ununterbrochenen Entwicklung." Den Menschen bleibe nur der umgekehrte Weg einer regressiven Forschung, „die zu entdecken und sicher festzustellen sucht, was als lebendiges Prinzip in dem Aufbau und Lauf der Welt erkannt und anerkannt werden kann". Das ist der Weg Leibnizens und Platons von dem Begründeten zurück zum selbstgenugsamen Grund aller Gründe. Mit Leibniz hält Lotze auch fest an der alten Auffassung von der Substanzialität der Seele als eines être capable d'action. Das Ich ist nicht wie bei Kant nur ein

αα) Mechanismus und Theologik

ββ) Substanziale Seele

logisches Subjekt, sondern ein tätiges Prinzip, weil sonst die Einheit unseres Bewußtseins, das doch verschiedene Empfindungen vergleicht und verbindet, nicht zu verstehen wäre; denn im Vergleichen tut die Seele zu den gegebenen Empfindungen noch etwas Neues hinzu, das „beziehende Wissen" — Gleichheit, Ähnlichkeit, Verschiedenheit, stärker, schwächer —, alles Momente, die nicht eine mechanische Kraftresultante sind, sondern „Vorstellungen höherer Ordnung". Eben diese Tatsache spricht auch entscheidend gegen den Materialismus. Abgesehen von der Unvergleichlichkeit des Seelischen und Geistigen überhaupt, ist es besonders die Einheit des Bewußtseins und sein neues, nicht mehr mechanisches Tun in der Verarbeitung der Empfindung, was gegen den Materialismus spricht. Die Entstehung der Seele ist als eine Aktion des geistigen Weltgrundes zu denken, der durch die Bildung eines körperlichen Keimes zu ihrer Erzeugung angeregt wurde. Ihre Unsterblichkeit könne die wissenschaftliche Psychologie nicht streng beweisen, sie sei nur

γγ) Wechselwirkung

Glaube, aber wohlbegründeter Glaube. Zwischen Leib und Seele nimmt Lotze, anders als Fechner, der den psychologischen Parallelismus vertrat, wieder eine Wechselwirkung an. Wie schon Descartes, obwohl gerade er Körper und Geist scharf getrennt hatte, sich doch für eine Wechselwirkung aussprach, weil sie eben Tatsache sei, erklärt auch Lotze, daß das Selbstbewußtsein uns davon Kunde gäbe, daß der Leib auf die Seele wirke, z. B. bei der Empfindung, und die Seele auf den Leib, z. B. bei einer Willenshandlung. Die Möglichkeit dieser Tatsache werde dann einsichtig, wenn man bedenke, daß die Kluft zwischen Leib und Seele nur in der Erscheinung besteht. In der metaphysischen Wirklichkeit aber seien die Atome ausdehnungslose, immaterielle Kraftzentren seelischer Natur, also Leibnizische Monaden; und zudem stünden sie als solche nicht ohne jeden Zusammenhang nebeneinander, sondern gliedern sich über ihren Urgrund in Gott einem großen geistigen Sinnzusammenhang ein. Der Gesamtzusammenhang verhindere aber nicht, daß die Einzelseele Willensfreiheit besitze, da sie ja Substanz

δδ) Freiheit

ist, wenn auch keine absolute. Lotze ist Gegner des allgemeinen, aus einem mechanistischen Denken sich erhebenden Determinismus des 19. Jahrhunderts, das in diesem Punkt durchaus nicht, wie es glaubte, naturwissenschaftliche Ergebnisse vortrug, sondern die Philosophie Spinozas und Kants. Lotze stand auch hier über den Zeiten, auch darin wieder mit Leibniz verwandt, der ebenfalls trotz der Würdigung der mechanistischen Naturerklärung und sogar trotz seiner verités de raison, auf die schließlich alle Tatsachenwahrheiten, wenigstens in den Augen Gottes, zurückzuführen sind, dennoch Gesetz und Freiheit zu vereinen wußte. Nur vom Standpunkt der erklärenden Psychologie aus müßte man die psychischen Geschehnisse für kausaldeterminiert halten. Aber die Moral ist ohne Freiheit nicht zu denken, und darum darf man sie annehmen, zumal wenn man überlegt, daß wir durchaus nicht immer von determinierenden Ursachen etwas wissen, ja im Gegenteil ein ausgesprochenes Freiheitsbewußtsein besitzen. Eine gewisse Beschränkung der Kausalität der Seelensubstanz bringt aber ihre Einbeziehung in den geistigen Urgrund der Welt natürlich mit sich. Daraus wohl erklären sich verschiedene aktualistisch klingende Äußerungen in der Seelenlehre des älteren Lotze, besonders in der Metaphysik von 1879. Er hat damit seine frühere Lehre von der Substanzialität nicht aufgegeben, sondern nur der Tatsache Rechnung getragen, daß die Wirksamkeit der Seelensubstanz keine absolute und beziehungslose ist. Lotze hat mit seiner Seelenlehre viel Anklang gefunden, so bei C. Stumpf, Lg. Busse, M. Wentscher, E. Becher, A. Wenzl. Vor allem aber ist Fr. Brentano von ihm abhängig. Auch er pflegt eine naturwissenschaftlich orientierte Psychologie, befruchtet von hier aus die Philosophie und stößt auch wieder zu einer theistischen Metaphysik vor. Über Brentano gehen dann die Einflüsse Lotzes, jetzt vor allem logischer Art, auf Ed. Husserl weiter.

εε) Nachwirkungen

β) Die Werte

Lotze hat aber auch die moderne Ethik stark gefördert, und zwar durch seine Wertlehre. Sein objektivistisches Denken läßt ihn den Zugang finden zu den Wahrheiten und Werten des Gewissens. Es kommt ihnen ein objektives „Gelten" zu, das von der Erfahrung unabhängig ist und zu dem ursprünglichen Besitz unseres Geistes gehört. Wie die ewigen Wahrheiten der Ideen überhaupt — Lotze interpretierte auch die platonische Idee als objektive Geltung — bedürfen zwar die Gebote des Gewissens, die Werte, äußerer empirischer Anlässe, damit sie uns zum Bewußtsein kommen, aber es ist nicht die Erfahrung, Gewöhnung und Assoziation, was sie zustande bringt. Es sind vielmehr Vernunftinhalte, und sie bilden eben damit eine Auszeichnung, die den Menschen grundsätzlich vom Tier unterscheidet. Lotze unterliegt aber nun nicht der Gefahr, die Werte in einen luftleeren Raum zu verlegen. Es gehört wesentlich zu ihnen, erlebt zu werden, und zwar lustbetont erlebt zu werden. Lotze hat die Gefühle positiv gewertet. Der Kantische Rigorismus ist ihm fremd. Und mit Fechner teilt er den optimistischen Glauben an eine Steigerung des Glücks der Menschheit mit dem voranschreitenden Weltprozeß. Endziel der Weltgeschichte ist nicht die vollendete Moralität der Kantischen Pflichtethik, sondern die Schönheit der Welt und die Seligkeit des Menschen. Lotzes Wertlehre hat in der Wertphilosophie unseres Jahrhunderts eine noch größere Nachwirkung gezeitigt als seine Metaphysik. Man darf in ihm einen der Bahnbrecher des Wertgedankens sehen.

c) E. v. Hartmann

Leben, Werke, Literatur

Eduard von Hartmann (1842—1906), ursprünglich Offizier, wegen Krankheit aus dem Militärdienst ausgeschieden, lebte als Privatgelehrter in Berlin. Hauptwerke: „Philosophie des Unbewußten" (1869, [12]1923); „Phänomenologie des sittlichen Bewußtseins" (1879); „Zur Geschichte und Begründung des Pessimismus" (1880); „Religionsphilosophie" (1881/82); „Geschichte der Metaphysik". 2 Bde. (1899—1900); „System der Philosophie im Grundriß". 8 Bde. (1906—1909). — Lit.: J. P. Steffes, E. v. Hartmanns Religionsphilosophie des Unbewußten (1921). F.-J. v. Rintelen, Pessimistische Religionsphilosophie der Gegenwart (1924). K. O. Petraschek, Die Logik des Unbewußten. Eine Auseinandersetzung mit dem Prinzip und den Grundbegriffen der Philosophie E. v. Hartmanns. 2 Bde. (1926). W. v. Schnehen, E. v. Hartmann (1929) (= Fromanns Klassiker 20). M. Huber, E. v. Hartmanns Metaphysik und Religionsphilosophie (Winterthur 1954).

Auch Eduard von Hartmann kann den induktiven Metaphysikern zugerechnet werden, weil er die spekulativen Züge seiner Philosophie, die vom deutschen Idealismus herkommen, von Schelling, Hegel und Schopenhauer, stützen will durch die Ergebnisse der modernen Naturwissenschaften. Hartmann beschreibt sein System selbst als „eine Synthese Hegels und Schopenhauers unter entscheidendem Übergewicht des ersteren, vollzogen nach Anleitung der

Prinzipienlehre aus Schellings positiver Philosophie und des Begriffs des Unbewußten aus Schellings erstem System; das vorläufig noch abstrakte monistische Ergebnis dieser Synthese ist alsdann mit dem Leibnizischen Individualismus und dem modernen naturwissenschaftlichen Realismus zu einem konkreten Monismus verschmolzen, in welchem der real-phänomenale Pluralismus zum aufgehobenen Moment geworden ist, und das so sich ergebende System ist endlich auf empirischer Basis mit der induktiven Methode der modernen Natur- und Geschichtswissenschaften aufgebaut und errichtet." Das Unbewußte Hartmanns ist nicht mit dem Unbewußten der Psychologie überhaupt oder der Psychoanalyse zu verwechseln, sondern ist wieder ein Weltabsolutes, ist der Allgeist, die Substanz. Ihre beiden Attribute sind der unendliche Wille und die unendliche Vorstellung. Der Wille ist unvernünftiger Drang, die Vorstellung oder der Intellekt (das Logische) kraftlose Idee, zwei Gedanken, die Scheler übernommen hat. Vor der Entstehung der Welt standen die beiden Attribute in seliger Harmonie. Ohne Grund tritt aber der Wille plötzlich in das raum-zeitliche Dasein über, und das bedeutet nun Unseligkeit. Damit entsteht die Aufgabe der Erlösung. Sie geschieht dadurch, daß das Logische sich zum Bewußtsein potenziert. Eine seiner Haupterkenntnisse ist die Einsicht, daß auf dieser Welt die Unlust die Lust bei weitem überwiegt und daß darum Nichtsein besser ist als Sein. Hat sich die Mehrzahl der Individuen zu dieser Erkenntnis durchgerungen, dann hat das Absolute sich vom Daseinswillen wieder emanzipiert, und die Welt wird aufgehoben werden. Die Ethik findet darum ihre eigentliche Aufgabe in der Erlösung des Absoluten vom Daseinswillen durch Steigerung der Intelligenz und Förderung des Kulturfortschritts. Die künftige Weltreligion muß darum eine Mischung sein von Buddhismus und Christentum. Von dort komme die Sehnsucht nach dem Nichts, von hier eine Fortschrittsidee, die bis zur Steigerung des Menschen zum göttlichen Wesen führe. So münden beide Wege in die Erlösung vom Dasein.

9. NEUARISTOTELISMUS UND NEUSCHOLASTIK

Die Metaphysik fand außer bei den induktiven Metaphysikern auch noch Pflege bei einer Reihe von Denkern, die bewußt bei der Antike und dem Mittelalter anknüpfen. Und jetzt ist es wieder die klassische Metaphysik, die erstrebt wird, die Lehre also vom Sein als solchem, was zugleich immer Lehre vom Geist ist, wenn das auch oft nicht besonders in die Erscheinung tritt. Diesen Männern geht es um das ewig Wahre, um eine philosophia perennis. Unter den Deutschen erfreut sich eine solche Haltung keiner großen Beliebtheit. Bei ihnen ist es Sitte, daß ein Philosoph, der etwas auf sich hält, ab ovo beginnt und wie ein Gott im kleinen eine neue Welt baut. Sie wollen das Neue und die Originalität um jeden Preis und ziehen gelegentlich einen geisteskranken Individualisten noch einer Philosophie vor, die den Mut hat zu einem ruhigen und nüchtern-sachlichen Dienst an der Vermittlung zeitbeständiger und universaler Erkenntnisse, von denen in Wirklichkeit doch alle zehren, auch jene, die sich für Demiurgen halten. Immerhin, es gibt auch da Ausnahmen. Von Lotze hat E. Becher geschrieben: „Es erschien ihm unmöglich, nach all den Jahrhunderten philosophischer Geistesarbeit, völlig neue Gedanken hervorzubringen. Er hat das Streben nach persönlicher Originalität der Wahrheit restlos untergeordnet, die er aufzunehmen bereit war, wo immer er sie fand." Ein anderer war Trendelenburg mit seinem Aristotelismus.

a) Trendelenburg

Adolf Trendelenburg (1802—72), Professor in Berlin, ist ein glänzender Vertreter der ausgesprochen wissenschaftlichen Philosophie; wissenschaftlich, weil er auch über den Apparat der philologisch-ideengeschichtlichen Forschungsweise verfügt und so in der Lage ist, seine Begriffe aus ihren Hintergründen heraus in ihrem echten Sinn wirklich zu „verstehen", so daß ihm Begriffsgeschichte unmittelbar zur kritischen Vorarbeit des systematischen Denkens wird. Das schärft das Auge zur Unterscheidung des Nebensächlichen vom Substantiellen, des Vergänglichen vom Bleibenden. Trendelenburg hat für das ewig Wahre den Blick gehabt, den große Künstler für das ewig Schöne besitzen. Und so erkannte er, wie hinter allen möglichen Neuerungen immer wieder die unvergänglichen Werte der platonisch-aristotelischen Philosophie auftauchen. In der Einleitung zu seinen „Logischen Untersuchungen" (1840) erklärt er, es brauche nicht jeder Denker immer von vorne anzufangen und jeweils eine ganze neue Philosophie zu erfinden; die sei vielmehr in ihren Prinzipien schon gefunden „in der organischen Weltanschauung, welche sich in Platon und Aristoteles gründete, sich von ihnen her fortsetzte und sich in tieferer Untersuchung der Grundbegriffe sowie der einzelnen Seiten und in der Wechselwirkung mit den realen Wissenschaften ausbilden und nach und nach vollenden muß". Zentralbegriff seiner Philosophie ist der Zweckgedanke. Er denkt hier ganz echt aristotelisch. Damit ergibt sich dann im Geiste der griechischen Philosophie das Ideendenken, eine ganzheitliche Auffassung des Seins („organische Weltanschauung") auf dem Grunde einer ideal-realistischen Verbindung von Platon und Aristoteles, die Trendelenburg, den historischen Untersuchungen unserer Zeit vorauseilend, damals schon erkannte, und schließlich der Ausblick auf einen göttlichen Weltgeist. Dementsprechend, auch wieder ganz antik empfunden, gestalten sich die Ethik und Rechtsphilosophie. Trendelenburg gehört zu den Naturrechtsdenkern im Geiste Heraklits und Augustins. „Naturrecht auf dem Grunde der Ethik", lautet der Titel einer seiner berühmtesten Schriften. Trendelenburg wird damit zu einem der ersten Vertreter der antik-christlichen Kultur des Abendlandes. In einer sonst ziemlich oberflächlichen Zeit, wo viele sich vom täuschenden Schein der ephemeren Gegenwart blenden ließen, verwies er auf die Wurzeln unserer Kraft. Die bedeutendsten unter seinen Schülern waren Fr. Brentano, G. v. Hertling, O. Willmann, G. Teichmüller und R. Eucken.

b) Die Neuscholastik

Die Namen Willmann und Hertling leiten zu dem anderen Lager über, in dem ebenfalls die klassische Metaphysik gepflegt wird, zur sogenannten Neuscholastik. Der Sammelname Neuscholastik bezeichnet heute im allgemeinen die Philosophie der katholischen Kirche, obwohl er sie nicht ganz deckt, da es dort auch Vertreter einer „christlichen Philosophie" gibt, die sich nicht als Neuscholastiker fühlen. Außenstehende fassen die Neuscholastik häufig als eine Repristinierung der Philosophie des hl. Thomas, indem sie sich auf die Enzyklika „Aeterni patris" (1879) berufen, in der Leo XIII. die thomistischen Prinzipien, Methoden und Thesen zur offiziellen Philosophie der Kirche gemacht habe, weshalb sie für Neuscholastik auch oft einfach Neuthomismus sagen. Die Kirche wünscht in der Tat, daß die philosophia rationalis den Studenten der kirchlichen Lehranstalten ad Angelici Doctoris rationem, doctrinam et principia gegeben werde, wie die Bestimmung des kirchlichen Rechtsbuches (Can. 1366 § 2) heute lautet. An rauhere Kommandos und Gleichschaltungen gewöhnt, hat man die feine Synthese von Autorität und Freiheit, die in einer alten Kulturinstitution wie der Weltkirche heimisch ist, unterschätzt und an Uniformierung gedacht. Tatsächlich weist die Neuscholastik eine größere Spannungsbreite auf als etwa der Neukantianismus. Das zeigt ihre Geschichte sowohl wie ihre Gegenwart.

α) Anfänge

αα) Eine Reaktion

Die Anfänge der Neuscholastik liegen im zweiten Drittel des 19. Jahrhunderts. Sie waren eine Reaktion gegen Auswirkungen der vorausgehenden Philosophie, die auf seiten des religiösen Denkens Besorgnis erregten. Es handelte sich dabei teils um die Furcht, in den Pantheismus hineinzuschlittern, teils um bedenkliche Bestimmungen des Verhältnisses von Glaube und Wissen, teils auch um einen gewissen Subjektivismus. Die Gefahr des Pantheismus sah man im Ontologismus, wie ihn in Italien V. Gioberti († 1852) und A. Rosmini († 1855), in Frankreich A. Gratry († 1872) vertraten, und die bedenklichen Fassungen des Verhältnisses von Glaube und Wissen im Traditionalismus und Fideismus der Bonald, Lamennais und anderer in Frankreich, der Baader und Deutinger in Deutschland (vgl. oben S. 394f.). Verbunden erschienen beide Gefahren im deutschen Idealismus bei Hegel und Schelling, wo, wie man glaubte, das Absolute in das Zeitliche überging und umgekehrt und analog das philosophische Wissen sich auch des Übernatürlichen und der Mysterien so bemächtigte, als ob es ohne Rest in menschliche Rationalität aufgehen könnte. Davon beeinflußt, hatte A. Günther († 1863) die Trinitätslehre nach Hegelschen Methoden behandelt. Er findet die Hegelsche Dreiheit in der ganzen Kreatur und versteht auch die Dreifaltigkeit im Geiste des Dreischrittes, nämlich als Subjekt, Objekt und deren Einheit. Schon vorher hatte G. Hermes († 1831) im Anschluß an Descartes, Kant, Fichte und Fries einen subjektivistischen Wahrheitsbegriff entwickelt und ihn seiner Theologie zugrunde gelegt. Auch Johann Kuhn († 1876), einen der bedeutendsten Männer der Tübinger Schule, hat man wegen seiner Lehre von der natürlichen unmittelbaren Gotteserkenntnis des Subjektivismus bezichtigt. Um wieder sicheren Boden zu gewinnen, erklang von vielen Seiten her und in vielen Ländern fast zugleich der Ruf: Zurück zu den Klassikern der Scholastik! In Spanien hatte bereits Jakob Balmes († 1848) dort angeknüpft; später folgte Z. Gonzalez († 1895). In Italien setzten sich M. Liberatore († 1892), A. Taparelli († 1862), G. Sanseverino († 1865), T. M. Zigliara († 1893) und andere dafür ein; in Frankreich Domet de Vorges († 1910); in Österreich K. Werner († 1888). In Deutschland waren es F. J. Clemens († 1862), C. v. Schäzler († 1880), Jos. Kleutgen (1811—83), A. Stöckl (1823—95), C. Gutberlet (1837—1928). Anfänglich stand die Polemik im Vordergrund, und die Ablehnung speziell der Baader, Günther, Hermes, Deutinger, J. Kuhn und ihrer Versuche, mit der zeitgenössischen Philosophie einen positiven Ausgleich zu finden, war etwas schroff. Dabei wurden Keime zu wertvollen möglichen Entwicklungen ausgetreten, wie sie z. B. in der Tübinger Schule vorlagen, etwa bei Staudenmaier und seiner christlichen Ideenlehre, die Platon, Augustin, Malebranche und Leibniz tiefsinnig und lebensvoll zugleich zu verbinden wußte, wie es überhaupt für die katholische Tübinger Schule bezeichnend ist, daß die von ihr gesuchte Synthese zwischen dem Bildungsgut des eigenen Volkes, das der deutsche Idealismus darbot, und dem Geist des Christentums echtes, ursprünglich gewachsenes und ausbaufähiges Leben war. Ähnlich wirkte die Neuscholastik hemmend auf die Ausstrahlungen Deutingers und Sailers. Dabei verfügten die neuen Kräfte, die die Männer der katholischen Restauration überrundeten, nicht immer über das gleiche geistige Ausmaß wie jene. Man kann sich fragen, ob nicht zuviel verschüttet wurde. Auf größere Sicht gesehen, wird man aber trotzdem sagen müssen: Der in der ersten Hälfte des Jahrhunderts bestehenden philosophischen Unsicherheit gegenüber, in der man bald hier und bald dort anknüpfte, war es nicht nur ein Erfordernis vorausschauender Klugheit, eine tragende große Linie zu umreißen, es war auch dem Geist und der Würde einer fast zweitausendjährigen Kulturinstitution durchaus angemessen, sich auf die eigene Seele zu besinnen, ja es

ββ) Die Gründer

γγ) Die Verluste

δδ) Der Gewinn

war eigentlich eine Selbstverständlichkeit. Viel mehr als im Neukantianismus und im Neuhegelianismus konnte man hier auf ein großes Erbe zurückgreifen. Wenn man auch zunächst hier und dort in einer allzu schematischen Dialektik steckenblieb, so zeigten doch schon die rasch aufblühenden zwei großen Zentren der Neuscholastik, das Institut supérieur de philosophie in Löwen, die Gründung des späteren Kardinals Désiré Mercier (1851—1926), und Quaracchi, das Studienzentrum der Franziskaner, welch fruchtbare Entwicklungen sich erhoffen ließen. Und damit zeichnen sich auch bereits die beiden ersten Differenzierungen ab. Mercier und seine Gründung pflegen den Thomismus, Quaracchi aber ediert die Werke Bonaventuras und anderer Klassiker der franziskanischen Scholastik, und damit meldet sich wieder die ältere Augustinische Richtung zu Wort, wie schon über das ganze Mittelalter hin. Und wie damals zeichnen sich die Arbeiten dieser Schule durch ein hohes wissenschaftliches Niveau aus.

β) Die historische Phase

Als nächste Phase in der Geschichte der Neuscholastik ergab sich eine fruchtbare Hinwendung zu literar- und ideengeschichtlichen Studien im Raume der mittelalterlichen Philosophie. Man sucht nach einem vertieften Verstehen der Scholastik. Und so erscheinen nun, um neben den vielen Serien von Publikationen nur zwei zu nennen, in Deutschland die „Beiträge zur Philosophie des Mittelalters" und in Frankreich die „Archives d'histoire doctrinale et littéraire du moyen âge". Männer wie Denifle, De Wulf, Ehrle, Hertling, Baeumker, Mandonnet, Longpré, Grabmann, Gilson, Pelster, Pelzer, J. Leclercq, Ph. Delhaye, J. Koch, F. Stegmüller, T. Barth haben das Mittelalter neu sehen lassen, so daß es heute über der Geschichte dieser Philosophie nicht mehr so dunkel ist wie noch in manchen Darstellungen des 19. Jahrhunderts. Aber man suchte das Verstehen noch mehr zu vertiefen und studierte über die mittelalterliche Philosophie hinaus auch die Philosophie der Antike, speziell in Hinsicht auf ihr Fortleben im Christentum. Gerade die führenden unter den neuscholastischen Philosophen haben in ausgezeichneten Untersuchungen zur antiken Philosophie die alte Synthese vom Griechentum und Christentum von Grund auf neu durchdacht, und das immer im Hinblick auf die philosophische Problematik der Neuzeit und der Gegenwart, so z. B. Hertling, Willmann, Baeumker, Dyroff, Geyser, M. Wittmann, H. Meyer.

γ) Philosophia perennis

Und hier kommt es nun wieder zu jener philosophia perennis, wie sie Augustinus, Thomas, Erasmus, Melanchthon, Leibniz, Trendelenburg vorschwebte. Man sucht das Bleibende im Geist des Abendlandes, findet es in der platonisch-aristotelischen Philosophie einerseits und im Ideengut des Christentums andererseits und versucht von diesem Boden aus eine philosophische Erhellung der Situation des Menschen von heute in seinem Selbst- und seinem Weltverständnis. Man will nicht stehenbleiben im nur Historischen, in einem musealen Alexandrinismus, sondern gibt in ständiger Auseinandersetzung mit allen wichtigen philosophischen Positionen eine sachlich-systematische Antwort auf die Fragen des philosophierenden Menschen. Typisch dafür ist Georg von Hertling (1843—1919). Er schreibt seine ideengeschichtlichen Arbeiten zu Aristoteles, Augustinus, Albert, Descartes, Locke und nimmt dann Stellung zur philosophischen Problematik seiner Zeit; zu der metaphysischen in „Über die Grenzen der mechanischen Naturerklärung" (1875) und den „Vorlesungen über Metaphysik" (1922 herausgeg. von M. Meier); zu der ethischen, rechts- und staatsphilosophischen in dem klassischen kleinen Werk „Recht, Staat und Gesellschaft" (1906). Hertling stand im Kampf gegen den Materialismus des 19. Jahrhunderts an führender Stelle. Er war zugleich einer von den Philosophen, die das Glück hatten, mit ihren Ideen aktiv das öffentliche Leben formen zu können. Ebenso steht es bei dem sehr zu Unrecht nur ungenügend bekannten O. Willmann (1839—1920), dessen großartige Geschichte des Idealismus bei weitem nicht nur historische Darstellung, sondern mindestens ebensosehr Behandlung der philosophischen Sachproblematik ist, eine Behandlung, die, im Gespräch mit den großen Denkern der abendländischen Geistesgeschichte erfolgend, hoch über einer „Systematik" steht, die nur ein Teilproblem ausleuchtet und das für die Philosophie hält. Auch Clemens Baeumker (1853—1924) ist durchaus nicht bloß Historiker der Philosophie. Die philosophiegeschichtliche Forschung besitzt für ihn zwar auch Selbstwert. „Darüber hinaus aber hat sie", wie E. Becher in einer schönen und treffenden Charakterisierung Baeumkers gesagt hat, „die andere bedeutsame Auf-

αα) Die Männer

gabe, der Philosophie selbst zu dienen, indem sie das von den großen Meistern erworbene Geistesgut in unverfälschter Reinheit neu erwirbt und treu bewahrt und indem sie zugleich das Auge schärft für das Historisch-Bedingte, Sachlich-Unzulängliche, das auch den erhabensten Schöpfungen menschlichen Geistes unvermeidlich anhaftet". Ähnlich ist es bei Adolf Dyroff (1866—1943), bei Josef Geyser (1869 bis 1948), dessen Festschrift mit Recht den Titel Philosophia perennis erhalten hat und die in ihren zwei Bänden (1930) mit Beiträgen von Gelehrten aus aller Welt die Vielgestaltigkeit und Intensität dieser Philosophie eindrucksvoll vor Augen führt, bei J. Maritain († 1973), H. Meyer († 1966), É. Gilson, A. Dempf u. a. Hier umspannt ein weit ausgreifendes Schrifttum die ganze Philosophiegeschichte, kreist aber auch stets um das ewig Wahre, das den Geist des Ganzen bildet. Bei all diesen Denkern findet sich ein gewisses Depositum von philosophischen Lehren, das sie zusammenhält: Es gibt Wahrheit überhaupt und gibt ewige Wahrheiten; das Erkennen des Menschen schließt den modus cognoscentis ein, wird aber dadurch nicht zu reiner, relativistischer Subjektivität; es ist vielmehr das Sein selbst erkennbar und hat einen objektiven Charakter; es läßt sich analysieren in geschaffenes und ungeschaffenes Sein, in Substanz und Akzidens, Wesenheit und Dasein, Akt und Potenz, Urbild und Abbild, in die Schichten des körperlichen, lebendigen, seelischen, geistigen Seins; die Seele des Menschen ist immateriell, substantiell und unsterblich; dadurch unterscheidet sich der Mensch wesenhaft vom Tier; Sittlichkeit, Recht und Staat richten sich nach ewigen Normen; und erste Ursache allen Seins, aller Wahrheit und Werte ist der transzendente Gott. In der Einzeldurchführung gibt es eine große Variationsbreite, wie man das an den bekannten Kontroversen sehen kann, z. B. um die Deutung des Unterschiedes des geschaffenen und ungeschaffenen Seins (ens a se und ens ab alio, Urbild und Abbild), um das Verhältnis von göttlicher Ursächlichkeit und menschlicher Freiheit (Thomismus und Molinismus), um das geistige Erkennen (Abstraktion oder Intuition), um die Universalien (ante oder post res), um die Wertung der Seelenkräfte (Intellektualismus oder Voluntarismus), um die Begründung der Ethik (theonome oder teleologische Ethik oder Wertlehre). Wenn man die philosophia

ββ) Das Lehrgut

perennis nicht kennt oder ihr unlautere Konkurrenz machen will, kann man das oben umschriebene Lehrgut als fixiertes Gedankengut hinstellen, das man angeblich schwarz auf weiß besitzen und getrost nach Hause tragen kann. In Wirklichkeit handelt es sich aber um Ideen, bei denen alles an der Einzelinterpretation liegt. Ob man diese Aufgaben überhaupt annehmen und wie man sie jeweils grundlegen und durchführen will, das hat nicht eine Tradition oder Dogmatik festzulegen, sondern einzig das auf seine eigene Spontaneität gestellte kritische Denken der Einzelnen. Hier ist die Tradition nur Stoff und die individuelle Beurteilung alles. Es kann sein, daß dann die Varianten der Wege noch innerhalb der philosophia perennis so differieren wie ganze philosophische Systeme. Die Gottesidee, der Kausalbegriff und vor allem der Realitätsgedanke können sehr verschieden gefaßt werden. Hier ist alles mehr aufgegeben als gegeben. Trotzdem ist die Grundhaltung immer irgendwie getragen vom Geiste der platonisch-aristotelischen Philosophie und ihrer Metaphysik der Wesenheiten, Formen und Ideen, jener Metaphysik also, die ernst macht mit dem Wort, daß das ens metaphysicum das ens intelligibile und als solches ein „der Natur nach Früheres" ist; geschichtlich gesprochen, daß die Seele der Metaphysik des Aristoteles im mundus intelligibilis Platons zu suchen ist, bei ihm selbst und auch in der späteren Entwicklung. Manchmal hat es sich nämlich noch nicht durchgesprochen, daß wir auf Grund der neueren Aristoteles-Forschung die beiden Großen nicht mehr wie im 19. Jahrhundert einander gegenüberstellen dürfen: hier der Realist, dort der Idealist, wobei man außerdem noch — typisch für die Neuscholastik — Platon sehr schlecht kennt und nach Vorstellungen beurteilt, die von irreführenden aristotelischen Äußerungen stammen, manchmal auch von dem, was das Mittelalter über die platonici berichtete. Natürlich gibt es den Unterschied, aber es gibt noch viel mehr Gemeinsames, und das meint der Begriff platonisch-aristotelische Philosophie. Das allerdings muß man sehen; denn nur diese platonisch-aristotelische Philosophie bildet den bleibenden Gehalt der philosophia perennis, nicht aber ein modernisierter Aristotelismus, der mehr englischer Empirismus ist als griechische Philosophie aus Akademie und Lykeion, der Patristik und dem Hochmittelalter. Es gibt nämlich einige neuscholastische

Erkenntnisbegründungen, die nur im Worte und im Glaubensbekenntnis aristotelisch sind, in der Sache aber den Sensualismus mindestens streifen. Schon 1913 hat J. Maréchal von einem empirisme dissimulé gesprochen. Wo man jedoch um den Geist der platonisch-aristotelischen Philosophie weiß, wird man bald innewerden, daß er tatsächlich perenniert, ja sich auch in der neuzeitlichen Philosophie findet, dort nämlich, wo man „rationalistisch" denkt, besser gesagt, wo man Geistphilosophie treibt. Das Erbe der Alten ist dort zwar vielfach überdeckt und oft bis zur Unkenntlichkeit umgebildet; aber der mundus intelligibilis als Formprinzip des Sinnlichen, das Ewige als Grund oder Ziel des Zeitlichen ist da von Descartes über Spinoza, Leibniz, Wolff, Kant, Schelling, Hegel bis herauf zu Fechner, Lotze und Scheler. Bei ihnen allen dringt, um mit Hegel zu sprechen, der Gedanke durch die äußere Rinde, um den inneren Puls des Logos zu finden und ihn dann auch noch in den äußeren Gestaltungen schlagen zu fühlen. Nur Hume und seine Gefolgschaft stehen außerhalb des göttlichen Reigens. Eben darum sprachen wir immer wieder von einer Kontinuität der abendländischen Metaphysik. All diese Philosophen könnten als Vertreter der philosophia perennis angesprochen werden. Im Grunde ist philosophia perennis nichts anderes als echtes Philosophieren. Es ist heute allerdings tatsächlich so, daß sich nur die christlichen Philosophen mehr oder weniger betont zur philosophia perennis bekennen. Das liegt daran, daß sie die perennierende untergründige Substanz stärker herausstellen als die differierenden Variationen, die sonst die einzelnen Denker vornehmen und die vielleicht zunächst mehr in die Augen fallen. Das liefert dann die philosophischen Aktualitäten. Da diese aber bald in ihrer Zeithaftigkeit erkannt zu werden pflegen und dann wieder hinuntersinken in den Strom des Ganzen, der sie emporspülte, bald als Woge, bald als Spritzer, muß es einleuchten, daß andere sich auf den Geist des Ganzen besinnen, nicht jenes Hegelschen Ganzen, das das Wahre ad calendas graecas verschiebt, sondern des gemeinsamen perennierenden Logos, den Platon in den Mittelpunkt seiner Philosophie stellte und der seitdem nie mehr vergessen wurde — die ganze europäische Philosophie besteht nur aus Fußnoten zu Platon, sagt A. N. Whitehead —, und nun versuchen, von diesem Boden aus die philosophische Diskussion

γγ) Philosophia perennis und Neuzeit

zu führen, nicht zuletzt gerade zwischen der christlichen Philosophie und jenen Denkern, die sich nicht ausdrücklich als christlich deklarieren. Speziell überall dort, wo etwas vom deutschen Idealismus lebendig ist, müßte eine gedeihliche Aussprache möglich werden; denn in diesem Fall ist das Grundthema mächtiger als die darüber angestellten Variationen. — Diesem Dialog stellt sich allerdings immer wieder die These von der inneren Unmöglichkeit, weil inneren Widersprüchlichkeit einer christlichen Philosophie entgegen: hier ein voraussetzungsloses, freies Denken, dort der festgelegte Standpunkt des christlichen Glaubens. Der Einwand übersieht, daß es seit fast 2000 Jahren de facto eine christliche Philosophie gibt, die sich zudem mit dieser Schwierigkeit bewußt auseinandergesetzt hat. Im Grunde beruht der Gedanke auf einem Theologumenon der protestantischen Erbsündelehre und muß sonach aus der philosophischen Diskussion ausscheiden. Eine Variante zu dem Thema bildet die Rede von der Inkongruenz griechischen und christlichen Denkens. Sie könnte eventuell noch auf einer philosophischen Ebene aufruhen, zerreißt aber die Einheit des menschlichen Geistes. Soll sie sinnvoll sein, muß sie diese Einheit voraussetzen. Man kann aber auch ihr gegenüber wieder auf das historische Faktum verweisen, daß die platonisch-aristotelische Philosophie, wo sie sich mit der christlichen Theologie verbündet hatte, keine schlechte Arbeit leistete, weil sie das Abgleiten des Offenbarungsglaubens in irrationales Reden verhinderte, in allen christlichen Jahrhunderten. Ein hervorragendes Beispiel dafür bietet Nikolaus von Kues (1401 bis 1464), dessen Frömmigkeit in ihrer Synthese von Humanismus und Offenbarung immer denkender Glaube war, schön und schnell zu sehen in dem kleinen Trialogus de possest. —

Christliche Philosophie?

Einen bedeutenden neuen Anstoß für einen Dialog zwischen philosophia perennis und speziell neuzeitlicher Philosophie hat Jos. Maréchal (1878—1944) gegeben. Er hat in seinem philosophischen Testament sogar gesagt, daß ein eindringliches Studium des hl. Thomas der beste Weg sei zu einem tieferen Verstehen der modernen Philosophie. Auch er hielt die Auseinandersetzung mit der Neuzeit für unerläßlich, die positive Auseinandersetzung, nicht die „Widerlegung". Sein eigenes großes Werk „Le point de départ de la métaphysique" (1922 ff.) macht den Versuch, Kants Phänomenalismus —

Maréchal und die Folgen

das vor allem sieht Maréchal bei Kant — von Thomas her aufzufangen, indem er eine neue Deutung der thomistischen Erkenntnislehre gibt, die man als erkenntnistheoretischen Dynamismus bezeichnen kann: Der Geist, der direkt vom Absoluten berührt ist, entfaltet eine Spontaneität des Erkennens, in der er mindestens die wesentlichen Prinzipien aus sich selbst entbirgt. Insoferne ist „Metaphysik das menschliche Wissen um das Absolute, indem sie unmittelbar das Ergriffensein des Menschen durch das Absolute übersetzt". Das hat trotz einiger Widerstände anregend gewirkt, und man kann seitdem von einer weiteren Stufe in der Entwicklung der christlichen Philosophie sprechen, einer Phase nämlich der Auseinandersetzung mit der zeitgenössischen Philosophie. Kant, Hegel und Heidegger waren es vor allem, denen man sich stellte. Jetzt tritt der früher oft beschworene „kritische Realismus" in den Hintergrund, und man hört viel von transzendentaler Methode, von ontologischer Differenz und von jenem unergründlichen Sein, das allem Seienden zugrunde liege, vor allem dort, wo man Heidegger zu Hilfe ruft, wie unverständlich es auch bleibt, hier wie dort. Soweit es sich dabei um mehr als Anpassung und Sprachregelung handelt, ist zu fragen, wie das Absolute oder der actus purus nun zu verstehen sind, rein transzendentallogisch oder doch wieder in einem stillschweigend angenommenen transzendenten Sinn? Jedenfalls sind die Schwierigkeiten nicht ausgeräumt, die bei Kant schon mit dem „Gegebenen" angesichts der transzendentalen Prinzipien auftauchen und die dann bei Fichte und Hegel zu einem Panlogismus führten, in dem nicht nur die transzendentalen Prinzipien, sondern schlechthin alles Gegebene aus dem Absoluten, hier dem absoluten menschlichen Geist, deduziert wurden, weswegen man konsequenterweise auch heute wieder gerne dort anknüpft. —

„Weiterbildungen"

Man spricht in diesem Zusammenhange mehrfach davon, daß man Thomas weitergebildet habe, was aber weder bei Maréchal noch sonst recht gelingen wollte, weil man einerseits zu früh von der historischen Phase absprang und stehend-freihändig Gedanken entwickelte, die nicht die des Thomas waren, andererseits aber auch sich nicht genügend über Kant, Hegel und Heidegger erheben konnte und so trotz der versuchten Auseinandersetzung in eine gewisse Abhängigkeit, mindestens in Sprache und Begrifflichkeit, geriet, weil der

Gegner gerade in der Kontraposition das Gesetz des Handelns aufzwingen kann. Das bringt die Gefahr mit sich, daß man sich gelegentlich fragen muß, was man vor sich habe, Thomas oder Hegel oder Kant oder Heidegger, und was dann zu einer erheblichen Begriffsverwirrung führen kann. Es wird notwendig sein, tiefer zu steigen und Thomas nicht nur zu sehen, wie irgendeine zeitgenössische Schule ihn sieht, sondern in seiner echten, ursprünglichen Gestalt und den vielen offenen Möglichkeiten, die seine Texte, aber auch die der ganzen klassischen Metaphysik von Platon bis Hegel bieten. Man müßte sich dabei aber auch über die neuzeitlichen Philosophen erheben, indem man ihre Voraussetzungen und Ansätze durchschaut und sie nicht einfach im Grunde, unter dem Druck der Umstände, eben doch akzeptiert, um dann einen Kompromiß zu schließen. Eine solche tiefer greifende Auseinandersetzung läßt sich allerdings nicht durch Dialektik und noch weniger durch literarische Künste erreichen, sondern nur durch eine kritische ideengeschichtliche Schau hinter die Kulissen der Ansätze jener Denker. Da in den „modernen" Ansätzen eine Fülle von Mißverständnissen des Alten zu stecken pflegt, wurden diese Ansätze hier immer herausgearbeitet, nicht zuletzt auch bei Kant (s. oben S. 294, 329 f.). Erst wenn diese Klärung des wahren Tatbestandes erfolgt ist, kann man die Frage nach einer Weiterbildung stellen — wenn man sie dann überhaupt noch stellen will —, die eine wirkliche Fortführung der Sachproblematik wäre und nicht nur eine Amalgamierung des nicht Aufgearbeiteten. Das wäre dann ein nach jeder Richtung hin voraussetzungsloses Philosophieren, weil man jetzt über den Lagern stünde, über Thomas ebenso wie über Kant, Hegel und Heidegger. Man könnte es eigentlich nicht mehr Neuscholastik nennen. Diese Bezeichnung sollte man einschränken auf jene Lehrbücher, die in ihrer Methode die alte Dialektik des distinguo und subdistinguo, des concedo und nego noch schematisch beibehalten, wofür es auch gute Gründe gibt. Jenes andere Philosophieren aber in der entsprechenden Auseinandersetzung mit dem modernen Denken auf dem Grunde der philosophia perennis würde man wohl am besten christliche Philosophie heißen, obwohl auch dieser Ausdruck mißverständlich ist, weil er die Meinung suggeriert, daß christliche Basissätze Prinzip und Ansatz seien, während in Wirklichkeit der

Die neue Aufgabe

christliche Gedanke nicht Prinzip, sondern Ergebnis ist. Was man aber bei den herrschenden Vorurteilen schwer einsieht.

δδ) Christliche Philosophie der Gegenwart

In der Philosophie der Gegenwart nimmt die katholische Philosophie — sie ist de facto die christliche Philosophie, weil der Protestantismus keine eigene Philosophie hervorgebracht hat — eine hervorragende und weltweite Stellung ein. Sie besitzt berühmte Zentren in Rom, Mailand, Quaracchi (Franziskaner-Kolleg), Paris (Institut catholique), Löwen (Institut supérieur de philosophie), Nimwegen, Freiburg in der Schweiz, Innsbruck, München, Washington, South Bend (Notre Dame), Toronto (Pontifical Institute of Mediaeval Studies), Montreal, Madrid (Instituto Luis Vives). Ihre Vertreter bearbeiten sämtliche Gebiete der philosophischen Problematik. Wir erwähnen aus der ersten Hälfte unseres Jahrhunderts außer den oben schon erwähnten Männern, ohne Anspruch auf Vollständigkeit, noch Kardinal Ehrle, H. Denifle, V. Cathrein, M. Grabmann, L. Baur, M. Wittmann, D. Feuling, Th. Steinbüchel, H. Meyer, V. Rüfner, J. Koch, Garrigou-Lagrange, D. Mercier, A.-D. Sertillanges, A. Gemelli. Geistig, wenn auch nicht methodisch, stehen ihnen nahe P. Wust, D. v. Hildebrand, E. Stein, J. Hessen, H. E. Hengstenberg. In der Gegenwart sind es vor allem, aber nicht nur, jene katholischen Philosophen, die sich in der philosophischen Sektion der Görres-Gesellschaft lose vereinigt haben, was man heute als Vertreter einer philosophia perennis bezeichnen könnte.

εε) „Neuscholastik"?

„Neuscholastiker" will sich heute allerdings fast niemand mehr nennen lassen. Typisch, daß die seit 1926 von Jesuiten herausgegebene Zeitschrift „Scholastik" 1966 ihren Titel in Vierteljahresschrift für „Theologie und Philosophie" umgeändert hat. Im engeren Kreis kirchlicher Hochschulen lebt die neuscholastische Methode vermutlich noch weiter, still und solid. In der breiten Öffentlichkeit ist dem aber nicht so. Seit den 60er Jahren entstand hier, teils aus dem damals im Katholizismus ausgebrochenen Mangel an Stehvermögen, teils aus einer geistigen Öffnung nach allen möglichen Seiten, die nicht immer eine philosophisch-wissenschaftliche sein mußte, eine Situation, wie sie kurz vor Beginn der Neuscholastik der Tübinger J. S. v. Drey 1822 für seine Zeit beschrieben hatte: Deren Gebrechen bestünden, wenn man an das Hochmittelalter denke, darin, daß man kein System mehr habe; das Ideengut läge als ein bloß Gegebenes nebeneinander, worüber dann ebenso zufällige Gespräche angefangen würden wie über dürres Laub, auf welches zwei Wanderer treten, ohne zu wissen, woher es der Wind geweht habe. — Eine Zeitlang machte die sogenannte katholische Heideggerschule von sich reden: J. B. Lotz, K. Rahner, M. Müller, G. Siewerth. Ein etwas schnelles Einspringen auf eine inzwischen zur Mode gewordene Zeitströmung — erkennbar schon an der Inflation der Gedankenstriche — veranlaßte kritische Denker, sich reservierter zu verhalten. Dazu kamen einige von dieser Seite forçierte fragwürdige Theorien: Daß jede Zeit ihre eigene Wahrheit habe, daß Wesenheiten und Ideen ein Joch für das sich entbergende Sein bedeuteten, daß man nicht wisse, was das Wesen des Menschen ist, daß man mit einer Destruktion des christlichen Bewußtseins rechnen wollte, sofern dieses sich zu seiner Artikulation der platonisch-aristotelischen Philosophie bediente, ging an die Substanz der eigenen geistigen Grundlagen, auch wenn man es nicht vermeinte. — Von allen Wirren unerschüttert durchstand diese Jahre das reiche Schrifttum von Jos. Pieper. Ohne eigentlich Neuscholastiker zu sein, hat er, wenn auch nicht im Anschluß an den gelehrten Apparat der historisch-kritischen Forschung, in einer sehr interessanten Form die Weisheit der Alten in ihrer klassischen Zeitlosigkeit zum Sprechen gebracht, ein Lese- und Lebemeister wie einst R. Guardini. — Auch Dietrich von Hildebrand (1889—1977) „Gesammelte Werke" seit 1972 im Erscheinen, hat mit seiner echt phänomenologischen Methode eindrucksvoll gezeigt, wie Sein und Wert mehr sind als nur Geschichtlichkeit. Aus dieser prinzipiellen Haltung wird verständlich, daß v. H. sich nicht so leicht von bloßen Zeitströmungen überfahren läßt, sondern die „trojanischen Pferde" durchschaut. — Inzwischen hat sich die schon in den 30er Jahren einsetzende Cusanusforschung so profiliert, daß man von ihr erhoffen darf, was die Neuscholastik zu früh aufgab, die Entfaltung einer philosophia perennis, in der eine ausgewogene Synthese von Griechentum und Christentum, Philosophie und Theologie möglich wird. Und nicht nur das! Was das cusanische Denken bewegte, war die Wahrheit im ganzen, und eben deswegen kann man in ihm ein Leitbild der philosophia perennis sehen. Die Cusanus-

Renaissance darf darum die philosophische Sach- und Systemfrage nicht aus dem Auge verlieren, soll es ihr nicht ergehen wie der Neuscholastik, der man vorhält, daß sie im nur Historischen steckengeblieben sei. Das ist selbst für die Neuscholastik des 19. und 20. Jahrhunderts ein im Grunde verfehlter Vorwurf, weil er die Tendenz der Gesamtbewegung verkennt, die doch gerade das System ansteuerte. Aber es ist richtig, die Flut der nur historisch verlaufenden Dissertationen und Akademieabhandlungen konnte jenen Vorwurf suggerieren und es verständlich erscheinen lassen, daß man aus den langwierigen wissenschaftlichen Arbeiten ausbrach und sich, jetzt ohne rechte Fundamentierung, publikumswirksameren Ismen anvertraute; woraus man entnehmen kann, daß der Trend zum System auch seine Gefahren hat. Philosophische Sachfragen lösen sich nicht so schnell, wie Primaner es hoffen und Interessenten es brauchen. Man muß das Ganze der philosophia perennis vor sich haben, aber in einer docta ignorantia, wie der umfassende Geist des Cusaners es getan hat, um sich vor einseitigen Interpretationen der großen philosophischen Gestalten zu schützen. Eben deswegen bedarf es der historisch-kritischen Methode, die Spekulationen und den Machtansprüchen der Schulen einen Riegel vorschiebt. Es ist allerdings keine Kunst, bei einer Gestalt der Philosophiegeschichte anzuknüpfen, um bloß anzuknüpfen und dann sein eigenes Besserwissen zu entfalten. Die historischen Fakten selbst sollen mit sich ins Gepräch kommen. Und dazu bedarf es einer exakten historisch-kritischen Methode, damit Geschichte von der Geschichte frei wird. Auch Cusanus selbst trägt manche nur summarische Behauptung vor, aber wofür er immer beispielhaft bleibt, ist sein Wille zum Ganzen, was philosophia perennis seit eh und jeh sein wollte.

Literatur

Als Einführung in das Denken der philosophia perennis können dienen: A. Brunner, Die Grundfragen der Philosophie (1949, [5]1961); A. Dempf, Christliche Philosophie (1938); J. Lenz, Vorschule der Weisheit ([2]1948) und J. Hessen, Lehrbuch der Philosophie. 3 Bände (1948 ff.). Von der Sammlung „Mensch, Welt, Gott. Ein Aufbau der Philosophie in Einzeldarstellungen“, herausg. vom Berchmans-Kolleg in Pullach, erschienen bisher nur

3 Bände: J. de Vries, Denken und Sein (1937), A. Willwoll, Seele und Geist (1938) und M. Rast, Welt und Gott (1952). Ergänzungsband: W. Brugger, Philosophisches Wörterbuch (1947, ^{14}1975). Nicht zur Vollendung kamen die großen Sammelwerke: „Philosophische Handbibliothek". 11 Bde. (München 1923 ff.), „Die Philosophie" (Bonn. 1934 ff.) sowie die ausgezeichnete „Philosophia Lovaniensis". Grundriß der Philosophie in Einzeldarstellungen. Herausg. von den Professoren des Institut supérieur de philosophie an der Universität Löwen. Deutsche Ausgabe besorgt von P. M. Roesle unter Mitarbeit von E. Wetzel, A. Guggenberger, J. O. Fleckenstein (1949 ff.).
F. Ehrle, Die Scholastik und ihre Aufgaben in unserer Zeit (^{2}1933). J. Höfer, Zum Aufbruch der Neuscholastik im 19. Jhrh.: Ch. B. Schlüter, F. v. Baader u. H. E. Plaßmann. In: Histor. Jahrb. der Görres-Ges. (1953) 413—432. Th. Schäfer, Die erkenntnistheoretische Kontroverse Kleutgen-Günther. Ein Beitrag zur Entstehungsgeschichte der Neuscholastik (1961). H. Holz, Transzendentalphilosophie u. Metaphysik (1966). O. Muck, Die Transzendentale Methode in der scholast. Philosophie der Gegenwart (Innsbruck 1964). L. Oeing-Hanhoff (Hrsg.), Thomas von A. 1274—1974 (1974). J. Ratzinger (Hrsg.), Aktualität der Scholastik (1975). — R. Haubst (Hrsg.), Mitteilungen u. Forschungsbeiträge der Cusanus-Gesellschaft (1961 ff.).

ZWEITES KAPITEL

DIE PHILOSOPHIE IM 20. JAHRHUNDERT

Man hebt an der Philosophie des 20. Jahrhunderts gerne drei Charakteristika hervor, die Wende zum Objekt, zum Sein und zur Existenz. Das sind deutlich fühlbare Bewegungsrichtungen. Doch ist mit ihrer Benennung nicht allzuviel gewonnen, weil diese Themen verschieden ausgearbeitet werden können. Und dann ist heute noch viel mehr lebendig. Wir wollen uns darum einen Überblick über das philosophische Denken der unmittelbaren Gegenwart verschaffen, indem wir es aufgliedern in Lebensphilosophie, Phänomenologie, Ontologie und Metaphysik, Existenzphilosophie, Logistik und logischen Positivismus. Wie unser ganzes gegenwärtiges Denken sind auch diese geistigen Strömungen nicht ohne Beziehung zum 19. Jahrhundert, aber sie erhielten die Hauptimpulse, die sie zu dem machten, was sie heute sind, doch noch in unserem Jahrhundert. Nur die Lebensphilosophie reicht mit verschiedenen ihrer Züge unmittelbar in das vorige Jahrhundert hinab. Andere Strömungen, die nicht weniger gegenwärtig, aber fühlbar älter sind und direkt aus dem 19. Jahrhundert herüberkommen, die Nietzsche-Bewegung, der dialektische Materialismus, der Neukantianismus und die sogenannte Neuscholastik wurden dort schon behandelt.

Literatur

R. Schmidt, Die Philosophie der Gegenwart in Selbstdarstellungen. 7 Bde. (1921—30); neue Serie hrsg. von L. J. Pongratz (1975 ff.). Philosoph. Forschungsberichte. 16 Hefte (bis 1933). F. Heinemann, Neue Wege der Philosophie. Geist, Leben, Existenz (1929). E. v. Aster, Die Philosophie der Gegenwart (1935). J. M. Bocheński, Europäische Philosophie der Gegenwart (1947, ^{2}1951). H. Meyer, Geschichte der abendländischen Weltanschauung. 5. Bd.: Die Weltanschauung der Gegenwart (1949). W. Stegmüller, Hauptströmungen der Gegenwartsphil. (1952, ^{2}1960). Gute Originaldokumentation: Internationaler Philosophen-Kongreß Brüssel 1953, 14 Bde. (Verlag A. Hain, Meisenheim). F. Heinemann (Hrsg.), Die Philosophie im 20. Jahrhundert (1959, ^{3}1975). Philosophy in the Mid-Century. A Survey edited by R. Klibansky. 4 Bde. (Firenze 1958, ^{2}1961). Detaillierte Übersichten der Richtungen und Schulen, auch der ausländischen Philosophie mit vielen Namen und Werken in: Großer Herder, Ergänzungsband II (1962) Sp. 1187—1308 (umfassend, aber mit aufdringlicher Überbewertung des Existenzialismus). H. Noack, Die Philosophie Westeuropas im 20. Jahrhundert (1962, ^{4}1975). J. Speck (Hrsg.), Grundprobleme der großen Philosophen: Philos. der Gegenwart (1972 ff.). A. Edmaier, Die Philos. der Gegenwart (1970).

1. DIE LEBENSPHILOSOPHIE

Zu Beginn unseres Jahrhunderts wurden die Katheder noch von den Neukantianern beherrscht. Ihre Philosophie war akademisch und sehr vornehm. Darum lebte sie auch in der Hauptsache nur in den Hörsälen und den Büchern ihrer Vertreter. Im geistigen Leben der Öffentlichkeit konnte sie nicht Fuß fassen. Dort interessierte man sich für die Lebensphilosophie. Sie war die große Mode, wenn auch nicht nur Mode. Was Lebensphilosophie ist, läßt sich schwer umreißen, schon wegen ihrer Vielgestaltigkeit, hauptsächlich aber deswegen, weil, was Leben ist, immer unklarer wurde, je mehr die Lebensphilosophen darüber schrieben. Am besten versteht man den Begriff vielleicht von seinem Gegensatz her, von dem man sich insgesamt abzusetzen pflegte, vom mechanistischen, schematisierenden, an der Oberfläche haftenden, mathematisch-rationalistischen und statischen Denken, das in der Neuzeit entstand und nicht zuletzt durch Kants Wissenschaftslehre verfestigt worden war. Ihm gegenüber will man das Irrationale, das Einmalige, Innerliche, Seelische, Erlebnismäßige, Dynamische wieder in Anschlag bringen. Wir wollen in der Lebensphilosophie unterscheiden: Bergsonismus, Blondelismus, geisteswissenschaftliche und naturalistische Lebensphilosophie.

Literatur

Ph. Lersch, Lebensphilosophie der Gegenwart (1932). O. Bollnow, Die Lebensphilosophie (1958).

a) Bergsonismus und Blondelismus

Henri Bergson (1859—1941), Professor am Collège de France in Paris, ist einer der größten Philosophen der Franzosen. Er hat eine gewaltige Leserschaft gefunden. Seine philosophischen α) Bergson

Werke erreichten Auflagen, wie sie sonst nur gute Romane haben: Essai sur les données immédiates de la conscience (^{1}1889; ^{53}1946), deutsch unter dem Titel „Zeit und Freiheit“ (1911); Matière et mémoire (^{1}1896; ^{46}1946); Le rire (^{1}1900; ^{67}1946); L'évolution créatrice (^{1}1907; ^{62}1946); Les deux sources de la morale et de la religion (^{1}1922; ^{48}1946). In Deutschland speziell hat Bergson, nachdem er Einwirkungen empfangen hatte von Schellings und Schopenhauers Freiheits- und Willensphilosophie, wieder zurückgewirkt auf Scheler, Klages, Th. Lessing, E. Dacqué und die Existenzphilosophie. — Lit.: J. Maritain, Von Bergson zu Thomas von Aquin (1945). P. Jurevics, H. Bergson (1949). G. Pflug, H. Bergson. Quellen und Konsequenzen einer induktiven Metaphysik (1959).

αα) Das Sein als Leben

Bergson tritt dem Mechanismus, Materialismus und Determinismus entgegen und stellt seine Weltbetrachtung unter das Stichwort Leben. Philosophie des Seins ist ihm Philosophie des Lebens. Sein wird interpretiert als Lebensschwung (élan vital). Um diese Konzeption zu verstehen, muß man sich einige Begriffe klarmachen, die für Bergson typisch sind und die den Sinn seiner Lebensphilosophie explizieren.

Außen und Innen

Bergson hat, nachdem er anfänglich kurz dem Positivismus gefolgt war, rasch zu sich selbst gefunden und sein Schaffen immer mehr in den Dienst des einen Zieles gestellt, Leben und Freiheit in ihrer Eigenart und Bedeutung aufzuzeigen. Er beginnt mit einer Kritik des Phänomenalismus der neuzeitlichen Philosophie und seiner einseitigen Weltbetrachtung. Man kenne hier nur das Außen, die Oberflächenseite der Dinge, den Raum, die Ausdehnung und bringe dem das Innen des Menschen, das Leben des Bewußtseins, die Freiheit und Spontaneität zum Opfer. Die Welt des Raumes ist homogen, darum gleichsinnig wiederholbar, schematisch, untersteht der mechanischen Notwendigkeit, dem kausalen Atomismus, der statischen Diskontinuität. Der Phänomenalismus und seine Psychologie und Anthropologie haben das Innenleben des Menschen mit ihrer Psychophysik in dieses Schema gepreßt und damit dem Menschen die Freiheit genommen. In Wirklichkeit sei der innere Sinn, das Zeiterlebnis, etwas ganz anderes. Die Zeit, die der Mensch in seinem Bewußtsein gegenwärtig hat, ist heterogen, nie im gleichen Sinn wiederholbar, immer qualitativ verschieden, ist kontinuierlich wie alles Lebendige, und vor allem: sie schließt Freiheit ein, Erfindung, ist schöpferische Entwicklung. Newtons tempus quod aequaliter fluit ist eine künstliche physikalisch-astronomische Konstruktion. Es ist nicht die wirkliche Zeit. Die wirkliche Zeit ist vielmehr die menschliche Zeit, und diese ist Dauer (durée). Dieser Kernbegriff der Philosophie Bergsons ist typisch für das Moment des Einmaligen, Unwiederholbaren, Relativen, dem alle Lebensphilosophie zum Recht verhelfen will. Das Leben „dauert" will sagen, daß unser Leben in einem kontinuierlichen Fließen besteht, in dem nichts verloren wird, sondern alles weiterwächst, wie in einem herabrollenden Schneeball, so daß alles Kommende mitbestimmt und durchdrungen wird von dem, was schon ist, und damit, weil die Zeit ständig fließt, in jedem Augenblick einmalig wird. Dauer ist also organisches Wachstum, lebendige Bewegung. Will man solches Leben erfassen, dann sei der Verstand dazu gänzlich ungeeignet. Der Verstand zerreiße es nämlich mit seinen schematischen, immer gleichbleibenden Begriffen, indem er abstrahiert und willkürlich gewisse Seiten herausgreift. Er preßt das Leben in seine Schemata. So entsteht die Welt der Dinge, die auswechselbar sind wie die Teile eines homogenen Raumes. Diese Welt der Gegenstände des Verstandes sei unwahr. Die wahre Wirklichkeit eröffnet sich uns nur, wenn wir uns einfühlen in den Fluß der Geschehnisse, wenn unsere Begriffe bleiben, aber gleichzeitig (durée!) auch noch flüssig werden und mitgehen. Sie sind dann allerdings keine Begriffe mehr, sondern „Intuitionen". Wenn uns jemand von einer fremden Person erzählt, wird alles in allgemeine Begriffe gekleidet und damit gefälscht; „erleben" wir dagegen diese Person in unmittelbarer Gegenwart, dann erst haben wir die Wirklichkeit, die „Dauer" dieses Menschen echt erfaßt. Solche Intuitionen will die Philosophie geben. Sie will durch die schematisierte Oberfläche hindurch heranführen an die innere, einmalige, lebendige, dauernde Mitte der Dinge und der Welt. Was Bergson damit möchte, kann man leicht ersehen: der allgemeine Kausalnexus wird zurückgewiesen, die Einmaligkeit wiedergewonnen und damit die Freiheit; denn nunmehr ist jedes Bewußtsein so etwas wie ein intelligibler Charakter, um in der Sprache Kants zu reden. „Im Absoluten sind wir, kreisen wir, leben wir." Darum ist für Bergson Bewußtsein als Intuition

Dauer | **Verstand und Intuition** | **Freiheit**

synonym mit Erfindung und Freiheit. Freiheit ist, so möchten wir sagen, allerdings mehr; aber Bergson hat mit richtigem Blick das Haupthindernis gesehen, das der Annahme menschlicher Freiheit im 19. Jahrhundert im Wege stand, die Assoziationspsychologie und die dort übliche Überfremdung des Seelischen durch die neuzeitliche quantitativ-mechanistische Weltbetrachtung. Damit ergab sich der Kausalnexus und mit ihm die Unmöglichkeit von Freiheit. Das will Bergson wieder aufheben. Die Einseitigkeit dieses Denkens hat er klar durchschaut und dargestellt. Um die menschliche Freiheit ganz zu sichern, hat er in seiner Schrift „Materie und Gedächtnis" sich noch ausdrücklich gegen die psychophysische Identifizierung von Bewußtsein und Gehirntätigkeit gewendet. Das Seelische besitzt Autonomie; denn es läßt sich zeigen, daß es Gedächtniserscheinungen, z. B. Fälle von Amnesie und Aphasie, ohne physiologische Entsprechungen gibt. Das Materielle ist bestenfalls eine Bedingung oder Voraussetzung, aber nicht Träger und Ursache des Bewußtseins. Wer die Psychophysik im Sinne eines Körper und Geist identifizierenden Parallelismus versteht, meine, daß ein Nagel, der ein Kleid trägt, auch schon das Kleid selbst ist. „Das Kleid fällt allerdings herunter, wenn man den Nagel wegreißt, und es schwankt, wenn man den Nagel bewegt. Daraus folgt aber nicht, daß jede Einzelheit des Nagels einer Einzelheit des Kleides entspricht, noch daß der Nagel das Äquivalent des Kleides sei, noch weniger, daß Nagel und Kleid miteinander identisch sind." Nach dem Vorgang von Kant, des deutschen Idealismus und Schopenhauers war es nun nicht schwer, das ganze Sein der Welt vom Menschen und seinem Bewußtsein her zu deuten. Und so erklärt Bergson: Alles Sein ist Bewußtsein. Aber es ist nicht mehr das Kantische, nur intellektuell verstandene, sondern Bewußtsein als Leben, Erleben, Drang, Dauer, Freiheit, Erfindung, schöpferische Energie. „Die Materie und das Leben, die die Welt erfüllen, sind ebensogut in uns. Die Kräfte, die in allen Dingen schaffen, wir fühlen sie in uns." Der Kern dessen, was wir in uns fühlen, ist aber der Lebensschwung, der élan vital. Und so ist er auch Kern und Seele des ganzen Weltseins überhaupt. Es gibt wohl auch die Materie und zusammen mit ihr den Raum, das Außen, die Zerstückung, den Automatismus, die Trägheit und den

Gehirn und Seele

Élan vital

Mechanismus. Aber sie ist nur Abspannung, Erlahmung des Lebensschwunges. Dem Abstieg folgt immer wieder der Aufstieg; denn die Sinuskurve des ewigen Ab und Auf ist eben die Linie, die für das Lebendige bezeichnend ist. Und hier sieht man nun, wie falsch es wäre, nur die Außenansicht allein ins Auge zu fassen. Sie ist nur ein Teilaspekt und nicht einmal ein besonders wichtiger. Das Innen, die Lebensschwungkraft selbst, die hinter dem Auf und Ab steht, gilt es zu sehen. „Steigen wir also in unser eigenes Inneres: wir werden einen viel tieferen Punkt berühren, ein viel stärkerer Stoß wird uns zurücktreiben zur Oberfläche. Die philosophische Intuition ist diese Berührung, die Philosophie ist dieser Stoß." Auf das Ganze der Welt gesehen, erscheint das Leben als eine unendliche Woge, die sich von einem Zentrum her ausbreitet. Sie kommt auf ihrem ganzen Umkreis zum Stillstand und tritt dort sozusagen auf der Stelle, bloß mehr leise oszillierend. Einzig an einem Punkt ist das Hemmnis besiegt worden und strömt der Impuls frei aus, im Menschen. Überall sonst wurde das Bewußtsein in eine Sackgasse getrieben, „nur im Menschen hat es seine Straße verfolgt, ins Unbegrenzte setzt der Mensch die Lebensbewegung fort". Der Mensch verkörpert zwar nicht alles, was Leben heißt. Auf anderen Entwicklungslinien sind andere Tendenzen des Lebens vorgedrungen, aber dann liegen geblieben. So z. B. bei den Pflanzen mit ihrem dunklen Bewußtsein und ihrer an die materielle Welt grenzenden Starrheit und dann bei den Tieren, die schon mehr Beweglichkeit haben und wo das Bewußtsein sich den Instinkt schuf, wie bei den Insekten, und den Verstand, wie bei den Wirbeltieren. Erst beim Menschen macht das Bewußtsein sich ganz frei. Das Tier ist noch eingespannt in die Gewohnheiten der Art und seiner Umwelt, der Mensch aber ist unendliche Spontaneität. „Das Ganze der organischen Welt wird zum Humus, aus dem der Mensch selbst ... aufschießen sollte. Die Tiere, so ferne, ja so feindlich sie unserer Art auch sein mögen, sind darum nicht weniger nützliche Weggenossen gewesen, auf die das Bewußtsein ablud, was es an Schutt mitschleppte, Genossen, die ihm ermöglichten, sich im Menschen zu Höhen zu erheben, von denen aus es einen unendlichen Horizont vor sich aufgetan sieht" (Schöpferische Entw. Jena 1930. S. 270). Damit wird die Deszendenztheorie auf den Kopf ge-

Die Lebenswoge

stellt. Die Lehren, daß durch mechanische Akkumulation und Variation organische Gestalten entstehen, betrachtet Bergson als Wundergeschichten. Leben entsteht nur durch Leben. Und das Geringere kann wohl als ein Abfall oder mißglückter Versuch des Höheren verstanden werden, aber nicht umgekehrt. Bergson philosophiert hier im Stile des deutschen Idealismus, wo Schelling auch schon im Materiellen erstarrtes Leben gesehen und erklärt hatte, daß es im Weltprozeß zu Leben und Geist nur kommen konnte, weil schon von Anfang an immer Leben und Geist da waren, das Leben und der Geist, die dann endlich im Menschen ganz zu sich selbst gefunden haben in Freiheit und Schöpfertum. Und um dem élan vital als unendlichem Drang keinerlei Beschränkung aufzuerlegen, lehnt Bergson mit dem Mechanismus auch noch die Teleologie ab, die ja ein Stück Verstand sei. Das Leben und sein Schöpfertum sind die Seele des Seins, und das allein genügt. Die Wirklichkeit „ist“ nicht, sie „wird“ erst (se fait), so wie auch der Mensch nicht ist, sondern wird. Und auch von Gott kann man sagen, daß er ein werdendes Wesen ist, unaufhörliches Leben, reine Tätigkeit, reine Freiheit. Er und nichts anderes nämlich sei jener schöpferische Lebensschwung, von dem alles Sein stammt. Wir begegnen hier großen Problemen, nicht nur jenen, die nach Bergson in Schelers Personalismus und in der Existenzphilosophie auftauchen, die offenkundig von dem für Mensch und Welt geltenden se faisant beeinflußt sind, sondern auch solchen, die nach rückwärts weisen, auf das être capable d'action Leibnizens, den actus purus des Aristoteles und die Problematik um Sein und Bewegung im platonischen Sophistes. Le Roy hat Bergson nicht pantheistisch, sondern theistisch verstanden. H. Meyer (Weltanschauung. 5. Bd.) hat dem zugestimmt. Man vergleiche dazu die Auseinandersetzung mit der Metaphysik Bergsons, die J. Maritain in seinem oben angeführten Werk gibt. Jedenfalls hat Bergson sich persönlich zu einem freien Schöpfergott bekannt. In seinem Testament von 1934 sagt er, daß er sich dem Katholizismus immer mehr genähert habe. „Ich wäre Konvertit geworden, wenn ich nicht seit Jahren die fürchterliche antisemitische Welle hätte herankommen sehen, die sich nun bald über die Welt ergießen wird. Ich habe zu denen stehen wollen, die morgen die Verfolgten sein werden.“

Gott

Die Moralphilosophie Bergsons bildet eine Parallele zu seiner Seinsphilosophie. Wieder haben wir die Scheidung in höheres, freies und in niederes, gehemmtes Leben. Kants Basis der Pflicht ist ihm zu eng. Pflicht sei etwas Mehrschichtiges. Es gebe nämlich zwei Quellen der Moral, die Gesellschaft und den élan d'amour. Die erste liefert die „Moral des geschlossenen Verbandes". Sie besteht wesentlich in den Sitten dieser Gesellschaft (Familie, Sippe, Nation), ist Druck, Unfreiheit, Gesetz, ein Mittel zur Selbsterhaltung der Gesellschaft. Pflichten dieser Art sind eigentlich materielle Notwendigkeiten. Sie gliedern sich den vitalen Interessen ein, die beim Menschen der Verstand verfolgt, beim Tier der Instinkt. Die Moral der geschlossenen Gesellschaft liegt ganz rein vor auf primitiver Kulturstufe, findet sich aber auch noch bei höherer Zivilisation. Die „geöffnete Moral" dagegen ist die der Freiheit, der allgemeinen Menschlichkeit und Liebe. Hier wirken nicht mehr vitale Notwendigkeiten ein, nicht mehr das Gesetz, sondern das Vorbild, also über dem Materiellen und seinem Mechanismus stehende Wertideen. Diese Moral ist darum absolut. Sie entwickelt sich nicht durch Akkumulation und Vererbung von Gattungserfahrungen, wie Spencer angenommen hatte, sondern entsteht durch einen Sprung (élan also wörtlich genommen). In ihr ist wieder das höhere, freie, schöpferische Leben am Werk. Sie ist darum überintellektuell, ist etwas Emotionales, wie alles, was freies schöpferisches Leben ist. Diese höhere Moral verhält sich zur niederen wie die Bewegung zur Ruhe, die Dynamik zur Statik, die Freiheit zum Gesetz, die geöffnete zur geschlossenen Seele. Sie wird vorgelebt durch die großen Heroen, die eben darin ihre schöpferischen, neues Leben zeugenden Intuitionen entfalten: die Weisen Griechenlands, die Propheten Israels, die Leuchten des Buddhismus, die Heiligen des Christentums. Keimhaft schon in der Stoa vorhanden, wurde diese neue Moral vollendet durch das Christentum. Und hier tritt jetzt ihr seelischer Kern rein zutage im Ideal der Liebe. Alle echte Liebe ist schöpferisch. Und darum ist der élan d'amour die Seele der geöffneten Moral. Der Mensch braucht auch die Moral des geschlossenen Verbandes, aber noch mehr braucht er die höhere Moral der Freiheit. Erst durch sie entsteht über dem Herdentier der Mensch. Parallel liegen die Dinge bei der

ββ) Die Wurzeln von Moral und Religion

Gesellschaft

Élan d'amour

Religion

Religion. Es gibt auch hier eine niedere, primitive, die nur vitalen Interessen dient (Beruhigung gegenüber der Furcht) und eigentlich nur „fabulation“ ist, und eine höhere, die in den Mystikern sich offenbart und in der das Finden Gottes in der Liebe der höchste Triumph über die Materie ist. Wieder hat sie sich nicht aus dem Niederen herausentwickelt, sondern ist das Niedere gerade umgekehrt der mißglückte Versuch zu Höherem. Denn nie ist der Weltprozeß kontinuierliche Entwicklung von unten nach oben, wie es die mechanistische Entwicklungslehre will, sondern Leben. Das Leben aber ist schöpferisch. Es macht nur Sprünge, gebiert immer Neues. Wo es sich schöpferisch entfaltet, sind seine Erzeugungen immer Erweise der Freiheit, der Aktivität, des Elans. Wo nicht, haben wir Abfallsprodukte vor uns, nie aber Anfang und Quelle für kommende, mechanisch entstehende, „höhere“ Entwicklungen.

γγ) Eine offene Frage

Bergson hat den Mechanismus und seine blinde Entwicklungslehre gemeistert. Ob dafür aber der reine Dynamismus als solcher wirklich ausreicht? Kann die Dynamik rein als solche auch Formen erzeugen? Und kann insbesondere eine Steigerung der Dynamik in größerer Freiheit ein Besser und Höher im ethischen Sinn erklären? Müßte hiefür nicht eine eigene Sphäre vorausgesetzt werden, die sui generis ist, das Reich der Formen und Werte, um von hier aus das Leben zu mehr als bloßem Leben zu machen? Die Antwort darauf gibt in der französischen Lebensphilosophie Maurice Blondel, in der deutschen Gg. Simmel.

β) Blondel

Maurice Blondel (1861—1949), Professor an der Universität Aix-en-Provence, wäre, wollte man nur nach Zitaten wissenschaftlicher Werke urteilen, ohne größere Bedeutung. Tatsächlich aber war sein Einfluß in Frankreich ein weitreichender und ist ständig im Wachsen begriffen, obwohl die Ideenfülle seiner Werke noch lange nicht erschlossen ist. — Werke: L'action (1893, ²1950); La pensée. 2 Bde. (1934—35), deutsch von R. Scherer: Das Denken. 2 Bde. (1953—56); L'Être et les êtres (1935); L'action. 2 Bde. (1936—37); La philosophie de l'esprit chrétien. 2 Bde. (1944—46); Les exigences philosophiques du Christianisme (1950), deutsch von R. Scherer: Philosophische Ansprüche des Christentums (1954); der wichtige Zeitschriftenartikel Lettre sur les exigences de la pensée contemporaine, en matière d'apologétique et sur la méthode de la philosophie dans l'étude du problème religieux von 1896 jetzt in Les premiers écrits de M.

Blondel (Paris 1956). — Lit.: P. Archambault, Vers un réalisme intégral: l'œuvre philosophique de M. Blondel. In: Cahiers de la Nouvelle Journée. 12 (Paris 1928). H. Duméry, La philosophie de l'Action (Paris 1948). H. Bouillard, Blondel et le Christianisme (Paris 1961; deutsch 1963). — Bibliographie Blondelienne 1888—1951, hrsg. von A. Hayen (Louvain 1953).

αα) „Action"

Blondel und die Lebensphilosophie

Man hat auf Grund äußerer Anklänge der Termini in Blondel nicht selten einen Anhänger des Bergsonismus sehen wollen. Blondels Problemstellungen sind auch tatsächlich angeregt von der allgemeinen Atmosphäre der lebensphilosophischen Bewegung, die sich in den neunziger Jahren überall bemerkbar machte, und Blondel spricht mit in dieser allgemeinen Zeitthematik. Ebensogut kann man aber in seiner Philosophie eine Überwindung der Lebensphilosophie erblicken. Und was speziell sein Verhältnis zu Bergson angeht, so muß man wissen, daß die wesentlichen Konzeptionen Blondels schon bestanden, bevor er noch eine Zeile von Bergson gelesen hatte. Und als er dann nach Erscheinen seiner „Action" (1893) sich mit der Philosophie Bergsons befaßte, seien ihm, wie er selbst erklärt, ihre typischen Begriffe, wie etwa vie, action, intelligence, intuition, so wenig begründet und treffend erschienen, daß er zu Auffassungen gekommen sei, die der „reinen Dauer" und „schöpferischen Entwicklung" geradezu entgegengesetzt waren. Was besagt aber dann das Stichwort action, das Blondel an den Anfang seines Schaffens stellt und das für sein Denken immer bezeichnend bleiben wird? Um den Begriff zunächst negativ zu umgrenzen: action bedeutet kein Bekenntnis zu dem in der radikalen Lebensphilosophie üblichen Irrationalismus. Die action ist weder blind noch reiner Wille noch der Vernunft (intelligence) gegenüber äußerlich, widerspenstig und undurchdringlich: „Weit entfernt ..., die action dem Erkennen entgegenzusetzen und darin etwas Alogisches zu sehen, bin ich der Ansicht, daß einerseits das Erkennen ein Teilausschnitt davon ist ... und daß andererseits der Fortschritt des Denkens den Fortschritt der action bedingt und bestimmt." Damit haben wir nun bereits eine positive Aussage über den Sinn der action vernommen: die action ist das Umfassendere, rationales Denken ist nur ein Teilausschnitt davon. Blondel will noch über das Denken hinausgreifen und es in einer größeren Ganzheit gründen lassen.

Quelle geistigen Lebens

„Ich studiere in der action das, was den einzelnen Gedanken selbst noch hervortreibt und entwickelt. Das Denken steht nicht am Anfang, ist nicht ausschließlich Repräsentation oder Licht; es ist eine Kraft, ein Drängen und Treiben im Dynamismus des geistigen Lebens, und darum muß man in jedem Gedanken die Bedingungen studieren, aus denen er hervorgeht, die Tendenzen, die er ausdrückt, die Resultate, die er erzeugt und die seine Endursache sind." Man sieht, es geht Blondel um das Ganze des geistigen Lebens, um das, was es im Innersten zusammenhält und das Ganze als Ganzes und in allen seinen Teilen hervortreibt. Unter action muß man darum, wie Duméry sagt, einfach das geistige Leben verstehen, und zwar in seiner Quelle und der Vollständigkeit seiner Entfaltung. Er heißt diese Philosophie einen intellectualisme intégral und findet dabei Blondels Zustimmung. Es dürfte also klar sein, daß wir es nicht mehr mit der herkömmlichen Lebensphilosophie zu tun haben, aber auch nicht mehr mit der seit Kant üblichen Erkenntniskritik. Es liegt vielmehr eine Erkenntnismetaphysik spezieller Art vor. Blondel operiert nämlich nicht, wie es sonst in der Erkenntnistheorie geschieht, von einem bestimmten Wissensstandpunkt aus, der selbst nicht mehr zum Problem wird, sondern wieder eine Voraussetzung bleibt, wie das etwa beim Rationalismus, Idealismus, Positivismus, Sensualismus der Fall ist. Bei Blondel ist auch die philosophische Reflexion selbst in die Feststellungen miteinbezogen, die über Sein und Geist getroffen werden. Welche Feststellungen? Blondel sieht allüberall in Sein und Geist die Unzulänglichkeit, das Sehnen nach mehr und das Drängen auf Besseres hin. Es gibt in der Welt keinen Stillstand, weil es nichts Vollkommenes in der Welt gibt. Dieses allgemeine Scheitern gewahrend, gewahren wir eben damit aber auch unser eigenes Scheitern. Und damit enthüllt sich uns nun das Herz aller Dinge. Unsere existentielle Unvollkommenheit bildet die Quelle des geistigen Lebens. Hier eröffnet sich uns die Triebfeder von allem: das unstillbare Vorwärtsdrängen, das Immer-sich-selbst-je-schon-voraus-sein, um einen Ausdruck Heideggers zu verwenden, das „die Wege des Aufstiegs für Leben und Denken" erschließt. Und das ist nun die action. Taucht damit nicht doch wieder der von den Irrationalisten so vielgerufene Drang auf? Er ist da,

Existentielle Erkenntnismetaphysik

aber er ist nicht blind. Das ist der Unterschied. Das menschliche Subjekt ist nach Blondel verwurzelt im Universum. Der Geist erhebt sich aus Schichten, die unterhalb seiner liegen und entflicht mehr und mehr, was dort, zwar noch unklar und verworren, aber immerhin doch schon gegeben war. Wir haben ein einziges Streben zum Licht; zunächst von der Natur zum Leben, von da zum Geist und von hier zu Gott. Erste Aufgabe einer Philosophie der action ist darum die Erhellung dieses Ursprungs der Ordnungen des Geistes und der Werte in der Natur selbst. Eine zweite hängt eng damit zusammen, die Enthüllung des Inseins der pensée in der action und der action in der pensée. Blondel spricht von geltenden Ordnungen, wie wir sehen. Er redet sogar von einer pensée cosmique. Die logischen, ontischen, ethischen Ordnungen werden also hier nicht in eine allgemeine Relativität des nur Geschichtlichen hineingezogen, die in der radikalen Lebensphilosophie alle Wesenheiten zu zersetzen pflegt. Das Drängen Blondels, das in der action auftaucht, liegt in einer anderen Linie. Es gehört zu jenem Drang, den Aristoteles im Auge hatte, wenn er davon sprach, daß die Materie sich nach der Form sehne, oder den Platon meinte, wenn er sagt, daß alles sein will wie die Idee, sie aber doch nie erreiche, oder den Augustinus und das Mittelalter anzielten mit ihrer Rede vom desiderium naturale aller Dinge nach Gott, der veritas prima und Form aller Formen. Auf der anderen Seite wird aber auch dem geschichtlichen Werden sein Recht gegeben, weil der Mensch die ewige Wahrheit nicht uno intuitu erschaut, sondern die Zeit braucht, in der sie sich nach und nach enthüllt, so daß er prinzipiell immer mit mehr Wahrheit rechnen muß, immer zur action aufgerufen ist und nie zu früh von ewigen Wesenheiten sprechen soll, die es wohl gibt, die er aber vielleicht noch nicht hat. Eine höchst bemerkenswerte Synthese einer Philosophie der Wesenheiten und einer Philosophie der Geschichte!

Pensée cosmique

Sein in der Zeit

Der Frage des Geschichtlichen ist Blondel besonders nachgegangen in seinem Werke La pensée. Die Welt i s t für ihn nicht, sondern sie w i r d. Wohl hält sie nach dem Gesagten ein einheitlicher Rahmen zusammen, die Ordnungen, die schließlich in der Form der Formen gründen. Aber von Einheit könne nur geredet werden, wenn man anderseits auch

ββ) Entwicklungsgeschichte des Geistes

das Viele, Verschiedene, die Bewegung und Entwicklung sehe. Die Welt dürfe nicht gedacht werden als ein sattes, sich selbst genugsames, immer mit sich identisches Sein. Sie hat ihre Geschichte, und in ihr erst kommt das Sein zu sich selbst. Blondel spricht dabei von einem Aufstieg, und er verfolgt ihn zunächst im Bereich des kosmischen, dann des psychischen und endlich des geistigen Seins. Der gemeinsame Nenner ist immer die Sehnsucht nach der Vollendung. Man kann auch hier sagen, daß die ganze Kreatur seufzt und in Geburtswehen liegt, bis der göttliche Gedanke, durch den ihr Leben empfangen wurde, ausgereift und zu sich selbst gekommen ist. Man wird, obwohl Blondel den Idealismus ablehnt, stark an Schelling erinnert.

γγ) Die Philosophie und der Geist des Christentums

Auch das erinnert an Schelling — und dazu noch an Solowjew —, daß Blondel zu einer Philosophie der Offenbarung fortschreitet. Und er erweist sich hier als einer der größten katholischen Religionsphilosophen. Es ist ihm ein besonderes Anliegen, die Lehren der Offenbarung unserer Zeit wieder nahe zu bringen. Die Religion habe heute wieder eine Kulturmission zu erfüllen, wie sie das schon zur Zeit der Patristik getan habe. Angesichts des modernen Nihilismus bilde die Fruchtbarmachung der christlichen Weltanschauung geradezu eine existentielle Notwendigkeit. Aber mehr noch als diese Tendenzen treiben zwei innere Gründe zur Ausbildung einer Philosophie der Offenbarung: die Philosophie der action, die Zeit und Geschichte wieder in ihre Rechte einsetzt, wird von selbst zu einer Philosophie des Konkreten, so wie auch bei Schelling die positive Philosophie sich in dem Moment einstellte, wo er sich der Philosophie der Freiheit zugewandt hatte; und dann eignet der action von Anfang an der Sinn zu transzendieren. Die Natur soll durch die Übernatur, Sokrates durch Christus, die antiken Kardinaltugenden durch die theologischen Tugenden überhöht und ins Unendliche gesteigert werden. Darum braucht die Philosophie die religiöse Dimension. Sie wird dadurch nicht zur Theologie, nicht zur fides quaerens intellectum, sondern bleibt intellectus quaerens intellectum, aber media fide, wie man gut gesagt hat. Sie schnürt sich jedoch nicht künstlich selbst ab, wie das die sogenannte voraussetzungslose Philosophie, ihren Standpunkt verabsolutierend, zu tun pflegt, sondern ist offen nach allen Seiten, auch nach dem Transzendenten. Oft genug ist ja gesehen worden, daß das natürliche Licht nur leuchtet dank der Teilhabe am ungeschaffenen Licht, alles Zeitliche ein Abglanz des Ewigen ist, alles Unvollkommene nur eine Minderung des Vollkommenen. Und so ist auch für Blondel der Mensch in Raum und Zeit immer schon unterwegs zur Ewigkeit, hat die menschliche Gemeinschaft ihren wahren Sinn in der Gemeinschaft der Heiligen, soll die Kirche nicht eine Summe von Christen, sondern der totale Christus sein, und erhält die menschliche Person ihren Vollsinn erst in der „theandrischen Symbiose", d. h. in der Einwohnung der Dreifaltigkeit. Jetzt erfüllt die action ihre Aufgabe ganz: der Mensch spielt eine entscheidende Rolle mit in der Heimholung der Welt zu Gott, was der Sinn der Weltgeschichte sei; denn dem Menschen komme nicht nur eine „noetische" Aufgabe zu, d. i. die nur im Theoretischen verweilende wissenschaftliche Analyse, sondern auch eine „pneumatische", d. i. die Synthese der zum schließlichen Ganzen eilenden Teile, und es wird mit Bossuet Wehe über eine Philosophie gerufen, die nicht zum Lieben und Handeln führe und nicht mehr um ein letztes Ziel aller Geschichte wisse. So endet der Weltprozeß, wo er begonnen, als eine Bewegung vom Absoluten zum Absoluten. Wieder denken wir, rückwärts schauend, an Schelling und Solowjew, aber auch an Eckhart und Cusanus. Schauen wir aber nach vorwärts, so läßt sich wohl sagen, daß der Blondel, der, wie man unschwer einsieht, die ganze Tradition der abendländisch-christlichen Philosophie aufgearbeitet hat, zugleich ungemein modern ist und geradezu wegweisend werden kann zur Lösung der lebensphilosophischen und existenzphilosophischen Problematik.

b) Geisteswissenschaftliche Lebensphilosophie in Deutschland

Die deutsche geisteswissenschaftliche Lebensphilosophie faßt das Leben nicht in seiner kosmischen Breite wie der Bergsonismus, sondern beschränkt sich, den Warnungen Kants vor aller Metaphysik Gehör schenkend, auf das Leben und Erleben des Menschen und der Menschheit in ihrer Geschichte.

Der bedeutendste Vertreter dieser Art von Lebensphilosophie α) Dilthey
ist Wilhelm Dilthey (1833—1911) gewesen, Professor in Basel,

Kiel, Breslau und schließlich auf dem Lehrstuhl Lotzes in Berlin. Er will das Leben aus dem Leben selbst verstehen, ohne Übergriff auf eine „höhere" Sphäre, auf die Metaphysik oder ein absolutes Wertreich. Mit eben dieser Beschränkung auf das Leben allein zeigt sich die typische Lebensphilosophie. Dilthey muß entsprechend seinem Ansatz zum Psychologen werden und zum Historiker der Geisteswissenschaften. Er ist beides in einem ausgezeichneten Maße gewesen. — Werke: „Einleitung in die Geisteswissenschaften. Versuch einer Grundlegung für das Studium der Gesellschaft und der Geschichte" (1883); „Ideen über eine beschreibende und zergliedernde Psychologie" (1894); „Die Entstehung der Hermeneutik" (1900); „Das Erlebnis und die Dichtung" (1905); „Der Aufbau der geschichtlichen Welt" (1910); „Die Typen der Weltanschauung" (1911) u. a. — Gesammelte Schriften. 12 Bde. (1913 ff., [2]1959). Auswahl: W. Dilthey, Die Philosophie des Lebens. Eine Auswahl aus seinen Schriften. Besorgt von H. Nohl. Mit einem Vorwort von O. Bollnow (1961). — Lit.: L. Landgrebe, Diltheys Theorie der Geisteswissenschaften (1928). A. Degener, Dilthey und das Problem der Metaphysik (1933). R. Dietrich, Die Ethik W. Diltheys (1937). J. Englhauser, Metaphysische Tendenzen in der Psychologie Diltheys (1938). O. Bollnow, Dilthey ([2]1955). A. Diwald, W. Diltheys Erkenntnistheorie und Philosophie der Geschichte (1963).

αα) Strukturpsychologie

In der Psychologie hat Dilthey den Begriff des „Verstehens" geschaffen. Er nimmt Stellung gegen die „erklärende" Psychologie, die, an den Naturwissenschaften und ihrer generalisierenden, schematischen Methode orientiert, gerade das Eigentümliche der lebendigen Seele verkennt, das Einmalige der spezifischen Gestalt. Wie Bergson mit seinem Begriff der Dauer an die Stelle des naturwissenschaftlichen Nebeneinanders der Teile einer Summe das Ineinander des lebendigen Ganzen setzt, wo das einmal vorhandene Leben in seiner Eigenart alles neu zu Erlebende durchdringt und von sich aus nun individuell prägt, will auch Dilthey das psychische Leben verstehen von dem einmaligen Boden her, aus dem es erwächst. Auch Dilthey ist darum Gegner der mechanisierenden Assoziationspsychologie und verweist auf ein neues, in ihrem summistischen Verfahren übersehenes, aber in Wirklichkeit grundlegendes psychisches Element, die „Struktur". Sie durchdringt die psychischen Tatsachen und gestaltet ihren Aufbau. Wie ich im gegenwärtigen Augenblick meine Vorstellungsinhalte erlebe, hängt ab von dem „Bewußtseinsstand", der sie aufnimmt (Struktur im Querschnitt), und wie ich meine Zukunft in mich aufnehme und erlebe, hängt wieder ab von meinem Bewußtseinsstand als der gesamten Unterlage, von der aus ich handle (Struktur im Längsschnitt). Dieser Bewußtseinsstand wird selbst auch erlebt, gewöhnlich als eine besondere Gefühlslage oder eine bestimmte Willenshaltung. Diesen Bewußtseinsstand, die Struktur eines Menschen, sehen, heißt allein einen Menschen wirklich seelisch verstehen. In der Geschichte der Geisteswissenschaften entspricht dieser Struktur der geistesgeschichtliche „Typus". „Wie Sprachen, Religionen, Staaten vermittels der vergleichenden Methode gewisse Typen, Entwicklungslinien und Regeln der Umwandlung erkennen lassen, so kann auch in den Weltanschauungen dasselbe aufgewiesen werden." So haben wir z. B. in der weltanschaulichen Metaphysik den Typus des Naturalismus, des Idealismus der Freiheit und des objektiven Idealismus. Von diesen Typen aus lassen sich die geistesgeschichtlichen Erscheinungen „verstehen". Sie gehen nämlich durch die historisch bedingte Singularität des Einzelnen hindurch und bringen immer wieder neue, ihnen entsprechende weltanschauliche Konzeptionen hervor. Es sind Formen des Lebens selbst. Das Leben ist es, das in ihnen am Werk ist. Man erinnert sich an Hegel und seine Erhellung des geschichtlichen Werdeprozesses durch den Aufweis der Gestalten des objektiven Geistes. Während aber für Hegel alles Einzelne wieder aufgehoben wurde im Ganzen und so vom Absoluten her einen bleibenden Sinn erhielt, geht Dilthey über das Einzelne nicht mehr hinaus. Er wollte durch die Geistesgeschichte erfahren, was der Mensch überhaupt sei, aber er fand nur Einzeltypen, eine Fülle von Standpunkten, in denen das geistige Leben zwar seinen Reichtum, aber nicht einen übergreifenden, ganzheitlichen Sinn offenbarte. Für Hegel gab es ein Absolutes, für Dilthey gibt es nur den Relativismus. Dilthey gehört zu den Männern des Historismus, der typisch relativistisch dachte. Seine Lebensphilosophie gibt die Erklärung dazu. Wo nur Leben vorliegt und dieses nur als weiterströmende Zeit gefaßt wird, ist alles einmalig. Immer Neues wird erzeugt, aber nichts Allgemeinverbindliches, sondern Standpunkt über Standpunkt. „Wo sind die Mittel, die Anarchie der Überzeugungen, die hereinzubrechen droht, zu überwinden?" hat er einmal

ββ) Verstehende Geistesgeschichte

γγ) Relativismus

δδ) Nachwirkungen

gefragt. So war Dilthey mit dem Problem des Relativismus nicht fertig geworden. Aber seine geisteswissenschaftliche Methode der verstehenden Struktur- und Typenforschung hat sich als äußerst fruchtbar erwiesen. Es arbeiten in seinem Sinn Gg. Misch, B. Groethuysen und vor allem Ed. Spranger, der mit seinem Werk „Lebensformen" (1921) auf Psychologie und Charakterkunde gleich anregend gewirkt hat. Ohne die lebensphilosophische Basis zu übernehmen, arbeiten nach der Diltheyschen typologischen Methode auch Hans Leisegang in seinen „Denkformen" (1928) und Al. Dempf in seiner „Selbstkritik der Philosophie" (1947) und seiner „Theoretischen Anthropologie" (1950). Und bei den letztgenannten Denkern sieht man nun auch, wie die Typologie nicht ohne weiteres ein Bekenntnis zu einer relativistischen Logik zu sein braucht; denn beide versuchen eine emundatio intellectus: mit der Erkenntnis der Relativität gewisser geistiger Formen soll gerade verhindert werden, daß man beim nur Relativen stehen bleibt, es auf Gebiete überträgt, zu denen es ohne Bezug ist, oder womöglich sogar für das Ganze hält. Die Erkenntnis der Begrenzung soll der Anfang sein auf dem Wege zum Ganzen.

β) Simmel

Zur lebensphilosophischen Grundproblematik, der Relativismusfrage, über die Dilthey nicht Herr wurde, hat ein anderer Lebensphilosoph, Georg Simmel (1858—1918), das klärende Wort gefunden. Wenn Leben wirklich nur ein Strömen sein soll, in dem jeder Augenblick einmalig ist und schlechthin nichts Gleichsinniges sich findet, weil eben alles unwiederholbar vorüberzieht, dann ist es überhaupt nicht zu fassen, und es würde sich erübrigen, darüber zu reden. Simmel durchschaut, daß der radikale relativistische Ansatz der Lebensphilosophie falsch sein muß. Wenn das Leben uns gegeben sein soll, sagt er sich, dann muß es auch im Prozeß etwas Bleibendes enthalten, die Form. „Leben, an sich formlos, kann nur als geformtes zum Phänomen werden." Leben muß darum „mehr als Leben" sein, muß gerade das enthalten, was die Lebensphilosophie mit ihrem „Alles fließt" zunächst immer verpönt hatte, das Maß und die Norm. Was ja auch Heraklit schon gesehen hatte, wenn er das Urfeuer sich nach Maßen entzünden ließ und über alles reine Werden den Logos setzte.

Auch Rudolf Eucken (1846—1926), Professor in Basel und Jena, der sich zeitlebens mit den Problemen des Lebens beschäftigt hat — „Die Einheit des Geisteslebens in Bewußtsein und Tat der Menschheit“ (1888); „Der Kampf um einen geistigen Lebensinhalt“ (1896); „Der Sinn und Wert des Lebens“ (1908); „Einführung in eine Philosophie des Geisteslebens“ (1908); „Erkennen und Leben“ (1912); „Mensch und Welt, eine Philosophie des Lebens“ (1918) —, erkennt ähnlich wie Simmel, daß die radikal relativistische Fassung von Leben nicht genügt und daß Leben in Beziehung gesetzt werden muß zu einer höheren, übersubjektiven, geistigen Welt, die uns als ein Ziel unseres Lebens „aufgegeben“ ist, die das Ganze und das Absolute bedeutet, das Göttliche. γ) Eucken

Und ähnlich hat Ernst Troeltsch (1865—1923), Professor in Heidelberg und Berlin, das Menschenbild, obwohl er in seinen soziologischen Studien den Relativismus und Historismus trotz vieler Versuche nicht überwinden konnte, doch nicht einfach den ewig wechselnden Standpunkten ausgeliefert, sondern wenigstens von der Religion her Halt und Wahrheit gesucht, indem er ein religiöses Apriori annahm. Die Hauptbedeutung von Troeltsch liegt denn auch auf religionsphilosophischem Gebiet. δ) Troeltsch

c) Naturalistische Lebensphilosophie

Für den naturalistischen Typ der Lebensphilosophie bildet Nietzsche den Anreger, freilich ein einseitig ausgelegter Nietzsche. Was in unserem Jahrhundert als unmittelbare Nietzsche-Bewegung betrachtet werden kann, wurde oben schon besprochen (S. 521 ff.). Hier sind noch die zwei selbständigeren Vertreter einer naturalistischen Lebensphilosophie zu behandeln, die Nietzsche ins Biologistische gewendet haben, Spengler und Klages.

Oswald Spengler (1880—1936), zuletzt als freier Schriftsteller in München lebend, war nach dem ersten und zweiten Weltkrieg in aller Munde durch seinen „Untergang des Abendlandes“. Das Werk will, wie der Untertitel sagt, eine Morphologie der Weltgeschichte sein. Geschichte ist eine Erscheinung des Lebens und habe wie alles Lebendige typische Formen, und die Formen könnten wieder untereinander verglichen werden, was dann zu Feststellungen gleichlaufender α) Spengler αα) Untergang des Abendlandes Morphologie

Gesetzlichkeiten führe, so daß man schließlich auf dieser Grundlage vom Vergangenen her Voraussagen machen könne über das Kommende. Spengler unterscheidet acht große Kulturgestalten, wovon besonders seine Darstellung der antiken Kultur als einer Erscheinungsform des appollinischen Seelentums, der abendländischen Kultur als einer Erscheinungsform des faustischen und der arabischen Kultur als einer Erscheinungsform des magischen Seelentums interessieren. Immer sind ihm die Kulturen lebendige Organismen, die aufblühen, welken und sterben und auf die man sogar die Begriffe Frühling, Sommer, Herbst und Winter anwenden könne. Diese biologische Einstellung bringt es mit sich, daß Spengler das Christentum nicht als gewachsene Kultur betrachten kann. Es wird wie auch andere Ideologien aufgeteilt auf die lebendigen Träger, die es erst ermöglichen. So umfaßt z. B. die arabische Kultur Judentum, Urchristentum, Kirchenväter, Neuplatonismus und Islam. Die Prophezeiung des Unterganges des Abendlandes stützt Spengler nun auf einen Vergleich unserer heutigen Kultur mit bereits untergegangenen Kulturen. Die dort zu beobachtenden Verfallserscheinungen seien auch in der abendländischen Kultur schon da: Überwiegen des Rationalismus und der Technik (bei allen Kulturen stehe die Technik am Ende; sie sei Geist und nicht Leben), Entstehung der Großstädte, des Kosmopolitismus, der Demokratie, der Humanitätsidee, des Pazifismus, der Menschenrechte und der Bruderliebe. Spenglers Werk gliedert sich ein in die große Reihe moderner Geschichtsphilosophien, die von G. B. Vico (dessen Autobiographie V. Rüfner 1948 im Occident-Verlag, Zürich, herausgegeben hat) über Lessing, Herder, Hegel, Marx bis Toynbee und Jaspers reichen. Bei Spengler sind aber die einzelnen Kulturerscheinungen nicht mehr wie bei Hegel sinnvoll in einem Absoluten aufgehoben, er stellt auch nicht wie Marx alles gesellschaftlich-geschichtliche Leben unter ein einziges Gesetz, noch hegt er den allerdings auch schon sehr verdünnten „philosophischen Glauben“ an den Menschen, der bei Jaspers immer noch ein Ganzes zusammenhält. Spengler, der Mathematiker, verfällt in das andere Extrem: er sieht nur noch das fließende Leben, entwirft kühne Analogien und bedient sich einer Methode, die man gut als „intuitionistisch-dogmatische Typologie“ (A. Wenzl) bezeichnet hat. Ist schon

Voraussage

Methode

der Analogieschluß überhaupt mit Vorsicht zu gebrauchen und ist es äußerst fraglich, ob die Betrachtung der Kulturen nach biologischen Gesichtspunkten nicht mit unzureichenden Kategorien arbeitet, so steigert sich bei Spengler die Unsicherheit seiner Thesen noch besonders durch die von ihm beliebte, höchst persönliche, ja willkürliche, mystisch-genialische Sicherheit, mit der er seine Schauungen hinstellt. Und doch nahm er für sein Werk wissenschaftliche Exaktheit in Anspruch. Die Einzelforschung hat eine Menge seiner Sätze widerlegt, und heute steht ihm in Toynbees „Gang der Weltgeschichte" ein Werk gegenüber, das wirklich auf exakter Forschung beruht. Spengler hat trotzdem großen Eindruck gemacht; teils weil er manches sehr gut gesehen hat, teils weil sein Kulturpessimismus der allgemeinen Zeitstimmung begegnete, teils auch weil seine schriftstellerische Vitalität von großer Suggestivkraft war. Der allgemeine philosophische Untergrund der Spenglerschen Weltanschauung ist ein brutaler Biologismus. Das Leben, das die geschichtlichen Prozesse hervortreibt, ist nicht mehr wie bei Hegel die Idee oder bei Bergson ein élan vital, sondern eine Vitalität im Sinne von Brutalität. „Es handelt sich in der Geschichte um das Leben und immer nur um das Leben, die Rasse, den Triumph des Willens zur Macht, und nicht um den Sieg von Wahrheiten, Erfindungen oder Geld. Die Weltgeschichte ist das Weltgericht: sie hat immer dem stärkeren, volleren, seiner selbst gewisseren Leben Recht gegeben, Recht auf das Dasein, gleichviel ob es vor dem Wachsein recht war, und sie hat immer die Wahrheit und die Gerechtigkeit der Macht, der Rasse geopfert und die Menschen und Völker zum Tode verurteilt, denen die Wahrheit wichtiger war als Taten und Gerechtigkeit wesentlicher als Macht" (Schluß des 2. Bandes). Das war jetzt die ungeschminkte Biologisierung Nietzsches. ββ) **Biologismus**

Werke und Literatur

„Untergang des Abendlandes". 2 Bde. (1918—22); „Der Mensch und die Technik" (1931); „Jahre der Entscheidung" (1933) u. a. — M. Schroeter, Der Streit um Spengler (1922). Ders., Metaphysik des Untergangs (1949).

Ludwig Klages (1872—1956) ging aus dem George-Kreis hervor und war lange in München. Seit 1919 lebte er in der β) **Klages**

Schweiz. Sein Hauptwerk „Der Geist als Widersacher der Seele" zeigt schon im Titel, daß sein Verfasser ein Verteidiger des Lebens gegen die zerstörende Tätigkeit des Geistes sein will.

αα) Verbesserung Nietzsches

Klages glaubt, Nietzsche ganz zu Nietzsche gemacht zu haben, indem er den Begriff des Lebens wieder so hergestellt habe, wie Nietzsche ihn ursprünglich konzipiert hatte. Was Leben ist, habe Nietzsche nämlich nur dort richtig gesehen, wo er vom Dionysischen sprach, vom Orgiastischen, von der

Leben (Seele)

großen zeugenden Mutter Erde, die den ungeheuren Lebensstrom aus sich entläßt, der alles in sich einbezieht, was atmet, und in dessen ewigen Rhythmen auch der Mensch sich verlieren müßte. „Vom kosmogonischen Eros" heißt der Titel eines seiner Werke. Dieses Leben ist das Leben der „Seele"; es ist „unbewußt" wie das Leben der Pflanzen, Tiere, des Kleinkindes und der Primitiven, die nicht denken, sondern sich dumpf treiben lassen, spielend, tanzend und träumend. Im Symbol des Dionysischen habe Nietzsche diese geistfreie, reine Vitalität klar im Blick gehabt. Aber dann habe Nietzsche mit seinem Willen zur Macht sich selbst wieder alles verdorben, weil im Willen zur Macht der „Geist" auftauche. Und so will Klages Nietzsche verbessern, indem er das Leben rein biologisch nimmt und ein Menschenbild entwirft, das nur noch das Erdhafte, das Blut, das unbewußte Leben positiv wertet und echt romantisch — Klages ist stark von Bachofen beeinflußt — das Herz, die Instinkte, die Sinnlichkeit, die Neigung, das Gefühl, das Mutterhafte, Weibliche, Pathische, kurz: „das Unbewußte" ausspielt gegen die Bewußtheit, gegen den Kopf, den Geist, den Intellekt, den Wil-

Geist

len, die Pflicht, das Männlich-Aktive. Was Geist ist, könnten wir schon in der Mathematik und Technik, in der Logik und in allem begrifflich schematischen Denken feststellen. Hier schneidet der Geist immer ins Leben. Seine begrifflichen Unterscheidungen zerstören die lebendige Ganzheit, nehmen der Wirklichkeit Fülle und Farbe und pressen sie in ein allgemeines Schema. Man hört deutlich Bergson. Beide, der Franzose und der Deutsche, stehen gegen Descartes' Auflösung des Seelischen in lauter Bewußtsein (cogitatio). Beide rufen wieder die Seele, das Leben. An die Stelle der „logozentrischen" tritt die „biozentrische" Einstellung. Klages bestreitet, daß der Verstand die „Wirklichkeit" erkenne. Er schafft sich nämlich mit seinen Begriffen eine eigene Welt, die der „Gegenstände“, die lauter künstliche Abstraktionen sind. Nur sie werden von ihm wiedererkannt. Die echte Welt der „Wirklichkeit“ müsse aber „erlebt“ werden, sie sei eine „Welt der Bilder“, bestehe in „fluidalen Schauern“, deren Rhythmus uns ergreift und mitnimmt und wo wir im kosmischen Getragensein erst erfahren, was Leben ist (Leben = Widerfahrnis). Alle diese Ströme des Lebens zerstöre der Geist, und er verschandle, vor allem mit seinem Macht- und Besitzwillen, auch noch die paradiesische Unschuld der Natur, die unter den Händen des technischen Menschen zum Ausbeuteobjekt wird, wie es der Geist überhaupt in Technik, Wirtschaft, Zivilisation und Politik am schlimmsten treibe. Auch Klages stellt eine düstere Prognose: Die Erde wird am Geist untergehen, um die Formulierung seines Freundes Th. Lessing († 1934) zu gebrauchen. Metaphysisch gesehen, sei der Geist durch einen kosmischen Unglücksfall in die Welt gekommen. Historisch gesehen, tauche in der abendländischen Geschichte der Geist erstmals auf bei Anaxagoras. Bei Sokrates, Platon und Aristoteles sucht er bereits eine „höhere Welt“ zu begründen, den Kosmos noëtos. Es gebe zwar auch in China und Indien weltflüchtige Haltungen, aber in ungeheurem Ausmaß verstärkt worden sei der Geist durch das Christentum, dessen höchstes Wesen reiner Geist ist. Diesen ganzen Geist will Klages ablehnen. Es gehört nicht sehr viel Scharfsinn dazu, um zu erkennen, daß er das Kind mit dem Bade ausschüttet. Die Unterlagen, die ihn berechtigen, im Geist einen Feind des Lebens zu sehen, sind vom Ungeist hergenommen. Darnach nur hat Klages sein ganzes Bild vom Geist gestaltet. Es ist ein Zerrbild. Das hat denn auch die Kritik immer wieder hervorgehoben. Klages hat sich damit verteidigt (Schluß seines Hauptwerkes), daß er mit der Beschuldigung, der Geist töte das Leben, auch nur den entarteten Geist habe treffen wollen. Tatsächlich spricht er aber immer von dem Geist überhaupt. Klages spricht genauso unexakt wie Nietzsche, den er im übrigen, wie man aus seiner Fassung von Geist und Leben sieht, nicht verbessert, sondern nur verbösert hat.

Zerrbilder

ββ) Die psychologischen Errungenschaften Nietzsches

Klages hat Nietzsche noch besonders unter psychologischen Gesichtspunkten studiert: „Die psychologischen Errungenschaften Nietzsches.“ Er ist der Anschauung, daß mit Nietzsche die Seelenforschung überhaupt erst begonnen habe. Die Hauptleistung der Psychologie Nietzsches sei ihre Entlarvungskunst, ihre Technik, die Täuschung der christlichen Askese und Moral aufzudecken. So hebt Klages hervor, daß nach Nietzsche die Nächstenliebe nur Ehrgeiz sein kann oder Furcht oder Ohnmacht oder Berechnung oder Selbstgenuß der eigenen Macht und Herrlichkeit beim Austeilen seiner Gnaden. Das ganze Christentum und seine Askese sei so zu verstehen; also wieder vom Ungeist her. Im übrigen ist die Entlarvungstechnik Nietzsches inzwischen auf ihn selbst und seine Theorie vom Christentum als Sklavenaufstand, Lebensneid und Ressentiment angewendet worden mit dem Erfolg, daß sich zeigen ließ: „Das Ressentiment, das er zum Teil selber empfand, wird in seinen Gegenstand hineinprojiziert ... Der gewalttätige, erobernde Barbar, der vornehme, sensible Aristokrat, der tiefsinnig-melancholische Einsiedler, der sanftmütige, heitere Jesus, der schwache, rachsüchtige Christ: sie alle sind Nietzsche, Teile seines komplexen, vielspältigen Wesens, getrennte Fragmente seiner reich angelegten Persönlichkeit, deren Integration ihm niemals gelang" (Reyburn-Hinderks, Fr. Nietzsche. 1947. S. 396).

γγ) Charakterkunde

Klages hat die Scheidung von Leben (Seele) und Geist zur Grundlage seiner ganzen Psychologie und besonders seiner Charakterkunde gemacht. Er hat auf diesem speziellen Forschungsgebiet Bedeutendes geleistet. Daß Psychologie heute Tiefenpsychologie sein kann, Ausdruckspsychologie und zur Charakterkunde ausgebaut werden konnte, ist wesentlich mit sein Verdienst. Die praktische Auswertung seiner Psychologie, z. B. in der Psychotherapie, sollte die allgemeinphilosophischen Grundlagen seiner Lehre nicht übersehen. Der Begriff der Enthemmung etwa kann, wenn man sich dabei ganz an Klages hält, von Normen enthemmen, die nach Klages zwar geistige Stacheldrähte sind, in Wirklichkeit aber echte Werte bedeuten.

Werke und Literatur

„Die Grundlagen der Charakterkunde" (^{11}1951); „Handschrift und Charakter" (1916, ^{24}1956); „Zur Ausdruckslehre und Gestaltungskraft"; Ges. Abhandlungen (1926); „Vom kosmogonischen Eros" (1922, ^{4}1941); „Die psychologischen Errungenschaften Nietzsches" (1926, ^{3}1958); „Der Geist als Widersacher der Seele". 3 Bde. (1929 bis 1933, [3]1953); „Die Sprache als Quell der Seelenkunde" (1948). Sämtl. Werke, hrsg. von E. Frauckiger (1964 ff.). — H. Kasdorff, L. K. Werk und Wirkung. Kommentierte Bibliographie I (1969), II (1974).

Arnold Gehlen (geb. 1904) hat in seinem Werk die Kultur, die der Mensch schafft, zwar der Natur entgegengestellt, aber der Gegensatz dürfte auflösbar sein, weil das „handelnde Erkennen" im kulturellen Raum auch bei ihm letztlich doch von den Antrieben der Natur gesteuert wird. Angesichts eines beim Menschen bestehenden „Überschusses von Antrieben" und eines gleichzeitigen Mangels an sicheren Instinkten räumt Gehlen in seinem Hauptwerk „Der Mensch, seine Natur und seine Stellung in der Welt" (1940, [9]1971) dem Geist eine Sonderstellung ein: Er ist weltoffen, flexibel, variabel, schafft dadurch Ordnung und wird so zur Kulturmacht. Da der Geist aber ganz den Lebensbedürfnissen dienstbar bleibt im Sinne des amerikanischen Pragmatismus, dürfte diese Kultur schwerlich mehr als Natur sein. γ) Gehlen

2. DIE PHÄNOMENOLOGIE

Mit der Phänomenologie setzt genau zu Beginn unseres Jahrhunderts, mit dem Erscheinen nämlich von Husserls Logischen Untersuchungen (1900), eine philosophische Bewegung ein, die sofort ein Charakteristikum offenbart, das der Philosophie des 20. Jahrhunderts im Unterschied zum 19. Jahrhundert eigentümlich ist, die vielgenannte Wende zum Objekt und zum Wesen. An sich besagt Phänomenologie nur eine Methode, die Vorschrift nämlich, die Sache selbst in ihrem Wesensgehalt aufscheinen zu lassen mit Hilfe eines sich in die jeweiligen philosophischen Gebiete sachgetreu einfühlenden Schauens und Aufdeckens. Darum das Motto der Schule: Zurück zu den Sachen selbst! Es ist zu verstehen aus der Unzufriedenheit mit dem oft vergewaltigenden Verfahren der Systeme und Schulen, die häufig genug nur die Hausmachtpolitik ihrer Standpunkte und Terminologien weiterspinnen mußten, statt unvoreingenommen die Dinge selbst sprechen zu lassen. Diese neue methodische Besinnung war von markanter Bestimmtheit und doch wieder so offen, daß sie überall Aufnahme finden konnte. Tatsächlich besitzt die phänomenologische Methode in allen philosophischen Lagern ihre Anhänger, und überall hat sie befruchtend gewirkt. Ihrer ganzen Anlage nach entwickelte sie sich dabei mehr oder weniger deutlich in der Richtung einer objektivistischen Philosophie des Wesens und des Seins. Das Zurücktreten des Neukantianismus und sonstiger Formen des Subjektivismus einerseits und das Aufkommen der neuen Ontologie sowie die Auferstehung der Metaphysik andererseits sind wesentlich von der Phänomenologie mitbedingt. Die Schule weist viele und glänzende Namen auf: Alex. Pfänder (1870—1941), M. Geiger (1880—1937), Ad. Reinach (1883—1916), Ed. Stein (1891—1942), D. von Hildebrand (geb. 1889), H. Conrad-Martius (geb. 1887), O. Becker (geb. 1889) u. a. Die bedeutendsten aber sind ihr Gründer, Ed. Husserl, und ihr Vollender, M. Scheler. Das philosophische Organ der Schule ist das von Husserl begründete „Jahrbuch für Philosophie und phänomenologische Forschung“, 11 Bde. (1913—30). Seit 1940 wird es in Buffalo (N. Y.) weitergeführt unter dem Titel Philosophy and Phenomenological Research.

Literatur

M. Farber, The Foundation of Phenomenology (Cambridge [Mass.] 1943). A. Reinach, Was ist Phänomenologie? (1951). Phaenomenologica: Collection publiée sous le patronage des Centres d'Archives-Husserl (Den Haag 1958 ff.), darin: E. Fink, Sein, Wahrheit, Welt. Vorfragen zum Problem des Phänomenbegriffs (1958); H. Spiegelberg, The Phenomenological Movement. A Historical Introduction. 2 Bde. (1960) u. a. F. R. Ingarden, Nine Essays in Phenomenology (Den Haag 1959).

a) Husserl

Leben und Werke

Edmund Husserl (1859—1938), zuletzt Professor in Freiburg i. Br., schreibt mit seinen „Logischen Untersuchungen“ (1900/01) das Werk, in dem zum erstenmal die phänomenologische Forschungsweise voll in die Erscheinung tritt. Sein zweites Hauptwerk, die „Ideen zu einer reinen Phänomenologie und phänomenologischen Philosophie“ (1913), führt die logischen Untersuchungen weiter, schlägt aber eine transzendentallogische Richtung ein, die für den späten Husserl bezeichnend ist, von der Mehrzahl der anderen

Phänomenologen aber nicht mitgemacht wird. — Ausgaben: Husserliana. Edm. Husserl. Gesammelte Werke. Hrsg. unter Leitung von H. L. van Breda (1950 ff.). — Lit.: L. Landgrebe, Phänomenologie und Metaphysik (1949). W. H. Müller, Die Philosophie E. Husserls (1956). A. Diemer, E. Husserl. Versuch einer systematischen Darstellung seiner Phänomenologie (1956). Aufsätze zum 100. Geburtstag Husserls von J. Thyssen, W. Biemel, R. Boehm, A. Diemer, H. Reiner, H. Zeltner, F. Mayer-Hillebrand u. a. samt Bibliographie von 1945 bis 1959 in: Zeitschrift für philosophische Forschung 13 (1959).

α) Die Philosophie des Wesens

Im Mittelpunkt der Philosophie Husserls steht der Wesensbegriff. Einflüsse von Bolzano und Brentano her und seine eigene Orientierung an der Mathematik machen sich hier geltend. Von der Ausrichtung am logisch-mathematischen Denken erhält der Wesensbegriff, den Husserl im Auge hat, auch seine besondere Nuance. Wesen ist bei ihm nicht die Seinseinheit der alten Transzendenzmetaphysik, sondern objektive Sinneinheit logisch-idealer Art. Sachzusammengehörigkeit könnte man dafür auch sagen, weil das Objekt selbst, und zwar in seinem Gehalt, es ist, was die Wesenheit ausmacht, nicht aber ein Subjekt und dessen Setzungen oder Funktionsweisen.

αα) Gegen den Psychologismus

Das erste Ziel, das Husserl in den Logischen Untersuchungen verfolgt, ist darum die Sicherung der Objektivität des Objekts, hier der logischen Gebilde, gegen jede falsche Subjektivierung. Husserl wendet sich gegen den Psychologismus, der im Gefolge des Empirismus weithin das Denken des 19. Jahrhunderts beherrscht und in den logischen Gesetzen nur Tatsachengesetze, Denkgewohnheiten und denkökonomische Praktiken gesehen hatte. Der Psychologismus war in seinem Versuch einer philosophischen Erhellung von Wissenschaft und Wahrheit immer vom Subjekt und seinen psychischen Prozessen ausgegangen, statt auf das Objekt, seinen sachlichen Gehalt und inneren Wesenssinn zu schauen. Das Ergebnis war der Relativismus, Nominalismus und Fiktionalismus. Eben der Relativismus, in den jeder Psychologismus mündet, bildet aber die stärkste Waffe gegen ihn. Husserl zeigt in eingehenden logischen Analysen besonders der mathematischen Urteile, daß der individuelle psychische Denkakt (Noësis) wohl zu unterscheiden ist vom objektiven Denkinhalt (Noëma). Der Gedankeninhalt $2 \times 2 = 4$ z. B. ist ein objektiver Sach- und Wesenszusammenhang, der eine innere ideale Sinneinheit darstellt und insofern von jedem Subjekt und seiner Artung unabhängig ist. Die Wahrheit dieses Satzes richtet sich nicht nach dem tatsächlichen Denken einer Psyche, sondern das tatsächliche Denken jeder Psyche hat sich nach ihr zu richten. Denkgewohnheiten, auf die Hume und der Psychologismus aller Schattierungen die Grundbegriffe der Wissenschaft, auch die der Logik, zurückführen wollten, sind diesen sachlichen Wesenszusammenhängen gegenüber belanglos. Sie bilden einen Gegenstand wohl der Psychologie, der Anthropologie und auch Soziologie, aber sie sind nicht eigentlich etwas Logisches und begründen nicht Wahrheit und Wissenschaft. Mit diesen Überlegungen kann Husserl das Verdienst in Anspruch nehmen, den Psychologismus überwunden zu haben. Positiv gesehen, hat Husserl sich bemüht um die Herausstellung der Idealität und Apriorität der reinen Logik, d. h. um die Erhellung jener obersten formalen Gesetze, denen jeder Begriff, Satz, Schluß usw. in jeder Wissenschaft genügen muß, und um die obersten formalen Bestimmtheiten, die jeder Gegenstand, gleichgültig aus welchem Sachgebiet er stammt, an sich tragen muß, d. h. also um die gegenständlichen Kategorien, wie etwa Sachverhalt, Einheit, Vielheit, Anzahl, Beziehung usw. Husserl geht es, wie wir sehen, um eine formale Logik und formale Ontologie, beides aber in Korrelation zueinander, so daß seine Philosophie über die Grundbestimmtheiten des Denkens und des Seins zu einer ersten Philosophie oder Fundamentalontologie wird. Dabei bleibt er nicht im nur Formalen stehen, sondern sieht, daß die grundlegenden Seinsbestimmtheiten der Gegenstände der verschiedenen Schichten und Reiche des Seins im einzelnen nicht weniger wichtig sind, daß also die Fundamentalontologie ausgeweitet werden muß zu regionalen Ontologien. Auch im Sachhaltigen der Gegenstände müsse es ein Apriori geben. Wie bedeutungsvoll das Gelingen eines solchen Unternehmens wäre, kann man allein daraus ersehen, daß, wenn nur die apriorischen Grundstrukturen etwa des Physischen und Psychischen ein für allemal so geklärt wären wie etwa Axiome und Lehrsätze der Mathematik, der alte Streit um Materialismus und Naturalismus erledigt wäre. Die Philosophie der Wesenheiten könnte aber nicht vorwärtskommen, wenn sie als Erkenntnisquelle nur

ββ) Fundamentale und regionale Ontologie

γγ) Wesensschau

die Abstraktion der Empiristen besäße. In der zweiten Untersuchung des zweiten Bandes seiner Logischen Untersuchungen „Über die ideale Einheit der Spezies und die neuen Abstraktionstheorien" wendet sich Husserl gegen die psychologistische Hypostasierung des Allgemeinen, gegen jede Form des Nominalismus und besonders gegen die nominalistischen Abstraktionstheorien des englischen Sensualismus. Wesenheit ist ihm eben nicht ein aus sinnlichen Anschauungen abgezogener allgemeiner Begriff, sondern eine ideale Sinneinheit. Darum bedarf es zu ihrer Erfassung eines eigenen Erkenntnisaktes, der sogenannten Wesensschau. Wenn Husserl diesen Kernbegriff seiner Philosophie damit erklärt, daß er sagt, wir klammern das Nebensächliche in unseren Bewußtseinsinhalten ein und heben das Wesentliche heraus, die Röte z. B. unter Weglassung der Nebenumstände, daß es die Röte einer Rose ist, die zu einer bestimmten Zeit in einem bestimmten Garten blüht, dann paßt er sich selbst noch der Sprache des Empirismus an. Anders ist es, wenn er die Wesensschau als „ideierenden Akt" erklärt; denn damit wird sofort ersichtlich, daß die Wesensschau in die große Geschichte des Intuitionsbegriffes gehört, der von Platons Anamnesis über die antike und mittelalterliche Lehre vom schöpferischen Nous und das Wesenswissen der Neuzeit bei Spinoza und Leibniz heraufreicht bis zu Schellings intellektueller Anschauung. Man hat die Wesensschau heftig bekämpft. C. Stumpf z. B. wendet ein, Husserl möge auf Grund seiner Wesensschau sagen, was das Wesen der ägyptischen Augenkrankheit oder des Krebserregers sei. Der Einwand verkennt die Sachlage (vgl. das oben S. 334f. über Wesenserkenntnis und ihr Anliegen Gesagte). Auch von seiten der Neuscholastik stand man lange Zeit der Wesensschau skeptisch gegenüber. Zum Teil war die Kritik insofern berechtigt, als sie sich gegen jene allzu bequemen „Intuitionen" richtete, die nicht objektive Wesensverhalte schauten, sondern nur die eigenen liebgewordenen Bewußtseinsinhalte. Es wurde aber auch der Kern der Sache verkannt, die Wahlverwandtschaft mit der eigenen klassischen Tradition des schöpferischen Nous, des habitus principiorum, der ewigen Wahrheiten und Ideen. Und sie wurde verkannt, weil man unversehens vom Geiste der Erfahrungsphilosophie des 19. Jahrhunderts erfaßt worden war und Ab-

δδ) Gegen die Wesensschau

straktionslehren vortrug, die Mill und Hume näher standen als Aristoteles und Thomas.

β) Transzendentalphilosophie

Wir sprachen nur von einer Wahlverwandtschaft der Wesensschau mit der klassischen Ideenschau. Damit berühren wir Husserls spätere Entwicklung, wie sie besonders in den „Ideen zu einer reinen Phänomenologie und phänomenologichen Philosophie" vorliegt. Schon immer hatte Husserl seine Wesenheiten nur in ihrer Bewußtseinsimmanenz verstanden. Alle transzendenten Geltungen hatte er ausgeschaltet. Und darin liegt nun der Unterschied zur Wesens- und Ideenwissenschaft der alten Metaphysik. Wenn der Nous des Platon und Aristoteles oder Thomas Wesenheiten und Ideen schaut, dann ist das bewußtseinsunabhängiges Sein.

αα) Husserl und Kant

Und noch bei Leibniz ist dem so. Aber seit Kant traut man sich nicht mehr über das Bewußtsein hinaus. Auch Husserl erliegt diesem Einfluß. Ausdrücklich erklärt er in seiner Phänomenologie, „daß sie alle Feststellungen ausschließlich aus der rein immanenten Intuition schöpft und jedes Überschreiten dieser Sphäre anschaulicher Selbstgegebenheit verwehrt". Nur gegen den Empirismus und Psychologismus erkämpft er sein Ideenreich, sein Apriori und die „apodiktischen Wesenseinsichten", nicht aber gegen Kant. Im Gegenteil, mit ihm verharrt er in der Bewußtseinssubjektivität. Ja er versucht schließlich in seinem zweiten Hauptwerk, wie Kant aus einem „reinen Ich" heraus alles Denken und Sein zu konstruieren. Wieder soll es eine erste Philosophie sein. Er hat dabei zwar den „intentionalen Gegenstand" im Auge und will über die „unfruchtbare klassifikatorisch-deskriptive Methode Brentanos" hinauskommen, aber es bleibt bei der transzendentallogischen Ontologie im Geiste Kants; denn das ganze Unternehmen soll „eine universale Bewußtseins-Phänomenologie" werden, die, hinter alles Seiende zurückspringend, das Sein als solches ergreift, aber, und hier eben hat Husserl wieder zu Kant zurückgefunden, in seinem Hervorgang aus dem Bewußtsein. Husserl war gegen den Psychologismus angetreten. Jetzt aber erliegt er dem Empirismus, von dem der Psychologismus nur ein Abkömmling war. Der Empirismus nämlich war es, der Kant verbot, über das subjektive Bewußtsein hinauszugehen. Indem Husserl Kant folgt, folgt er auch Hume. Der Psychologismus wurde bekämpft, und der Empirismus hat gesiegt.

Der psychologistische Relativismus wurde allerdings beseitigt, aber es fragt sich, ob sich auf dem transzendentallogischen Subjektivismus „apodiktische Wesenseinsichten" begründen lassen (vgl. S. 359). Ob man nicht den ganzen Subjektivismus hätte fallen lassen und wie Bolzano zur vorkantischen Tradition hätte zurückkehren müssen, wenn man schon Wesenseinsichten will? Es ist lehrreich, zu verfolgen, wie die universale Bewußtseinsphänomenologie Husserls von C. Stumpf beurteilt wurde. Der Realist in Stumpf kann mit der Transzendentallogik nichts anfangen. Sie ist ihm zu leer. Eine erste Philosophie, die von einem von allem Besonderen gereinigten Bewußtsein aus, allein mit Hilfe des „reinen Ichblickes", Seiendes konstruieren will, erscheint ihm als eine Unmöglichkeit. „Das durch den reinen Ichblick zu erschauende reine Ich gemahnt doch allzu stark an das Nirwana der indischen Büßer, die unverwandt auf ihren Nabel schauen ... Hier schauen wir ins Dunkle, ja sogar ... in das absolute Nichts." Das ist etwas massiv gesprochen, aber das Wort vom Nichts, in das wir schauen, ist aufschlußreich. Reines Bewußtsein als Ausgangspunkt einer ersten Philosophie und das Nichts gehören in der Tat zusammen. So war es auch bei Hegel, und so wird es wieder bei Heidegger sein, der vom späten Husserl ausgeht, auch wieder eine erste Philosophie bieten will, auch das Sein in das Nichts hineinhält, nur daß bei ihm die erste Philosophie, wenn das Wort erlaubt ist, noch erster sein soll und das Nichts noch nichtiger, weil er auch noch hinter das Bewußtsein zurückspringen will zu einem ganz neuen Ansatz.

ββ) Husserl und Heidegger

b) Scheler

Leben, Werke, Literatur

Max Scheler (1874—1928), der in Jena, München und Köln lehrte und zuletzt noch nach Frankfurt berufen wurde, hat die Phänomenologie vollendet, indem er aus dem engen Bereich, den Husserl mit seiner Immanenzphilosophie abgesteckt hatte, herausging und sie heranführte an die großen Themen Wert, Mensch, Welt und Gott. Scheler stand zunächst unter dem Einfluß von R. Eucken in Jena, wo er sich habilitiert hatte, und setzte sich wie dieser ein für eine Sublimierung des nur Vitalen von der idealen Welt her. Er stößt aber bald zu den Phänomenologen, wendet deren schauende und beschreibende Methode auf die Ethik an und wird damit zum Begründer der materialen Wertethik, die er nun dem Formalismus und der Gesetzesethik Kants gegenüberstellt. Es ist ein neuer ethischer Personalismus, was Scheler geistvoll und packend zu entwickeln weiß. „Der Formalismus in der Ethik und die materiale Wertethik“ (1913—16) und „Wesen und Formen der Sympathie“ (1926 = 3. Aufl. der „Phänomenologie der Sympathiegefühle“ von 1913) sind die bahnbrechenden Werke. Gleichzeitig steht er in Auseinandersetzung mit dem Relativismus Nietzsches und schreibt gegen ihn die Abhandlungen, die Troeltsch veranlaßten, ihn den katholischen Nietzsche zu nennen: „Das Ressentiment im Aufbau der Moralen“, „Zur Rehabilitierung der Tugend“, „Die christliche Liebesidee und die gegenwärtige Welt“, „Reue und Wiedergeburt“. Sie sind enthalten in „Vom Umsturz der Werte“ (1919) und „Vom Ewigen im Menschen“ (1921). Dann aber, 1923, wendet er sich, wohl unter dem Ansturm persönlicher Erlebnisse, von der katholischen Kirche, zu der er früh konvertiert und deren Sakramente er Ostern 1916 in aller Öffentlichkeit empfangen hatte, wieder ab, erklärt, daß er sich nie als Katholik gefühlt habe, kehrt seine Ausgangsstellung um, indem er jetzt den vitalen Drang und Trieb als das auch für den Menschen Ursprünglichste und Mächtigste ansieht, erkennt auch im geschichtlichen und sozialen Leben die ursprüngliche Ohnmacht des Geistes und Ideellen gegenüber der Übermacht der Triebe, des Blutes, der Wirtschaft und Politik, läßt das Dämonische zu einer kosmischen Macht anschwellen, der auch das Göttliche noch verhaftet sei, und entwickelt einen Evolutionspantheismus, in welchem der gute Gott erst am Schluß des Weltprozesses steht; denn Geschichte und Weltprozeß überhaupt seien der lange Weg, der gegangen werden müsse, damit das Ideale und Lichte über die Drangsale und Irrungen, der Geist über den Ungeist siege. „Die Wissensformen und die Gesellschaft“ (1926), „Stellung des Menschen im Kosmos“ (1928) und „Philosophische Weltanschauung“ (1929) gehören hierher. — Ausgaben: Gesammelte Werke. Hrsg. von Maria Scheler (Bern 1954 ff.). — Lit.: M. Wittmann, M. Scheler als Ethiker (1923). J. Geyser, Schelers Phänomenologie der Religion (1924). D. v. Hildebrand, M. Scheler als Ethiker — Schelers Stellung zur katholischen Gedankenwelt — Scheler als Persönlichkeit. In: Zeitliches im Lichte des Ewigen (1932) 315—387. J. Hessen, Max Scheler (1948). K. Lenk, Von der Ohnmacht des Geistes (1958).

α) Die Werte

Schelers erste philosophische Tat war seine Entdeckung des Wertreiches. Werte sind nach ihm etwas Eigenes, sind nicht identisch mit den Dingen, dem bloß naturhaften „Sein“ der „Güter“, auch nicht mit den psychischen Akten, insofern hier nur das tatsächliche Wollen und Wünschen oder reine Naturanlagen und Charakterformen des Menschen sich zur Geltung bringen. Sie sind „Qualitäten" eigener Art, die in sich selbst ruhen, sich auch selbst rechtfertigen, einfach durch ihren Gehalt. Man müsse sie nur in den Blick bekommen, um sofort zu sehen, was sie sind. Der Wertblinde sieht sie nicht; aber das liegt nur an seiner Anormalität. Die phänomenologische Wesensschau wird bei Scheler zur Wertschau. Damit entsteht die materiale Wertethik, und in ihr hat sich die Phänomenologie vielleicht am fruchtbarsten erwiesen. Scheler betont gegenüber Kant, daß er mit seinem Formalismus gerade den Wertgehalt des sittlich Guten übersehen habe; denn nicht weil eine Handlung allgemeingültiges Gesetz werden kann, ist sie sittlich wertvoll, sondern weil sie sittlich wertvoll ist, kann sie auch allgemeines Gesetz werden. Ebenso habe Kant auch mit seinem Pflichtbegriff an dem wahren Charakter des Sittlichen vorbeigesehen. Die Werte brauchten nicht befohlen zu werden, sie ziehen den Menschen von selbst an. Der Mensch ist nicht so schlecht, daß er eines kategorischen Imperativs bedürfte; denn er hat ein Gefühl für das Wertvolle. Scheler denkt in seiner Ethik nicht intellektualistisch wie Kant oder auch manche Scholastiker, die im Gewissensentscheid sogar einen Syllogismus entdecken. Er ist Vertreter einer emotionalen Neigungsethik, aber sein Wertfühlen ist nicht weniger objektiv als bei Kant die praktische Vernunft. Das Wertfühlen meint ja nicht jene seelischen Zuständlichkeiten, die in der Psychologie als Lust oder Unlust behandelt werden, sondern ist ein intentionaler Akt, der die Werte „wittert" und gerade in ihrer Objektivität wittert. Für dieses Werterfassen also sagt er Wertfühlen. Scheler durchschaut darum auch die Unhaltbarkeit des Wertsetzens im Relativismus Nietzsches, der „neue" Werte einführen will. Schon 1901 hatte A. Riehl gegen Nietzsche geschrieben: „Werte werden nicht gefunden oder durch Umwertungen neu geprägt; sie werden entdeckt, und gleich wie die Sterne am Himmel treten sie nach und nach mit dem Fortschritt der Kultur in den Gesichtskreis des Menschen. Es sind nicht alte Werte, es sind nicht neue Werte, es sind *die* Werte." Ebenso lehnt auch Scheler den Wertrelativismus ab und spricht seinem Wertfühlen die gleiche Objektivität zu, die dem logischen Denken eignet. Es gibt eine „Logik des Herzens", wie schon Pascal gesagt hatte, jene

αα) Ihr Charakter

ββ) Wertfühlen

„Ordnung des Herzens", die auch Augustinus mit objektiver Sicherheit die Welt einschätzen, ihn selbst unruhig werden und so lange suchen ließ, bis das Herz ruhte in Gott, dem bonum omnis boni. Dem objektiven Wert selbst steht also ein ebenso objektives Werterfassen gegenüber, entsprechend dem von Scheler ausgesprochenen Gesetz der Korrelation zwischen Objekt und Akt. Auf Grund dieses Gesetzes unterscheidet er: Sinnesdinge werden wahrgenommen, Begriffe werden gedacht, Werte werden gefühlt. Wenn man diese Unterscheidungen beachtet, wird es ohne weiteres verständlich, daß ein ganz im technisch-materialistischen Denken aufgehender Geist „wertblind" sein kann.

β) Die Emotionen

Das Interesse Schelers am Wertfühlen ist nicht nur ein ethisches, sondern steht in dem größeren Zusammenhang seiner Philosophie der Emotionen. Dieser Zweig der Philosophie soll die Sinngesetze des emotionalen Lebens studieren: Wesen und Formen von Mitgefühl, Liebe und Haß, Schamgefühl, Angst und Furcht und Ehrgefühl. Nur die drei ersten Begriffe hat Scheler in einem eigenen größeren Werk, in „Wesen und Formen der Sympathie", in extenso behandeln können.

αα) Psychologisch

Er gibt hier eine deskriptive und genetische Psychologie der Sympathieerscheinungen und Formen der Liebe im Eigenleben des Individuums, aber auch in seinen Beziehungen zum fremden Ich und zu den verschiedensten Formen der Gemeinschaft, studiert ihren ethischen Sinn, verfolgt die Auswirkungen der „Gemütsgestalten" in der Geistesgeschichte der verschiedenen Kulturkreise und setzt sich eingehend auseinander mit den verschiedenen philosophischen Theorien zur Erklärung dessen, was Mitgefühl, Einsfühlung, Liebe — ethische, geschlechtliche, Menschenliebe — in ihrem ursprünglichen Sein eigentlich darstellen. Das Buch enthält eine Menge von feinen psychologischen Beobachtungen, die der Tiefenpsychologie viele Anregungen vermittelt haben, aber auch sonst stark nachwirkten (vgl. darüber das Vorwort). Jetzt ist „Neigung" etwas viel Weiteres und Größeres als bei Kant, wo sie einfach unter das niedere Begehrungsvermögen eingereiht und damit erledigt wurde.

ββ) Metaphysisch

Das Interesse Schelers an der Sympathie ist aber nicht bloß ein psychologisches, sondern auch ein metaphysisches. Die Erscheinungen der Sympathie sind ihm Urphänomene, teils des vital-psychischen, teils des noëtischgeistigen Lebens und insofern metaphysische Faktoren erster Ordnung. Scheler beruft sich in dieser Auffassung auf Platon (Symposion und Phaidros), Augustin, Thomas, Bruno, Spinoza, Hegel, Baader, Schopenhauer, Hartmann, Bergson, Driesch, Becher, die alle „Versuche machten, in Liebe und Sympathie bestimmter Artung Funktionen nachzuweisen, die uns dem Grunde der Dinge selbst näherführen, oder doch Versuche, auf Grund ihres Daseins und Soseins bestimmte Schlüsse auf die Einheit und Beschaffenheit des Weltgrundes zu ziehen. Alle dachten sie, so verschieden ihre metaphysischen Sympathie- und Liebeslehren sich gestalteten: bald theistisch, bald pantheistisch, pandaimonistisch, panentheistisch, doch in der Richtung der Verse Fr. Schillers: „Was den großen Ring bewohnet, huldige der Sympathie! Zu den Sternen leitet sie, wo der Unbekannte wohnet.“

γ) Person

Die Lehre von den Formen der Liebe bildet ein wesentliches Bestandstück der Philosophie der menschlichen Person. Das personale Sein des Menschen sieht Scheler nicht in dem metaphysischen Seinsbestand, den die Alten Hypostase hießen, weil sonst der Mensch ein Ding unter Dingen wäre. Sie fällt auch nicht zusammen mit der Summe der psychischen Akte, weil das nur Mittel sind, die die Person braucht. Auch das Ich und der Charakter seien als etwas bereits Fertiges vom personalen Sein zu unterscheiden. Was die Person zur Person macht, sind vielmehr die Werte. Person ist ein immerfort Handelndes, ein actus, der nicht der Kausaldetermination untersteht, weder von seiten der Erbmasse noch des Charakters, noch der Welt, der vielmehr in Freiheit die Wertwelt ergreift und so den Menschen in seinem letzten Wert, eben als Person, gestaltet. Personen „sind“ nicht, sie „werden“, indem sie die Werte verwirklichen. Dieses personale Handeln ist im Grunde ein Lieben, entsprechend der inneren Ordnung des Herzens, und diese Liebe ist als Teilhabe an der Wertwelt letztlich Teilhabe an der Urperson, die Gott ist.

δ) Mensch und Kosmos

Der Personalismus Schelers bildet einen wesentlichen Faktor seiner Lehre über die Stellung des Menschen im Kosmos. Der Mensch hat Wertfühlen und Wesenswissen. Darin besteht der „Geist“, und durch ihn unterscheidet er sich vom Tier.

αα) Mensch und Tier

„Intellekt“ im Sinne von überlegender, zweckmäßiger Berechnung und Schlauheit habe auch das Tier. Aber das

Tier hat kein Interesse an der Wahrheit und keines an den Werten. Durch den die Wesenheiten und Werte schauenden Geist erhebt sich der Mensch über Enge und Begierde des Augenblicks und betrachtet das An-sich des Seins und des Sollens. „Wer daher die Apriori-Einsicht (Wesenserkenntnis) beim Menschen leugnet, macht ihn, ohne es zu wissen, zum Tier" (Philosoph. Weltansch. 101). Der Geist macht den Menschen weltfrei, indem er ihn mit der idealen Sphäre der Wahrheiten und Werte verbindet. Das Tier bleibt immer eingespannt in seine Umwelt und dient nur seinen Trieben, hic et nunc. Es ist nur ein Stück Dasein wie anderes Daseiendes auch. Der Mensch aber ist nicht einfach Daseiendes, er ist sich eine Aufgabe, „wird" darum erst und wird gerade dadurch Mensch, daß er weltfrei wird; „Geist" wird, sagt Scheler, „Vernunftwesen", hat Kant gesagt, daß er „existiert", wird die Existenzphilosophie sagen, auf die Schelers personalistische Auffassung des Menschen unmittelbar von Einfluß wurde. Scheler hat aber den Geist keineswegs überschätzt, im Gegenteil, er entwickelt jene für seine Spätzeit bezeichnende Lehre von der Ohnmacht des Geistes, die auch N. Hartmann übernehmen wird. Der Geist setze sich um so schwerer in der Geschichte und Gesellschaft durch, je reiner er ist. Was von ihm realisiert werden kann, entscheiden nichtgeistige Faktoren: die Grundtriebe des Menschen (Selbsterhaltungs-, Macht- und Geschlechtstrieb), die politischen, wirtschaftlichen, geographischen, geopolitischen Umstände, Bevölkerungsverhältnisse, Rassenspannungen und Rassenmischungen. Dadurch verliert der Geist. Er gewinnt zwar andererseits auch wieder, weil die Fülle und Eigenart der jeweiligen Vitalseelen ihm ihren Elan leihen, aber gegen die Wucht und Schwere der niederen Seinsschichten sei er „ohnmächtig". Er müsse erst von ihnen her „ermächtigt" werden, wenn er Leben sein soll. Und darum kann der Geist nie die realen Faktoren von sich aus beliebig umgestalten; denn die folgen ihrer sinnblinden, eigenen, rein triebhaften Kausalität. Der Geist werde nur dann Erfolg haben, wenn er das Materielle und alles vital Triebhafte in seine Konzeptionen mit einrechnet, um mit ihrer Hilfe, nie aber ohne sie, seine Ziele zu erreichen. Sie sind Unterbau, Mittel, Kraftquelle. Scheler hieß jene unterhalb des Geistes liegenden Schichten die Welt des „Dranges". Dieser Begriff

ββ) Drang und Geist

entfaltet sich bei ihm wie auch der Geistbegriff zu einer kosmisch-metaphysischen Größe. Am ganzen Weltprozeß seien Drang und Geist beteiligt. Überall hätten wir die Polarität von Natur und Idee, dämonischer Kraftquelle und reiner Ordnung, von Dunkel und Licht. Aber obgleich nach Scheler der Geist „genährt“ und „ermächtigt“ werden muß durch die Vitalschichten, ist er doch „der Sinn der Erde, ja der Welt selbst“ (Philos. Weltansch. 103). Zeigt sich damit nicht, daß die Idee doch das Mächtigere ist? Wieder steuert ja der Geist, wie einst bei Hegel die Idee, das Weltgeschehen zu einem idealen Ende. Diese Vollendung heißt nun Gott. Drang und Geist sind Attribute des Göttlichen selbst. In der Klärung des Dranges zum Geist klärt sich das Göttliche selbst. Das Göttliche in Gott „west“ zunächst nur im Grund der Allnatur, entfaltet sich aber immer stärker, bis es schließlich rein dargestellt ist und der Weltprozeß seine Vollendung gefunden hat. Ein Stadium in diesem Prozeß ist auch der Mensch. „Der Mensch — ein kurzes Fest in den gewaltigen Zeitdauern universaler Lebensentwicklung — bedeutet also etwas für die Werdebestimmung der Gottheit selbst. Seine Geschichte ist nicht ein bloßes Schauspiel für einen ewigen, vollkommenen, göttlichen Betrachter und Richter, sondern ist hineingeflochten in das Werden der Gottheit selbst“ (a. a. O.). Daß Gott allgütig ist, allweise und allmächtig, sei richtig; aber es gelte erst für den vollendeten Gott am Ende der Zeiten. Solange das Weltgöttliche noch unterwegs ist, stehen Licht und Dunkel in einem tragischen Kampf. Böhme, Baader, Schelling, Hegel sind hier Scheler vorangegangen. Nach ihm scheint nunmehr auch Heidegger in diese Bahnen einzubiegen, wenn er, noch hinter das Sein zurückgreifend, nach einem Grund sucht, aus dem sich schlechthin alles entbirgt im Laufe eines zeitlichen Prozesses, auch die Wesenheiten und Gott.

γγ) Welt und Gott

3. ONTOLOGIE UND METAPHYSIK

Wenn man in unserem Jahrhundert von einer großen Zeit der Philosophen sprechen will, kann man es in erster Linie tun in Hinsicht auf die Leistungen auf dem Gebiete der Ontologie und Metaphysik. Nach der unnatürlichen Einengung der philosophischen Problematik im Neukantianismus und dem oft zügellosen Wirbel der Lebensphilosophie gibt es in der Ontologie und Metaphysik des 20. Jahrhunderts wieder große Philosophie mit der ganzen Fülle der Probleme und Strenge des Denkens, die für die Klassiker der Philosophie seit der Vorsokratik bezeichnend waren. Es sind auch die wesentlichen Abwandlungen der metaphysischen Grundhaltung da, mit denen das abendländische Philosophieren von jeher seine verschiedenen Möglichkeiten auszuschöpfen versuchte. Wir haben eine Ontologie, die nur Ontologie sein will und nur eine Spielart des Phänomenalismus darstellt. Ihr typischer Vertreter ist N. Hartmann. Daneben steht eine äußerst fruchtbare induktive Metaphysik, die zunächst im Geiste von Fechner und Lotze denken will, gelegentlich aber auch in die Bahnen der klassischen Metaphysik der platonisch-aristotelischen Philosophie einbiegt. Bewußt auf dem Boden der letzteren steht die Metaphysik, die von den Vertretern der philosophia perennis gepflegt wird. Sie wurde oben (S. 555 ff.) bereits behandelt. Daneben haben wir noch eine Metaphysik, in der das idealistische Element besonders betont wird, die des Idealrealismus.

a) N. Hartmann

Leben und Werke

Nicolai Hartmann (1882—1950), Professor in Marburg, Köln, Berlin, Göttingen, geht aus dem Marburger Neukantianismus hervor, wendet sich unter dem Einfluß der Phänomenologie Husserls und Schelers von ihm ab und entwickelt sich rasch zu einer der führenden Denkergestalten der deutschen Philosophie in der ersten Hälfte des 20. Jahrhunderts. Seine Hauptwerke: „Platons Logik des Seins" (1909); „Grundzüge einer Metaphysik der Erkenntnis" (1921); „Die Philosophie des deutschen Idealismus". 2 Bde. (1923—29); „Ethik" (1925); „Zum Problem der Realitätsgegebenheit" (1931); „Das Problem des geistigen Seins" (1933); „Zur Grundlegung der Ontologie" (1935); „Möglichkeit und Wirklichkeit" (1938); „Der Aufbau der realen Welt" (1940); „Philosophie der Natur" (1950); „Teleologisches Denken" (1951); „Ästhetik" (1953); Kleinere Schriften. 3 Bde. (1955—58). — Lit.: A. Guggenberger, Der Menschengeist und das Sein (1942). N. Hartmann. Der Denker und sein Werk. 15 Abhandlungen. Hrsg. von H. Heimsoeth und R. Heiss (1952). B. Frhr. v. Brandenstein, Teleologisches Denken. Betrachtungen zu dem gleichnamigen Buch N. H.s (1960). K. Kanthack, N. H. und das Ende der Ontologie (1962). M. Baumgartner, Die Unbedingtheit des Sittlichen. Eine Auseinandersetzung mit N. Hartmann (1962).

Hartmann eröffnet seine Metaphysik der Erkenntnis mit dem Satz: „Die nachstehenden Untersuchungen gehen von der Auffassung aus, daß Erkenntnis nicht ein Erschaffen, Erzeugen, oder Hervorbringen des Gegenstandes ist, wie der Idealismus alten und neuen Fahrwassers uns belehren will, sondern ein Erfassen von etwas, das auch vor aller Erkenntnis und unabhängig von ihr vorhanden ist.“ Das Wort war eine klare Absage an den Neukantianismus und bedeutete den Beginn einer neuen, realistischen Philosophie, die sich nunmehr dem ganzen Reichtum des Seienden, in allen seinen Schichten und Formen zuzuwenden bereit war. Es gibt jetzt wieder eine Realwelt mit inhaltlichen Strukturen, Stufen, Kategorien, Prinzipien, Wesensgesetzen, Relationen, Abhängigkeiten. Hartmann sieht natürlich die Schwierigkeit, zu einer transzendenten, realen Gegenständlichkeit vorzustoßen. Einerseits soll da das Subjekt außerhalb seiner selbst sein, andererseits ist es notwendig in sich selbst gefangen. Hartmann stellt die Antinomie auf: Das Bewußtsein muß aus sich heraustreten, sofern es etwas außer sich erfaßt, d. h. sofern es erkennendes Bewußtsein ist; und: Das Bewußtsein kann nicht aus sich heraustreten, sofern es nur seine Inhalte erfassen kann, d. h. sofern es erkennendes Bewußtsein ist (Met. d. E. ²1925 S. 60). Die Überbrückung der Schwierigkeit gelingt ihm durch eine phänomenologische Analyse des Erkenntnisaktes. Sie kommt zu dem Ergebnis, daß dem Erkennen eine gnoseologische Transzendenz eignet, wenn man nur, durch keine Theorie behindert, das „natürliche Objektbewußtsein“ so nimmt, wie es dem sachlichen Blick begegnet. Das natürliche Erkenntnisbewußtsein sieht im Gegenstand ein Ansichseiendes. Dieser gemeinte Gegenstand ist zunächst wohl nur ein intentionaler, d. h. eben vom Bewußtsein gemeinter und insofern ein Gebilde des Bewußtseins. Die Meinung eines ansichseienden Gegenstandes kann eine Täuschung sein. Der Idealismus ist dieser Ansicht und versucht den Nachweis, daß es nichts anderes gibt als nur Bewußtsein. „Aber es ist lehrreich, zu sehen, wie es dazu einer ganzen Revolution des Weltbildes bedarf, durch welche das Phänomen des natürlichen Objektbewußtseins auf den Kopf gestellt wird. Denn wie sehr man auch Ansichsein und Transzendenz in ihr Gegenteil umdeuten mag, aus dem Phänomen als solchem kann man sie nicht

α) Metaphysik der Erkenntnis

αα) Realismus

Gnoseologische Transzendenz

wegdeuten, und die Tatsache, daß alles Bewußtsein mit seinem Gegenstand ein Transzendentes meint, bleibt bestehen" (a. a. O. 76). Das Entscheidende ist nun, daß die Transzendenz noch im intentionalen Gegenstand selbst sitzt. Die Intentionalität, bei der der Idealismus sonst stehen zu bleiben pflegt, „selbst ist es, die den bloß intentionalen Gegenstand transzendiert" (a. a. O. 106). Die Erkenntnis-Intention geht nicht auf einen intentionalen, sondern auf einen ansichseienden Gegenstand. „Sie durchbricht den ehernen Ring — und das ist die Antithese zum Satz des Bewußtseins —, aber nicht dadurch, daß ihr Ziel- und Richtpunkt ‚intentional' ist (was eine Tautologie wäre), sondern dadurch, daß er an sich ist" (a. a. O. 107). Nur so gibt es eine echte Erkenntnisrelation, d. h. wirkliche Subjekte und Objekte. Nimmt man noch das Gefüge der emotionalen Akte dazu, wie z. B. Erfahren, Erleben, Erleiden, Hoffen, Fürchten, wo sich ein unabweisbares Betroffensein zeigt, dann sei die Realitätsgegebenheit vollständig gesichert. Bei Hartmann kehrt auch die Abbildtheorie wieder und der ursprüngliche Sinn des Begriffes der Wahrheit als einer adaequatio intellectus et rei.

Emotionale Akte

ββ) Phänomenalismus

Aber der erkennende Verstand, der bei Hartmann das Sein erfassen will, ist nicht mehr der intellectus oder die ratio der Antike und des Mittelalters. Und hier macht sich nun Kant, der in der Realitätsfrage zurückgewiesen worden war, doch wieder geltend. Im Nous der klassischen Metaphysik von Aristoteles bis Schelling begegneten wir einem apriorischen Element, das in gewissen Grundbestimmtheiten die Erfahrung überschreiten und sagen konnte, was Seiendes sein m ü s s e. Dieser Nous war Wesensschau, war schöpferisch und bedeutete eine gewisse Anteilnahme am intellectus archetypus. Auch Hartmann kennt eine Reihe von apriorischen Elementen des erkennenden Geistes. Aber sie sind nur noch selbstgebildete Hypothesen. Es sei in der Philosophie wie in der Naturwissenschaft, wo man nur versucht, die Gegenstandswelt nachzuzeichnen, dazu zunächst gewisse Annahmen macht und dann prüft, ob die Erfahrung sie bestätigt. Solche Versuche sind die grundlegenden Seinsbegriffe, die Kategorienbegriffe. Aber sie sind „nicht nur nicht die Kategorien selbst, wie Hegel meinte, sondern auch nicht einmal Definitionen derselben; sie sind vielmehr nur hypothetische Repräsentationen der nicht definierbaren und

Hypothetische Begriffe

im Kern auch niemals faßbaren kategorialen Wesenheiten" (a. a. O. 286). Wir entreißen mit unseren Begriffs- und Gesetzesbildungen der Wirklichkeit zwar immer wieder eine Reihe von Einsichten, aber damit ist nicht gesagt, daß wir das „Wesen" eines Gegenstandes erkannt hätten. Es könnte sich ja vielleicht nur um Teilsachverhalte handeln. Auch nach Hartmann vermag kein geschaffener Geist ins Innere der Natur zu schauen. Und darum haben seine Begriffe und Kategorien einen konzeptualistisch-nominalistischen Sinn. Dazu kommt, daß hinter diesem ohnehin schon etwas unsicheren „Hof von Gegenständen", den unser Erkennen sich erarbeitet, noch ein unübersehbar großer Restbestand „transobjektiven" Seins steht, das noch nicht zum Gegenstand gemacht ist, vielleicht auch nicht dazu gemacht werden kann. Wie der einzelne Gegenstand ist darum auch das Sein als solches zum Teil irrational. Die vollständige Intelligibilität, die die alte Nous-Lehre annahm, bestehe nicht. Hartmanns Erkenntnislehre hat sich der Marburger Tradition entsprechend an den positiven Wissenschaften orientiert und hat dort gelernt, daß wir zwar vieles im Reiche des Seins erkennen, sehr vieles aber auch wieder nicht erkennen. Darum seine Scheu vor dem System und seine Betonung der Aporetik. Hartmann hat gegenüber dem Idealismus die Realität wieder erobert, und das Ding an sich ist kein unbekanntes X mehr, aber das Sein ist ihm nicht rational, und endgültige Aussagen könnten nicht gemacht werden. Das Sein seiner Erkenntnismetaphysik ist nicht das Sein der klassischen Metaphysik. Obgleich er in der großen Sprache der Klassiker der Philosophie redet und ständig mit ihnen sich auseinandersetzt, ist er doch ein Vertreter des neuzeitlichen Phänomenalismus. Freilich kein dogmatischer. Dazu ist er zu umsichtig. Auch der Phänomenalismus ist für ihn nur etwas Vorläufiges. Hartmann sieht das Reich der idealen Soseinszusammenhänge sich herandrängen, in der Natur und noch mehr im Menschen. Das liegt in der Richtung der alten Metaphysik. Aber er sieht auch das Irrationale, und so bleibt sein Denken in der Schwebe. Es kommt nicht zu einer Metaphysik, sondern nur zu einer vorsichtigen hypothetischen Ontologie.

Irrationaler Rest

β) Neue Ontologie

Hartmann stellt seine Ontologie als eine neue der traditionellen alten gegenüber. „Neue Wege der Ontologie" lautet sein Beitrag in der von ihm herausgegebenen „Systematischen Philosophie“ (1942). Es heißt da (S. 204): „Die alte Seinslehre hing an der These, das Allgemeine, in der essentia zur Formsubstanz verdichtet und im Begriff faßbar, sei das bestimmende und gestaltgebende Innere der Dinge. Neben die Welt der Dinge, in der auch der Mensch eingeschlossen ist, tritt die Welt der Wesenheiten, die zeitlos und materielos ein Reich der Vollendung und des höheren Seins bildet.“ Diese ganze Ontologie war „Metaphysik“, und zwar „deduzierende“, indem sie entweder das agere von jener inneren Natur der Dinge, der essentia, ableitete oder wie bei Kant das Seiende durch eine „transzendentale Deduktion“ zu gewinnen suchte. Die Kategorien, von denen die neue Ontologie handelt, sollen dagegen „Zug um Zug den Realverhältnissen abgelauscht sein“ (a. a. O. 209). Hier sehen wir wieder die veränderte Situation, die der Empirismus mit sich gebracht hat. Hartmann macht seine transzendental-logische Veredlung durch Kant sowenig mit wie die Erkenntnismetaphysik der alten Philosophie, sondern bleibt bei der Analyse der phänomenal gegebenen Wirklichkeit stehen. Die Tendenz zur Metaphysik ist offenkundig vorhanden, schon in der Themenstellung, aber auf die alten metaphysischen Prinzipien wird bewußt verzichtet. Dafür wird man entschädigt durch eine Fülle von Gesichtspunkten, unter denen das Sein als Sein zu erhellen versucht wird. Wir haben da die Unterscheidung der Seinsmomente (Dasein und Sosein), der Seinsweisen (Realität und Idealität), der Seinsmodi (Möglichkeit und Wirklichkeit, Notwendigkeit und Zufälligkeit, Unmöglichkeit und Unwirklichkeit), Seinsstufen (Materie, Leben, Bewußtsein, Geist). Geht man mehr ins einzelne, wird die Ontologie zur Kategorialanalyse. Jede Schicht hat ihre eigenen Kategorien. Ihnen vorgelagert sind gewisse Fundamentalkategorien, die durch alle Schichten hindurchgehen, wenn sie auch dabei abgewandelt werden. So nimmt der Formtypus nach oben zu, während das Materiemoment nach oben mehr verschwindet. Die Einheits- und Gefügetypen steigern sich mit der Seinshöhe, aber ihre stärksten Formen seien die niederen. Die Kategorien der höheren Schicht können viele von den niederen Schichten in einer „Überformung“ enthalten, aber nicht umgekehrt. Zwei wichtige Gesetze sind das kategoriale Grundgesetz: „Die niederen Kategorien sind die stär-

αα) Gegen die Metaphysik

ββ) Seinsanalyse

γγ) Gesetze der Stärke und der Freiheit

keren“ (Gesetz der Stärke) sowie das Gesetz der Freiheit: „Die höheren Kategorien sind, ungeachtet ihrer Abhängigkeit von den niederen, dennoch in ihrem inhaltlichen Novum ihnen gegenüber frei“ (autonom). Die höheren Schichten „ruhen auf“ den niederen, Geist z.B. ist von seelischem Leben getragen, Seele vom Organismus, der Organismus wieder von den physischen Gebilden. Trotzdem behauptet Hartmann zugleich das „Nichtaufgehen der höheren Gebilde in eben dieser Abhängigkeit“. Die alte Metaphysik habe hier die Dinge vielfach auf den Kopf gestellt, indem sie spezifische Kategorien des geistigen Seins, wie z. B. Vernunft, Zwecktätigkeit, Vorsehung, schon in die niederen Seinsschichten verlegte und stärker sein ließ als die dort geltenden Determinationen. Alle Naturteleologie begehe diesen Fehler. Den umgekehrten mache der Materialismus, wenn er die Kategorien der niederen Schicht einsinnig auf den Geist anwendet, ohne auf dessen Eigengesetzlichkeit zu achten. Die Lehre von einer Naturteleologie verstoße gegen das Gesetz der Stärke, der Materialismus gegen das Gesetz der Freiheit. Hartmann ist mit seinem Gesetz der Stärke unmittelbar von Scheler abhängig (s. oben S. 604). Den tieferen Hintergrund bildet Kant und die aus Kant sprechende quantitativ-mechanistische Weltbetrachtung der Neuzeit. Hartmann übersieht so wenig wie Kant die Zweckmäßigkeit der Natur. Aber wie dieser will auch er darin nur ein regulatives Prinzip erkennen. Den Zweck als ein konstitutives Prinzip der Naturerklärung anzusehen erscheint ihm als ein Rückfall in eine glaubensgebundene Metaphysik, den eine mündig gewordene Wissenschaft nicht ertrage. Die etwas zu sichere Axiomatik, mit der diese Behauptung vorgebracht wird, verrät die Voraussetzungen, von denen aus er operiert. Hartmanns Stellungnahme zur Frage der Teleologie und seine Lehre von der Ohnmacht des Ideellen ist ein Residuum des mechanistischen Denkens, das immer latenter Materialismus bleibt und darum in der Idealität „nur“ Idealität und Ohnmacht sehen muß, weil ja das eigentlich Reale mit Raum und Zeit gegeben ist. Hartmann hat in vielen Punkten die Omnipotenz des Mechanismus abgetragen, jenen letzten Rest ließ er stehen. Und doch müßte er, wenn die Relativität des Mechanischen einmal erkannt ist, auch verschwinden. Daß man auch anders denken kann, zeigen allein schon der Kant der Postulate und der

Idealismus der Freiheit. Aber auch für Hartmann ist der Kant der reinen Vernunft, der die Realität in der phänomenalen raum-zeitlichen Wirklichkeit sieht, mehr Kant als jener, der auch mit einer anderen Wirklichkeit rechnet und am liebsten sie als das eigentlich Wirkliche nehmen möchte (vgl. S. 316 f.). Man sieht deutlich Hartmanns geistige Herkunft.

γ) Ethik

Die ontologische Problematik und das Gesetz der Stärke und der Freiheit spielt auch in der Ethik eine entscheidende Rolle. Zunächst ist aber der allgemeine Charakter dieser Ethik zu umreißen. Sie ist materiale Wertethik im Sinne Schelers. Die spezielle Wertlehre, die Hartmann in seltener Schönheit zu gestalten weiß, schöpft dabei teils aus der Ethik des Aristoteles (Gerechtigkeit, Weisheit, Tapferkeit, Beherrschung und einige besondere Tugenden aus der Nikomachischen Ethik), teils aus dem Christentum (Nächstenliebe, Wahrhaftigkeit, Aufrichtigkeit, Zuverlässigkeit, Treue, Vertrauen, Bescheidenheit, Demut, Leiden), teils aus Nietzsche (Fernstenliebe, schenkende Tugend). Dazu kommen noch aus dem modernen Kulturbewußtsein Persönlichkeit und persönliche Liebe. In der allgemeinen Wertlehre entscheidet sich Hartmann gegen den Relativismus. Die in der Verschiedenheit der Moralen scheinbar auftretende Relativität der Ethik sei nur eine solche des Wertfühlens, nicht der Werte selbst. Werte selbst haben ein Ansichsein, d. h., sie sind unabhängig vom Dafürhalten des Subjekts. Die Darstellung jenes idealen Ansichseins der Werte in der 1. Auflage der Ethik (1925) erweckte damals den Eindruck, als handle es sich um einen neuen Kosmos noëtos. Man sprach von einem Werthimmel und von Neoplatonismus. Die 2. Auflage der Ethik (1935) brachte gegenüber der ersten nur eine einzige neue Anmerkung (S. 134), und diese wandte sich bezeichnenderweise gegen die Möglichkeit, in den Werten vielleicht ein wirkliches Sein oder gar das eigentliche und stärkste Sein im Sinne der platonischen Idee sehen zu wollen. Das Ansichsein, so wurde betont, besage nur „Unabhängigkeit vom Dafürhalten des Subjektes, nicht mehr und nicht weniger". Damit kehrt das kategoriale Grundgesetz wieder: die höheren Seinsschichten sind gegenüber den niederen schwächer. Werte als ideales Sosein sind auch ohnmächtig. Sie bedürfen eines Mittlers, sind immer fundiert auf Güterwerte, werden gar nicht einmal selbst und als solche angestrebt. Sie befinden sich nur auf dem Rük-

αα) Materiale Wertethik

ken der Handlung, hatte Scheler gesagt; denn Wollen und Handeln sind der Intention nach stets ein Schalten nur mit Gütern in Bezug auf Personen. Gemessen an dem raum-zeitlichen Realitätsbegriff, so kann man wohl sagen, haben Werte nach Hartmann überhaupt kein Sein. Aber nicht nur um der ββ) Ontologie willen, sondern auch um der philosophischen An- Mensch und Finalität thropologie willen fällt diese Entscheidung. „Die Ohnmacht der Werte ist die Bedingung der Machtstellung des Menschen." Damit wird neben dem Phänomenalismus auch der Autonomiegedanke Kants übernommen. Er wird sogar noch gesteigert; denn die Werte sind jetzt auch kein Gesetz mehr. Das Sollen, das im Wert erlebt wird, sei nicht von der Art eines kategorischen Imperativs. Schon gar nicht aber könnten die Werte Gedanken im Geiste Gottes oder gar göttliche Gebote sein. Das wäre ein finaler Determinismus, der sich mit der Freiheit des Menschen nicht vertrage. Wie in der Naturphilosophie, so will Hartmann auch in der Ethik jede Teleologie ausschließen. Gleichzeitig ergibt sich eine Antinomie der Ethik zur Religion. Es stehen sich gegenüber göttliche und menschliche Freiheit. Mit der göttlichen freien Vorsehung „ist die Vorsehung des Menschen schlechterdings aufgehoben, seine Selbstbestimmung zum Schein herabgesetzt, sein Ethos vernichtet, sein Wille gelähmt" (Ethik, 741). Läßt man aber die Freiheit der Person gelten, und der Ethiker müsse das tun, dann hebe sie unfehlbar den finalen Determinismus einer freien göttlichen Vorsehung auf (a. a. O.). Hartmann verfällt nicht dem Individualismus Nietzsches; aber auch für seine Ethik muß Gott tot sein, damit der Mensch lebe. Postulatorischer Atheismus? Hartmann erwidert: die Ethik „steht diesseits von Theismus und Atheismus". Erst das religiöse Denken involviere die Freiheitsantinomie. Die angestellten Lösungsversuche seien insgesamt falsch. „Damit ist freilich weder Freiheit noch göttliche Vorsehung widerlegt. Nachweisliche Falschheit von Beweisen oder Theorien ist als solche niemals Widerlegung der Sache. Diese kann an sich wohl bestehen. Aber sie verharrt im absolut Irrationalen" (a. a. O. 743). Hartmann übertreibt in Sachen der religiösen Freiheitsantinomie. Die göttliche Vorsehung ist nur mit einer absolut verstandenen menschlichen Freiheit unverträglich. Eine solche anzunehmen fällt niemandem ein. Die Freiheit des Menschen ist nur eine relative.

Sie bewegt sich innerhalb gewisser Grenzen. Hier hat sie aber auch wirklich ihre verschiedenen Möglichkeiten. Auch Hartmann begnügt sich mit einer relativen Freiheit, wenn er die menschliche Vorsehung dem Naturverlauf gegenüber frei sein läßt; denn der Naturverlauf ist nur „in den Grenzen möglicher Anpassung durchaus lenkbar" (a. a. O. 741). Ein solcher Spielraum besteht aber auch Gott gegenüber, außer man hat auch von Gottes Willen und Allmacht eine übertriebene Vorstellung, wozu Hartmann allerdings neigt, vermutlich unter dem Einfluß von Vorstellungen aus protestantischer Religiosität. Daher die „irrationale" Antinomie. Leichter lösbar erscheint ihm die Frage der Willensfreiheit angesichts der durchgängigen Kausaldetermination im Naturganzen.

γγ) Willensfreiheit

Willensfreiheit ist nach Hartmann eine unerläßliche Bedingung der Sittlichkeit. Wie kann sie aber in einer determinierten Welt bestehen? Was im vorigen Jahrhundert eine unüberwindliche Schwierigkeit war, erledigt sich jetzt mit Hilfe der Schichtenlehre: Die Kausaldetermination gilt nur für ihre spezifische Sphäre; die höhere Schicht aber ist eo ipso der niederen gegenüber autonom. Ihr gehört der Mensch an, und darum besteht für ihn die Möglichkeit der freien Handlung. Hartmann benützt im Grunde einen Gedanken Kants, muß aber nicht mehr auf die intelligible Welt zurückgreifen, sondern setzt an ihre Stelle die höhere Seinsschicht mit ihren autonomen, eigenen Kategorien. Wichtig ist, daß Freiheit nicht bloß negativ als Freiheit von äußerem Zwang, sondern positiv als ein Plus an Determination verstanden wird, wie das ja auch Kant schon betont hatte. Soll das möglich sein, dann dürfe es aber keine Finaldetermination geben, kein Urbild der menschlichen Person. In der Natur ist menschliche Freiheit und Vorsehung nur möglich, weil das natürliche Geschehen bloß kausal, nicht aber final determiniert ist. Bestünden Zwecke für Natur und Mensch, dann hörte die Freiheit auf; „denn der Kausalnexus läßt sich überformen und auf gesetzte Ziele hinlenken, weil er selbst keine hat, der Finalnexus aber ist unlenkbar, weil er schon an vorgegebene Zwecke gebunden ist". Hartmann hat einen überspitzten Begriff von Finaldetermination. Er faßt sie genau nach dem Schema der Kausaldetermination, darum keine Freiheit, während die alte Philosophie, schon seit Boethius, ganz schlicht unterschied zwischen der toten Welt, in der die

Finalität allerdings Notwendigkeit besage, und der Welt der Menschen, wo sie nur noch den Sinn des Sollens habe, also gerade nicht zwingen will, sondern die Freiheit voraussetze. Immer wieder zeigt sich, daß Hartmann dem mechanistischen Denken des naturwissenschaftlichen Positivismus der Neuzeit doch mehr verhaftet ist, als es zunächst den Anschein hat. Seine Ontologie enthält das ganze corpus metaphysicum der abendländischen Geistesgeschichte, aber dieser Leib ist ohne Seele.

b) Kritischer Realismus

Unter der Bezeichnung kritischer Realismus, die an sich zu weit ist, sich aber tatsächlich in dem engeren Sinn eingebürgert hat, wie er im Folgenden gebraucht wird, wollen wir eine Reihe von Denkern zusammenfassen, die auch realistische Seinsphilosophie treiben, sich aber nicht wie Hartmann auf eine den Positivismus streifende Ontologie beschränken, sondern bewußt eine Deutung des Wesens der Dinge und des Seinsganzen geben, also wirklich Metaphysik treiben wollen. Sie kommen meistens von den Naturwissenschaften her, sind philosophisch weniger umweltgebunden als Hartmann, bringen eine größere Fülle aus dem Detailmaterial der Naturwissenschaften bei und bauen damit an einer meistens induktiven Metaphysik. Der kritische Realismus geht von der Realitätsüberzeugung aus, die der gesunde Menschenverstand jederzeit angenommen hat, trägt aber der erkenntnistheoretischen Kritik der Neuzeit Rechnung und weiß um die subjektiven Elemente unseres Seinsdenkens. Diese subjektiven Elemente brauchten aber nicht als nur subjektiv gewertet zu werden; sie stehen vielmehr in Beziehung zur Wirklichkeit, und in ständig voranschreitender Erforschung der Welt könne es gelingen, das Subjektive einzuschränken und den objektiven Gehalt zu erweitern. Schon 1912 hatte Oswald Külpe (1862—1915), zuletzt Professor in München, den ersten Band seiner „Realisierung“ erscheinen lassen. Der zweite und dritte Band folgten 1920—23. Das Werk war die Grundlegung des kritischen Realismus. Also hier schon und nicht erst seit Hartmanns Metaphysik der Erkenntnis setzte die Abkehr vom Neukantianismus ein, die für die erste Hälfte unseres Jahrhunderts so bezeichnend ist. Bald zählte der kritische Realismus und seine induktive Metaphysik viele und bedeutende Vertreter: Johannes Reinke, Hans Driesch, Erich Becher, Bernhard Bavink, Aloys Wenzl, Hedwig Conrad-Martius u. a.

α) Driesch Hans Driesch (1867—1941), zuletzt Professor in Leipzig, war ein universaler Geist. Ursprünglich Zoologe und Schüler Haeckels, löst er sich bald von der dogmatischen Entwicklungsmechanik, findet zur Philosophie, um die biologischen Probleme gedanklich zu bewältigen, und bearbeitet sie nun in ihrem ganzen Umfang von den logischen und erkenntnistheoretischen Grundfragen bis zu den letzten metaphysischen Problemen und den Fragen der allgemeinen und speziellen Ethik. Auch der Parapsychologie schenkte er noch sein Interesse und setzt auf sie große Hoffnungen. Seine Hauptwerke: „Der Vitalismus als Geschichte und als Lehre" (1905); „Philosophie des Organischen" (1909); „Ordnungslehre" (1912); „Leib und Seele" (1916); „Wirklichkeitslehre, ein metaphysischer Versuch" (1917); „Metaphysik" (1924); „Die sittliche Tat" (1927); „Parapsychologie" (1932); „Die Überwindung des Materialismus" (1935). — Lit.: E. Heuß, Rationale Biologie und ihre Kritik (1938). A. Wenzl (Hrsg.), Hans Driesch, Persönlichkeit und Bedeutung für Biologie und Philosophie von heute. Beiträge verschiedener Autoren. Mit Bibliographie (1951).

αα) Vitalismus Ein Hauptinhalt der Lebensarbeit von Driesch war die Auseinandersetzung mit dem Mechanismus und die Begründung des Vitalismus. Hiefür wurden bahnbrechend seine Versuche mit Seeigeleiern. Wenn ein Seeigelei, so zeigte sich da, im ersten Stadium des Furchungsprozesses nach seinen Blastomeren zerlegt wird, so wird es dadurch nicht getötet, sondern die einzelnen Teile leben weiter und werden, wenn auch kleinere, so doch richtige Seeigel. Wenn man eine Maschine zerlegt, entstehen aus den Teilen nicht wieder neue gleiche Maschinen. Ein Teil ist nach der sonstigen Logik ein Teil und kann nicht gleich der Summe der Teile werden, aus der er genommen wurde. Der Seeigelteil aber wird wieder zum ganzen Seeigel. Also scheint in ihm ein Faktor wirksam zu sein, der im Namen des Ganzen arbeitet und den Wachstumsprozeß steuert. Diesen Faktor kann man auch sonst im Lebendigen beobachten: wenn bei ständiger Substanzerneuerung die Form des Lebewesens sich erhält und in Gang bleibt, sich nach seinen Bedürfnissen den Umständen entsprechend einstellt und umstellt, ja sogar bei Defekten wieder restituiert. Driesch nannte jenen Faktor nach einem aristotelischen

Terminus Entelechie. Der Begriff will der Tatsache Rechnung tragen, daß das werdende Lebewesen prospektiv auf das Resultat der Entwicklung hin „wird“, daß, was das Ende ist, die Ganzheit, schon von Anfang an alle Teile vollständig bestimmt und in ihrer Entwicklung steuert, so daß ein Lebewesen nicht als Summe der Teile verstanden werden darf, sondern umgekehrt die Teile vom Ganzen her Sinn und Sein erhalten. Da im Bereich der sogenannten toten Welt und ihrer physiko-chemischen Systeme nur das schon Vorhandene wirklich und wirkend ist, und das in einem automatisch-mechanischen Sinn (Kausaldetermination), so daß immer nur von den vorhandenen Kräften, ihrer Anordnung und ihren Summen (Resultanten) die Rede ist, muß Driesch diesem sogenannten mechanistischen Denken sein teleologisch-ganzheitliches entgegenstellen. Leben ist ihm „Zielstrebigkeit zu einer Ganzheit im Werden und Sich-erhalten“ (Wenzl). Der Entelechiebegriff hat bei Aristoteles allerdings einen etwas anderen Sinn. Er besagt dort, daß alle raum-zeitlichen Gestalten zugleich sinnhafte Anordnung sind, und es gibt darum bei Aristoteles eine Entelechie auch in der anorganischen Materie und wohl auch in den Artefakten. Jede Wesenheit ist eben auch Entelechie. Bei Driesch ist die Entelechie ein eigener realer Faktor, die Ganzheitskausalität. Anders als Kant begnügt er sich nicht mit einem Anschauen-als-ob, sondern bemüht sich um den Nachweis nicht einer fiktionalen, sondern realen Teleologie. Es ist konsequent, daß Driesch nun in der Psychologie den psycho-physischen Parallelismus bekämpft. Er führt den Nachweis in einer eigenen Schrift exakt damit durch, daß er gegen Spinoza und Fechner zeigt, daß die in den einzelnen Erlebnisakten sich angeblich entsprechenden physischen und psychischen Reihen sich eben nicht entsprechen, weil das Psychische, d. i. das bewußte Erleben, einen viel höheren Mannigfaltigkeitsgrad aufweist — Driesch würdigt hier die Einmaligkeit der Erlebnisakte ebenso wie die Lebensphilosophie — als die physischen Dinge, bei denen immer generelle Typen vorliegen. Er sieht den Unterschied so stark, daß er in Abwandlung des Fechnerschen Vergleichs meint, man könne angesichts des Unterschieds des Physischen und Psychischen viel richtiger sagen, eine konkav gesehene Kugelschale müsse von der anderen Seite nicht als konvex, sondern etwa als unregelmäßiges Siebeneck erschei-

ββ) Parallelismusproblem

nen. Der tiefere Hintergrund seiner Gegenstellung liegt darin, daß der psycho-physische Parallelismus, wie man ja bei allen Anhängern der Assoziationspsychologie sieht, eine mechanische Psychologie ist — psycho-mechanischer Parallelismus sagt darum Driesch —, die dem Mann, der die Sinn- und Zielstrebigkeit des Lebens beobachtet hat, als unmöglich erscheint.

β) Becher

Erich Becher (1882—1929), zuletzt Nachfolger Külpes in München, verteidigt schon früh den kritischen Realismus und arbeitet an einer Metaphysik, die die Ergebnisse der Naturwissenschaften — auch er war wie Driesch davon ausgegangen — zusammenfaßt und, wenn auch zunächst nur hypothetisch, abrundet zu einem geschlossenen, sinnvollen Ganzen. Seine Hauptwerke: „Gehirn und Seele" (1911); „Naturphilosophie" (1914); „Die fremddienliche Zweckmäßigkeit der Pflanzengallen und die Hypothese eines überindividuellen Seelischen" (1916); „Einführung in die Philosophie" (1926, ²1950, mit einer Würdigung Bechers, besorgt von Al. Wenzl); „Deutsche Philosophen" (1929, mit einer Einleitung über „Bechers Entwicklung und Stellung in der Philosophie der Gegenwart").

αα) Führerrolle des Seelischen

Bei Becher führt die Einsicht in die Teleologie im Reiche des Lebens und die Erkenntnis der hierzu notwendigen Führerrolle des Seelischen zu einem das Ganze der Welt umfassenden metaphysischen System, das er selbst einen psychistisch-vitalistischen Dynamismus geheißen hat. Auch Becher ist gegen den mechanistisch denkenden psycho-physischen Parallelismus und tritt wie Driesch für die Wechselwirkungslehre ein. „Die das Großhirn durchziehenden materiellen, nervösen Prozesse und die unsere Seele durchziehenden psychischen Prozesse bleiben stets in inniger kausaler Verbindung; die materiellen Prozesse beeinflussen die seelischen in ihrem ganzen Verlauf, und umgekehrt üben diese auf die materiellen Erregungsprozesse im komplizierten Bahnnetz des Großhirns einen führenden Einfluß aus" (Einführung, 231). Auf das letztgenannte Moment legt Becher besonderen Nachdruck. Unser nervöser Apparat weise Milliarden von Zellen und Leitungsbahnen auf. Wie sollte sich da ein neu auftretender Reiz nicht verlaufen, sondern dorthin finden, wohin er gehört, eine neue Wahrnehmung, etwa eines bestimmten Gegenstandes, zu den schon von früheren Wahrnehmungen dieses Gegenstandes her vorhandenen Vorstellungen? Weil gewisse Wege gangbar sind und andere versperrt? Es sind aber doch sehr viele gangbar und viele oft noch besser als der beschrittene. Wenn trotzdem der neue Reiz seinen Weg findet oder umgekehrt ein Willensakt seine richtige körperliche Ausführung, dann könne man sich das am besten so erklären, daß das Seelische den nervösen Prozessen gegenüber eine führende Rolle spielt, alles überschauend und steuernd wie etwa der den Verkehr eines Großstadtbahnhofs leitende Mann. „Wenn wir den aus Seele und Leib bestehenden Gesamtorganismus des Menschen oder eines Tieres biologisch umbefangen betrachten, dann erscheint das Seelische als führender Faktor in der Lebenseinheit“ (Einführung, 230). Außer im Großhirn treffen wir auf die Führerrolle des Seelischen aber auch in der Natur, und zwar besonders in der fremddienlichen Zweckmäßigkeit. Becher versichert sich zunächst der echten Teleologie, indem er nicht die vielen Einwänden ausgesetzte selbstdienliche Zweckmäßigkeit in der Natur untersucht, sondern gerade die fremddienliche, wie man sie z. B. an Pflanzengallen beobachten kann (Einführung, 283 ff.). Wenn gewisse Stechwespen etwa Buchen- oder Lindenblätter anstechen und ihre Eier hineinlegen, entwickeln diese Pflanzen ein eigenes Nährgewebe, bereiten die passende Nahrung, assimilieren sie sogar für den Schmarotzer, leiten sie dahin, wo man sie braucht und wann man sie braucht, bereiten dem fremden Tier auch noch ein Obdach durch Ausbildung von Gallen, Blatteinrollungen, Falten und Beuteln, schützen es gegen Tierfraß durch Entwicklung von Gerbstoffen. Und dann fallen im Herbst die Gallen mit dem Laub ab und werden durch Laub und Schnee geschützt. Zur rechten Zeit im Frühjahr springen sie auf, und das fremde Tier entsteigt ihnen fertig und lebensfähig. Kein Zweifel, daß fremddienliches Verhalten vorliegt. Soll das mechanisch erklärt werden können etwa im Sinne des Ausnutzungsprinzips? Die Gallmücke sondert gewisse chemische Stoffe ab, könnte man sagen, und diese reizen die Blätter zu den besonderen Wucherungen, die dem Insekt dienlich sind. Man müßte dann annehmen, daß in den Pflanzen eine entsprechende Gestaltungsfähigkeit angelegt gewesen wäre, die durch den Reiz ausgelöst wurde. Es gibt jedoch Gallen mit so seltsamen Formen, daß man keinen Zusammenhang mit der Wirtpflanze annehmen kann. Sie sind

ββ) Fremddienliche Zweckmäßigkeit

mehr als eine gewöhnliche Wucherung; denn sie verraten einen größeren Bauplan, weil Formen, z. B. Stöpsel und Deckel, auftreten, die etwas ganz Neues, Eigenes und gleichmäßig Geformtes sind. Sie sehen aus, als wären sie mit einem scharfen Messer herausgeschnitten. Diese Gestaltungen erklären sich besser, wenn man ein nicht mechanisch wirkendes Prinzip annimmt; also seelische Faktoren, die allerdings an körperliche Dinge (Zellkerne, Chromosomen) geknüpft sind. Von hier aus schreitet nun Becher fort zu der weiteren Erkenntnis eines überindividuellen Seelischen. Es erscheint ihm denkbar, daß über den immanent psychischen Faktoren der Pflanzen und ihrer Schmarotzer ein drittes Wesen stände, welches jene zu ihren Dienstleistungen veranlaßte. Es zeige sich nämlich, daß die Wirtspflanzen oft Gallen bilden, die an die Früchte anderer Pflanzen erinnern. Der in ihnen tätige seelische Faktor verwendet also gleiche Baupläne bei verschiedenen Individuen und Arten. Auch bei sehr fernstehenden Lebewesen gibt es solche analoge Bau- und Funktionspläne. Eben daraus dürfe man vermuten, daß in ihnen auch noch ein überindividuelles Seelisches am Werke sei. Und so mag es auch ein überindividuelles Seelisches geben, das noch viel weiter reicht, das bei Tintenfischen und Wirbeltieren nach gleichem Bauplan Augen entwickelt, das den Bauplan von Früchten bei anderen Pflanzenarten zur Gallenbildung verwendet, das in Gallentier und Wirtspflanze hineinreicht und in diesen dahin wirkt, daß sie jenen Nahrung, Wohnung und Schutz bieten. Bedeutsame Tatsachen sprächen dafür, daß dieses überindividuelle Seelische auch in das menschliche Bewußtsein hineinreicht und -wirkt: in den Instinkten der Fürsorge für die Kinder, die Familie und höhere Sozialverbände, in den auch fremddienlichen Zweckmäßigkeiten der Mitfreude, des Mitleids, des Pflichtgefühls und Gewissens. Insbesondere Pflichtgefühl und Gewissen erwecken den Eindruck, daß ein höheres, überindividuelles seelisch-geistiges Wesen in uns wirkt. Am stärksten aber werde dieser Eindruck im religiösen Bewußtsein, insbesondere im mystischen Erlebnis des Einsseins der Seele mit dem überindividuellen Lebensquell. Becher setzt aber das Seelische auch ganz unten an. Er hält an dem Dualismus von Bewußtsein und Materie-an-sich fest, neigt aber zu der „psychistischen Auffassung, daß die ganze Welt, auch die Materie-an-sich, aus seelischem

γγ) Das überindividuelle Seelische

δδ) Panpsychismus?

Baumaterial bestehe". Der Unterschied zwischen Materie-an-sich und eigentlichem Bewußtsein wäre dann der, daß menschliches und auch tierisches Bewußtsein eine viel höhere und reicher differenzierte Form des Seelischen darstellt als Materie-an-sich, eine Anschauung, die an Leibniz erinnert. Jedenfalls aber spielt das Seelische eine Führerrolle im Großhirn und weiter im ganzen Reich des Lebens. Und endlich spreche manches für ein überindividuelles Seelisches, das alles Sein steuert. Becher ist sich klar, daß dies eine kühne Hypothese ist. „Aber es ist das unvermeidliche Schicksal der empirisch-induktiven Metaphysik", so lauten die schönen Schlußworte der Einführung in die Philosophie, die immer wieder die Erinnerung an den edlen Menschen Becher wachrufen, „auf die weit über unsere Erfahrung hinausgreifenden Weltanschauungsfragen nur mit Hypothesen antworten zu können. Selbstüberhebung der Metaphysik wäre es, wenn sie sich anmaßen würde, dem religiösen Glauben den Charakter wissenschaftlicher Gewißheit zu geben. Aber glücklich darf sich der Metaphysiker schätzen, wenn er, indem er nur dem Leitstern der Wahrheit folgt und nie vom mühsamen Pfad unbestechlicher wissenschaftlicher Forschung abbiegt, zum Wegbahner der religiösen Überzeugung wird, daß über den irrenden und hadernden Individuen ein überindividuelles Geisteswesen führend und verbindend waltet, welches zu uns spricht in der Stimme des Gewissens und in unser Herz den Keim selbstloser Liebe legt." εε) Der Weltgeist

Aloys Wenzl (geb. 1887), Professor auf dem Lehrstuhl Bechers in München, hat vollendet, was der frühe Tod seinen Lehrer nicht mehr ausführen ließ, die Gestaltung eines philosophischen Systems, das alle wesentlichen Teile der Philosophie enthält und gekrönt wird durch eine natürliche Gotteslehre, Schöpfungslehre und Rechtfertigung Gottes angesichts des Übels in der Welt. Seine Hauptwerke: „Das Verhältnis von Einsteinscher Relativitätstheorie zur Philosophie der Gegenwart" (1923); „Das naturwissenschaftliche Weltbild der Gegenwart" (1929); „Das Leib-Seele-Problem" (1933); „Metaphysik der Physik von heute" (1935, ²1951); „Wissenschaft und Weltanschauung" (1936, ²1950); „Metaphysik der Biologie von heute" (1938, ²1951); „Metaphysik als Weg von den Grenzen der Wissenschaft an die Grenzen der Religion" (1939, ²1956); „Seelisches Leben — Lebendiger Geist" (1942); „Philosophie der Freiheit" (I 1947; II 1949); „Materie und Leben als Probleme der Naturphilosophie" (1949); „Unsterblich- γ) Wenzl keit“ (1951); Die philosophischen Grenzfragen der modernen Naturwissenschaft“ (1954, [3]1956). — Lit.: J. Hanslmeier (Hrsg.), Natur - Geist - Geschichte. Festschrift für A. Wenzl (1950).

αα) Entelechie

Wie Driesch und Becher hat auch Wenzl die Unzulänglichkeit der rein quantitativ-mechanistischen Weltbetrachtung durchschaut. Sie hat ihre Berechtigung und ihren Wert auf dem Gebiet, dem sie angemessen ist, in den physiko-chemischen Systemen. Wenzl kommt selbst von der Mathematik und Naturwissenschaft her und würdigt deren Methode zunächst im selben Maß wie Leibniz, Lotze, Lange; auch für die Psychologie. Aber ihre Kategorien sind unzureichend zur Erfassung des Lebens. Mit Driesch und Becher stellt darum auch Wenzl das Leben unter eigene Kategorien, die der Ganzheit und Finalität, besonders aber greift er auf den Entelechiebegriff zurück, prägt ihn noch stärker aus und fügt ihn konsequent ein in ein von unten bis oben einheitlich durchdachtes System. Im konkreten einzelnen lebenden Seienden ist die Entelechie der „organologische Organisator“, der „Baumeister eines selbstspielenden Instrumentes, nicht allerdings eines automatischen, sondern eines lebendigen; sie aktualisiert dieses, erfüllt und bestimmt sich im Individuum und läßt diesem einen Spielraum von Freiheit“. Diese Entelechien sind dann „selbst wieder Sonderinhalte eines umfassenderen Willens ... Untersubjekte, die teilnehmen an dem Willen eines umfassenden Subjektes“, das nicht bloß begrifflich Art oder Natur heißen soll, sondern auch wieder realer Wille ist, Wille von größerer Reichweite, der selbst auch wieder umgriffen wird von einem immer wieder höheren überindividuellen Seelischen, wie Becher gesagt hatte, einer höheren Entelechie, wie Wenzl sagt. Entelechie ist darum bei Wenzl nicht einfach bloß ein Naturfaktor, der bewirkt, daß das Geschehen anders läuft, als nach physikochemischen Gesetzen zu erwarten wäre, auch nicht bloß eine Ganzheit, die vielleicht sinnfrei wäre, sie ist positiv „zielstrebig“. Wenn schon die Biologen von Regungen, Strebungen, Drängen, von Gedächtnis oder Mneme wie Bleuler, von einem Intelligenzfaktor wie G. Wolff sprechen müssen, dann sind das doch lauter aus der seelischen Sphäre entnommene Ausdrücke, lauter seelische Fähigkeiten, wie verschieden wir sie auch gegenüber den menschlichen denken müssen. „Kurz, wir müssen der Entelechie, oder wie immer man die verantwortliche Instanz nennen will, eine seelenartige Wesenheit zuerkennen." Wie die großen Metaphysiker von Platon bis Leibniz, Schelling und Schopenhauer immer wieder vom seelischen Erleben aus, als dem Sichereren und Gewisseren, das Sein interpretieren, so dehnt nun auch Wenzl, einen Begriff Schopenhauers übernehmend, den Entelechiegedanken auf das Sein überhaupt aus und sieht in ihm Wille und Vorstellung. „Auch das Innere der materiellen Wirklichkeit ist letztlich dynamisch-seelischen Wesens ... Sinn und Aufgabe der materiellen Wirklichkeit ist die Ermöglichung der Erscheinung und des Ausdrucks höherer seelischer und geistiger Inhalte und dadurch die Verbindung und Vermittlung zwischen höheren Wesenheiten" (Phil. d. Freiheit I, 112 f.). Wenzl hat sein System selbst mit folgenden Leitsätzen kurz umrissen: „1. Alles Seiende ist seinem Wesen nach Vorstellung und Wille, als überindividueller Inhalt für das untergeordnete Individuum objektiv gültig: Realidealismus; 2. Es gliedert sich in Schichten, die aufeinander wie Stoff und Form bezogen sind und die selbst wiederum in aufsteigender Reihe derart gegliedert sind, daß je auf der niedrigeren Stufe schon analogische Vorformen der erst auf der höheren Stufe sich ihrem eigentlichen Sinn nach erfüllenden Wesenheiten auftreten: Stufenbauprinzip; 3. Durch diesen Stufenbau drückt sich der seelisch-geistige Gehalt und die ideelle Ordnung der Wirklichkeit in anschaulicher Erscheinung aus. Die Raumprägung durch die Materie gibt die Grundlage für den Ausdruck höherer Inhalte an ihren Gebilden und in ihrer Ordnung: Ausdrucksgesetz; 4. Auf allen Stufen herrscht ein Moment der Freiheit; die Freiheitsstufen beginnen mit der Unbestimmtheit, der Multipotenzialität und daher Kontingenz des materiellen Geschehens und gipfeln in der sittlichen Freiheit des Menschen. Die überindividuellen Bezüge verbürgen einen Rahmen im Großen und verhüten ein Chaos" (Phil. d. Freiheit I, 244 f.). Man sieht, daß in dieser Metaphysik eine Synthese von induktiver und klassischer Metaphysik vorliegt. Aus jeder Seite spricht bei Wenzl der Kontakt mit den Problemen und Ergebnissen der modernen Naturwissenschaft. Aber wenn er durch das ganze Sein hindurch Sinnhaftigkeit, Freiheit und Kontingenz verfolgt, die

ββ) Welt als Wille und Vorstellung

γγ) Induktive und klassische Metaphysik

Natur als Erscheinung von Ideen versteht (a. a. O. 216), wenn er das Axiom vertritt: „Es will sich alles verwirklichen, was möglich ist" (a. a. O. 251), was ein leibnizisches Axiom ist (vgl. oben S. 165), und wenn er die höheren Schichten stärker sein läßt, echter und reiner als die niederen, die nur deren analogische Vorformen sind, was ein platonisches Axiom ist, dann erkennt man darin sofort die Seele der klassischen Metaphysik. Gegenüber Schelers und Hartmanns Gesetz der Stärke, verteidigt er diese metaphysisch allein echte Schichtungsontologie mit dem Satz: „Es ist falsch, die höhere Schicht gegenüber der niederen als ohnmächtig zu erklären; zwar ist für das empirische Menschsein die je niedere die conditio sine qua non der höheren; aber in jedem Heben des Armes erfahre ich die Macht meiner Vitalität über die Gravitation, in jedem Herzklopfen aus Angst oder Freude die Macht der Seele über die Funktionen des lebendigen Leibes, in jeder Anstrengung, Beherrschung, in jeder nicht sinnlich-, triebhaft- oder umweltbedingten Leistung die Macht des Geistes" (a. a. O. II, 51). In der Sprache der alten Metaphysik heißt das: Das Ideelle ist das eigentliche Sein, das Niedere

δδ) Der Weltgrund

hat daran teil, ist nur eine analogische Vorform. Besonders aber erkennt man den Geist der klassischen Metaphysik, wenn Wenzl schließlich die totale Seinsfrage stellt und eine Antwort auch auf das Problem der Kosmogonie und Theodizee gibt, indem er der empirischen Welt von heute ein „urbildhaftes, ganzheitlich entelechiales Sein" vorgelagert sein läßt, das ‚vor' der empirischen Zeit war. Seine Ganzheit zerfiel, als das erste bewußt verantwortliche Wesen sich von dem Ziel, auf das es hingeordnet war, von Gott, trennte und durch seine Unordnung nun Quelle weiterer Unordnung wurde. Obwohl nun in der Welt eine Spaltung eingetreten war, ragt das urbildliche Sein doch noch in die Zeitlichkeit herein und kann als solches erkannt und erstrebt werden (Phil. d. Freih. I, 209). Damit wird verständlich, daß es Gutes und Böses in der Welt gibt und einen Urgrund vor und über der Welt. Becher schied in einem Abschnitt seiner Entwicklung aus dem Leben, wo er unmittelbar davor stand, in seinem höchsten überindividuellen Seelischen ähnlich wie Leibniz und Lotze das Göttliche zu erkennen. Was zu sagen ihm nicht mehr vergönnt war, wagt Wenzl auszusprechen: Das Urbild des ganzen Seins ist Gott, und es ist der Schöpfergott des christlichen Theismus. Wenzl weiß, daß diese Behauptung ein Wagnis ist, aber sie ist kritisch überlegt und wohl begründet; denn „wir selbst und die Wesen der Welt sind nicht aus uns. Der Zusammenhang, der trotz allen Auseinanders in der Welt auch unverkennbar ist, die Realität und Unselbständigkeit alles einzelnen Seins erfordert ein Absolutum. E i n Wille durchwaltet die Vielheit beschränkter Willensträger, ein Vernunftprinzip äußert sich in der Ordnung und Sinnhaftigkeit, die es in der Welt auch gibt, ein Wertprinzip in der Verwirklichung von Werten und der Sehnsucht nach ihnen" (a. a. O. 216). Damit stehen wir auch schon in der Ethik. Wie die Metaphysik Wenzls in der empirischen Erfahrung anhebt, so auch die Ethik. Sie ist zunächst phänomenologische Analyse der am meisten sagenden sittlichen Erfahrungstatsachen, der Scham, der Reue, des Mitleids, der Mitfreude und des sittlichen Zornes. Hier werden die eigentlichen ethischen Werte erarbeitet. Metaphysik der sittlichen Gefühle heißt das Ganze. Der Begriff klingt an Kants Metaphysik der Sitten an, ist aber an Lotzes Ethik orientiert, wo auch die Sittlichkeit auf einer an idealen Werten beurteilten menschlichen Gefühlswelt aufruhte. Der äußere Rahmen der ethischen Prinzipienlehre ist dem Sprachgebrauch des Eudämonismus entnommen. Das erste Prinzip der Ethik lautet nämlich: „Es sollte Glück sein, das nicht Unglück einschließt." Aber dann wird sofort, deutlicher als bei Becher, die konkrete Frage gestellt: Was ist Glück? In der Antwort wird der zunächst unbestimmte Eudämonismus sublimiert und näher bestimmt von der „Menschenwürde" her. In ihr liege die zweite Wurzel der Ethik, so daß das endgültige ethische Grundgesetz laute: „Leid zu mindern und Glück zu spenden, das nicht selbst Ursache von Leid ist und das zu geben und zu empfangen des Menschen würdig ist" (Phil. d. Freih. II, 70). Hängt natürlich jetzt alles von einem das Ganze beherrschenden Menschenbild ab. Dies wird denn auch in klaren Zügen umrissen im Verlaufe einer gerade auf die brennenden ethischen Fragen des praktischen Lebens eingehenden Tugendlehre. Es kommen zur Sprache: die Ethik des Geschlechtslebens, des Geltungsstrebens, des Gemeinschaftslebens, Politik und Ethos, Wirtschaft und Ethik, die Technik als ethisches Problem, Kultur und Ethos, Erziehung, Recht und schließlich die ethischen Konflikte im

εε) Ethik

Metaphysik der Gefühle

Tugendlehre

Gemeinschaftsleben, wie z. B. Duell, Streik, Revolution, Attentat, Kollektivschuld, Krieg. Das sind alles konkrete Dinge. Wenzls ganze Philosophie, besonders aber seine Ethik, will dem Menschen von heute praktisch helfen. Sie erinnert in ihrem sozialen Verantwortungsbewußtsein und ihrer ernsten Lebensnähe vielfach an die englischen Ethiker, die auch immer bedeutende Erzieher ihres Volkes waren und sich nicht bloß mit ethischen Prinzipienlehren begnügten. Grundlage der ganzen Sittlichkeit ist die Freiheit. Die Freiheit ist bei Wenzl auch ein metaphysisches Prinzip. Seine Interpretation des Seins als Wille mußte ihn ebenso wie Schelling zur Philosophie der Freiheit führen. Sie charakterisiert das Geschehen vom Minimum in der Mikrophysik bis zum Maximum, dem Schöpfergott, der reinste Selbstbestimmung ist, das être capable d'action schlechthin, um einen Begriff Leibnizens, der sich hier aufdrängt, zu gebrauchen. Nur erfährt dabei die Freiheit eine Verwandlung. Anders ist die mit der Heisenbergschen Unsicherheitsrelation auftretende Unbestimmtheit, anders die Pluripotenz im Reiche der Pflanzen und Tiere und wieder anders die sittliche Wahlfreiheit des Menschen. Aber eine analogische Beziehung besteht zwischen allen Formen von Freiheit, und sie ist gegeben mit der Deutung der Welt als Wille. Es gibt auch in der Freiheit eine aufsteigende Linie, wo erst in der Vollendung der reine Sinn sich erfüllt. Diese reine Freiheit treffen wir im Menschen und seinem geistig-sittlichen Handeln. Die sittliche Wahlfreiheit steht nach Wenzl fest, auch unabhängig von den metaphysischen Annahmen. Das sittliche Selbstbewußtsein spricht klar dafür. Und: „Die menschliche Willensfreiheit wäre auch bei einem Determinismus alles Naturgeschehens zu vertreten" (Phil. d. Freih. II, 23). Hier deckt sich Wenzls Anschauung mit Hartmann. Mit der Schichtungsontologie wurde die philosophische Atmosphäre von den Vorurteilen gereinigt, die das vorige Jahrhundert daran hinderten, die Willensfreiheit zu sehen. Mit der personalen Freiheit haben wir die höchste Form von Freiheit vor uns. Sie soll und vermag Welt vorausschauend zu gestalten; als reiner Wille nach ewigen Urbildern. „Daß der Sinngehalt dieser Ausdrucksgestalten nicht vergehe, das ist der Grundgehalt der Überzeugung von der Unsterblichkeit der Person."

Philosophie der Freiheit

c) Der Idealrealismus

Schon bei Wenzl war die induktive Metaphysik in den Idealrealismus übergegangen und das raum-zeitliche Geschehen von einer nicht wie bei Hartmann ohnmächtigen, sondern das Erfahrungssein wirklich führenden seelisch-geistigen Welt heraus verstanden worden. Auch bei B. Bavink, der mit seinem Buch „Ergebnisse und Probleme der Naturwissenschaften" ([10]1953) eines der Standardwerke der induktiven Metaphysik geschrieben hat, taucht mitten in naturwissenschaftlichen Überlegungen, z. B. über das Wesen der Art und Gattung, oft plötzlich der Platonismus auf. Besonders ausgebaut aber wird die Sphäre des Idealen, ohne daß sie das raum-zeitlich Reale annullierte, im sogenannten Idealrealismus bei Whitehead. Auch N. Losskij (1870—1965), nach Solowjew und Leo Lopatin (1855—1920) der bedeutendste Denker Rußlands, könnte hierher gezählt werden.

Alfred North Whitehead (1861—1947), zuletzt Professor an der Harvard-Universität, war einer der bedeutendsten angelsächsischen Philosophen unserer Zeit. Er kam wie die Männer der induktiven Metaphysik von der Mathematik und Naturwissenschaft her zur Philosophie, und sein Denken weist überhaupt viele Ähnlichkeit mit ihnen auf; denn es ist gleichfalls eine Synthese von induktiver und klassischer Metaphysik. Whitehead arbeitete ursprünglich über mathematische Logik. Zusammen mit B. Russell gab er das Werk Principia mathematica heraus (1910—13), das zu den grundlegenden Werken der modernen Logistik gehört. Dann wandte er sich den Naturwissenschaften zu. In diese Periode fällt The concept of nature (1920). Zuletzt widmete er sich der allgemeinen Philosophie. Hierher gehören u. a.: Symbolism, its Meaning and Effect (1928); Process and Reality (1929); Adventures of Ideas (1933); The Modes of Thought (1938), — Lit.: A. N. Whitehead. An Anthology. Sel. by F. S. C. Northrop and M. W. Gross (1954). Ch. Hartshorn, Das metaphysische System Whiteheads. In: ZphF. 3 (1948) 566—575. J. N. Mohanty, N. Hartmann and A. N. Whitehead (Calcutta 1957). C. O. Schrag, Struktur u. Erfahrung in der Philos. von James u. W. In: ZphF. 23 (1969) 479—494. α) Whitehead

Whitehead ist Realist. Die Welt ist ihm nicht nur subjektive Vorstellung, sondern besteht aus „real seienden Wesenheiten", aus „real seienden Momenten", die er sich in der Art der Leibnizischen Monaden denkt. Sie stehen nämlich αα) Realismus

auch in Verbindung mit der Gesamtheit des Seins überhaupt. Es war nach Whitehead einer der größten Fehler des neuzeitlichen mathematisch-naturwissenschaftlichen Denkens, daß es die Dinge für sich allein nahm und in der Substanz etwas Getrenntes, nur für sich Seiendes erblickte. Die ganze moderne Kategorienlehre baue auf diesem Irrtum auf, wenn sie Subjekt, Objekt, Prädikat, Substanz, Partikuläres, Universales auseinanderreißt. In Wirklichkeit stehe alles miteinander in Verbindung. Und zwar „erfühlt" jede real seiende Wesenheit die anderen. Dies geschieht deswegen, weil alles sich gegenseitig durchdringt. Wie bei Leibniz sind nämlich die real seienden Wesenheiten dynamische Einheiten, die stets aufeinander wirken. So werden sie zum „Objekt des Fühlens". Damit besteht alles Seiende aus lauter Organismen. Die Intensität ihres Lebens weise allerdings verschiedene Stufen auf. Erst auf höheren Stufen findet sich Bewußtsein in eigentlichem Sinn. Seine Vorformen sind aber überall da. Darum geschieht auch die Realitätserfassung nicht im Denken, sondern im Fühlen des lebendigen Organismus. Das Denken sei künstliche Abstraktion, Zerreißung des Lebenszusammenhangs. Der Lebenszusammenhang selbst ist die echte Realität. Diese lebendige, organische Einheit, die auch noch die Scheidung von Subjekt und Objekt ausschließt, erinnert stark an Schelling und Bergson.

ββ) Platonismus Whitehead ist aber kein irrationalistischer Lebensphilosoph. Er fordert zwar auch eine Intuition ähnlich wie Bergson. Gerade hier aber greifen nun die „ewigen Objekte" ein, die platonischen Ideen, und in ihnen erst wird das Wirkliche gelesen und zur Erfahrung erhoben. Whitehead will bewußt Platoniker sein. Die ganze abendländische Philosophie besteht ja ohnehin nur aus Fußnoten zu Platon, meint er. Erst durch eine Bezugnahme auf das Ideelle in den ewigen Objekten werde der Prozeß vor dem Verströmen bewahrt und zur Realität gemacht, was eben die grundlegende Erkenntnis Platons gewesen sei. Whiteheads ewige Objekte unterscheiden sich aber von den platonischen Ideen insofern, als sie „Möglichkeiten" sein sollen. Trotzdem sind sie nicht ohnmächtig wie das Ideelle bei Scheler und Hartmann. Sie können als Möglichkeit bezeichnet werden, insofern Strömen, Drang und Gefühl des Realen das Medium sind, worin und wodurch sie erscheinen können. Anderseits ist aber auch das

Werden und die Realität nur möglich durch das Ideelle. Die Formen, in denen das raum-zeitliche Strömen erst Gestalt annimmt, sind also ideeller Natur. Sie werden auch nur intuitiv erfaßt, nicht aber durch eine Abstraktion im Sinne des Empirismus; denn das raum-zeitliche Geschehen ist nicht Quelle der Wahrheit, sondern hat nur Symbolcharakter. Erst hinter dem Symbol stehen die seienden Wesenheiten der ewigen Objekte. Sie erklären auch den Zusammenhang aller Dinge, denn in der platonischen „Gemeinschaft der Arten" bildet ja das Sein eine einzige Verwandtschaft, wie es schon im Menon heißt. Anders als Hartmann nimmt darum Whitehead an, daß der Geist, wenn er auch für uns Menschen immer nur innerhalb der realen Körperwelt auftritt, sehr wohl auch als für sich bestehend gedacht werden könne. Auch die Unsterblichkeit der Seele könne durch besondere religiöse Erfahrungen vielleicht begründet werden. Und darum gibt es für Whitehead auch einen Gott, der ein metaphysisches Prinzip ist. Er ist jenes bestimmende Moment, das aus dem allgemeinen Drang und den ewigen, auch immer allgemeinen Wesenheiten je und je etwas Bestimmtes macht, was wieder an Leibniz erinnert, an seine oberste ratio sufficiens nämlich, die allein genügt, um das Existentielle jeweils in seiner Diesheit zu erklären.

Othmar Spann (1878—1950), zuletzt Professor in Wien, vertritt einen „Universalismus", bei dem das idealistische Element noch stärker durchschlägt als im sonstigen Idealrealismus. Hauptwerke: „Der wahre Staat" (1921); „Kategorienlehre" (1924); „Gesellschaftsphilosophie" (1928); „Irrungen des Marxismus" (1929); „Geschichtsphilosophie" (1932); „Naturphilosophie" (1937); „Religionsphilosophie" (1947). — Lit.: W. Heinrich (Hrsg.), Die Ganzheit in Philosophie und Wissenschaft. Festschrift für O. Spann (1950). β) Spann

Es ist Gesellschafts-, Staats- und Geschichtsphilosophie, was Spann auf die universalistische Betrachtungsweise verwiesen hat. Der Universalismus wird aber auf die ganze Seinsbetrachtung überhaupt ausgedehnt. Sein Leitmotiv bildet ein Gedanke, der sich auch bei Aristoteles findet (vgl. Bd. I, 207), der Satz nämlich, daß das Ganze früher ist als die Teile, αα) Ganzes und Teil wobei aber Spann unmittelbar vom organologisch-idealistischen Denken der Romantik angeregt ist, besonders von Fr. von Baader. Die „Glieder", also das Einzelne und das Detail in Gesellschaft, Geschichte und Kultur, werden aus dem Ganzen „ausgegliedert". Daß das Ganze „vor" den Gliedern ist, darin liegt der Idealismus Spanns, daß es nicht ohne die Glieder ist und in ihnen erst Dasein erlangt, darin liegt das realistische Element.

ββ) Das heimliche Leben der Seele

Über das Wollen Spanns unterrichtet sehr klar das in einer erregenden Zeit geschriebene Vorwort seiner Religionsphilosophie. Spann verweist dort auf das „heimliche Leben der Seele", das den Menschen über sein äußeres Scheinleben erhebt und „die oberen Seelenkräfte" sich öffnen läßt für ein „höheres Licht". Von diesen „Urnotwendigkeiten des inneren Lebens" handelt seine Religionsphilosophie. Sie will zeigen, wie der Mensch diese Wege gehen müsse, wenn er das reine Wesen des Menschen darstellen wolle, und wie er auch in der Geschichte tatsächlich diesen Weg gegangen ist. Im „Wesen des Menschen" haben wir das „Übergeschichtliche", das dem geschichtlichen Wandel der Dinge zugrunde liegt und auf ihre transzendenten Wurzeln hindeutet. Ohne dieses Übergeschichtliche werde die Geschichtsschreibung und am meisten die Religionsgeschichte zum Feinde der Religion, weil sie alles relativieren. In dieser zerstörerischen Tätigkeit arbeiteten in der Neuzeit der Historismus, der Empirismus, Positivismus, eine materialistisch verstandene Naturforschung und der Materialismus selbst zusammen. Das neuzeitliche Denken, aus dem diese Philosophie geboren wurde, habe allerdings eine große Fruchtbarkeit für die äußere Sphäre des Lebens entfaltet.

γγ) Der metaphysische Sinn

Der metaphysische Sinn kam dabei aber zu kurz, und es wurde gerade das verschüttet, was dem Leben eigentlich seinen Preis verleiht, die aus einer höheren Ganzheit hervorgehende Erfüllung und Sinngebung des Lebens.

γ) Teilhard de Chardin

Pierre Teilhard de Chardin (1881—1955) war anfänglich Physiker, dann Paläontologe, Anthropologe, Philosoph und Theologe, seit 1899 Jesuit, ab 1946 im Institut catholique zu Paris. — Aus seinem großen Schrifttum sei hier nur erwähnt: „Der Mensch im Kosmos" (dt. 1959) und „Mein Weltbild" (Freiburg/Schw. 1975). — Lit.: A. Haas, T. de Ch.-Lexikon. 2 Bde. (1971). G. H. Sitzmann (Hrsg.), T. in der Diskussion (= Wege der Forschung CCXXVII. In Vorbereitung).

Teilhard de Chardin bildet ein gutes Beispiel für das idealrealistische Denken. Als Physiker sieht er den Kosmos nicht nur von der Körperwelt her, sondern versteht ihn in seiner Evolution hin zum Menschen. Als empirischer Feldforscher (1927 ff. beteiligt an der Entdeckung des Sinanthropus Pekinensis) bleibt er nicht bei der anatomischen Materie stehen, sondern deutet den Menschen vom Bewußtsein und einem geistigen Ich her, dieses Ich wiederum von der Gemeinschaft und einem Über-ich her, dem sog. Punkt Omega, und dieser wiederum ist ihm letztlich gegeben im mystischen Christus als dem Ende der Schöpfung von Anfang an. Das meint keinen Evolutionspantheismus, weil die Schichten irreduzibel sind und das Höhere nicht vom Niederen geboren wird, sondern ein „der Natur nach Früheres" ist. Da aber der Punkt Omega auf dem Glauben basiert, gehört Teilhard de Chardin mehr in die Theologie.

4. EXISTENZPHILOSOPHIE

Unter den geistigen Strömungen der Gegenwart ist die Existenzphilosophie die auffallendste. Grundsätzlich gegen alle Verflachung eingestellt, führte sie paradoxerweise zu einem großen Gerede und zu einer Inflation an existentialistischer Literatur. Die Gegner und auch viele unbeteiligte Zuschauer sehen in ihr vielfach Mode und Sensation und erklären die große Resonanz teils aus der betont zur Schau getragenen Neuheit, teils aus dem Einklang mit dem bloßen Stimmungsgehalt der Zeit, mit Pessimismus, Skeptizismus, Relativismus, Realistik und Nonkonformismus, teils auch aus ihrer Unverständlichkeit, die man für Tiefe halten kann. Die Anhänger fühlen sich als Fortschrittler und betrachten ihre Sache als den tieferen Ausdruck der Zeit von heute. Diese Zeit habe ein neues Seinsverständnis gefunden, das ein Verständnis sei für das Geschichtliche und Einmalige im Menschen, für das Werden und den Prozeß gegenüber den statisch-schematischen Wesenheiten. Heidegger sowohl wie auch Jaspers und Sartre kämen überein in dem Aufstand gegen die herkömmliche abendländische Wesensmetaphysik, und zwar sowohl gegen deren objektivistische Ausprägung in der alten Tradition der platonisch-aristotelischen Philosophie wie auch gegen die subjektivistische Variante in den modernen idealistischen Systemen seit Kant. So ganz neu sei das Ganze übrigens nicht. Man findet Ansätze schon in Schellings Philosophie der Freiheit, bei Kierkegaard und in der Lebensphilosophie. In der positiven Ausgestaltung des Neuen gehen sie freilich so sehr auseinander, daß der Name Existenzphilosophie schon fast nicht mehr in einem gemeinsamen Sinn angewendet werden kann. Wer über Existenzphilosophie reden will, muß darum je über die einzelnen Philosophen sprechen. Man könnte hier sehr viele nennen: G. Marcel, F. Ebner, P. Wust, R. Guardini, E. Grisebach, H. Lipps, O. F. Bollnow, N. Abbagnano, A. Camus, M. Merleau-Ponty u. a. Hier können nur die heute am meisten beredeten aufgeführt werden: Jaspers und Heidegger als die Vertreter der deutschen Existenzphilosophie und Sartre und Marcel als die Vertreter des französischen Existenzialismus.

Literatur

O. F. Bollnow, Existenzphilosophie (1942, [6]1964). M. Müller, Existenzphilosophie im geistigen Leben der Gegenwart (1949, [2]1958). F. J. v. Rintelen, Philosophie der Endlichkeit als Spiegel der Gegenwart (1951, [2]1960). J. Lenz, Der moderne deutsche und französische Existentialismus (1951). J. Möller, Existenzphilosophie und Katholische Theologie (1952). H. R. Müller-Schwefe, Existenzphilosophie. Zum Verständnis von Existenz in Philosophie und christlichem Glauben. Eine Begegnung (1961). K. Reidemeister, Die Unsachlichkeit der Existenzphilosophie ([2]1970). F. Zimmermann, Einführung in die Existenzphilos. (1977).

a) Deutsche Existenzphilosophie

In der deutschen Existenzphilosophie schwang von Anfang an ein gewisser Stimmungsgehalt mit. Er wurde von außen her gewöhnlich mit den Schlagworten Angst, Sorge, Pessimismus, tragisch heroischer Nihilismus charakterisiert und überbetont. Diese Kennzeichnung war nicht ganz unberechtigt, in der Hauptsache aber trotzdem eine Verkennung. Die deutsche Existenzphilosophie will nicht Anthropologie sein, sondern eine Seinsphilosophie, ja eine „erste Philosophie". Jaspers versichert ausdrücklich: „Was Hegel in seiner metaphysischen Logik als eine Kategorienlehre durchführte, ist ... die Erfüllung einer Aufgabe, die der gegenwärtigen verwandt ist" (Vernunft und Existenz, 98). Und Heidegger knüpft dort bei Husserl an, wo er im Stile der transzendentalen Deduktion Kants und des deutschen Idealismus sich um die Grundlegung einer absolut reinen ersten Philosophie bemühte. Man hat die Distanz Heideggers zum Subjektivismus des deutschen Idealismus stark hervorgehoben. Aber gerade die dabei zur Charakterisierung seiner Philosophie verwendeten Begriffe: jenseits von Idealismus und Realismus, Überwindung des Gegensatzes von Subjekt und Objekt, Synthese von Sein und Werden, Sein als die absolute Geschichtlichkeit der Geschichte, als das sich verendlichende Ganze, die Identität des Nichtidentischen usw. gehören in Wort und Sache der Sprache und dem Wollen des deutschen Idealismus an. Allein nachdem inzwischen Kierkegaard, Nietzsche und die Lebensphilosophie dagewesen sind, kann man nicht mehr mit einer Geschichte des Bewußtseins das Wesen des Seins und das Geschehen des Weltprozesses interpretieren. Nun muß in die alten Schläuche ein neuer Wein gegossen werden: die Existenz. Er gärt noch stark, zerreißt auch an manchen Stellen die alten Schläuche, aber in der Hauptsache bewähren sie sich doch. Die Auffüllung geschieht anders bei Jaspers und anders bei Heidegger.

Karl Jaspers (1883—1969), lange Professor in Heidelberg, seit 1948 in Basel, ist zusammen mit Heidegger der Begründer der deutschen Existenzphilosophie. — Werke: „Philosophie". 3 Bde.; „Philos. Weltorientierung — Existenzerhellung — Metaphysik" (1932); „Vernunft und Existenz" (1935); „Existenzphilosophie" (1938); „Philosophische Logik". I: „Von der Wahrheit"; „Philosophischer Glaube" (1948); „Vom Ursprung und Ziel der Geschichte" (1949). „Einführung in die Philosophie" (1950); K. Jaspers-R. Bultmann, „Die Frage der Entmythologisierung" (1954); „Die großen Philosophen" I (1957); „Der Philosophische Glaube angesichts der Offenbarung" (1962). Siehe auch oben S. 378 u. 506. Reden und Aufsätze (1951 und 1958 unter dem Titel „Rechenschaft und Ausblick" bzw. „Philosophie und Welt"). — Lit.: B. Welte, Der philosophische Glaube bei K. Jaspers und die Möglichkeit seiner Deutung durch die thomistische Philosophie (1949). Offener Horizont. Festschrift für K. Jaspers (1953). P. A. Schilpp (Hrsg.), K. Jaspers (1956). H. Saner, K. J. in der Diskussion (1973). H. Tennen, J.s Philosophie in kritischer Sicht. In: ZphF. 28 (1974) 536—561. α) Jaspers

αα) Existenz Jaspers will in seiner Philosophie Existenzerhellung geben. Den Weg zu ihm können wir finden, wenn wir uns zunächst klar werden, was er unter Existenz versteht. Der Philosoph überlegt so: Der Mensch hat sich gegenüber das Sein der Welt. Das ist zunächst jenes Dasein der realen Gegenstände, mit denen sich die Einzelwissenschaften befassen. (Bei Heidegger heißt dies „Vorhandensein".) Der unphilosophische Mensch nimmt das Vorhandensein als bekannt und fraglos hin. Eine philosophische Weltorientierung sieht bald, daß es gar kein einheitliches Weltbild gibt; denn immer werde nur eine Seite, ein Stück verabsolutiert und zum Ganzen gemacht unter Hintansetzung alles übrigen. Der Positivismus z. B. tut, als ob die quantitativ-mechanische Seite des Wirklichen das ganze Wirkliche wäre. Der Idealismus mache das so mit dem Geist. Vor allem aber übersähen beide, daß die Bewußtseinsinhalte (Vorstellungen, Begriffe, Urteile) nicht sind, wofür man sie hält: allgemeingültige, die Gegenstände adäquat erfassende Inhalte des Geistes; denn der Mensch denke in Wirklichkeit „existentiell": einmalig und unvertretbar, aber nicht in identisch nachvollziehbaren Inhalten. Eben das hätten Kierkegaard und Nietzsche gesehen. Soll man sich aber nun dem Leben verschreiben und das Denken relativieren lassen zu Stationen im Kampfe des Willens zur Macht? Eine solche Auflösung aller Wissenschaft will Jaspers auch nicht. Er kann sie auch nicht mehr wollen nach dem Gericht, das die Phänomenologie über den Relativismus und Psychologismus der Lebensphilosophie gehalten hat. Darum sieht er in der Existenz ein Zusammenspiel von Leben und Geist. Wer nur das Leben gelten läßt als die „vernunftlose Existenz", die sich auf Gefühl, Erlebnis, fraglose Triebhaftigkeit, Instinkt und Willkür stützt, gerate in blinde Gewaltsamkeit. Wer aber nur den Geist allein sprechen läßt, die „existenzlose Vernunft", gleite ab in das intellektuell Allgemeine, in das Schematische, ist ohne Persönlichkeit, ohne Geschichtlichkeit, gleichsam ein leerer, beliebig vertretbarer Punkt. Darum gehöre beides zusammen: „Die großen Pole des Daseins, in allen Weisen des Umgreifenden sich begegnend, sind also Vernunft und Existenz. Sie sind untrennbar. Jeder geht verloren, wenn der andere verloren geht. Vernunft darf sich nicht an Existenz verlieren, zugunsten eines sich absperrenden Trotzes, der sich gegen Offenbarkeit verzweifelt sträubt. Existenz darf sich nicht an Vernunft verlieren zugunsten einer Durchsichtigkeit, welche sich als solche mit der substantiellen Wirklichkeit verwechselt. Existenz wird nur durch Vernunft sich hell; Vernunft hat nur durch Existenz Gehalt" (Vernunft und Existenz, 41). Das Zitat sagt genug, wenn es auch die eigene Terminologie nicht einhält, weil es für Leben auch wieder Existenz sagt, woran man im übrigen sofort erkennen kann, wieso in der Existenzphilosophie Begriffe aus der Lebensphilosophie aufbewahrt werden. Tatsächlich ist aber Existenz bei Jaspers ein Zusammen des Erlebten, vom Leben in seine Entscheidung Aufgenommenen, in Freiheit und geschichtlicher Einmaligkeit personhaft Angeeigneten mit dem logisch Geprägten, Durchgeistigten und zur wissenschaftlichen Bewußtheit Erhobenen. Der Weg der Existenzerhellung, womit wir einen zweiten Grundbegriff der Jasperschen Philosophie vor uns haben, besteht darum nicht im Wissen allein. Das wäre ein Rückfall in die durch Kierkegaard und Nietzsche überwundene Bewußtseinsphilosophie. Existenz ist als ein Zusammen von Leben und Geist, eigentlich Haltung, ein „Sich-zu-sich-selbst-Verhalten". Man muß sich hier erinnern an das, was Kant über die menschliche Person, das intelligible Ich, sagt, daß sie nicht wißbarer Gegenstand ist wie sonstiges in der Erscheinung Vorhandenes, sondern Wahl der Möglichkeiten; was auch Scheler wieder gesagt hat, wenn er die Person nicht „sein", sondern „werden" läßt. Existenzerhellung „erkennt" darum nicht einen Gegenstand, sondern ist ein Appell an die eigenen Möglichkeiten. Jaspers sieht nun diesen Weg konkret gegeben in der uneingeschränkten „Communikation". Der Begriff ist weiter als die Kantische intelligible Freiheit und auch weiter als Schelers Gründung der Person auf die Wertrealisierung. Er besagt: der existentielle Mensch muß immer unterwegs sein, darf sich auf keine dogmatischen Wahrheiten, Begriffe und Systeme versteifen, sondern muß ständig offen und lernbereit sein, muß sich mit jedem Standpunkt auseinandersetzen, immer bewußt, daß es für den wandernden Menschen keine endgültigen Wahrheiten gibt, daß vielmehr alles versucht werden muß und so eine absolute Toleranz ein echt menschliches Ziel darstellt. „Es gilt, jede zur Endgültigkeit fest werdende Gestalt zu durchbrechen, alle denkbaren Standpunkte in ihrer Relativi-

ββ) Existenzerhellung

Communikation

tät zu beherrschen; und es gilt, in jeder Weise des Umgreifenden bewußt gegenwärtig zu sein, alle Weisen der Mitteilbarkeit zu vollziehen" (a. a. O. 98). Im Hintergrund steht hier die für Jaspers tief bezeichnende Überzeugung, die weithin auch bezeichnend ist für die geistige Situation unserer Zeit, von der Brüchigkeit der Welt und der Relativität alles Menschlichen. Das Weltsein liegt nicht klar und durchsichtig in reiner Intelligibilität vor uns; die Welt ist Chiffer paradox, unser Erkennen ein Stückwerk, und wir lesen immer nur in Chiffern, so daß der Mensch nie an ein Ende kommt und man immer bereit sein muß zu Neuem. Der Mensch stößt ständig auf die Grenzen seines Könnens, immer versagend und zurückbleibend: er „scheitert" und scheitert gerade in diesen Grenzsituationen. Darum keine dogmatischen Wahrheiten, sondern nur die ewig lebendige Haltung des Willens zur Wahrheit. Der Mensch steht hier immer allein, weil es ja seine Haltung ist. Dafür hat er aber auch das Selbstsein, die Existenz gefunden, und sie eigentlich ist nun die Wahrheit. Die Existenz hebt die Wissenschaften nicht auf. Aber über den Wissenschaften steht die Wahrheit, Mythos und sie besteht im Existieren. Mit Communikation und Chiffer hängt der Mythosbegriff eng zusammen. Jaspers will Mythos und Wissenschaft nicht so einander entgegensetzen, wie das bei Aristoteles geschehen sei, wonach das fortschrittlich-rationale Denken das vergangene mythische abgelöst habe (s. hier Bd. II, S. 16f.). Der Mythos sei eben nicht Vergangenheit. „Wir alle leben in Bildern, auch wenn wir sie in philosophischer Spekulation überschreiten; man kann sie den unumgänglichen Mythus nennen" (Frage der Entmythologisierung S. 31). Für Jaspers ist im Grund sogar jeder Begriff nur Bild und darum Mythos. Es gibt dann also nicht das korrespondierende Gegenüber zwischen Begriff und „Gegebenem", das Kant noch annahm, als einen letzten, verblaßten Rest der alten Adäquationstheorie. Alles ist jetzt auch im Begriff nur regulativ, damit der Erkenntnisprozeß offenbleibe und nicht zu früh dogmatisch erstarre. Darum muß Jaspers Bultmanns Mythosbegriff und sein ganzes Unternehmen überhaupt ablehnen. Es gebe einen Wissenschaftsaberglauben, der die Gegenstandswelt der Wissenschaft zu früh für die ganze Wirklichkeit halte und danach beurteile, was möglich und nicht möglich sei. Auf Grund dieses Aberglaubens an die nicht durchschauten Grenzen der Wissenschaft werde bei Bultmann entmythologisiert. Jaspers hat recht; aber schon seit D. F. Strauß ist dem so; ja schon seit der Aufklärung, die dann auch entsprechend charakterisiert wird („falsch gewordene Aufklärung"). Merkwürdig ist nur, daß auch für Jaspers dogmatisch feststeht, daß ein Leichnam nicht mehr lebendig werden kann. Woher weiß er das? Aus dem Mythos? Sonst läßt er Mythos durch Mythos erhellen als „die apriorische Vernunftform transzendierender Vergewisserung" (a. a. O. 31). Aber jetzt hat Jaspers sein Wissen nicht vom Mythos, sondern auch aus der „Wissenschaft" bezogen. Quod licet Jovi, non licet Bultmann. Wäre Jaspers konsequent geblieben, wäre er dazu gedrängt worden, mehr über den Sinn der religiösen Sprache zu sagen, als was schon bei Kant und bei Bultmann steht; denn an sich ist seine Philosophie des Mythos ausbaufähig; einfach wegen der totalen Communikation und der Chiffer, die bei Jaspers nicht nur Existenz und Wahrheit ausmachen, sondern seine ganze Philosophie. Jaspers glaubt, daß damit der Mensch zugleich zur Transzendenz und zu Gott gefunden habe. Transzendenz ist bei Jaspers allerdings ein höchst schillernder Begriff. Sicher ist nur, daß er sich nicht mit dem metaphysischen Sein der alten Philosophie deckt. Es sieht manchmal so aus, als ob damit dem transzendentallogischen Subjektivismus gesteuert werden sollte. Aber es wird doch beim transzendentallogischen Gefäßsystem bleiben, nur daß jetzt in diesen Adern das Blut der Existenz rollt. Die Transzendenz und das Umgreifende, wie es auch gern heißt, besteht nämlich nicht in festen Bestimmtheiten, sondern „nur in der Bewegung einer philosophischen Logik" (Vernunft und Existenz, 63). Das ist wieder Hegel. Sehr bezeichnend ist, was darüber bei Jaspers in der Philosophischen Logik steht. Das menschliche Erkennen ist dort ein „unendliches Spiel von Chiffern, und nie erreichen wir in ihm Gott selbst. Es würde anders sein, wenn es eine direkte und ausschließende Offenbarung Gottes gäbe. Solche Offenbarung ist behauptet worden. Diese Behauptung ist die Grundlage der indischen und jüdisch-christlich-islamischen Religionen. Aber solche Behauptung der Offenbarung ist eine Usurpation der Wahrheit durch einzelne Menschen und Menschengruppen ... Man darf nicht leugnen, daß die Transzendenz hier überall für Menschen in solcher Gestalt ge-

Transzendenz

Gott und Offenbarung

schichtlich gesprochen hat. Aber die Menschen verwechseln Chiffern mit dem Sein selbst“ (Von der Wahrheit, 1052). Solche Offenbarungen seien darum philosophisch anzueignen. So z. B. sei der „Christusmythos“ philosophisch zu lesen als Hinweis darauf, daß alles Menschsein in sich die Möglichkeit besitzt, sich Gott zu nähern. Aber niemand könne behaupten, Gott in seiner echten Wirklichkeit gefunden zu haben. Alles ist eben auch in der Religion Chiffer. Darum sei die Behauptung einer Inkarnation dem verborgenen Gott gegenüber „Gotteslästerung“. „Der nahe Gott ist für endliche Wesen unerläßlich, ist aber nur in Chiffern da. Diese sind ihrem Wesen nach vielfach. Daher entsteht der nahe Gott in der Weise des Polytheismus. Dieser wird verschleiert im faktischen Offenbarungsglauben.“ Jaspers meint die historisch verstandene Inkarnation und sagt wieder nichts anderes, als was schon bei Kant steht und dort kürzer nachgelesen werden kann. Trotz der absoluten Communikation dürfe man aber die Idee der Offenbarung überhaupt und an sich nicht leugnen; und noch weniger Gott; denn das wäre auch wieder ein Stehenbleiben im Dogmatismus. Da hören wir nun auch wieder Kant sprechen, wie überhaupt in der Auflösung der echten Transzendenz in grenzenlose Communikation die unendliche Aufgabe der unerschöpfbaren transzendentalen Synthesis Kants wiederkehrt. Nimmt man noch Lessings Wort vom ewigen Suchen anstelle der abgeschlossenen Wahrheit hinzu und vor allem den Gesamthintergrund der mit der Renaissance aufkommenden Philosophie vom unendlichen Menschen, wo an die Stelle der echten Unendlichkeit Gottes die unendliche Metamorphose des Menschen tritt, und bedenkt man, daß der Schuß Lebensphilosophie, der sich mit jener älteren Kette verflicht, von Kierkegaard und Nietzsche kommt, dann dürfte das Gewebe der Existenzphilosophie bei Jaspers sich ziemlich erhellen lassen. Jaspers steht in ständiger Aussprache mit allen Philosophen. Er sieht das je Wahre, das vorgetragen wurde, sieht aber zugleich auch die Grenzen und hütet sich, zu früh stehenzubleiben. Es ist ein aus hellsichtiger Kritik und großem Verantwortungsbewußtsein geborener Skeptizismus, was er vorlebt, ist aber auch wieder kein Skeptizismus, weil Jaspers sich nicht dogmatisch auf den Satz festlegt, es gibt überhaupt keine Wahrheit. Seine Haltung ist ständige Bereitschaft, weiterzulernen, die typisch philosophische Haltung.

γγ) Ideengeschichtliche Hintergründe

Die transzendierende Grundhaltung bestimmt auch die Jaspersche Geschichtsphilosophie. Sie erhebt sich über einem bestimmten Schema des realen historischen Verlaufes. Viermal wäre die Menschheit von neuen Grundlagen ausgegangen: 1. aus der Vorgeschichte, dem uns kaum mehr zugänglichen prometheischen Zeitalter mit der Entstehung der Sprache, der Werkzeuge und dem Gebrauch des Feuers, wodurch der Mensch erst Mensch wurde; 2. aus der Gründung der Hochkulturen seit ca. 5000 v. Chr. in Mesopotamien, Ägypten, Indien und China; 3. aus der sogenannten Achsenzeit ca. 800—200 v. Chr., über die der Menschengeist erst voll zu sich selbst kam; denn damals wären die Grundkategorien hervorgerufen worden, in denen wir heute denken, und seien die Ansätze der Weltreligionen entstanden, in denen wir heute leben. Damals geschah der Schritt ins Universale, und alles Spätere wurde grundgelegt. Außerordentliches drängte sich in diesem Zeitalter zusammen: in China lebten Confuzius und Laotse und entstanden die großen Richtungen der chinesischen Philosophie; in Indien lebte Buddha, entstanden die Upanishaden und wurden zugleich alle Möglichkeiten des philosophischen Denkens ausgeschritten bis zum Materialismus, Skeptizismus, der Sophistik und dem Nihilismus; in Iran lehrte Zarathustra das fordernde Weltbild des Kampfes zwischen Gut und Böse; in Palästina traten die Propheten auf von Elias über Jesaias und Jeremias bis zu Deuterojesaias; Griechenland sah Homer, Parmenides, Heraklit, Platon, die Tragiker, Thukydides und Archimedes. Alles erwuchs in diesen wenigen Jahrhunderten annähernd gleichzeitig in China, Indien und im Abendland, ohne daß man voneinander wußte. 4. Vom Abendland aus erfolgte dann der wissenschaftlich-technische Impuls, der nicht weniger umwälzend war und nun austrahlt über die ganze Welt, Rußland, Indien, den Islam, die Neger. In diesem Geist schließt sich jetzt die Erde zusammen, und nun erst gibt es wirkliche Weltgeschichte. Wo sie sich hinbewegt, ist so dunkel wie das Woher, aus dem sie kam. Aber der Mensch muß diesen Weg gehen. Er kann es auch, denn er steht auch wieder über der Geschichte. Wenn er sie im ganzen faßt, führt sie über sich selbst hinaus. „Da ist nicht mehr die Frage, woher und wohin, nicht nach Zukunft und Fortschritt, sondern in der Zeit ist etwas, das, nicht mehr nur Zeit, über alle Zeit als das

δδ) Geschichtsphilosophie

Schema der Geschichte

Sein selbst zu uns kommt“ (Ursprung und Ziel d. Gesch. 338). Was uns aber darüber hinausführt hin zur Einheit der Geschichte in der Geschichtlichkeit, ist der bei Jaspers oft bemühte philosophische Glaube. „Die Weltgeschichte kann aussehen wie ein Chaos zufälliger Ereignisse ... Es geht immer weiter, von einer Verwirrung in die andere ... mit kurzen Lichtblicken des Glücks, mit Inseln, die vom Strom verschont bleiben, bis auch sie überflutet werden, alles in allem mit einem Bild Max Webers: die Weltgeschichte ist eine Straße, die der Teufel pflastert mit zerstörten Werten. So gesehen, hat die Geschichte keine Einheit, damit keine Struktur und keinen Sinn“ (a.a.O. 332). Geschichtsphilosophie aber bedeutet, solche Einheit und solchen Sinn zu suchen. Und das geschieht eben im philosophischen Glauben. „Glaube ist das Umgreifende, das die Führung hat, auch wenn der Verstand für sich selber zu stehen scheint. Glaube heißt nicht ein bestimmter Glaube, ein Dogma ... Glaube ist das Erfüllende und Bewegende im Grunde des Menschen, in dem der Mensch über sich selbst hinaus mit dem Ursprung des Seins verbunden ist“ (a. a. O. 268). Der Glaube hat immer bestimmte geschichtliche Gestalten. Keine aber dürfe sich, ohne intolerant und damit zugleich unwahr zu werden, für die einzige und ausschließliche Wahrheit für alle Menschen halten. Also nicht der oder der Glaube, sondern das Glauben überhaupt sei das Wesentliche. Das schafft dann aber auch angesichts des scheinbaren Chaos, weil es das Umgreifende ergreift, im Grunde und im Ganzen „ein verborgenes Gemeinsames. Der Gegner aller, der Gegner, der in jedem Menschen bereit sitzt, ist allein der Nihilismus“ (a. a. O.). Man hat, um Jaspers zu charakterisieren, das Wort zitiert, das der Narr dem Confuzius nachgerufen haben soll: Das ist der Mann, der weiß, daß es nicht geht, und doch fortmacht. Oder soll man um des Ethos willen, das aus allem spricht, nicht lieber das Wort vom Glauben Abrahams zitieren, qui contra spem in spem credidit? Auch Kierkegaard, in vielem Vorbild für Jaspers, hat diesen Glauben bewundert.

Sinnlosigkeit der Geschichte?

Philosophischer Glaube

β) Heidegger Martin Heidegger (1889—1976) ist neben Jaspers der andere Schöpfer der deutschen Existenzphilosophie; Nachfolger seines Lehrers Husserl in Freiburg; hat aber die Phänomenologie, von der er ausging, in einer wesentlichen Verwandlung über sich selbst hinausgeführt. — Werke: „Sein und Zeit“ (1. Hälfte 1927;

mehr nicht erschienen); „Kant und das Problem der Metaphysik" (1929); „Was ist Metaphysik?" (1929; [5]1949 wichtig!); „Vom Wesen des Grundes" (1929); „Platons Lehre von der Wahrheit" (1942); „Vom Wesen der Wahrheit" (1943); „Erläuterungen zu Hölderlins Dichtung" (1944); „Brief über den Humanismus" (1946); „Holzwege" (1950); „Einführung in die Metaphysik" (1953); „Was heißt Denken?" (1954); „Vorträge und Aufsätze" (1954); „Der Satz vom Grunde" (1957); „Identität und Differenz" (1957); „Unterwegs zur Sprache" (1959); „Zur Seinsfrage" ([2]1959); „Nietzsche". 2 Bde. (1961); „Die Technik u. die Kehre" (1962); „Kants These über das Sein" (1963); „Zur Sache des Denkens" (1969). — Lit.: V. Kraft, Von Husserl zu Heidegger (1932, [2]1957). F.-J. v. Rintelen, s. o. S. 632. M. Müller, ebendort. K. Löwith, Heidegger, Denker in dürftiger Zeit (1953, [2]1960). G. Siewerth, Heidegger und die Frage nach Gott (1959). O. Pöggeler, Der Denkweg M. Heideggers (1963). Ders. (Hrsg.), H. Perspektiven zur Deutung seines Werkes (1969). W. J. Richardson, H.s Weg durch die Phänomenologie zum Seinsdenken. Mit einem Vorwort von Heidegger. In: Philos. Jahrb. 72 (1965) 385—402. R. Wisser, M. H. im Gespräch (1970). J. A. Gethmann-Siefert, Das Verhältnis von Philosophie und Theologie im Denken M. H.s (1974). Dazu: Herder-Korrespondenz 29 (1975) 96—98. W. Marx, H. u. die Tradition ([2]1980). — Bibliographie: H. Lübbe, Bibliographie der Heidegger-Literatur 1917—1955. In: ZphF. 11 (1957) 401—452. G. Schneeberger, Ergänzungen zu einer Heidegger-Bibliographie (Bern 1960). W. M. Saß, Materialien zu einer H.-Bibliogr. (1974).

αα) Existenzontologie

Heideggers Philosophie ist Existenzontologie. Es steht nicht so sehr die Existenzerhellung mit ihrem Appell an das Selbstseinkönnen im Vordergrund als vielmehr das Sein im Unterschied zum Seienden, die Grundlegung einer ersten Philosophie also, die noch weiter zurückgeht als die erste Philosophie des Aristoteles oder sonstiger Metaphysiker. Die herkömmliche Metaphysik oder Ontologie habe immer nur ein bestimmtes Seiendes an die Stelle des Seins als solchen gesetzt: die res extensa Descartes', das Bewußtsein Kants, die Idee des Idealismus. So blieb man im Ontischen stehen, statt zum Sein als solchem, ins Ontologische vorzustoßen. Darum unternimmt Heidegger eine Destruktion aller bisherigen Metaphysik; nicht aus Gegnerschaft gegen die Metaphysik überhaupt, sondern um sie allererst in einer echten Fundamentalontologie zu sich selbst zu bringen. Er versucht das zunächst mit einer Deutung (Hermeneutik) des Daseins, und zwar des Daseins des Menschen. Das ist die Ausgangsposition Kants, die als selbstverständlich hingenommen wird. Allein Dasein ist nicht mehr Bewußtsein, so wenig wie bei Jaspers, wieder wegen Kierkegaard und Nietzsche. Es wird als Existenz gedeutet. Existenz aber wieder wird interpretiert als In-der-Welt-Sein, Bei-Sein, Mit-Sein, Befindlichkeit, Verstehen, Rede, Ergreifen der eigenen Möglichkeiten, Sich-selbst-vorweg-Sein, Sorge, Angst, Sein zum Tode, Hineingehaltensein in das Nichts, kurz: Zeitlichkeit. Sorge ist eine Grundbefindlichkeit des Daseins und wird definiert als „Sich-vorweg-schon-Sein-in (der Welt) als Sein-bei (innerweltlich begegnendem Seienden)". Mit dem In-der-Welt-Sein steht Heidegger von vornherein schon jenseits von Idealismus und Realismus. So wenigstens behauptet er. Dasein sei früher. Denken sei nur ein Modus des Daseins. Das wurde ihm erstaunlich rasch geglaubt. Seitdem hört man in der Gefolgschaft häufig Versionen wie: Denken ist Denken des Seins, Geist ist immer schon in Welt, das Erkenntnisproblem ist ein metaphysisches Problem, nicht mehr befangen sein in der Spannung Idealismus—Realismus und dergleichen mehr. Man hält es sogar für Fortschritt. Es ist, als ob man im Lande Kants der Kritik überdrüssig geworden sei, sie nun einfach beiseite wirft, bereit zu einem Seinsdenken, das nichts anderes ist als schlichte, unkritische Hinnahme wie in vorkritischen Zeiten, wenn es überhaupt das ist, denn für viele ist das Sein schon gegeben, wenn nur das Wort Sein oder Ontologie fällt. Die Entschlossenheit, manchmal auch Überheblichkeit, mit der die Behauptungen fallen, verdeckt die erlahmte Kritik und erweckt die Fortschrittstäuschung. Das waren die Folgen des Wortes vom Immer-schon-in-der-Welt-Sein. Bei Heidegger selbst steht Sein und Zeit in Wirklichkeit noch auf dem Standpunkt der transzendentalen Subjektivität und der subjektiven Wesensmetaphysik; trotz allem. Aber man sieht deutlich, daß er darüber hinaus will. Diesen Willen nahmen die Anhänger für das Werk. Was Heidegger anzielt, ist in der Tat jenes Sein, das mehr ist als transzendentale Subjektivität, das Sein nämlich, von dessen Gnade alles Seiende ist, auch Denken und Subjektivität. Trotzdem klangen seine Existenziale nicht ontologisch, sondern anthropologisch, ethisch, ja sogar psychologisch und dazu auch noch pessimi-

In-der-Welt-Sein

Jenseits von Idealismus und Realismus

Erlahmte Kritik?

Keine Anthropologie

stisch. Und so geriet er, obwohl er sich schon in Sein und Zeit dagegen verwahrt hatte, daß man sein Werk lebensphilosophisch oder ethisch verstehe, trotz der klaren Festlegung auf eine Fundamentalontologie in den Ruf eines Philosophen der tragisch-pessimistischen Lebensstimmung. In Wirklichkeit aber „gibt es für Heidegger nur ein Thema des Philosophierens: Nicht den Menschen und die Existenz, sondern einzig und allein das Sein“ (Müller). Seit „Platons Lehre von der Wahrheit“ (1942) tritt nun das eigentlich fundamentalontologische Anliegen Heideggers klarer hervor, besonders durch die Wahl einer auffallenden Schreibweise von Existenz. Heidegger schreibt jetzt nicht mehr Existenz, sondern Eksistenz. Der Ausdruck besagt: Seiendes ist nie ohne das Sein, es ist „Ausstand in das Sein hinein“, es ruht nicht in sich selbst, in irgendeiner Insistenz, sondern ist immer ek-zentrisch, muß in das Sein selbst hineingehalten werden, um von seiner Gnade und Huld leben zu können. Genaugenommen ist der Ausstand in das Sein ein unvollziehbarer Gedanke, weil, was noch nicht ist, sondern erst und allein durch das Sein wird, nicht schon in das Sein hinausstoßen kann. Was gemeint ist, dürfte dennoch klar sein: das Sein selbst ist es, das alles ermöglicht. Das gilt speziell auch für den Menschen. Während Sartre schreibt, wir stünden heute in einer Situation, wo es nur den Menschen gibt, und glaubt, sich dafür auf Heidegger berufen zu können, entgegnet ihm Heidegger: Gerade das ist eben nicht der Fall, sondern wir befinden uns in einer Situation, wo es prinzipiell das Sein gibt. Der Mensch ist für Heidegger nur Mensch, indem er das Sein in sich aufnimmt, in es hinaussteht: ek-sistiert. Anders als der Subjektivismus meint, ist für Heidegger das menschliche Subjekt nur dadurch Subjekt, daß es auch ek-zentrisch ist; daß es, wie M. Müller das klarmacht, nicht der kantianische Logos als die alles im Denken versammelnde Sammlung ist, sondern daß es das ist, was in den Logos, und das heißt jetzt: in die Sammlung des Seins, hineinsteht und zu ihr hin sich sammelt. Der Mensch ist darum nicht das Sein und nicht Herr des Seins, sondern ist nur sein „Wächter“ und „Hirt“. Es sind Denken und Sprache des Menschen, worin das Sein seine Huld verschenkt. Hier „entbirgt“, „lichtet“ sich Sein, und so wird „Wahrheit“ geboren. „Die Sprache ist das vom Sein ereignete und aus diesem durchfügte Haus des Seins . . .,

ββ) Von der Existenz zur Ek-sistenz

Seiendes und Sein

Mensch und Sein

darin wohnend der Mensch ek-sistiert, indem er der Wahrheit des Seins, sie hütend, gehört." Während man sonst den Menschen als Substanz betrachtet, als Selbststand, ist er hier reiner Aus-stand. „Das Wesen des Menschen ist die Eksistenz, heißt: Es ist die restlose Leere des Menschen für das Sein und seine Offenheit, sein Ausstand selbst, damit seine echte Inhaltlosigkeit, Naturlosigkeit, Wesenlosigkeit. Sein Nicht-in-sich-selbst-Stehen ... Also ist das Wesen des Menschen dasselbe wie seine radikale Unbegreiflichkeit von der Kategorie der Substanz her" (Müller). Man vergleiche das S. 635 oben über Kant, Scheler und Jaspers und ihre Auffassung des Menschen als Person Gesagte. Immer also soll das Sein aus der Welt herausgehalten werden. Um es von den nur vorhanden seienden Dingen zu unterscheiden, wurde gelegentlich „Seyn" (mit y) geschrieben oder, kaum gedruckt,

Ontologische Differenz

auch schon wieder durchgestrichen: ~~Sein~~. Heideggers typischer Begriff für jenen Unterschied ist der der „ontologischen Differenz": Sein selbst ist etwas anderes als das von ihm Ermöglichte, seien das Wesenheiten oder seiende Dinge. Sein nicht in dieser ontologischen Differenz zu sehen, sondern von dem nur Seienden her zu denken, sei „Seinsvergessenheit", „Verfallensein" an Welt oder auch subjektive Vernunft. Damit werde also das eigentlich ontologische Anliegen Heid-

Gegen den Subjektivismus der Metaphysik

eggers sichtbar. Er stehe gegen jeden Subjektivismus, sowohl gegen den des deutschen Idealismus wie auch gegen den der platonisch-aristotelischen Wesensmetaphysik, die auch anthropozentrisch sei, weil, was als Wesen gilt, letztlich abhänge vom Subjekt; Wesen sei hier das für das denkende Subjekt Wesentliche; es sei ja sein schöpferischer Intellectus, der das Maß für das Sein enthalte, weil er an den Ideen im Geiste Gottes teilhat, eines Gottes, der typischerweise mit dem Bild des Demiurgen begriffen wird, also mit Mitteln einer technischen Denkform, die in Hinsicht auf die von ihr vorgenommenen Zwecksetzungen natürlich subjektiv ausgerichtet ist. Immer noch also soll Metaphysik destruiert werden. Die Behauptungen gegen die unzulängliche Metaphysik ziehen sich durch das ganze Schrifttum Heideggers und seiner Anhänger. Wer aber nicht an einzelnen Äußerungen hängenbleibt, die dazu noch oft genug willkürlich interpretiert werden, weiß, daß die Behauptungen nicht stimmen. Sie machen bloß Eindruck. Wer auf das Ganze der Philosophie von Schelling und Hegel schaut, meldet hier schon seinen Widerspruch an. Nicht einmal Kant müßte man so eng auffassen. Aber der eigentliche Stein des Anstoßes ist ja Platon mit seiner Ideenlehre, die faktisch den Grundzug der abendländischen Metaphysik geschaffen hat. Wie Nietzsche hält sich auch Heidegger lieber im tragischen Zeitalter der Griechen auf. Dort ist das Sein noch andeutbar. Die Begriffe-Denker Sokrates und Platon aber hätten es unter das Joch der Idee gebeugt. Typisches Beispiel der Seinsvergessenheit. Und ihr Stil wirke nun fort. Auch Nietzsche, der doch die alten Werte umwerten wollte, sei noch dieser Welt verfallen (s. oben S. 525 f.). Erst Heidegger wolle das Sein der Vergessenheit entreißen und dafür sorgen, daß man es s e i n lasse. Die alte Metaphysik hätte das nicht getan. Es sei darum nichts mit ihr, sie sei, Nietzsche eingeschlossen, sogar die Geschichte des Nihilismus. Allein Heideggers Deutung der Geschichte der Metaphysik ist eine Mißdeutung. Es ist allerdings ein leichtes, einzelne Stellen beizubringen, an denen Platon versichert, daß mit Begriff, Idee und Wesenheit das Sein selbst wiedergegeben sei, mit Denkmitteln also, deren Begrenztheit uns evident zu sein scheint. Allein er bleibt ja nicht darauf sitzen, sondern weiß um die Begrenztheit, und der Sinn seiner ganzen Philosophie ist gerade der, diese Begrenztheit aufzuheben. Darum müssen die Philosophenkönige zeitlebens Dialektik treiben. Nie haben sie die ganze Wahrheit, weder in einem Begriff noch in ihrer Philosophie. Was hat Dialektik für einen anderen Sinn als den, das uns nie fertig, später sagt man adäquat, gegebene Sein auf dem unendlichen Weg über die Verwandtschaft der Begriffe mehr und mehr zu erjagen. Nur die Gefesselten der Höhle sind den seienden Gestalten verfallen. Wer aber mit Phronesis und Nous denkt, denkt ohne diese verstellenden Gestalten. Zu dieser Freiheit des Geistes zu führen, hat sich besonders der Neuplatonismus zum Ziel gesetzt, und auch Augustinus und noch Eckhart wissen genau um ein Erkennen „ohne vielfältige Begriffe, vielfältige Gegenständlichkeit und bildliche Vorstellungen". Das ist also sicher nicht Seinsvergessenheit. Das Autoeinai wird ja gerade gesucht, und sie wissen sehr wohl um die ontologische Differenz des Einen, das auf dem Wege über die negatio negationis mit allen Namen zu nennen ist, weil es mit keinem genannt werden kann. Auch hier werden Begriffe im

Mißdeutete Metaphysik

Aussprechen schon gestrichen. Wer das überschaut, weiß, wie sehr Heidegger die Geschichte der Metaphysik mißdeutet.

Das Joch des „Chorismos" der Idee

Irgendwie steht hier immer im Hintergrund die seit Aristoteles auch sonst überall herumgeisternde Charakterisierung der platonischen Idee als eines Chorismos und seit Kant natürlich als eines hypostasierten Begriffes. Aber die negatio negationis ist wohl eine gewisse Trennung, weil ein ganz spezifischer Erkenntnismodus, aber doch nicht eine totale Trennung. Der Weg von Episteme und Nous geht immer zunächst über die Sinne. Das hat Platon wörtlich gesagt und die Metaphysik nicht vergessen. Die platonische Idee und alle spätere Wesenheit haben einen Bezug auf das Einzelne und umgekehrt, wenngleich dieser Bezug nicht ihr eigentliches Wesen ausmacht. Es ist bei der platonischen Idee genauso, wie es Heidegger in der 5. Auflage von „Was ist Metaphysik?" vom Sein sagt, „daß das Sein nie west ohne das Seiende, daß niemals ein Seiendes ist ohne das Sein" (S. 41). Heidegger scheint aber in dieser Frage unsicher zu sein; denn einige Jahre vorher hatte er gesagt, daß das Sein wohl wese ohne das Seiende. Oder sollte das secundum quid verstanden werden, wie soeben in unserem Wort von einem „gewissen" Chorismos? Dann wäre das genau, was Platon meinte, der Gründer der abendländischen Metaphysik, die Heidegger sehr zu Unrecht verurteilt. Seine historischen Interpretationen sind manchmal ausgezeichnet, aber nur manchmal, viel öfter sind sie willkürliche Umdeutungen, in denen Cicero pro domo spricht. Das ist oft genug gezeigt worden. Es wird ihn und die Gefolgschaft kaum stören, weil das nur technisch-wissenschaftliche Dinge betreffe, nicht den philosophischen Gedanken als solchen. Man kann sich also leicht helfen. Es stört in diesem Umkreis nicht einmal, daß Heidegger in seiner Habilitationsschrift „Über die Kategorien- und Bedeutungslehre des Duns Scotus" ein Werk interpretiert, das Scotus gar nicht zugehörte, sondern dem Thomas von Erfurt, ein schlechtes Omen für den von Heidegger sich herschreibenden Interpretationsstil. Doch wir können das lassen. Es geht ja um Größeres, um das Sein. Gut, dann möge Heidegger uns

γγ) Das Sein selbst?

nun sagen, was das ist. Die Hauptfrage lautet also: Was ist das vielberufene Sein selbst? Heideggers unscharfe, schwierige und oft unverständliche Sprache und die Unfertigkeit seiner Philosophie läßt kaum eine Antwort geben. Wir hatten schon zu viel Mißverständnisse. Seine Rede z. B., daß das Sein in das Nichts hineingehalten sei, daß Sein und Nichts, wie schon Hegel sagte, identisch sind und daß das Nichts sich in der Angst enthülle, brachte ihm den Vorwurf des Nihilismus ein, während nur gemeint war, daß Sein als solches (das Ontologische) im Unterschied zum Seienden (dem Ontischen), weil es die konkreten Bestimmungen des letzteren nicht an sich hat, als nichts erscheint, und weil umgekehrt auch das Seiende nicht das Sein selbst ist („gedoppelte Nichtung"), was im platonischen Parmenides auch schon steht, ja schon bei Demokrit. Dieses Sein ist im Verhältnis zum Ontischen zwar arm, aber von seiner Huld und Gnade, wie Heidegger jetzt sagt, um dem Gerede von der Weltangst zu begegnen, würde doch alles leben, und insofern sei dieses Nichts das reichste von allem. Und die Angst ist darum nicht Lebensbedrohung, sondern das in ihr waltende Entsetzen ist nur ein Ent-setztwerden vom Seienden, um das Sein selbst erfahren zu können als das Wesen von allem. Andere wieder haben gemeint, das Sein Heideggers sei schon das ipsum esse, sei also Gott, während umgekehrt Sartre und andere in Heidegger gerade einen Atheisten sehen wollten. Heidegger selbst erklärt aber: „Das Sein — das ist nicht Gott und nicht ein Weltgrund." Diese Rede bedeute aber auch wieder nicht eine Festlegung auf den Atheismus. Die ganze Seinsproblematik sei an die Frage Theismus oder Atheismus noch gar nicht herangekommen, sie bewege sich noch im Vorfeld, weil zunächst das Sein als solches errungen werden soll. Erst recht ist natürlich Sein nicht das ens in communi. Am ehesten könnte man noch daran denken, daß es actus essendi ist: ontologischer Grund schlechthin, der aus sich die Wesenheiten hervorgehen läßt als die Modi seiner ihn selbst beschränkenden Rezeption und Verendlichung, und ebenso auch die Materie als das, was dann die Wesenformen endgültig vereinzelt (Müller). Jedenfalls würde von hier aus etwas einigermaßen klar, was ein Hauptanliegen Heideggers ist, das Sein als die Geschichtlichkeit der Geschichte. In Sein und Zeit wurde zwar gezeigt, wie man von der Zeit her auf das Sein zugehen und es deuten kann, nicht aber wurde auch die „Kehre" gemacht: vom Sein her auf die Zeit zuzugehen, um Geschichte als Sein zu erkennen, weil damals die sprachlichen Ausdrucksmittel noch fehlten. Sein als das Wesen der Geschichte (Geschichtlichkeit

Nichts?

Ipsum esse?

ens in communi?

δδ) Geschichtlichkeit der Geschichte

der Geschichte), das sei gerade das Problem unserer Zeit und ihres nicht mehr rückgängig zu machenden Sinnes für Geschichte. Die alte Wesensmetaphysik sei zu statisch gewesen und könne heute nicht mehr genügen. Immerhin, es kann nicht alles nur Geschichte sein, Auflösung aller Formen in lauter Relativität und gestaltloses Verströmen. Das haben gerade Dilthey und Troeltsch, selbst zwei Philosophen der Relativität und des Historismus, sehr deutlich ausgesprochen. Sie suchten nach einem Absolutum im Relativen. Und so sucht auch Heidegger nach einem vorontologischen Urgrund, aus dem heraus beides zu verstehen wäre: das Werden in seiner Relativität und je einmaligen Geltung (z. B. bestimmter Normen), und das Sein in ihnen, das sie wieder als über der Verzeitlichung und Verendlichung stehend erkennen lasse, das also zeige, was die Geschichtlichkeit der Geschichte

εε) Bereitsein ist alles

ist. Hier käme alles darauf an, jenen Urgrund mit seinen Inhalten zum Sprechen zu bringen. Darüber steht nun sehr viel bei Hegel. Heidegger ist aber damit nicht zufrieden. Hegel ist ihm auch noch ontischer Metaphysiker. Heidegger sucht nach einem ganz neuen Denken, das strenger ist als begriffliches Denken. Dieses Denken ist für ihn noch nicht da, und so kann das Sein in seinen Inhalten sich noch nicht aussprechen. Kann man es überhaupt auf sein Was befragen? Heidegger kann auf die Frage nach dem Sein nur die eine positive Antwort geben: „Es ist es selbst.“ Etwas wenig nach dem anspruchsvollen neuen Ansatz. Und doch soll von dem Urgeschehen im Sein alle Geschichte abhängen, wenn sie glücken soll. Aber man müsse auch schweigen können, und bereit sein sei alles, sagt unser Freiburger Philosoph. Man wird lebhaft an Nietzsche erinnert, der auch immer von seinen neuen Werten sprach, alles andere für ungenügend erklärte, aber seine neuen Tafeln nie beschrieben hat. Was bleibt, ist eine Art Mystik und Romantik des Seins, bei der

ζζ) Sein als Ereignis

alles auf die Hinnahme ankommt. Das drückt noch ein letzter Versuch, das Sein zu erhellen, aus, der Begriff des Ereignisses. Der spätere Heidegger setzt an Stelle des Wortes Sein lieber das von der Wahrheit. Wahrheit ist das Sich-Entbergen des bisher Verborgenen, wie es die bekannte Deutung von a-letheia besagt. Dieses Entbergen müsse man eben geschehen, auf sich zukommen lassen. Die alten Wahrheitsdefinitionen träfen darum nicht das Richtige. „Wahrheit ist

nicht ursprünglich im Satz beheimatet", sondern „das Wesen der Wahrheit ist die Freiheit". „Diese enthüllt sich als das eksistente, entbergende Seinlassen des Seienden". So bleibt nur das Warten auf das Ereignis. Auch das Erkennen, das das Sein der Vergessenheit entreißen möchte, muß dann wohl ein solches Warten sein. Bald wird die Wahrheit aufscheinen, bald sich verbergen. Sie ist nicht mehr konvertibel mit dem Sein. Sie ist nur noch das Wahrscheinliche. Darum brauche es einer ars inveniendi, der alten Kunst der Topik, um die Gründe für und gegen recht handhaben zu können. Seinstopik hat man das geheißen. Sind wir dann aber nicht wieder dort, wo Heidegger uns weghaben wollte, bei den nur bedingten Begriffen und Sätzen? Man geht dann nicht von dem Sein auf die Zeit zu, sondern immer noch von nur Seienden auf Sein. Wäre das mehr als Dilthey? Oder sollen wir warten auf die Wahrheit des Ganzen wie bei Hegel? Wozu dann der Aufwand?
Man kann gut die Geschichte der Metaphysik kritisieren, besser wäre es, das Neue und ganz andere, das Sein, das nicht wieder Metaphysik, eine Art Supermetaphysik wäre, den Abgrund also und Ungrund sichtbar zu machen, oder aber sich in aller Form auf eine neue Mystik und Neoromantik des Seins festzulegen, die Dichtung und Wahrheit zugleich ist. Vielleicht sollte man Heidegger viel mehr, als es bisher geschah, unter dem Gesichtspunkt des Künstlerischen verstehen? In seinem Nietzsche-Buch wendet er sich etwas ärgerlich — und gar nicht „gelassen" — gegen den Gedanken, daß Nietzsche nach seinem Zarathustra nicht mehr weiter gewußt hätte. Er sagt Nietzsche und meint doch wohl sich? Nur Schulmeister würden mit solchen Einwänden kommen. Sie seien überhaupt keine Frage mit Bezug auf einen Denker. Die Namen „weiter" und „nicht weiter" gehörten in den Bereich der Wissenschaft und der Technik, wo der Fortschritt notwendig ist und sich ausrechnen lasse. „In der Philosophie gibt es keinen ‚Fortschritt', deshalb auch keinen Rückschritt. Hier bleibt — ebenso wie in der Kunst — nur die Frage, ob sie selbst ist oder nicht ist" (I 319). Vielleicht also Kunst? Denken als Kunst? Denn Denken an sich haben auch die Schulmeister. Wer richtig denkt, Heidegger oder Nietzsche oder die Wissenschaftler, darüber gibt es kein Diktat. Vor allem nicht in eigener Sache. Aber Denken als Kunst,

Mystik, Romantik? Das wäre allerdings etwas anderes und in einem technischen Zeitalter vielleicht Notwendiges und Heilsames.

b) Französischer Existenzialismus

Im französischen Existenzialismus haben wir, wenigstens in jener radikalen Linie, deren Hauptvertreter J.-P. Sartre ist, das, was man gewöhnlich in der Existenzphilosophie überhaupt sieht, eine lebensphilosophisch verstandene Anthropologie. Im katholischen Zweig des französischen Existenzialismus, den G. Marcel repräsentiert, überwiegen aber wieder die metaphysischen Interessen.

α) Sartre

Jean-Paul Sartre (1905—1980) ist vielleicht mehr Dichter als Philosoph. Sowohl seine Dramen wie seine philosophischen Werke haben in Frankreich einen bis zur Hysterie gehenden Wirbel hervorgerufen. Sartre beruft sich auf Heidegger und verwendet viele seiner Begriffe. Aber der Freiburger Philosoph hat sich in dem Brief über den Humanismus deutlich von Sartre distanziert (vgl. oben S. 643).

αα) Gegen die Wesensmetaphysik

Auch Sartre stellt sich gegen die Wesensmetaphysik. Ihre ältere Erscheinungsform ist die an einem mundus intelligibilis orientierte Betrachtung des Seins. Ein göttlicher Demiurg fabriziert hier als artifex mundi Welt und Menschen. Wie ein Papiermesser sich nach der Idee im Geiste seines Herstellers richten muß, so auch der Mensch. Um der Würde und Freiheit des Menschen willen (Humanismus!), lehnt Sartre das ab. Aber auch die Atheisten der Neuzeit seien diesem alten technischen Denken noch verfallen. Sie lassen den Menschen zwar nicht mehr nach einer Idee im Geiste eines Gottes genormt werden, haben aber dafür eine andere vorgängige Definition, in die sie den Menschen pressen, z. B.

ββ) Existenz vor Essenz

die des Menschen überhaupt. Sartre kehrt nun das Verhältnis um und läßt die Existenz der Essenz vorausgehen, wobei er Existenz nicht in dem prägnanten Sinn der deutschen Existenzphilosophie nimmt, sondern entsprechend dem altherkömmlichen Gegensatz von essentia und existentia. Zuerst käme beim Menschen sein Dasein, sein eigener Wille und sein persönliches Handeln. Der Mensch tritt an die Stelle Gottes und gestaltet sein eigenes Wesen selbst. Darum lautet der erste Grundsatz des Existenzialismus: der Mensch ist nichts anderes als das, wozu er sich macht (L'homme n'est rien d'autre que ce qu il se fait). Wie im Marxismus und Instrumentalismus haben wir auch hier wieder die Forderung der Praxis, nur daß sie mit einer 110⁰/₀igen Radikalität erhoben wird. Der Mensch ist jetzt absolut frei. Diese Freiheit ist jedoch kein Geschenk, sondern „der Mensch ist zur Freiheit verdammt"; verdammt, weil, damit Freiheit ganz Freiheit sein kann, es nichts mehr geben darf, worauf man stehen könnte, keinen Glauben an Gott, keine Wahrheiten und keine Werte. Einsam und hilflos steht der Mensch in einer feindlichen Welt und will im eigenen Entwurf ganz für sich sein. „Bodenlos versucht es (Das Fürsichsein) aus dem Bodenlosen Boden hervorzuzaubern, dauernd in Gefahr, wirklich ins Nichts zu versinken" (Müller). Sartre ist radikaler Nihilist und Atheist. Das Nichts Heideggers ist als das Sein zugleich Boden und Fülle und bildet keinen Gegensatz zur Theologie. Das Nichts des Franzosen aber ist zerstörerisch wie der französische Materialismus und Atheismus des 18. Jahrhunderts. Sartres Haltung wurzelt überhaupt in der Vergangenheit, ist ohne neuen philosophischen Aufbruch und lebt nur von ihrer Radikalität.

γγ) **Zur Freiheit verdammt**

Texte und Literatur

L'être et le néant (1943, deutsch 1952). L'existentialisme est un humanisme (1946, deutsch 1947). — J. Streller, Zur Freiheit verurteilt. Ein Grundriß der Philosophie J.-P. Sartres (1952). J. Möller, Absurdes Sein? (1959).

β) **Marcel**

Gabriel Marcel (1877—1973), der katholische Existenzphilosoph Frankreichs, kennt wieder das echte Sein. Von Kierkegaard, der sich bei allen Existenzphilosophen findet, beeinflußt, weiß Marcel aber auch darum, daß man bei aller Seinsmetaphysik vom Subjekt nicht abstrahieren kann, daß man existentiell denken muß und daß darum die Wirklichkeit ein Geheimnis ist. Marcel verfällt aber nun nicht einem einseitigen Subjektivismus, sondern findet gerade im Subjekt eine Verpflichtung dem Sein gegenüber, die so ursprünglich ist wie ein lebendiges Ich-Du-Verhältnis. In diesem Verhältnis tut sich ähnlich wie in Heideggers In-der-Welt-Sein ein Urgrund auf, der als das eigentliche Sein die Teilaspekte von philosophischen Einstellungen, wie Idealismus und Realismus, Subjekt und Objekt, überwindet, was immer ein Anliegen aller Existenzphilosophie ist — wie einst im deutschen Idealismus.

Texte und Literatur

Journaux métaphysiques (1927). Être et avoir (1935, deutsch 1954). Homo viator. Prolégomènes à une métaphysique de l'espérance (1944, deutsch 1949). Le mystère de l'être (1951, deutsch 1952). Auswahl: Philosophie der Hoffnung (1957). Auf der Suche nach Wahrheit u. Gerechtigkeit (1964). — É. Gilson (Hrsg.), Existentialisme Chrétien. Festschrift für G. Marcel (1947). S. Foelz, Gewißheit im Suchen. G. M.s konkrete Philos. (1980).

5. LOGOS IM 20. JAHRHUNDERT

Es gibt in der Philosophie eigentlich nur zwei reine Typen: Platon und seinen Antipoden David Hume. Alles andere läßt sich jeweils auf einen von beiden verteilen oder ist ein Mischtypus. Auf beiden Seiten gibt es eine Philosophie des Logos, aber sie ist von je grundsätzlich verschiedener Art. Der Logos, der von Platon heraufkommt und bis zu Hegel reicht, ist ein ganz anderer als jener, der sich von Hume herschreibt. Auch Hume kennt ja Vernunftwahrheiten, und es gibt bei ihm, wie vorher auch schon bei Locke, einen Ideenvergleich auf Grund der obersten logischen Prinzipien. Aber der im Empirismus auftretende Logos ist weder Prinzip aller Wahrheit noch Weltvernunft, noch Gedanke Gottes, noch Sohn Gottes oder Selbstbewegung des Geistes, sondern bloß Gedankenvergleich, eigentlich sogar nur Vorstellungsvergleich. Wir treffen diesen Logos heute an einer Stelle, wo man ihn zunächst nicht vermutet, im Umkreis nämlich der modernen Logistik; und dann dort, wo er tatsächlich hingehört, im Neupositivismus und bei den Sprachanalytikern.

a) Logistik

α) Die Männer Die Logistik hat es an sich nicht nötig, bei Hume irgendwelche Anleihen aufzunehmen. Sie besitzt genügend Eigenkapital und hat auch eine bessere Herkunft. Ihre Anhänger entdecken sogar schon bei Aristoteles erste Ansätze, dann wieder bei den Stoikern und vor allem im späten Mittelalter. Die eigentlichen Anfänge liegen allerdings bei Leibniz, der ähnlich wie der interessante Spanier R. Lullus eine ars combinatoria ersonnen hat, eine Art Rechenkunst mit Begriffen statt wie sonst mit Zahlen oder logischen Symbolen. Die entscheidenden Denker sind G. Frege (1846—1925), L. Couturat (1868—1914), L. Wittgenstein (1889—1951). J. Lukasiewicz (1878—1956), A. N. Whitehead (1861 bis 1947), B. Russell (1872—1970), H. Scholz (1884—1956), A. Tarski (geb. 1902), R. Carnap (1891—1970), C. J. Lewis (geb. 1888), H. B. Curry (geb. 1900), P. Lorenzen (geb. 1915) u. a. Wie schon die Mehrzahl der Namen verrät, spielen heute die Angloamerikaner auf dem Feld der Logik eine führende Rolle. Whitehead und Russell schreiben das bahnbrechende Werk der modernen Logik, die Principia mathematica (1910—13), der Amerikaner A. Church gründete das Journal of Symbolic Logic (1936), Lewis und Curry fanden wichtige neue Einsichten. Zahlreiche Emigranten aus Polen, wo die Logistik immer schon daheim war, aus Deutschland und Österreich kamen dazu und trugen viel zum Aufschwung der Logistik bei.

β) Sinn der Logistik

Um was handelt es sich bei der Logistik? Zunächst einmal um eine Fortführung der klassischen, auf Aristoteles zurückgehenden Logik. Die behauptete Unvereinbarkeit besteht nicht. Diese alte Logik war schon ein gewisser Formalismus der Begriffsverbindungen gewesen, weil Aristoteles zeigen konnte, daß menschliches Denken und Reden nicht je eigene Wege geht, sondern sich an bestimmte allgemeine Formen und Formeln hält. Der Formalismus nun wird in der modernen Logik noch viel weiter fortgeführt. Die Logistik ist nämlich reiner Formalismus und Funktionalismus der Bedeutungen, und diese rein in ihrem logischen Sinn genommen, ohne auf das Bedeutete Bezug zu nehmen. Während bei Leibniz die Characteristica universalis noch eine Beziehung zu den Wesenheiten einschloß, hat die moderne Logik sich zu einer reinen Kombinationstechnik entwickelt, wo das Ist nicht mehr auf das Sein verweist, sondern nur noch die rein innerlogische, syntaktische Funktion ausspricht wie etwa das Ist in einer algebraischen Gleichung oder in einer Aussage über die Züge im Schachspiel. Die Ausdrücke werden denn auch symbolisiert wie in der Algebra und können dann mechanisch umgeformt werden. Man kann sozusagen rechnen mit ihnen. Erkennen ist jetzt, wenn man das überhaupt Erkennen heißen will, ein nach bestimmten Spielregeln vorgenommenes Konfigurieren von bestimmten Bewußtseinsinhalten. Also eine Art Algorithmus. Der alte Platon hatte von den Zahlen zu den Wesenheiten finden wollen, weil auch er wie die Pythagoreer in der Zahl ein Seinsprinzip sah. Jetzt aber haben Zahlen und Zahlenverhältnisse sowenig metaphysischen Sinn wie etwa die Aussage, daß ein Meter gleich hundert Zentimeter sei. Die „Wahrheit" ist da bloße Konvention, und von dieser Art seien alle Wahrheiten, hören wir, auch die mathematischen, ja sie gerade. B. Russell ist darum der Ansicht, daß die Mathematik nur die Kunst sei, das Gleiche mit anderen Worten zu sagen. Mit solchen Äußerungen wird nun für die Logistik mehr in Anspruch genommen als nur dies, ein Werkzeug des Denkens und der Wissenschaft zu sein. Man könnte die Logistik an sich auch als ein bloßes Organon betrachten, was man oft genug auch mit der Logik getan hat, besonders im Spätmittelalter. Aber wie damals liegt auch heute wieder die Neigung parat, mit der Wissenschaft von der Begriffsfunktion doch etwas mehr zu verbinden. Russell spricht, auf das Ganze gesehen, von einem logischen Atomismus, und damit haben wir schon die Linie zu Hume vor uns, der im Geist ein Bündel von Wahrnehmungen sieht, was dann durch J. St. Mills Wort von der geistigen Chemie noch genauer erläutert wird. Es ist nicht von ungefähr, daß die Logistik im angelsächsischen Raum eine so große Rolle spielt. Sie kommt dem entgegen, was man in der Konsequenz des Humeschen Empirismus braucht. Wenn nämlich Denken nur Vorstellungsassoziation und der „Gegenstand" darin aufgegangen ist, dann muß es einmal dazu kommen, daß über die bloß psychologistischen Assoziationsgesetze hinaus in reiner Logik die weiteren Kombinationsmöglichkeiten grundsätzlich festgestellt werden und die Kunst des Logikkalküls entwickelt wird. Das also ist der zunächst nicht sofort sichtbare Zusammenhang mit Hume. Er braucht von der Logistik an sich nicht strapaziert zu werden, aber im geistigen Raum des englischen Empirismus bleiben die Ansteckungen Humes auch auf diesem Feld stets virulent, und die Logistik findet eine besondere Aufnahmebereitschaft vor. Kant hat einmal gesagt, daß die Logik seit Aristoteles keine Fortschritte mehr hätte machen können. In der Logistik hat sie jedoch inzwischen so gewaltige Fortschritte gemacht, daß daraus eine eigene Fachdisziplin geworden ist, bei der man sich fragen darf, ob sie überhaupt noch zur

γ) **Problematik der Logistik**

Philosophie gehört. Tatsächlich wird sie ja noch für ganz andere Dinge eingespannt, in der Mathematik, Physik, Wirtschaft, Kybernetik und Strategik. Philosophisch wird sie erst wieder in der Metalogie, also in der Reflexion über sie selbst, wenn nach ihrem Sinn, ihren Grundlagen und ihren Grenzen gefragt wird, was aber für manche Logistiker schon wieder Pseudoprobleme sind.

Literatur

I. M. Bochenski, Formale Logik (1958). G. Jacoby, Die Ansprüche der Logistiker auf die Logik und ihre Geschichtsschreibung (1962). F. v. Kutschera, Das Verhältnis der modernen zur traditionellen Logik. In: Philos. Jahrb. 71 (1964) 219—229.

b) Neupositivismus

α) Die Männer

Der Logistik haben sich, wie zu erwarten, besonders die Neupositivisten des Wiener Kreises angenommen: M. Schlick (1882—1936), O. Neurath (1882—1945), R. Carnap (1891 bis 1970), H. Reichenbach (1891—1953), Ph. Frank (1884 bis 1966), H. Feigl (geb. 1902), K. R. Popper (geb. 1902) u. a. Hier schien es eine Zeitlang, als sollte die Logistik ganz in den Dienst der neupositivistischen Ideologie treten.

β) Die Grundthese

Die Grundthese des Neupositivismus ist nach wie vor die Behauptung Humes und Comtes, daß die Sinneswahrnehmung die einzige Erkenntnisquelle sei. Der Sinn aller wissenschaftlichen Sätze erschöpfe sich in der Beschreibung und weiteren Verarbeitung der sinnlichen Gegebenheiten. Nur darin bestehe ihre Verifizierbarkeit. Es gebe keine apriorischen Wahrheiten, die darüberstünden und eine ewige, notwendige Struktur des Seins darstellten. Unsere Begriffe, Sätze und sogenannten Wahrheiten seien konventionelle Annahmen, die sich an der Sinnlichkeit, die letztlich entscheidend bleibe, bewähren oder nicht bewähren. Wenn von einem Apriori die Rede sein soll, dann sei es höchstens eine Hypothese. Einen anderen „Sinn“, Wesenheiten etwa, Seinsprinzipien oder apriorische Fundamentalontologien, gebe es nicht. Darum seien alle Sätze über Gott, Seele, erste Ursache, Finalität, Transzendenz u. ä. sinnlos. Die darauf bezüglichen Probleme seien Pseudoprobleme. Die Philosophie habe nur die Aufgabe, die technischen Spielregeln herauszustellen, mit denen man die Sinnesdata in einem streng logischen Kalkül, in Analysis und Syntax, weiter verarbeiten kann. Die Philosophie komme dadurch in eine große Nähe zu den Einzelwissenschaften und erhalte so wieder einen konkreten und erweisbaren Gehalt. Die Freude an der schönen Technik des logischen Kalküls konnte aber nicht verhindern, daß die Ausgangsbasis der weiteren Kombinationen, die sogenannten Protokollsätze, die das in der Sinneserfahrung „Gegebene" beschreiben, nun doch wieder zum Problem gemacht wurde. Hier, und dann nochmals in der Verifizierbarkeit, hatte das Ist offenbar doch einen anderen „Sinn". Soll der unbeachtet bleiben? Damit ergaben sich wieder die alten erkenntnistheoretischen und metaphysischen Probleme, die man zuerst als Pseudoprobleme erklärt hatte. Insbesondere Reichenbach hat entgegen der Praxis des Wiener Kreises diese Fragen wieder aufgegriffen. Und nun führte die einmal aufgerührte Diskussion gerade in den positivistischen Kreisen, die ursprünglich auf das sinnlich „Gegebene" geschworen hatten, zu der Erkenntnis, daß im angeblich Gegebenen eine Reihe von Faktoren mitenthalten ist, die nicht ursprüngliche Sinnesdata darstellen, sondern a priori zur sinnlichen Anschauung hinzukommen, z. B. Einheit, Identität, Verschiedenheit, Ähnlichkeit, Ganzheit u. ä.; die aber auch keine Konventionen sind, weil sie zum Zustandekommen von Konventionen auch schon wieder vorausgesetzt werden müßten. Damit hatte der Positivismus sich selbst widerlegt. Später traten die antimetaphysischen Tendenzen zurück, und es bildete sich der vor allem Sprachanalyse treibende sogenannte logische Positivismus heraus.

γ) **Die Problematik des „Gegebenen"**

Literatur

C. W. Werkmeister, Sieben Leitsätze des logischen Positivismus in kritischer Beleuchtung. In: Philosophisches Jahrbuch 55 (1942) 162—186 366—389. V. Kraft, Der Wiener Kreis. Der Ursprung des Neupositivismus (Wien ²1968). R. Carnap, Scheinprobleme in der Philosophie. Nachwort von G. Patzig (1966).

c) Analytische Philosophie

α) **Linguistic analysis**

Die englische Philosophie ist gegenwärtig fast ganz analytische Philosophie (linguistic analysis). Man hört dort immer wieder, daß Philosophie überhaupt nichts anderes sein könne als Analysis der Sprache. Man hält sich für fortschrittlich und dünkt sich etwas erhaben über die altmodische Philosophie der Metaphysik und des Geistes. Man kann auch unduldsam sein, trotz der obligatorischen Sprachregelung, die von Toleranz zu reden weiß. Aber das kennt man alles schon von Hume her, der ja auch schon bereit war, metaphysische Bücher zu verbrennen, wie überhaupt das ganze Fortschrittsgerede, gleichviel ob in der analytischen Philosophie oder in der Soziologie oder im Marxismus, noch immer das als neu verkaufte 18. und 19. Jahrhundert ist. Die sprachanalytischen Tendenzen waren in England im übrigen schon vor der Gründung des Wiener Kreises da. Sie wurzeln im angestammten englischen Empirismus, und es ist vor allem die Universität Cambridge gewesen, aus der die neuen, auf eine analytische Philosophie bedachten Impulse hervorgingen. So kritisierte hier G. E. Moore (1873—1958) den in Oxford gepflegten Idealismus, wofür etwa F. H. Bradley (s. oben S. 437) bezeichnend war, mit Argumenten, die bereits darauf hinausliefen, klare und genaue Begriffe zu fordern, die an der Erfahrung verifiziert werden könnten. Auch B. Russell hat seine Theorien der logischen Analysis schon vor dem Wiener Kreis entwickelt. Das gilt ebenso auch von dem für die jüngste britische Philosophie besonders maßgeblichen Verfasser des berühmten Tractatus logico-philosophicus (1921), L. Wittgenstein (1889—1951). Er war von Haus aus Österreicher und wirkte stark auf den Wiener Kreis. Dann allerdings wirkte auch der Wiener Kreis auf die neuere englische Philosophie, besonders durch die Schriften von A. J. Ayer (geb. 1910).

β) Und der Positivismus

Bei den Sprachanalytikern (analysts) spielt der Neupositivismus oder „logische Positivismus", wie man in England zu sagen pflegt, eine bedeutende Rolle, und damit auch wieder die in diese Richtung abgedrängte Logistik, schon von Russell her. Dabei muß man sich allerdings klar sein über den Sinn dieses Wortes. Wenn Positivismus soviel heißt wie: alles Erkennen der Wirklichkeit wird ausschließlich durch die Sinneserfahrung und die Einzelwissenschaften zustande gebracht, dann sind wohl alle Analytiker Positivisten. Wenn Positivismus aber heißen soll, daß jede Metaphysik sinnlos ist, dann wäre dem nicht so, da einige die Grenzen des Positivismus durchschauen. Abgesehen von Radikalen, wie z. B. G. Ryle (1900—1977), hat sich also die frühere antimetaphysische Tendenz gemildert.

γ) Die Zielsetzung

Daß alle Philosophie Sprachanalyse sein soll, ist nun eine

Ansicht, die selbst wieder verschieden verstanden werden kann. Die englischen Analytiker berufen sich darauf, daß alle Philosophie immer schon Sprachanalyse gewesen sei. Wenn Platon etwa Begriffe wie „gut" und „wahr" aufgreift, tue er nichts anderes, als daß er die Sprache in ihre Gehalte zerlege. Das wird man nicht bestreiten können, genauer, man wird nicht bestreiten können, daß er davon ausgeht. Das hat die Philosophie tatsächlich immer getan und muß sie immer tun, weil viele philosophische Theorien nur auf Mißverständnissen des Gesehenen und Gesagten beruhen. Man wird allerdings nicht zugeben, daß die Philosophie keine eigenen Wahrheiten finden und nur wiedergeben könne, was schon in der Sprache enthalten sei. Diese Behauptung widerlegt allein schon die transzendentale Logik und die Phänomenologie. Aber Sprachanalyse überhaupt ist ein unerläßliches philosophisches Denkmittel und war es immer. F. Copleston hat das sehr schön gezeigt. Er bringt das sprachanalytische Beispiel der zwei Sätze „Ich sehe jemand auf der Straße" und „Ich sehe niemand auf der Straße". Sie sind grammatikalisch gleich, aber von ganz verschiedener logischer Qualität, denn der jemand, den ich sehe, ist etwas anderes als der niemand, den ich auch „sehe". B. Russell ist wegen der Entdeckung dieses logischen Unterschiedes sehr gelobt worden. Copleston erwähnt aber, daß die Sache schon von Anselm von Canterbury gesehen und besprochen wurde, als er das Nichts erläuterte, von dem in der Rede von einer Schöpfung aus dem Nichts gesprochen werde. Dieses Nichts ist nach Anselm von anderer logischer Art als ein sonstiges Substantiv. Nur auf Grund „einer beklagenswerten Unkenntnis der Philosophiegeschichte" könne man die Entdeckung Russells preisen. Die Sprachanalyse trieb man also immer schon. Nur hat man darüber nicht viel Aufhebens gemacht und das handwerkliche Rüstzeug nicht zur Philosophie im ganzen aufgeblasen. Die Sprachanalytiker wollen allerdings über diese Allgemeinheiten hinaus noch etwas Besonderes bringen. Es ginge ihnen um bestimmte wissenschaftlich-logische Gesetze, die in Zukunft unseren Aussagen einen eindeutigen, verifizierbaren Sinn geben könnten. Ein Begriff hätte z. B. nichts anderes zu sein als ein eindeutiges Zeichen für Gegenstände oder Gegenstandsarten, ein Urteil eine eindeutige Bezeichnung für die Beziehungen, die zwischen ihnen bestehen. Das allein mache Erkenntnis aus. Daß dieses Schachspiel zu wenig ist, um das zu treffen, was wir Erkenntnis heißen, leuchtet ein. Die Analytiker sollten die Sprache in dem Punkt besser vor ihre Theorie setzen und sie richtiger deuten. So versucht man also auch, den Sinn von Aussagen im Geist des logischen Spieles zu verstehen. Erste Vorschrift ist dann, daß ein Satz nach syntaktischen Regeln der Sprache gebaut sei. Man könne sagen: „Das Pferd frißt", könne aber nicht sagen: „frißt frißt". Darum sei z. B. der Satz Heideggers „Das Nichts nichtet" von vornherein sinnlos. Das Nichts habe darin zwar die Form eines Substantivs, sei aber keines. Unter den Regeln der Verifikation steht an erster Stelle, daß man ein empirisches Kennzeichen für den Gegenstand angebe, über den man spricht. Da gehen die Meinungen jetzt aber schon auseinander. Die Radikalen sagen: Weil man für Gott, das Unbedingte, den Weltgrund, das wahrhaft Seiende usw. solche empirische Daten nicht angeben könne, seien diese Worte sinnlos und die Probleme der Metaphysik Pseudoprobleme. Nicht alle Sprachanalytiker sehen also, daß mit der Forderung der Verifizierbarkeit, der Forderung des sinnlich „Gegebenen", ja sogar schon mit der Rede von sinnvollen Sätzen oder auch nur richtigen Sätzen bereits eminent philosophische und metaphysische Probleme angeschnitten sind. Immerhin, einige sehen es. Sie kritisieren die radikalen Thesen. Im allgemeinen aber steht der Schatten Humes über dieser Art von Philosophie, und wenn man dabei von Logistik spricht, ist der darin investierte Logos zu wenig, um noch an das heranzukommen, was der wirkliche Geist der abendländischen Philosophie gewesen ist. Der positivistische Logos ist nur noch ein Schemen des lebendigen Logos; insofern typisch für das viele Unechte unseres Jahrhunderts. „Am Ende jeder Kultur landet die menschliche Angst bei Taschenspielertricks voller Meisterschaft: bei reiner Dichtkunst, reiner Musik, reinem Denken. Im letzten Menschen, der sich von allem Glauben, von allen Illusionen befreit hat, der nichts mehr erwartet und nichts mehr fürchtet, ist der Ton, aus dem er gemacht ward, zu Geist geworden, aber der Geist hat nichts mehr wo er Wurzeln schlagen und sich nähren kann ... Der letzte Mensch ist entlarvt: ... Alle Dinge sind zu Wörtern, alle Wörter zu musikalischer Taschenspielerei geworden, und nun sitzt er im äußersten

δ) Die Problematik

Winkel seiner Einsamkeit und zerlegt die Musik in mathematische Gleichungen, die stumm bleiben" (N. Kazantzakis in einer Reflexion über die Gedichte Mallarmés). Der „Nihilismus", den Heidegger bedenkt, weiß um die Gefahren unseres Jahrhunderts und will sogar schöpferisch werden. Der Nihilismus, der aus dem Nominalismus und Empirismus aufsteigt, scheint beim reinen Nichts stehenbleiben zu wollen, weil er Wörter jongliert, die nur Schale sind und keinen Kern mehr haben.

Texte und Literatur

A. J. Ayer, Language, Truth and Logic (^{2}1946, dt. 1970). Ders., The Foundation of Empirical Knowledge (1940). G. Ryle, The Concept of Mind (1949, dt. 1970). A. J. T. D. Wisdom, Other Minds (1952). La philosophie analytique. Textes de L. Apostel, J. Austin, E. W. Beth, R. Hare, W. V. O. Guine, G. Ryle, P. F. Strawson, J. Urmson, J. Wahl, B. Williams (Paris 1962). R. Bubner (Hrsg.), Sprache und Analysis (1968). W. K. Essler, Analytische Philosophie (1972). G. E. Moore, Grundprobleme der Ethik. Vorwort von N. Hoerster (1975). — F. Copleston, Contemporary Philosophy. Studies of Logical Positivism and Existentialism (London 1956, ^{3}1960). D. F. Pears (Edit.), The Nature of Metaphysics (London 1957) (Vorträge verschiedener Gelehrter im 3. Programm BBC London zur Problematik positiver Wissenschaft und Metaphysik). G. Küng, Ontologie und logistische Analyse der Sprache. Untersuchungen zur zeitgenössischen Universalien-Diskussion (Wien 1963). G. Pitscher, Die Philosophie Wittgensteins. Eine kritische Einführung in den Tractatus und die Spätphilosophie (1967). W. Schulz, Wittgenstein. Die Negation der Philosophie (1967). G. J. Warnock, Englische Philosophie im 20. Jahrhundert (1971). H. Schrödter, Analytische Religionsphilos. Hauptstandpunkte und Grundprobleme (1979).

NAMENREGISTER

SACHREGISTER

BERNHARD WELTE

ZEIT UND GEHEIMNIS

Philosophische Abhandlungen zur Sache Gottes in der Zeit der Welt

In den Beiträgen dieses Buches geht es dem Freiburger Religionsphilosophen darum, von den Fragehorizonten unserer Zeit aus auf die Transzendenz, auf das Geheimnis, auf Gott und auf die Sache des Christentums aufmerksam zu machen. Dabei haben neue geistige Impulse — die neuen Formen des Positivismus und der analytischen Sprachphilosophie, vor allem aber die kritische Theorie der Frankfurter Schule — Thematik und Stil der neuen Arbeiten modifiziert.
So behandelt er neben allgemeinen Fragen über das grundlegende Verhältnis von Zeit und Geschichte zum menschlich personalen Leben auch spezielle Fragen der Zeit, wie Atheismus oder Entfremdung, so sucht er neue Ansätze für die Frage nach Gott oder nach der religiösen Sprache, so spürt er aber auch alten Gedanken um Gott und Religion nach, um sie im Licht der neuen Zeit zu deuten. Hier tauchen drei Gestalten auf — Thomas von Aquin, Hegel und Heidegger —, die Welte als die „Väter“ seines Gedankens bezeichnet; sechs Aufsätze, die das Herzstück dieses Buches darstellen.
Mit zwei philosophischen Beiträgen über den Sinn von Wahrheit im Bereich des Glaubens und über die Krisis der dogmatischen Christusaussagen schließt Bernhard Welte den Bogen, der sich über die notwendige wechselseitige Herausforderung philosophischen Denkens mit dem christlichen Glauben spannt.

328 Seiten, gebunden, ISBN 3-451-17165-1

VERLAG HERDER FREIBURG · BASEL · WIEN